NEROPOLIS

HUBERT MONTEILHET

NÉROPOLIS

ROMAN
DES TEMPS
NÉRONIENS

JULLIARD/PAUVERT

© Éditions Julliard, 1984.
ISBN 2-260-00374-5

« ... Ce grand empire qui a englouti tous les empires de l'univers, d'où sont sortis les plus grands royaumes du monde, dont nous respectons encore les lois et que nous devons par conséquent mieux connaître que tous les autres empires. »

BOSSUET.

PREMIÈRE PARTIE

I

L'habilleur d'Aponius n'en finissait pas de draper la toge autour du corps de son maître : il resserrait ou desserrait le « baudrier » ceignant la taille, il donnait de la grâce à la sinueuse retombée du tissu qui allait servir de sac à main au sénateur, il veillait à ce que fût bien en place la large bande de pourpre sombre délimitant le diamètre de la pièce semi-circulaire de tissu et dont la couleur somptueuse tranchait sur le blanc mat de la laine repassée de frais. Les toges de cérémonie avaient pris vraiment ces derniers temps une folle dimension et il ne fallait plus songer à les revêtir sans le concours d'un artiste. Le barbier déjà, à force d'irritantes minuties, avait mis Aponius en retard, bien qu'il se fût levé avec le soleil d'automne.

Pomponia, qui aurait dû à cette heure sacrifier encore au sommeil ou abandonner ses mûrs appas aux soins esthétiques de ses caméristes, parut en peignoir, la chevelure défaite et l'air inquiet. Elle avait fait un mauvais rêve, le même qui l'avait poursuivie dans les débuts de son remariage, il y avait de cela une dizaine d'années, quand Aponius avait failli être emporté dans la disgrâce de Séjan, le favori trop ambitieux de Tibère. Métamorphosé en aigle, son mari, après quelques évolutions majestueuses au-dessus de la ville, s'abattait tout d'un coup dans une arrière-cour du Palais, où la valetaille se précipitait sur lui pour le plumer et le mettre en broche. Rêve d'autant plus remarquable qu'Aponius n'avait rien d'un aigle.

Aponius haussa les épaules, celle que recouvrait la toge et celle laissée libre afin que le bras commentât plus à l'aise les discours capitaux qu'il ne prononcerait sans doute jamais. Certes, il ne jouait pas à l'esprit fort et il n'aurait eu l'imprudence ni l'impiété de négliger a priori les présages et les rêves. Si César avait écouté sa quatrième femme, Calpurnia, il aurait survécu aux Ides de mars. Mais enfin, de mémoire d'homme, aucune vente aux enchères de gladiateurs n'avait porté malheur aux chalands.

« Ce n'est pas une vente aux enchères ordinaire, Marcus. L'affaire est bien bizarre.

— Bizarre ou extraordinaire, j'en reviendrai !

— Pourquoi Caligula met-il sur le marché une telle quantité de " Juliani " ? »

Ces gladiateurs impériaux tenaient le haut du pavé à Rome, dans bien des villes d'Italie et des provinces conquises, et s'enorgueillissaient du titre, qui rappelait leur appartenance à la maison des Césars.

La réponse était évidente :

« Notre empereur Caius vient de dissiper les trésors de Tibère. Il doit aujourd'hui faire flèche de tout bois et il liquide le surplus des spectacles dont il avait régalé les foules depuis son avènement.

— Mais en fait de gladiateurs, jusqu'à présent, Caius avait été plutôt preneur que vendeur.

— C'est bien parce que, toqué de gladiature, il avait gonflé les effectifs au-delà du raisonnable qu'il les dégonfle ce matin.

— Une telle vente, il me semble, n'intéresse normalement que les " lanistes " italiens ou provinciaux, spécialistes de ce trafic. Pourquoi inviter des sénateurs, et en si grand nombre ? Qu'ont-ils besoin de gladiateurs ?

— Le fait est que, de nos jours, il n'y a plus que l'empereur pour offrir des Jeux à la plèbe romaine, personnellement, ou par le biais des favoris qu'il veut honorer. Tu oublies cependant que beaucoup de sénateurs ont en dehors de Rome d'importantes clientèles, des amis ou protégés susceptibles de monter un spectacle pour éblouir le conseil municipal et s'assurer de bonnes élections. Ces gens-là sont toujours heureux qu'on mette gracieusement quelques gladiateurs à leur service.

— Tu n'as guère qu'une petite clientèle romaine.

— Raison de plus pour ne rien débourser ! Je pars gagnant.

— On n'a jamais vu un empereur assister à une vente de gladiateurs. Et une vente où il n'apparaît point comme un acheteur honorable, un " munéraire[1] " occasionnellement soucieux de popularité, mais comme un trafiquant, vendeur de sa propre " familia " gladiatorienne. Les affranchis impériaux responsables des casernes ou les lanistes en sous-ordre sont là d'ordinaire pour jouer ce rôle décrié. »

La remarque était pertinente. Le trafic professionnel de gladiateurs

---

1. *Toute les notes sont de l'auteur.*
Le « munus » ou cadeau était un spectacle offert au peuple par un personnage officiel ou par un particulier qui prenait alors l'étiquette provisoire de « munéraire ».

était à peine plus considéré que celui de la chair à plaisir. L'infamie du leno, pourvoyeur de filles ou de mignons, rejoignait celle du laniste, pourvoyeur d'amphithéâtres — dont on disait d'ailleurs que le nom venait de « lanius », l'artisan boucher. Assurément, les lanistes qui avaient sous leur gouverne la gestion et l'entraînement du corps d'élite des « Juliani » échappaient au dernier mépris en raison de l'importance de leur rôle et de leur rattachement à la maison du Prince. Mais aucun laniste, aucun leno ne laissait d'inscription révélatrice et flatteuse sur son tombeau. Cela était bon pour l'empereur qui les employait, pour le public qui réclamait leurs services, pour les gladiateurs mêmes dont la bravoure avait lavé l'infamie — alors que celle, jugée moins courageuse, du laniste ou du leno, des filles ou des mignons, n'était lavée que par les thermes. Telle était l'inconséquence du monde.

Oui, bien sûr... Mais depuis la maladie qui lui avait dérangé l'esprit, Caligula n'en était plus à un désordre près, et si l'habilleur n'avait pas tendu l'oreille, Aponius aurait pu en raconter quelques-uns à sa femme.

Il s'assit pour qu'on le chausse des éblouissants brodequins de cuir rouge à croissants dorés, qui signalaient aux populations qu'il avait exercé une magistrature curule, et il déclara par euphémisme que Caligula était un fantaisiste dont on pouvait tout attendre. Et c'était bien là que le bât blessait. Rome avait eu le loisir d'apprécier d'autres cruautés, d'autres débauches, d'autres infamies. Ce qui dérangeait surtout les hommes pondérés, dans celles de Caius, c'était leur caractère imprévisible, assorti d'un humour où une logique aberrante avait sa part. N'avait-il pas nourri un moment les fauves destinés aux Jeux avec des condamnés de droit commun qui leur étaient normalement réservés, assurant qu'il était bon pour les bêtes de retrouver en avance sur l'horaire le régime des chairs palpitantes qui leur rappellerait les beaux jours de la liberté ? Aucun zoologiste n'aurait pu prouver le contraire. Une fantaisie d'un goût vraiment déplorable !

Mais Aponius n'était ni un aigle ni un lion. Quelle atrocité à craindre dans une vente aux enchères de gladiateurs ?

Tandis qu'on laçait les brodequins, Pomponia, qui n'était pas trop convaincue, faisait d'ultimes efforts pour dissuader son mari de sortir, arguant qu'elle flairait un piège, dont elle ne pouvait, il est vrai, distinguer raisonnablement la nature. Que vaut l'intuition sans la raison ?

Aponius s'efforça de la rassurer en plaisantant et finit par lui dire : « Caius m'a demandé de venir, comme à bien d'autres. Si je me fais porter malade, il y verra, tel que tu le connais, une marque insultante de méfiance. Là est le risque le plus certain. »

Les porteurs de litière attendaient sous le portique vestibulaire extérieur, en compagnie de la troupe de clients qu'Aponius avait rameutés pour l'accompagner à l'aller comme au retour. De quoi aurait-il l'air s'il les congédiait ?

Il s'arracha aux embrassements de Pomponia avec une impavidité romaine et sortit des appartements privés. Barbier, habilleur et épouse lui avaient fait perdre un temps précieux et la vente devait être commencée. Une arrivée trop tardive allait-elle le faire mal voir ? Alors qu'il traversait l'atrium, la grande horloge sonna la demie de la troisième heure. Avant de prendre place dans la litière, il tira du « sinus » de sa toge son cadran solaire miniature et vérifia l'heure au soleil, qui avait pris de la hauteur dans un ciel bleu sans nuages.

L'horloge de l'atrium semblait heureusement en avance.

Chemin faisant, au gré du balancement de la litière, qui dégringolait les pentes de l'aristocratique mont Caelius pour gravir bientôt celles du Palatin, Aponius était frappé comme tant d'autres par l'insondable difficulté d'avoir l'heure exacte à Rome. C'était à se demander si on avait pris une voie convenable pour y arriver...

Le jour était partagé en douze heures, et la nuit aussi. De la sorte, d'un solstice à l'autre, les heures diurnes et nocturnes, douées d'une élasticité chronique, s'allongeaient ou se rétrécissaient entre les bornes d'une demi-heure, les équinoxes étant les seuls jours de l'année où les heures consentaient à être de même durée. Et pour qu'on y voie encore moins clair, les vingt-quatre heures de la journée civile étaient comptées de minuit à minuit, au passage de la sixième à la septième heure nocturne, c'est-à-dire à un moment où le soleil n'était plus en course pour apporter une précision quelconque aux dormeurs. Midi était évident, minuit était bien obscur. Les Grecs — et, disait-on, les Juifs — n'étaient-ils pas plus raisonnables de faire partir leur jour astronomique du coucher du soleil, et les Babyloniens, de son lever ?

La vulgarisation du cadran solaire concave à style, le « gnomon » grec, avait marqué un grand progrès. L'éclairage solaire de cet instrument indiquait dans l'un des sens du balayage la longueur des heures de jour, et renseignait dans l'autre sur la hauteur saisonnière de l'astre. Mais chaque gnomon devait être précisément construit pour la latitude du lieu d'emploi et orienté avec le plus grand soin. Aponius songeait avec amusement à l'histoire célèbre de M' Valerius Messala, qui, au début de la première guerre punique, avait fièrement installé devant les comices un gnomon raflé à Catane. L'heure de Rome était ainsi demeurée officiellement fausse trois générations durant !

Puis les horloges hydrauliques s'étaient répandues, qui présentaient l'avantage de donner aussi les heures de nuit. L'eau s'écoulait d'un récipient cylindrique de verre, dont la surface avait été divisée verticalement en mois, et horizontalement en heures. Aponius avait même une horloge giratoire, qui présentait toujours à l'observateur la colonne d'eau fuyante en rapport avec les divisions horaires du mois où il se trouvait. Ainsi, en théorie du moins, l'horloge maîtrisait l'élasticité horaire dans le cadre mensuel, où les variations étaient négligeables. Mais en pratique, on était bien obligé de régler chaque horloge sur un proche gnomon, source solaire de l'unique précision. Et les imperfections fatales du gnomon s'ajoutaient à celles de l'horloge pour tout embrouiller. Les sonneries commandées par flotteurs avaient beau faire tinter des carillons de clochettes argentines ou siffler des automates emplumés, l'heure romaine demeurait des plus approximatives.

Le dicton n'avait pas tort : « Il est plus facile d'accorder entre eux les philosophes que les horloges ! »

Le tapage houleux de la racaille cosmopolite, qui avait bercé la litière, s'évanouit soudain, et, derrière ses rideaux tirés, Aponius sut qu'il venait de pénétrer dans le havre de calme qui environnait le palais neuf du défunt Tibère.

Dans une grande salle bourdonnante de monde — mais devant une chaise impériale encore vide —, le crieur expédiait sans passion un ramassis d'esclaves qui jouaient les utilités : des arbitres en second, des sonneurs de trompette ou de cor, spécialisés dans la ponctuation musicale des tueries, des hérauts ou des porteurs de pancartes, qui assuraient la liaison entre le président des Jeux, les gladiateurs et le public, des soigneurs, des masseurs, des infirmiers, des rebouteux, des arroseurs et des ratisseurs, des garçons de piste et des porteurs de civière, des croque-morts, qui se déguisaient en Charon ou en Pluton pour conduire vers le spoliaire les dépouilles des gladiateurs égorgés, un Mercure aussi, ce messager des dieux, qui, sur un signe du président, donnait le signal des réjouissances... tout un petit monde qui ne faisait jamais parler de lui.

Aponius se fraya un passage dans la foule demeurée debout vers les sièges réservés aux sénateurs en demi-cercle devant le théâtre de l'action.

Les murs de la salle avaient été ornés de palmes bien vertes et de couronnes de roses rouges, allusion symbolique aux récompenses coutumières des vainqueurs, et le podium légèrement surélevé où les lots défilaient avait été abondamment sablé comme une arène. Une délicate et pieuse attention avait fait dresser à l'arrière de ce podium les statues des dieux et déesses pour lesquels les gladiateurs nourrissaient une dévotion particulière : Hercule et Mars, Vénus, à qui les heureux survivants dédiaient des armes votives, et Némésis, fille de la Nécessité et vengeresse des crimes, qui présidait aux affrontements athlétiques les plus sanglants. Et de l'autre côté, à l'entrée de la pièce, un Hermès en pied favorisait le commerce.

Était accouru — outre des sénateurs complaisants — tout ce que le monde si spécial de la gladiature recelait d'acheteurs potentiels : ce qui restait des grands lanistes capouans après la période faste, frénétique, inoubliable, de la République finissante, où une noblesse dévorée d'ambitions faisait assaut de surenchères pour ramasser les votes de la plèbe romaine dans le sang des gladiateurs sacrifiés sans compter ; ce qui restait à Rome même de petits lanistes indépendants malgré la concurrence écrasante des établissements impériaux ; des lanistes de toutes les régions d'Italie et de la plupart des provinces, car la gladiature était devenue un fait universel de civilisation, une marque de communion avec la Rome exemplaire. Mais nombre de généreux munéraires, désireux d'offrir des Jeux dans une ville italienne ou provinciale sans en passer par le canal des lanistes, s'étaient aussi déplacés, et jusqu'à des prêtres orientaux du culte impérial, qui faisaient de l'« édition » d'un beau spectacle une éclatante manifestation d'allégeance. La vente avait été prévue depuis le printemps.

L'assistance était complétée par des curieux qui souhaitaient voir Caligula de près. Dans sa loge palatine, d'où il dominait les enthousiasmes ou les orages du Cirque Maxime au passage poussiéreux des quadriges, Caius était inaccessible. Et dans les autres Cirques, amphithéâtres ou théâtres, il restait isolé de la plèbe par de compacts rideaux de gardes.

Aponius finit par trouver place entre le gros Cornelius Cordus, qui, au sortir de sa questure, s'était prudemment désintéressé de la politique pour se consacrer à manger, et le maigre Carvilius Ruga, personnage consulaire qui se piquait de stoïcisme et dédaignait les spectacles. Sur les six cents Pères conscrits, Aponius aurait pu en saluer cent cinquante de leur nom !

Par les baies ouvertes, on distinguait en contrebas, bien au-delà du raidillon de la Victoire, qui grimpait vers le Palatin, les Forums de César et d'Auguste, que dominait le Capitole, ancré comme un grand navire de pierre, avec son Intermont déprimé entre la proue et la poupe monumentales. C'était l'image de la permanence, de la tradition, de la sûreté, dans une chaude lumière d'automne.

Rassuré, Aponius se mit à bavarder avec ses voisins, tandis que la vente suivait son cours.

On liquidait à présent des lots de « tirones ». Le « tiro », ce bleu des légions, avait donné son nom à la bleusaille de la gladiature, ces jeunes dans l'attente d'un premier combat que leur inexpérience risquait de rendre fatal.

Beaucoup de ces novices étaient des esclaves, qui acceptaient de rechercher dans l'exercice des armes une dignité que leur condition leur refusait. Mais une forte minorité d'hommes libres ou d'affranchis avaient signé moyennant finances ce contrat si original d' « auctoratio », par lequel on abdiquait sa liberté aux mains d'un trafiquant, pour un certain temps ou pour un certain nombre de rencontres. Ces gladiateurs sous contrat étaient souvent des fils de famille décavés qui, après avoir vendu leurs biens, s'étaient vendus eux-mêmes en désespoir de cause. Leur père les avait avertis : « Si tu continues comme ça, tu finiras à la gladiature ! » Et papa avait eu raison.

Lanistes et munéraires achetaient les esclaves corps et âmes, et rachetaient les contrats d' « auctoratio », qui entraînaient des enchères plus animées, car les spectateurs des Jeux étaient naturellement flattés que des hommes libres se dévouent à leur plaisir.

Cordus racontait à Aponius comment il venait de remporter une autre enchère beaucoup plus intéressante : « Figure-toi qu'avant-hier matin à l'aube, au marché transtévérin des pêcheurs — les connaisseurs dédaignent le grand marché aux poissons du Vélabre —, j'ai arraché pour 8 000 sesterces, à une bande d'amateurs fanatiques, un bar plus long que le bras. Que dis-je : un bar ? Un bar romain ! Celui que les pêcheurs appellent " catillo ", le parasite lécheur de plats qui vit dans le Tibre à la sortie des égouts. Celui qu'on appelle encore : " le bar d'entre les ponts". Un vrai catillo, et de cette taille, n'a pas de prix. Si tu l'avais vu, gras comme un prêtre d'Isis ou un eunuque de Cybèle, donnant des coups de queue furieux dans sa bassine ! Je l'ai fait cuire tout vif dans un court-bouillon des plus étudiés, afin de mieux lui conserver toute sa fraîcheur, et je l'ai dégusté bourré d'une farce composée de foies de gros surmulets, d'huîtres du lac Lucrin, de cœurs d'oursins et de quenelles de homards, avec une sauce sublime liée au riz des Indes. Le fumet du catillo a quelque chose de bouleversant. »

Aponius, qui ne faisait pas de frais de table excessifs, acquiesçait poliment, et il se tourna bientôt vers le stoïcien, qui lui posait une question :

« Une chose m'échappe dans cette affaire — il est vrai que je suis si peu averti... Je m'étais laissé dire que les lanistes proposaient à leurs acheteurs munéraires des contrats de location-vente, où il était entendu que les vainqueurs seraient loués ; les morts ou les éclopés vendus ferme. Pourquoi donc les munéraires ici présents achètent-ils ou rachètent-ils comptant des esclaves ou des contrats de gladiature ?

— Tu imagines bien que je ne suis pas moi-même très au courant de ces questions, répondit noblement Aponius. Je ne vais guère à l'amphithéâtre que pour apprécier la qualité de l'escrime. Je puis toutefois te dire que celui qui offre un spectacle a intérêt à payer comptant si les prix sont en hausse. Et comme la gladiature fait rage sous ce règne, les prix flambent. On ne peut que revendre plus cher après la fête.

— Tu me parais plus au courant que tu ne le dis. »

Aponius protesta mollement, ne sachant trop si le soupçon était fâcheux ou flatteur.

Le crieur s'efforçait de pousser des équipes de bestiaires, dont la cote restait assez basse. Les bestiaires étaient les tâcherons de l'arène et — sauf mémorables exceptions — leur réputation souffrait un peu du fait qu'ils s'occupaient accessoirement de livrer aux bêtes des condamnés de droit commun, qu'ils avaient enfin la corvée d'achever si les fauves repus s'étaient montrés négligents.

Le gastronome qui faisait cuire tout vif du « catillo » de Cloaque Maxime revint à la charge : « Je t'ai entendu parler à Ruga de gladiature tout à l'heure. Quelle décadence pour notre noblesse ! Sous la République, les édiles curules ou plébéiens, les préteurs offraient au peuple des Jeux magnifiques et chaque ambitieux y était expert. Cicéron lui-même trafiquait de gladiateurs en sous-main. Alors que depuis Auguste, c'est tout un collège de préteurs qui en tirent deux au sort pour organiser une fête dont l'empereur n'admet pas qu'elle puisse concurrencer les siennes. Encore Tibère a-t-il supprimé la fête la plupart du temps ! Ainsi, on peut arriver aujourd'hui au consulat en toute ignorance de l'arène. »

Ce n'était que trop vrai. La noblesse n'était plus ce qu'elle avait été. Elle avait perdu le monopole des Jeux. A Rome, Jeux et pouvoir étaient liés.

Mais que fichait l'empereur Caius ? Était-il seulement levé ?

Le crieur faisait un sort à des lots de gladiateurs sans grand relief. Étant tombés sur plus maladroit qu'eux à leur premier combat, ils étaient passés « vétérans », mais n'avaient point brillé par la suite. Leurs palmes victorieuses étaient rares, et plus rares encore les couronnes qui récompensaient l'exploit.

En intermède, on jeta sur le marché quelques gladiatrices [1] ou chasseresses, qui excitèrent plus de curiosité malsaine que de passion. Il y eut cependant une poussée d'intérêt pour une paire de gladiatrices borgnes du même œil, qui suscitèrent de gros rires. Les Romains avaient sans cesse apprécié les choses exceptionnelles. On fit également défiler une bande de nains, dont deux étaient noirs. Les nains étaient souvent opposés aux gladiatrices de façon assez plaisante.

---

1. La gladiatrice sera interdite d'arène par Septime Sévère († 211), un Nord-Africain méprisant le beau sexe.

La matinée s'avançait, Caligula se faisait toujours désirer, et l'on ne pouvait adjuger sans lui les vedettes du jour, les champions dont les noms étaient sur toutes les lèvres. Esclaves ou la plupart du temps sous contrat, ils venaient non seulement de la grande caserne romaine du Caelius, le cœur de la gladiature impériale, mais aussi des casernes de Capoue ou de Ravenne, et même de Nîmes, de Narbonne, de Cordoue et de Cadix, d'Alexandrie ou de Pergame. Car ces spécialistes, qui avaient fait du triomphe une vocation, valaient le voyage.

Leurs victoires ne se comptaient plus. On vantait des palmarès de 40, de 60, de 80 et jusqu'à plus de 100 ! Résultats d'autant plus étonnants qu'ils étaient le fruit d'une expérience consommée jointe à un caractère, à une résistance nerveuse hors du commun. Depuis de longues années, de tels hommes ne se mesuraient plus guère qu'à des égaux, et chaque survie exigeait plus de science, plus d'audace et de prudence, plus d'ardeur et de sang-froid, avec la part de chance que les dieux accordent à leurs commensaux et qui fait rêver le vulgaire.

Certains avaient obtenu leur « rudis », cette baguette arbitrale qui était symboliquement remise à l'esclave que ses mérites avaient affranchi de l'arène ou à l'individu en fin de contrat. Mais ces « rudiarii », possédés par un furieux appât du gain, pris aux tripes par les amers relents de la gloire, avaient héroïquement rengagé. De nouveau, ils avaient accepté la discipline du « ludus », nom justement donné à leur caserne, car il signifiait à la fois « jeu » et « école ». Et de nouveau, leur spartiate chambrette s'était peuplée de filles faciles ou de femmes du monde fascinées par le va-et-vient de tous leurs muscles.

Pour patienter, on les fit monter sur le podium, au milieu des acclamations dont la plèbe avait donné le signal au fond de la salle. Il y avait là des Cisalpins, des Gaulois, des Espagnols, des Germains, des Illyriens, des Dalmates, des Africains, des Syriens, des Juifs et des Grecs... comme un résumé du monde connu, amis, ennemis ou indifférents, tous prêts à s'entre-tuer pour le plaisir de tous les peuples.

On ouvrit alors au public, dans un coin de la salle, des étalages de souvenirs dédiés aux gladiateurs les plus célèbres, ceux dont la disparition était quasiment un deuil public. Beaucoup d'amateurs faisaient collection de lampes, de verreries, de médaillons à l'effigie des élus, avec des inscriptions excitantes.

Il allait bientôt être midi, l'heure sacrée où la plupart des travaux et affaires s'arrêtaient pour la journée, où l'on mangeait un morceau sur le pouce avant de faire la sieste et d'aller aux bains.

Enfin, précédé d'une rumeur qui suffit à plonger la salle dans un silence subit, Caligula fit son apparition. Il était accompagné de sa femme Caesonia, une vieille peau experte aux pires joyeusetés, et de quelques amis surchargés de bagues, dont les mines invitaient à deviner de quel côté il les utilisait. Caius estimait que la plus belle parure d'une épouse est l'expérience, puisqu'elle est si rare et se renforce avec la maturité, alors que la chair fraîche est si courante. Sur les talons de ce joli monde marchait le fameux Sabinus, gladiateur « thrace » renommé, auquel Caius avait confié le commandement de sa garde germanique. Les prétoriens se fussent vexés d'être sous la coupe d'un gladiateur. Mais les mercenaires germains n'y regardaient pas de si près et partageaient avec les piliers de l'arène une réputation d'aveugle fidélité à leur maître qui n'était plus celle des prétoriens, portés aux intrigues. Sabinus, en cuirasse, était suivi d'un choix de grands soldats blonds aux larges carrures, aux yeux bleus étonnés, comme s'ils venaient de sortir des forêts de leur pays. Les hommes de la garde germanique ne quittaient pas Caius d'une semelle.

La tenue impériale faisait sensation, mélange extravagant d'attributs divins, guerriers, mâles ou femelles, qui se résumaient en une courte barbe virile saupoudrée d'une impalpable poussière d'or. Neptune était là, avec un petit trident d'électrum que Caius agitait nerveusement. La cape d'imperator, parsemée d'étoiles argentées on ne savait trop pourquoi, jurait étrangement avec la fine tunique assortie de ces manches trop longues qui signalaient aux amateurs des penchants efféminés, et, plus encore, avec ces sandales de femme, dont les lanières s'enroulaient comme les pampres de la vigne autour de maigres mollets velus. Où était passé l'enfant d'autrefois, qui avait dû son surnom de Caligula — autrement dit « petit godillot » — aux souliers de troupe portés un moment pour gagner le cœur des légions ? Depuis sa maladie, depuis la mort, l'année précédente, de cette sœur Drusilla qu'il avait chérie si passionnément et de si près, Caius avait visiblement perdu l'esprit. Mais jusqu'à quel point ?

Une peur irraisonnée glaça les sangs d'Aponius, qui se fit tout petit entre ses voisins.

Invitant d'un geste les sénateurs à se rasseoir, Caius sauta sur le podium, et marcha un moment de long en large devant le front des gladiateurs figés, comme pour les passer en revue. De temps à autre, il pirouettait brusquement et tournait vers l'assistance un visage livide et hermétique.

La surélévation de l'estrade étant faible par rapport au dallage de marbre, les sénateurs des premiers rangs pouvaient voir s'imprimer des caractères dans le sable sous les pas du Prince, ce qui arracha à quelques-uns de sourds murmures : seules certaines filles de joie, afin d'éclairer le chaland que leur mise trop honnête aurait fait hésiter, avaient coutume de clouter leurs sandales de façon que leur démarche, laissant des messages grivois, fût doublement attirante. On se pencha pour mieux distinguer, et on lut enfin sur l'étroite arène, non point l'écriteau habituel des portiers enchaînés à leur loge : « CAVE CANEM », mais bien : « CAVE HOMINEM », « Prenez garde à l'homme ! » C'étaient les chaussures des mauvais jours. La nouvelle vola de bouche en bouche et fit une impression sinistre à Aponius.

L'effet produit, ce cabotin de Caius, à la surprise générale, s'empara personnellement des enchères, se substituant au crieur de son organe strident et poussant les affaires avec l'éloquence entraînante et parodique d'un bateleur qui se fût pastiché. Mais bientôt, négligeant les lanistes et les munéraires communs, il concentra ses efforts sur le groupe sénatorial, qui se fit d'abord un devoir de jouer le jeu. Les Pères conscrits se doutaient bien que l'invitation n'était pas gratuite et ils s'attendaient à être mis à contribution. Certains étaient même disposés, par flatterie, à s'encombrer un instant de quelques gladiateurs acquis à un prix prohibitif.

Mais tout est affaire de mesure. Caius n'était jamais content. Il s'acharnait, tantôt sur l'un, tantôt sur l'autre, les accablant de plaisanteries aimables, doucereuses, caressantes, sinon odieuses, féroces, cyniques ou obscènes. Il les apostrophait par leur nom, invoquait des liens d'amitié ou de parenté, faisait de lourdes allusions à leur fortune, qui n'était que trop connue. Il forçait par paliers des résistances où l'avarice le disputait à la crainte. Soumises à ce martèlement, les victimes finissaient par craquer et Caius leur tirait triomphalement de la bouche des sommes qui n'avaient plus aucun rapport avec l'objet. Les centaines de mille des lots mis à prix se faisaient millions et dizaines de millions, sans autre limite que le caprice du Prince. Le plus beau de la fortune foncière de l'Empire n'était-il pas entre les mains de la noblesse sénatoriale ?

Caius allait toujours, comme l'âne aveugle et méchant du meunier fait tourner la meule de pierre pour broyer le grain, et les malheureux sénateurs, tombés dans ce piège vicieux que l'impudence de Caius portait à son comble, s'essayaient à rire des saillies les plus déplacées de leur tourmenteur. « Tes ancêtres, disait-il à Lepidus, ont séduit autrefois la plèbe avec des gladiateurs qui leur ont valu des proconsulats juteux. La famille Aemilia doit aujourd'hui rendre gorge ! » Et Lepidus faisait un sourire idiot, car ce fou de Caligula sortait toute nue la Vérité du puits.

Aucun sénateur n'avait le courage de se retirer ou de résister. Mais chez les plus sensibles, à la peur d'être ruiné ou proscrit, s'ajoutait une honte brûlante. Ce sénat romain, qui avait conquis le monde, avait été réduit, par quelques militaires sortis de son sein, à l'état de pantoufle.

Il est vrai que les services de Caius avaient fait une attentive sélection, où étaient entrés en ligne de compte l'argent comme le caractère des sacrifiés.

Les acheteurs professionnels ou les munéraires d'occasion ne perdaient à l'histoire qu'une bonne opportunité de gain ou de dépense. Les gladiateurs, flattés, vantés, palpés, pelotés, papouillés par Caius qui leur faisait prendre des poses, trouvaient le tour excellent et avaient du mal à ne pas rire. Là-bas, près de la porte, les plébéiens en vêtements sombres se réjouissaient de la déconfiture de ces sénateurs, qui, des dépouilles des peuples vaincus, n'avaient laissé au peuple que la peau et les os, une miette de pain noir sur un air de cirque.

Mais les sénateurs ressentaient avec une amère acuité la haine et le mépris viscéraux de Caius, l'amusement narquois des gladiateurs qui paradaient tour à tour sur l'estrade, et la satisfaction sournoise des pauvres, à l'arrière-garde desquels la masse informe des esclaves soupiraient et grinçaient des dents pour les dévorer. Ils se retrouvaient seuls au monde, isolés dans le camp retranché de leurs richesses terriennes, mais comme ils avaient dû jadis abandonner le commandement des légions à des aventuriers de génie, ils ne pouvaient compter que sur leurs successeurs pour maintenir un ordre dont ils demeuraient malgré tout les premiers bénéficiaires après le Prince. Caius pouvait donc se permettre n'importe quoi... jusqu'à ce qu'on parvînt à l'isoler de ses gardes du corps dans un couloir du Palais. Il importait seulement de patienter.

On avait oublié de présenter un groupe de « tunicati », ces gladiateurs aux mœurs de femme, qui affectionnaient les longues tuniques dépravées et que le dédain de leurs confrères reléguait dans quelque recoin de ludus. Avec un humour souverain, sur les conseils ostensibles de Caesonia, Caius les adjugea pour trois millions de sesterces à un sénateur notoirement inverti.

Puis, fatigué de ses agitations et dépenses oratoires, il rendit la main au crieur, le vent de folie tomba et le cours normal des choses parut rétabli.

II

M. Aponius venait de souffrir mille morts sur son siège, tremblant à chaque instant d'être pris dans la nasse avec les plus gros poissons : il n'avait pas vingt millions de sesterces, et, du train infernal où montaient ces monstrueuses enchères, sa fortune, jugée assez satisfaisante jusque-là, lui semblait de plus en plus réduite. Lorsque s'évanouit la voix abominable de Caius, Aponius ferma les yeux de soulagement, et, sortant de la paralysie du lapin fasciné par le serpent, il se mit — par le plus insondable des malheurs — à se balancer machinalement d'avant en arrière et d'arrière en avant.

A midi passé, les enchères touchaient à leur terme et le crieur proposait un dernier lot de treize gladiateurs au palmarès bien rempli : un esclave arménien, et des rachats de contrat d' « auctoratio » qui concernaient sept Grecs, deux Gaulois, un Juif, un Batave, et un bestiaire sicilien assez réputé, qui sortait du « ludus matutinus » de Rome, qualifié de matinal parce que, dans une représentation ordinaire et complète, on faisait donner les bêtes le matin, et les gladiateurs, l'après-midi. Le contrat de ce bestiaire était assorti d'une clause prévoyant des prestations d' « essédaire », soit des combats sur char de guerre dont les évolutions étaient dirigées par un cocher. On avait affaire à un ambivalent, qui ambitionnait de se faire dans le char d'assaut une réputation encore plus flatteuse.

Le manège d'Aponius avait frappé Caius. « Tu distingues cet ancien préteur, dit-il tout bas au crieur, qui branle du chef pour accepter notre enchère. Il est bon pour neuf millions de sesterces. »

Quand Aponius rouvrit les yeux en sursaut, il était en possession de treize gladiateurs et de leurs armes étincelantes, d'un char de guerre et de deux étalons, sans oublier le cocher, qui était peut-être en prime. Aponius était comme une poule qui a trouvé un couteau, et le couteau pour l'égorger. L'ancien préteur perdit ses sens du coup.

Il ne revint à une tragique existence qu'en dégringolant les marches du Palais, soutenu par le gros Cornelius Cordus, dans la débandade qui avait suivi le retour du divin et maléfique Caius à ses plaisirs. La plupart étaient pressés d'évacuer des lieux où tout semblait possible. Et c'était, par les rues étroites qui descendaient du Palatin vers la Voie Sacrée et les Forums, un grand embarras de litières, de chaises à porteurs et de mules, qui allaient embouteiller le quartier des Curies.

Comme beaucoup de sinistrés, sans prendre garde aux espions ou aux provocateurs, osaient gémir tout haut de l'arbitraire du Prince, Cordus entraîna le plus tôt possible à l'écart de cette affluence compromettante un Aponius qui ne cessait de murmurer : « Neuf millions ! Comment faire neuf millions ? »

Cordus avait la bienveillance naturelle des obèses, souvent plus attentive que celle des philosophes ascétiques, mais il avait hâte d'aller manger comme quatre.

Il dit, impatienté : « Tu les fais comme tout le monde. L'argent liquide est chez les " chevaliers ". Ils ne savent plus tenir à cheval, mais ils ont encore la main pour affermer les impôts. Qu'est-ce que neuf millions pour eux ?

— Ces " publicains " me sauront pris à la gorge et me prêteront à un taux usuraire.

— Tu les rembourseras sur la vente de tes biens.

— Si je les vends en catastrophe, j'en tirerai moitié prix, et si je prends mon temps, les intérêts mangeront le bénéfice.

— Il te restera encore de quoi vivre.

— Un million, peut-être...

— C'est juste le cens pour entrer et demeurer au sénat ! »

Cordus, qui n'avait encore dévoré que cinquante millions sur cent, disait cela sans rire. Ignorait-il qu'à Rome, pour un sénateur, l'aisance commençait à quinze, une richesse moyenne à trente ? Et combien étaient-ils à compter les millions par centaines ? Comment vivre décemment avec les revenus d'un triste million ? Les sénateurs se devaient d'avoir en Italie des biens fonciers, qui ne rapportaient pas les 5 % des placements en liquide. Si Aponius parvenait à sauver un million du désastre, il lui resterait une solde de centurion primipilaire ! S'il voulait s'accrocher au sénat, il devrait rogner sur la table pour montrer une toge propre. Ce serait la mouise noire.

Avec un sourire en coin, il dit à Cordus :

« Pour un homme qui vient de manger un loup tibérin du prix de quatre esclaves, tu parles de mon cens avec un bel optimisme.

— Mes esclaves valent plus de 2 000 sesterces ! Mais tu dois te reposer de tes émotions et je vois tes porteurs qui te cherchent, tes clients qui s'inquiètent... Bon courage, et tiens-moi au courant ! »

Aponius, encore assommé, s'effondra dans sa litière et exigea que l'on en tirât hermétiquement les deux rideaux. Le premier luxe à Rome était de vivre isolé de la foule et du bruit. Combien de temps allait-il pouvoir désormais se le permettre ?

Il ne la connaissait que trop, l'écume besogneuse du sénat. Des viveurs à la côte, des tapeurs, des intrigants malchanceux, des délateurs maladroits, des fourvoyés qui avaient cru en imposer avec leur cens et leur pourpre neuve, dans l'attente d'affaires qui avaient raté. Mais ils se cramponnaient malgré tout à leur pourpre pisseuse comme l'huître à son rocher, car toute vraie réussite, d'une façon ou d'une autre, passait encore par ce sénat déchu.

La peur le tenaillait de devoir rejoindre une si mauvaise compagnie. Prétendre tenir son rang sans argent, c'était le chemin de croix de la dignité. Mais l'esclave qui portait sa croix en souffrait moins qu'un autre : il était habitué, lui.

A l'avènement de Caligula, dans une atmosphère d'idylle entre le fils d'un Germanicus tant aimé et le peuple romain, il avait espéré que serait corrigé le retard de carrière dont il avait pâti sous Tibère par suite de la disgrâce de Séjan — qui l'avait fait passer préteur avant l'âge. Le consulat éponyme — ou à la rigueur suffect[1] — semblait proche. Et il avait suffi de la foucade d'un dément !... Oh, par les douze grands dieux, quelle tyrannie sans exemple !

L'idée ne venait point à Aponius que l'arbitraire régnant ne sévissait guère que parmi les sénateurs et la cour, soit quelques milliers de privilégiés sur soixante millions de citoyens ou de sujets qui vivaient parfaitement tranquilles et se moquaient bien des fantaisies d'un Caius quand ils n'y applaudissaient pas. Chacun regarde son cadran solaire à sa porte.

Aponius étouffait dans sa litière et il ouvrit lui-même un rideau à moitié. Le cortège était parvenu à une petite place du haut Caelius, si petite qu'un gros platane l'ombrageait presque entièrement. Le soleil déclinant, qui n'avait pas dépassé de beaucoup son zénith, dessinait sur le sol une pluie de mouchetures dorées, et une dérivation de l'aqueduc julien avait porté jusque-là une eau fraîche qui tombait dans une fontaine par la bouche d'un dauphin naïf. L'endroit n'était pas loin de la maison d'Aponius. Le courage lui manqua de revoir sa femme sur-le-champ. Il fit arrêter la litière, en descendit, congédia les porteurs et remercia les clients.

Il fut bientôt seul sur la place, où l'on respirait un air plus léger que dans les bas-fonds. C'était l'heure de la sieste, qui vidait d'un

---

1. Les deux consuls éponymes commençaient l'année à laquelle ils donnaient leur nom. Des consuls « suffects » leur succédaient.

coup les places et ruelles d'une ville un moment plus tôt si trépidante : l'heure que choisissaient les amants pour leurs rendez-vous illicites, car plus personne ne les voyait filer par les sentes devenues désertes.

Aponius s'assit au bord de la fontaine, plongea ses mains dans l'eau et les porta à son visage. Il se sentait transpercé par les flèches de l'absurde, et bien mal préparé à s'en remettre. L'absurde faisait le bonheur de quelques philosophes sceptiques — qui eussent d'ailleurs été affolés si leur chat avait soudain scandé du Virgile ou s'était transformé en souris. Mais qu'est-ce qu'un sénateur pouvait faire de l'absurde ? Et pourtant, l'absurde était devenu un procédé de gouvernement chez le « Princeps », le « Premier » des sénateurs ! Le monde semblait renversé.

La fontaine était proche d'une « popina » silencieuse, qu'Aponius considéra d'un œil critique. Ce nom peu engageant de « popina » rappelait que les tenancières de ces « tavernes [1] », où se sustentait et s'enivrait le plus bas peuple, se ravitaillaient volontiers en bas morceaux chez le « popa », le gras sacrificateur qui gardait pour lui et ses commanditaires le meilleur des viandes offertes aux dieux — à qui on refilait déjà d'ordinaire des bêtes de rebut. Et par un glissement lourd de sens, le nom masculin du prêtre avait fini par qualifier la « popa » qui tenait commerce. Les « popinae » faisaient également leur ordinaire des quartiers de fauves, des débits de sangliers, de cerfs ou d'oryx qui étaient adjugés au rabais le soir des grands massacres de l'amphithéâtre. Et la popa noyait de sauces arrache-gueule ces bidoches coriaces pour en camoufler la repoussante odeur, où l'on aurait cru reconnaître autrement, sous le fumet de telle bête féroce, la sueur d'angoisse du condamné qu'elle venait de dévorer. Mais les plus fins morceaux — les pattes d'ours, par exemple — ne descendaient jamais jusqu'aux « popinae ».

Sous une treille qui venait d'être vendangée, la façade de la taverne était constellée d'espaces blanchis à la chaux où des calligraphes avaient peint en caractères accrocheurs l'annonce des prochains spectacles : courses aux Cirques Maxime ou Flaminius, représentations dans les théâtres de Pompée, de Marcellus ou de Balbus, « munera » gladiatoriens au vieil amphithéâtre de Taurus ou dans l'enclos électoral des « Saepta » du Champ de Mars, au sein duquel les votes républicains d'autrefois avaient cédé la place à des applaudissements plus rassurants pour le pouvoir.

Aponius succomba à la tentation de s'étourdir d'une rasade de vin pur, comme le prenaient les ivrognes. Dans la litière où il s'était

---

1. Nom générique pour tout commerce installé sur la voie publique.

affaissé sans précaution, la belle ordonnance de la toge prétexte s'était défaite, et la bourse et les babioles négligemment engrangées dans son repli s'étaient répandues sans qu'il y prît garde sur les coussins de plume. Il eût d'ailleurs été déplacé d'arborer une toge sénatoriale dans une « popina ». Aponius se débarrassa donc de ce fardeau qui le mettait en sueur, et il plia même le tissu sur son avant-bras de façon que la bande pourpre n'attirât plus le regard. Il n'enfilait sa tunique laticlave, rayée d'une bande de pourpre verticale, que lorsqu'il sortait sans toge.

Après le coup de feu de midi, la boutique s'était dépeuplée. Mais un mélange d'exhalaisons agressives y demeurait saisissant.

Dans les trous des étagères de menuiserie ou du carrelage inégal et dépareillé, était plantée une forêt d'amphores, dont les débouchonnées sentaient la vinasse ou la piquette, l'huile rance, la saumure des conserves de poisson bon marché, le marc de raisin qui servait à la conserve plus onéreuse des morceaux de chèvre, de cerf ou de zébu, le « hallex », ce fretin à demi décomposé, dont la décomposition totale donnait le liquide « garum » de mauvaise qualité [1]. Près du fourneau éteint, une amphore de garum bâclé voisinait avec une autre de miel de dattes, dont la plus sûre vertu était d'être cinq fois moins cher que l'autre. La popa devait puiser dans ces deux réserves pour assaisonner sa tambouille des saveurs contradictoires qui étaient à la mode depuis longtemps.

Aponius se rapprocha du comptoir intérieur en retour d'équerre, plus long et mieux pourvu que la branche du bâti maçonné qui faisait fonction d'éventaire pour les passants. Ses yeux, qui s'habituaient à la relative pénombre, distinguaient là des jarres et récipients variés de légumes secs simplement cuits à l'eau ou réduits en bouillie : les fèves, les lentilles, les lupins, les doliques, les pois bisaille, les gesses et pois chiches divers... Et aussi des marinades de raves, de panais, de gourdes, de laitues, de navets, de pourpiers ou de concombres. Et encore des boudins de porc ou de bouc — le « hircia » des paysans —, et des plats de tripailles, de saucisses ou crépinettes fumées, et des rillettes de bœuf, en compagnie d'œufs durs, de grappes de raisin nouveau, de fromages et de grossiers pains plébéiens bourrés de son et de cette poussière pierreuse qui découlait de l'effritement des meules.

Aponius découvrait en soupirant cet étalage de produits dont la plupart lui étaient étrangers, soit par leur nature, soit par leur qualité. Depuis combien de temps ne s'était-il pas fait la dent sur des lupins ? C'était dans des bouges de ce genre que ses porteurs de litière ou de

1. Hallex et garum ont aujourd'hui leurs exacts équivalents en cuisine vietnamienne.

chaise et les plus misérables de ses clients allaient se distraire un moment tandis qu'il dînait en ville.

Il réveilla la grosse Syrienne qui somnolait derrière son comptoir et réclama un vin apéritif à l'anis, à la rose ou à la violette pour neutraliser des odeurs où la crasse et la sueur glissaient en outre leur accent. Récemment débarquée sans doute, la femme baragouinait un latin populaire incompréhensible et on passa tout de suite au grec.

« Tu trouveras ce que tu cherches, maître, dans les élégantes " thermopolia " des Forums. Mais j'ai un bon vin de Cos, que j'ai mis à rafraîchir dans l'eau prise à la fontaine.

— Il a vu l'eau d'assez près comme ça ! Lave ce gobelet et remplis-le comme il faut. »

Sous une couronne suspendue d'aulx et d'oignons, Aponius but d'un trait le breuvage qui le réconforta, malgré sa médiocrité. Il avait bien été stabilisé à l'eau de mer, comme tous les grands crus de Cos, de Clazomènes ou de Rhodes, mais ce n'était qu'une pâle imitation italienne.

Entrèrent deux manœuvres qui avaient fini leur journée et qui se mirent à jouer aux « latrunculi » (le « jeu des brigands » !) dans un coin. L'échiquier fit irrésistiblement songer Aponius à l'inconfort moral et matériel de la situation que lui faisait le mauvais sort. A Rome comme aux « latrunculi », chacun avait sa case, son droit particulier, ses devoirs et ses prérogatives. Chacun se définissait par les lois et les accointances de son milieu, dans une société structurée et hiérarchisée à l'extrême. Mais au prix de certaines règles exigeantes, la progression de case en case était ouverte à tous. Or le Prince, le maître de l'univers, le père du peuple, la divine incarnation de toute justice, déchu au rang de pantin irresponsable, avait brisé la règle du jeu ! Aponius était désormais hors jeu. Sénateur ruiné, il n'avait plus, dans les latruncules de l'existence, sur l'échiquier de ses jours, de case bien assurée où il pourrait côtoyer des pairs et songer à des combinaisons gagnantes.

Il aurait fallu le tempérament d'un philosophe cynique, fier de vivre dans une barrique gauloise, pour faire front à un tel orage. Mais Aponius s'était accoutumé à se juger par les yeux d'autrui et la philosophie n'était pour lui qu'une élégante distraction. Les Grecs avaient déjà découvert l'individu, toutes les ressources et toutes les richesses d'un Ulysse naufragé sur une île déserte, ramassant gaiement des coquillages et se branlant, couronné de fleurs, au jaillissant soleil d'Apollon. Le Romain était resté en marge de l'unique sagesse et seule une place bien à lui dans l'État lui donnait de l'épaisseur et du mordant.

Les odeurs si caractéristiques du hallex et du garum faisaient remonter à la mémoire d'Aponius toute une honteuse généalogie, qu'il s'était évertué à faire oublier et à oublier lui-même. Car, comme les deux tiers des citoyens de la ville, il n'était en somme, malgré sa pourpre d'« homme nouveau » sur le marché des honneurs, que le produit le plus typique d'un esclavage promotionnel qui en avait poussé tant d'autres vers de lointains sommets.

L'arrière-grand-père d'Aponius avait été tout jeune raflé par Sulla, à l'issue de son célèbre siège d'Athènes, et comme il devait être plutôt endormi et flegmatique, un maître romain hellénisant lui avait collé l'étiquette grecque d'« Aponios ». Réveillé par l'âpre concurrence qui sévissait au sein des masses serviles, Aponios avait cravaché pour réaliser la première ambition de l'esclave : gagner la liberté d'acquérir lui-même quelques esclaves, qui seraient tenus d'autant plus serré que le maître connaissait mieux la musique. Affranchi après vingt ans de loyaux et intelligents services, Aponios avait pris selon la règle le prénom de son patron et bienfaiteur Tiberius et le nom de sa « gens [1] » Junius, auxquels il avait ajouté, à la place du ou des surnoms qui permettaient de mieux cerner l'identité des citoyens, son unique nom d'esclave Aponios. Ti. Junius Aponios avait donc mérité les « tria nomina » latins, mais sous la forme particulière où les deux premiers ne faisaient que rappeler une originelle servitude. Et comme esclave ou affranchi demeurant lié à son patron par les liens d'une étroite « clientèle », il s'était distingué dans la fructueuse gestion des capitaux des Junius.

Le fils premier-né d'Aponios avait hérité — toujours selon l'usage — du nom de son père, nom qui fleurait la macule servile et par sa sonorité et par sa place comme surnom en troisième position dans les « tria nomina ». Ti. Junius Aponios junior avait consacré sa liberté native à faire fortune dans les poissons en saumure et surtout dans le garum, condiment dont le monde méditerranéen faisait une prodigieuse consommation. Resté après son affranchi de père dans la clientèle des influents Junius, Aponios junior avait encore tiré quelque orgueil et quelque intérêt à afficher les nom et prénom du patron qui avait libéré son géniteur, mais il avait estimé cependant qu'Aponius sonnait mieux qu'Aponios.

Le fils unique de Ti. Junius Aponius, parfait homonyme de son père, avait ajouté — pour mieux se distinguer de lui — à ses « tria nomina » le surnom de Saturnianus, soit en raison d'une dévotion spéciale à Saturne, vieille divinité italique, soit parce que ses bamboches lors des saturnales avaient défrayé la chronique. Le marché des surnoms était libre et l'on pouvait en prendre autant qu'on en voulait. Ti. Junius Aponius Saturnianus avait longtemps rêvé de se

1. Ensemble des branches d'une grande famille aristocratique.

dégager du poisson pour investir en terres, apogée de toute réussite commerciale et condition de toute réussite politique honorable. Sur le déclin des jours de cet ambitieux, la conversion était chose faite, et il était permis d'envisager sous de riants auspices l'avenir des deux fils de la maison, l'aîné Ti. Junius Aponius et le cadet Ti. Junius Aponius Rufus, appelé de la sorte du fait que ses cheveux tiraient sur le roux.

Le vieux Saturnianus, avec une sournoise ingratitude, avait d'ailleurs progressivement relâché ses liens traditionnels de clientèle avec les Junius, au fur et à mesure que les amphores et les jarres se muaient en milliers de jugères, unités de surface à juste titre rectangulaires pour mieux perpétuer le souvenir des labours et des sillons. Et il avait fait encore pis : par le biais d'occultes complaisances, les enfants avaient été affublés de prénoms romains, et la mention de Ti. Junius, passée au bleu. Un Marcus et un Aulus étaient nés. Un M. Aponius Saturninus et un A. Aponius Saturninus Rufus étaient même apparus sur le Forum, car on avait profité de l'occasion pour transformer Saturnianus en Saturninus, surnom honorablement porté par des personnages connus à travers l'histoire.

Chaque enfant avait enfin un prénom — et même un nom — bien à lui ! Pour les vrais Romains, le prénom — vu qu'il n'y en avait que dix-huit en tout et pour tout ! — avait peu d'importance, et ils s'apostrophaient plutôt par leur surnom original. Mais pour les étrangers d'origine servile ou douteuse, c'était la propriété de l'un de ces prénoms enviés qui leur donnait le sentiment de pénétrer enfin dans l'intimité de la déesse Rome. Et non seulement les enfants avaient acquis un prénom particulier, mais le nom de la « gens » maîtresse avait disparu par la même occasion de l'état civil ! Quand on s'appelait Cn. Pompeius Trogus — comme l'historien gaulois — ou C. Julius quelque chose, on pouvait descendre d'un affranchi de Pompée ou de César ; mais on pouvait aussi être l'héritier d'un libre provincial qui avait recouru à leur patronage pour obtenir sa naturalisation. Alors que les Ti. Junius, issus plus que probablement d'une même servitude, ne trompaient personne.

Que d'efforts anéantis en un clin d'œil pour en arriver là !

Marcus, qui en était à son quatrième gobelet de cos pur, se laissa tout d'un coup aller à parler de son père et de son grand-père avec des larmes dans la voix à cette Syrienne de popina, qui en avait entendu bien d'autres et savait nourrir la conversation de façon encourageante par des interjections ou des onomatopées. Peu à peu, une affluence pouilleuse et moqueuse, qui préférait sans doute la boisson aux thermes, avait rempli la taverne, et, dans le brouillard de la première ivresse, Marcus entrevoyait des faciès hilares, qui semblaient sortir de vieilles atellanes [1].

---

1. Comédies bouffonnes et populaires.

« Savez-vous, disait-il, comment se fabrique le meilleur garum ? Moi qui vous parle, je l'ai vu faire en Bétique, dans le sud de l'Espagne, quand j'avais encore sur le dos la toge prétexte de l'enfance... »

Et, jetant sur un tabouret sa toge prétexte analogue de sénateur, il s'empara d'une jarre vide, qu'il remplit de gestes vains et de paroles creuses : « Au fond de la jarre, un tapis d'herbes odorantes, aneth, coriandre, fenouil, céleri, sarriette, sclarée, menthe, rue, livèche, pouliot, serpolet, origan, bétoine... J'en oublie une. Ah, oui : l'argémone. Très important, m'a-t-on dit, l'argémone. Puis une couche de poissons gras sortant de l'onde douce ou amère : anguilles, saumons, aloses, maquereaux ou sardines... Puis une épaisseur de deux doigts de sel. Et ainsi de suite jusqu'au sommet. On ferme et on attend sept jours, la semaine des astrologues en l'honneur des sept planètes qui régissent l'univers. Puis on touille cette pâtée vingt jours de suite. La sublime liqueur qui s'écoule alors de la jarre comme de l'huile, c'est le garum vierge, le premier jus. Tel était le " garum de la Société ", que notre père faisait venir de Carthagène. Mon cuisinier achetait son garum à 6 000 sesterces la petite amphore de deux conges[1] ! Ah, c'était autre chose que ce que je vois là-bas... »

Il parlait déjà du garum de sa maison au passé.

La toge abandonnée sur le tabouret laissait paraître sa bande de pourpre, et un gladiateur du grand « ludus » voisin s'écria : « Regardez cette prétexte ! Il est encore en enfance ! », plaisanterie qui suscita des rires interminables.

La vision d'un gladiateur fut pour Marcus un coup de poignard. Un peu dégrisé, il alla s'asseoir sur la banquette de brique qui jouxtait le pied du mur et s'adossa inconsciemment à une surface lacérée de graffiti en l'honneur des champions de l'arène.

Qu'allait-il devenir ? Quitter ce sénat de rentiers du sol et se mettre à la conserve dont l'odeur avait bercé sa jeunesse ? Mais il lui faudrait repartir de presque rien dans un métier que son père ne lui avait pas enseigné, se battre avec des requins pour écouler son maquereau... Le goût, le courage lui manquaient d'en courir le risque. A près de quarante ans, il s'était cru arrivé, s'était habitué à une vie douillette et contemplative entre sa dernière femme, les amours ancillaires d'usage, de bons dîners décents, quelques spectacles de choix, les séances du sénat, heureusement assez rares : il n'était plus temps de se hasarder sur mer ni de compter des amphores.

Renouer avec le poisson le priverait d'ailleurs d'un plaisir qui se faisait plus vif d'année en année et qui présenterait désormais le

1. La conge romaine fera 3,283 litres à partir de 1793.

grand avantage de n'être pas dispendieux : celui de l'étude. Son père, déjà, par le canal des affaires, s'était intéressé au droit et à la jurisprudence, et avait constitué une bibliothèque estimable. Les loisirs d'une trop longue disgrâce avaient permis à Marcus d'y passer de bons moments. Il avait même approfondi les lettres grecques et creusé un peu de philosophie, science qu'il n'avait fait que survoler autrefois. Ce maudit Caius n'allait pas le priver aussi de son esprit ?

Il ne distinguait hélas aucun appui possible dans son malheur. Son frère Aulus — qu'il persistait à nommer Rufus bien qu'il fût devenu chauve comme Jules César — était un panier percé, qui avait dilapidé les deux tiers de son patrimoine et venait, après quatre mariages, d'épouser une jeune beauté de dix-sept ans, déjà mariée à treize ans et divorcée à seize. Il ne pourrait ou ne voudrait rien faire pour lui. Le dicton favori de Rufus était : « Cueillons la fleur pucelle avant qu'elle ne se fane ! »

Il était d'autre part impensable d'aller gémir chez les Junius après avoir débarqué leur distingué patronyme, sans parler du vénérable prénom. Les Junius ne le reconnaîtraient point, et pour cause. Malgré leur immense clientèle, ils seraient même en droit de se vexer du toupet et de lui enfoncer plus profond la tête dans la vase. Et la branche des Junius Silanus, dont avaient dépendu les Aponius, avait le bras long : ils descendaient directement d'Auguste par sa femme Scribonia, alors que l'empereur Caius lui-même n'avait que Livie, la seconde femme d'Auguste, pour ancêtre. Le terrain était dangereux dans sa position.

Quant à ses propres clients, ils n'avaient, par la force des choses, aucune envergure et se disperseraient au fur et à mesure que les « sportules » et menus cadeaux se feraient plus rares.

Quelle solitude en un instant ! Il devait regarder en face cette atroce vérité : dans une organisation sociale où — à l'exception de l'empereur — chaque citoyen avait normalement un patron d'un côté, un protecteur naturel, et des clients de l'autre à partir d'une certaine surface, il serait un des rares à être privé de tout soutien. Même les esclaves avaient un maître pour les défendre ! Mais quelle difficulté aussi, pour un homme en vue dont le père avait imprudemment rompu avec un patron connu, de lui trouver un remplaçant ! Le nouveau pressenti se méfiait et faisait enquête, soucieux de ne pas se brouiller avec une puissance en prenant sous son aile une famille de déserteurs. La haute noblesse était terriblement chatouilleuse sur ces affaires de clientèle.

Marcus se consolait un peu en se disant que les Junius Silanus auraient pu tout aussi bien renvoyer un Ti. Junius Aponios avec de bonnes paroles pour tout potage.

C'était la première idée réconfortante depuis la catastrophe, et elle était négative.

Marcus retourna au comptoir d'un pas vacillant et commanda de verser un cinquième gobelet de cos, qui lui fit monter à la tête une nouvelle bouffée d'ivresse. Il n'était plus en état de remarquer que sa toge avait disparu — au profit peut-être d'un père de famille, qui en tirerait trois ou quatre manteaux après l'avoir fait teindre.

Des larmes de désespoir montèrent aux yeux de Marcus, mais la voix de son père défunt les sécha soudain : « Un Romain ne pleure pas ! » disait le bonhomme à l'enfant devant le moutonnement de ses vignes. Car il avait naturellement assuré à ses fils l'éducation romaine la plus pure et la plus traditionnelle. Il en rajoutait même sans crainte du ridicule ! Alors que la haute noblesse était devenue bien sceptique, le patriotisme romain le plus vieillot était le fait des assimilés récents, anxieux qu'on pût mettre en doute la parfaite et inébranlable romanité de leurs idées, de leurs mœurs et de leurs ancêtres. Ainsi, les héros de l'histoire de Rome étaient apparus tout à coup pour essuyer le visage ruisselant de Marcus. Mais cette fierté retrouvée, qui redressait le sénateur sous les couronnes d'aulx et d'oignons, était empoisonnée par un affreux constat : c'était bien d'un vrai Romain que Caius s'était moqué !

Si la révélation était un coup de fouet au courage et une invite à la patience, le scandale n'en était que plus troublant. Totalement désemparé, Marcus pleura pour de bon. Et à travers ses pleurs, le visage de sa femme se dessinait pour donner un nouvel aliment à sa douleur. Il se sentait pris de faiblesse à la perspective de retrouver, dans une belle maison qui ne lui appartenait plus, une épouse qu'il avait prudemment choisie sans grâce excessive, assez sotte et mal instruite, dans l'espoir de finir ses jours auprès d'un cœur fidèle, après avoir été berné par des coquines dispendieuses. Mais que pouvait un cœur fidèle contre un trou de neuf millions de sesterces à payer de toute urgence ? Soit 2 250 000 deniers d'argent, ou en or, 90 000 « aurei » ! De l'or plus que douze légionnaires n'en pourraient porter sous le soleil d'automne ! Pomponia, elle non plus, ne lui serait d'aucune aide. Et elle en souffrirait doublement.

« La prochaine fois, dit-il à la Syrienne d'une voix pâteuse, je croirai aux rêves prémonitoires de ma femme. Surtout quand elle me voit avec des ailes et des plumes... » Le succès de sa déclaration lui rappela la présence du public. Son regard fit le tour de la salle et resta fixé stupidement sur un « triclinium » incongru qui se profilait dans une pièce du fond. Que faisaient ces trois lits à souper dans un lieu où l'on s'étonnait déjà de voir quelques tables ou tabourets de bois mal dégrossi ? Où s'arrêterait le ridicule snobisme des humbles ?

La patronne expliqua à Marcus que la popina marchait très fort l'après-midi au sortir des bains et qu'une belle clientèle de gladiateurs était honorée de trouver des lits pour banqueter à l'aise. Cette allusion à la gladiature lui tira une affreuse grimace, qui fut mal interprétée. Pour l'allécher sur d'autres possibilités de la maison, on lui montra un écriteau à l'orthographe approximative qui proposait trois filles qualifiées de « petites ânesses », histoire de donner un aperçu de la fraîcheur de leur anatomie et de la chaleur de leur tempérament. En effet, un escalier de bois montait à l'étage, où se devinaient quelques réduits.

Marcus fut profondément impressionné par l'infime modicité des tarifs. La boule de pain accompagnée d'un setier [1] de vin courant était à un as. Le ragoût était à deux « asses ». Et « l'ânesse », à huit « asses », soit deux sesterces.

Le maître primaire de Marcus lui avait appris à compter sur ses doigts, selon le vieux système grec qui permettait de symboliser, au moyen des deux mains, tous les nombres entiers de un à un million. Incapable de résoudre son problème de mémoire, il se mit donc à jongler tant bien que mal avec ses doigts, et après quelques erreurs imputables à son état, il parvint à ce résultat indubitable : au moyen des neuf millions de sesterces perdus, il aurait pu boire sur son pain trente-six millions de setiers, manger dix-huit millions de ragoûts, ou honorer quatre millions cinq cent mille « ânesses » ! C'était vertigineux. Il avait oublié de bonne foi qu'on pouvait vivre à ce prix. Rome était vraiment pour rien quand on ne visait pas aux grandeurs. Il avait enfin une bonne nouvelle pour sa femme et il se décida à rentrer chez lui.

Ce fut justement là que les choses se gâtèrent, car la bourse était partie avec la litière ; et la toge, toute seule. Les hurlements de Marcus et ceux de la popa, les hurlements de l'assistance enthousiasmée par ce duo finirent par attirer une patrouille des cohortes urbaines, dont le chef se faisait malheureusement des sénateurs une idée conventionnelle. Seuls les brodequins rutilants plaidaient la cause du suspect. Mais un loueur de mules de la Porte Capène eut le vice de suggérer : « Ce doit être un acteur congédié d'un théâtre », phrase à laquelle Marcus eût découvert une surprenante profondeur s'il avait été en mesure de réfléchir. Mais il était trop occupé à démontrer sa bonne foi.

On fit cercle autour de ses chaussures et les avis allèrent leur train. Personne n'avait encore vu de tout près des brodequins de sénateur, et ceux de Marcus paraissaient étranges avec leur haute tige, fendue

1. Le setier romain fera 0,571 litre.

du côté intérieur de la jambe, et la languette interne qui protégeait la peau des lacets entrecroisés, dont l'extrémité se balançait librement après l'agrafe. Cela ne ressemblait point aux cothurnes des acteurs tragiques, mais l'analogie était certaine avec les brodequins des acteurs comiques.

Cette assimilation aux acteurs comiques mit Marcus en rage, ce qui aggrava son cas, et le chef des soldats dut le rappeler à l'ordre. Un crémateur de cadavres du faubourg esquilin déclara que les brodequins sénatoriaux étaient noirs et non pas rouges. Marcus dut en convenir, mais seulement pour les Pères conscrits qui n'avaient pas exercé de magistrature curule. Il affirma une fois de plus qu'il avait été préteur et qu'il habitait dans le voisinage, mais il sentait bien que sa voix avinée sonnait faux. Et quand il ajouta : « J'ai 200 000 sesterces dans mon coffre ! » ce n'était plus crédible du tout.

Le chef de patrouille prit la décision raisonnable d'escorter Marcus jusqu'à son logis supposé, pour voir si on l'y reconnaîtrait.

Durant le court trajet, Marcus se dit qu'il y avait pire que de manger et boire pour un as : c'était de ne pas avoir un as vaillant.

Quand la « familia » de Marcus et Pomponia accourue virent dans l'atrium corinthien un M. Aponius Saturninus environné de soldats, l'épouvante glaça tous les cœurs : Caligula avait frappé une fois encore !

« C'est un simple quiproquo », dit Marcus. Mais Pomponia s'était déjà évanouie.

Les plaies d'argent ne sont pas mortelles. Du moins, pas tout de suite.

III

L'excentrique Caligula n'avait pas tenu cinq ans. Il avait passé comme passe une comète à la queue rouge de sang, annonciatrice de convulsions nouvelles. Le « chevalier » désargenté Claude, l'idiot de la famille, découvert tout tremblant derrière une tenture par des prétoriens indécis après le meurtre de son neveu Caius, avait acheté l'Empire aux soldats avec l'argent de l'État, ce qui ne pouvait que leur donner de mauvaises pensées et de mauvaises habitudes. Descendre de Jules César par le sang ou par l'adoption n'était désormais une recommandation suffisante à la pourpre que si le prétorien était d'accord. Le sénat n'avait plus rien à dire dès que les acclamations intéressées avaient retenti au camp permanent de la Porte Viminale.

Claude était alors dans la force de l'âge... pour ne pas dire dans sa faiblesse : jambes mal assurées et langue embarrassée, buveur, joueur et avare, glouton et craintif, l'esprit certes cultivé, mais brouillon, bizarre et volontiers facétieux. On se demandait si, à force de faire l'imbécile pour survivre dans un climat de complots perpétuels, il ne l'était pas devenu pour de bon. Trait relativement sympathique, la cruauté inhérente à la nature humaine se limitait chez lui à un vif penchant pour les joies de l'arène ou à une enfantine délectation à la vue du dernier supplice de celui qui l'avait en principe mérité. Ce n'était pas au fond l'honnête homme qui était sanguinaire, mais le spectateur. Il était courant que l'œil ne fût point relié à l'âme par les nerfs qu'on aurait pu croire.

Sept ans plus tard, aux joyeuses vendanges de l'an 801 [1] de la fondation de la Ville, A. Vitellius et L. Vipsanius Publicola étant consuls éponymes, l'affranchi Narcisse avait obtenu du Prince irrésolu et entre deux vins la condamnation de la mère de ses deux enfants Bri-

1. An 48 de l'ère chrétienne.

tannicus et Octavie, Messaline. Il est vrai qu'elle avait exagéré. Après avoir trompé Claude de façon grandiose avec le tout-venant, elle s'était remariée du vivant de son impérial et toujours mari avec le consul désigné Silius, qui n'avait pas craint de meubler sa maison avec les dépouilles du Palais. Des affaires de fesses excusables avaient pris soudain une allure politique inquiétante.

Dès janvier de l'année suivante, sur les conseils de l'affranchi Pallas, le Prince convolait avec sa proche parente, Agrippine la Jeune. Un homme influençable et usé tombait sous la coupe d'une arriviste féroce et sans scrupules, déjà mère d'un jeune L. Domitius Ahenobarbus, qui allait sur ses douze ans. Claude adoptera bientôt ce Lucius — surnommé dès lors Néron — au grand dam des intérêts légitimes de Britannicus. Pour la première fois dans l'histoire de Rome, un être du sexe faible pouvait espérer jouir du pouvoir suprême sous le couvert d'un fils docile.

M. Aponius Saturninus n'aurait jamais pensé que le remariage de Claude irait bouleverser sa lugubre existence. Les déboires qui l'avaient accablé depuis une dizaine d'années lui avaient fait considérer peu à peu que les intrigues du Palais se déroulaient sur une autre planète.

Ce matin de janvier-là, un froid humide pesait sur les bas-fonds de la Ville, quand Marcus fut réveillé en sursaut par les cris affreux d'un nouveau-né qu'une mégère sans entrailles venait de déposer derrière son immeuble, sur le fumier du bout de l'impasse. Geste d'autant plus irritant que le sommeil le fuyait d'ordinaire et que les moments qui précédaient l'aube étaient les seuls — avec celui de la sieste — où l'habituel vacarme romain s'apaisait.

Comme la circulation des charrois — sauf pour les nécessités des réfections ou constructions immobilières — était sévèrement interdite dans la journée depuis l'édit de Jules César, c'était de nuit que tous les entrepôts et marchés de la Ville étaient ravitaillés. Le soleil n'avait pas disparu derrière le Janicule, que, devant les dix-sept portes de Rome, une nuée impatiente de voitures, de charrettes, de chariots attendait le signal de l'assaut. Et dès que l'astre avait sombré, cochers, conducteurs et portefaix de fouetter chevaux de trait et mules vers cet immense labyrinthe obscur que les cris et hennissements allaient troubler, les piétinements, ébranler, jusqu'aux approches de l'aube, à la vacillante lueur d'une myriade de lanternes et de torches.

Ainsi étaient approvisionnés — sans parler de bien d'autres points de distribution ou de vente — le grand dépôt des « papyri » et parchemins du Forum, le « marché aux friandises » du sommet de la Voie Sacrée, le marché aux primeurs près des « Bûchers gaulois », le marché aux huiles et le marché aux poissons du Vélabre mineur, le « Portique aux fèves » et le marché des boulangers de l'Aventin, le marché aux légumes du Cirque Maxime, le « Macellum de Livie », sur l'Esquilin, où l'on trouvait les meilleures viandes et volailles... Et l'on profitait même de l'occasion pour fournir le marché aux légumes situé cependant un peu en dehors de la Porte Carmentale, entre le théâtre de Marcellus et la roche Tarpéienne, là où s'érigeait la colonne Lactaire, rendez-vous des nourrices à vendre ou à louer. Cela fait, avec une hâte fébrile, l'armée de l'ombre, où figurait à l'arrière-garde la corporation des vidangeurs de fosses d'aisance et curateurs d'égouts, se dépêchait d'évacuer la Ville, car tout véhicule eût été bloqué, qui y aurait été trouvé après le lever du jour.

Les rêves de Marcus, qui avait chuté dans un immeuble branlant au cœur de la vieille cité, étaient peuplés de sarabandes de légumes et de ricanements chevalins, tandis qu'il respirait par le volet mal clos des odeurs de crottin, de poisson et de merde. Jusqu'au fumet résineux des torches qui était là pour rappeler à sa conscience assoupie les risques d'incendie constants, qui étaient, avec les inondations et les « pestes », la grande terreur du Romain.

Mais lorsque pointait le jour, éclatait tout à coup une immense rumeur, un immense bourdonnement, ponctué de bruits plus sonores et plus agressifs. Les taverniers de tout poil, du barbier au marchand d'esclaves (Rome, par une sorte de pudeur, n'avait aucun marché aux esclaves digne de ce nom), démontaient les vantaux de bois de leur boutique, dressaient sur la chaussée leurs éventaires ou tréteaux. Les outils des chaudronniers, des forgerons, des serruriers, des batteurs d'or ou d'argent résonnaient. Les gargotiers gueulaient pour vanter leurs saucisses fumantes ou leur boudin nouveau. Les maîtres d'école et leurs élèves s'égosillaient sous les portiques. Les colporteurs du Trastévère proposaient en glapissant leurs paquets d'allume-feu soufrés et les mendiants modulaient des mélopées gémissantes. Il ne fallait plus songer à dormir jusqu'à l'heure de la sieste.

L'enfant abandonné criait de plus belle. La plupart du temps, on exposait les filles, qui étaient plus résistantes que les garçons et plus longues à se taire. Les organisations de mendicité, dont les émissaires faisaient le tour des dépotoirs — autorisés ou illicites — pour y découvrir de bons sujets vigoureux à mutiler et à éduquer, préféraient à la fille le garçon, dont les infirmités et les plaies soulevaient d'ordinaire une compassion plus vive chez la matrone aussi sensible que stérile. Mais la plupart des proxénètes avaient un faible pour les filles.

Dans la pièce d'à côté, Kaeso se mit à crier lui aussi, et le cœur de

Marcus s'émut. Marcus junior, né cinq ans auparavant, avait le sommeil lourd, mais Kaeso, d'un an son cadet, était doué d'un tempérament vif et nerveux. Le moindre souffle suffisait à l'inquiéter. On aurait dit qu'il ne s'était pas remis de la mort en couches de Pomponia, à la suite d'une césarienne qui avait tourné à la boucherie. Et l'on avait donné à l'enfant ce prénom assez rarement porté de Kaeso, qui témoignait des circonstances d'une naissance tragique.

Marcus, qui avait entassé les tuniques pour se protéger du froid, se dégagea de ses couvertures, chercha à tâtons ses pantoufles sur la descente de lit râpée, mit la main sur son « lucubrum », minuscule veilleuse dont le point lumineux accompagnait ses insomnies, et, trébuchant dans son urinal de terre cuite, s'en fut calmer Kaeso.

L'enfant était couché en compagnie de son frère endormi, et les cris de la petite fille, en contrebas de sa fenêtre, ne laissaient point de le troubler. Marcus expliqua à Kaeso que la petite fille n'était pas sage, mais qu'elle serait bientôt punie, et il sut trouver, dans sa sensibilité de père, bien d'autres tendres paroles pour rassurer son fils et lui faire retrouver le sommeil.

Marcus alla se remettre au lit un instant, et, à la lueur de son « lucubrum », ses élucubrations familières et moroses reprirent possession de son âme endommagée.

Sa déchéance avait eu quelque chose de vertical, que tous les aspects de son nouveau cadre de vie lui remettaient en mémoire constamment. La ruine lui avait vite arraché sa maison du Caelius, qu'il avait pourtant fait rebâtir à neuf par des architectes grecs renommés après le terrible incendie qui avait détruit toute la région une dizaine d'années avant la mort si suspecte de Tibère, ne laissant debout qu'une statue du Prince dans le palais des Junius. Il avait dû quitter l'une de ces prestigieuses collines où, depuis des générations, les riches s'efforçaient de vivre à l'écart de l'agitation et du bruit, isolés de la foule insupportable par l'épaisseur de leurs murs et la surface de leurs parcs, dans un air plus salubre, moins torride l'été, moins humide à la mauvaise saison. Il avait dégringolé au niveau du commun, cent pieds plus bas, dans ce quartier si populaire et si mal famé de Subure, sorte de creuset où se mélangeaient toutes les nations, entre Esquilin, Viminal et Quirinal, ouvert seulement au sud-ouest vers la Voie Sacrée et les Forums romains, où conduisait l'« Argiletum », la rue animée des libraires. Et la chute était même double, car Marcus avait également vendu sa florissante et calme villa de la « Colline des Jardins », ce mont Pincius au nord du Champ de Mars, dont les pentes méridionales regardaient si joliment en direction des hauteurs, des vallons et des plaines de cette Ville unique au monde — à condition de la considérer de haut.

Enterré sous un entresol surmonté de six étages, accolé à deux autres immeubles de même acabit, Marcus, de son rez-de-chaussée, ne voyait plus, à l'extérieur, qu'une ruelle par-devant et une impasse par-derrière. Toute la Rome du bas avait ainsi poussé vers les cieux, accumulant faute de place les étages, dans un enchevêtrement de boyaux étroits, où trop souvent faisaient défaut les trottoirs et les pavés prévus et prescrits depuis si longtemps. L'été, une ombre étouffante s'appesantissait sur le dédale de Subure ; l'hiver y était obscur et du dernier sordide.

Mais la déchéance verticale s'aggravait d'une autre, plus journalière et plus intime encore, car elle était sécrétée par le cœur de la maison. Le moindre laboureur latin avait son modeste atrium, c'est-à-dire son coin de ciel à domicile, dont la lumière centrale lui permettait de préserver sa vie de famille derrière des murs opaques. Les riches y avaient ajouté des péristyles à la grecque, toujours tournés vers l'intérieur, et n'ouvraient de portiques sur la nature que devant des vues imprenables. Alors que les pièces disparates de Marcus, fruit de la réunion de quatre appartements ordinaires, encadraient une cour qui ressemblait plutôt au fond d'un puits, à un trou vertigineux. Et de cette cascade d'étages, dont les balcons rafistolés affichaient des lessives douteuses et des pots de fleurs instables, tombaient à l'occasion les choses les plus incongrues et les plus nauséabondes. Pour s'assurer la jouissance exclusive de cet atrium dérisoire, Marcus, qui avait réussi, après maintes alarmes, à demeurer propriétaire de l'immeuble, avait fait murer le fond du porche principal, qui donnait sur la ruelle, comme le fond du porche mineur, qui donnait sur l'impasse. Mais il avait beau entretenir dans son trou de pâles pergolas ou tendre des vélums de fortune, il n'était jamais à l'abri des indiscrets. Pour un homme qui se voulait un vrai Romain, une telle position, si contraire à la sensibilité terrienne ou méditerranéenne, était tout simplement monstrueuse.

Marcus était d'ailleurs cordialement haï des locataires de sa tour, qui ne lui pardonnaient pas d'avoir confisqué le trou dès son impérieuse installation. Et du fait que le propriétaire, pour s'épargner les frais et les malversations d'un gérant, s'appliquait à percevoir lui-même les modiques loyers d'une plèbe calamiteuse, c'étaient autant de discussions humiliantes avec de pauvres hères qui avaient subdivisé à l'extrême des réduits crasseux où, par définition, l'eau des aqueducs, partout répandue au ras du sol, ne montait jamais qu'à bout de bras. De tels différends encourageaient chez Marcus le mépris et la méfiance de tous ces misérables « sans lares fixes », où dominaient les errants et les étrangers. Lui, au moins, avait encore son autel familial, son laraire et ses pénates, et même son génie particulier, traditionnellement représenté par un serpent !

La rumeur de la Ville avait explosé avec le jour, et l'on entendait déjà, à travers les minces plafonds, les piétinements des locataires de l'entresol, où trois petites pièces avaient été isolées des accès normaux et mises en correspondance par des échelles avec autant de boutiques que Marcus avait ouvertes et louées pour grossir ses maigres revenus — ce qui diminuait d'autant, hélas, sa surface habitable. Il y avait en façade une minuscule popina, confiée à une affranchie crétoise du maître, qui avait servi de nourrice à Kaeso avant de tomber veuve, et un barbier carthaginois, qui se faisait des suppléments par des leçons de découpage à des domestiques de cuisine au moyen d'animaux démontables en bois. Et sur l'impasse, un Lusitanien sinistre s'évertuait à écouler un choix de fouets et d'instruments à châtier les esclaves.

Marcus était relativement satisfait de la popina et de la « tonstrine » punique. Comme il s'était vu contraint de vendre son barbier expert, il était bien aise de se faire raser gratis. (Le temps était révolu où Agrippa, pour fêter son édilité de 720, offrait pour un an aux Romains et Romaines les services des coiffeurs !) Et comme ses esclaves femelles n'étaient plus baisables, il arrivait à Marcus de s'isoler furtivement aux heures creuses derrière le rideau de la popina en compagnie de la petite « ânesse » de l'endroit pour un bref chevauchement ou une ponction calmante. A force de prier Vénus, les Romains avaient obtenu qu'elle retienne les plus graves des maux qui faisaient cortège à son culte.

Sur son fumier de janvier, la petite fille faiblissait déjà. C'était peut-être un garçon.

Marcus se prit par la main pour se lever, entrouvrit le volet afin de donner un peu de lumière, et alla réveiller ses esclaves paresseux, car ce devait être matinée de grand nettoyage en l'honneur de la visite inattendue de sa nièce Marcia. D'une « familia » très moyenne de quelque deux cents têtes, Marcus n'avait pu conserver qu'une douzaine de non-valeurs, dont l'incapacité était d'autant plus évidente qu'on exigeait de ces esclaves peu doués des prestations plus diverses et plus contradictoires. Et la mauvaise volonté s'ajoutait au manque de soin, tandis que les promesses ou les menaces se heurtaient à une molle obéissance tempérée de ruse. On estimait que le rendement du travail servile était inférieur de moitié à celui du travail libre, et les douze esclaves de Marcus s'agitaient comme trois. Sans doute, malgré leur insigne médiocrité, se sentaient-ils irremplaçables.

Sous la surveillance personnelle du maître, l'équipe de tâcherons des deux sexes se livra donc à un grand branle-bas de seaux, torchons, serpillières et éponges, plumeaux, échelles et balais. Puis on répandit de la sciure de bois sur les pavements arrosés pour mieux entraîner saletés et poussières. On rechargea enfin de charbon sylvestre les braseros fixes ou roulants que l'on avait éteints à l'heure du coucher, crainte d'asphyxie, et l'on briqua d'une main lasse deux ou trois meubles encore présentables et un lot de cette argenterie si commune que Marcus en offrait autrefois cinq ou six livres à ses plus dévoués clients pour les étrennes.

Mais, astiquage ou nettoyage, rien ne pouvait donner le change : l'irrémédiable logis n'était qu'un banal rez-de-chaussée d'« insula » de deuxième ordre.

Marcus songea avec amertume qu'« insula » signifiait « île » ou « îlot » et qu'il végétait sans espoir sur cette insula comme un naufragé de ses biens.

L'idée vint à Marcus de faire balayer sous les porches. De chaque côté des deux voûtes s'ouvrait une cage d'escalier et les quatre portes correspondantes du rez-de-chaussée étaient naturellement celles du propriétaire. Marcus avait bien dit à Marcia d'entrer par le grand porche et de frapper à la porte de gauche — les esclaves ayant été relégués en face. Mais les femmes sont étourdies et Marcia, qui ne connaissait pas les lieux, pouvait se présenter par le porche de l'impasse. Il importait donc de balayer par-devant comme par-derrière.

Lesdits porches étaient en effet aussi encombrés de détritus que d'habitude. Bien pis : les « dolia », ces grosses jarres où les campeurs des étages vidaient leurs pots de chambre ou chaises percées, étaient pleines à ras bords sous les quatre cages d'escalier. Les vidangeurs nocturnes, une fois encore, avaient négligé l'immeuble. Malgré le froid assez vif, l'odeur devenait insupportable. Mais le fumier de l'impasse n'était déjà pas conforme aux règlements de police et il n'était pas question d'y ajouter quatre dolia. (Un enfant, d'ailleurs, était là, bien capable de respirer encore...) Il n'y avait rien à faire.

Dégoûté, Marcus rentra dans ses appartements et prescrivit au passage qu'on donnât un bon coup aux quatre poignées de porte — faible consolation.

Le ciel était couvert, il était impossible de savoir l'heure, et Marcia, qui avait prévu sa visite pour les environs de la cinquième heure, était susceptible d'arriver bientôt.

A la cuisine côté maître, Marcus se lava les mains, le visage et la bouche à l'eau courante, tout en pensant qu'il n'avait pas payé son eau. Cette eau précieuse, qui n'était point distribuée aux traîne-savates impécunieux des étages, retenait vissés au sol tous les « insulaires » capables de se l'offrir chez eux. Pour tout petit déjeuner, Marcus but quelques gorgées d'eau glaciale, puis il remplaça ses tuniques froissées par des tuniques convenables, glissa ses pieds nus dans des chaussures de ville et se passa un coup de peigne.

De la chambre, il fallait désormais tendre l'oreille pour entendre les ultimes gémissements du bébé. La fois précédente, des chiens errants s'en étaient occupé. Il n'était sain ni pour Marcus junior ni pour Kaeso d'avoir le nez sur de pareils spectacles. Le logement des esclaves, plus éloigné du fond de l'impasse, eût été, tout compte fait, préférable pour la famille...

De retour dans les pièces de réception, Marcus constata que les braseros ne fumaient pas trop et entretenaient un minimum de chaleur, malgré l'ouverture des volets. L'atmosphère était cependant à ce point sinistre que le maître demanda qu'on allumât quelques lampes, à condition de bien les abriter des courants d'air.

Une vieille esclave édentée amena les jeunes Marcus et Kaeso, qui avaient joué à l'écart jusqu'à ce qu'on les fasse beaux pour les présenter à leur cousine germaine.

Ces deux fils, nés coup sur coup et sur le tard, étaient devenus les seuls trésors de Marcus, réduit par les événements à la situation de « prolétaire » — si du moins il fallait faire confiance à son analyse intime, fortement entachée de pessimisme. Il s'était pris en tout cas pour ses enfants d'une affection d'autant plus vive que Pomponia était morte en couches alors que Marcus junior faisait ses premiers pas et qu'il avait dû les élever pratiquement lui-même, avec une domesticité réduite et négligente. Et ces beaux petits, en un temps où l'Italie se dépeuplait malgré la conscience inquiète qu'on en avait pris, malgré les avertissements effrayés des Princes et leurs encouragements à la natalité, ces petits, Marcus les avait voulus, par une sorte d'instinctive réaction aux injures inouïes du destin. Mais le réconfort d'une telle présence n'allait pas sans de nouvelles angoisses. Du train où marchait la fortune de la famille, avec quel argent, avec quels appuis établir un jour les deux jeunes gens ?

Au bord des pleurs, Marcus congédia sèchement ses fils et ses pensées revinrent à sa nièce, unique fruit du premier mariage de son frère Rufus, qui venait de mourir, après avoir consacré par testament à de superbes obsèques les ultimes débris de son patrimoine : Rufus aurait été inconséquent, égoïste et vaniteux jusqu'au bout. Marcia elle-même, après avoir divorcé à dix-huit ans d'un « chevalier » qui grenouillait dans l'administration des immenses domaines impériaux, s'était bientôt remariée avec un certain Mancinus Largus, nobliau campagnard ombrien, qui avait une mer de vignes du côté de Pérouse. Marcus avait jadis tenu Marcia sur ses genoux, mais sa déconfiture avait espacé les relations entre les deux frères, et il n'avait revu la jeune femme qu'en de rares occasions, pour la dernière fois lors de la cérémonie funèbre où le léger Rufus avait été réduit en fumée et en cendres. Il était surpris de la savoir de retour à Rome et désireuse de le visiter chez lui « pour affaires graves ». Peut-être s'agissait-il d'une affaire de tutelle ? Il aurait en tout cas préféré recevoir sa nièce dans un lieu plus digne de ses charmes.

Marcus se passa la main sur le visage : sa barbe de deux jours était encore très présentable. Et il jeta un ultime coup d'œil sur la pièce, qui avait été qualifiée d'« exèdre » en raison de la présence de quelques sièges. Au moins, elle était propre...

Mais, surtout, c'était là qu'avaient été dressés l'autel familial de marbre blanc et le laraire en précieux bois exotique de citronnier qui avaient conjointement orné l'atrium de la maison du Caelius. La petite flamme du feu sacré qui brûlait nuit et jour sur l'autel, la Minerve d'argent, entre autres, qui vous considérait du haut de la niche de l'armoire, au-dessus du panneau sculpté qui masquait le nécessaire à sacrifices, étaient des visions accueillantes et réconfortantes, un souvenir de temps meilleurs et une permanente invocation à des puissances protectrices. Marcus avait une dévotion particulière pour Minerve, qu'il avait choisie pour Pénate à l'instar de Cicéron, dont les discours et actes publics suscitaient chez lui une admiration presque sans réserve.

Et tout à coup, Marcia fut introduite, infiniment gracieuse de démarche et environnée d'un nuage de parfum poivré. Marcus n'avait pu récemment apprécier la jeune personne sous ses voiles de deuil, et il était ébloui de la retrouver si séduisante à vingt ans.

Marcia portait une longue robe garance galonnée d'or à traîne plissée, serrée sur les hanches par une ceinture large et plate, et sous les seins par une autre ceinture plus mince.

Et cette « stola » — sans doute par suite du deuil — était recouverte d'un grand châle soyeux au noir éclatant, où des broderies argentées représentaient néanmoins le triomphe d'Aphrodite. Le pectoral, les bracelets, les anneaux de cheville étaient en or artistement travaillé, mais la remarquable finesse des mains, blanchies à la céruse comme le front, était mise en valeur par l'absence de tout bijou. L'ocre léger des pommettes, l'ocre plus sombre des lèvres avaient été appliqués par la main d'une « ornatrix » experte, qui avait su respecter la triomphante jeunesse de cette brune étourdissante aux yeux noisette de biche.

Pomponia n'avait jamais su s'habiller et se surchargeait de joyaux comme un âne allant au marché.

On s'embrassa, et Marcia tint sur-le-champ à dédier une libation de vin pur à la Minerve du laraire, prévenance qui se perdait et dont Marcus fut touché.

On s'assit et l'on causa naturellement de la disparition de Rufus, qui laissait Marcia, déjà privée de sa mère, orpheline de père et sans autre parent que Marcus du côté paternel. Et l'on en causa d'autant plus volontiers que la cérémonie avait été pittoresque. Rufus avait choisi lui-même le mime consommé qui devait conduire les obsèques, et il avait eu le beau courage, près de sa fin, de lui faire personnellement ses recommandations.

Les cortèges funèbres distingués étaient toujours pilotés par des mimes, qui portaient le masque mortuaire du défunt, adoptaient sa démarche et mettaient en valeur du geste et même de la voix les défauts et ridicules du disparu. Une telle critique était la contrepartie de l'oraison élogieuse que le successeur devait ensuite prononcer au pied des Rostres du Forum.

Les contemporains de Claude pourront assister ainsi aux obsèques de l'avaricieux Vespasien, où une saillie de l'archi-mime eut un prodigieux succès : alors que l'auguste procession longeait le Tibre, l'artiste qui mimait le Prince en voie d'apothéose demanda le prix de la cérémonie et s'écria : « Qu'on me donne plutôt la somme et qu'on fiche mon corps à l'eau ! » L'usage voulait de même que les soldats suivant le char triomphal de l'imperator fussent un moment libérés de tout respect pour leur général, et César en personne avait été accablé de railleries sur les franges ridicules de ses tuniques et sur ses mœurs. « Romains, hurlaient ses légionnaires, serrez bien vos femmes et vos fils : nous vous ramenons le paillard chauve, le mignon épilé du roi de Bithynie ! » Et César de sourire jaune sous ses lauriers. Les Romains étaient friands de tels contrastes qui rappelaient la vanité des choses humaines et le caractère éphémère de toute gloire.

Marcus et Marcia se demandaient toutefois si le mime n'avait pas exagéré : sa composition d'un Rufus ivrogne et dissipé, agaçant les filles sur le parcours, avait été saisissante. On avait eu l'impression que, par-delà la mort, un Rufus impénitent persistait à afficher ses déplorables opinions, et les plaisanteries habituelles n'étaient pas allées sans grincements de dents.

« Heureusement, dit Marcia, que ton panégyrique a été de haute volée : quelle élévation de pensée, quelle justesse de ton, quelle élégance de diction ! Les affranchis et clients de mon père pleuraient comme des veaux qu'on mène au sacrifice. »

Rufus avait en effet été plus généreux pour ses clients que pour son frère ou pour sa fille, et Marcus s'était donné un mal de chien pour découvrir chez le disparu quelques bons côtés. L'éloge des ancêtres qui brillaient par leur absence, celui de la veuve évaporée, avaient été moins ardus.

La piété filiale ou fraternelle satisfaite, la conversation tourna aux dernières nouvelles réciproques. Marcus, qui s'efforçait de porter beau, n'avait pas grand-chose à dire, mais Marcia n'était pas venue pour bavarder.

« Je suis vraiment brouillée avec les Parques en ce moment : après mon père, j'ai perdu mon Largus.

— Par Zeus ! Si subitement ! A la crémation de Rufus, il était encore en vie...

— Il a été victime d'un " alligator ".

— Assassiné ?

— Presque. »

Et Marcia de raconter, sur le ton du papotage de salon :

« La famille de Largus avait autrefois planté des bois de peupliers pour y faire grimper des vignes, et mon mari était très fier de ses arbres surchargés de ceps et croulant chaque automne sous leurs multiples couronnes de lourdes grappes de petits raisins noirs. Sais-tu que ce mode de palissage passe pour donner des rendements très supérieurs à ceux des vignobles " jugués " ordinaires ? Mais les difficultés de l'" alligatio ", du liage des jeunes scions, celles de la taille, qui intéresse en même temps les sarments de vigne et les rameaux du peuplier, y sont extrêmes. Des esclaves étant incapables d'un tel travail, il faut recourir aux journaliers compétents, toujours trop rares, et qui exigent de l'employeur, avant de grimper, une assurance couvrant leurs frais d'obsèques. Les pauvres ont la rage d'épater leurs amis avec leurs cendres ! (Et il n'y a pas que les pauvres, hélas !) Bref, Largus s'est pris de querelle avec un " alligateur-tailleur " au sujet du montant et des conditions de l'assurance : c'était un homme emporté, que toute contradiction mettait hors de lui. Pour faire honte au rapiat, il s'est précipité par un froid de canard sur le premier peuplier venu, où il s'est mis à lier et à tailler à tort et à travers... jusqu'à ce qu'il tombe comme un paquet de son et se rompe le cou.

« Et un témoin m'a assuré qu'à l'instant de la chute, un corbeau s'était envolé de la cime de l'arbre vers la droite. Tu entends : vers la droite. Comme si la disparition de Largus pouvait être un présage favorable ! Et c'était bien un gros corbeau d'hiver, mis à la diète depuis peu par les frimas, après s'être gavé de semailles et de raisins, et non pas une corneille, oiseau dont il est clair qu'il n'est de bon augure que lorsqu'il vole vers la gauche. »

C'était en effet des plus étranges. Marcia tira de sa manche un carré de soie safran et se tamponna les yeux par décence. Mais on voyait bien que l'excellence du présage mettait un large baume sur sa peine.

« Ma pauvre enfant, soupira Marcus, qui s'empressa de parler utile : hérites-tu, au moins ?

— Pas un as, pas un nummus [1] ! Mon Largus avait une foule de

1. Autre appellation courante du sesterce.

neveux et de cousins, et même une nombreuse descendance : pas moins de trois enfants d'un premier lit, qui me battaient froid ! D'ailleurs, nous ne nous entendions plus guère. Il ne me trompait pas seulement avec les filles de service — ce qui passe encore —, mais avec toutes les amies que j'avais pu me faire dans cette cambrousse : je lui servais pour ainsi dire d'introductrice ! Et avec ça, d'un jaloux ! " Je veux être le seul à mettre le doigt dans mon huile " était sa maxime préférée.

— Enfin, je présume que tu conserves ta dot. Largus ne te l'a pas barbotée pour engraisser ses peupliers ou ses olivettes ?

— Il aurait bien voulu, mais papa — en tant que tuteur — a fait obstacle. J'ai ainsi gardé la dot qui m'avait déjà suivie après mon divorce. Les lois nous sont plus que jamais favorables. Que nous divorcions à l'amiable ou autrement, nous avons le droit de faire revendiquer par notre tuteur notre dot en justice même dans l'hypothèse où sa restitution en cas de rupture n'aurait pas été prévue dans le contrat de mariage. Si j'avais perdu mon Largus avec ma dot, j'aurais été une vraie gourde !

— Je crois me souvenir que mon frère n'avait pas été très large en ce qui te concerne ?

— Papa n'était large que pour ses plaisirs. J'ai dû me marier à quatorze ans avec 300 000 sesterces. Que peut-on faire avec un revenu de 15 000 ? La moindre robe convenable... Mais je ne suis pas en visite pour me plaindre ni pour t'agacer avec des questions d'argent...

« Parle-moi encore de toi. »

Marcus était bien aise que Marcia n'eût pas besoin de subsides dans l'immédiat. Se voir contraint de lui refuser un prêt l'eût vexé. Il fit allusion cependant à ses difficultés, et sa nièce le coupa :

« Je suis surprise que tu n'aies pas convolé encore une fois après la mort si imprévue de Pomponia. Cela n'aurait jamais fait pour toi qu'un quatrième mariage et tu es resté très vert. Comment peux-tu t'en sortir avec ces deux enfants en bas âge sur les bras ? »

La réponse eût été bien simple : sans argent, Marcus n'aurait pu contracter qu'un remariage ridicule, très au-dessous de sa condition. Il se refusait même à faire les frais d'une concubine permanente !

Pris de court, Marcus se réfugia d'un air superficiel dans des généralités qui couraient les rues :

« Tu as constaté comment allait le monde... Le mariage d'à présent n'est plus celui de nos aïeux. Voilà bien deux siècles qu'on se marie pour divorcer et qu'on divorce pour se remarier. Auguste avait même facilité le divorce dans l'idée naïve que des couples mieux assortis seraient plus prolifiques ! Mais tant va la cruche à l'eau qu'elle se casse. De nos jours, comme l'a si bien dit Sénèque, qui devrait rentrer ce printemps d'exil : " Les dames les plus illustres ont pris l'habitude de compter les années, non plus par les noms des consuls, mais par ceux de leurs maris " ; et pour s'épargner les frais et les tracas du mariage, les hommes qui ne veulent pas à tout prix un héritier de leur sang adoptent le fils d'un ami et se mettent en ménage avec une affranchie docile, voire avec une esclave bien choisie. Cela se porte de plus en plus. Une telle sagesse me paraît séduisante, puisque j'ai plus d'enfants qu'il ne m'en faut à placer. Oui, tout compte fait, je me remarierai un autre jour.

— Tu te remarieras très vite : je suis ici pour t'épouser. »

IV

L'ébahissement de Marcus était total et il crut un instant que sa nièce avait perdu l'esprit. Mais le visage régulier de la visiteuse respirait la maîtrise de soi, la réflexion, le calcul, et le diadème scintillant qui ceignait le bandeau tressé de cheveux noirs s'inclinait avec la tête pensive pour répéter que la proposition était concevable, la décision, bien mûrie.

Ne sachant que rétorquer, Marcus improvisa une plaisanterie laborieuse, qui ne l'engageait en rien et laissait Marcia libre de s'expliquer par le bout qu'elle voudrait :

« A première vue, tu te trompes d'adresse ! Depuis l'enlèvement des Sabines, les matrones romaines ont obtenu le privilège de ne pas mettre les pieds dans leur cuisine et elles se refusent même à faire le marché. J'aurais plutôt l'usage d'un bon cuisinier que d'une Sabine ! »

Marcia prit un détour :

« Comme beaucoup de propriétaires campagnards, Largus était abonné au *Diurnal* romain, et, la veille de mon veuvage, bien que le compte rendu des séances du sénat ait été exclu depuis longtemps de cette feuille d'échos, j'y ai lu des allusions détaillées et louangeuses au discours de Vitellius en faveur du remariage immédiat de Claude avec Agrippine.

— Allusions évidemment inspirées par le clan d'Agrippine et destinées à l'édification des provinces et des garnisons lointaines. A Rome, nous n'avons guère besoin de *Diurnal* : le bouche à oreille suffit.

— Puisque tu as su demeurer au sénat malgré tes revers de fortune, tu devais être à cette séance mémorable ?

— Qui aurait pu s'en dispenser ? J'ai dû suivre le mouvement. Les applaudissements enthousiastes n'étaient pas terminés que les adulateurs les plus ardents et les plus impies se précipitaient déjà par la Ville pour crier que si César avait le moindre scrupule à épouser sa propre nièce, ils lui feraient violence.

— Ces adulateurs et toi-même aviez l'excuse que Vitellius s'était montré éloquent. C'est un fait que les mœurs évoluent, que les mariages entre proches parents sont de mieux en mieux admis. Les Jules et les Claude sont tous cousins — parfois même issus de cousins germains. Et que dire de l'enchevêtrement des adoptions qui viennent encore renforcer les liens du sang les plus étroits ! Les pharaons prenaient régulièrement leur sœur pour épouse...

— Oui, et Caligula a honoré deux sœurs sur trois. On se demande même si Agrippine n'y est pas passée ! Ce ne sont point des choses à faire. De pareils scandales attirent le malheur sur l'État, dont la religion est la base, et les dieux courroucés se vengent.

— Les dieux en ont fait et vu bien d'autres ! Et de toute façon, le prétendu scandale est à présent légal puisque le sénat dont tu es membre s'est empressé à l'unanimité d'autoriser le mariage des oncles avec leur nièce. (Mais non pas celui des tantes avec leur neveu : les droits des femmes ont toujours du mal à s'affirmer.)

— Il nous était impossible de faire moins. Cet intrigant de L. Vitellius en eût perdu la voix, et son fils Aulus, qui marche dans son sillage, sa bedaine et ses bajoues... »

Marcus s'interrompit. Après des paroles machinales égrenées en état de choc et de trouble, le rapport lui sautait tardivement aux yeux entre le tout récent remariage du Prince et les étranges ambitions de Marcia. Mais qu'une telle union fût à l'avenir et pour la première fois légalement possible ne faisait qu'accentuer son caractère irréel et extravagant pour ce qui le concernait.

Il s'écria enfin : « Par Minerve, déesse des idées justes, par Vénus dont les caprices enflamment les cœurs, dis-moi donc ce qui te plaît en ma personne ? »

Marcia eut un petit sourire et prit un nouveau détour :

« Minerve me dit que tu es intelligent, cultivé, que tu as du caractère. Papa — qui t'aimait au fond plus que tu ne le penses — me répétait : " Marcus n'a pas le caractère qui fait les grands hommes, et moins encore celui qui fait les gredins. En matière de caractère, c'est l' " aurea mediocritas ' d'Horace. " Une telle nuance n'est-elle point rassurante pour une femme par les temps qui courent ?

— Sans doute les grands hommes et les gredins sont-ils difficiles à vivre — notamment quand ils se confondent !

— Et Vénus, qui doit se reposer par moments, me souffle qu'il te faut d'urgence une femme bien née et de bonne réputation pour tenir ta maison. Passons sur ma dot...

— Il me semble qu'à ton âge, malgré la relative modicité de cette dot, tu pourrais prétendre à autre chose qu'à un quinquagénaire désabusé. »

Marcia sourit encore, découvrant des dents de loup polies à la corne pilée, qui faisaient un curieux contraste avec ses yeux langoureux.

« Tu es pour moi aujourd'hui un parti unique, Marcus !

— Je n'en suis pas si persuadé et je persiste à trouver la mariée trop belle. Ne serais-tu point désemparée par la brutale disparition d'un père et d'un époux, comme l'oiseau tombé du nid qui se raccroche à la première branche venue ? Que tu me parais jeune ! »

Le sourire de la veuve orpheline vira au rire éclatant.

« Depuis ma première nuit de noces, j'ai renoncé à pleurer. A quoi bon ? On ne changera ni les hommes ni les femmes. »

Et après un court silence :

« Je devine que tu dissimules sous une aimable fausse modestie une répugnance qui est en réalité de nature religieuse. Me tromperais-je ?

— J'avoue que seul un empereur et Grand Pontife pourrait ne pas trop la ressentir.

— Eh bien, cette répugnance m'est un motif supplémentaire de t'estimer, et sache que je ne suis pas loin de la partager. Il en va de l'inceste comme du garum : un bon cuisinier sait modérer la dose. Aussi, naturellement, je ne t'offre qu'un mariage blanc : l'union d'un père et d'une fille, d'un frère et d'une sœur, qui conserveraient néanmoins une décente et discrète liberté. Un homme doit sacrifier à la nature et une jeune femme pratiquement émancipée peut beaucoup pour la carrière d'un mari. »

Le projet gagnait en vraisemblance et la pensée de Marcia se dessinait plus nettement. Déçue par deux maris, elle était à la recherche d'un barbon qui aurait les plus estimables motifs de ne pas l'importuner et qu'elle pourrait cocufier à son aise et à toutes fins utiles. Le toupet de la donzelle était effarant. Voilà ce qu'était devenue la femme romaine depuis la fin de la République !

« Je comprends, dit Marcus mi-figue mi-raisin, que tu sois soucieuse de t'établir pour de bon, et le moindre des sénateurs n'est pas à dédaigner. Mais si tu as la bonté de m'offrir une maigre dot et des espérances difficilement qualifiables, tu m'offres également un vrai supplice de Tantale. Y as-tu seulement réfléchi ?

— Mon cher oncle, je te sais assez respectueux de la coutume des ancêtres pour le supporter sans faiblesse. Et comme les maris et les femmes font de nos jours chambre à part, tu pourras jouir toutes portes closes d'une continence à la Scipion : être officiellement un honorable mari selon la loi nouvelle, allant sur les traces de son Prince avec la chaude approbation du sénat, et, officieusement, un chaste thuriféraire des mœurs anciennes. Tu y gagneras des deux mains, et devant les hommes et devant les dieux. Les prêtres en ont découvert plus de trente mille : il y en aura bien un de sensible à ton épreuve, et d'abord ton Pénate préféré Minerve, si intelligente qu'elle n'a pas trouvé d'époux.

« Mais l'expérience du mariage me démontre que ton supplice sera court. Aucune femme ne peut rester séduisante plus de quelques mois pour un homme dont elle partage l'existence journalière. Cupidon se nourrit de mystère et de variété. Et c'est bien pour cela que la Fortune Virile, cette déesse qui passe pour dérober aux hommes les menus défauts des femmes, a si fort à faire dans le mariage ! Elle doit veiller sur tant de crèmes et de fards, de pierres ponces et d'onguents, tirer des voiles plaisants sur tant d'indispositions pénibles... Au bout de trois semaines, tu ne me regarderas plus. »

Marcus protesta faiblement. Il était bien malaisé de trouver le ton juste dans une situation aussi fausse et même aussi outrageante. L'inceste officiel n'était pas plus flatteur que la continence officieuse.

« Tu disposes de moi, ma petite, avec une désinvolture extraordinaire. Si je me faisais complice de cette combinaison, j'y gagnerais d'abord — et pour des bénéfices dérisoires — le mépris de tous les honnêtes gens.

— Papa aimait à dire : "...

— " Cueillons la fleur pucelle avant qu'elle ne se fane ! "

— Et aussi : " Le mépris des honnêtes gens est le plus facile à supporter, car ils se comptent sur les doigts. " Tu te résoudras à ce mariage.

— J'en doute fort !

— Tu t'y résoudras parce qu'un affranchi, un centurion primipilaire et même un " chevalier ", nommé Alledius Severus, ont déjà fait diligence pour épouser leur nièce.

— Que m'importe ! »

Avec une pointe d'impatience, Marcia toucha au cœur du problème :

« Ouvre donc les yeux ! Claude, subjugué par Agrippine, mais si attentif à toutes les vieilleries de la religion romaine, souffre de scrupules que seuls ont pu vaincre l'éloquence d'un Vitellius, l'entraînement unanime du sénat, la sympathie du peuple, demeuré fidèle au souvenir de Germanicus et d'Agrippine l'Aînée. Agrippine elle-même, qui regorge de fierté, ne s'est abaissée à cet expédient que contrainte par les démons de son insatiable ambition. Pour prêter une justification morale à une telle union, les discours ne suffisent point :

il faut donner de sa personne. Chaque mariage d'un oncle avec sa nièce est ainsi, pour le couple impérial, l'expression de la flatterie la plus opportune, la plus profonde, la plus raffinée, la plus rassurante. L'inceste s'édulcore dès qu'il se partage.

« Claude et Agrippine sont si intéressés à ce que leur exemple soit promptement suivi, si sensibles à la délicatesse de ces trop rares dévouements, que leur faveur inonde sur-le-champ les hommes et les femmes de bonne volonté qui ont fait passer le culte du Prince avant les ménagements d'une naturelle sensibilité.

« L'affranchi a reçu la gestion d'un immense domaine en Afrique. Le " chevalier " a été gratifié d'une direction de service à la station centrale des Postes du Champ de Mars. Et l'empereur en personne, accompagné d'Agrippine, a assisté aux noces du primipile. Que n'aurais-tu à espérer si tu étais le premier sénateur à saisir l'occasion ? Par quel autre moyen voudrais-tu rétablir ta fortune, si injustement compromise par la folie de Caligula ? N'as-tu pas envie de sortir d'ennui ? En nièce affectueuse, je te montre la voie.

« Si d'ailleurs l'avarice bien connue du Prince ne tient pas toutes mes promesses, il n'y aura pour nous qu'un manque à gagner. Nous n'en sommes plus tous deux à un divorce près.

« Mais il importe de se dépêcher. Que de sénateurs pleurent aujourd'hui de ne pas avoir de nièce disponible ! Et les derniers mariés seront les plus mal lotis.

« Quels reproches ta chatouilleuse conscience pourrait-elle te faire puisque j'ai la méritoire pudeur de ne pas exiger que tu me donnes toutes les satisfactions dont tu serais capable ? »

L'affaire, exposée par une ambassadrice convaincante, prenait soudain une allure plus raisonnable, plus décente. Il y avait de quoi tenter même un honnête homme. Quelque dieu compatissant n'était-il pas là-dessous en dépit de certaines apparences fâcheuses ? Qui peut connaître à coup sûr la volonté des dieux et les cheminements prodigieux de leurs pensées ?

Plus Marcus discutait, plus il se sentait fléchir, et bientôt, toute honte bue, il ne discuta plus que pour la forme.

« Je suis pourtant froissé sur un dernier point. Claude, du temps de Messaline, avait fiancé sa fille Octavie à L. Junius Silanus, qui avait été désigné à la faveur publique par les ornements du triomphe et un superbe spectacle de gladiateurs. Messaline au pays des ombres, Agrippine s'est empressée de faire disgracier Silanus, dans l'arrière-pensée, peut-être, de réserver la jeune Octavie pour son propre fils Néron. Et non seulement les fiançailles ont été rompues de façon injurieuse, mais Silanus s'est vu intenter un procès monté de toutes pièces, sous prétexte qu'il aurait entretenu des relations incestueuses avec sa sœur Calvina. Désespéré, le jeune homme s'est donné la mort le jour même du mariage de Claude avec Agrippine. Son bûcher fume encore ! N'es-tu pas au courant comme tout le monde ?

— Quel rapport entre la disparition de ce Lucius et notre affaire ?

— Tu sais bien quels liens étroits de clientèle nous entretenions autrefois avec les Silanus. Il est infiniment désagréable de se marier pour faire sa cour à une Agrippine qui vient de pousser au suicide — et dans quelles conditions ! — l'un des plus sympathiques rejetons de la " gens " qui nous avait si longtemps protégés et aidés.

— Tu n'es en rien responsable de la coïncidence. D'ailleurs, si je ne m'abuse, le Silanus dont les Aponius Saturninus relèvent théoriquement n'était point notre Lucius qui n'a pas eu de chance : c'est plutôt l'un de ses deux frères, Marcus ou Decimus, qui se portent à merveille.

— Decimus, le plus âgé, serait en principe mon patron.

— Eh bien, notre mariage t'apportera peut-être un nouveau patron plus efficace. Où veux-tu le prendre autrement, puisque tu as raté ton coup avec Séjan ? »

Marcia avait réponse à tout. Marcus, dont les difficultés n'avaient tiré de Pomponia que des gémissements perpétuels, avait l'impression d'être pris en main et guidé vers un avenir meilleur par cette apparition éblouissante, dont rien ne laissait prévoir qu'elle pourrait être maléfique. Comme la jeune femme l'avait démontré sans conteste, il y avait beaucoup à gagner et rien à perdre dans l'aventure. Marcus aurait même dû y penser tout seul si, à force d'échecs et de désillusions, il n'avait perdu le contact avec les intrigues de cour et les réalités du Forum. Quelle leçon pour lui !

Désireuse de battre le fer pendant qu'il était chaud, Marcia mit aussitôt l'entretien sur la cérémonie projetée. L'autorisation du tuteur soulevait une question délicate.

La femme étant considérée à Rome comme une éternelle mineure, il fallait toujours qu'elle fût sous la puissance, « sous la main », d'un responsable légal.

Dans les temps anciens, le mariage faisait passer les femmes de la main du père dans la main du mari. Qu'il s'agisse du mariage patricien par « confarreatio » où les époux offraient un gâteau d'épeautre à Jupiter Capitolin en présence du Grand Pontife et du flamine de Jupiter ; qu'il s'agisse du mariage plébéien par « coemptio », où le père vendait fictivement sa fille au mari ; qu'il s'agisse du mariage par « usus » (ou à l'usure !), où après une année de cohabitation constante, la fille usagée était réputée épouse légitime.

Mais de l'antique et grande confusion entre les patriciens et les plébéiens, à partir de laquelle une nouvelle noblesse devait s'élever au-dessus de la plèbe stagnante, un mode uniforme de mariage s'était peu à peu dégagé, qui avait relégué les trois premiers dans le domaine des vieilles lunes. Mode révolutionnaire en ce sens que l'autorité tutélaire sur la femme n'était plus remise au mari, mais demeurait le privilège de l'ascendant paternel le plus direct de l'épouse[1]. Chaque femme était ainsi nantie d'un tuteur de sa famille, qui avait à charge de garder sa dot à l'œil, de défendre ses intérêts en cas de divorce, de veiller enfin à ce qu'elle se remarie au mieux. Les droits du mari romain se réduisaient à coucher quand il pouvait y parvenir et à donner des conseils de toilette le reste du temps. Ce système hautement original n'était d'ailleurs que l'application à la femme mariée du système ordinaire, qui voulait déjà qu'un enfant orphelin de père fût légalement protégé par un tuteur de sa branche paternelle durant sa minorité, puisque la loi en réputait la mère incapable.

A force d'être soumise physiquement au mari tout en demeurant sous la tutelle d'un père, d'un oncle ou d'un remplaçant, la femme romaine, doublement soumise en principe, en était vite arrivée à ne plus être soumise à personne : la nature veut que des forces contradictoires s'annulent. Insoumission d'autant plus remarquable qu'après avoir possédé leur mari, les Romaines s'étaient acharnées à bafouer l'autorité de tutelle dans tout ce qu'elle pouvait avoir de gênant, faisant hypocritement valoir en particulier que la liberté de se remarier selon leur goût ne pouvait que déchaîner des forces prolifiques. Et les magistrats leur avaient donné raison, leur accordant la déchéance et le remplacement du tuteur dès qu'il faisait mine de s'opposer à leur caprice.

C'était le triomphe de la faiblesse et de la ruse sur les forces écrasantes des maris et des pères.

Dans le cas de Marcus et de Marcia, la nécessaire autorisation du tuteur ne posait un problème que pour ce bon motif : depuis la mort de Rufus, c'était Marcus qui avait hérité de la tutelle de Marcia.

« Tu ne peux quand même pas, disait-elle, être à la fois mon mari et mon tuteur : j'y risquerais l'esclavage ! Ce serait une régression barbare. Nous ne sommes plus au temps des Tarquins !

— Ne t'énerve pas, répondait-il. Ce serait en effet une monstruosité juridique. Le mariage " cum manu " est bien mort et personne ne songe à le ressusciter. Je t'épouserai évidemment " sine manu ", comme n'importe qui, ce qui veut dire que tu seras et resteras dans la main d'un tuteur, et qu'il ne saurait s'agir de moi par définition.

---

1. M. Pierre Grimal suggère que l'origine de cette anomalie aux énormes conséquences serait la volonté des patriciens de soustraire à l'autorité légale des riches plébéiens les filles qu'ils s'étaient résignés à leur donner en mariage. Je n'envisage pas une meilleure explication. Reste à comprendre pourquoi une telle forme de mariage est devenue de règle entre les plébéiens eux-mêmes.

— Mais c'est toi qui es mon tuteur ! Et je ne vois plus d'autre parent possible en ascendance paternelle.

— Le cas est certes extraordinaire et la fantaisie législatrice de Claude en est la première cause. Mais enfin, on trouve toujours un ascendant au énième degré pour faire l'affaire : ce n'est au fond qu'une formalité. Et en cas d'extinction totale, le préteur doit pouvoir désigner d'office un étranger de bonne réputation et de bonne moralité, pour peu qu'il soit complaisant. Un tuteur est absolument indispensable à la jeune fille comme à la femme mariée, qui ne saurait même rédiger un testament sans son autorisation expresse.

— Je ne pourrais pas profiter de la circonstance pour ne plus avoir de tuteur du tout ?

— A quoi bon ? Les pères eux-mêmes ne sont plus embarrassants dès que la femme a été émancipée en pratique par de premières noces, et les autres tuteurs sont plus discrets encore. A ma connaissance, d'ailleurs, Vestales mises à part, les seules matrones exemptes de tutelle, par suite d'une décision d'Auguste, sont les mères de trois enfants. J'espère que ma méritoire continence me laissera peu de chances d'être trois fois père avec toi !

— Tu peux être tranquille : puisque les hommes sont distraits, je suis femme de précaution. Maman m'a dit tout ce qu'il fallait savoir là-dessus quand j'ai épousé mon " chevalier ".

— C'était une mère admirable ! Pour en revenir à ce qui t'inquiète, j'irai consulter Vitellius. Il sera charmé de nos intentions, qui vont dans le sens de ses propres intérêts, il arrangera et pressera notre affaire.

— Il pourrait même nous recommander.

— Ce serait assez naturel. Et il a la confiance de Claude comme la faveur d'Agrippine... »

On décida, aussi bien par économie que par pudeur, de célébrer le mariage en toute simplicité — à moins que des personnes illustres ne s'invitent —, après des fiançailles éclair. Heureusement, l'évolution des mœurs avait réduit l'essentiel de la cérémonie à si peu de chose que tous les programmes, du plus tapageur au plus spartiate, étaient concevables.

Marcia était même d'avis d'imiter la fameuse discrétion d'une homonyme républicaine que Caton — celui qui devait finir à Utique — avait épousée privément. Elle se plut à rappeler :

« Toute l'assistance s'était résumée en la personne de l'ami Brutus, qui avait apposé son sceau de témoin sur le contrat. Puis le témoin s'était fait haruspice. Brutus avait égorgé un porcelet dans l'atrium, lui avait ouvert le ventre, avait déclaré sans rire que les entrailles se présentaient bien et que les auspices étaient favorables. Puis l'haruspice était redevenu témoin et les époux avaient enfin échangé leur consentement. C'est la formule : " Où tu seras Gaius, je serai Gaia ", l'échange des libres consentements, qui font en somme le mariage, n'est-ce pas ? Tout le reste n'est que fioritures.

— Le contrat lui-même n'est pas obligatoire, mais la coutume des ancêtres exige absolument qu'un témoin au minimum soit présent, et les auspices sont pris par un " auspex " familial sans investiture sacerdotale ni délégation officielle. Chez nous, l'aspect religieux du mariage relève du culte privé de chaque " gens ", l'haruspice est toujours de la maison et la cérémonie ne regarde l'État que par les conséquences qu'on en peut attendre.

— Comme l' " auspex " est incompétent, les auspices sont toujours favorables. Il ferait beau voir qu'un " auspex " chicaneur fît remettre un mariage à des temps meilleurs ! La prise d'auspices étant donc devenue une pure formalité, pourquoi ne pas la supprimer ?

— Tu parles comme une impie !

— Au contraire, j'ai plus de religion que toi. Ne crains-tu pas que les dieux ne se courroucent de voir invoquer leur bienveillance à l'occasion d'un inceste ?

— Mais puisque nous ferons chambre à part pour de bon !

— Espérons que tu t'y tiendras. »

Marcus détourna la conversation vers une nostalgique rétrospective historique, que l'allusion à Caton avait éveillée.

« Sais-tu bien que le vertueux Caton a cédé sa Marcia à son ami le grand orateur Hortensius, sur la demande pressante de ce dernier, qui n'en était pas précisément amoureux, mais qui brûlait de s'unir à son vénéré Caton par les liens les plus intimes et les plus prolifiques ? Hortensius avait d'abord demandé la fille de Caton, mais on avait fini par la lui refuser, sous prétexte qu'elle était déjà mariée et enceinte de surcroît. On ne pouvait le laisser sur un échec, dont sa dévotion se serait froissée, et la femme lui a été donnée à la place de la fille. Hortensius pouvait enfin baiser à loisir les reliques du maître.

« Et Brutus, à force d'égorger des cochons dans des mariages, ira égorger César au sénat, cet homme si répandu qu'il avait couché avec la mère du jeune héros juste à temps pour se mettre en tête qu'il lui ressemblait. Les historiens bien informés pensent que le : " Tu quoque fili " (prononcé d'ailleurs en langue grecque) était en fait une accusation de parricide. Si Brutus n'était pas au courant, il a appris sa filiation naturelle dans des circonstances bien dramatiques. Quelle scène digne d'Euripide si le jeune homme, en pleine frénésie meurtrière, avait retenu son bras devant le : " Toi aussi, mon fils ! ", et s'était écrié : " Arrêtez un peu ! On assassine mon papa ! " »

Marcus, qui estimait élégant de nourrir — avec une louable prudence — des penchants républicains, admirait les stoïciens de cette trempe, qui auraient tué père et mère pour assurer la survie d'une idée douteuse et qui faisaient le lit de leur sublime amitié dans celui de leurs tièdes amours.

« Hélas, soupira-t-il en conclusion, il y a peu de chance qu'un homme te recherche jamais pour adorer ce que j'aurais embrassé, et moins de chance encore que tu me reviennes comme cette lointaine Marcia, que Caton épousa de nouveau après la mort du pieux Hortensius ! La race de ces hommes supérieurs et de ces femmes dévouées est bien tarie. »

La légende républicaine, forgée par les défenseurs d'une Liberté qui ne profitait qu'à eux-mêmes, laissait Marcia de marbre. Elle tenait Caton d'Utique pour un rêveur et un maladroit, qui avait indisposé jusqu'à ses clients par d'archaïques distributions de raves. Les femmes raisonnables campent toujours dans le camp des vainqueurs. Comment exploiter la force des vaincus ?

Un remue-ménage venait d'éclater dans les coulisses, et soudain firent irruption à travers l'exèdre un rétiaire poursuivi par un « secutor » : Marcus le jeune et Kaeso, échappant à la surveillance de la vieille esclave, s'étaient précipités sur leur panoplie de gladiateur. Les enfants riches avaient de luxueuses copies conformes à leur taille, des sabres à lame de noyer, garde dorée et poignée d'ébène. Les fils de Marcus étaient cuirassés de carton et armés de bois blanc, mais leur turbulence se moquait bien de ces détails.

Le père outragé tonna et les deux fautifs vinrent saluer leur cousine germaine, qui se répandit en compliments sur leur bonne mine et en affectueuses caresses. Marcus junior était plaisant avec son trident moucheté et son petit filet. Et sur le cimier de Kaeso, on pouvait lire : « SABINUS VICTOR ». (En fait, le commandant de la garde germanique de Caligula était retourné à l'arène sous Claude pour y mordre la poussière, et il n'avait dû son salut qu'à l'intervention pressante de Messaline, dont il honorait les débauches de sa vigueur.)

Les enfants expédiés, Marcia demanda à Marcus :

« Aurais-tu toujours ton petit " ludus " de banlieue ?

— Je n'en suis pas trop mécontent...

— Je n'ai jamais saisi quelle mouche t'avait piqué de te lancer dans cette industrie mal famée après cette sinistre vente aux enchères ?

— Je me le demande moi-même... Un émissaire de Caius est naturellement venu m'offrir un prix dérisoire du lot dont j'étais embarrassé. Exaspéré d'une telle impudence, je me suis cabré. Et à la réflexion, je me suis dit que j'avais quand même en main un capital à faire valoir. Cela, bien sûr, n'a pas été sans mal, car j'avais tout à apprendre. Mais j'ai eu la chance de trouver un laniste efficace, qui a pris mon affaire en gérance : il n'était évidemment pas question qu'un sénateur s'occupe personnellement d'un ludus. Eurypyle, un Grec de Tarente, me donne un fixe assez mince et un pourcentage sur les affaires. Parfois, quand ils sont à court, les lanistes du Prince nous prennent quelques gladiateurs en location-vente pour un " munus " romain. Le plus souvent, nous travaillons sur les villes d'Italie, où l'on apprécie tout ce qui vient de la capitale. Mes hommes vont de Vérone à Brindes, en passant par Pompéi ou Bénévent. Ils font ce qu'ils peuvent. Ce n'est plus l'équipe des premiers jours, que je n'avais pas les reins assez solides pour conserver et renouveler. Mais le ludus d'Eurypyle a bonne réputation. Je préfère la qualité à la quantité, et il n'y a pas d'esclaves autour du brouet. La concurrence est pourtant rude. Nous avons même affaire à des lanistes ambulants !

— N'avais-tu pas un char de guerre ?

— Je l'ai toujours ! Avec deux nouveaux étalons piaffants ! Et mon essédaire, un Sicilien qui fait aussi le bestiaire à l'occasion, est encore celui que Caius m'avait refilé méchamment. Ce Tyrannus, dont j'ai oublié le véritable nom, commence à prendre de l'âge, mais il est increvable et s'y connaît en chevaux. Ces animaux m'intéressent plus que l'essédaire : j'ai ainsi la possibilité de monter sans frais, et les enfants pourront faire leur éducation hippique dans les meilleures conditions.

— Tu es un père attentif, Marcus. Et tu mérites que je te fasse une promesse : puisque tu me fais confiance pour remonter ta maison, je traiterai tes fils comme s'ils étaient miens. Une femme serait bien sotte de faire des enfants elle-même quand les dieux lui en confient de si beaux. »

Les promesses les plus sincères sont les plus vaines, car celui qui se dévoue totalement à une cause y engage le meilleur de lui-même, mais aussi le pire.

Confiant, Marcus raccompagna Marcia jusqu'au porche empuanti, sous lequel stationnait sa chaise, dont les bâtons jumeaux avaient été appuyés verticalement au mur, comme deux frères ou deux époux.

« Marcus et Marcia, dit l'heureux fiancé, on dirait que c'est fait pour aller ensemble.

— Avec cette différence que Marcus est un prénom, tandis que Marcia était le nom de ma mère, mon grand-père maternel étant un Marcius. C'est en souvenir de maman que j'ai préféré ce nom à celui d'Aponia, auquel je devrais normalement répondre.

— Eh bien, tu seras en fait une Aponia, fille d'Aponius, épouse d'Aponius ! Quelle salade pour faire plaisir à Agrippine ! »

Les Romaines convenables, en effet, n'avaient point de prénom.

Elles portaient le nom au féminin de la « gens » paternelle, avec des surnoms différents pour distinguer les sœurs. Et ce nom, elles persistaient à le porter à travers tous leurs mariages, ce qui était bien commode. Le mari romain donnait son nom à ses enfants, mais non point à sa femme.

Quant aux bâtards dont pouvaient accoucher les citoyennes, ils prenaient le nom de leur mère au masculin, irrégularité que venait corriger la mention « fils de Spurius ». Ce Spurius fictif à l'activité débordante était ainsi le père de tous les bâtards de Rome. L'adjectif « spurius » signifiait d'ailleurs « illégitime », car le « spurium » était l'une des multiples façons de désigner le sexe féminin. Le bâtard romain, officiellement enregistré sous l'appellation de « fils de Con », n'était pas à la noce et faisait d'ordinaire de mauvaises études.

Marcia embarquée au trot de quatre porteurs libyens, Marcus, de la ruelle, leva les yeux vers les treilles et les arbustes que les locataires avaient fait pousser sur la terrasse de l'insula. Allait-il enfin reprendre son ascension, c'est-à-dire élever son rez-de-chaussée à une altitude distinguée, où il n'aurait plus, au-dessus de la tête, que des oiseaux de bon augure ?

V

Après avoir grignoté pensivement quelques olives au cœur d'un quignon de pain sec arrosé d'huile, mordu dans une poire d'hiver et bu un doigt de vin courant mélangé d'eau, Marcus, qui n'était pas d'humeur à faire la sieste, alla s'attabler dans sa bibliothèque pour rédiger une demande d'entretien à destination de Vitellius père.

Sa main hésita entre les tablettes à volet double disponibles. Les tablettes en bois ordinaire risquaient de blesser la vanité de ce parvenu. Les tablettes d'ivoire avaient l'air de dire : « Retourne-moi vite ces objets précieux avec ta réponse ! » Marcus transigea pour des tablettes de buis, écrivit au fil du poinçon un texte ridicule, qu'il effaça aussitôt avec l'autre extrémité aplatie de l'instrument. L'extrême difficulté du pensum reflétait tout l'inconfort de sa situation.

Enfin, après de nombreux essais, il s'arrêta à ce texte, qu'il s'appliqua à graver très lisiblement dans la cire claire, de façon que les lettres onciales se détachent bien sur le fond de bois sombre mis au jour par la pointe, et il alla même jusqu'à séparer quelques mots ou expressions jugés importants.

MAPONIUSSATURNINUSLVITELLIOSUOS SPLENDIDA ORATIOQUAMIN SENATUHABUISTI VEHEMENTER ANIMUMMEUMCOMMOVITETPRINCIPI NOSTROLAETITIAMDEDISTIETMIHIDABISNAMJAMPRIDEMMORTUIFRATRISFILIAMOCCULTEAMABAMQUAMNUNCINMATRIMONIUMDUCERE ARDENTER CUPIOQUANDOTEADSPICIAMQUANDOQUELICEBITSIVALESBENEESTEGOAUTEMVALEO

C'était net et laconique, d'une limpidité parfaite. Un seul adjectif, mais bien placé. Il avait évité le piège de se répandre, et par conséquent de se trahir, de donner une prise supplémentaire à la malveillance.

Les Latins ne séparaient d'ordinaire ni mots ni phrases dans la graphie manuscrite courante, et ignoraient résolument accentuation et ponctuation. Pour les quelques personnes qui auraient des difficultés à lire cette écriture, il n'est pas mauvais d'en donner une version plus moderne.

« M. Aponius Saturninus L. Vitellio suo s. (alutem dicit). Splendida oratio quam in senatu habuisti vehementer animum meum commovit. Et principi nostro laetitiam dedisti, et mihi dabis. Nam jampridem mortui fratris filiam occulte amabam, quam nunc in matrimonium ducere ardenter cupio. Quando te adspiciam, quandoque licebit ? Si vales, bene est ; ego autem valeo. »

Ce qui revenait à dire, en gallo-romain tardif :

« M. Aponius Saturninus présente ses salutations à son ami L. Vitellius. Le magnifique discours que tu as prononcé au sénat m'a vivement ému. Tu as fait le bonheur de notre Prince : tu peux faire le mien ! J'aimais en secret la fille d'un frère défunt et je brûle aujourd'hui de contracter mariage. Quand me sera-t-il permis de te voir ? Si tu vas bien, tant mieux ; pour moi, je me porte bien. »

Marcus vérifia que la cire du deuxième volet, réservé à la réponse de Vitellius, était bien lisse et bien égale, suffisamment en retrait dans son logement pour ne pas risquer de se mélanger à la cire de l'autre versant, où le billet venait d'être écrit. Il rabattit les deux tablettes l'une contre l'autre, et scella le tout du sceau de sa bague, une intaille finement gravée, qui représentait la louve en train d'allaiter Romulus et Remus. Le nombre et la disposition des poils de la bête étaient là pour décourager les faussaires.

A des signatures toujours discutables, les Romains méfiants préféraient l'usage quotidien des sceaux.

Les tablettes revinrent avant la tombée du jour, fixant rendez-vous à Marcus pour le lendemain matin, après réception de la clientèle, heure où Vitellius aurait un instant de tranquillité avant de descendre au Forum. Cette promptitude était encourageante.

Vitellius père accueillit Marcus de façon extrêmement gracieuse dans son petit palais du mont Quirinal, près d'un temple de la Fortune Primigénie, d'où l'on avait une jolie vue sur les monuments des Forums romains et sur le temple de Jupiter Capitolin, du côté où il dominait la Voie du Forum de Mars. Mais sous les compliments, une pointe d'ironique mépris perçait, qui aurait dû mettre en garde le quémandeur.

Pour Vitellius, dont l'élévation était récente, et la susceptibilité d'autant plus chatouilleuse, l'inceste était pardonnable chez un Prince au-dessus des lois, et sans importance chez le vulgaire, mais en tant que sénateur des plus influents, il eût de beaucoup préféré que les Pères conscrits bornent leur adhésion à des applaudissements. Il devait pourtant à sa carrière de soutenir — bien mollement — la démarche de cet Aponius, puisque les prétendues amours de ce vulgaire ambitieux apporteraient à celles de Claude et d'Agrippine une caution opportune.

Le désert de tuteurs fut comblé avec une facilité déconcertante : Vitellius fils prendrait sur lui personnellement cette formalité et se ferait un honneur d'assister au mariage.

Mais cette présence de marque posait à Marcus un problème financier inquiétant. Il devenait indispensable de prévoir un minimum de pompe, et même un festin exceptionnellement dispendieux. A trente-quatre ans, A. Vitellius était déjà énorme et avait la triple réputation bien établie de manger tout le temps, d'absorber des quantités fantastiques et de ne dévorer que du meilleur. Le moral était d'ailleurs en harmonie avec le physique : vigoureusement poussé par son père, Aulus s'évertuait jour et nuit à se mettre sous la dent tout ce qui passait à sa portée : viandes juteuses certes, mais aussi femmes toutes mouillées d'ambition, courtisanes desséchées par de trop assidus travaux, magistratures honorifiques et sacerdoces en vue. D'une impiété notoire, c'était un ogre, dont personne ne pouvait prédire où la boulimie s'arrêterait.

Comme Marcus se déclarait ravi... et anxieux d'organiser une réunion mémorable malgré l'insigne médiocrité de ses ressources, Vitellius lui dit en riant : « Rassure-toi ! On te trouvera bien 500 000 sesterces pour cette petite fête... »

Ce qui signifiait qu'il n'y avait pas d'économies à envisager sur la somme, dont l'affreux Aulus allait engloutir le tiers à lui tout seul, et les neuf dixièmes avec ses amis. Il raffolait de poissons monstrueux, de coquillages extraordinaires, de ventrées d'ortolans grassouillets, de foies gras de volatiles ou de porcelets, de loirs engraissés en jarre et confits dans le miel et les pavots, de vulves de truies « ejectitiae », découpées sur la mère en fin de grossesse, le tout copieusement arrosé de garum raffiné et de grands crus introuvables, et ses absences au vomitoire ou aux latrines ne faisaient que surexciter ses incroyables ardeurs. Les truffes et les cèpes n'étaient pour lui que des amuse-gueule et son triomphe était un pot-pourri de son invention, mélange insolite de langues de flamants, de laitances de murènes, de cervelles de paon et de foies de poissons-perroquets. L'invité était difficile à satisfaire.

Marcus dut se retirer sans autre promesse précise, mais il avait l'impression, malgré tout, que son affaire n'était pas trop mal partie. Avant de se replonger dans les obscurités de Subure, il remplit ses poumons d'air frais à la vue du panorama tentateur.

Les noces furent célébrées dans la douillette maison que feu Rufus s'était aménagée au cœur d'un beau parc du mont Esquilin. Immeuble, jardins et personnel étaient hypothéqués et en instance de liquidation, mais ce n'était pas affiché sur les murs et les apparences étaient sauves.

Vers le milieu de l'après-midi, Marcia sortit de ses appartements pour recevoir dans l'atrium son fiancé et A. Vitellius, dont la toge de cérémonie avantageait les formes informes. La plupart des relations de Marcus avaient décliné l'invite et Marcia elle-même n'avait prié qu'un petit nombre d'amies, mais Aulus était entouré d'une bande de soiffards voraces qui avaient coutume de goinfrer sur les traces de leur chef de file.

L'apparition de Marcia fut saluée d'un concert de compliments. La mise traditionnelle des jeunes mariées lui seyait à ravir : drapé jaune safran sur la tunique sans ourlets serrée à la taille par la « ceinture herculéenne » de laine à double nœud ; coiffure en étage à six bandeaux séparés par des bandelettes, celle même que portaient les Vestales durant tout leur ministère ; voile flamboyant sur la tête, que couronnait un entrelacs de myrte et de fleurs d'oranger, qui devaient sortir d'une serre en cette saison. Pour des troisièmes noces, on avait le sentiment que la mariée en avait fait un peu trop, mais on pouvait tout pardonner à sa fraîcheur pour une fois sans maquillage et à sa pudeur ostensible.

Vitellius, du coup, en oublia de manger, mais songea à mettre d'entrée les pieds dans le plat : « Heureux homme, dit-il à Marcus, qui épouse une nièce aussi exquise, bien digne de notre Agrippine ! Mais surtout, ne prends pas le chemin d'Œdipe, qui se creva bêtement les yeux parce qu'il avait couché par hasard avec sa mère ! Car il y aurait bien d'autres yeux pour faire leur profit de cette merveille... »

On pardonnait à Marcia pour sa beauté, il fallait pardonner au tuteur les plaisanteries les plus grinçantes eu égard à sa position. Tout le monde s'empressa donc de rire.

Les dix témoins ayant mis leur sceau sur le contrat, Vitellius se dévoua pour examiner les entrailles palpitantes d'une brebis, que la mariée avait préférée au porcin courant. L'« auspex » familial du regretté Rufus s'était éclipsé au sortir du festin funèbre et on n'avait pu le retrouver.

« Oh, oh, fit l'haruspice bénévole après un temps de tripatouillage, que vois-je ? Le poumon gauche a une fissure, le foie est mal lobé, le cœur, tout rabougri et saignant de travers. D'ailleurs, la bête n'a pas été égorgée selon les règles : le couteau doit pointer de bas en haut pour les sacrifices aux dieux célestes, et de haut en bas pour les sacrifices aux dieux infernaux ; or l'égorgeur a tenu son arme à l'horizontale, comme s'il visait un dieu encore inconnu entre les nuages et les abîmes. Et je me demande même si je n'ai pas entendu le cri d'une souris... Les dieux ne seraient-ils pas favorables ? Un aspect de la cérémonie les aurait-il fâchés ? Allons-nous devoir remettre ? A l'époque où nos aïeux avaient encore quelque respect des puissances tutélaires, des prises d'auspices ont été recommencées jusqu'à trente fois pour vice de forme ou résultat négatif... »

L'odieuse plaisanterie dépassait les bornes, et malgré le scepticisme quasi général, un sentiment de malaise se mêlait aux rires étouffés. La superstition, qui fleurissait sur les ruines des croyances ancestrales, voulait que les ruines demeurassent debout, comme un éternel témoignage de la grandeur de Rome pour les élites dirigeantes, comme une instruction irremplaçable pour le bas peuple crédule. Et après tout, s'il y avait des dieux quelque part, un tel mariage ne pouvait-il point porter malheur ?

« Ne vous inquiétez de rien, dit Marcia. Je suis déjà aujourd'hui sous la protection de mon tuteur, l'illustre Vitellius, et notre ami ne fait le chipoteur que pour vous couper l'appétit et avoir meilleure part. »

On rit plus franchement de cette heureuse sortie. Vitellius, doublement flatté, se releva et déclara en se lavant les mains : « Pour ce qui est de la souris, je ne suis sûr de rien. A la réflexion, c'était peut-être un mulot. Pour le reste... nous en reparlerons à la sortie du " triclinium [1] ". En attendant, je déclare les auspices corrects. Que les dieux protègent donc ce couple exemplaire dans sa dévotion à notre Prince, et que Jupiter très Bon et très Grand agrée bientôt la libation de falerne qui marquera pieusement le début des réjouissances ! »

Au milieu d'applaudissements soulagés, Marcus et Marcia se réunirent pour échanger leur consentement avec toute la gravité requise, et l'on passa à table.

Le cuisinier, qui s'était naguère fait la main avec le banquet de funérailles de son maître, n'avait pas cru pouvoir traiter plus de quarante personnes avec 500 000 « nummi » sous la présidence d'un A. Vitellius. Heureusement, la salle à manger d'hiver de la maison, orientée au sud, offrait un « sigma » de douze places, grande banquette en croissant, à l'intérieur duquel les serveurs disposaient pla-

---

1. Le terme désignait à la fois la salle à manger et une réunion de trois lits disposés en fer à cheval.

teaux et tables ambulants au fil des services. Et le triclinium d'été adjacent, que l'on ouvrait à la belle saison sur les jardins, comportait trois « triclinia » en U, ce qui, à trois personnes par lit, permettait de traiter vingt-sept convives de plus. On arrivait ainsi à trente-neuf, chiffre qui ne devait pas être dépassé, car on avait supplié les hôtes de ne pas s'encombrer des parasites communément tolérés et si joliment appelés des « ombres ».

Les invités se déchaussèrent ; les hommes abandonnèrent leur toge, et les femmes, leur cape ou manteau, pour revêtir la « synthesis », la longue et fine tunique que les amphitryons tenaient à la disposition des dîneurs afin de préserver leur vêtement.

Hommes, femmes et même jeunes filles, mangeaient alors couchés sur le côté gauche, appuyés sur le coude, ce qui n'allait pas sans risque d'accident, et lorsque les services étaient nombreux, on changeait parfois les synthesis en cours de repas.

Les convives s'étendirent d'abord plus ou moins sur le dos, pour faciliter l'indispensable cérémonie du lavement des pieds, que ni bas ni chaussettes ne préservaient de la poussière ou de la boue. Ils se mirent ensuite en position de dégustation, mollement répandus sur les draps de lin frais qui protégaient les coussins moelleux, le bras droit bien dégagé. Toute la cuisine romaine avait dû depuis longtemps adapter ses présentations à cette habitude de n'utiliser qu'une seule main pour se restaurer.

Les époux et les invités de première importance s'étaient rangés en travers du sigma, aux deux extrémités duquel étaient les places d'honneur. Vitellius, le tuteur, s'était couché à un bout, avec la mariée « au-dessous » de lui, et le marié s'était couché à l'autre bout, une amie intime de Marcia « au-dessus » — expressions qui n'avaient rien à voir avec une quelconque altitude, mais qui étaient empruntées à l'usage des « triclinia », où la place éminente était en principe du côté du montant de chaque lit.

Marcus s'empressa d'offrir la présidence du banquet à Vitellius, qui ordonna un mélange de vin et d'eau assez raide dans les cratères apéritifs. On avait oublié la libation à Jupiter, mais personne ne semblait s'en formaliser. Les serveurs, avec de petites louches, versèrent dans chaque coupe le nombre de mesures fixé par le président, on but à la santé de l'empereur et de son épouse, et aux vaillantes armées romaines, qui n'avaient plus grand-chose à faire ; puis, tandis que les esclaves distribuaient serviettes et essuie-mains, l'avalanche de hors-d'œuvre du premier service fit son apparition, dans la superbe argenterie dont Marcia espérait bien sauver quelques pièces de la rapacité des créanciers à l'affût. Neuf services étaient prévus, à la place des quatre habituels. On n'en finirait pas avant le milieu de la nuit...

Tous les festins se ressemblent. Celui-là n'avait d'original, selon toute apparence, que les capacités sans limites d'un Vitellius, ainsi que la suppression, par obligatoire économie, des intermèdes tragiques, comiques ou lascifs qui étaient entrés dans les mœurs. La chasteté des époux ne se lisait point sur leur visage — peut-être parce qu'elle était douteuse.

De service en service, Marcus cultivait la conversation de sa voisine, une personne abondamment divorcée, qui paraissait légère par le poids comme par le reste : c'était pour lui une excellente occasion de mieux connaître sa jeune femme. Plaidant le faux pour mettre au jour le vrai, Marcus finit par apprendre ce que tout un chacun savait et ce dont il se doutait déjà : le « chevalier » de Marcia avait porté des cornes à faire sursauter jusqu'à son cheval. « Mais, dit la voisine, elle sera sage à l'avenir. C'est évidemment une femme de tête, qui veut se ranger. Si j'en crois d'ailleurs mon expérience, comme tous les hommes se ressemblent — ... à bien peu de chose près ! — c'est leur faire trop d'honneur que de les collectionner ! » Pour un mari ordinaire, il y avait de quoi réfléchir assez tardivement. Marcus était par bonheur un mari d'exception.

De temps à autre, Marcia se détournait de Vitellius et regardait à son annulaire l'anneau d'or de fiançailles que Marcus lui avait offert. A force d'étriper et de charcuter leurs pharaons avant d'aller les cacher de façon que tout le monde les retrouve, les subtils prêtres égyptiens avaient découvert qu'un nerf d'une merveilleuse finesse partait de ce doigt pour aboutir dans les arcanes du cœur, et l'annulaire anonyme avait enfin trouvé son nom. La mode était lancée, sans doute provisoire, comme toutes les modes.

Puis le regard de Marcia cherchait celui de son oncle, pour lui signifier qu'on ne l'oubliait pas.

Vitellius, lui, ne cessait de bâfrer que pour agacer la mariée, la faire rire en lui susurrant dans la conque rosée de l'oreille des propos qu'on devinait immodestes.

Le jour tombait, alors que, de coupe en coupe, les convives perdaient de leur retenue, flattaient de la main pour tromper leur désir les jolis petits esclaves maniérés qui faisaient la tournée des rince-doigts. On n'en était qu'au troisième service, et Vitellius faisait déjà diminuer la proportion d'eau de coupage dans les cratères.

On alluma les appliques de bronze à mèches multiples, les lampes des suspensions et des candélabres réglables, de manière à procurer une lumière douce et flatteuse, et l'on rechargea les braseros, dont les émanations toxiques allaient se perdre à l'extérieur par des conduits dissimulés. Au-delà des verres de couleur ou des minces plaques de pierre translucide des fenêtres, il faisait nuit noire. A l'odeur entêtante des épices, se mélangeaient celle de l'huile brûlant à la pointe des mèches et celle des parfums que l'on jetait par instants sur le charbon de bois rougeoyant des braseros.

Marcus n'avait pas été à pareille fête depuis longtemps, et tous ces plaisirs, qui lui rappelaient une époque révolue de son existence, le rendaient indulgent pour les inscriptions déplacées que ce pince-sans-rire de Rufus avait fait graver dans une frise de marbre, en face du sigma, afin que nul n'en ignore. On ne voyait d'ordinaire de telles incitations vertueuses que chez les petits-bourgeois ridicules des villes italiennes, et dans l'esprit du défunt amphitryon, outre la joie maligne de se moquer de la pudeur des humbles, elles avaient de toute évidence été plutôt destinées à chatouiller des penchants que la promiscuité de la couche commune n'aurait pas suffi à éveiller.

LASCIVOS VULTUS ET BLANDOS AUFER OCELLOS CONIUGE AB ALTERIUS SIT TIBI IN ORE PUDOR

(ÉPARGNE TES JEUX DE PHYSIONOMIE LASCIFS ET TES COUPS D'ŒIL CÂLINS A L'ÉPOUSE DE TON VOISIN
QUE LA PUDEUR RÈGNE SUR TES LÈVRES)

Ou encore :

MATRONAE VENERABILIS FER PUERILITATEM QUANTO MAGIS FUGIT IRREPARABILE TEMPUS TANTO ANUS CAUTIONES PETIT

(TOLÈRE L'ENFANTILLAGE DE LA RESPECTABLE MATRONE PLUS S'ENFUIENT LES IRRÉPARABLES ANNÉES PLUS LA VIEILLE DAME EXIGE DE MÉNAGEMENTS)

« Anus » signifiant en latin « anus » ou « vieille dame », à une différence de genre et à une longue ou à une brève près sur la première syllabe, ce qui ne pouvait de toute façon apparaître dans une inscription au nominatif, l'obscénité contre nature du conseil n'échappait vraiment qu'aux illettrés. Mais les vieilles dames craintives n'avaient pas dû être nombreuses aux soupers fins de l'aimable Rufus...

Vers le sixième service, Marcus, que le bavardage de sa voisine avait distrait, s'aperçut tout à coup que la mariée s'était absentée et que la masse imposante de Vitellius ne dominait plus sa frêle anatomie. Une jalousie absurde le mordit au cœur, qu'il s'efforça de mettre au compte d'un mépris des convenances. L'absence se prolongeait.

« Telle que je la connais, lui souffla sa voisine comme si elle avait deviné une partie de ses pensées, Marcia a saisi l'occasion de plaider ta cause. Quand nous en serons aux fruits, Vitellius n'y verra plus clair et ses oreilles seront engourdies. Il ne sera plus temps alors de lui faire un sourire au sortir des latrines.

— Dans l'état où il est déjà, est-il en disposition de se contenter d'un sourire ?

— Ne t'alarme pas : il est si gros qu'il lui faut tirer son membre de sa graisse avec une pince à homard ! »

Cette femelle avait le mot pour rassurer !

Une rencontre anormale avait dû se produire. Que pouvait Marcia aux prises avec un Vitellius ? Quatre cents livres contre cent cinquante [1] ! Le monstre n'avait pas besoin de pince à homard pour attenter à la pudeur d'une femme.

La voisine reprit : « C'est Caligula qui sautait sur les femmes de ses invités pour s'amuser de la tête des maris. Vitellius n'en est pas là. Tiens, goûte-moi cette poule sultane... Ton pâté d'autruche ne vaut que par les plumes. »

L'allusion à Caligula acheva de démonter Marcus, et il eut l'impulsion de se lever pour aller aux nouvelles. Mais sa voisine le retint. La femme avait un poignet de fer.

Enfin, enfin, Marcia regagna sa place, jetant au passage à son mari un coup d'œil de complicité satisfaite. Elle ne semblait pas avoir souffert. Et Vitellius suivit bientôt. Son ventre avait fait craquer sa synthesis trop juste, et ses petits yeux de goret noyés de lard avaient une expression réjouie, à la fois méchante et lubrique. Au lieu de regagner sa couche au côté de la mariée, il vint s'asseoir près de Marcus, lui écrasant les pieds d'une fesse souveraine.

« Ta femme m'a bassiné les tempes de verveine comme je sortais du vomitoire et mon père te serait plutôt favorable : je veux faire quelque chose pour toi. Capito vient de mourir et les Frères Arvales élisent son remplaçant en mai prochain, le troisième jour de la fête de Dia. Agrippine et moi-même veillerons à ce que tu aies ta chance. »

Marcus croyait rêver. Romulus en personne avait réuni les onze fils de sa mère adoptive Acca Larentia pour offrir des sacrifices à Cérès, déesse des fruits de la terre et patronne des laboureurs, honorée depuis par les Frères Arvales sous le nom de Dia. C'était le collège sacerdotal le plus ancien, le plus fermé, le plus aristocratique de Rome, et l'élection marquait à vie ses membres d'un caractère indélébile. Même les augures pâlissaient au regard des Arvales.

« Mais, balbutia Marcus, ce collège n'est ouvert qu'à des patriciens ou à des nobles fils de sénateur, comme le Grand Maître Vipstanius Apronianus, ou encore Sextius Africanus, Memmius Regulus, Valerius Messala Corvinus, Faustus Cornelius Sulla Felix et les deux

---

1. La livre romaine fera 327 grammes.

Pison... Je suis loin, comme tu t'en doutes, d'être un noble de vieille souche.

— Tu as juré de me vexer ? Moi qui suis Promaître, n'ai-je point un simple « chevalier » de Nucérie pour grand-père ? Et n'ayant pas eu d'ancêtres pour me donner des surnoms à rallonge, dédaignant d'autre part les surnoms communs, je me fais simplement appeler Vitellius, un nom qui vaudra un jour tous les surnoms. »

Le glorieux Vitellius se pencha sur Marcus et lui mit sur l'épaule une main délicate, telle une miniature émergeant d'un jambon...

« Sais-tu, vieil enfant, comment je suis devenu Promaître ? A vingt ans, l'âge de ta femme, je mignardais à Capri aux pieds du vieux Tibère, en attendant que Caius, à ce qu'on dit, l'étouffe sous un coussin. Puis j'ai conduit des chars avec Caligula et joué aux dés avec Claude. Alors, ne me parle pas de vieille noblesse quand un mot du Prince suffit à tout !

— Cependant, Claude, avec sa manie d'antiquaire, est très attaché aux anciennes règles de culte. Ne risque-t-il pas de faire obstacle ?

— Nous dirons quelque bien de toi à Agrippine, qui n'a de culte que pour elle-même, et Claude scelle plus de décrets qu'il ne peut en lire. Sois tranquille ! Je m'occuperai de ta cause, et pour la meilleure des raisons : avec toi et L. Othon (qui ne brille que par son ascendance maternelle), je me sentirai moins seul chez les Arvales, parmi toutes ces potiches. Place à la jeunesse éternelle de Rome, dont les ancêtres sont dans le futur ! »

L'étonnant cynisme de Vitellius inspirait autant de répulsion que de sympathie. Mais où trouver l'argent pour faire bonne figure parmi les Arvales ?

« Mon père lui-même, dit Marcus, a fini ses jours dans l'ordre équestre, et il aurait pu y entrer plus tôt, car ce n'était pas un cens de 400 000 sesterces qui pouvait l'arrêter. Mais après avoir accédé à la préture, j'ai eu les revers de fortune que l'on sait...

— Je t'arrête tout de suite ! Ces broutilles seront aux frais de la République tant que tu n'auras pas rétabli ta situation. Et entre nous, on te doit bien ça ! Je réglerai de ma main les détails de ton banquet de réception, le XVI des Kalendes de janvier qui suivra ton élection.

— J'ai ouï dire que les banquets étaient nombreux au sein de ce collège ? »

Vitellius eut un gros rire devant une telle naïveté.

« Mais, mon bon, nous ne faisons que banqueter ! C'est notre raison d'être. Je ne parle pas du festin printanier de la fête de Dia, qui n'est qu'un hors-d'œuvre avec sa vache et ses deux jeunes truies. Nous sommes aussi, il ne faut pas l'oublier, des sortes de chapelains de la famille impériale et nous sacrifions toute l'année à toute occasion pour le bonheur du Prince, de sa femme et de ses enfants. Les actes officiels du collège consignent les sacrifices en rapport avec tous les événements majeurs. En somme, c'est nous qui tenons les annales de l'État dans la mesure où celui-ci se confond avec l'empereur et les siens.

« C'est assez dire que notre piété ne chôme point et que les bêtes sont de première qualité, contrairement à ce qui se passe dans bien d'autres sacrifices publics ou privés. Le bovin gras à viande rouge et à graisse bien jaune, dont les héros d'Homère étaient censés faire grillade, mais qui est si introuvable d'ordinaire qu'on n'oserait servir du bœuf dans un festin délicat, ce noble animal mythologique, tu t'en régaleras chez nous à satiété. On les élève spécialement pour les Arvales dans les vertes prairies du Clitumne, dont les eaux ont la vertu —dit-on — de blanchir les ruminants qui s'y baignent. Et ce ne sont pas les dieux qui te prendront ta part, puisque Prométhée a obtenu de Jupiter qu'ils se contenteraient du fumet. Tempérance assez logique : les dieux ne mangent point, ils reniflent. Parmi tous les prêtres qui ne cessent de manger, c'est notre table qui est la meilleure — surtout depuis que je l'ai prise sous ma responsabilité. Je t'ouvre un univers de gourmandise. Tu n'as plus qu'à creuser ta tombe en agitant tes mâchoires, de peur qu'un autre affamé ne la creuse pour toi plus vite encore. »

Marcus ne put faire autrement que de remercier Vitellius avec effusion. Non seulement il n'aurait plus faim de viandes choisies, mais cette aumône honorifique qu'on voulait bien lui faire, en l'introduisant dans un cénacle où la vieille aristocratie côtoyait les favoris du moment, lui permettrait peut-être de redresser en peu d'années les gouvernails de sa galère.

D'un mouvement impulsif, il baisa soudain la main de Vitellius, cette main aux relents de mangeaille qui avait peloté le cacochyme Tibère, tenu les rênes de Caligula et lancé les dés avec Claude. « Baise plutôt ta femme, lui dit gaiement le bienfaiteur ; elle en vaut la peine ! » Marcus se rendit compte que même s'il avait été marié pour de vrai avec Marcia, il aurait sans doute fermé les yeux sur les privautés que l'ogre avait pu prendre sans se gêner contre le mur d'un couloir. Et pour la première fois de sa vie, il se sentit l'âme si boueuse que le rouge lui monta au front. La plus haute excuse des tyrans n'était-elle point dans l'abaissement empressé de leurs victimes ?

En veine d'amabilité, Vitellius lui demanda : « Puis-je te prêter un peu de mon escorte pour garantir tout à l'heure ton petit cortège nuptial des mauvaises rencontres ? Où habites-tu, déjà ? »

Par nuit noire, Rome était le domaine d'une criminalité agressive et les sept cohortes de vigiles nocturnes ne pouvaient suffire à la tâche dans les deux cent soixante-cinq quartiers des quatorze régions. Les ruelles enchevêtrées n'étaient éclairées que par les incendies, et les sept cohortes de pompiers n'y suffisaient pas non plus. La Voie Sacrée et la « Via Nova » étaient les seules où deux chariots pussent se croiser et les « itinera » pour piétons l'emportaient de beaucoup sur les voies carrossables. Le Préfet de la Ville frappait de temps à autre un grand coup, puis laissait courir : tous les gens comme il faut n'avaient-ils pas pléthore de clients et d'esclaves pour veiller sur leur personne et sur leurs biens ? Les pauvres s'assassinaient ou se volaient entre eux et la perte n'en était pas lourde. Le gouvernement était beaucoup plus attentif aux crimes politiques.

« J'habite, répondit enfin Marcus... dans le centre.

— Du côté de Subure ?

— Par là, oui.

— J'adore Subure ! C'est un quartier si pittoresque. Tu ne dois pas avoir honte d'y résider. César lui-même s'était installé là un instant pour faire sa cour à la plèbe et Pompée était resté fidèle aux Carènes, qui ne valaient guère mieux. »

Sur ces consolations, Vitellius regagna sa place : il devait avoir faim.

L'estomac de la plupart des invités commençait pourtant à crier grâce. C'était le moment de répudier les mets solides pour les suppléments de vin pur qui trouvent toujours asile chez les plus rassasiés.

Marcus patienta jusqu'à l'avant-dernier service, puis il alla prendre congé de Vitellius et entraîna Marcia vers Subure, parmi les charrois nocturnes. En fait de cortège nuptial, les nouveaux époux étaient seuls avec quelques esclaves des deux maisons et la faible escorte prêtée par Vitellius. Point de torche d'aubépine pour éclairer la marche ; ni quenouille ni fuseau. Mais Marcia serrait sous son manteau deux plats d'argenterie qu'elle avait détournés de la succession hypothéquée.

On se perdit trois fois avant de parvenir à la rue principale de Subure, sur laquelle donnait la ruelle de Marcus. Le long de cette rue, on aurait presque pu éteindre les lanternes et marcher à la lumière des lampes qui signalaient les bouges des courtisanes. L'été, elles se juchaient sur de hauts tabourets devant leur porte. L'hiver, elles ne montraient aux passants que le fanal de leur métier.

Marcia frissonna et dit : « J'ai sans cesse eu peur de finir comme ça. N'est-ce pas absurde ? »

Marcus souleva lui-même sa nièce pour lui faire franchir le seuil du logis sans que ses pieds touchent terre, et les plats d'argent en profitèrent pour tomber. Était-ce un mauvais présage ?

On avertit Marcus que Kaeso avait une forte fièvre et Marcia passa sa nuit de noces avec l'enfant.

Marcus passa la sienne à se demander s'il avait vraiment fait une bonne opération. Dans les affaires très secondaires du genre de la sienne, un Prince avare et une Agrippine distraite s'en remettaient à des affranchis de confiance ou à des sénateurs bien en cour. Il fallait quand même laisser au sénat un os à ronger... La coterie des Vitellius, qui avait orchestré la propagande en faveur du remariage de Claude avec Agrippine, ne bornerait-elle pas son appui à un sacerdoce suprêmement honorifique, mais qui serait pour l'heureux élu une voie de garage ? Épouser sa nièce n'était évidemment pas la meilleure des recommandations pour décrocher le consulat et une province avantageuse. Il devait cependant y avoir quelque chose à tirer des relations nouvelles que Marcus pouvait se faire chez les Arvales...

VI

Les premiers souvenirs de Kaeso et les plus heureux remontaient à
cette époque merveilleuse où Marcia, au sortir de la sieste, l'emme-
nait aux bains avec son frère Marcus. Été comme hiver, les deux
enfants glissaient leur menotte dans les mains fermes de leur mère
d'adoption, attentive à les préserver de la bousculade, et par la Voie
Suburane et l'« Argiletum », on prenait le chemin des thermes de
femmes où Marcia avait ses habitudes. Situé à l'entrée des Forums,
entre le temple rectangulaire de la Concorde Maritale et le petit temple rond de Diane, c'était un établissement d'un niveau honorable,
offert à ses concitoyennes par une veuve généreuse. On était certes
loin des thermes d'Agrippa du Champ de Mars, dont les installations
variées, avec bibliothèques et galeries d'œuvres d'art, s'étendaient sur
seize jugères [1], mais la donatrice, dont le buste marmoréen aux traits
calmes dominait la salle de repos, n'avait pas lésiné.

Les thermes réservés aux femmes étaient deux fois plus chers que
les bains mixtes, qui coûtaient seulement un quart d'as, mais
n'étaient guère fréquentés que par des dames de petite vertu, dési-
reuses d'y lever un homme, ou soucieuses au contraire de se purifier
l'épiderme après avoir fait la retape à la porte [2]. De toute façon, les
thermes étaient gratuits pour les enfants — et ils avaient même été
gratuits pour tout le monde durant l'inoubliable édilité d'Agrippa, où
l'on en comptait déjà près de deux cents !

Et le rite immuable, harmonieux et bien réglé, suivait son cours...

L'entrée franchie, on longeait la palestre extérieure en direction des
vestiaires, suivi d'une esclave qui portait les « endromides », courts

1. Quatre jugères rectangulaires feront un hectare carré.
2. A la suite de gigantesques partouzes, l'empereur Hadrien (+ 138), qui n'était
pourtant pas du genre vertueux, ordonnera que les femmes et les hommes se baignent
successivement et séparément dans les bains ouverts aux deux sexes.

vêtements de sport en tissu-éponge, la fiole d'onguent, les courbes strigiles ou racloirs, les « gausapes », sorties-de-bain écarlates et pelucheuses, de larges serviettes et le nécessaire pour se refaire une beauté.

A l'« apodyterium », on se déshabillait, et, selon la température et le temps, on avait le choix entre la grande palestre extérieure et les deux palestres intérieures, dont l'une était couverte et l'autre à ciel ouvert.

Si les éléments étaient favorables, on courait se mettre en sueur sur la palestre extérieure. Marcia échangeait avec d'autres baigneuses des balles bourrées de sable, tapait du poing sur de gros saucissons de farine suspendus à des piquets, soulevait des poids ou des haltères, trottait derrière un cerceau, dont elle dirigeait la course avec un bâton fourchu... Les enfants jouaient avec des ballons garnis de plume ou des vessies gonflées d'air.

Si le temps était incertain ou médiocre, on gagnait directement les palestres intérieures communicantes, réservées à la gymnastique et à la lutte, où les dames se faisaient suer toutes nues, après s'être enduites d'un onguent de cire et d'huile et aspergées de poussière pour mieux assurer les prises.

L'échauffement terminé, on pénétrait dans l'un des « sudatoria » qui entouraient le « caldarium » central, « sudatorium » où la chaleur sèche de l'hypocauste sous-jacent rayonnait à travers le mince carrelage comme à travers les tuiles creuses qui tapissaient les cloisons. Pour ne point se brûler la plante des pieds, des socques de bois n'étaient pas de trop... qui avaient hélas le défaut de transmettre un champignon désagréable appelé « pied d'athlète ».

La sudation achevée, on passait au caldarium, étuve humide dotée d'une grande vasque d'eau brûlante et d'une baignoire pour une douzaine de personnes, au fond de laquelle l'eau chaude se refroidissait un peu avant d'être renvoyée vers la chaudière à bois de l'hypocauste puis renvoyée de nouveau vers ladite baignoire par la simple action de la chaleur. On se décrassait d'abord à la vasque en se frottant la peau avec un strigile, et l'on descendait batifoler un court instant dans la vaste baignoire fumante.

Le « tepidarium » attiédi offrait une transition appréciée entre le caldarium et le « frigidarium », où, selon les saisons, on allait piquer une tête dans l'une ou l'autre des piscines d'eau fraîche, à l'air libre ou couverte.

Enfin c'était le moment du massage payant — auquel on renonçait parfois —, et, enveloppé d'une « gausape » douillette, on s'allongeait dans la salle de repos.

Durant tout ce cycle, l'esclave était demeurée à la garde des effets laissés dans la niche de l'apodyterium, car la surveillante des lieux était plutôt distraite.

Les petits Aponius aimaient à jouer au ballon ou à lutter pour rire avec d'autres enfants qui étaient encore en âge d'être amenés aux bains des femmes par leur mère, une nourrice, une grande sœur ou une parente. Et à côté des pièces plutôt exiguës du rez-de-chaussée de Subure, les salles de ces thermes modestes leur semblaient énormes, et impressionnants aussi les échos qui les parcouraient et le rayon mystérieux de lumière qui traversait, à la voûte du caldarium, la plaque translucide de sélinite pour diffuser dans l'étuve un doux clair-obscur. Marcus et Kaeso, réduits chaque après-midi au silence par l'étrange majesté de l'endroit, se dissipaient vite et s'amusaient de tout.

Plus observateur et plus éveillé que son aîné, Kaeso demandait à Marcia pourquoi le poil de telle matrone était brun alors que ses cheveux étaient blonds, pourquoi une autre avait le gros ventre ou le sexe rasé, pourquoi elle-même portait son triangle noir coupé très court, comme une fourrure de taupe ou un duvet de pigeon... et sa belle-mère le faisait taire en l'embrassant et en riant. Mais Kaeso ne demandait pas pourquoi les seins d'esclaves négligentes étaient marqués de piqûres d'épingle, leur dos zébré de traces de verges : il avait déjà vu Marcia en corriger quelques-unes quand elle s'impatientait à sa toilette. Et il ne demandait pas non plus ce qu'il croyait savoir dans son innocence : pour lui, toutes les femmes aux grosses mamelles pendantes étaient évidemment des nourrices regorgeant de lait.

Les deux enfants ressentaient de façon confuse à quel point était prisée l'extrême beauté de Marcia, car les jours étaient fréquents où les dames qui avaient une faiblesse pour leur propre sexe venaient lui faire à tout hasard un brin de cour, assiduités qui se prolongeaient jusqu'aux latrines, où les femmes papotaient, assises en demi-cercle, tandis que Kaeso, taquin, jouait à cacher les éponges.

Le rhabillage de Marcia était également intéressant : la manière experte dont elle se bandait les seins de son « strophium » ou ajustait en un tour de main son pagne transparent. Et les petits lui tenaient à tour de rôle son miroir, tels des Cupidons aux pieds d'Aphrodite, tandis qu'elle refaisait son maquillage avec des minuties d'artiste.

L'heure était venue, pour Marcus et pour Kaeso, de rentrer dîner à la maison avant que le soleil ne se couche. Dès que la nuit était tombée, chacun était barricadé chez soi et il n'y avait plus dehors que des charretiers, des fêtards sous bonne garde, des bandits, des vigiles ou des pompiers. Et alors que le jour déclinait, les enfants mangeaient un repas des plus simples, assis sur un tabouret devant le lit de leurs parents.

De temps en temps — cela arrivait surtout les jours de pleine lune —, leur père buvait au dîner plus de vin que de coutume, et les deux petits, de leur couche, tendaient l'oreille au lieu de s'endormir, dans l'appréhension de ce qui allait se passer...

Ils percevaient d'abord des grattements et des chuchotements à la porte de la chambre de Marcia, qui était proche de la leur afin qu'elle puisse veiller sur eux de plus près durant les longues et inquiétantes heures d'obscurité. Puis on tapait à cette porte, on essayait même de l'ébranler, et ils entendaient la voix de leur père résonner dans le couloir, avec des accents d'énervement et de supplication. Parfois la porte finissait par s'ouvrir, et le calme revenait. Le plus souvent, elle ne s'ouvrait point, et c'était la retraite du quémandeur après des menaces et des sanglots d'ivrogne.

« Pourquoi, demandait tout bas Marcus à son frère, papa veut-il entrer la nuit chez maman ?

— Peut-être pour la voir toute nue, suggérait Kaeso. Papa n'est pas admis à nos thermes. »

Au matin — porte ouverte ou fermée —, Marcus faisait une tête sinistre et Marcia embrassait les enfants, particulièrement Kaeso, plus fort encore que de coutume.

Très perturbé par ces bizarres intermèdes, Kaeso dit un jour à Marcia : « Tu ne veux pas nous quitter, n'est-ce pas ? » Et elle lui répondit : « Je ne te quitterai jamais : je t'aime trop ! »

Les enfants grandissant, Marcus renonça à ses misérables tentatives et tout rentra dans l'ordre.

Un automne, vers la mi-octobre — Marcus avait près de sept ans, et Kaeso, un peu plus de six —, c'en fut brutalement fini des délices enfantines : un esclave grec nommé Diogène les amena aux bains mixtes, les escorta d'autre part, pour les préserver des multiples dangers de la rue, sur le chemin de l'école ou de la maison, et il leur servit de répétiteur.

Les enfants riches étaient élevés sous le régime du préceptorat, et, dans les grandes maisons, les petits esclaves eux-mêmes étaient instruits à domicile. Mais pour les bourses modestes, il n'y avait pas d'autre solution que les écoles privées qui foisonnaient par toute la Ville au modique tarif de deux sesterces par élève et par mois. Non seulement les maîtres étaient méprisés parce qu'ils touchaient un salaire, mais encore le salaire était misérable. C'était le dernier des métiers et les individus douteux aux mœurs suspectes y abondaient.

Flanqués de leur « pédagogue », les enfants partaient donc dès l'aube pour l'école, débouchaient bientôt sur les Forums, longeaient le petit côté de la basilique Aemilia, longeaient le grand côté de la basilique Julia, et atteignaient enfin leur bagne, établi quasiment en plein vent, séparé par un simple rideau de l'un des portiques du vieux Forum romain méridional.

Dans cette pièce glaciale ou étouffante, ils restaient bouclés jusqu'à midi, assis sur des escabeaux et travaillant sur leurs genoux. Le maître seul avait un siège à dossier.

L'officine, au sein de la vague des bruits du Forum, fonctionnait sans désemparer huit jours sur neuf, et les élèves des deux sexes attendaient avec impatience les « nundines », ces jours de marché où tous les paysans des environs accouraient à Rome pour leurs affaires ou pour leurs plaisirs, et qui avaient fini par faire figure de vacances pour tous. En dehors des « nundines », les classes, si l'on excepte les grandes vacances de fin juillet à l'automne, ne chômaient guère que durant les grandes Quinquatries du mois de mars, en l'honneur de Minerve.

La méthode d'enseignement ancestrale des prolétaires du savoir, aux antipodes de toute approche globale des problèmes, était furieusement analytique.

Avant de révéler la forme des vingt-quatre lettres latines, le maître en faisait apprendre la liste par cœur de A à X et de X à A. Puis chaque lettre était présentée au tableau noir, et les élèves s'efforçaient de retrouver et de suivre, à travers la cire unie de leur tablette, le caractère caché qui avait été gravé dans le bois. La maîtrise de la lettre caractérisait les « abecedarii » d'élite.

On passait alors dans la catégorie des « syllabarii », qui s'exerçaient à composer des syllabes de fantaisie avant d'aborder l'étude des syllabes réelles.

Enfin, les « nominarii » avaient l'honneur d'épeler et de tracer des mots, exercice qui débouchait sur la plus haute ambition littéraire de l'école : déclamer en chœur de courtes phrases lapidaires et les transcrire sur du papyrus de rebut avec une plume de roseau taillée au canif et trempée dans une encre qui se faisait sur place par dissolution du produit dans l'eau de l'encrier. Les passants du portique pouvaient de la sorte entendre hurler : « L'oisiveté est la mère de tous les vices », quand il ne s'agissait pas de dictons ou de plaisanteries d'un goût discutable : « Si une femme donne un conseil à une autre, la vipère achète du venin à la vipère », ou encore : « Surprenant un nègre en train de chier, j'ai cru voir un cul de chaudron fendu. » Mais on s'amusait rarement à ce point.

Les ambitions mathématiques étaient encore plus courtes. On apprenait la liste des nombres entiers, cardinaux et ordinaux, avec leur nom et leur symbole ; on manœuvrait le boulier, ou bien on s'initiait à des calculs élémentaires sur la surface de l'abaque au moyen de petits jetons ; on s'intéressait surtout aux fractions, dont la pratique était si utile dans le commerce de détail. Mais on ne sortait pas du concret. Cinq douzièmes se disaient un « quincunx », etc., c'est-à-dire une quantité qui fleurait son pesant de laitues ou d'asperges. On touchait au sommet de la théorie par des pratiques assez vertigineuses de calcul digital, qui ne pénétraient à fond que dans un nombre d'esprits restreint.

Pour aller plus loin en arithmétique, il fallait s'adresser à une école technique du genre de celles qui formaient calligraphes ou sténographes.

Les garçons s'abrutissaient ainsi jusqu'à quatorze ou quinze ans, les filles, jusqu'à douze ou treize, car les premiers signes de la formation les retenaient chez elles.

Marcus avait du mal à suivre, mais Kaeso s'ennuyait à mort parce qu'il était toujours en avance de quelques années sur le pesant système.

L'assimilation du calendrier romain, que le maître assenait en extra, avait été pour Marcus un véritable martyre : il s'était vu, plus souvent qu'à son tour, recevoir le fouet, affalé sur le dos d'un camarade accroupi faisant fonction de gibet et de machine comptable. Marcus s'embrouillait sans cesse dans les Kalendes, et même dans les mois. Il est vrai que ce calendrier était bourré de chausse-trapes...

Deux cents ans auparavant, on avait fait débuter l'année en janvier plutôt qu'en mars, la solution cependant la plus logique pour les campagnards, chez qui l'année commençait avec les nouvelles pousses. De ce fait, « Quintilis », « Sextilis », « September », « October », « November » et « December » n'étaient plus — comme leur nom semblait l'indiquer — les 5e, 6e, 7e, 8e, 9e et 10e mois de l'année, mais les 7e, 8e, 9e, 10e, 11e et 12e. Quintilis s'était appelé par la suite « Julius » et Sextilis, « Augustus » en l'honneur de César et de son impérial petit-neveu, mais la dénomination des quatre derniers mois demeurait trompeuse.

Février avait 28 ou 29 jours, les autres mois, 30 ou 31.

Le premier jour de chaque mois était les « Kalendes » du mois considéré. Puis s'ouvrait la période des « Nones », du 2 au 7 inclus pour mars, mai, juillet et octobre ; du 2 au 5 inclus pour les huit autres mois. Puis s'ouvrait la période des « Ides », du 8 au 15 inclus pour mars, mai, juillet et octobre, du 6 au 13 inclus pour les huit autres mois. Enfin s'ouvrait la période des Kalendes.

Le dernier jour des Nones était les Nones proprement dites. Le dernier jour des Ides était les Ides proprement dites. Mais le dernier jour des Kalendes du mois n'était que la veille des Kalendes proprement dites du mois suivant, décalage bizarre, qui faisait d'autant plus difficulté que l'on précisait une date en comptant à reculons. On précisait une date dans la période des Nones en comptant à reculons à partir du jour des Nones. On précisait une date dans la période des Ides en comptant à reculons à partir du jour des Ides. Mais on précisait une date dans la période des Kalendes en comptant à reculons à partir des Kalendes, premier jour du mois qui suivait. Après les Ides, les jours portaient ainsi le nom d'un autre mois, et la fin décembre, par exemple, se comptait à partir du premier jour de janvier.

Toutefois, l'avant-veille des Ides de mars n'était pas le deuxième jour avant les Ides de mars, mais le troisième, parce qu'on avait pris l'habitude d'inclure dans le calcul à la crabe le jour qui lui servait de point de départ. Et pour achever de tout embrouiller, on ne disait pas : « Le troisième jour avant les Ides », mais on employait l'abréviation courante : « Le troisième jour des Ides. »

Enfin, tous les quatre ans, on doublait en février le « sixième jour des Kalendes de mars » pour obtenir une année « bissextile ».

Il y avait bien de quoi rendre fou un enfant peu doué ou l'un de ces « fils de Spurius » qui rongeait son frein au fond de la classe. Et l'on saisissait pourquoi les historiens romains donnaient si peu de dates dans leurs ouvrages : ils s'y seraient égarés.

Après deux ans d'école, Marcus et Kaeso perdirent leur maître, et au lendemain des misérables obsèques nocturnes, toute la classe en pèlerinage put voir sur le tombeau que le malheureux avait fait édifier, économisant as par as des suppléments grappillés en rédigeant des testaments, une épitaphe glorieuse, où le défunt se flattait d'avoir observé une

SUMMA CASTITATE IN DISCIPULOS SUOS

(une rigoureuse pureté de mœurs à l'égard de ses élèves).

Cette inscription, peu flatteuse pour les confrères, laissait en tout cas espérer que le choix des parents avait été éclairé.

Le maître fut remplacé par un certain Psittacius, qui semblait présenter toutes garanties. L'homme avait eu des malheurs : le bruit courait, assez invraisemblable, qu'il avait été capturé par des pirates, et fait eunuque par des industriels spécialisés de Délos. Et son filet de voix faisait rire les élèves quand il se mettait en colère.

La même année, Marcus et Kaeso se rendirent un matin sur deux ou trois chez un autre maître qui avait ouvert une école de grec élémentaire dans une boutique de l'« Argiletum », entre deux librairies. Toute éducation convenable était alors bilingue, et les enfants avaient déjà fait à la maison un certain apprentissage du grec, que leur père possédait parfaitement, et Marcia, passablement. Le nouveau maître avait tout à fait les mêmes méthodes que le maître latin, pour la bonne raison que les Romains avaient scrupuleusement copié les usages grecs — gymnastique en moins.

Les jours passaient pour les enfants avec une effroyable monotonie. L'empereur Claude mangea goulûment un mauvais champignon qu'Agrippine lui avait cueilli : ils ne s'en aperçurent même pas. Néron fit peut-être empoisonner Britannicus : ils n'en entendirent point parler.

Mais leurs parents discutèrent tout un dîner de la disparition du Frère Arvale M. Junius Silanus, que le premier geste d'Agrippine, après l'arrivée au pouvoir de son fils, avait été de faire assassiner dans son proconsulat d'Asie. Ce Marcus était un homme aussi riche qu'indolent, que Caligula avait surnommé « mouton doré », et qui ne portait ombrage à personne. Agrippine, qui avait déjà poussé son frère Lucius au suicide, avait-elle craint une vengeance ? Ou bien avait-elle pris en considération la parenté directe des Silanus avec Auguste ? Agrippine avait d'ailleurs fait coup double en se débarrassant de l'affranchi Narcisse, qui avait eu toute la confiance de Claude, mais n'avait pu empêcher sa mort.

Kaeso dès l'âge de treize ans — et Marcus à quinze — furent envoyés chez deux « grammairiens », l'un grec et l'autre latin, où ils commencèrent les études secondaires qui permettaient aux meilleurs de déboucher sur la rhétorique ou la philosophie. Quelques « grammairiens » réputés faisaient de l'argent. Les professeurs des jeunes Aponius étaient à peine plus considérés que des maîtres d'école et leurs locaux du quartier des Carènes, en haut de la Voie Sacrée, étaient à peine plus présentables.

Là encore, les Romains ayant copié les Grecs, les deux « grammaires », qui visaient à familiariser les élèves avec les plus beaux textes, recouraient aux mêmes procédés ou artifices.

On étudiait avant tout, et selon des préoccupations esthétiques majeures, la poésie épique, tragique ou dramatique. On ne faisait qu'effleurer les prosateurs, historiens ou orateurs, pour ne pas empiéter sur le domaine des professeurs de rhétorique qui devaient prendre en main par la suite la majeure partie des étudiants, que la philosophie ne tentait guère.

Kaeso et Marcus s'acharnèrent ainsi sur l'*Iliade* (beaucoup moins sur l'*Odyssée*, où ne se présentait aucun héros vraiment exemplaire), et naturellement sur Virgile. Ils ratiocinèrent également sur le tragique Euripide, le comique Ménandre, Térence et Horace. Démosthène et Thucydide, Cicéron et Salluste eurent droit à quelques commentaires.

Travaux terriblement fastidieux...

Après des exercices de diction, il importait de préparer le texte pour la lecture, car seul un lecteur entraîné aurait pu comprendre des phrases qui, en latin comme en grec, ne comportaient aucune séparation entre les mots. On surchargeait donc le texte de signes spéciaux pour lier ou séparer les syllabes, marquer des accents, des quantités, des pauses... Le maître déclamait alors. Tel ou tel élève déclamait à son tour. On apprenait des passages par cœur et on les déclamait de mémoire. La « praelectio » terminée, on pouvait passer, après une courte introduction érudite, à l'étude minutieuse du texte. Les « grammairiens » les plus éminents étaient capables de consacrer tout un traité à deux vers de *l'Énéide*, et de génération en génération, les gloses s'ajoutaient aux gloses : analyses de tous niveaux, fines considérations sur les mots ou sur les figures (métaphores, métonymies, catachrèses, litotes et syllepses), aspects historiques, géographiques, astronomiques, mythologiques ou légendaires... C'était d'un pédantisme échevelé. Toute leur existence, les victimes de ces cuistres auraient à la bouche toutes les citations classiques convenant à toutes les circonstances.

Le « grammairien » grec était un champion de *l'Iliade*. Un soir de printemps que Marcia et Marcus parlaient à dîner de la maladresse d'Anicetus, ce commandant de la flotte de Misène, qui n'avait pas été fichu de truquer convenablement le navire dont le naufrage aurait dû noyer Agrippine, Marcus junior, qui était grimpé avec l'âge du tabouret au triclinium en compagnie de son cadet, dit à Kaeso : « Raconte la dernière trouvaille d'Eupithès, à propos de la maladresse des héros. Tu connais de mémoire ce morceau de bravoure qui fait l'orgueil du maître. »

Kaeso se fit prier, mais se lança enfin dans la démonstration :

« Du côté achéen :

* Le fils de Tydée manque Hector de son javelot et tue le cocher Eniopée, fils du fougueux Thébéos. (Chant VIII)

* Teucer tire une flèche contre Hector et transperce la poitrine de Gorgytion, fils de Priam. (Chant VIII)

* Le même Teucer manque encore Hector et tue son cocher Archéptolème. (Chant VIII)

* Ajax vise Polydamas et tue Archéloque, fils d'Anténor. (Chant XIV)

* Patrocle vise Hector et assomme d'une pierre le cocher Cébrion, illustre bâtard de Priam, " et les deux yeux tombèrent par terre dans la poussière devant les pieds du cocher ". (Chant XVI)

« Du côté troyen :

* Antiphos, fils de Priam, manque Ajax de son javelot et tue Leucos, compagnon d'Ulysse. (Chant IV)

* Hector vise Teucer et tue Amphimaque, fils de Ctéatos, descendant d'Actor. (Chant XIII)

* Déiphobe vise Idoménée, mais sa pique tue Hypsénor, fils d'Hippaos. (Chant XIII)

* Le même Déiphobe vise Idoménée, mais sa pique tue Ascalaphe, fils d'Enyalos. (Chant XIII)

* Hector vise Ajax, mais atteint Lycophron, fils de Mastor et serviteur d'Ajax. (Chant XV)

* Mégès vise Polydamas, mais sa lance tue Croïsmos. (Chant XV)

* Sarpédon manque Patrocle, mais atteint à l'épaule droite le cheval Pédasos. (Chant XVI)

* Hector vise Ajax et sa pique tue Schédios, fils d'Iphitos. (Chant XVII)

* Hector vise Idoménée, mais sa lance tue le cocher Coïranos. (Chant XVII)

« D'où il résulte que les Achéens ont manqué leur coup cinq fois, et les Troyens, neuf. Les héros achéens seraient donc plus adroits. Mais si l'on considère que tous les héros atteignent une cible quand ils en manquent une autre, les héros troyens, en ratant neuf fois contre cinq, ont causé de plus lourdes pertes à l'adversaire, dont un cheval. Le plus maladroit et le plus efficace étant Hector, qui a manqué son coup quatre fois. »

Devant ce chef-d'œuvre d'analyse littéraire soutenu par une brillante mémoire, Marcia rayonnait de fierté. Marcus père, qui avait lui aussi exercé sa mémoire sur *l'Iliade* des années durant, fit cette observation profonde : « Le plus adroit de tous les héros est celui que ton Eupithès a oublié : au chant X, Diomède fait exprès de manquer le Troyen Dolon... et il le rate ! »

Marcus reçut ce soir-là avec modestie un tribut mérité d'applaudissements. Et après dîner, à la lueur de la lampe à huile, il contrôla de plus près que d'habitude les travaux que Kaeso avait à faire à la maison et qui étaient toujours les mêmes. Il s'agissait de mettre un texte à toutes les sauces grammaticales possibles :

« Caton le Censeur a dit que les racines des lettres étaient amères, mais que les fruits en étaient très doux, etc.

— De Caton il est rapporté que...

— A Caton il a plu de dire que...

— On rapporte que Caton a dit que...

— O Caton, n'as-tu pas dit que... ?

« Et au pluriel : " Les Catons ont dit que, etc. " »

La solution aisée de pareilles difficultés par un Kaeso qui n'avait pas quinze ans remplissait son père de satisfaction et le consolait des échecs de Marcus. La rhétorique de Kaeso s'annonçait brillante.

Le passage du primaire au secondaire avait été pour les enfants un inexprimable soulagement. Peu à peu, ils avaient été autorisés à se rendre aux cours sans pédagogue, à se promener sans surveillance dans les ruelles de la Ville, le long des allées du Champ de Mars ou par les nombreux et magnifiques jardins qui faisaient à Rome une ceinture de fraîcheur. Jusqu'à l'absence des filles à des séances de « grammaire » sans fouet qui renforçait l'impression de devenir adulte.

L'été qui précéda leur si pénible entrée à l'école primaire, leurs parents les avaient entraînés à un spectacle rare, qui devait leur laisser un souvenir ineffaçable : une bataille navale sur le grand lac Fucin, dans les montagnes des Marses. Les autres « munera » de gladiateurs qu'ils avaient pu voir ensuite des places réservées aux enfants et à leur pédagogue, tout en haut des amphithéâtres, ne leur avaient pas semblé aussi captivants. Mais, désormais, ils avaient le privilège de se hasarder seuls à des places plus proches de l'arène, de flairer de plus près le sang du courage et la sueur d'angoisse des lâches. De même étaient-ils attentifs aux superbes courses de chars et au théâtre comique, qui les informait avec crudité de toutes les réalités de la vie.

Kaeso en était arrivé à se demander pourquoi son père n'entrait plus jamais dans la chambre de sa femme...

Apparemment insensible aux années, Marcia s'efforçait de cacher toute l'étendue des préférences qu'elle portait à Kaeso, mais elle y réussissait mal. Elle aimait Marcus junior, elle avait une passion pour Kaeso, dont la beauté était, il est vrai, devenue surprenante. Et il s'y ajoutait encore le charme des adolescents qui persistent à ignorer d'une âme pure quelle troublante puissance ils recèlent en eux. Quand Kaeso penchait un peu la tête sur l'épaule pour écouter un compliment ou une remontrance, on aurait dit l'image d'Alexandre, à la veille de toutes ses conquêtes.

Et naturellement, Kaeso, dont les relations avec le père avaient quelque chose d'un peu froid et contraint, nourrissait pour Marcia un culte qui était essentiel à son bonheur et dissipait toutes les inquiétudes que son esprit d'observation aurait pu faire naître. Sa confiance en Marcia était totale.

Marcus et sa femme avaient d'ailleurs soigneusement caché aux enfants leur relation de parenté, et on ne leur avait pas révélé non plus la généalogie exacte de la famille paternelle. Selon Marcus, le nom d'Aponius venait de la source chaude Aponus, dans les environs de Padoue, région où les Aponius auraient eu des terres autrefois...

Ainsi, lorsque Marcia rentrait à des heures impossibles ou disparaissait quelques jours, Kaeso prenait pour argent comptant les explications qu'elle fournissait avec négligence, s'adressant ostensiblement à son mari, mais ne parlant en fait que pour Kaeso et Marcus.

Kaeso n'était pas étonné non plus de voir la maison s'améliorer d'année en année, tantôt par des arrivées de meubles assez luxueux, tantôt par des décorations plaisantes, tantôt même par des transformations d'importance. C'est ainsi que Marcus avait fait creuser un impluvium dans la cour repavée à neuf, l'avait entouré d'une colonnade, et qu'une toiture ajourée et inclinée était venue reconstituer au cœur de l'insula cet atrium dont il n'avait cessé de pleurer la perte. On avait aussi aménagé des bains, annexé le logement des esclaves qui, plus nombreux et mieux nourris qu'auparavant, avaient été refoulés aux étages supérieurs, en compagnie de locataires dont l'exploitation avait enfin été confiée à un gérant. Marcus n'en parlait pas moins de se réinstaller dans un logis plus digne de ses ancêtres, mais les loyers, dans une ville où les possibilités de vivre aux frais de l'État attirait des foules innombrables, atteignaient de tels sommets que le déménagement était sans cesse remis au lendemain. On patientait donc, dans une relative aisance.

Kaeso attribuait ces rentrées d'argent aux talents d'avocat de son père, que Marcia avait poussé à donner des consultations juridiques et à plaider quand l'occasion se présentait. Mais il y avait à Rome pléthore de jurisconsultes et d'avocats de talent et il n'était pas facile de percer.

Métier d'autant plus décevant qu'il était théoriquement interdit aux membres du barreau de se faire payer quoi que ce fût. Tout ce qu'ils étaient en droit d'espérer, c'était d'être couchés sur le testament d'obligés reconnaissants. Les grands avocats obtenaient des millions en dessous-de-table, mais étaient exposés à des plaintes, à des chantages, à des procès qui pouvaient mal tourner si leurs protections les lâchaient. Et plus les dessous-de-table étaient minimes, plus on avait de mal à faire cracher les pratiques. Claude avait cru assainir une situation pourrie depuis longtemps en fixant un modeste plafond de 10 000 sesterces aux honoraires légalement exigibles, mais le décret avait été un coup d'épée dans l'eau.

Marcus, en désespoir de cause, s'était spécialisé dans les pots de chambre qui ne cessaient de tomber par les fenêtres et avaient déjà donné lieu à une jurisprudence touffue et considérable. Mais le préjudice esthétique subi par les victimes était exclusif de toute compensation. Le Code déclarait noblement : « Quant aux cicatrices et à l'enlaidissement qui auraient pu résulter de ces blessures, il n'en sera fait aucune estimation, car le corps d'un homme libre n'a pas de prix. » C'était le seul domaine du droit romain où l'esclave n'était pas désavantagé par rapport au citoyen.

Marcus junior, que la force du sentiment n'aveuglait point, n'était pas aussi crédule que son cadet. Mais d'une nature apathique, tranquille et discrète, il avait sagement tendance à ne dire que l'indispensable et à garder pour lui les énormités qui auraient pu troubler ou faire de la peine. Lourd et sans grâce, doué pour les dépenses physiques plutôt que pour les recherches de l'esprit, il avait néanmoins reçu des dieux cette éminente qualité, si peu fréquente chez un frère : une absence désarmante de jalousie. Il savait bien que Kaeso était vif et aimable, beau et charmant, irrésistible chaque fois qu'il s'en donnait la peine. Eh bien, il l'aimait quand même et ne lui résistait pas plus que les autres !

Marcus, comme Marcia, essayait lui aussi de tenir la balance égale entre les deux garçons, mais il ne pouvait s'interdire de fonder sur Kaeso les espérances qui sont les plus chères à un père : que l'enfant réussisse partout où il avait échoué.

Ce bel édifice de mensonges, pavé de bonnes intentions, aurait pu durer si les dieux n'en avaient pris ombrage. Peut-être s'étaient-ils froissés d'entendre Marcus donner constamment à ses fils des exemples de dévouement, de pudeur et de piété tirés de l'histoire légendaire de Rome. Une remarquable couche d'hypocrisie est d'autant plus irritante qu'elle recouvre un fond de vertu plus sincère.

En attendant les caprices des dieux, Marcus et Kaeso terminaient dans l'insouciance leurs années de « grammaire ». Marcus père, le regard tourné vers un passé que l'or et l'argent embellissaient de leur éclat, remâchait ses déceptions et ses rancœurs tout en prenant du ventre, mais les enfants, parmi des camarades plus que modestes, chez qui même les fils de « chevaliers » étaient rares, se faisaient l'effet, malgré la platitude de leur bourse, d'être sortis de la cuisse de Jupiter, et ils n'avaient pas eu de mal à obtenir de maîtres faméliques ou de professeurs besogneux une certaine considération intéressée. L'insula à atrium bâtard leur paraissait un palais, et le quartier de Subure, si grouillant et si coloré, avait pour eux des attraits d'autant plus forts que des cohortes de filles y tenaient commerce et qu'ils avaient grandi.

A seize ans, Kaeso, à qui l'accès de la popina demeurait en principe sévèrement interdit, obtint de sa nourrice crétoise le droit d'entraîner gratis derrière le rideau du fond la « petite ânesse » disponible aux heures creuses, et il s'empressa de faire profiter son frère de l'aubaine. La fille, qui avait à subir déjà le père de temps à autre, n'était pas en dispositions gracieuses, mais du moins, stylée par la Crétoise, était-elle tenue à discrétion. Quand Kaeso sortait de derrière le rideau pour remercier sa nourrice d'un baiser, le visage parcheminé de cette Grecque desséchée avait un étrange sourire. Elle songeait peut-être que tout le sel de la vie est fait de ce qu'on ignore.

L'après-midi, Marcus et Kaeso allaient de plus en plus souvent au petit « ludus » de leur père, situé à quelque milles de Rome, très en retrait de la Voie Appienne, entre un colombarium et les tombeaux qui bordaient la route.

Le grand ludus du Caelius pouvait héberger sept ou huit cents combattants. Ici, on ne dépassait guère la douzaine. Les ruines d'un bâtiment agricole égaré parmi les cimetières avaient été sommairement retapées de façon à présenter l'aspect d'une caserne de gladiateurs classique : construction à un seul étage, dont le rez-de-chaussée ouvrait sur un portique délimitant l'arène d'entraînement. Au ludus d'Aponius, la construction se bornait à une équerre encadrant de deux côtés un portique carré.

A l'étage, étaient le logement du laniste Eurypyle, ceux des gladiateurs nantis de concubines, avec leurs rares enfants, ainsi que quelques chambres que les célibataires se partageaient à deux ou trois. En bas étaient la salle à manger, où l'ordinaire se consommait assis, la cuisine, l'armurerie et l'infirmerie. Les gladiateurs entretenaient eux-mêmes leurs armes ou cuirasses, et Eurypyle faisait l'infirmier à l'occasion, aidé de deux esclaves qui s'occupaient de la cuisine.

L'extrémité d'une aile de la maison avait été sacrifiée pour former écurie, remise, grenier et fenil, où dormait avec son cocher l'essédaire et bestiaire Tyrannus. Écurie et remise ouvraient par-derrière, devant le puits assorti d'une auge.

L'atmosphère de l'endroit était évidemment très familiale et Eurypyle s'efforçait de ne pas opposer des hommes qui avaient eu le loisir de se trop bien connaître.

Les gladiateurs appréciaient la gentillesse de Kaeso, son sens inné de l'adaptation, et la force de Marcus. Leur vie dépendant de leur capacité immédiate d'analyse, ils avaient vite fait de juger des caractères et des défauts. Faisant des armes avec les deux jeunes gens, ils répétaient à Marcus : « Bats-toi avec ta tête ! », et à Kaeso : « Ne t'énerve pas ! Ménage ton souffle ! A adresse égale, c'est le plus calme et le plus endurant qui survit... » Parfois, des amateurs de la région sud-est de Rome ou de la banlieue venaient recevoir des leçons sur l'aire d'entraînement, dont les fils d'Aponius profitaient aussi.

Il arrivait que les deux frères partagent le dîner des pensionnaires, où figurait invariablement un grand plat de bouillie d'orge, qui passait pour donner du muscle à bon marché. Ce sera encore le régime préconisé au siècle suivant par le grand Galien, médecin-chef, en début de carrière, des gladiateurs impériaux de cinq grands prêtres successifs de Pergame.

Ces soirs-là, les Aponius faisaient livrer une amphore de vin convenable, et le dîner se prolongeait à la lueur vacillante des lampes d'argile.

C'était l'occasion de parler des hauts faits de la gladiature, du rôle qu'elle avait joué dans les bagarres du Forum à la fin de la Belle Époque républicaine, dont persistait la nostalgie. On rappelait l'héroïsme et la fidélité de la « familia » gladiatorienne d'Antoine, quel chemin, quelle odyssée, quelle « retraite des dix mille » digne de Xénophon elle avait accomplie après Actium pour rejoindre son maître en Égypte ! On admirait la réussite toute récente du mirmillon Spiculus que Néron avait comblé de patrimoines et de maisons. Mais la vieille équipée de Spartacus, ce déserteur des légions condamné pour banditisme à une gladiature subalterne, n'excitait personne.

Et tôt ou tard venaient les doléances. Néron était un tendre, qui ne caressait les gladiateurs que pour faire plaisir à la plèbe : au fond, le cœur n'y était pas. De toute évidence, ce qui intéressait l'empereur, ce n'étaient point les beaux faits d'armes, mais le côté purement esthétique et décoratif. D'où une constante recherche de la pompe, du luxe, de l'inédit, de l'étrange, de l'incroyable.

Trois ans après son avènement, Néron avait inauguré au Champ de Mars un grand amphithéâtre de bois. Mais pour quoi faire ?

Au sortir d'une petite naumachie encombrée de monstres marins, on avait vu descendre sur la piste asséchée quatre cents sénateurs et six cents « chevaliers » déguisés en gladiateurs, qui s'étaient escrimés avec des armes mouchetées ! Et à l'entracte de midi, au lieu d'expédier les condamnés à mort de droit commun, intermède dont Claude s'était montré friand, on les avait graciés ! Un « munus » blanc, en somme, sans une goutte de sang.

Devant l'horrible déception du public, Néron s'était un peu rattrapé. Le munus funèbre qu'il avait « édité » en mémoire d'Agrippine avait été assez satisfaisant, de même que le spectacle que venaient d'offrir Lucain et ses collègues pour leur questure. Mais une légèreté de touche, une sorte de coquetterie subsistait, qu'on retrouvait aussi dans les « venationes », ces grandes chasses données le matin dans les amphithéâtres — ou, de moins en moins, dans les Cirques, à raison d'un massacre toutes les cinq courses. Plutôt que de produire des centaines de lions et d'ours, apparition d'une solidité classique, Néron faisait exterminer de préférence des mélanges extravagants de babiroussas, de lièvres blancs, de zébus, d'élans, d'aurochs, d'hippopotames ou de phoques. Ce n'était plus de la « venatio » dangereuse et exaltante, mais de l'histoire naturelle. Et si l'on voyait encore, en fin de munus, éventrer quelques éléphants qui perdaient longuement leurs entrailles sur la piste, le rodéo gagnait du terrain, où des cavaliers thessaliens jouaient à capturer des taureaux dans une arène parsemée d'ambre baltique en quantité ridicule.

Il était compréhensible que des gladiateurs ou des bestiaires chevronnés enregistrent une pareille évolution avec inquiétude. Claude avait voulu beaucoup de sang pour pas cher, et Néron dépensait beaucoup pour l'économiser. Le métier allait-il se perdre ?

La compagnie de ces hommes au rude bon sens n'apportait pas à Marcus et à Kaeso que des leçons d'escrime. Les fils Aponius apprenaient à ne compter que sur eux-mêmes dans un monde incertain et cruel, à entretenir avec soin l'équilibre du corps et de l'esprit, dont tout pouvait dépendre à l'instant de vérité que la vie réserve tôt ou tard à chacun. Ils auraient dû apprendre aussi dans quelles limites raisonnables la sensibilité doit se marier à l'amitié, car il était mal vu de pleurer sur ceux qui étaient partis pour ne plus reparaître. Les pertes étaient heureusement peu fréquentes parmi ces gladiateurs d'expérience, dont chacun avait à son actif de dix à vingt victoires, sinon davantage.

Kaeso avait néanmoins une sympathie particulière pour Capreolus, Juif originaire de Meninx, presqu'île méridionale de la côte Est de l'Afrique proconsulaire [1]. A force de lancer son épervier, entre deux sabbats, sur les poissons des hauts fonds, le « jeune chevreuil » Capreolus était devenu un excellent rétiaire, dont les cabrioles et les esquives dansantes, les jets soudains de rets et les coups de trident imprévus avaient déjà fait douze victimes. Quand il allait combattre à Ravenne ou à Naples, à Ancône ou à Clusium, Kaeso attendait son retour avec une impatience inquiète. Mais le mince garçon brun revenait toujours et disait alors en riant : « J'ai encore pris un gros poisson ! »

Kaeso s'entendait beaucoup moins avec Amaranthe, fils de famille dissipé et vicieux, que son imprévoyance avait conduit tout droit à la soupe du ludus. Quelques années auparavant, un munus pompéien avait tourné à la rixe et la plèbe échauffée de cette ville avait massacré les gens de la cité rivale de Nucérie accourus à la représentation. Amaranthe, qui s'était distingué en tuant au hasard tout son soûl, avait failli passer en jugement et ne s'en était tiré que de justesse. Pompéi avait été interdite de Jeux pour dix ans, mais la maîtresse en titre de Néron, Poppée, que l'on disait originaire de la ville, avait arrangé les choses, et des inscriptions reconnaissantes à la gloire du Prince avaient fleuri sur les murs de cette sanguinaire cité, que les dieux se chargeraient bien de punir un jour ou l'autre...

Le ludus offrait également à Marcus et à Kaeso toute latitude de faire et parfaire leur éducation hippique, tenue par les Romains et par les Grecs comme le complément indispensable d'une éducation aristocratique et soignée. Grecs et Romains, peuples méditerranéens

1. Appelée plus tard « Djerba ».

de régions montagneuses, n'avaient aucune affinité naturelle avec le cheval, au contraire de certains peuples des steppes qui passaient leur vie en selle, et cet animal luxueux et quasi mythologique leur faisait plutôt peur.

Les deux étalons de Tyrannus (on ne châtrait point les chevaux), Bucéphale et Formosus, sortaient des haras lucaniens de Tigellin, un ambitieux d'Agrigente, devenu Préfet des Vigiles après la disparition d'Agrippine, en attendant mieux. C'étaient de petits produits arabes à col de cygne, vifs comme l'argent, dont les robes noires luisaient au soleil. Tyrannus soignait ses chevaux avec d'autant plus d'attention que son existence d'essédaire était suspendue à la rapidité et à l'aisance de leurs évolutions gracieuses. Toute la tactique consistait à mener précisément le char en bonne position pour frapper, réussite à laquelle concouraient les qualités de l'attelage, la maîtrise du cocher et l'adresse de l'essédaire, costumé en guerrier breton.

Bucéphale et Formosus avaient chacun leur stalle particulière où ils piaffaient librement sur de petits pavés bien secs. Ils mangeaient en saison de bons fourrages verts, du foin quand venaient les froids, et leur ration comportait aussi bon an mal an des escourgeons ou des paumelles avec une touche de sel l'hiver — mais jamais d'avoine, cette mauvaise herbe folle qui rendait les étalons capricieux et lunatiques. La veille des « munera », on mélangeait à leur orge des bulbes d'asphodèle, cette nourriture du pauvre, dont la teneur en sucre était favorable à leurs prestations sans les énerver pour autant.

« Tel sabot, tel cheval », se plaisait à répéter Tyrannus, et il vivait en conséquence aux pieds de ses chevaux. Il avait fait aménager, en arrière de l'auge et du puits, une aire de pierres rondes, grosses comme les deux poings et contenues par un carré de planches, où les deux animaux muselés piétinaient des heures pour se durcir les sabots.

Et les premiers cours d'équitation de Kaeso et de Marcus avaient porté sur les multiples ferrures à adopter selon les circonstances, dont le magasin était bien fourni. Il y en avait pour les routes, pour le tout-terrain, pour la pluie et même pour le verglas, qu'on voyait si peu à Rome, mais qui se rencontrait dans les Apennins du Nord ou dans les Abruzzes. Tyrannus, sous son nom de guerre gladiatorien, ne partait jamais en campagne sans une collection de ferrures, prêt à toute éventualité.

Car sur le sable des Cirques ou des arènes, les chevaux avaient les sabots libres, mais la plupart du temps, il convenait de protéger ces organes essentiels et si fragiles contre les aspérités des chemins.

On avait ouï dire par des voyageurs que de lointains barbares fixaient parfois leurs fers avec des clous, solution grossière et stupide, du fait que si l'avant d'un sabot ne bouge point, le pied descend au contraire dans la boîte cornée, le coussinet plantaire s'écrase à chaque contact avec le sol, écartant d'autant les deux talons souples du sabot. Toute ferrure à clous se serait vite détachée si elle avait seulement été fixée à l'avant et, si on la clouait sur la totalité de la surface, l'arrière du sabot ne pouvait plus jouer normalement et l'animal souffrait comme dans des chaussures trop étroites, qui interdisaient le va-et-vient normal du coussinet. Autre inconvénient : la corne poussant vite, un fer cloué, déjà mal adapté par conception au départ, l'était de moins en moins au fur et à mesure que les jours passaient.

Les ferrures des régions civilisées ne s'emboîtaient ainsi que sur l'avant du sabot, c'est-à-dire pince, mamelle et partie du quartier, protégeant l'organe aussi bien à l'horizontale qu'à la verticale et laissant libre la partie qui devait le rester. Ces sandales hippomobiles s'attachaient tout simplement par-derrière au paturon, dans l'indentation entre le sabot et le boulet. On pouvait dès lors les enlever, les remettre ou les changer avec la plus grande facilité, de manière que la ferrure — quand elle semblait utile — fût sans cesse en harmonie avec les hasards de la route. Mais on les retirait chaque nuit pour laisser le sabot respirer au sec.

Marcus et Kaeso apprirent ensuite à ouvrir la bouche du cheval pour y glisser un mors souple et bien articulé, à enfourcher l'animal à cru en agrippant la longue crinière de la main gauche, à le monter aussi par la droite, car, pour un cavalier surpris par des bandits, la plus minime fraction de temps pouvait être vitale. A le monter enfin à la paresseuse, en s'aidant de l'une de ces bornes « ad hoc » qui jalonnaient les grandes « Viae », ou en prenant appui du pied dans les mains jointes d'un officieux. C'était un principe sacré de l'éducation romaine, en littérature comme dans l'art hippique, que de toujours commencer par le plus difficile.

Puis ils acquirent une bonne assiette, les flancs de la monture bien serrés entre les cuisses, les jambes souples et libres : un cheval se maîtrisait et se dirigeait d'abord avec les muscles du dessous de la ceinture. Le cavalier devait littéralement faire corps avec sa conquête.

Quand, à la suite de chutes innombrables, ils eurent à peu près en main ces étalons fougueux que la moindre odeur de jument faisait bondir, Tyrannus les autorisa à sangler une housse afin de protéger leur culotte de peau, mais on voyait bien que pour ce puriste taciturne, sombre de poil et de mine, la housse, qui diminuait la précision du contact, n'était qu'un expédient de la décadence.

Enfin, après quelques démonstrations devant leur père charmé — Marcia avait eu trop peur pour venir —, les deux jeunes cavaliers purent caracoler sur la Voie Appienne, par ces après-midi de beau temps où elle était le rendez-vous de toutes les élégances romaines, dans l'odeur salubre des pins, entre des rangées de tombeaux mélancoliques et familiers, qui invitaient à la jouissance comme à la paix.

VII

Au printemps de la neuvième année du règne de Néron, mourut l'éminent Burrus, Préfet du Prétoire, ami de Sénèque, dont l'influence modératrice déclina. La Préfecture du Prétoire, charge capitale puisque les prétoriens en dépendaient, fut partagée entre l'efficace Tigellin et le pâle Faenius Rufus, un Gaulois, ancien protégé d'Agrippine, qui s'était fait une réputation à la Préfecture de l'Annone. L'année précédente, Flavius Sabinus (frère du futur Vespasien) avait été nommé Préfet de la Ville.

L'été venu, Néron, divorcé d'avec Octavie et remarié avec Poppée, fit tuer la sœur de Britannicus, qui avait été son épouse durant onze ans. Mais, comme aimait à dire l'empereur plaisamment : « Octavie n'avait jamais eu que les " insignes " du mariage ! »

Commencèrent alors nombre de procès de lèse-majesté contre des sénateurs suspects, et furent mis à mort entre autres autres Rubellius Plautus et L. Faustus Cornelius Sulla Felix, collègue d'Aponius Saturninus chez les Arvales. Rubellius Plautus descendait de Livie, seconde femme d'Auguste, par Tibère. Et le malchanceux Felix était le fils de Domitia Lepida, l'une des deux tantes de Néron, victime elle-même d'Agrippine sur la fin du règne de Claude. Le mariage de raison entre l'empereur et le sénat était bien terminé.

Kaeso et Marcus arrivant au terme de leurs études de « grammaire » et possédant suffisamment de citations classiques homériques ou virgiliennes, le problème devenait aigu d'établir les deux jeunes gens, et les difficultés étaient contradictoires : l'un était trop terne, et l'autre, trop brillant. Les talents de Marcus n'allaient guère plus loin que de tenir sur un cheval et de donner des coups d'épée en confondant parfois Énée et Achille. Kaeso avait des talents pour tout.

Un soir de la fin septembre, Poppée étant enceinte de cinq mois et Néron heureux, Lucain terminant fiévreusement sa *Pharsale*, et Perse se débattant dans les affres de sa dernière maladie, Marcia et Marcus, assis dans leur faux atrium, abordèrent une fois encore le sujet de leur principale préoccupation. Tout le monde dormait dans l'insula, un rayon de pleine lune éclairait doucement les lieux, le Priape hilare dardait son membre énorme, dont le prépuce retroussé ressemblait à des lèvres de femme autour d'un gland bucolique, et le jet d'eau qui glougloutait dans le bassin faisait une fraîche et agréable concurrence à la rumeur nocturne habituelle.

« Il nous faudrait évidemment des protections, dit Marcia. Mais lesquelles ? Agrippine et ses amis, qui d'ailleurs nous avaient bien lâchés après ce que nous avions fait pour eux, sont tombés en disgrâce peu de temps après le début du règne, et la mère de Néron a trempé il y a quatre ans dans un ultime assassinat, lequel s'est trouvé être le sien...

— Vitellius ? suggéra Marcus. Tu as pourtant bien connu Vitellius, qui est toujours ton tuteur ?

— Je ne l'ai que trop connu ! Nous sommes plus ou moins brouillés. C'était un homme insupportable, qui vous aurait mangé un hérisson sur le ventre ! Et le pauvre Sulla Felix, qui m'avait donné de l'espoir, vient de partager le sort d'Agrippine. Vipstanius Apronianus est vieux comme les rues et ne sort pas de sa petite voiture. Quant à Salvius Othon, ce joyeux drille complaisant qui avait succédé à son père chez les Arvales, tu sais bien que Néron l'a expédié en Lusitanie comme gouverneur et qu'il y moisit depuis cinq ans : après avoir fait des pieds et des mains pour confier sa Poppée au Prince, il avait encore prétendu être l'amant de sa femme ! Un cocu ne doit jamais abuser de sa chance.

— Et les autres ? Africanus ? Regulus ? Messala Corvinus ? Les deux Pison ?

— Africanus a payé la réfection de la terrasse. Regulus — qui est malade — a bâti l'atrium. Corvinus s'est occupé de l'hypocauste et a fait doubler la chaudière avec des pierres volcaniques réfractaires de l'Etna. Les Pison ont rénové les latrines et se sont bousculés pour nous meubler. Il est difficile d'y revenir. Chaque femme a un prix, Marcus, et quand un homme a payé, ce qu'il avait acheté d'amour ne le prédispose point à l'amitié. J'ai d'ailleurs plus de trente ans à présent... »

C'était la première fois qu'ils parlaient des amants de Marcia avec cette franchise. Il est vrai que l'avenir des enfants était en jeu et que la nièce n'avait plus de pudeur pour son oncle dès que l'intérêt de Kaeso commandait.

Tout naturellement, allant de Vitellius à bien d'autres, Marcia était devenue la nymphe Égérie des Arvales, cette nymphe sur mesure que le roi Numa jadis a/ait fait semblant de consulter en secret pour mieux tromper son monde. Et elle avait même contribué au bonheur de quelques autres collèges de pieux gourmets, qui, entre les banquets de viandes superbes dont le fumet réjouissait les narines des dieux, appréciaient une chair encore plus fine, dont tout le parfum leur était réservé. Ils avaient participé en leur temps aux dépenses de la maison et laissé dans la cassette de la jeune femme des bijoux plaisants.

Marcus en avait cruellement souffert, avait imposé à Marcia des rapports empoisonnés, puis s'était résigné à tout. Comment chasser une belle-mère que les enfants adoraient, une femme qui avait de pareils dons pour tenir un ménage ? Il avait par conséquent fermé les yeux avec application et s'était un peu consolé à l'idée que ses lamentables assiduités auprès de sa nièce n'avaient sans doute pas impressionné la mémoire d'enfants trop jeunes pour se souvenir et pour comprendre. Si un mauvais hasard voulait que la parenté des conjoints fût un jour découverte par l'un ou l'autre, il pourrait défendre avec tous les accents de la bonne foi la thèse d'un mariage aussi blanc que le bizarre munus sénatorial et équestre de Néron.

Mais ce soir-là, la franchise de Marcia, bien qu'il l'eût presque sollicitée, choquait Marcus. Une lumière trop crue perçait enfin le brouillard de ses confortables démissions.

« Avec la réputation que tu as dû te faire depuis quatorze ans, dit-il avec amertume, de combler de tes faveurs tous les sacerdoces les plus gastromaniaques de la Ville — et je ne parle pas du reste ! —, il ne m'étonne plus de ne pas avoir tiré grand-chose moi-même de mes collègues Arvales, en dépit de tous les raisonnables espoirs que j'avais. Ils auraient été fondés à me dire : " Passez, bonhomme, on a déjà donné ! "

— Avais-tu si bien réussi à te faire tout seul des relations profitables après la perte de tes biens ? Quand je t'ai amené au mariage, tu n'avais plus d'autre ami que toi-même, et un ami qui ne te ménageait point ses sarcasmes ! Est-ce moi, par hasard, qui t'aurais vraiment empêché d'obtenir des recommandations et des faveurs de ces Arvales richissimes ou bien en cour, lorsque, à la fin de chaque festin sacrificiel, ils étaient d'humeur joyeuse, gavés de tendres cuisseaux et ballonnés de cécubes opimiens[1] ? Mais tu avais hérité de treize gladiateurs pendant que tu dormais. J'ai constaté que certains malheurs

1. Parmi les quatre-vingts grands crus qui se buvaient après quinze ou vingt ans d'amphore, le cécube était encore plus coté que le falerne. Les meilleurs vins récoltés sous le consulat d'Opimius (121 avant J.-C.) se buvaient toujours deux cents ans plus tard, concentrés par le temps en une sorte de miel amer.

attirent la sympathie, que d'autres font rire et donnent une réputation de malchanceux. Quand l'injustice du sort a fait de vous la fable de la Ville, le ridicule pèse lourd et vous suit longtemps.

— Aurais-tu voulu que je m'ouvrisse les veines comme quelques autres au sortir de ces enchères pour m'asseoir une meilleure réputation ? Et est-ce moi qui ai demandé à épouser ma nièce ?

— Tu aurais pu faire pire.

— Je me le demande... Cocu incestueux et complaisant pour la rumeur publique, je n'ai ici en retour ni femme ni argent.

— Je te ferai remarquer que si je t'ai subi quelque temps pour ne pas infliger à Kaeso, si sensible, des scènes épouvantables, c'est toi qui as cessé de m'importuner dès que Kaeso eut grandi. Et pour ce qui est de l'argent, tu as sans cesse refusé les prêts que je t'offrais.

— C'était ma dernière dignité que de ne pas briguer ces miettes de stupre !

— Dignité bien morose et trop discrète.

— Les dieux m'en tiendront compte.

— Je te le souhaite sincèrement.

— A t'entendre, on a l'impression que les femmes n'ont conquis leur liberté que pour se prostituer.

— Serais-tu assez naïf pour croire que c'était la liberté de travailler qui nous intéressait ?

« Mais ne se prostitue pas qui veut. Il y faut du charme, la capacité de regarder le plafond ou le ciel en pensant à autre chose, et, autant que possible, ce seul et dernier honneur qui reste aux filles, et qui est de ne se déshonorer que par amour. Toutes les putains de Subure ont un amant de cœur, qui les bat et prend leur argent.

— Si tu as un amant de cœur, tu le caches bien !

— Oui, c'est un grand secret entre mon cœur et moi. »

Marcia se leva de son banc, alla s'asseoir sur le rebord du bassin, voila de son écharpe le membre du Priape, comme si cette surprenante allusion à l'amant idéal était incompatible avec une obscène turgescence, fût-elle de nature divine. Et elle poursuivit :

« Toute réflexion faite, je ne distingue plus qu'une ressource pour pousser Kaeso...

— Et Marcus !

— Naturellement. Il a même besoin qu'on le pousse deux fois !

« Il faut renouer avec les Silanus, en l'occurrence avec Decimus, le chef de la " gens ", l'aîné, et d'ailleurs le seul survivant des trois frères, Agrippine s'étant débarrassée des deux autres. Comme tu n'as jamais fait figure de véritable protégé d'Agrippine et que la vipère a été tuée, Decimus n'a aucune raison de t'en vouloir. Tu n'es pas non plus responsable de l'ingratitude de ton père et le temps a passé...

— La démarche est bien délicate.

— Qu'avons-nous à y perdre ? »

Marcia entraîna son mari réticent dans la bibliothèque, alluma de nouvelles lampes, et après tâtonnements et discussions, finit par lui dicter ce qui suit, sur de belles tablettes d'ivoire :

« M. Aponius Saturninus à D. Junius Silanus Torquatus, très respectueux salut !

« Tu me remettrais mieux si je me présentais sous le nom de T. Junius Aponius, qui fut celui de mon défunt père. Je n'ai pas à le juger de m'avoir fait perdre un patronyme aussi illustre, mais je ne l'écris pas aujourd'hui de nouveau sans émotion, car il nous a rattachés depuis quelque cent quarante ans à ta famille et il est chargé pour nous d'une foule de souvenirs reconnaissants. J'ai plus de soixante printemps derrière moi, je suis revenu de bien des choses, mais le vif désir me prend soudain d'aller te présenter mes respects. Je ne voudrais pas finir mes jours entaché d'un soupçon d'ingratitude et ma position te dira que ma démarche n'est point celle d'un suppliant. Ancien préteur et Frère Arvale, j'ai assez de bien pour être heureux, pour satisfaire une jeune femme dont la beauté m'est plus encore un souci qu'un honneur et qui brûle de m'accompagner dans ma visite, car tu sais la sympathique curiosité qui entoure tes faits et gestes. Ton mérite n'égale-t-il point ta noblesse, et la coïncidence n'est-elle pas rare de nos jours ? Pouvons-nous un matin nous glisser parmi ta clientèle et renouer ainsi avec de vieux usages qui nous étaient chers ? Quel autre patron que toi pourrais-je saluer de ce nom sans rougir ? Que les dieux te gardent de toute façon en santé !

« P.-S. : J'habite une grande maison en retrait de la Voie Suburane, à la hauteur du petit marché aux olives — pour ne pas parler du grand lupanar des frères Thémistocle, qui donne tant de tintouin à nos édiles ! Qu'il soit amateur d'olives ou de filles, ton courrier, s'il te plaît, trouvera facilement ma porte. Je suis d'autant plus connu dans le quartier que j'ai de modestes talents d'avocat, dont il m'arrive de faire profiter les riches comme les humbles. »

Il n'était certes pas d'usage pour un client — et quel que soit son rang — de se faire accompagner par son épouse lors d'une entrevue protocolaire. Le geste eût été ressenti comme indiscret et déplacé. Mais d'autre part, ce n'était pas une visite ordinaire, et le caractère exceptionnel de l'hommage pouvait faire passer sur l'anomalie.

Trois jours plus tard, les tablettes revinrent, et elles disaient :

« D. Junius à T. Junius Aponius, salut !

« On m'avait déjà parlé de toi, de tes ennuis avec l'empereur Caius et de ton mariage réconfortant. J'avais même ouï dire des succès de tes gladiateurs dans les arènes de nos petites villes et de ceux que remporte ta femme dans notre grande arène de Rome, Vitellius et Othon ayant eu l'occasion de me révéler par hasard à quel point elle est charmante. Moi aussi, je prends de l'âge, je n'ai plus aucun préjugé, et je n'ai jamais repoussé un client. Également curieux de te voir, et de te voir en si bonne compagnie, je te fais dire par mon secrétaire que vous pouvez venir demain matin de bonne heure, parmi mes clients privilégiés. Ancien préteur, tu passeras après un ancien consul. Porte-toi bien.

« P.-S. : Ton mot aimable m'a suivi de notre vieux palais du Caelius à une petite maison du Palatin que j'ai acquise récemment, celle qui appartint jadis à Crassus, à Cicéron, à Censorinus, puis en dernier lieu à T. Statilius Sisenna, qui fut consul avec Scribonius Libo la troisième année du règne de Tibère. Les héritiers de Sisenna me l'ont vendue moins cher que Cicéron ne l'avait payée. N'est-ce pas étrange ? »

Cette prose n'était pas trop flatteuse, mais il ne fallait point demander l'impossible.

Dans l'après-midi, entre la sieste et le bain, Marcus, désœuvré et songeur, se retira dans son pensoir attenant à la bibliothèque pour travailler sur l'affaire Libanius. Decimus lui apporterait peut-être des causes plus intéressantes...

Cette affaire Libanius était des plus pénibles. Le personnage, un fils d'affranchi qui avait fait fortune dans le commerce des céréales, avait exigé par testament que les sept beautés constituant son sérail s'entre-tuent sur sa tombe afin de rendre hommage à ses mânes. Exigence terriblement passée de mode, où une ombrageuse piété semblait faire bon ménage avec une jalousie morbide. Le fils Libanius, choqué d'un pareil gaspillage, avait essayé de faire casser le testament sur ce point, mais la fille du défunt, représentée par son tuteur, avait pris la défense des dernières volontés de son père : sans doute les sept belles-mères de la main gauche avaient-elles tenu, pour une jeune personne sensible, une place excessive dans la maison. En attendant la décision du tribunal, les biens en jeu avaient été placés sous séquestre, et les sept esclaves, qui allaient se fanant, patientaient depuis douze ans pour connaître leur sort. Marcus, qui plaidait par hasard la cause de l'héritière, avait pour lui la loi, mais contre lui la mauvaise volonté des préteurs successifs, dont aucun n'avait voulu engager sa responsabilité dans une histoire aussi désagréable. Depuis l'avènement de Néron, un vent d'humanité favorable aux petites gens et même aux esclaves soufflait sur la jurisprudence.

Quand le Préfet de la Ville, Pedanius Secundus — prédécesseur de Flavius Sabinus et ami de Sénèque —, avait été assassiné par un esclave qui lui disputait un mignon, seule l'insistance du bloc des sénateurs les plus traditionalistes avait obtenu de l'empereur que la loi fût appliquée, et les quatre cents domestiques de la victime, dans un climat d'émeute populacière hostile au sénat, avaient pris le chemin du dernier supplice, la traverse de leur croix sur les épaules. Mais l'empereur s'était opposé à la suggestion d'un ultra, qui voulait que même les affranchis présents chez Pedanius à l'instant du crime fussent déportés.

Le lendemain matin de bonne heure, tandis que la litière de louage, qui devait arriver de la station du Trastévère, se faisait espérer, Marcus alla en personne réclamer au Lusitanien de l'impasse les loyers de retard qui s'accumulaient. Les fouets et les carcans pour esclaves souffraient de mévente. Dans la plupart des grandes maisons, les relations entre maîtres et serviteurs étaient bonnes ou passables, parfois excellentes, et les humbles corrigeaient leurs quelques esclaves à main nue. On pouvait encore faire castrer un esclave ou le vendre à un proxénète, mais les cas étaient de plus en plus rares et discutés. Depuis la « lex Petronia » augustéenne, il fallait l'autorité d'un jugement complaisant pour livrer un esclave insupportable aux bêtes, et Néron avait chargé le Préfet de la Ville de recevoir et d'instruire les plaintes dont le saisiraient les esclaves contre l'injustice supposée de leur maître. La démagogie impériale bafouait le droit de propriété.

Une philosophie fumeuse, bien étrangère à Aristote, avait d'ailleurs répandu l'idée que les esclaves pourraient avoir une sorte d'âme, et la logique de faits déplorables apportait de l'eau au moulin : lorsqu'un esclave affranchi comme le richissime Pallas, amant et âme damnée de feue Agrippine, ambitieux que Néron venait de faire mettre à mort, se hissait au rang de ministre, il était malaisé de ne pas lui accorder, à défaut d'une âme bien nette, au moins un peu d'esprit.

Furieux de la mauvaise volonté du Lusitanien, Marcus ordonna de lui retirer l'échelle qui reliait sa taverne à son entresol. Ce moyen de pression à l'encontre des locataires récalcitrants était devenu classique et l'expression « tirer l'échelle » avait même passé en proverbe.

La litière était enfin au rendez-vous. Pour cette visite importante, Marcia s'était composé la beauté sobre et raffinée d'une patricienne vertueuse, avait renoncé aux couleurs trop voyantes, aux bijoux trop éclatants. Et elle avait elle-même aidé Marcus à draper sa plus belle toge.

Dans la litière fatiguée, les deux conjoints récapitulaient tout ce qu'on pouvait savoir de ce Decimus — tâche assez vaine, car la marge pouvait être grande entre la réalité et les on-dit.

Une sœur des trois frères Silanus, Junia Lepida, avait épousé C. Cassius Longinus, descendant du meurtrier de César et célèbre jurisconsulte — celui-là même qui avait brillamment plaidé au sénat pour la crucifixion des quatre cents esclaves de Pedanius Secundus. Et les deux époux avaient élevé dans le culte des vertus stoïciennes leur neveu Lucius, fils de l'infortuné Marcus, sacrifié par Agrippine huit ans auparavant. Mais le stoïcisme de Decimus passait pour moins rigide et la remarquable souplesse de celui de Sénèque avait dû l'inspirer. D'une haute culture, esthète et dilettante, Decimus tirait orgueil de sa parenté avec Auguste, mais le danger qu'elle présentait pour lui après la fin tragique de ses deux frères l'avait détourné de toute ambition politique. On racontait même que, désespérant d'une vie si incertaine, il s'était lancé sur le tard dans une frénésie de dépenses somptuaires et de jouissances élégantes. C'était en bref un stoïcien du genre mondain et sceptique, plus préoccupé d'embellir ses ultimes années que de philosopher avec rigueur. De telles dispositions offraient à Marcia des chances pratiques qu'il eût été dommage de laisser perdre.

La légère brume matinale de septembre n'était pas dissipée que la maison de D. Junius Silanus Torquatus était déjà assiégée de clients. Les uns, venus à pied avec leur toge étriquée et leurs savates informes, s'étaient agglomérés en grappes compactes le long des escaliers, qui, à partir de la Voie Triomphale, gravissaient vers la façade de l'édifice la pente sud-est du mont Palatin. Les autres, aux toges plus amples et aux chaussures plus décentes, avaient fait un mouvement tournant par le raidillon de la Victoire et les ruelles qui le prolongeaient.

Les portes n'étant pas encore ouvertes, Marcus et Marcia s'immiscèrent dans le groupe assez restreint des clients de premier rang pour patienter. Peu à peu, la brume se levait.

La « petite maison » de Cicéron, à laquelle Silanus avait fait allusion dans son billet, n'était petite que pour un Silanus. Cicéron l'avait quand même payée 3 500 000 sesterces et y avait ajouté un jardin. De l'entrée des lieux, on distinguait vers le sud le beau panorama de campagne dont Cicéron parle dans son *Pro domo* : les coteaux d'Esule, les sommets de Tibur, de Tusculum et d'Albe. La branche de l'aqueduc Julien qui desservait le Palatin après avoir arrosé le Caelius séparait la maison de Cicéron de celle de Clodius, beaucoup plus grande, que le tribun avait acquise jadis pour 14 800 000 sesterces. Il était plaisant de songer que les demeures de Cicéron et de Clodius, ennemis intimes, n'avaient été séparées que par les arches monumentales d'un aqueduc ! Plus loin encore vers le nord, était une maison qui avait appartenu à Scaurus. L'emplacement faisait prime depuis longtemps.

Une petite porte s'ouvrit et les clients de premier rang furent menés jusqu'à l'atrium, à partir duquel ils devaient être introduits par ordre hiérarchique dans le « tablinum », conservatoire des archives familiales, où le maître était disposé à les recevoir brièvement.

Puis on ouvrirait la grande porte pour les deuxièmes entrées, réservées aux clients qui n'étaient attachés qu'à un seul patron et se montraient assidus en conséquence. Lorsque le vaste atrium aurait fait son plein, Silanus jetterait un coup d'œil par la fente de l'épaisse tenture qui faisait barrière entre tablinum et atrium, afin de vérifier si aucun indésirable n'était présent, et il passerait dans l'atrium où les visiteurs lui rendraient hommage. C'était parmi les privilégiés de cette catégorie que le maître recrutait chaque matin les « accompagnateurs » qui l'escorteraient au Forum et les « précédeurs » qui n'avaient de temps que pour un brin de conduite.

Enfin, ce serait le tout-venant famélique des troisièmes entrées, qui s'efforçait de grappiller quelques sesterces chez des patrons divers et qui se bornait à une humble salutation. Le « nomenclateur » avait du mal à se rappeler le nom de chaque individu pour le présenter à Silanus, et il lui arrivait de dire un nom de fantaisie sans que le malheureux osât protester. La presse des troisièmes entrées était grande, et le bénéfice, incertain, car l'admission était soumise à graissages de pattes à partir du premier barrage tenu par le portier. Les temps étaient révolus où les clients ordinaires arrivaient avec toutes sortes de récipients pour recueillir une sportule alimentaire en nature. La mode était à la sportule monnayée, distribuée en fin de visite par un « dispensateur », selon des tarifs assez bas, qui avaient tendance à s'uniformiser de maison en maison.

Pour des maîtres à qui la politique était déconseillée, la clientèle avait perdu de son importance, et ce n'était plus guère alors qu'une dépense de vanité un peu nostalgique.

Après la réception de l'ancien consul, la portière du tablinum se souleva pour Marcia et Marcus, qui pénétrèrent dans le saint des saints.

Decimus était grand et svelte, le nez aquilin, l'œil clair, le cheveu neigeux. Il portait une tunique de fin coton bleu améthyste, agrémentée de quelques plissés élégants. Ses sandales étaient dorées, et tout en discourant avec aisance, il jouait machinalement avec sa bague, comme pour imprimer son propre sceau à ses pensées...

« C'est toujours une joie sincère, Marcus, que de retrouver un client qu'on aurait pu croire perdu — et de le retrouver magistrat curule honoraire et Frère Arvale en exercice. Que d'affranchis, déjà, se montrent ingrats à l'encontre de ceux qui leur ont donné la liberté ! Et, à plus forte raison, quand les honneurs s'accumulent sur une tête, l'oubli des anciens bienfaiteurs vient vite à présent, comme si ces honneurs eussent été possibles sans l'affranchissement qui a tout entraîné. Ta démarche me touche d'autant plus qu'elle est plus rare. Et je veillerai à ce qu'elle te porte bonheur selon tes mérites. »

Marcia fit glisser le châle qui voilait à demi son visage et dit :

« Mon mari me répétait encore tout à l'heure que sa modeste réussite n'était jamais qu'une émanation de tous les hauts faits qui ont honoré ta famille depuis Torquatus, que la plus grande vertu de la gloire était d'en inspirer le goût, et qu'il lui appartenait donc de te rendre hommage de ce qu'il avait pu devenir par le bon usage d'une liberté que son arrière-grand-père avait déjà connue sous l'égide du très regretté T. Junius. S'il faut quatre générations pour faire un honnête homme, c'est au fond à « Tiberius qu'il doit tous ses mérites. Certains auraient en effet l'ingratitude de l'oublier. Marcus en est fier, car il n'est pas permis à beaucoup de tirer leur liberté d'une source aussi illustre et aussi exemplaire. »

Decimus avait parlé distraitement et écouté de même. Il pria Marcia de rajuster son voile, de le faire glisser un peu, un peu plus, un peu moins...

Le regard extasié, il expliqua à Marcus :

« Quand tu es sur le Forum aux Bœufs, entre l'Arc de Janus Quadrifrons et le Taureau d'Airain rapporté d'Égine, tournant le dos à la basilique Sempronia et face au petit temple circulaire d'Hercule Vainqueur, tu vois à droite de ce dernier monument le temple de la Fortune Vierge, et à gauche, le temple de la Pudicité Patricienne, auquel Tite-Live, entre autres, fait allusion dans son Livre X. Ces trois temples sont parmi les plus antiques et les plus vénérables de Rome. On attribue celui d'Hercule à un certain M. Octavius Hersennus. Celui de la Fortune Vierge a été bâti par le roi Servius. Celui de la Pudicité Patricienne a été fondé par l'un de mes ancêtres, c'est le temple de ma " gens " et le desservant fait toujours partie de notre " familia ".

« Or, il y a déjà longtemps, un incendie a endommagé la statue de bronze de la Pudicité Patricienne, qui en a perdu la face du coup. Voilà des années que je m'ingénie à faire remplacer cette œuvre d'art par une statue de marbre blanc, mais aucun projet ne me plaisait. Il y a bien aujourd'hui en souffrance chez les plus grands sculpteurs cinq ou six " Pudicité Patricienne ", productions estimables, techniquement parfaites, mais qui n'ont rien de pudique ni de patricien. L'époque doit en être la cause...

« Eh bien, le modèle qu'il me faut, il vient de me frapper lorsque ta femme a gracieusement fait glisser son voile. C'est la Pudicité Patricienne en personne, telle que je la rêvais sans pouvoir en préciser les traits.

« Tu m'as prévenu que tu ne venais pas en quémandeur. Cette noble attitude m'encourage à te demander moi-même un grand service : que ta Marcia pose un moment pour Polyeucte, qui travaille avec Zénodore et quelques autres au colosse néronien et solaire de cent vingt pieds prévu pour la Maison du Passage. Ce changement le reposera. »

Marcus était enthousiaste, Marcia, beaucoup plus réservée...

« Il serait flatteur pour moi, Decimus, de voir ma pudicité recevoir enfin l'éternité du marbre. Mais je sais comment travaillent les sculpteurs de la classe de Polyeucte lorsqu'il s'agit d'œuvres de ce genre, où la grâce est essentielle. Et les grands peintres de chevalet en font autant. Ils dessinent d'abord le modèle nu, et ils l'habillent ensuite, de façon que le drapé ne paraisse point plaqué sur le corps, mais épouser au contraire des formes pleines de vie. Tu sais ce que sont les ateliers d'artistes et comme une pudicité — même plébéienne ! — aurait à y souffrir. »

Decimus s'empressa de garantir que toutes les précautions seraient prises pour que la vive pudeur de Marcia soit ménagée, et Marcus joignit courageusement sa voix à la sienne. Marcia soupira très fort et se rendit.

Rayonnant, Decimus fit appeler un intendant, ordonna d'envoyer quérir sur-le-champ Polyeucte et de congédier la clientèle sous prétexte d'une indisposition subite — non sans avoir auparavant distribué les sportules.

En attendant Polyeucte, on passa sous le péristyle adjacent, qui entourait une roseraie en pleine floraison, et l'on se promena devant des galeries de statues qui faisaient de l'endroit un étonnant musée, fruit du pillage intensif de la Grèce, des îles, d'Alexandrie et de l'Asie. Étaient représentés Scopas, Léocharès, Lysippe, Céphisodote, Timarchos, Tisicrate, Timothéos, Bryaxis, Doidalsès et les deux Boéthos. Les statues les plus récentes avaient un siècle et demi et étaient signées de Dionysos et de Timarchidès.

Le soleil prenant de la hauteur, Decimus entraîna ses hôtes dans une exèdre, où étaient exposés des tableaux des plus grands maîtres grecs : Silanion, Nicias, Athenion, Apelle, Protogène, Philoxénos ou Euboulidès.

Marcus se perdait en calculs pour essayer d'imaginer combien pouvaient coter la statuaire et la peinture présentes, et le résultat était effarant.

« Mes plus belles œuvres d'art, les plus anciennes, les pièces vraiment uniques, dit négligemment Decimus, sont réunies dans mes villas de Tibur, d'Antium et de Baïes. J'estime que l'air de Rome, où tant de béotiens respirent, n'est pas trop favorable à la conservation.

— Et pourtant, fit observer Marcia, j'ai vu comme tout le monde, sous les portiques d'Octavie, de Philippe ou de Pompée, des tableaux d'Antiphile, d'Artémon ou de Polygnote suspendus presque en plein vent. Et je ne parle pas des galeries des thermes d'Agrippa ou des nouveaux thermes de Néron... Rome est bourrée de tableaux, qui ont l'air de se bien porter.

— Ils offrent en effet une remarquable longévité. D'abord, les plus importants sont peints sur un assemblage en cœur de mélèze, cette partie couleur de miel du larix que les Grecs appellent " œgida ". Le mélèze, qui provient des Alpes ou des forêts de Macédoine, est le bois qui résiste le mieux aux intempéries. Les petits tableaux sont exécutés sur de l'ivoire ou sur du buis, dont la résistance est également très bonne. Puis on passe un enduit bleu spécial sur les planches de mélèze. Enfin, le peintre n'utilise que quatre couleurs bien stables : le blanc, le jaune, le rouge et le noir ; et ces couleurs, ou leur mélange, s'emploient à l'état de fusion, broyées dans de la cire fumante, à proximité du chevalet, par les petits esclaves de l'artiste. Trois cents ans après, de pareils tableaux semblent sortir de l'atelier.

— Ne serait-il pas plus simple de peindre par exemple sur une toile ?

— Cela se fait déjà pour les robes de femmes, et elles parviennent rarement à la postérité ! »

Marcia rougit de sa sottise avec une charmante confusion et son intérêt se détourna vers une table ronde tripode qui décorait le milieu de la pièce. Les pieds étaient en bronze doré et le dessus, d'un bois précieux, dont les veines imitaient par endroits de surprenante façon les yeux de la queue du paon.

« Elle a appartenu à Cicéron, précisa Decimus. C'est la première table en bois de citre qu'on ait vue à Rome.

— On prétend qu'il l'avait payée un million de sesterces, dit Marcus. Et c'est encore le premier prix de nos jours pour du citre de première qualité.

— Pourquoi ces tables restent-elles si chères ? demanda Marcia à Decimus. En quoi réside leur rareté ?

— Le citre est une sorte de cyprès ou de thuya qui pousse dans des forêts reculées de Maurétanie ou d'Arabie pétrée. On n'emploie en ébénisterie de luxe que les loupes veinées qu'il présente à sa base, et il n'atteint pas souvent une grosseur suffisante pour qu'on y découpe transversalement un beau dessus-de-table. Les difficultés s'accumulent. »

Decimus caressa la surface polie de la table d'un air rêveur et poursuivit :

« Puisque tu es avocat, Marcus, tu vas pouvoir me donner un bon conseil. J'ai acheté table et maison pour un prix dérisoire, et je crois enfin en saisir la raison.

« Hier soir, après la tombée de la nuit, je regardais ces tableaux avant de me coucher. Ils prennent à la lumière des lampes certains tons chauds que j'apprécie.

« Allant d'une œuvre à l'autre, passant de cet *Embarquement pour Cythère* à ce *Tonneau des Danaïdes*, je jetais par hasard un coup d'œil au buste en marbre noir de Cicéron, que vous voyez là-bas... quand, tout à coup, un affreux gémissement a retenti derrière mon dos. Je me suis retourné : la tête de Cicéron était sur la table et me fixait. J'ai eu le temps de m'en rassasier avant qu'elle ne s'évanouisse. »

Après un silence horrifié, Marcia demanda :

« La tête était-elle noire ou blanche ?

— Quelle importance ?

— N'as-tu pas déjà remarqué, Decimus, qu'une image peut se graver dans notre œil, de telle sorte qu'elle nous apparaisse encore un instant si nous fixons notre regard ailleurs ? Moi-même, je te vois encore quand je ferme les yeux ! »

Decimus fut très frappé de la suggestion, réfléchit, et dit tristement :

« Non, hélas, la tête était plutôt livide, telle que le centurion d'Antoine l'a coupée, lorsque Cicéron tendait le cou en dehors de sa litière, sur les rivages de Gaète, où le mal de mer l'avait retenu.

— Cicéron est à coup sûr la plus illustre victime du mal de mer ! Et ses mains, qui avaient écrit les *Philippiques* et qu'Antoine a fait couper aussi, étaient-elles sur la table ?

— Non.

— Quand on perd sa tête, il est facile d'oublier ses mains. »

Un peu interdit, Decimus prit le parti de rire...

« Tu ne me sembles pas d'une nature à perdre la tête aisément ! »

Marcus, qui était mortifié dans son culte de Cicéron, intervint :

« S'il est de notoriété publique que c'est une maison à fantôme comme il y en a tant, tes avocats, Decimus, peuvent intenter un procès en annulation de vente pour vice caché. Le cas du fantôme est prévu par le code et il y a une riche jurisprudence là-dessus.

— Mais cette maison est ravissante et je suis amoureux du panorama : je n'ai nullement l'intention de l'abandonner. Ne pourrait-on plutôt exiger une réduction ?

— Puisque tu l'as payée un prix dérisoire, la réduction a déjà été faite. Il serait plus expédient de te débarrasser du fantôme. Peut-être suffirait-il d'envoyer promener la table ?

— Une table qui a appartenu à Cicéron !

« — Mieux vaudrait, dit Marcia, faire tourner la table comme le font les mages chaldéens, établir le contact avec Cicéron, et à force de flatteries, le persuader de hanter un autre meuble dans une autre maison. Tu ne manques pas de propriétés, Decimus, pour lui donner le change... »

Polyeucte arrivait en hâte, flairant l'argent. Il était laid et contrefait comme le Thersite d'Homère, mais ses mains étaient solides, et son esprit, acéré...

« Je suis indigne, " domine ", de paraître en ta présence, et pourtant, à ton premier appel, j'ai dégringolé de la tête de Néron pour accourir comme le fameux marathonien porteur de victoire. Quel triomphe veux-tu de moi ? »

Le terme de « dominus », qui impliquait un droit de propriété, ne s'employait jamais entre citoyens. Les esclaves qualifiaient ainsi leur maître, les flatteurs apostrophaient de ce terme les empereurs qui le toléraient, les clients subalternes s'en servaient aussi par affectation d'humilité, et les amants parlaient de leur « domina », de leur « maîtresse », dès qu'ils croyaient s'en être rendus maîtres [1].

Decimus expliqua à Polyeucte ce qu'il voulait et le sculpteur dut convenir que Marcia, pour la première fois, lui donnait des idées de pudicité. Cela dit en déshabillant la femme du regard avec des arrière-pensées de technicien qui la rhabillaient déjà de la façon la plus chaste.

Tout en bavardant, on était monté au belvédère du jardin, d'où l'on dominait toute la maison et la majeure partie d'une Rome ensoleillée.

Decimus s'était aperçu à l'expérience qu'il était impossible d'obtenir un service parfait avec cinq ou six cents esclaves divisés en « décuries » plus ou moins anonymes. « Ils ne sont ici que quatre-vingt-dix-sept, disait-il, contrôlés par quelques affranchis de toute confiance : Je pourrais presque donner un nom à chacun, et ils le savent. Le croiriez-vous ? Je suis mieux servi de la sorte que dans mon palais du Caelius ou que dans mon immense villa de la Colline des Jardins ! Le secret du vrai luxe est de se restreindre, de manière qu'une " familia " choisie soit comme le prolongement permanent du corps et de l'esprit du maître. »

Il n'y avait rien à répliquer à cela. En fait d'esclaves comme de pudicité, un Decimus avait toujours raison. Seul l'empereur aurait pu lui donner tort.

---

1. La traduction ecclésiastique du « dominus » latin — ou de son équivalent, le « kurios » hellénistique — par « Seigneur » fait contresens d'autant plus grave que « Seigneur » a une résonance moyenâgeuse qui n'introduit nullement un rapport d'humble servitude, mais de contrat bien réglé entre suzerain et vassal. Les chrétiens auraient-ils renoncé à être les esclaves de leur Dieu ?

Les choses allèrent très vite...

L'an 815 de la fondation de la Ville, P. Marius Celsus et L. Asinius Gallus étant consuls, un matin des Ides d'octobre, jour « néfaste gai », vers la sixième heure, au sortir d'une séance de pose, Decimus, qui était venu en voisin prodiguer ses conseils, coucha avec Marcia, tandis que Polyeucte pétrissait philosophiquement de l'argile dans un coin. Et Decimus étant attentif, la « domina » y aurait peut-être éprouvé quelque plaisir si elle n'avait pas été si distraite.

Marcia jouait très gros jeu, mais sa réputation ne lui permettait pas de se montrer coquette. Elle ne pouvait qu'exploiter ce thème éternel : « Tu es le phénix d'une liste trop longue ! » Déclaration qui fait toujours plaisir, même aux plus sceptiques.

Les fils de sénateurs décidés à faire carrière militaire passaient officiers d'entrée. Marcia put bientôt annoncer à Marcus junior qu'il serait attaché comme tribun à l'État-Major de Xanten avec recommandation de la main de D. Junius Silanus. Marcus junior eut le bon goût de ne pas demander de détails. Et Kaeso se contenta du fait.

Marcus père fut introduit dans la légion des avocats de Silanus, qui, ayant des terres et des biens un peu partout, menait toujours une vingtaine de procès de front, qu'il était habitué à gagner, car la justice n'est pas si aveugle. Ce fut l'occasion pour lui de palper quelques dessous-de-table intéressants et de déguster nombre de dons en nature, qui s'ajoutaient à la prébende gastronomique des Arvales. Un jour, c'étaient trois marcassins et des chapelets de grives qui prenaient le chemin des cuisines. Un autre, on faisait rentrer vingt-quatre amphores de Rhegium ou de Sorrente, déjà vieillies dans le « fumarium » des greniers, spécialement aménagé pour le passage de la fumée du foyer. Ou encore, c'était la fumée des forges d'Afrique, les plus réputées chez les gourmets, qui avait lentement mené à bien la dessiccation d'un merveilleux raisin de table. Marcus touchait aussi des épices. Le célèbre « silphium » de Cyrénaïque, victime d'une exploitation intensive, venait de disparaître, et l'on en avait tout juste trouvé un spécimen pour satisfaire la curiosité de Néron, mais les poivres blanc ou noir, le « costus » indien, le gingembre, le malobathre, le sumac syrien, le pyrèthre d'Afrique, la cannelle, la girofle, la cardamome, le nard indien, dont les épis étaient à 400 sesterces la livre, étaient des cadeaux aussi appréciés que ces pots du miel parfumé qui avait servi à la conserve des coings. Le maître, qui n'avait jamais été beau, prenait de plus en plus de ventre et ses efforts pour ne pas abuser des grands crus étaient trop souvent stériles.

Un bel après-midi de début décembre, Marcia pressa Marcus de sortir du bain pour que Kaeso pût le prendre à son tour — les fils ne se baignant point devant leur père. Kaeso bien récuré, Marcia s'occupa en personne de donner la dernière main à la courte toge prétexte de l'adolescent et sortit avec lui pour une mystérieuse entrevue.

Ils quittèrent la Ville par la Porte Ratumène, qui devait son nom à un cocher du Cirque Flaminius voisin, que ses chevaux emballés avaient un jour entraîné jusque-là et tué. Puis ils empruntèrent à travers le Champ de Mars la Voie Lata, en direction du petit portique de Pola, sœur d'Agrippa. Moins encombré de promeneurs que les grands portiques, ce monument se prêtait mieux à une conversation tranquille.

Chemin faisant, Marcia dit à Kaeso, des plus intrigués : « Je vais te présenter à Decimus, de la " gens " Junia, parent des Césars et galant homme irréprochable, le patron avec lequel ton père vient de renouer si heureusement, comme on t'a dit. »

Marcia insistait sur le lien de patronage, car c'était en principe une forfaiture indigne pour un patron que de toucher à la femme d'un client, et le moindre soupçon devait être épargné à Kaeso.

« Decimus est immensément riche et fort bienveillant, poursuivit-elle. Il peut tout pour toi d'un mot. Tu sais ce qu'il a déjà fait pour ton frère, qui nous quittera ce printemps dans des conditions inespérées. Tu sais ce qu'il a fait pour ton père, qui défend désormais des causes profitables. Tu sais ce qu'il a très accessoirement fait pour moi, qui prêterai si flatteusement mon visage à demi voilé à la déesse Pudicité Patricienne de sa " gens ". Il est capital que tu produises sur lui la meilleure impression possible. »

Kaeso ne demandait pas mieux, mais avait besoin de conseils plus précis.

« Oh, dit Marcia, je n'ai qu'un conseil à te donner : reste toi-même, tel que les dieux et notre attentive éducation t'ont sculpté et défini. Sois naturel et aimable. Pas de timidité sans objet, pas de forfanterie déplacée non plus. Decimus est un homme très fin et très courtois, qui d'ailleurs te mettra vite à l'aise. Il ne demande qu'à t'aimer. Tiens-le pour un second père, et tout ira bien. »

Le grand aqueduc de la Virgo se rapprochait, qui dominait le portique de Pola et alimentait les thermes d'Agrippa. Et de part et d'autre de la Voie Flaminienne, qui prolongeait la Voie Lata, on devinait les espaces verts, éclaircis par la saison froide, dont les frondaisons recouvraient encore la majeure partie des 600 jugères du Champ de Mars.

La présence de Decimus se devinait à la litière blanche déposée devant le portique, près de laquelle se tenaient au garde-à-vous des porteurs noirs athlétiques et frigorifiés, comme s'ils venaient d'entendre le commandement militaire du « Legio expedita », qui ordonnait aux soldats de mettre sac à terre pour être prêts à tout.

Decimus, image de la plus haute distinction, regardait sous le portique un plan de l'univers qu'Auguste y avait fait graver dans le marbre et qui donnait la réconfortante impression qu'en dehors du monde romain, l'univers se réduisait à des broutilles informes. Les dieux étaient avec Rome jusque sur les cartes.

La physionomie du patricien s'éclaira à la vision de Marcia, et tout ce que le sourire exprimait ne pouvait échapper qu'à l'aveuglement d'un Kaeso.

Marcia présenta son fils et Decimus dit au garçon : « Heureux de te connaître. Ta mère m'a parlé de toi en termes très élogieux, et, à première vue, je dirai qu'elle n'a pas exagéré. Que veux-tu donc faire dans la vie et en quoi puis-je t'être favorable ? »

Kaeso réfléchit un court instant et répondit : « Maman vient de me rappeler que vous étiez un galant homme irréprochable, un patron exemplaire. Mon seul vœu est que vous m'aidiez à le devenir et à le rester. »

C'était la seule réponse que Decimus n'avait pas prévue. Le soupçon lui vint qu'un garnement vicieux et trop bien informé se foutait de lui. Mais la candeur de Kaeso était inimitable et exigeait une candeur égale.

« Eh bien, finit-il par déclarer, tu me demandes le plus ardu. Si le destin t'accorde une longue existence, tu verras qu'il est plus facile de prêcher la vertu que de se montrer en toute circonstance digne de son prêche. Je m'efforcerai néanmoins d'être de la trempe de tes excellents parents.

— Si j'ai décidément la chance d'avoir trois vertus pour veiller sur moi, je risque de devenir trop sage et de m'ennuyer ! »

Il y avait de quoi rire.

« La sagesse de Decimus, dit gaiement Marcia, ne va pas, je présume, sans quelques honnêtes distractions. Tu auras désormais, Kaeso, deux vertus pour t'ennuyer, et une troisième pour te distraire. »

Decimus approuva chaudement le programme et la conversation prit un tour plaisant et détendu. Kaeso parla modestement de ses succès scolaires et de ses conquêtes chevalines — beaucoup moins de ses relations gladiatoriennes, dont il sentait bien qu'elles n'étaient guère flatteuses.

« Tu as dompté Formosus et Bucéphale, lui dit brusquement Decimus ; as-tu eu autant de bonheur avec les filles ? »

Ce n'était pas le moment de faire pénétrer un homme aussi distingué dans les secrets de la popina paternelle.

« Oh, fit Kaeso, les filles convenables me regarderont lorsque je pourrai les épouser. Quant aux filles qu'on n'épouse pas, elles auraient vidé ma bourse avant que j'aie relevé ma tunique !

« — Tu as atteint sans trop d'efforts à une excellente philosophie, mon garçon ! »

Decimus paraissait enchanté.

Le froid vespéral tombait sur le Champ de Mars et l'on se sépara de bonne humeur, après que Decimus eut dit à l'oreille de Marcia : « Il est parfait ! Rafraîchissant ! J'aimerais aujourd'hui avoir été comme ça à son âge... »

Marcia ne pouvait rêver meilleur compliment.

A partir du XVI des Kalendes de janvier, 17e jour de décembre en comptant comme certains barbares à l'esprit simpliste, les Saturnales allaient se déchaîner sur Rome, livrée aux esclaves en délire, qui bafoueraient toute autorité légitime, de connivence avec une populace complice. Sur les Forums, ils organiseraient des parodies de procès pour se moquer des consuls, des préteurs et des juges. Dans les familles, ils se vautreraient à la table des maîtres, qui seraient tenus de festoyer avec eux ou de leur servir à boire, et le roi de ces banquets serviles, désigné par les dés, se ferait un malin plaisir de contrefaire le « dominus » et d'imaginer des brimades qui n'étaient pas toujours drôles. Ce serait le monde renversé. Et les esclaves femelles, pour le martyre des matrones, auraient leur tour aux Ides de mars et au III des Nones de juillet. Les Républicains avaient souvent fait observer que César, cet homme à femmes démagogue, fille soumise à l'occasion, était tombé percé de coups alors que la Ville était au pouvoir des femmes les plus humbles.

Durant les sept jours des Saturnales, les maîtres affligés d'une importante « familia » couraient se mettre au vert à la campagne, ou bien se réunissaient entre amis dans des garçonnières discrètes, où ils mangeaient lugubrement des conserves et faisaient la vaisselle en attendant que passe l'orage. L'empereur lui-même quittait le Palais, car un bordel affolant y éclatait alors d'une heure à l'autre.

La veille du XVI, Decimus, que l'amusement des esclaves n'amusait pas du tout, se réfugia dans une confortable petite villa, que l'un de ses affranchis mettait régulièrement à sa disposition du côté d'Antium pour lui permettre d'échapper à la frénésie générale.

Marcia, dont la vertu était devenue particulièrement prudente depuis qu'elle se faisait statufier en Pudicité Patricienne, partit le même jour en compagnie de son mari pour une prétendue campagne, laissant à la maison les deux enfants, que les Saturnales distrayaient. Ces vacances conjointes devaient prévenir tout soupçon chez Kaeso. A Antium, Marcus descendit dans une auberge dont le service était totalement désorganisé, tandis que Marcia poursuivait sa route vers la villa de Decimus. Marcus était époux complaisant, mais bon père.

Les Saturnales consommées et épuisées, Marcia retrouva un matin

Marcus dans une chambrette qui n'avait pas été balayée depuis des jours et où il n'avait pu dormir qu'en état d'ivresse. Mais elle était porteuse d'une stupéfiante et merveilleuse nouvelle : « Decimus adopte Kaeso ! »

Marcus sortit de son lit en titubant et lui fit répéter :

« Oui, il y est bien décidé !

— Mais comment as-tu fait ? »

Encore un peu gris, Marcus ne se rendait pas compte du caractère équivoque de la question.

« J'ai fait... tout ce que j'ai pu, mais les dieux en ont fait plus encore !

« Divorcé de son dernier mariage, Decimus n'a pas d'enfant. Et cet homme, au fond, vit dans la peur, avec la tête de Cicéron sur sa table. Les mêmes motifs dynastiques qui ont poussé Agrippine à assassiner ses frères peuvent un jour pousser Néron à lui faire un mauvais parti. Et la vie de son unique neveu Lucius ne tient elle-même qu'à un fil. Si Decimus adopte Kaeso, un garçon dont le sang est tout neuf, il aura sans doute des héritiers pour assurer le culte familial, s'occuper du temple du Forum aux Bœufs et de ma statue, qui est presque achevée. Mais il aura de plus une grande chance pratique de sauver la majeure partie de ses biens de la rapacité toujours aux aguets de l'empereur et de ses sbires.

— Que veux-tu dire exactement ?

— Mais voyons, tu sais comment ça se passe, et depuis des générations...

« A la moindre marque de disgrâce, le condamné n'attend pas que son corps supplicié soit traîné aux Gémonies, et ses biens, confisqués. Il organise une soirée d'adieux, se fait ouvrir les artères des poignets — et non pas les veines, comme l'écrivent les historiens qui ne se sont pas encore donné la mort...

— Quelle différence entre veines et artères ?

— Les unes sont grosses, et les autres, petites.

« Bref, tandis que le sang s'écoule, le suicidé cherche de nobles paroles, qui resteront en mémoire, lègue quelques objets précieux à l'empereur, qu'il remercie de ses bons soins, laisse un gros paquet au Préfet du Prétoire et à quelques autres nécrophages, offre à boire au centurion qui a, comme par hasard, fait cerner sa maison pour qu'il ne puisse s'échapper que les pieds devant.

« Il résulte de cette prévenance que l'empereur serait un méchant tyran de confisquer les biens d'un homme que personne n'a encore jugé ni condamné, et le testament est d'ordinaire respecté.

« En outre, l'empereur dira d'un ton bonhomme : " Quel dommage ! Qu'est-ce qui lui a pris ? Je n'avais pourtant pas si fort froncé les sourcils. Que n'a-t-il escompté ma clémence ? J'aurais à ce jour un obligé de plus... "

« Mais un courtisan suggérera : " Il n'aurait pas appelé le chirurgien s'il ne s'était pas senti plus coupable qu'on ne pense. " Et l'empereur hochera la tête avec une tristesse dubitative.

« Ainsi, tout le monde est content : le Préfet du Prétoire aura fait une affaire de plus, le centurion aura bu du meilleur, l'empereur caressera son bronze de Corinthe sans qu'il y aille de sa faute, et le condamné aura soustrait ses biens au pillage à toutes fins utiles.

« Mais pour que la cérémonie se déroule sans accroc, il faut un héritier en vue, un héritier très proche et qui ne soit pas compromis lui-même. Privé d'héritier direct insoupçonnable, un suicidé a mauvaise grâce à laisser l'essentiel de ses biens à de vagues amis, à sa nourrice ou à une fondation pieuse quelconque.

« Un Kaeso adopté cumule ces deux précieux avantages d'être l'héritier le plus direct et le plus innocent, puisqu'on ne saurait pas même lui reprocher d'être du sang de la victime.

« As-tu bien saisi ?

— Tout à fait. Mais afin de jouer par provision ce bon tour à Néron et à Tigellin, Decimus pourrait en adopter un autre. Il est d'âge canonique à adopter qui lui plaît.

— Et qui donc ? Kaeso est d'une naissance suffisamment obscure pour n'inspirer ni jalousie ni crainte à qui que ce soit ; il est légalement adoptable, puisqu'il a un frère aîné pour maintenir le culte familial ; et il est sympathique à Decimus parce qu'il est sympathique à tout le monde et parce que je suis moi-même particulièrement sympathique à Decimus.

— Oui, en somme, très paradoxalement, c'est l'obscurité même de notre Kaeso qui plaide pour lui dans l'affaire.

— Je te prie de croire que j'ai plaidé aussi, et que ce n'était pas si facile ! Les riches sont terriblement méfiants. J'ai dû insinuer toutes sortes de considérations dans l'esprit de Decimus de manière qu'il s'imagine les avoir découvertes tout seul. La moindre fausse note aurait tout perdu. Et j'ai dû plaider debout ! Un riche vraiment méfiant est deux fois plus méfiant au lit : au fur et à mesure qu'on lui soutire de la semence, il a l'impression qu'on veut abuser de son cœur. Enfin, c'était pour Kaeso...

— Tu as quand même travaillé un peu pour toi. Quel est au juste ton sort dans l'histoire ? Je n'ose parler du mien...

Marcia s'assit sur le lit encore tiède. Elle paraissait moins assurée et songeuse...

« Un Decimus s'estime au-dessus des lois et des usages. Et dans sa position menacée, il pourrait se payer carrément le dernier plaisir de m'épouser sans publicité. Mais y songe-t-il ? J'avoue que je n'en sais rien et que je n'ai rien fait pour le savoir.

— Je te suis mal...

— Kaeso était déjà un gros morceau à faire passer mine de rien, mais j'étais là, de toute manière, en situation de désintéressement... au moins relatif. Si j'avais embrouillé la manœuvre en intriguant pour un remariage, j'eusse risqué de faire rater le remariage comme l'adoption. Chaque chose en son temps. Là encore, Decimus doit découvrir tout seul ce que je veux.

« En attendant, depuis le début de notre liaison, il désire me prendre chez lui, ce qui pourrait être un bon début. Mais ce désir a été justement pour moi l'occasion de lui faire remarquer que ma présence sous son toit serait plus naturelle si j'étais aussi dans la maison de mon fils. Dans une certaine mesure, l'adoption couvrirait l'adultère...

— Quelle avocate tu es pour Kaeso !

— Quand tu m'as épousée, je t'ai promis de me dévouer pour tes enfants : je tiens parole.

— Tu en fais presque trop !

— Tout devient aisé quand on aime.

— La grande difficulté est à présent de familiariser Kaeso avec toutes les nouveautés qui vont l'assaillir.

— C'est en effet un grave problème. Mais je crois avoir trouvé la moins mauvaise solution. Nous devons éloigner Kaeso pour un an, sous prétexte d'études supérieures de rhétorique ou de philosophie. Il y a Apollonia d'Illyrie — qui me semble excessivement proche —, et bien sûr Athènes ou Rhodes. Decimus serait trop heureux de payer.

— L'idée est excellente ! Il y a des choses qu'il vaut mieux écrire que dire. Le destinataire lointain a ainsi sous la main la matière de ses réflexions, qu'il ne va point chercher ailleurs.

« Decimus sait-il que tu n'es pas vraiment ma femme ?

— C'est la première chose que je lui ai dite, pour mieux entrer dans ma statue. La combinaison l'a fait rire aux éclats.

— Puisse-t-il rire longtemps ! »

De retour à Rome, où l'insula paraissait avoir été dévastée par un ouragan, Marcus s'empressa d'écrire ce mot à Decimus :

« T. Junius Aponius à D. Junius Silanus, amical salut !

« Ma nièce vient de m'apprendre ton désir d'adopter mon fils Kaeso pour avoir une descendance digne d'assurer le culte familial. La perspective de me séparer d'un enfant aussi exceptionnel me déchire le cœur. Mais l'honneur que tu veux nous faire l'emporte encore sur ma peine et les mots ne seront jamais suffisants pour te dire à quel degré nous y sommes tous trois sensibles.

« Marcia t'a révélé dans quelles conditions je l'avais épousée, pour mieux remplacer son père après le deuil irréparable qui l'avait frappée. L'intransigeante chasteté de cette union me fait un reconnaissant devoir de te confier ma nièce avec mon fils dès que tu estimerais que le séjour de la jeune femme à ton foyer pourrait, après l'adoption de Kaeso, adoucir, pour ce garçon si sensible, une séparation qui lui demeurera malgré tout cruelle quelque temps. Si un tel séjour devait se prolonger, il va de soi qu'un divorce serait sans doute le bienvenu pour nous trois.

« Marcia a dû te dire aussi que Kaeso ignore les liens de proche parenté qui m'unissent à mon épouse officielle, comme la nature réservée des relations qui en ont forcément découlé. L'enfant a pu bénéficier de la sorte d'une éducation beaucoup plus normale et je sais que le père adoptif sera là-dessus aussi discret que le père naturel.

« Cette légitime précaution fait toutefois difficulté aujourd'hui. Voyant en Marcia une véritable épouse plutôt qu'une nièce, Kaeso risque d'être choqué par son départ de la maison et par son installation chez un père adoptif qui est aussi un patron.

« Marcia et moi avons pensé que le plus expédient en cette délicate circonstance était d'envoyer Kaeso à Athènes pour études. Nous profiterons de son absence pour le préparer par lettre à l'adoption comme au départ de Marcia.

« Tu ne voudras point être privé de Kaeso plus d'un an. Admis comme auditeur étranger dans l'éphébie athénienne, ce club aristocratique et athlétique où l'on donne aux jeunes gens un sérieux vernis de rhétorique et même de philosophie, Kaeso ne perdrait point son temps là-bas et nous ramènerait un esprit sain dans un corps sain. Mais les étrangers doivent retenir leur place plusieurs années à l'avance... Je présume que tu as toutes les relations qu'il faut pour que l'étudiant s'embarque dès les premiers beaux jours, lorsque rouvriront les lignes de navigation.

« Je m'occupe avec diligence de tes procès. Puisses-tu bien te porter longtemps pour le bonheur de mon fils cadet et de ma nièce affectionnée. Mon fils aîné te remercie encore de ta bienveillance. »

Marcia était assez satisfaite de cette prose euphémique.

Decimus alla bientôt passer l'hiver dans sa villa de Tarente, d'où il dicta de longues lettres à Marcia, toujours terminées par quelques lignes plus intimes de sa main. Kaeso eut droit à quelques billets d'allure paternelle. On avait décidé de ne rien dire au jeune homme du projet athénien tant qu'on n'aurait pas la certitude qu'une place serait libre au printemps pour lui dans le corps étranger admis à l'éphébie.

Mais en hiver, les relations entre Rome et Athènes relevaient de la quadrature du cercle. En été déjà, les ronds cargos à voile, qui filaient bon train d'ouest en est, avaient beaucoup de mal à louvoyer contre les vents dominants en sens inverse, et la remontée de Syracuse à Ostie était particulièrement lente et ardue. Les blés d'Égypte, qui assuraient le tiers de la consommation romaine, avaient parfois des retards générateurs de redoutables émeutes. Et à la mauvaise saison, les marins de commerce, qui redoutaient plus encore le temps couvert que les tempêtes, se refusaient à prendre le large. Il leur fallait absolument une bonne étoile pour les rassurer. Quant aux bateaux longs de guerre, que les rames rendaient indépendants du vent, le temps couvert ne leur plaisait pas davantage, et leur fragilité les transformait en périssoires si Neptune se faisait méchant. Ainsi, au cours de l'hiver, des semaines durant, la liaison maritime la plus courte entre l'Italie du Sud et l'Illyrie méridionale, celle entre Brindes et Dyrrachium, était-elle interrompue. Mais si le courrier — impérial ou privé — devait faire le grand tour par les routes terrestres de la côte dalmate, dans les indentations de laquelle des pirates coriaces persistaient à se nicher, les aléas risquaient d'être pires.

Cet hiver 815-816 se traîna donc dans l'attente. Decimus, Marcia et son chaste cocu attendaient la réponse d'Athènes, de quelque côté qu'elle vînt. Marcus père s'attendait en outre à des catastrophes. L'adoption de Kaeso lui semblait trop belle pour être vraie, et le fructueux remariage de Marcia, plus hypothétique encore. Marcia elle-même, inquiète du sybaritique séjour de son amant, exil qui ne semblait pas témoigner d'une passion inconditionnelle, s'attendait à ce qu'une mauvaise femme, débauchée, menteuse et cupide lui mît le grappin dessus, et elle poussait Kaeso à écrire à Decimus des choses aimables et attachantes. Marcus junior attendait de revêtir sa cuirasse pour éblouir les Germains. Seul Kaeso n'attendait rien, parce qu'il était né avec une âme naïve et pure, quoique romaine.

En janvier, l'impératrice Poppée accoucha d'une petite Claudia Augusta, qui fut pour les Arvales une somptueuse occasion de sacrifier et de festoyer. Néron était radieux : un fils pourrait naître, qui assurerait la descendance. Il est vrai qu'à force d'assassinats, les rangs des Jules et des Claudes s'étaient bien éclaircis.

Fin février, arriva enfin d'Athènes une réponse favorable, que Decimus fit suivre chez les Aponius. Marcus informa lui-même Kaeso de ce nouveau bienfait patronal, et l'adolescent fou de joie sauta sur son papyrus afin de remercier Decimus avec effusion. Non seulement le patricien payait le voyage, mais il y ajoutait une bourse très convenable, qui devait être réglée là-bas mensuellement.

La navigation reprenant aux Ides de mars, Kaeso n'avait que le temps de faire son bagage et de gagner, à travers le Latium, la grande gare maritime campanienne de Pouzzoles, d'où partaient de nombreuses lignes commerciales pour l'Espagne, l'Afrique ou l'Orient.

Le pédagogue Diogène, qui avait été affranchi et faisait la classe en second dans une école primaire du populeux Trastévère, fut prié d'accompagner Kaeso et il ne se fit pas répéter l'invitation deux fois.

La veille de son départ, l'étudiant dit au revoir à ses maîtres de « grammaire », à ses camarades, à ses gladiateurs et à ses chevaux, recueillit enfin pieusement les bons conseils de ses parents et de son frère aîné, dont le principal était de se méfier des Grecs, encore plus trompeurs chez eux que partout ailleurs.

Kaeso, en principe, était paré.

VIII

Ce jour des Ides de mars où Kaeso et Diogène s'embarquaient pour Athènes, Paul et Luc prenaient un bateau pour l'espagnole Carthagène, qui ne bénéficierait pas de vents aussi favorables que celui de Kaeso et de son mentor.

Paul avait la phobie de la mer, qu'il ne cessait pourtant d'emprunter. Trois ans auparavant, à l'automne, il avait encore fait naufrage, alors qu'il allait prisonnier de Césarée à Rome pour son procès, et il était resté bloqué à Malte tout l'hiver. Puis au printemps, les voiles s'étaient de nouveau gonflées et Paul avait louvoyé de Syracuse à Rhegium et de Rhegium à Pouzzoles, où existait déjà une communauté de chrétiens. Et des frères de Rome, prévenus de l'arrivée du captif, étaient allés à sa rencontre jusqu'aux « Trois Tavernes » et même jusqu'au « Forum d'Appius », petite localité à l'entrée des marais Pontins. Les chrétiens se recrutant surtout dans les régions maritimes, le bateau était un instrument d'évangélisation plus pratique que la route.

Pendant deux ans, Paul était demeuré dans l'attente de son procès, sous le régime de faveur de la « custodia militaris » préventive : le poignet droit toujours enchaîné au poignet gauche d'un soldat de garde, mais le prisonnier, libre de ses mouvements à l'intérieur de la maison qui avait été autorisée à l'accueillir, et libre d'y recevoir qui il voulait. Paul avait trouvé asile chez un judéo-chrétien de la Porte Capène. Les Juifs étaient nombreux dans ce quartier : c'était par la Voie Appienne et par cette porte que l'on arrivait de Pouzzoles et le peuple élu était grand voyageur. Une communauté plus importante encore s'était établie de l'autre côté du Tibre, dans le misérable Trastévère, car la plupart des Juifs étaient pauvres.

Enfin, les accusateurs de Césarée ne s'étant pas présentés dans les délais légaux, Paul avait été libéré, et il avait retrouvé le bonheur de pisser tout seul, sans qu'un malotru lui fît des réflexions sur sa queue coupée. Cependant ses tentatives de convertir des Juifs romains s'était soldées par un maigre succès. Déçu, Paul s'était empressé de quitter la Ville avec son inséparable Luc, pour ce voyage d'Espagne auquel il songeait depuis si longtemps. Les lascives danseuses de Cadix, dont les castagnettes — appelées « crotales » — égayaient partout les festins, avaient annoncé aux chrétiens de l'Empire qu'il devait y avoir des âmes à informer et à séduire à la source espagnole du bruit impudique.

Ce procès malencontreux avait en somme retardé Paul de cinq ans, et, accoudé à la rambarde du navire, se frottant machinalement le poignet droit de la main gauche, il en revoyait les passionnantes péripéties, tandis que s'éloignait la terre, où les chrétiens de Pouzzoles restaient exposés aux embûches des démons et aux cavillations des faux prophètes : les diables et les hérétiques, surexcités par les rares vertus de l'apôtre, poussaient sur les pas de Paul comme des champignons après une pluie de grâces...

Cinq ans plus tôt, à la suite de sa harangue de Pentecôte devant les Juifs de Jérusalem, il avait failli se faire écharper une fois de plus, et, selon sa bonne habitude préservative, il s'était précipité dans les bras du service d'ordre romain. Les Juifs assommaient et lapidaient n'importe qui à la va-vite ; les Romains coupaient les têtes distinguées dans les formes, et le délai était toujours bon à prendre.

Mais c'était seulement sur le chevalet de torture où on l'avait lié pour tirer l'affaire au clair, lorsque le fouet plombé se levait déjà, qu'il s'était donné le malin plaisir d'avouer sa précieuse qualité de citoyen romain et d'en fournir aussitôt pour preuve le « praenomen » et le « nomen » célèbres du patron jadis responsable de la naturalisation, Saül n'étant jamais que son « surnom » romain. Un citoyen ne se fouettait pas. Au contraire, la parole d'un inconnu ou d'un esclave n'avait de valeur en justice que si elle avait été vérifiée par une soupçonneuse coercition.

On l'avait par conséquent détaché et fait comparaître devant le Sanhédrin, la plus haute instance judiciaire juive, au sein duquel il avait habilement soulevé une affreuse dispute, spéculant sur le fait que les Pharisiens présents croyaient à la résurrection de la chair, alors que les Sadducéens, qui avaient alors le pouvoir politique interne, scrupuleusement fidèles aux plus anciens textes bibliques, ne croyaient ni à la résurrection, ni aux anges, ni même aux rétributions de l'au-delà.

Paul — d'éducation pharisienne, il est vrai — s'était donc déguisé en Pharisien persécuté pour sa foi en la résurrection lointaine de n'importe qui, alors qu'il ne pouvait s'interdire de songer à la seule

Résurrection qui vaille, celle toute récente de son Christ, modèle et annonciatrice des autres à venir. Mais la grosse ruse ne l'avait pas tiré d'ennui.

Sous le coup d'un complot d'assassinat, Paul avait été expédié de nuit, protégé par une escorte romaine considérable, au gouverneur Felix, dont le prétoire était à Césarée.

Antonius Felix, frère de l'affranchi Pallas, était brutal, dissolu et cupide. Il avait épousé une Juive, Drusilla, fille d'Hérode-Agrippa Ier et sœur d'Agrippa II et de Bérénice, laquelle Drusilla avait abandonné son premier mari Aziz, le roi d'Émèse. Felix s'était refusé à livrer Paul aux Juifs de Jérusalem, lui avait assuré une captivité confortable, et était venu souvent le visiter en compagnie de sa femme. Paul s'était exténué à communiquer sa foi à des personnages d'une telle importance, mais Drusilla n'était qu'une curieuse, et Felix ne cherchait que de l'argent. Le malentendu avait été total.

Deux ans s'étaient écoulés. Felix avait été remplacé par Festus. Menacé de nouveau d'être livré aux Juifs, Paul avait fait appel à César, et Festus avait consenti à ce que l'accusé comparût devant le tribunal de Rome.

Peu après, le roi Agrippa II et sa sœur Bérénice étaient venus saluer le nouveau gouverneur, qui leur avait proposé comme distraction d'entendre le fameux Paul.

Ladite Bérénice avait épousé à treize ans un certain Marcus, neveu de Philon, le célèbre philosophe juif d'Alexandrie. Précocement veuve, elle s'était bientôt remariée avec son oncle paternel Hérode, roi de Chalcis, dont elle avait eu deux fils, Berenicianus et Hyrcanius. De nouveau veuve à vingt ans, elle s'était établie dans un concubinage scandaleux avec son frère Agrippa II. Pour faire cesser les ragots, Agrippa avait donné Bérénice en mariage au roi de Cilicie Polémon, qui, pour avoir l'honneur d'épouser une pareille Juive, avait accepté de se faire circoncire en catastrophe. Ses prestations s'en étaient-elles ressenties ? Toujours était-il que Bérénice l'avait froidement laissé tomber pour revenir dans le lit de son frère complaisant.

C'est devant cette abominable coquine (qui devait encore à quarante ans faire les délices de Titus !) et c'est devant son concubin de frère que Paul avait été invité à faire un pieux discours.

Les yeux fixés sur Pouzzoles qui s'estompait, ce Pouzzoles où la Croix avait été plantée, Paul murmurait les paroles qui lui étaient alors montées aux lèvres :

« Jésus m'aurait-il ébloui sur le chemin de Damas pour que je jette ses perles aux pourceaux et aux bêtes immondes ? Arrière, chienne en chaleur qui a connu deux mariages avant de te livrer avec ton frère à une luxure stérile ! Arrière, roitelet incestueux ! Vous êtes tous deux la honte des Juifs comme de tous les peuples et le feu du Très Haut vous attend ! »

C'est ce qu'aurait dit Jean-Baptiste, qui s'était fait décapiter pour avoir simplement reproché à Hérode le Tétrarque d'avoir enlevé la femme de son frère.

Mais l'ignoble Agrippa avait dit à Paul : « Tu es autorisé à plaider ta cause. » Et l'apôtre, étendant la main dans un grand geste d'innocence, avait commencé gracieusement : « De tout ce dont m'accusent les Juifs, je m'estime heureux, roi Agrippa, d'avoir aujourd'hui à me disculper devant toi, d'autant plus heureux que tu es au courant mieux que personne de toutes les coutumes et controverses des Juifs. Aussi, je te prie de m'écouter avec patience. Ce qu'a été ma vie depuis ma jeunesse... »

Festus, qui ne comprenait rien aux histoires de Juifs, avait interrompu le conférencier et l'avait taxé de folie dès qu'il avait fait allusion à la Résurrection du Christ, et Agrippa avait dit en riant, tandis que Bérénice gloussait : « Encore un peu, et tu me persuades de me faire chrétien ! »

Oui, « encore un peu »... Quand un homme prêche le Ressuscité en faisant des politesses à deux infâmes, le « peu » est là ! Quel exemple n'avait-il pas donné à tant de missionnaires du futur qui caresseraient les puissants et en tireraient prébendes et sûreté, sous prétexte de conserver une voix d'or pour l'édification des foules ? Paul savait bien que c'étaient les têtes coupées qui étaient les plus éloquentes, et il avait encore la sienne, qui tirait des bordées vers le pays des danseuses.

Comme Dieu était patient avec lui jusqu'à ce qu'Il se fâche !

Luc vint s'accouder à côté de Paul et lui demanda :

« A quoi songes-tu ? Aurais-tu le mal de mer comme d'habitude ?

— Je songe qu'Étienne s'est fait lapider et que je voyage avec un biographe dont l'indulgence m'accable, qui est médecin pour soigner mon corps après avoir fait honte à mon âme. Je songe que la croix n'est pas prévue en ce qui me concerne, puisque je suis citoyen romain, que ma tête tombera tôt ou tard sous le glaive et que j'aurai fait une trop bonne affaire pour mes mérites. »

Luc était habitué à ces dépressions scrupuleuses.

« Tu peux encore te noyer, dit-il en souriant. C'est un martyre qui réunit dans un même linceul les citoyens et les esclaves. La fatigue, sans doute, te donne ces idées noires...

— Les résultats ne sont pas brillants. Les Juifs demeurent rebelles, les Grecs, sceptiques, les Romains, impénétrables, et chaque fois que je fonde une communauté, il faut que je dicte des heures de correspondance pour la maintenir dans le droit chemin. Malgré l'Esprit, je sens à la longue comme un mur entre nos discours et les âmes. Je suis frappé de toutes les idées fausses que les Gentils se font sur notre compte, en dépit de nos constants efforts... »

Onze ans plus tôt, les idées fausses étaient déjà en marche, et, circonstance inquiétante, chez des personnes intelligentes, comme en témoigne cette correspondance rétrospective entre Gallion et son frère Sénèque.

« L. Junius Annaeanus Gallio à L. Annaeus Seneca, fraternel salut !

« Dans ce proconsulat tout récent d'Achaïe, que je dois plus à tes pressantes interventions qu'à mes mérites, frère cadet très chéri, il m'arrive une affaire désagréable, qui m'invite à te demander conseil.

« Les Juifs de Corinthe ont en effet traîné devant mon prétoire un certain Cn. Pompeius Paulus, fils de Cn. Pompeius Simeon, petit-fils de Cn. Pompeius Eliezer, qui, comme l'indiquent son " praenomen " et son " nomen " latins, avait déjà été promu à la citoyenneté romaine sous le patronage de Pompée le Grand. Après avoir débarrassé à jamais les Juifs de la tutelle honnie des Séleucides pour lui substituer notre protectorat, Pompée, qui avait raflé beaucoup d'argent, s'était en revanche montré assez large de notre droit de cité : la chose ne lui coûtait pas cher. Ce Paulus — ou Saül en hébreu — appartient donc à une famille juive connue depuis plusieurs générations pour son attachement à Rome, et récompensée en conséquence à une époque où la citoyenneté romaine n'était pas, malgré tout, galvaudée comme aujourd'hui. L'accusé fabrique des tentes, ce qui, pour le rejeton d'une nation ambulante, dénote une belle prédestination.

« Les accusateurs reprochent à notre Saül de persuader les gens d'adorer le dieu juif selon des formules nouvelles et contraires à leur loi ancestrale. J'ai cru d'abord avoir mal entendu. Un proconsul romain est là pour appliquer la loi romaine, et non pour s'immiscer dans des querelles théologiques exclusives de tout délit caractérisé selon notre code universel.

« Ayant pris note de ma réserve, l'accusation m'a fait valoir que Saül n'était pas seulement un doctrinaire hérétique, un blasphémateur de profession, mais aussi un redoutable agitateur, qui, depuis sept ans, semait le trouble sous ses pas. Il paraît que son procédé est sans cesse le même : bien accueilli dans les synagogues d'Asie ou de Grèce, où l'on est toujours curieux d'entendre discourir un rabbi de passage, le conférencier met d'abord son auditoire en confiance par un long exorde, qui démontre sa brillante connaissance de la bible des Septante et de la loi pharisienne ; puis il raconte qu'il a rencontré le Messie.

« Tu as passé jadis de longues années à Alexandrie, où les Juifs abondent et où tu as fréquenté le cercle judaïsant et hellénisant du fameux israélite Philon. Tu dois donc avoir une vague idée de ce Messie, dont les Écritures prétendent qu'il viendra un beau jour rétablir les affaires d'Israël... après la fin de l'Empire romain, sans doute ! Espoir qui est pour les Juifs un magnifique sujet de patience...

« A ce stade de l'aventure, l'assistance se passionne et frétille, comme des enfants à qui on montre de loin une friandise. C'est trop beau ! Mais quand même, si c'était vrai ?

« Note bien que pour des Juifs, prétendre avoir vu le Messie, se prétendre Messie soi-même, n'a rien de blasphématoire en soi. Le Messie est réputé appartenir à la race humaine et clore la longue liste des prophètes. Un tel personnage peut être un infatué qui fait erreur, un ambitieux à la recherche d'une carrière, ce n'est pas forcément un impie et le public est invité à vérifier.

« Saül précise alors que ledit Messie n'est autre qu'un certain Jésus de Nazareth, crucifié à Jérusalem sous le procurateur Pontius Pilatus, la veille de la Pâque juive, sept ans avant la mort de Tibère, M. Vicinius et L. Cassius Longinus étant consuls, et Tibère lui-même consul pour la cinquième fois.

« Un vent de déception balaye la synagogue. Si le Messie juif est mort crucifié, c'est qu'il n'était pas le Messie. Et eût-il été le Messie, qu'un Messie crucifié ne sert plus à grand-chose.

« Passant sur cette douche froide, Saül ajoute impavidement que son Jésus crucifié est une émanation incarnée de Yahvé, ressuscitée du tombeau le lendemain de la Pâque. Une foule de Juifs ont apprécié le phénomène en chair et en os. Puis Jésus a pris la voie des airs pour aller rejoindre le sein de Yahvé. Saül, d'ailleurs, a vu Jésus après son ascension ; un Jésus qui lui a parlé et fait des confidences. Plus fort encore : Yahvé n'est pas unique, comme on le croyait jusqu'alors ; il n'est pas double ; il est triple ! Car un mystérieux Esprit Saint, qui parle par la bouche de Saül, a engrossé la vierge-mère de Jésus une vingtaine d'années avant l'apothéose d'Auguste.

« Quand les Juifs pieux et instruits, qui avaient écouté le voyageur avec sympathie, sont sortis de leur profond ahurissement, quelques voix timides s'élèvent pour demander à Saül quels sont les passages des Écritures où il est fait allusion à un Yahvé incarné et triplé. Tu sais mieux que moi que, si l'on peut discuter à perte de vue sur les caractéristiques du Messie, l'unicité de dieu est le dogme fondamental des Juifs, un dieu qui ne saurait par conséquent revêtir forme humaine comme nos dieux grecs et romains. Je n'ai point parcouru — comme tu as dû le faire, vu ta curiosité universelle — la bible grecque des Septante, mais il me semble que depuis le temps qu'on l'étudie, s'il s'y trouvait la moindre phrase à propos de trinité ou d'incarnation divines, on s'en serait aperçu.

« Mis au pied du mur, Saül déclare tranquillement que si Jésus est dieu — ce qui ne fait aucun doute — il a bien le droit d'ajouter un supplément à la bible.

« L'idée même d'un tel post-scriptum met évidemment les Juifs de mauvaise humeur et l'on commence à percevoir des bruits divers. Saül entre alors en rage, trépigne, déclare que le sang des incroyants leur retombera sur la tête et que c'est désormais aux Gentils qu'il ira apporter les trésors d'Israël.

« Après cette dernière amabilité, on le met à la porte et il y a de l'émeute dans l'air.

« Avec l'impartialité que tu me connais, j'ai pris Saül à part et lui ai demandé si les assertions de ses accusateurs étaient exactes. Comme il le reconnaissait fort honnêtement et bien volontiers, je lui ai dit avec une diplomatie pleine de mérite : " Te rends-tu compte que les histoires que tu colportes — vraies ou fausses, je ne suis pas expert pour en juger — semblent précisément et mûrement calculées pour jeter tous tes coreligionnaires dans une fureur insane ? Tu sais combien ces gens-là sont chatouilleux — à tort ou à raison — sur de certains points. Alors pourquoi persistes-tu ? C'est de la provocation. Tu reconnais toi-même avoir naguère déclaré que tu irais désormais porter ta bonne nouvelle aux Gentils. Que ne tiens-tu parole au lieu d'ennuyer les Juifs et le proconsul ? "

« A ce propos raisonnable, Saül m'a répondu : " Les divers philosophes d'Athènes se sont moqués de moi dès que j'ai parlé de résurrection... "

« Je lui ai fait remarquer qu'à vue première de proconsul, je préférais des moqueries à des troubles. Il s'est alors retranché derrière un devoir qu'il aurait de délivrer d'abord son message aux Juifs. Et il a ajouté : " La religion juive étant reconnue par Rome — et même privilégiée puisque nous sommes les seuls à être dispensés du culte de César —, les interprétations que tel ou tel rabbi peut en donner échappent à coup sûr aux tribunaux romains. C'est là affaire interne à Israël. Le rôle de Rome est seulement de maintenir l'ordre public. Mais qui le trouble ? Moi par ma parole, ou les Juifs qui ne la supportent point, par leurs actes ? " Ce qui s'appelle avoir théoriquement raison et pratiquement tort.

« Nous en sommes là à Corinthe de cette extravagante affaire, qui me donne l'impression de marcher sur la tête, impression encore accrue par le plus étrange des contrastes : ce Saül, qui tient de temps à autre des discours insensés, bavarde et raisonne le reste du temps à merveille. Il est de la race de ces rhéteurs, d'autant plus convaincants qu'ils mettent tous leurs talents au service d'une idée fixe.

« Renseignements pris, l'accusé et son équipe se sont d'abord fait expulser d'Antioche de Pisidie. Menaces de lapidation à Iconium et fuite précipitée. A Lystres de Lycaonie, Saül est lapidé pour de bon et laissé pour mort. A Philippes de Macédoine, Saül est roué de coups par des brutes expéditives qui n'avaient pas reconnu en lui un citoyen romain. Tumulte à Thessalonique et fuite nocturne. Fuite encore de Bérée. Ce qui nous amène aux présentes agitations de Corinthe.

« J'ai certes hérité là d'un oiseau peu ordinaire : partout où il passe avec des paroles de paix plein la bouche, c'est la bagarre.

« A force de creuser, je me suis aperçu d'une réalité assez inquiétante : Saül n'est pas seul en course. Il serait même arrivé en treizième position après douze propagandistes qui se donnent le nom d'apôtres et se sont dispersés dans toutes les directions pour faire le même travail que lui, avec des résultats aussi fâcheux. C'est ainsi que j'ai appris non sans surprise que les émeutes juives de Rome d'il y a trois ans, qui avaient contraint Claude à de nombreuses expulsions, auraient été dues en fait à des heurts violents entre Juifs orthodoxes et partisans de ce Jésus, que les premiers croient mort, et les autres, vivant. Tu te rappelles sans doute qu'on avait attribué ce soulèvement à l'action d'un certain Chrestos, que la police n'avait pu attraper. Eh bien, le Jésus de Saül porte aussi le nom de Christ. Qu'il soit mort ou ressuscité, on avait peu de chances de le prendre ! Et il est légitime de se demander si bien d'autres troubles de ce genre, dans bien d'autres endroits, n'auraient pas la même origine. Il se trouve toujours des rustres pour croire aux fables les plus absurdes quand une éloquence inspirée les diffuse.

« Tu avoueras que les relations de Rome avec les Juifs n'ont pas besoin de ce Chrestos pour empirer. Le temps est loin où César lui-même, assiégé tout un hiver à Alexandrie avec Cléopâtre, n'était finalement dégagé que grâce à une armée de Juifs commandée par l'ethnarque Antipater. Cette race ingrate pouvait-elle croire que nous venions chasser les épigones d'Alexandre pour lui garantir une indépendance sans contrôle ?

« A l'occasion du grand recensement de Quirinus, déjà, 6 000 pharisiens ont eu le toupet de refuser le serment à Auguste. C'est vers ce temps-là que l'Esprit Saint de Saül a dû engrosser la vierge-mère. Une dizaine d'années plus tard, après la mort d'Hérode, on va de sédition en sédition, et c'est bientôt la révolte de Judas le Galiléen et du pharisien Saddoq. Quintilius Varus — avant d'aller périr avec ses légions dans les forêts de Germanie — doit réunir toutes les troupes de Syrie pour écraser la révolte et fait crucifier deux mille rebelles. Quand Jésus — selon Saül — parlait de " porter sa croix ", il avait été à bonne école. On sait les ennuis que le procurateur Pontius Pilatus a connus avec les Juifs. Deux ans avant la mort de Tibère, à la veille de céder la place pour aller lui-même vers la mort, il faisait massacrer les Samaritains au Garizim. Lorsque Caligula a donné l'ordre aberrant d'ériger sa statue dans le Temple de Jérusalem, on a frôlé la catastrophe. Si le légat de Syrie P. Petronius n'avait pas fait traîner les choses en longueur, c'était le bain de sang général. Et depuis, malgré les apaisements de Claude, qui a laissé aux prêtres du Temple la garde de leurs vêtements sacerdotaux, la Judée gronde et s'agite.

« Mais le caractère insupportable des Juifs — et sans que le Christ s'en mêle — ne se manifeste pas qu'en Judée. La colonie juive de Rome, qu'un César reconnaissant y avait acclimatée et caressée, s'est montrée si remuante que, cinq ans seulement après la mort d'Auguste, Tibère déportait quatre mille Juifs vers les mines de Sardaigne. Et que dire des violences sans fin qui opposent Juifs et Grecs, quartier contre quartier et sans quartier, dans tous les grands ports d'Orient et jusqu'en Cyrénaïque ?

« Les sectateurs de Saül ne peuvent que verser partout de l'huile sur le feu. Et aujourd'hui, les Juifs de Corinthe sont d'autant plus nerveux qu'un bon nombre de Juifs récemment expulsés par Claude sont venus y chercher refuge. Si j'ai bien saisi la situation, partisans et adversaires de " Chrestos " doivent perpétuer ici leur querelle, dont la dernière vague a rejeté Saül jusqu'à mon prétoire. Peste soit du bonhomme ! Que dois-je donc en faire ?

« Le droit de " coercitio " est certes essentiel à mon pouvoir proconsulaire : je puis prendre arbitrairement des mesures de rigueur — et jusqu'à ce que mort s'ensuive — contre tout fauteur de tumulte. Mais la dignité de citoyen romain préserve le coupable de cette si pratique " coercitio ". A l'égard d'un citoyen, je ne dispose que du droit de " cognitio ", celui de connaître des affaires judiciaires et d'intenter légalement un procès selon notre droit romain. Or, de toute évidence, le fait d'avoir vu un fantôme de Christ ne tombe pas sous le coup des lois, et moins encore le fait de donner crédit aux assurances de ceux qui prétendent l'avoir vu. Saül le sait bien et se sent par conséquent plus rassuré entre mes mains qu'entre celles des Juifs. Il assure même avoir bénéficié d'une vision, où son maître lui aurait garanti qu'il ne lui arriverait aucun mal à Corinthe ! Mais cette fréquentation assidue de l'au-delà s'accompagne d'une jolie finesse procédurière. Comme je lui reprochais sa fréquentation des fantômes, il a eu l'audace de me faire observer : " Mais, pour ce que j'en sais, l'existence des revenants est reconnue par le droit romain. N'est-il pas permis chez vous, sauf erreur, d'intenter un procès en annulation de vente pour cause de vice caché s'il s'avère que la maison achetée est de notoriété publique hantée par un fantôme ? Mon fantôme vaut bien les vôtres ! " J'en suis resté la bouche ouverte. Du train où il va, Saül fera bientôt un procès à Rome pour vice caché, nous reprochant de laisser courir son Jésus !

« Alors, de deux choses l'une, et chaque solution a ses inconvénients.

« Ou bien je relaxe l'accusé et lui recommande d'aller se faire pendre ailleurs. Mais dans la Judée surpeuplée, où s'écrasent deux millions de Juifs, le volcan menace de faire éruption. Et dans tous les grands ports de la Méditerranée, à Rome même, les frondeuses colonies juives se sont retranchées dans des sortes de bastions, où elles mènent une vie à part. On estime à quatre millions le nombre de ces dispersés, qui ne sont que trop concentrés. Rome tremble à la perspective qu'une rébellion générale de la Judée pourrait entraîner des rébellions particulières au sein de tant de cités à peu près désarmées. Comment nos trente légions, retenues aux frontières, feraient-elles face à une révolte de cette ampleur ?

« Assurément, Rome a su éveiller chez des théories de Juifs des sympathies et des collaborations exemplaires, dont la généalogie de notre Saül suffirait à témoigner. La contagion des idées, des mœurs grecques et romaines a gagné force Juifs, et nombreux ont été même ceux qui ont abjuré. Mais on s'accorde à reconnaître que l'importance du mouvement n'a fait que durcir les fanatiques et les irréductibles, dont la masse demeure inquiétante.

« Si par malheur les Juifs boutaient le feu au monde romain et que les sectateurs de Saül y soient pour quelque chose, n'aurait-on pas quelque raison en haut lieu de me reprocher une aveugle tolérance pour cet agitateur ? Il en va des sectes religieuses — et même des plus étranges — comme des constants incendies de Rome : on sait où ils commencent, il est plus malaisé de prévoir où ils s'arrêteront. Si je passe l'éponge, si je néglige l'occasion de faire un exemple salutaire, où les " chrétiens " s'arrêteront-ils ?

« Ou bien je sévis. Mais cela ne saurait se faire qu'au mépris des lois dont j'ai la garde. La rébellion judéenne ou alexandrine des Juifs est possible ; elle n'est point certaine et mes craintes sont peut-être exagérées. En attendant, une action vicieuse contre Saül m'exposerait à une dénonciation gênante : le moindre faux pas de chaque gouverneur est guetté par une tourbe de délateurs et tu ne seras pas toujours l'ami d'Agrippine et le précepteur de Néron. D'ailleurs, si j'intentais un procès à Saül sur des bases aussi discutables, il s'empresserait de faire appel à César, et l'irrégularité de ma procédure serait mise en évidence.

« Notre ami Burrus, dont l'honnêteté et la compétence administrative sont exceptionnelles, vient d'accéder à la Préfecture du Prétoire, d'où il contrôle les multiples problèmes de sûreté. Touche-lui donc un mot de mon ennui. Vous tomberez certainement d'accord, et nous serons alors tous trois du même avis.

« Je ne puis cependant m'interdire de penser que ces affaires juives portent malheur à ceux qui s'en occupent de trop près. Varus a laissé ses os en Germanie et Pontius Pilatus est mort de mort violente. Mais tu me diras que César, ami des Juifs, n'a pas péri autrement. Les Juifs porteraient-ils malheur à tout le monde ?

« Avec tous les scrupules possibles, je m'efforce de faire ma pelote en laissant une réputation d'intégrité nettement supérieure à celle de mon prédécesseur — ce qui n'est heureusement pas difficile. Où est le bon temps où l'on rapportait cent millions d'une province ? Le majeur défaut de notre Empire est qu'on ne peut le piller deux fois.

« A propos d'argent, on m'a rapporté qu'il commencerait à jouer un certain rôle dans les communautés chrétiennes, ce qui donne une idée alarmante de leur développement. Mais d'un autre côté, une secte riche fait surface par sa richesse même ; la société secrète devient une société financière, que l'État peut contrôler, sur laquelle il peut faire pression. Les chrétiens mettraient leurs biens en commun, vieux rêve de l'âge d'or qui fait toujours le bonheur de quelques crapules. Quand on met les femmes en commun aussi, les plus puissants s'adjugent la part du lion et les eunuques font pénitence. Ces chrétiens sont également férus de quêtes, dont le produit voyage mystérieusement.

« Donne-moi quelques détails sur la situation à Rome. Tu imagines à quel point de tels renseignements sont utiles tôt ou tard à une carrière.

« Si tu vas bien, tant mieux. Qu'en est-il de ton asthme ? Moi, grâce à Esculape, je me porte bien. »

« L. Annaeus Seneca à L. Junius Annaeanus Gallio, fraternel salut !

« L'avis de Burrus, à qui j'ai résumé ta lettre, rejoint le mien, frère bien-aimé. Nous avons le sentiment que la fréquentation éprouvante de ce Saül a fini par te fausser l'esprit et que tu vois des Juifs partout. Ceux de Judée se feront corriger s'ils bougent. Et quant à ceux de la dispersion, les populations grecques, voire romaines, les tiendraient en respect jusqu'à ce que les renforts arrivent. Enfin ton histoire de revenant nous paraît trop vague et trop absurde pour agiter le monde bien longtemps. Les fantômes partent comme ils viennent, avec la plus grande facilité. Burrus te fait donc dire d'envoyer ce Saül promener plus loin. Ces chrétiens ont si peu d'importance que c'est la première fois qu'il en entendait parler, et moi aussi. Il ne te félicite pas moins d'avoir pris cet incident au sérieux, faisant preuve ainsi d'une remarquable conscience. Une rigoureuse administration est en effet affaire de détails et un bon proconsul ne doit en négliger aucun a priori.

« Je te félicite personnellement de ton honnête modération dans la tonte traditionnelle de tes brebis. Il y a encore d'autres pelotes à arrondir ailleurs. Un procès en concussion à ta sortie de charge, qu'un jaloux peut toujours faire éclater en plein sénat, m'ennuierait d'autant plus que j'ai répondu de toi aux éminents amis qui t'ont préparé ce plantureux voyage. C'est le cas de dire : " Non licet omnibus adire Corinthum ! "

« Comme tu me le rappelles, j'ai passé jadis, sous Tibère, bien des années en Égypte, du temps de notre oncle par alliance Galerius, qui devait réussir l'exploit d'y demeurer préfet quatorze ans. J'avais donc mes entrées partout, facilité qui m'était d'autant plus précieuse que je me passionnais pour l'histoire et pour tous les aspects de cette prodigieuse contrée... si prodigieuse que les Césars en ont fait leur propriété personnelle ! Philon était alors dans toute sa gloire naissante, et je n'étais encore qu'un jeune homme. Ce puissant esprit a bien voulu me distinguer et m'instruire de ses idées. J'ai revu Philon à Rome, peu de temps avant le meurtre de Caligula. Mandaté par la communauté juive d'Alexandrie, il y était venu en ambassade pour solliciter la faveur de ne pas rendre de culte à la statue impériale. Tremblant à la perspective de comparaître devant Caius pour lui délivrer un pareil message, il m'avait demandé de l'assister dans cette épreuve : j'étais déjà un avocat connu.

« Plus de dix ans ont passé. Je n'en garde pas moins le souvenir très vif de cette extraordinaire audience, souvenir que ta lettre ravive encore, car l'affaire illustre bien toutes les difficultés que les Romains et les Juifs ont à se comprendre. (Il est vrai que la majorité des Romains, même cultivés, sont d'une ignorance crasse en ce qui concerne les Juifs. Ignorance d'autant plus regrettable que les Juifs vivent pour la plupart dans l'Empire et non pas dans des régions inconnues.)

« Caligula, entre autres fantaisies, avait revêtu ce jour-là cette célèbre cuirasse d'Alexandre, qu'il avait fait tirer du tombeau et bien astiquer. Il était par bonheur dans un jour... ou plutôt dans un instant favorable, car son humeur changeait comme les vents. Philon et moi-même lui avons exposé à tour de rôle, avec toute l'éloquence possible, de quoi il s'agissait. Je ne saurai jamais si Caius n'avait rien compris ou si sa réponse était à mettre au crédit de son détestable humour. Toujours est-il qu'il nous a dit : " La solution est très simple. Elle réside dans un échange de bons procédés. Les Juifs feront des sacrifices devant la statue d'Auguste et le dieu juif sera accueilli en grande pompe dans le panthéon romain. Ainsi les Juifs se feront romains, et les Romains se feront juifs. " Philon m'a lancé un regard désespéré.

« Quelques semaines plus tard, Caligula était expédié ; sa femme Caesonia, percée d'un glaive ; sa fillette, écrasée contre un mur. Le dieu juif pouvait respirer.

« Comme tu le supputais, j'ai effectivement pris connaissance en Égypte de la bible des Septante, que l'on commentait ferme dans le cercle de Philon — de même qu'ont eu ma visite bien des prêtres égyptiens, dépositaires de si étonnantes traditions. Et je te dirai même que, durant les interminables huit ans où j'ai moisi en exil dans le maquis corse pour avoir fréquenté de trop près les filles de Germanicus, cette bible faisait partie de ma petite bibliothèque. Nous avons certes là un ouvrage intéressant, que l'on dit avoir été adapté de l'hébreu en grec par soixante-douze traducteurs sous le règne et sur la demande de Ptolémée II Philadelphe, celui qui fit construire le grand phare d'Alexandrie : il y a trois cents ans, les Juifs d'Égypte commençaient déjà à oublier leur hébreu. (Mais je soupçonne beaucoup de passages d'être d'une traduction plus récente.) Oui, intéressant, mais point convaincant. Il y manque une dimension essentielle. La bible — avec beaucoup de fatras et de naïvetés — nous retrace l'histoire des rapports d'un peuple avec son dieu national. Or j'estime que cette conception religieuse est complètement périmée.

« J'ai suivi dans ma jeunesse l'enseignement de la secte stoïcienne dissidente des Sextii : on y recommandait le végétarisme et l'examen de conscience, on y croyait surtout à la survie de l'âme et à la nécessité de conformer ses pensées et ses actions à un ordre immuable de la nature et des choses. Je suis toujours végétarien et l'idée ne m'a pas quitté un instant que la vérité est universelle ou n'est point. Un dieu qui s'attache à une nation au lieu de s'attacher à l'humanité est un dieu mutilé. L'exclusive prison où il se confine lui retire tout son rayonnement et il ne mérite que l'oubli puisqu'il a oublié la majeure partie des hommes.

« Tu comprends pourquoi, mon cher Novatus — j'aime à te donner ce nom de notre enfance que ton adoption t'a fait perdre—, tu comprends pourquoi Philon et ses amis étaient si soucieux de commenter leur bible selon des concepts néo-platoniciens, voire pythagoriciens ou stoïciens. Ils s'étaient aperçus que leur enfant était en passe de sentir le renfermé, et ils ont consacré toutes les ressources de leur virtuosité exégétique et allégorique à l'aérer dans un souffle de philosophie grecque plus ou moins à la mode.

« Je dois d'ailleurs préciser que les traducteurs des Septante — à ce que m'ont affirmé des hébraïsants distingués — avaient parfois infléchi l'original hébreu pour mieux le mettre en harmonie avec la sensibilité des Grecs [1]. Ainsi, la célèbre formule de l'Exode, où Yahvé définit sa nature transcendante : " Je suis celui que je suis ", devient en grec plus platoniquement et plus platement : " Je suis celui qui est. " Philon — qui ne possède que des rudiments d'hébreu — admettait ces gauchissements, qu'il estimait, il est vrai, d'importance mineure, et plutôt favorables à ses études.

« La bible la plus répandue aujourd'hui est donc une traduction grecque commentée à la grecque.

« Pour en revenir à ton Cn. Pompeius Paulus, il est bien remarquable de voir cet illuminé proposer aux Gentils une interprétation pour le moins originale de la bible des Septante. L'idée de faire sortir le message de sa prison juive est évidemment en marche.

« Mais je suis très sceptique sur le succès de pareilles tentatives, qu'elles émanent de philosophes sérieux ou d'aventuriers de passage. La bible est trop pétrie de Juifs pour s'adapter à des conceptions ou à des nations étrangères. Au fond, l'esprit grec demeure irréductible à l'esprit juif. Ou bien la bible — malgré les efforts d'un Philon — n'est pas acceptable par un étranger pour la raison que le texte est demeuré trop fidèle malgré tout à l'histoire et aux conceptions juives. Ou bien un Saül quelconque dénature la bible pour la mieux répandre parmi les peuples — et alors, ce n'est plus la bible.

« Je puis en tout cas te garantir que les vrais Juifs, qui connaissent leur texte par cœur, ne mordront jamais à la fable d'un dieu triple, incarné, crucifié et ressuscité, qui aurait pour eux d'affreux relents de mythologie égyptienne ou gréco-romaine. Il est même extraordinaire qu'un Juif ait pu concevoir un tel roman, si contraire à sa nature la plus profonde. Pour que les Juifs croient à ce Jésus, il faudrait qu'il ressuscitât sous leur nez !

« En attendant, il est dans la bible des Septante un passage dont je viens d'apprécier toute la saveur : le déluge. Figure-toi que j'ai failli me noyer tantôt, et que je n'étais pas le seul ! L'histoire mérite d'être narrée.

« Dans le programme des grands travaux de Claude — à qui Rome doit de si beaux aqueducs —, l'assèchement du lac Fucin, dans les montagnes, à l'est de la Ville, occupait une place de choix. Sous la supervision de Narcisse, on travaillait depuis longtemps à percer la barrière rocheuse qui sépare le Fucin du Liri, dont les eaux tumultueuses coulent vers le sud en direction du golfe de Minturnes. Labeur cyclopéen, qui en était récemment parvenu au dernier stade.

---

1. Sans parler d'erreurs de traduction, qui auront quelques conséquences : dans sa Vulgate, saint Jérôme fera porter des cornes à Moïse, et non pas des rayons de lumière.

Quelques coups de pioche de plus, et les énormes masses d'eau de l'un des plus beaux lacs d'Italie allaient se jeter dans le Liri pour gagner la mer Tyrrhénienne. Autour de ce qui resterait du Fucin, de vastes espaces d'excellentes terres pourraient être mis en exploitation, offrant ainsi aux populations montagnardes de nouvelles et précieuses ressources.

« C'est alors que Claude a imaginé de fêter l'événement par un grand combat naval sur le lac, à l'issue duquel les eaux auraient libre cours. Ainsi seraient couronnées l'obstination de trente mille terrassiers durant onze ans, et plus encore l'énergie du Prince et de son affranchi. Le goût de Claude pour les spectacles sanglants l'emporte encore sur celui de l'histoire et des lettres.

« La passion des Romains pour les naumachies est d'autant plus forte qu'elles sont plus rares.

« La première naumachie en date — comme on le sait — fut le fruit du génie de Jules César en personne, à l'occasion de ses quatre triomphes sur les Gaules, le Pont, l'Égypte et l'Afrique. César avait fait creuser un bassin au champ Codeta, sur la rive droite du Tibre, un peu en aval du pont Vatican, situation qui permettait à l'arène liquide d'être aisément reliée au fleuve et de recevoir, par conséquent, non point des bâtiments légers construits à la va-vite à proximité du théâtre de l'action, mais de grandes galères de haute mer. Une flotte « tyrienne » y combattit une flotte « égyptienne », devant une prodigieuse affluence. Rome n'oubliait point qu'elle s'était ouvert l'empire du monde par ses victoires navales contre Carthage, qui lui avaient coûté sept cents navires et des pertes énormes en rameurs et en légionnaires. Le paysan avait eu la volonté de se faire marin, et il avait labouré la mer avec autant d'énergie que le champ de ses ancêtres.

Le fait est moins connu que la deuxième naumachie se déroula au temps de nos tristes guerres civiles. Sex. Pompée, ayant capturé une escadre d'Agrippa, contraignit les prisonniers à s'affronter dans le détroit de Sicile pour le plaisir de ses partisans : première rencontre sur mer où les quelques vainqueurs qui avaient survécu furent massacrés en salaire de leur court triomphe.

« Troisième naumachie : pour la dédicace du Forum neuf et du temple de Mars Vengeur, Auguste fit creuser un nouveau bassin de 1 800 pieds [1] sur 1 200 au bois des Césars Lucius et Caius, toujours sur la rive droite, mais entre l'île Tibérine et le Janicule, espace alimenté en eau par l'aqueduc Alsietina qui venait d'être inauguré ; et là, plus de trente navires « athéniens » ou « perses », montés par 3 000 combattants et rameurs, essayèrent de faire illusion. Par la force des choses, les bâtiments étaient de dimension médiocre.

1. Le pied romain fera 0,2944 mètre.

« Poursuivi par le souvenir de Jules César, Claude avait souhaité un spectacle grandiose. Les dimensions du Fucin, les forêts voisines pour construire les galères offraient d'alléchantes perspectives.

« Le jour venu, par un temps radieux, on s'entasse avec enthousiasme sur les pentes qui dessinent autour du lac comme un amphithéâtre naturel. Les paysans marses des environs ont occupé leur place dès la première aurore. Puis sont accourues les foules des régions voisines et de Rome elle-même, qui n'est guère qu'à soixante milles [1] romains du Fucin. Enfin arrive toute la cour, qui s'assied sur des estrades au bord de l'eau. Précepteur de Néron, j'avais dû naturellement suivre de près. Mon élève, éduqué à la grecque et converti par mes soins, n'a guère d'appétit pour les massacres, mais le jeune Britannicus, qui est dans sa onzième année, partageait l'impatience générale tandis que le soleil prenait de la hauteur.

« Peu à peu, les 6 000 condamnés ont gagné les douze trirèmes « siciliennes » et les douze trirèmes « rhodiennes », où les attendaient leurs rames et leurs armes, tandis que les cohortes prétoriennes prenaient place sur l'enceinte de radeaux qui délimitait le champ clos et fermait tout passage à la fuite. Pour mieux prévenir une révolte ou décourager les mauvaises volontés, derrière les parapets, les balistes et catapultes de la garde impériale sont braquées sur les vingt-quatre vaisseaux qui se font face. Le spectacle est superbe. C'est une orgie de couleurs. Les cuirasses brillent, les plumets s'agitent, les voiles frémissent...

« Soudain, une ingénieuse machine fait surgir du sein des eaux un Triton argenté embouchant une trompette, qui donne le signal de l'assaut. Les 6 000 condamnés hurlent en chœur une nouveauté frappante : " Ave, imperator, ceux qui vont mourir te saluent ! " Claude, qui est porté à la plaisanterie, chatouillé par un malin démon, éprouve le besoin de répondre : " Qui vivra, verra... " La bizarrerie d'une intervention du Prince à ce stade de la cérémonie, la nature même de l'intervention déchaînent un malentendu, qui prend vite des proportions surprenantes. Le bruit se répand parmi les sacrifiés que l'empereur leur a fait grâce. La bonne nouvelle court de bouche en bouche, de geste en geste, parmi les criminels de droit commun ou les prisonniers de guerre, qui, de la Bretagne à l'Arménie, de la Germanie aux déserts d'Afrique, avaient convergé vers ce lac paisible. Et après un hurlement de joie reconnaissante, toute cette population mélangée se croise les bras. La fantaisie malheureuse de Claude avait abouti à la première grève de gladiateurs dont on eût ouï parler ! Le malentendu a été long à dissiper, car il n'y a pire sourd que celui qui

---

1. Le mille romain fera 1 472 mètres.

ne veut pas entendre. Claude lui-même a dû donner de sa personne, courant en boitillant autour du lac, gratifiant les insoumis de menaces ou d'exhortations pour les décider au combat. Discours qui étaient d'autant moins bien perçus que notre Prince, susceptible de lire un texte de la façon la plus agréable, bégaye dès qu'il improvise. Ce contraste étonnait déjà le vieil Auguste.

« Enfin, tout est en ordre. Les condamnés s'exterminent comme prévu, et même avec tant d'ardeur que ce qui en reste est gracié pour de bon.

« Jusque-là, à part un incident du dernier ridicule, tout s'était passé à ravir. Moi-même, qui ne suis guère porté sur les Jeux de l'amphithéâtre, ce mal politiquement nécessaire, je m'étais pris à vibrer de concert avec la foule à quelques passes d'armes exceptionnellement pittoresques. Le philosophe n'est pas exempt de faiblesse humaine.

« J'en arrive à l'essentiel. Les galères ancrées, les survivants et les prétoriens évacués, on travaille à faire sauter le bouchon qui retient les eaux du Fucin de se déverser vers le Liri par une prodigieuse tranchée de trois mille pas [1] de long. Alors que le soleil décline derrière les monts, les spectateurs retiennent leur souffle... pour enfin voir un léger courant emprunter le chenal et bientôt s'interrompre.

« La déception générale est écrasante. Narcisse explique qu'il a péché par excès de prudence, craignant la formation d'une cataracte dangereuse au cas où le seuil critique aurait été creusé trop profondément. Mais il est aisé d'y remédier. Agrippine enjoint vertement à Narcisse de ne pas ménager ses efforts, et la cour rentre à Rome, malgré cette belle journée, avec un sentiment de frustration. Le sang était au rendez-vous, mais l'eau avait manqué.

« A quelque temps de là, une nouvelle affluence, réduite mais encore considérable, cerne le Fucin. A défaut de naumachie, pour attirer la foule, on a organisé un combat de gladiateurs en profitant de la présence des radeaux qui avaient accueilli naguère la garde prétorienne : il était aisé d'en détruire le cercle pour constituer un unique ponton favorable à cet exercice. Malgré des surenchères perpétuelles, toutes ces boucheries se ressemblent et je n'y tremperai point ma plume. D'ailleurs, Claude, qui est économe, préfère en la matière la quantité à la qualité.

« Au milieu de l'après-midi, la cour a été appelée à un festin, dont les lits champêtres avaient été disposés, comme autant de gros champignons dans une prairie, à proximité immédiate de la décharge, de façon que les invités, le moment venu, puissent jouir aux premières

---

1. Le pas romain fera 1,472 mètre.

loges de la libération des eaux. L'approfondissement du chenal, la hauteur du verrou laissaient présager une expérience extraordinaire.

« Déjà, tandis que je grignotais quelques racines râpées dans la fumée des grillades et le fumet des sauces, des travaux d'approche avaient déterminé quelques infiltrations à travers le mince barrage, et en fin d'après-midi, alors que nous en étions au dernier service, dans ce climat d'euphorie qui règne toujours à la fin d'un banquet, l'obstacle a cédé tout d'un coup avec un grondement sourd et l'eau du Fucin s'est jetée en tourbillonnant dans la tranchée, en proie à une violence qui avait de quoi susciter une admiration unanime.

« Mais l'extrême difficulté de maîtriser de tels travaux par des calculs théoriques allait entraîner un affreux mécompte. D'abord, la force imprévue du courant a rompu les amarres du vaste ponton, qui s'est précipité vers la noble assemblée avec une vitesse croissante, menaçant de tout écraser sous sa masse. On se croyait mort, quand, par une sorte de miracle, le ponton et les eaux du lac sont demeurés immobiles un bref instant. Et l'importance de la dénivellation, la relative étroitesse du conduit ont entraîné alors un reflux momentané de l'élément liquide, phénomène si brutal, vu les forces mises en jeu, qu'une lame de fond s'en est venue recouvrir et renverser au galop tout ce qui banquetait joyeusement un instant plus tôt.

« La monstrueuse vague marchant toutefois vers l'amont du système et le Fucin manquant de profondeur dans cette région occidentale, nous en avons été quittes pour une indicible épouvante.

« Mais, dieux infernaux, quel spectacle, après que le flot boueux eut repris son cours normal avec une lenteur croissante ! Nos vêtements romains, au contraire de ceux des barbares, ne sont pas ajustés, et le premier effet du choc avait été de mettre toute la cour en état de nature. Imagine sur la rive des centaines de poulets trempés et déplumés, jetés et abandonnés dans les postures les plus étranges par le caprice d'un sort ahurissant, tandis que partaient à vau-l'eau vers les abîmes lointains de Neptune le manteau pourpre du Prince, la chlamyde en tissu d'or d'Agrippine, les synthesis de mousseline légère que les hommes et les personnes du sexe avaient revêtues pour festoyer, les toges claires ou les capes brodées laissées au vestiaire, les robes multicolores des femmes, leurs dessous affriolants, leurs blondes perruques germaines et leurs appas postiches les plus trompeurs. Des matrones à quatre pattes cherchaient leurs bijoux ou leurs fausses dents parmi les débris informes de la ripaille, leur épais maquillage délayé par le déluge. Peu de tuniques masculines avaient résisté au désastre et maints sénateurs se découvraient d'autant plus nus qu'ils étaient venus en caleçon sous leur toge à cause de la chaleur.

« Seuls les prétoriens aux cuirasses étroitement agrafées avaient conservé un peu de décence, et, pour la première fois, il leur était donné de contempler avec stupéfaction leurs maîtres tels qu'ils étaient sortis du ventre de leur mère.

« Quel destin eût été celui de Rome si le Prince, sa femme, sa parenté et ses amis, les membres les plus influents de ses Conseils et de son gouvernement et une bonne partie des sénateurs avaient été noyés comme des rats dans cette affaire ? L'esprit se perd en conjectures et le philosophe lui-même en demeure muet.

« A peine sauvée des eaux comme le Moïse de Philon et revenue de sa peur, Agrippine, aveuglée par une rage subite, a apostrophé Narcisse sur le ton le plus agressif, lui reprochant pêle-mêle son incapacité à conduire les grands travaux, la vénalité de son administration et sa cupidité constante, devant un Claude hébété par la catastrophe... et peut-être par l'ivresse. Et l'on a vu, l'on a entendu alors cette chose incroyable : l'affranchi Narcisse, un fils d'esclave, retenu lui-même si longtemps dans les liens de la servitude, habitué de naissance à la bassesse et à la dissimulation, éduqué à la prudence et à l'intrigue sous la férule de maîtres capricieux, poussé aux premières faveurs par la seule confiance de Claude, assurance combien fragile pour un homme dont elle est l'unique sûreté, ce Narcisse, donc, perdant tout sang-froid, de dénoncer le caractère impérieux et l'ambition insatiable de l'" Augusta ". Oui, un affranchi oriental osait élever la voix devant la fille aînée d'un Germanicus, petit-fils de l'épouse d'Auguste, devant la fille aînée d'une autre Agrippine, petite-fille d'Auguste lui-même ! Oui, cet individu sorti de rien, la queue basse mais le verbe haut, insultait Agrippine la Jeune, élevée dans la pourpre — vêtue cependant pour l'heure d'un cache-frifri indigo... comme l'aurait noté notre Pétrone dans l'un de ses romans voyous ! Narcisse s'est retenu de justesse de reprocher à l'" Augusta " quelques affaires sanglantes qui n'étaient peut-être pas nécessaires, ou de faire une allusion empoisonnée à ses relations intimes avec cet autre affranchi de Pallas. Mais le cœur y était. Qu'en eût dit le vieux Caton ?

« Tu me demandes, mon cher Novatus, des nouvelles de Rome susceptibles de servir ta carrière. Sache que Narcisse vient de se perdre. Agrippine, qui lui portait déjà une animosité discrète mais certaine, n'oubliera jamais cette sortie dans la boue du Fucin. La vie de Narcisse est désormais suspendue à celle du Prince, qui apprécie son incontestable fidélité à ses vrais intérêts.

« Nous sommes allés camper tant bien que mal à Cerfennia, pour reprendre le lendemain la Voie Valeria vers la capitale, dans un bien triste équipage.

« Entre autres ennuis, j'avais failli perdre mon Néron, dont j'avais agrippé la main à l'instant du sinistre, pour me retrouver bientôt tout étourdi et suffocant, assis dans l'herbe avec lui. Passé la Porte Esquiline, alors que j'allais prendre congé, l'enfant m'a encore remercié de ma prévenance.

« A travers tous les tracas de la vie, cet élève m'est une grande consolation, et je ne désespère point d'en faire un jour un disciple. Il va, je te le rappelle, sur ses quinze ans, puisqu'il est né le dix-huitième jour des Kalendes de janvier, neuf mois jour pour jour après la mort de Tibère. Le jeune Lucius est ainsi venu au monde à la mi-décembre, deux jours avant les Saturnales, et le jour même où l'on offre un sacrifice au dieu des chevaux Consus, sur son autel du Cirque Maxime. La coïncidence a beaucoup frappé Néron et je me demande si sa passion naissante des chevaux n'aurait pas quelque rapport avec ce divin hasard. Mais il marchait sur ses douze ans, quand Agrippine, m'arrachant à mon exil corse, a bien voulu me le confier, et nous avons dû tous deux remonter une pente assez rude.

« L'enfant avait connu bien des malheurs et bien des alarmes, qui avaient fâcheusement influé sur son caractère. Lucius n'a pas deux ans lorsque sa mère est impliquée dans la conspiration de mon pauvre ami Getulicus contre Caligula, où j'ai bien failli périr moi-même. Agrippine est reléguée et ses biens sont saisis. Lucius est alors recueilli par sa tante paternelle Domitia Lepida. Puis son père, Domitius Ahenobarbus, cousin de Germanicus, vient à mourir. Lorsque, à l'avènement de Claude, Agrippine retrouve ses biens et une partie de son crédit, c'est pour épouser bientôt Crispus Passienus, qui venait de divorcer de la seconde Domitia, autre tante paternelle de Lucius. Passienus, parent de la famille impériale, protégera quelques années Agrippine des intrigues de Messaline, mais il n'aura qu'une autorité pour ainsi dire morale sur Lucius, qui a, selon l'usage, été nanti d'un tuteur, Asconius Labeo, d'ailleurs fort estimable. Lucius n'a pas sept ans quand Passienus lui-même disparaît. Ainsi, voilà un enfant longtemps privé de mère, bientôt privé de père, ballotté entre un beaupère et un tuteur, un enfant qui, au sortir de ses deux nourrices orientales, est confié à un danseur et à un barbier, puis aux affranchis Anicetus et Beryllus, qui le suivront presque jusqu'à ma prise en main : individus capables d'enseigner les lettres élémentaires gréco-latines, mais sûrement point la vertu. Meilleure sera l'influence du prêtre égyptien Chaerémon, avec lequel je m'étais lié autrefois à Alexandrie. Ce stoïcien, d'une haute culture et d'un grand talent professoral, a commencé de familiariser Lucius avec les bons auteurs. Mais un homme d'une telle qualité venait bien tard, et Chaerémon avait le travers d'inciter Lucius à se prendre pour un petit pharaon. Il était temps qu'un précepteur romain intervînt avec une meilleure philosophie.

« J'ai trouvé un jeune être affligé d'une sensibilité d'écorché, sevré de tendresse, désireux de faire confiance, mais n'osant point s'y risquer, une organisation inquiète et sournoise, d'abord perturbée par l'absence de mère, puis écrasée par la présence — heureusement peu fréquente — d'une femme terriblement autoritaire.

« Peu à peu, j'ai gagné le cœur de Lucius comme on apprivoise une tourterelle. J'ai gommé les quelques défauts, accentué toutes les qualités qui ne demandaient qu'à s'épanouir. Mon Néron est aujourd'hui un beau garçon à l'esprit vif et nuancé, aussi paresseux pour apprendre ce qui l'indiffère qu'ardent à étudier ce qui l'intéresse. Il me faudrait presque modérer sa passion pour le théâtre ou la poésie épique des Grecs, pour la peinture monumentale ou de chevalet, pour la sculpture grecque de la meilleure facture, pour les courses de char du Cirque Maxime — qui se déroulent d'ailleurs sous le nez des heureux habitants du Mont Palatin. Et j'ai dû tolérer qu'il s'exerce à la cithare, dont le son le fait fondre.

« On dira que cet emballement esthétique est déplacé chez un vrai Romain et que nos traditions y trouveraient à critiquer. Mais je n'ose, à la réflexion, m'y opposer trop fermement. Quel repos enfin pour le monde et pour la société si quelque jour, pour la première fois dans l'histoire de Rome, une belle nature artiste partageait fraternellement les responsabilités du pouvoir avec un alter ego, un Britannicus administrateur et pondéré ! Le règlement de sa succession, depuis l'adoption de Lucius il y a deux ans, ne laisse pas d'inquiéter Claude et il y aurait peut-être là une issue...

« Un fait est en tout cas certain, et il est réconfortant : les artistes ont certes du mal à se dégager d'une sorte d'égoïsme sacré, qui est comme la première condition de leurs vertus ; mais en revanche, leur tempérament même les éloigne de la cruauté et les retient de faire verser un sang superflu. Néron est très doux et les tueries de l'amphithéâtre lui semblent vulgaires. Quel heureux présage !

« Après Chaerémon, je m'efforce aussi de compléter l'éducation de mon élève en lui inculquant de sérieuses notions de stoïcisme, bien qu'avec un succès douteux. Le sujet paraît porté à une gourmandise et à une sensualité qui font mauvais ménage avec une austère philosophie. Mais les plaisirs ordinaires de la jeunesse ne sont vraiment condamnables que si l'excès les pousse à bout et les dénature.

« Il est dommage que je ne sois pas mieux secondé dans mes efforts par Agrippine : l'art la laisse froide, et le stoïcisme, plus encore.

« Malgré tout, il m'arrive parfois de rêver... Si le sort voulait que Britannicus se retirât de la compétition, ce serait, depuis l'éducation d'Alexandre par Aristote, le premier et mémorable exemple d'un grand prince soigneusement éduqué par un philosophe... dont la postérité — souvent trop flatteuse — dira la taille en ce qui me concerne. Quelle gloire pour moi et quel triomphe pour l'esprit si la première aurore d'un nouvel âge d'or surgissait de mes veilles comme Athéna du cerveau de Zeus !

« Et la chose est possible. Un point noir : le sentiment d'insécurité dont le jeune Néron ne parvient pas à se défaire et que j'ai moi-même d'autant plus de mal à combattre que toute la haute noblesse romaine a été élevée dans la peur depuis des générations. Une telle peur, si mauvaise conseillère, ne s'efface pas en un jour. C'est pour moi l'occasion de faire valoir à l'enfant que le seul moyen de rompre avec le maléfice est de régner avec modération en garantissant un équilibre souhaitable entre les attributions du Prince et celles du sénat, au cas où les dieux l'investiraient de la plus lourde charge.

« Mon asthme persiste à me tourmenter. La notable particularité de l'inconvénient est que l'on se voit mourir à chaque crise. L'entraînement est si salutaire pour un philosophe que j'ai surnommé cette bizarre maladie : " meditatio mortis ". Lorsque, après de longues angoisses, un peu d'air dilate enfin la poitrine de nouveau, on se sent certes revivre ; on se sent surtout plus détaché que jamais des vaines agitations du monde. C'est là, au fond, une excellente école.

« J'ai perdu toute confiance dans les médecins, à l'exception du grand Asclépiade, qui traita jadis entre autres Pompée et Cicéron. Toute la valeur d'Asclépiade résidait dans le fait qu'il avait été d'abord maître d'éloquence et était resté volontairement ignare en médecine tout au long de sa profitable existence. Cette formation médicale nulle l'avait amené à une médecine préventive de bon sens, qui de toute façon ne pouvait pas faire de mal. C'était le médecin des bien-portants, qui sont heureusement plus nombreux que les malades. Il en découla, soutenue par une rhétorique persuasive, une vogue de la diète, de l'abstinence, des frictions et massages au sortir de bains froids, en attendant d'hygiéniques randonnées à pied. Mais pour les plus paresseux, Asclépiade avait découvert que le balancement de nos litières était favorable aux humeurs. Il expliquait à qui voulait l'entendre — spéculant sur le double sens du mot " gestatio ", qui signifie grossesse aussi bien que promenade en litière — que le va-et-vient de ces véhicules, en faisant retomber le patient en enfance, avait sur lui un effet calmant et rassurant. Ayant parié de ne point tomber malade, Asclépiade est mort à un âge fort avancé d'une chute dans un escalier — sans jamais avoir vu un médecin. Quand il faut voir un médecin, en effet, n'est-il pas déjà trop tard ?

« J'ai encore moins de confiance dans les chirurgiens insensibles, depuis qu'ils ont pris la sinistre habitude de disséquer tout vifs et à loisir des condamnés à mort de droit commun dans l'espoir de perfectionner leur charitable industrie. On assure que Hiérophile, imité par Erasistrate, était jadis très fier d'en avoir ainsi disséqué six cents, ce qui démontrait, à coup sûr, un acharnement scientifique exceptionnel! Vision plus agréable, Néron, qui a revêtu la toge virile l'année dernière, épouse l'année prochaine sa sœur adoptive, parente et fiancée, Octavie. Elle aura douze ans.

« Avant de sceller, je relis cette lettre — ne serait-ce que pour faire corriger quelques fautes de secrétariat —, et l'idée me vient qu'une dimension — il est vrai philosophique — du problème juif t'a échappé. En réalité, le Juif séduit autant qu'il irrite. Une fraction de ce peuple sans précédent souffre certes notre administration — parfois maladroite — avec une impatience qui aurait de quoi inquiéter. Mais d'un autre côté, le concept neuf d'un dieu unique, transcendant, créateur et gardien de toute chose est bien digne d'attirer l'attention. Le Juif a égoïstement confisqué la trouvaille. Nombre de Grecs et de Romains soucieux d'idéal et épris de progrès moral n'en ont pas moins découvert toute la richesse potentielle de cette grande idée. Ainsi, autour du Temple de Jérusalem, autour des synagogues de la dispersion, un vif courant d'intérêt et de sympathie a parcouru maints étrangers, qui répugnent autant aux coutumes juives qu'ils sont impressionnés par l'essentiel. Cette religion juive est plus ouverte sur le monde qu'on ne le pourrait croire. Si ce dieu unique existait vraiment, qu'importent des coutumes passagères! A condition qu'on en dépossède les Juifs qui en ont fait un attribut national, ce dieu juif, si les dieux lui prêtent vie, a peut-être l'avenir devant lui. Il est d'une stature à absorber toutes les religions et même tous les syncrétismes. Encore faudrait-il, pour faciliter l'évolution, que les Juifs finissent par se prêter au jeu et ne fassent pas trop de bêtises. Qu'ils oublient donc pacifiquement leurs coutumes et préjugés encore barbares, qu'ils se civilisent, et nous nous apercevrons sans doute que Yahvé peut s'écrire en latin comme en grec ou en hébreu. Devrais-je un jour renoncer à mes rêveries panthéistes?

« Je suis bien triste que les événements, mon séjour égyptien, mon exil, les nécessités de ta carrière nous aient tenus séparés si longtemps et persistent à placer tant de terres et tant de mers entre nous. L'occasion de correspondre avec toi par un courrier de toute confiance ne m'est que plus douce. Notre frère Mela va bien et je m'occupe de son avancement. En grande partie grâce aux faveurs d'Agrippine, ma fortune dépasse aujourd'hui cent trente millions de sesterces. Mais qu'est-ce que cela à côté de la " meditatio mortis " parfois journalière? Il arrive que l'argent afflue soudain aux mains du sage qui le méprise.

« Si tu vas bien, tant mieux. Je me porte aussi bien que je puis. »

Marcus junior partit pour Xanten le lendemain de l'embarquement de Kaeso, Decimus revint sur ces entrefaites, et, à l'intense soulagement de Marcus père comme de sa nièce, prit aussitôt la jeune femme chez lui, où l'attendait la vie élégante pour laquelle elle avait été si visiblement formée. Les vacances méridionales du patricien ne semblaient en aucune manière avoir modifié ses projets.

Quelques jours après l'installation de Marcia, Decimus, lui confia en effet : « Il y a chez tout stoïcien un épicurien qui sommeille, et Épicure nous apprend à bien régler nos moindres plaisirs, à les retarder au besoin pour les rendre enfin plus satisfaisants. Un plaisir comme toi se mérite à mon âge par une délicieuse retraite. Mais je ne te quitterai plus après t'avoir si bien méritée. Je me suis aperçu que je t'aimais plus que je ne pensais, puisque je t'aime telle que tu es et non point comme je pourrais t'imaginer si j'étais plus jeune. C'est le privilège de l'expérience que d'être lucide et que d'y rechercher une dernière satisfaction. Pour une femme qui a vécu avant de se faire de marbre dans un sanctuaire, la première qualité de l'amant est une indulgence éclairée. »

Et tandis que Decimus, à l'heure de la sieste, tenait ces charmants propos, une esclave se présentait à l'insula d'Aponius, porteuse de tout un accordéon de tablettes scellées, à remettre au maître en main propre.

Marcus, réveillé, reçut la fille dans le faux atrium, reconnut le cachet de Decimus, le rompit et lut avec une joie croissante :

« Decimus à son cher Marcus, salut !

« Tu m'avais suggéré cet automne de prendre ta nièce chez moi après l'adoption de Kaeso. Je l'ai prise un peu plus tôt que prévu. Tu pardonneras cette précipitation à un homme dont les années sont peut-être comptées avec plus de rigueur que pour d'autres, et le geste te dira à quel point Marcia m'est chère avec tous ceux qui l'estiment et l'affectionnent si justement. C'est une femme qui a en elle une vie extraordinaire, une âme cachée forte et brûlante, capable de réchauffer un vieil airain comme le mien.

« L'inconvenance de ma démarche mérite en tout cas réparation, et pour toi, et pour ménager ton Kaeso, que je suis plus que jamais décidé à adopter dès son retour. On n'imagine pas d'ailleurs Marcia sans Kaeso, et les charmes de mon âge mûr ne sauraient se comparer à ceux d'un fils aussi accompli. Je préfère qu'elle n'ait jamais à choisir entre lui et moi.

« J'épouserai donc Marcia dès que le divorce sera prononcé et

Kaeso trouvera de la sorte en revenant une situation des plus honnêtes, faite sur mesure pour son âme tendre.

« Tu seras le seul dont je regretterai l'absence à cette très intime cérémonie, mais il y aurait alors un mari de trop pour les médisants — que j'ai toujours ignorés pourtant avec superbe.

« Ta solitude présente me peine d'autant plus que j'en suis responsable, et j'ai cherché le plus parfait cadeau possible pour la combler.

« Parmi toutes les esclaves que les meilleurs marchands étaient venus me présenter, j'ai choisi celle qui t'apporte ces tablettes et qui serait honorée de faire les délices d'un sénateur.

« Séléné doit avoir vingt-deux ou vingt-trois ans. Elle est originaire d'Alexandrie et ses mensurations correspondent exactement à celles de la plus exigeante statuaire grecque. Quant à son visage, il plaide trop évidemment en sa faveur pour que je m'attarde à l'évoquer. Les cheveux châtains sont tout de même admirables, et les yeux gris, d'une nuance rare.

« Afranius, qui me l'a vendue, m'a garanti sa santé, l'égalité de son humeur, la richesse de son expérience et l'étendue de ses complaisances. Elle est assez instruite, lit et écrit le grec courant, possède à peu près notre latin domestique, et son intelligence est des plus vives.

« Je n'achète jamais une esclave de prix sans me renseigner sur son passé. Les marchands le savent et ne me proposent que des sujets dont le " curriculum vitae " ne comporte pas de lacunes graves. Il en va de la plupart de ces filles comme des chevaux, qui ne sont jamais ombrageux sans raison, ayant plus de mémoire que de réflexion.

« La vie de Séléné a été heureusement assez banale. On m'a dit que ses parents tenaient un petit commerce de " garum castimoniale ", celui qui n'admet que des poissons avec écailles pour les besoins des communautés juives ; qu'à la suite d'une émeute comme il y en a trop souvent à Alexandrie, ce commerce aurait été ruiné ; qu'à la suite de cette ruine, la jeune fille aurait été réduite en esclavage vers l'âge de quinze ans, pour devenir la propriété d'un prêtre de quelque dieu égyptien. Elle a eu un enfant à seize ans, qui a tout de suite été exposé, et qui par conséquent ne lui a pas le moins du monde abîmé la poitrine. Puis elle aurait connu un bref passage dans une maison de prostitution assez réputée, avant d'être distinguée par des sculpteurs et par des peintres, chez qui elle a servi de modèle. Finalement, un procurateur des domaines impériaux se l'est adjugée pour en faire profiter Afranius quand il en a eu assez.

« J'en arrive à présent à un petit point délicat, qui ne laisse pas de m'agacer.

« Quand Afranius a fait dévêtir cette Séléné pour que je sois en mesure de voir si sa perfection était bien conforme à ses dires, Marcia était présente, son avis m'important d'autant plus que le cadeau t'était destiné. L'objet étant d'une grâce exquise, sans rapport avec ce que j'avais déjà pu apprécier, le marché a été vite conclu et mon trésorier a versé la somme sur-le-champ.

« Alors que Séléné se rhabillait, j'ai commencé de l'interroger sur son existence à Alexandrie. (Je me méfie toujours de ce que racontent les marchands !) Mais les dires de l'esclave coïncidaient exactement avec ceux d'Afranius.

« La beauté de la fille était telle que Marcia suivait le rhabillage à regret. Toujours soucieuse de mon plaisir, et sincèrement curieuse de vérifier si ses propres mensurations se rapprochaient de celles du modèle, Marcia a ordonné à Séléné de se déshabiller de nouveau et s'est elle-même dévêtue. Eh bien, minutieuses vérifications faites, les différences étaient quasiment imperceptibles ! Ce qui, vu la notable différence d'âge, était tout à l'honneur de ta nièce.

« Il est étonnant de penser que nous nous préoccupons de l'exacte harmonie corporelle de nos esclaves, alors que pour nos propres femmes, nous en sommes réduits d'ordinaire à de vagues et trompeuses impressions. Désormais, je sais qui j'épouse !

« Comme on pouvait s'y attendre, l'aimable et flatteuse comparaison s'était poursuivie par ce badinage superficiel, par ces attouchements délicats, par ces caresses aussi affectueuses que précises qui deviennent de l'art pur dès que le couple est à peindre. Il manquait hélas une troisième Grâce, que j'étais bien loin de pouvoir remplacer !

« Et soudain, nous avons dû nous rendre à l'évidence : Séléné avait subi cette excision qui est traditionnelle depuis je ne sais combien de millénaires chez les Égyptiens mais qui n'est normalement pratiquée ni chez les Grecs ni chez les Juifs.

« Devant cette tromperie sur la marchandise, Marcia était encore plus outrée que moi : quand on achète une esclave, on achète aussi toute sa capacité de jouissance et même de souffrance.

« Séléné nous a narré en pleurant que son prêtre égyptien — d'ailleurs eunuque — l'avait fait exciser par principe dès qu'il l'avait eue entre les mains. Mais l'opérateur avait respecté les nymphes et s'était borné à trancher le nez de l'organe à la sortie du capuchon.

« Nous avons demandé à l'esclave pourquoi elle nous avait abusés sur sa qualité, et elle n'a su que balbutier, nous assurant d'autre part qu'Afranius n'était pas au courant. Mais que vaut la parole d'une esclave, surtout quand elle vient de mentir ?

« On ne saurait laisser passer des cachotteries aussi déplorables, et Marcia a fait aussitôt administrer les verges à la fille tandis que l'on courait partout à la recherche d'Afranius.

« Le maquignon a naturellement fait semblant de tomber des

nues, mais nous lui avons mis l'index sur le délit, et il a dû au moins admettre sa négligence. Son premier plaidoyer a été de minimiser le défaut en invoquant plaisamment le proverbe favori de ceux qui accusent les autres de voir des difficultés là où elles ne sauraient être : " Vous cherchez un nœud dans un jonc ! " Je me suis fâché, l'ai menacé d'un procès qui lui aurait fait du tort, et il a fini par proposer un rabais. Après hésitation, Marcia étant d'accord, j'ai accepté de retrouver 20 000 sesterces sur 60 000, dans l'idée que cette légère et discrète mutilation te serait peut-être indifférente. Si Séléné te convient telle quelle, je te ferai porter bientôt ces 5 000 deniers. Autrement n'hésite surtout pas à me la renvoyer, et je veillerai à ce que tu ne perdes pas au change.

« De toute manière, porte-toi bien ! »

Pour la première fois depuis la vente aux enchères qui l'avait plongé dans la détresse, Marcus avait le sentiment que la roue si lunatique de la Fortune était en train de tourner en sa faveur. Un ciel plein de nuages s'éclaircissait de partout à la fois. Le honteux mariage était enfin dissous pour aboutir à une réussite sociale extraordinaire. Les deux fils étaient casés comme par miracle. Et le père avait pour assurer ses vieux jours une nièce et un ami qui valaient tous les trésors du monde.

L'élégance raffinée de Decimus, sa prévoyante délicatesse avaient de quoi plonger dans une douce émotion. Quelle charmante façon d'offrir 20 000 « nummi » à un homme dans le besoin !

Le regard de Marcus s'appesantit sur la merveilleuse apparition, dont le visage avait une expression parfaitement neutre. Le nouveau maître songea à ces sphinx d'Égypte, qui n'émergent des sables que pour mieux garder leurs secrets.

Il dit à Séléné avec un bon sourire : « Va te déshabiller, mon cœur, dans la chambre du fond, et puisse mon toit t'être favorable ! »

Séléné sourit à ce gros homme qui serait toujours un peu vulgaire, et elle se détourna avec la haine dans les yeux. Les chevaux ne sont jamais ombrageux sans raison.

DEUXIÈME PARTIE

I

Ce printemps de l'année 816 de la fondation de Rome, Memmius Regulus et Verginius Rufus étant consuls, Marcus reçut d'abord une lettre de son fils aîné, qu'il fit suivre à Marcia chez Silanus, après en avoir pris connaissance. C'était la première fois que Marcus junior avait l'occasion d'écrire à ses parents, et il avait dû tirer la langue pour remplir le mince rouleau de papyrus des considérations prosaïques et des pâtés où se reflétait son âme simple.

« M. Aponius Saturninus à ses chers père et mère, salut !

« Je pense que vous recevrez ce mot assez vite, car je le fais filer par la poste impériale, qui roule jour et nuit et fait jusqu'à une centaine de milles par jour, le double au moins de la poste privée. Pour informer Rome d'urgence des bonnes nouvelles — et surtout des mauvaises —, l'argent ne compte pas.

« J'ai fait bon voyage, mais vers des régions de plus en plus froides et de plus en plus désolées. Nous n'aurions pas perdu grand-chose à ce que Jules César s'arrêtât à la Loire. C'est seulement dans le sud des Gaules qu'il est agréable de vivre.

« Xanten, sur la rive gauche du Rhin, est à soixante milles en aval de Cologne. Le camp retranché, qui a été récemment entouré d'un épais rempart de briques, renferme deux des quatre légions qui stationnent en Germanie Inférieure, la Ve Alauda et la XVe Primigenia, sans parler de l'infanterie et de la cavalerie auxiliaires. C'est donc une sorte de ville. Le prétoire est construit en dur, les tentes des soldats se sont transformées en maisons, et des sortes de faubourgs ont poussé au-delà des remparts et des tours, où logent des marchands, des artisans et des filles pour tous les goûts. Durant l'hiver, qui est long et glacial, les troupes se calfeutrent à Xanten, pour faire acte de présence à la belle saison sur la frontière du Rhin et relever les garnisons isolées des fortins qui en surveillent le cours. Notre flotte de guerre germanique participe à cette surveillance et protège les navires marchands qui remontent jusqu'à Cologne et plus loin encore.

« Ce Rhin est un fleuve énorme, une véritable mer, sans commune mesure avec le Tibre, et les légions ne le franchissent pas volontiers. La rive gauche a connu de loin en loin quelques défrichements, mais de l'autre côté du Rhin, il n'y a que landes désertes, marécages impénétrables et forêts profondes.

« Notre politique est résolument défensive et dissuasive. Tous les peuples barbares qui déambulent dans les immensités de la Germanie voudraient franchir le Rhin pour cultiver de meilleures terres, cesser de mener une existence nomade et imiter notre mode de vie. Mais nous montons bonne garde, car il est impossible d'assimiler de pareilles populations. Les 10 000 Bataves, à qui on avait imprudemment permis de s'installer à l'intérieur de l'Empire, dans le delta du Rhin, nous donnent déjà du fil à retordre.

« Nanti des recommandations de Silanus, j'ai reçu un excellent accueil, mais le légat m'a dit : " Supplie les dieux que le noble Silanus vive longtemps, car s'il partageait le sort de ses malheureux frères, je ne pourrais plus rien pour toi. " La boutade donne à songer.

« En attendant, j'ai été versé chez les " frumentaires ", plus précisément, bien sûr, dans cette minime et estimée partie de l'intendance qui s'occupe du renseignement. Un jeune tribun y a beaucoup plus de liberté que dans un corps de troupe ordinaire et il n'a point à résoudre le problème délicat de donner des ordres à de vieux centurions qui en savent beaucoup plus long que lui.

« A ce titre, j'ai déjà eu à prendre contact avec ces fameux Germains, dont on parle tant et que l'on connaît si mal.

« Ce serait le philosophe grec Posidonius d'Apamée, mort il y a plus d'un siècle, qui aurait utilisé avant tout le monde le mot de " Germains ". Mais il est sûr que ce fut César qui étendit abusivement à toutes les peuplades germaniques le nom ancien des Tungères actuels, qui s'appelaient " Germains " quand ils se rendirent célèbres jadis en franchissant le Rhin les premiers. Les Germains, au sens général du terme, tiennent ainsi leur nom de Rome, mais chaque peuple mène une vie à part et n'est relié à ses voisins que par des mœurs à peu près semblables. Aujourd'hui, les principales tribus qui occupent d'aval en amont la rive droite du Rhin sont les Bataves — en partie émigrés de notre côté comme je l'ai dit —, les Tenktères, les Usipètes et les Némètes. Les Ubières, les Tribochères, les Trévires et les Wangions, qui avaient franchi le Rhin autrefois, n'existent plus en tant que peuples organisés. A l'est des Bataves et de leurs congénères plus méridionaux, on trouve dans l'ordre, du nord au sud, les Frisons, les Bruchères, les Marses et les Chattes. Plus loin encore, les Chauques, les Angrivarières, les Chérusques et les Hermundures, ces deux derniers au-delà de la Weser. Nos services ont entendu parler, à l'est de l'Elbe, des Angles, des Saxons et des Semnons. On en sait encore moins sur les Warnes, les Rugières, les Suèves, les Burgondes et les Goths. Les frumentaires du Danube sont assez bien renseignés sur les Marcomans et les Quades, mais les Bastarnes et les Skires leur restent étrangers. La multiplicité de ces peuplades, dont je n'ai cité que les principales, décourage la conquête et la civilisation.

« Le Germain est grand, fort et bête. Il vit dans de vastes et longues huttes communes, soutenues par des piliers de bois. Un toit de roseaux descend très bas et les murs sont en roseau tressé mélangé d'argile. D'un côté, au centre de la salle commune, brûle le feu, dont la fumée s'évade par un trou pratiqué dans la toiture. De l'autre côté, la hutte a été divisée en logements ouverts sur un couloir central : les gens y dorment avec un misérable bétail. Le Germain tient en tout cas de l'animal par l'odeur. La première fois que je suis entré dans l'une de ces huttes, j'ai failli être suffoqué.

« Il y a des métairies isolées, et quant aux agglomérations, les plus importantes ne dépassent pas une cinquantaine de huttes, construites en désordre.

« Les paysans germains égratignent le sol avec des charrues primitives pour en tirer de maigres récoltes. Quand la terre est épuisée, après quelques alternances de cultures et de jachères, ils portent leurs pénates plus loin. Les cabanes abandonnées sont ainsi monnaie courante. Les chèvres, moutons, vaches et chevaux de ces pays sont de petite taille : lorsqu'un grand Germain monte à cheval, ses jambes traînent par terre. Les oies et les poules ont été empruntées aux Gaulois. Le chien local, appelé " torfspitz ", est une vraie bête féroce.

« Les Germains savent extraire et travailler le fer, tisser et teindre, et ils ont des connaissances en fait de charpente et de menuiserie. Mais tout cela reste bien grossier.

« Les hommes sont vêtus d'un pantalon et d'un sarrau ; les femmes, d'une longue robe retenue à l'épaule par une fibule. Les étoffes se marient avec les peaux de bêtes, et en hiver, avec des fourrures.

« Les guerriers combattent à pied, tête nue et torse nu — seuls les chefs ont des casques. Leur tactique habituelle consiste à se former en coin et à se précipiter sur l'ennemi en poussant des cris affreux derrière les boucliers. L'épée et la lance sont leurs armes préférées.

« Le commerce avec la Germanie est évidemment restreint. Ces contrées nous intéressent surtout par les cheveux blonds des femmes, qui font pour les Romaines de si jolies perruques. Les Germains ont d'ailleurs la rage du blond : ceux qui sont bruns se décolorent les cheveux.

« Mais ils ne savent ni compter, ni lire, ni écrire. Depuis quelque temps, un étrange alphabet de genre étrusque [1] est parvenu jusqu'à nous. Il sert uniquement à des gravures sur métal ou sur bois. Je me suis fait transcrire en alphabet latin une inscription portée sur la lame d'une lance, et qui signifie : " J'appartiens à Eruler, le compagnon d'Ansgisl. Je porte chance. Je voue ce fer à tuer glorieusement. " Ce qui donne en dialecte germain : " Elk erilaz asugisalas muha aita ga ga ga gihu gahelija wiju big g. " Que faire quand on est affligé d'une langue pareille ?

« D'après ce que j'en raconte, vous vous demandez sans doute pourquoi les Romains ont besoin de sept légions pour tenir tête aux Germains sur le Rhin — sans parler de toutes celles du Danube. Et vous vous demandez aussi comment les Cimbres et les Teutons ont pu faire pour écraser trois armées de chez nous avant d'être défaits par Marius. Et vous vous demandez encore comment Arminius est venu à bout des légions de Varus avant que Germanicus ne lui donne une leçon.

« Ces incultes Germains s'ennuient : ils n'ont ni courses de char, ni théâtre, ni gladiature. Alors ils n'ont qu'un culte, celui de la guerre et du pillage, et ils ne savent bien faire qu'une chose, se battre, rachetant par un incontestable courage leur défaut de tactique et d'équipement. Leur religion, déjà, qui se nourrit de sacrifices humains perpétuels, ne respire que brutalité et croupit dans l'admiration de héros sanguinaires. A Rome, le héros est celui qui s'est dévoué pour le salut de l'État. En Germanie, le héros est celui qui a massacré le plus de monde.

« De pareils penchants ne seraient dangereux que pour les Germains s'ils voulaient bien se borner à se battre en famille, comme ils le font d'ordinaire. Mais, de loin en loin, un ramassis de tribus s'agglomère pour une aventure extérieure, et il faut alors un César pour défaire un Arioviste dans la plaine d'Alsace.

« La hantise de nos services est qu'une masse de Germains ne s'unissent pour débouler sur l'Empire, et nous apportons par conséquent tous nos soins à les maintenir divisés. Quand, à la suite d'heureuses manœuvres, nous sommes parvenus à organiser une belle bataille entre tribus, c'est une victoire de plus pour Rome, et qui ne nous a pas coûté cher.

« Un bon nombre de Germains romanisés nous aident comme ils peuvent, mais l'arme est à double tranchant : s'ils désertent notre

1. Le runique.

— 152 —

cause, ils enseignent à leurs compatriotes à mieux se battre encore. Le héros national germain, Arminius, d'origine chérusque, était citoyen et même " chevalier " romain. Avant de trahir, il s'était distingué sous nos enseignes. Un nouvel Arminius serait d'autant plus ennuyeux que la question d'Arménie n'est toujours pas réglée — quand donc le sera-t-elle ? — et que la révolte des Bretons suit son cours.

« Voilà ce que je me dis au coin du feu — car on se chauffe encore à Xanten —, et je parle de coin, car, dans les maisons convenables, on aménage le foyer dans un coin de la pièce et un ingénieux conduit canalise la fumée jusqu'au toit. C'est plus sain et plus pratique que les braseros des pays du soleil et l'on peut faire de la sorte des feux d'enfer. Mais les risques d'incendie sont grands. Si l'on aménageait de pareils conduits dans nos " insulae " romaines, bâties à la va-vite, elles flamberaient encore plus souvent.

« Quand je cesse d'intriguer pour encourager l'extermination de ces infects Germains, je ne m'amuse guère. J'ai une belle Chatte pour faire ma cuisine, mais sa conversation est limitée. La principale distraction, ce sont les arènes. Chaque camp permanent de quelque importance a les siennes. Cependant, l'argent manque pour faire venir jusqu'ici des gladiateurs de profession. Il faut se rabattre sur des prisonniers germains, qui sont bien décevants. La plupart n'acceptent de combattre que contre les membres d'une autre tribu, et beaucoup, plutôt que de paraître dans l'arène, s'étranglent avec leur ceinture ou s'étouffent en s'enfonçant dans le gosier l'éponge des latrines. Ce dernier mode de suicide donne une idée de leur délicatesse !

« Le bruit court à Rome que les Germains auraient conservé des vertus que nous aurions perdues et qu'ils seraient de taille à nous régénérer si nous nous mettions à leur école. Mais les imbéciles qui font courir ces bruits n'ont jamais vu un Germain à l'état de nature, c'est-à-dire ivrogne et borné, tantôt rêveur et abruti, tantôt fou furieux. Un signe d'ailleurs ne trompe point : les Germains sont les seuls barbares connus à ne pas souffrir l'esclavage. En ville, ils sont insupportables, et, dans les exploitations agricoles, il convient de les tenir enchaînés pour éviter le pire. Comment un barbare pourrait-il se civiliser s'il est incapable de faire un bon esclave ? En attendant, les Germains font d'excellents mercenaires, mais on ne saurait exiger d'eux une quelconque finesse. Lorsque Caligula a été tué par ses prétoriens, ses fidèles Germains ont trucidé tous les sénateurs qui leur tombaient sous la main, en majorité étrangers au complot. Cet aveuglement a frappé tout le monde.

« Les " frumentaires [1] " doivent aussi rendre compte du moral des

---

1. Les gens de la Secrète seront pudiquement appelés « agentes in rebus » (agents d'affaires) au IVe siècle. La réputation des agents d'affaires en a souffert longtemps.

troupes, qui n'est pas trop fameux. Si le soldat paresse, il se dégrade. Et si on l'expédie se faire tuer, il râle. Pour tirer le maximum des armées de métier qui ont succédé aux armées de citoyens, il faut des chefs d'exception. Mais la médiocrité du recrutement et des ambitions n'est pas le seul point noir. Avec le système de l'armée de métier, nous avons des effectifs réduits pour des dépenses prohibitives. Et à défaut de patriotisme, un esprit de corps se crée, qui n'a pas que des avantages. Il y a certes des Gaulois dans les armées de Germanie, mais la majorité des auxiliaires sont germains. Il en résulte que les légions du Rhin méprisent les habitants des Gaules et que les Gaulois ont peur des soldats qui sont là cependant pour les protéger. Il est vrai que les Germains sont invaincus, que les Espagnols nous ont résisté des générations durant, alors qu'il a suffi de quelques années à César pour venir à bout des Gaulois. La Gaule est un ventre mou, incapable de se défendre tout seul.

« Donnez-moi de bonnes nouvelles de Rome. La semaine dernière, j'ai pris la toge virile et déposé ma barbe, coïncidence qui a donné lieu à une beuverie assez plaisante, laquelle m'a endetté pour quelque temps. Mais mon autorité y a gagné.

« Je suis inquiet pour Kaeso, dont vous sentez comme moi qu'il ne veut pas voir le monde comme il est. Tôt ou tard, le monde prétendra lui imposer ses lois et il y aura du poil d'arraché. Ce jour-là, soyez compréhensifs avec lui. C'est le meilleur des frères.

« Portez-vous bien et remerciez encore Silanus de sa protection. »

Une quinzaine de jours plus tard, le courrier d'Athènes apporta à Marcus deux lettres de Kaeso, l'une à lui adressée, l'autre adressée à Marcia. Le procédé intrigua beaucoup Marcus et l'aurait presque vexé. Qu'est-ce que Kaeso pouvait bien vouloir dire à sa belle-mère, que son père n'était pas digne de lire ? Marcus hésita à rompre le cachet de la lettre à Marcia, y renonça, la fit suivre, et ouvrit en soupirant la lettre qui lui était réservée.

« K. Aponius Saturninus à son père bien-aimé, salut !

« J'ai fait un merveilleux voyage et j'ai déjà appris une foule de choses.

« J'ai vérifié, par exemple, comme le prétendent certains philosophes, que la terre est ronde, car sur l'immensité marine, on voit d'abord apparaître sur l'horizon le mât d'un navire, qui se découvre entièrement au fur et à mesure qu'il se rapproche. Étonnant, n'est-ce pas ?

« Je me suis familiarisé avec toutes sortes de bateaux, et d'autant mieux que les éphèbes ont une épreuve de régates aux Panathénées. C'est donc la rame qui a surtout retenu mon attention.

« Les peintures des vases ou les bas-reliefs sont trompeurs, car ils ont été trop souvent exécutés par des gens qui n'avaient jamais vu un bateau de près.

« La disposition des rameurs dépend de la largeur du vaisseau, et il n'y a que quatre solutions possibles, les hommes, de toute façon, tournant le dos à la proue.

« I. — Sur une barque étroite, chaque rameur manœuvre deux rames.

« II. — Sur une barque plus large, il y a une rangée de rameurs de chaque bord. Tels étaient les navires pirates homériques, dont l'arrière était déjà arrondi, car c'est par l'arrière que les bâtiments étaient hissés sur la grève, de façon à pouvoir reprendre la mer aussitôt en cas de danger.

« III. — Sur les navires de la catégorie des trières, les bancs de nage sont disposés en arête de poisson inversée par rapport à la proue, et sont assis trois hommes par banc, chacun ayant sa rame. De la sorte, il n'y a guère plus d'un pied entre les rames d'un même banc et pas plus de trois pieds entre la rame centrale d'un groupe de trois rames et la rame centrale d'un autre groupe. Par cette disposition oblique, on parvient à accumuler le maximum de rames dans l'espace considéré. La trière classique, malgré ses faibles dimensions, a cent soixante-quatorze rameurs. Près du bordage sont les " thalamites ". Au milieu et un peu plus haut sont les " zeugites ". Un peu plus haut encore s'échinent les " thranites ", qui ont un traitement supérieur parce qu'ils manient la rame la plus longue et la plus lourde [1].

« En fait de navire de guerre, les vrais marins ont une passion pour la trière, qui est à leurs yeux l'idéal. La quantité extraordinaire de rames par rapport au tonnage permet en effet les évolutions les plus aisées et les plus rapides. La " dière ", à deux rames par banc, n'a pas la nervosité de la trière, et l'on ne peut disposer quatre rameurs sur un même banc avec ce système, car le dernier rameur n'aurait plus la force de manœuvrer sa rame. Mais pour que la synchronisation soit parfaite entre les hommes d'une trière, il faut un entraînement intensif et prolongé [2].

« IV. — L'élévation du tonnage et la raréfaction des équipages experts de citoyens patriotes ont fait adopter sur les plus gros navires

1. La disposition oblique et en escalier des sièges est confirmée entre autres par une plaisanterie nauséabonde d'Aristophane, où l'on voit un zeugite « péter dans la gueule du thalamite ».
2. On faisait force de rames pour combattre, mais, pour faire de la route, les trières s'aidaient d'une voile, que l'on hissait aussi afin de favoriser une retraite précipitée à l'issue d'un engagement malheureux. D'où l'expression argotique « mettre les voiles », qui date de vingt-cinq siècles au moins, dans le sens de « prendre la poudre d'escampette ».

la seule solution pratique : multiplier le nombre des rameurs pour chaque rame sur un même banc. Une quinquérème, par exemple, a seulement trente rames de chaque bord, mais cinq rameurs par rame, ce qui donne trois cents hommes pour soixante rames. Mais la quinquérème s'appelle plus couramment un " V ". Et de même l'on parle de " VI ", de " VII " ou de " VIII ", faisant toujours allusion au nombre de rameurs sur chaque rame. Le plus fort bateau de guerre jamais construit était un " quarante " de 4 000 rameurs, lancé par Ptolémée Philopator... mais il n'a jamais navigué. En effet, plus la rame s'allonge et plus sa course est réduite [1], le déplacement du plus haut rameur à chaque coup de rame s'accroissant évidemment avec la longueur de l'engin.

« Je te donne ces précisions, car la confusion est extrême chez les terriens, les sculpteurs et les peintres, entre les trières, les " V " ou les " VI ". Certains ont même imaginé des navires à plusieurs étages, avec rangs de rames superposés, ce qui fait bien rire tous les gens de mer.

« La victoire navale de Rome sur Carthage, qui nous a livré la Méditerranée, est celle de nos " V " ou " VI " bourrés de troupes sur les légères trières puniques, surchargées de rameurs, mais pauvres en soldats. Il ne sert à rien pour un vaisseau d'être fin manœuvrier s'il ne fait pas le poids lors de l'abordage. C'est en somme notre incompétence marine qui, en nous poussant vers les grandes dimensions, nous a conduits au succès. De nos jours, le préfet se tourne les pouces à Misène sur un grand " VI ", tandis que la police des mers contre les pirates est assurée par de rapides " liburnes ".

« Tu sais à quel point la maîtrise de l'élément liquide est essentielle à la vie du monde romain. Le ravitaillement de Rome, le plus important du commerce en dépendent. La capacité des bateaux l'emporte cent fois sur celle des routes, qui ont surtout un intérêt militaire.

« C'est avec émotion que j'ai débarqué en Grèce, dans des lieux si chargés d'esprit et d'histoire, et avec une pensée reconnaissante pour vous deux et pour notre cher Silanus. La caserne des éphèbes, le stade et la palestre qui lui sont rattachés se trouvent d'ailleurs dans le grand port du Pirée, qui a bénéficié jadis d'un plan remarquable d'urbanisme.

« Ce qui m'a d'abord frappé et dérouté à Athènes, c'est la façon dont les principaux monuments sont bariolés de toutes les couleurs de l'arc-en-ciel. Mais beaucoup de ces peintures sont en mauvais état

1. Les Vénitiens des XIVe-XVe siècles retrouveront le système de nage des trières athéniennes, qu'ils appelleront « nage en zenzile », mais après 1530, les mêmes causes engendrant les mêmes effets, ils passeront à l'antique système des « V », « VI », « VII », etc.

et l'on ne se presse point de les restaurer. La ville a néanmoins un charme très prenant : tout y paraît plus pur et plus élégant qu'à Rome, malgré la modestie des maisons et le désordre des constructions courantes.

« Quant à l'éphébie athénienne, c'est bien la chose la plus cocasse que l'on puisse voir.

« Après le désastre de Chéronée, où Athéniens et Thébains s'étaient fait écraser par Philippe de Macédoine, une démocratie prévoyante songea qu'il serait temps de constituer une armée de terre solide en s'inspirant des institutions spartiates, et l'éphébie reçut alors sa forme définitive. Tous les jeunes citoyens qui venaient d'atteindre leur majorité civile de dix-huit ans étaient appelés à deux ans d'un service militaire, qui était aussi une préparation morale et religieuse au plein exercice de leurs droits. Il n'y avait d'ailleurs que cinq ou six cents conscrits par an.

« Cette éphébie, qui n'avait déjà plus d'objet au moment de sa réorganisation, a été toutefois précieusement conservée sous l'autorité des rois de Macédoine ou des Romains, mais le service fut réduit à un an, et seuls les aristocrates y furent admis. Il y a un peu plus de cent cinquante ans, l'éphébie athénienne commença même de s'ouvrir à des jeunes gens étrangers, originaires des pays grecs ou de Rome. Comme les aristocrates sont peu nombreux en Attique, et le séjour d'Athènes, fort agréable, les éphèbes étrangers l'emportent fréquemment sur les éphèbes locaux. Notre classe comprend 53 Athéniens et 124 étrangers.

« Ainsi, l'armée du pays qui a inventé la démocratie se trouve-t-elle réduite à une noble bande de toutes les nations.

« Que fabriquons-nous donc dans cette galère dorée ?

« L'instruction militaire proprement dite se résume à d'aimables leçons d'escrime et à des parties de campagne prétendues stratégiques. Le gros du programme est constitué par l'éducation physique et par des leçons de rhétorique ou de philosophie destinées à fournir une bonne teinture permettant de briller dans le monde. Les pères de tous ces éphèbes sont bourrés d'argent et ils ne voient pas l'utilité d'études supérieures prolongées pour leur garçon. Je ne reviendrai guère plus savant, mais sans doute plus bavard.

« Notre éphébie fait d'abord figure d'école supérieure d'athlétisme pour amateurs distingués, une manière de moyen terme entre l'entraînement sportif professionnel, qui joue présentement un si grand rôle dans les pays grecs, et l'entraînement ordinaire des plus obscures municipalités. Ce dont rêve en un mot notre empereur Néron pour les jeunes Romains, et ce qu'il a tant de mal à faire passer dans la pratique.

« Malgré le proverbe grec : " Il ne sait ni lire ni nager ", qui stigmatise les imbéciles, natation et régates sont pour nous secondaires, et secondaire aussi l'équitation. Notre maître d'athlétisme, le " pédotribe ", qui est le principal personnage de l'école, centre son enseignement sur les disciplines qui sont de rigueur aux Jeux olympiques comme à tant d'autres Jeux analogues : la course à pied, le saut en longueur, le lancement du disque ou du javelot et la lutte.

« La course à pied se déroule d'ordinaire sur un stade — le mot désignant la course, la piste et la distance —, soit à peu près six cents pieds romains. (La valeur du pied-étalon grec change avec les cités, et la longueur du " stadion " varie donc plus ou moins.) Nous courons aussi le " double-stade ", et parfois le " quatre-stades ", sans parler de courses de fond sur sept, douze, vingt ou vingt-quatre stades. La course en armes se fait ici sur deux stades.

« Le saut en longueur avec élan est rendu plus difficile du fait qu'on saute avec des haltères.

« Nous lançons un disque de bronze assez lourd, frotté de sable fin pour mieux assurer la prise.

« Le jet du javelot léger est facilité par l'usage du propulseur, cette lanière de cuir que nous appelons " amentum ", et les Grecs, " agkulè ".

« La lutte consiste à faire toucher terre à son adversaire sans y tomber soi-même, mais le mettre à genoux ne suffit pas : le haut du corps doit toucher.

« Telles sont les cinq épreuves classiques du " pentathlon ", que l'on retrouve à tous les concours.

« Nous recevons accessoirement quelques leçons de boxe, mais nos mains sont munies des bandages doux qu'on utilisait jadis et non des bandages de cuir dur qui sont de règle depuis longtemps. Les éphèbes sont coquets et il ne faut pas les abîmer. A plus forte raison, notre initiation au pancrace est-elle précautionneuse.

« Il va de soi que l'entraînement à toutes ces épreuves est assorti d'une gymnastique préparatoire que les Grecs ont remarquablement codifiée.

« Nous passons ainsi de nombreuses heures par jour tout nus sous le soleil, frottés d'huile et de poussière. (Philostrate n'a-t-il pas distingué cinq catégories de poussières, possédant chacune ses vertus propres ?) Et nous attendons avec impatience le moment de nous laver et de nous étriller.

« Les bains qui jouxtent la palestre sont bien rudimentaires à côté de nos bains romains. Ici, les thermes sont une annexe du terrain de sport, alors qu'à Rome les thermes sont de loin le principal. Nous avons dû attendre les nouveaux thermes de Néron pour voir apparaître des installations sportives importantes, mais tu sais que la foule, qui est loin d'avoir l'esprit grec sur ce point, se borne à les regarder.

« A notre palestre est également rattachée une harmonieuse salle de conférences, sorte de petit théâtre muni de gradins. Nous ne perdons ainsi pas de temps entre le sport et l'étude.

« Nous avons des professeurs permanents, mais de nombreux conférenciers aux connaissances les plus variées tiennent aussi à honneur de nous consacrer momentanément leurs soins et la ville les en remercie par un beau décret.

« D'éminents philologues nous donnent un complément de " grammaire " grecque d'un haut niveau, à propos d'Homère et des poètes tragiques, bien sûr, mais les grands prosateurs sont aussi abordés, bien que plus superficiellement. L'essentiel des ambitions pédagogiques porte sur la rhétorique et la philosophie.

« Par suite de l'évolution politique, la rhétorique délibérative, qui enseigne à convaincre une assemblée de n'importe quoi, est assez négligée. Nos légions sont plus convaincantes que tous les orateurs. La rhétorique judiciaire n'est guère plus brillante, car les grandes causes ont disparu. C'est la rhétorique " épidictique " ou d'apparat, l'art de trousser une jolie conférence, qui recueille tous les suffrages. Et comme la première qualité du rhéteur, qui n'a que sa voix pour se défendre, est la prudence, on se concentre sur l'innocente oraison funèbre — discipline assez pratique, il est vrai, puisque chacun d'entre nous aura malheureusement un jour à faire l'éloge d'un être cher. Le discours type comporte quarante points à diviser en six parties. Avec des schémas de ce genre, on est prêt à toute éventualité.

« Les bons esprits se piquent à Athènes d'atticisme, c'est-à-dire de n'employer que des mots, des expressions, des tournures familières à un Démosthène ou à un Xénophon. Et à Rome également, comme tu le sais, une telle tendance archaïsante est bien représentée.

« Mais la comparaison s'arrête là. J'ai été surpris de constater à quel point le grec populaire est resté fidèle au grec classique : cette langue a bien du mal à bouger, alors que notre latin littéraire est devenu comme un idiome étranger par rapport au latin tel qu'on le parle. Plaute, déjà, dont le comique, il est vrai, s'adressait d'abord à la plèbe, laisse froidement tomber des lettres à la fin des mots. Il dit " viden " au lieu de " videsne ". Il supprime des " e ", collant ensemble des mots différents. Par exemple, " copia est " devient " copiast ", " certum est ", " certumst ", " ornati est ", " ornatist ", " facto est ", " factost ", etc. Et les syncopes sont habituelles : " tabernaculo " fait " tabernaclo ", " periculum ", " periclum " ; de même dans les verbes, où " amisisti " se transforme en " amisti ", " paravisti " en " parasti ". Le " si " donne lieu en outre à contractions : " si vis " aboutit à " sis " et " si vultis ", à " sultis ". Depuis, le latin parlé s'est enrichi d'une foule de mots qui sont jugés trop vulgaires pour figurer en latin littéraire, et la grammaire orale s'est désagrégée. Le peuple n'emploie plus guère que le nominatif et l'accusatif, multipliant les prépositions autour de ce dernier cas, et enfin les syncopes de Plaute ont tout envahi. Quel esclave parle de sa " domina " ? " Domna " n'est-il pas plus aisé ? Parallèlement, le massacre des brèves et des longues a suivi son cours et un accent tonique est venu ponctuer tout discours familier. L'étudiant latin en arrive à écrire une langue artificielle, et il lui faut faire effort pour la déclamer convenablement.

« J'ai interrogé des personnes instruites sur les motifs profonds de cette étonnante différence d'évolution entre le grec et le latin, mais je n'en ai pas tiré grand-chose. L'évolution accélérée de notre langue n'est pas à mettre en tout cas au discrédit de nos conquêtes, car le latin parlé est aussi négligé, aussi différent du latin écrit à Rome et en Italie que dans les provinces étrangères.

« On peut regretter le phénomène, regretter aussi que le latin parlé ne connaisse d'autre exutoire écrit que les obscènes graffiti des latrines ou des bouges. Mais on se console à l'idée que Virgile est à présent connu de Tanger à Damas et de Carthage à Cologne tandis qu'une même langue administrative et juridique fait la loi à tant de peuples divers.

« Au contraire de la majorité de mes camarades, j'ai plus de goût pour la philosophie que pour la rhétorique. Il faut certes bien parler pour bien penser, mais il n'est pas inutile d'avoir quelque chose dans la tête avant d'ouvrir la bouche.

« Et pourtant, la plupart des philosophes présentent leur doctrine de façon bien rébarbative, à force de couper les cheveux en quatre, d'inventer des mots nouveaux ou de donner un sens nouveau à des mots anciens, comme si l'élévation de leur pensée les décourageait de parler comme tout le monde. Ils passent d'ailleurs encore plus de temps à médire de leurs confrères qu'à faire l'éloge de leurs idées.

« Mais en creusant un peu, on s'aperçoit que tout l'effort de la philosophie ne va pas plus loin que de discourir de façon compliquée sur un petit nombre de problèmes permanents dont l'énoncé est fort simple. Le monde ne serait-il qu'une matière inconsciente, et notre propre conscience, une émanation provisoire et paradoxale de ladite matière ? Épicure — Lucrèce chez nous — a illustré ce matérialisme. Ou bien la solution, comme le pensent les platoniciens et les stoïciens, serait-elle plus ou moins panthéiste ? Cette solution en vogue a certes pour elle le fait que l'esprit a du mal à imaginer que des dieux pourraient exister en dehors de l'espace et du temps. On peut enfin être sceptique. Les Grecs, qui ont créé la philosophie, l'ont si bien approfondie que l'on trouve aujourd'hui à Athènes une floraison d'écoles dont chacune cultive une nuance. Il semble difficile de découvrir une idée que les Grecs n'aient pas déjà découverte. Cette multiplicité donne le vertige, mais pousse en revanche à aller vers l'essentiel. Dans un tel climat, nos dieux romains paraissent des images pour enfants. Et je me dis que si nous avons conquis la terre entière, ce n'est pas parce que nos dieux étaient bons, mais parce que nous les imaginions tels. Le penchant des hommes à croire fermement à ce qui ne saurait se démontrer est une chose étrange. Un point cependant sur lequel la quasi-totalité de nos professeurs de philosophie sont d'accord, c'est l'existence d'une écrasante fatalité. Bon sens ou ignorance, nos Romains n'ont pas ce préjugé. Ils pensent instinctivement que le monde est ce que l'homme le fait. Telle est la doctrine des vainqueurs.

« Pour être complet, je dois signaler des conférences musicales. Mais elles sont furieusement théoriques.

« Nous étudions d'abord les rapports numériques qui définissent les divers intervalles de la gamme : 2/1 pour l'octave, 3/2 pour la quinte, 4/3 pour la quarte, 5/4 et 6/5 pour les tierces majeure et mineure, etc., tandis que 9/8, l'excès de la quinte sur la quarte, mesure le ton majeur. On en arrive ainsi à calculer le douzième de ton. Les Grecs n'ont pas découvert le moyen de mesurer directement la fréquence des vibrations sonores, mais ils les précisent indirectement en mesurant au monocorde la longueur de la corde vibrante ou la longueur d'un tuyau sonore : les longueurs sont alors inversement proportionnelles à la fréquence des vibrations.

« Cette découverte est le grand orgueil des pythagoriciens, qui en ont profité pour philosopher de façon intempérante. Mais ils n'ont pas songé à appliquer leurs traités d'acoustique à la construction des théâtres et des odéons. Paresseux de nature, le Grec, pour faire un théâtre, se contente d'excaver une colline, et il s'est trouvé par hasard que l'acoustique était bonne. Pas plus en Grèce qu'à Rome, il n'existe de liaison entre les sciences et les techniques artisanales, abandonnées à l'empirisme.

« Puis nous étudions la théorie du rythme. Au lieu de diviser et subdiviser une valeur initiale quelconque, les Grecs additionnent des valeurs unitaires indivisibles à partir du " temps premier " d'Aristoxène. On possède ainsi un système d'une grande souplesse, qui peut rendre compte des rythmes les plus riches et les plus complexes.

« Et au lieu de nous confier des instruments, on nous expose les vertus des différents modes dorien, hypodorien, phrygien, lydien ou hypolydien...

« Pour ce qui est des mathématiques proprement dites, elles ne sont qu'un maigre appendice de la philosophie.

« Tu juges à quel point nous sommes occupés, mais nous avons quartier libre le soir et les nuits attiques sont splendides. Tous ces jeunes gens étant fortunés, la pitance passable de la caserne est souvent négligée pour des banquets qui se prolongent en d'intéressantes discussions. L'élégance de ces soirées bien réglées est difficile à peindre.

« Il n'y a en somme ici que la gladiature pour me rappeler ma ville natale. Les Grecs en sont arrivés à nourrir pour ce divertissement une passion égale à la nôtre et Athènes est devenue sur ce point la vraie rivale de Corinthe. Mais le bois est trop rare et trop cher pour qu'on édifie dans ces régions les grands amphithéâtres en charpente que l'on voit en Occident et l'argent manque pour bâtir en pierre comme à Pompéi, le premier amphithéâtre de ce genre et l'un des rares jusqu'à présent. Aussi les Grecs donnent-ils leurs spectacles sur les places publiques, dans des terrains vagues aux environs des villes, ou tout simplement dans leurs théâtres. A Athènes, de beaux " munera " se déroulent au pied de l'Acropole, sur la scène du théâtre de Dionysos, et il se trouve quelques philosophes pour flairer là une faute de goût, voire une impiété. Mais autant en emporte le vent ! Comme à Rome, le sang attire la foule, et aussi la perspective de quelques bonnes fortunes. Il paraît bien que de telles représentations mettent les femmes en état de moindre résistance, et comme le dit si plaisamment notre Ovide : " Celui qui est venu contempler des blessures, se découvre blessé lui-même par les flèches de l'amour [1] "

« Mon pédagogue Diogène, arraché au bagne de sa classe, mène une existence de rêve. Il n'a rien d'autre à faire que de m'accompagner pour me faire honneur quand je sors en ville coiffé du pétase et revêtu de ma chlamyde noire, uniforme de l'école.

« Je te remercie pour cette expérience hors du commun, dont je retirerai sans doute beaucoup de profit. Et je saisis cette occasion pour te remercier aussi de l'éducation que tu m'as donnée, malgré tant de difficultés. Les dieux m'ont accordé des parents exceptionnels.

« J'écris d'autre part à Marcia afin de lui demander conseil sur un petit problème qui me tracasse. Je pense qu'à ce sujet, une femme doit y voir plus clair qu'un homme, car elle est moins concernée. Je lui fais confiance pour t'en dire ce qu'elle voudra avec sa délicatesse habituelle.

« Porte-toi bien. J'ai attrapé en jouant au hockey un coup de crosse qui m'a momentanément dispensé d'éducation physique et m'a procuré le loisir de vous écrire. Je serai bientôt rétabli. »

1. La citation exacte est : « ... et qui spectavit vulnera, vulnus habet. »

Marcus montra à Séléné la fin de la lettre de Kaeso et sollicita son avis, qu'il avait pris coutume d'apprécier. Au fond, Marcus avait toujours besoin d'une femme de tête pour savoir ce qu'il devait penser.

« Je suis surprise, dit l'esclave, que les Athéniens cherchent des filles durant les tueries du théâtre de Dionysos. On les aura changés.

— Que veux-tu dire ?

— Ton fils aura mal vu ou aura fait semblant. Des Athéniens ne peuvent vraiment s'intéresser qu'à des garçons.

— Tu crois donc que le petit problème de mon Kaeso... ?

— Ne m'as-tu pas raconté que ton Kaeso était beau comme un jeune dieu ? Si on lâche un jeune dieu dans Athènes, il ne peut se retourner sans qu'il lui arrive malheur. Et dans sa détresse, le jeune dieu consulte sa mère, qui est pour lui l'image ambiguë de la chasteté et de l'expérience. Comme le déclare si bien le jeune homme : les pères sont incompétents là-dessus à force de compétence. »

Le cynisme désabusé de Séléné entraînait souvent la jeune femme à des déclarations choquantes, qu'il fallait lui pardonner, vu leur perspicacité. Il n'y avait d'ailleurs pas à se vexer que l'intelligence d'une esclave fût supérieure, puisqu'elle était après tout propriété du maître. C'était l'intelligence des épouses émancipées qui était vexante.

Assombri et troublé, Marcus congédia Séléné avec un brin d'humeur.

II

La lettre de Kaeso infligea à Marcia une commotion :

« K. Aponius Saturninus à sa mère chérie, salut !

« J'écris à père par le même courrier et tu pourras lire dans cette correspondance de bonnes nouvelles de ton fils affectueux. Je t'écris à toi aussi, mais plutôt pour prendre conseil de ta sagesse et de ta vertu à propos d'une question qui m'embarrasse fort. Il n'est certes pas d'usage que les enfants osent s'en ouvrir à leurs parents, mais tu n'es pas pour moi une mère ordinaire. Tu es moins qu'une mère puisqu'il n'y a pas de liens du sang entre nous — et j'ai l'impression que cette circonstance m'enlève le poids d'une gêne à l'instant où je trace ces lignes. Tu es plus qu'une mère, quand je songe que tu as traité tes deux beaux-fils avec un dévouement, une tendresse éclairée dont la plupart des mères seraient incapables. Et le premier salaire de tes bontés est la confiance sans bornes que tu m'inspires, la liberté avec laquelle je te soumets ce qui m'inquiète, comme si je conversais avec un autre moi-même.

« A Rome, on vante la continence de Scipion, qui, pour des motifs d'opportunité politique, s'abstint de toucher à une jeune otage espagnole. Mais sais-tu qu'en Grèce, la continence exemplaire est celle du roi de Sparte Agésilas, qui s'était épris de Mégabate, fils de Spithridate, " autant qu'un tempérament très ardent peut aimer un objet très beau ", comme l'a précisé son ami Xénophon, modèle de toutes les élégances attiques. Évidemment, pour le narrateur comme pour son public, Agésilas n'aurait pas eu grand mérite à négliger une femme, mais le très beau Mégabate, c'était une autre affaire. Et le même Xénophon nous déclare par ailleurs : " Je dois bien parler à présent de la pédérastie, puisqu'elle fait partie de l'éducation. "

« Le grand mot, et le plus bizarre pour un Romain, est lâché. Ce genre de relations qui se mentionnent chez nous sans commentaires, quand elles ne suscitent pas l'ire de quelques censeurs ou le mépris amusé de la plupart, font partie intégrante de l'idéal éducatif du monde grec.

« On professait autour de Socrate que l'armée la plus invincible serait composée de paires d'amants, et telle fut bien la troupe de héros créée par Gorgidas, dont Pélopidas constitua le fameux bataillon sacré. Seuls des pédérastes thébains pouvaient battre des pédérastes spartiates. Tu sais que ces braves reposent aujourd'hui sous le monument commémoratif de Chéronée, élevé à leur courage comme à la passion qui les unissait. Les Macédoniens qui les étripèrent sur ce champ de bataille n'étaient pas tous pédérastes, mais ils étaient plus nombreux et leurs piques étaient plus longues. Il ne suffit pas d'être pédéraste pour vaincre, mais on partage alors une mort plus aimable.

« Dans l'éphébie crétoise, il est de tradition que l'amant enlève son aimé, le conduise à son club aristocratique pour l'y présenter ; puis les deux jeunes gens, accompagnés de leurs garçons d'honneur, partent en voyage de noces dans la campagne durant deux mois, banquetant et chassant de concert. La lune de miel itinérante achevée, l'amant offre une armure à son aimé, qui devient son écuyer. Strabon a beau dire de ces mœurs : " Dans de pareilles liaisons, on recherche moins la beauté que la vaillance et la bonne éducation ", il y a de quoi surprendre un Occidental. Strabon a dû mourir sous Tibère, si ma mémoire est bonne. Ces lunes de miel sont toutes fraîches.

« A la suite de la disparition des armées grecques, la pédérastie militaire — avec une certaine nostalgie — a trouvé refuge dans les institutions éphébiques des diverses cités. Par la force des choses, les armes ne l'ont pas cédé à la toge, mais à l'amour.

« La pédérastie ne jouit pas seulement en Grèce d'un préjugé favorable en raison des exploits guerriers qu'elle a inspirés. La Grèce doit à une cohorte de pédérastes de s'être débarrassée de ses tyrans. A Athènes, c'est le Pisistratide Hipparque qui est assassiné par Aristogiton le bien-nommé, parce que le tyran importunait de ses assiduités le bel Harmodios. De même, Antiléon assassine le tyran de Métaponte, qui lui disputait Hipparinos. De même Chariton et Mélanippe conspirèrent-ils contre l'abusif tyran d'Agrigente. On pourrait multiplier de tels exemples. Ce n'est pas le goût de la liberté qui a chassé les tyrans, c'est le crime passionnel. Et cela se conçoit, car le plus grand agrément de la tyrannie pour un Grec était de sauter impunément sur les garçons des autres. Il arrive un jour où la corde casse.

« A présent, vu le déclin des pédérasties militaire et politique, la pédérastie fleurit dans les écoles de pensée, où il est de bon ton que les élèves vivent dans l'intimité du maître. C'est le triomphe de l'enseignement oral : on se passe de bouche en bouche les idées pures et les priapes. Socrate, quand il ne troussait pas l'intrigue des pièces d'Euripide, séduisait toute la jeunesse dorée d'Athènes. Platon fut entre autres l'amant de Dion et d'Alexis. Et pour rester dans cette Académie, Xénocrate le fut de Polémon, Polémon de Cratès et Crantor d'Arcésilas. Leur successeur Bion couchait aussi avec ses disciples. En somme, ces Académiciens arrivent à se reproduire, de génération en génération, par des rapports stériles. L'immortalité leur appartient à peu de frais. Aristote fut aussi l'amant de son élève Hermias, tyran d'Atarnée, à qui il consacra un hymne digne des élégies pédérastiques de Théognis de Mégare. Et si l'on quitte la philosophie, on notera qu'Euripide, après avoir reçu les leçons de Socrate, fut l'amant du poète tragique Agathon, que Phidias le fut de son élève Agoracrite de Paros, que le médecin Théomédon le fut de l'astronome Eudoxe de Cnide. Quant à Sophocle, une anecdote ridicule l'a rendu célèbre. Comme il avait cédé à l'attrait d'un enfant qui cherchait fortune sous les remparts d'Athènes, le giton s'enfuit avec son beau manteau, et le génial poète dut traverser le " Céramique ", par un jour frisquet d'automne, avec le manteau du gamin qui lui arrivait à mi-cuisse. Plus les Grecs ont de courage, plus ils ont d'esprit, plus ils ont de talent, et plus l'amour des garçons les occupe.

« J'ai franchement interrogé là-dessus des camarades athéniens, et même, dans la chaleur d'un banquet, le père d'un camarade, qui m'a déclaré :

« " Nous aimons ici la beauté, et l'homme est beau en soi. De toute évidence, la femme n'est belle que relativement à ce qu'on en fait : un instrument de reproduction ou de plaisir. Nous aimons ici l'intelligence et la femme en manque, non par éducation, mais par nature. Les femmes n'ont jamais donné un philosophe et n'en donneront pas de si tôt. Nous aimons ici tous les arts par la grâce desquels la beauté s'incarne. Les femmes n'ont jamais donné un grand sculpteur, un grand peintre, un grand musicien. Elles ont accouché d'un poète : Sapho. Par conséquent, si tu aimes tout ce qu'il y a de meilleur au monde, tu chercheras ces qualités chez un homme pour les faire tiennes, et quand elles seront tiennes, tu auras l'altruisme d'en faire profiter d'autres hommes, de façon que la chaîne de la science et de l'art soit bien huilée par l'amour. "

« Cette huile si bien venue dans le discours fit rire toute l'assistance, car il va de soi que, dans ce pays, l'huile des stades est à différentes fins. Et un autre père d'éphèbe, encouragé par cette spirituelle grivoiserie, abaissa notre propos d'un degré.

« " Anaximène, dit-il, parle d'or, mais il me faut parler d'argent ou de bronze pour achever l'instruction de ce jeune conquérant de l'univers.

« " La femme souffre aussi de cette disgrâce rédhibitoire qu'elle n'est pas construite pour des liaisons prolongées avec un être d'un autre sexe que le sien. Ou bien elle ne prend guère plaisir au mariage, comme il advient si souvent, et c'est fort ennuyeux pour tout le monde. Ou bien son plaisir l'emporte de beaucoup sur celui de son mari, qui fait piteuse mine en attendant d'être trompé. L'accord physique harmonieux entre l'homme et la femme est une rareté provisoire. Tantôt le plectre est trop petit, tantôt il est trop gros pour gratter la lyre à ravir.

« " Un homme raisonnable aura donc des relations d'essence supérieure et satisfaisante avec un garçon. Par piété à l'égard de sa cité, il aura quelques rapports décevants avec une épouse jusqu'à ce qu'elle soit grosse — le danger étant de la débrider par des fantaisies lascives et trop fréquentes. Et il appréciera en revanche la compagnie de ses concubines et des hétaïres, à qui on ne demande que de faire semblant. Telle est la trilogie qui assure depuis des siècles le bonheur des Athéniens. Le seul équilibre concevable est là.

« " Alors, ai-je fait observer, les dieux n'auraient modelé les femmes que pour la reproduction ou le lupanar ? " »

« C'est ce que confirmèrent tous les convives d'un certain âge, versant un pleur dans leur coupe sur le sort des rares femmes qu'ils avaient engrossées et des nombreuses hétaïres qui avaient fait semblant.

« Il aurait été déplacé de donner en exemple dans une telle assemblée la parfaite dignité de vie de mes chers parents.

« N'est-il pas troublant, toutefois, que ces Grecs qui nous ont tout appris — à l'exception d'une pédérastie militaire qui n'a pas suffi à les sauver — nourrissent par expérience de telles pensées à ce sujet ? Je distingue mal la part de vérité qu'il pourrait y avoir dans ces conceptions.

« En attendant d'être instruit, je constate que les amours grecques masculines, comme on pouvait s'en douter, ne sauraient demeurer platoniques. On dit même crûment à Athènes qu'au contraire de la femme imparfaite, l'homme qui se frotte à l'homme réunit en lui seul toutes les possibilités, toutes les sensibilités et tous les plaisirs : inverti dans son enfance ou dans sa vieillesse, il pourra s'honorer de penchants actifs de la fleur à l'automne de ses jours.

« Nous revenons d'une excursion à Thera[1], une île étrange des

1. Santorin.

Cyclades à quelque 130 milles du Pirée, où il semble que Vulcain ait jadis établi ses forges. Platon, dans son *Critias*, situe l'Atlantide à l'ouest des colonnes d'Hercule, mais de vieilles légendes suggèrent que ce continent englouti aurait pu se situer du côté de cette Thera. A peu de distance du sanctuaire d'Apollon Carneios, les rochers regorgent de graffiti obscènes, du genre : " Par Apollon, c'est bien ici que Krimôn a foutu son giton, le frère de Bathyclès ", etc. Et des voyageurs romains, venus en curieux, ont pris la suite dans notre langue : " Veni, vidi, futui ", ou encore : " Hic, Graeciam futui ! " Mais il y a gros à parier que cette Grèce était mâle. Chez nous, les graffiti pédérastiques sont minorité. Dans les pays grecs, c'est l'inverse : on ne se vante guère du commerce avec les femmes.

« Les mythes religieux canonisent d'ailleurs l'amour grec. Zeus et Ganymède, Héraclès et Hylas, Apollon et Hyacinthe, viol du jeune Chrysippe par Laïos dans la noble épopée de Ménandre... Et d'Alcée à Pindare, les grands lyriques célèbrent la pédérastie à qui mieux mieux.

« Toutes ces évocations historiques ou actuelles pour te dire qu'on me presse de prendre un ami afin que je sacrifie aux coutumes de l'école et de la ville qui m'accueille si aimablement. Ma continence sur ce point m'a fait surnommer " Agésilas " et il est toujours délicat de se singulariser. Mais avant de me mettre à la mode, je veux avoir ton avis, car ma première ambition est de ne jamais te décevoir en quoi que ce soit.

« Une vague appréhension aussi me retient. Car je me suis rendu compte que certains Grecs, sans doute à force de se plier à de honteux assauts, étaient devenus à peu près incapables de servir une femme. Et même à Athènes, ils sont victimes de quelque dédain, pour n'avoir pas su maintenir la trilogie sacrée, l'équilibre souhaitable entre leur devant et leur derrière.

« J'espère ta réponse avec impatience, tandis que dans les bains de la palestre, de trop nombreux hommages pointent vers moi, que la fatigue de la course n'est point parvenue à abattre. (Si les Grecs courent si vite, c'est qu'ils courent derrière des garçons !)

« O la plus belle et la plus exquise des femmes, la plus attentive des mères et la meilleure des amies, je ne puis pas même te reprocher de m'avoir fait si beau et si sensible ! Où s'arrêteront tes perfections ?

« Porte-toi bien et assure encore une fois le noble Silanus de toutes mes reconnaissantes et respectueuses amitiés. La bourse qu'il m'accorde si généreusement me suffit en principe. Mais à Athènes, si le garçon se trouve assez gratuitement, les hétaïres ne sont pas données. Si tels sont tes ordres, je ferai cependant l'impossible pour en séduire une gratis. Vénus, déesse de la réussite, m'aidera.

« Aime-moi comme je t'aime. »

Bouleversée plus encore qu'elle n'aurait cru pouvoir l'être, Marcia finit par demander elle-même conseil à Silanus, qu'elle venait d'épouser à la sauvette, avec des présages d'autant plus favorables que le conjoint était une sommité de l'illustre club gastronomique des augures.

Marcia gémissait : « On se plaint que les enfants ne se confient point à leurs parents, et pour une fois que l'un se confie, que répondre de pertinent ?

« A Rome, avec ce nouveau règne, les pédérastes sont en pleine offensive. Néron a fait installer dans les bois, du côté de la naumachie transtévérine d'Auguste, une foire du sexe permanente, où les putains donnent la main aux gitons pour le plaisir de tous les passants, et dans la suite compacte des " augustiani " aux cheveux flous, qui sert de claque à l'empereur, chaque garçon attend que le Prince jette son mouchoir. L'existence est devenue dans cette Ville une fête perpétuelle où tout est affreusement confondu. Nous avions pensé qu'à Athènes Kaeso trouverait au moins une pédérastie élégante et peu agressive, édulcorée par le temps, propice aux choses de l'esprit, qu'il aurait le bon naturel de regarder de haut. Mais je vois bien que les Grecs n'ont rien perdu de leur mordant. Ils prennent prétexte d'athlétisme pour courir, flamberge au vent, après les derniers innocents de cette terre. Que faire de notre Kaeso ? Et les hétaïres elles-mêmes sont-elles si recommandables ? »

Silanus, qui avait trouvé, naguère encore, dans la pratique raffinée de l'amour grec, un plaisant dérivatif à son ennui et à son inquiétude, avait du mal à prendre la situation au tragique et il s'efforça de rassurer sa jeune femme par des considérations modérées, qu'il estimait de bon sens. Les nouveaux époux discutèrent tant et plus du problème, jusqu'à ce que Silanus en fût las, et l'on mit vaguement Marcus au courant, pour qu'il ne fût pas dit qu'on ne l'y avait point mis.

Enfin, après d'ultimes conciliabules, Silanus eut le beau mérite de prendre personnellement la plume pour régler l'affaire au mieux — et dans un grec aux élégances atticistes.

« D. Junius Silanus Torquatus à son cher Kaeso, salut !

« Avec l'autorisation de ton père, ta mère s'est confiée à moi des alarmes que ta lettre lui avait causées et qui avaient été jusqu'à affliger sa pudeur. Tes parents ont sans doute jugé qu'un ami qui avait beaucoup vécu était encore plus qualifié qu'eux-mêmes pour te suggérer avec prudence le droit chemin en matière si délicate. C'est donc moi qui te réponds, avec d'autant plus de motifs que je ne suis pas étranger à la situation qui t'ennuie.

« On dirait à te lire que tu as déjà pressenti ce qu'il convenait de penser et de faire lorsque tu avoues qu'on te presse de te plier à des mœurs particulières qui seraient plus ou moins de règle là-bas. Quelle importance qu'on veuille ou non te faire boire du vin grec à la résine ? La seule question n'est-elle pas de savoir si tu l'aimes ou non ?

« La sagesse consiste certes à respecter la plupart des coutumes du milieu où l'on vit, car elles ont presque toujours quelques bonnes raisons d'être et il serait vain de prétendre réformer à soi tout seul des habitudes journalières bien ancrées. Mais cette paresseuse sagesse ne concerne que les coutumes secondaires, celles dont l'observation n'engage pas l'être tout entier, ne conditionne ni son bonheur ni l'estime qu'il se doit porter. Les relations amoureuses entre les sexes sont chose de si forte conséquence qu'une grande déesse en a fait son exclusive occupation. Observe cependant que si nos pères ont consacré un temple à la Vénus Érycine de l'amour-passion, ils en ont dans le même temps consacré un autre à la Vénus Verticordia, qui détourne les cœurs des plaisirs immoraux et conjure les débauches qui les accompagnent. Quoi que tu fasses, tu auras ainsi une déesse à ton service, ce qui ne doit pas t'inciter à faire n'importe quoi, mais au contraire à agir en homme libre, comme il te plaît vraiment, sans te soucier des modes locales ou passagères. Tu es en âge d'être séduit par la morale du plaisir. Alors, sois rigoureux avec ta propre morale et suis la pente de ton plaisir le plus naturel et le plus profond, car personne ne viendra jouir à ta place.

« Tu nous aurais avoué une passion sincère pour un jeune homme, nous aurions sacrifié pour toi à Vénus Érycine. Si en revanche il t'arrivait de t'encombrer d'un garçon par simple politesse envers tes hôtes, ce ne serait honnête ni à l'égard du garçon ni à tes propres yeux, et tu sens bien que la Vénus Érycine comme la Vénus Verticordia se voileraient tristement la face. C'est ce que ferait à plus forte raison la statue de la Pudicité Patricienne qui ressemble si fort à ta mère au cœur du petit temple du Forum aux Bœufs. Et tes parents ainsi que moi-même en serions peinés.

« Je relis par hasard que Cicéron envoyait 66 000 sesterces par mois à son fils quand il étudiait à Athènes et je me dois de faire mieux, vu la dévaluation de l'argent. J'ai pris sur moi de tripler ta bourse, de sorte que l'amour te coûte quelque chose si ta beauté n'était pas assez convaincante. Zeus lui-même a dû faire descendre une pluie d'or dans le sein de Danaé pour s'ouvrir un passage jusqu'à son cœur.

« Tes parents t'embrassent et te remercient de ton exemplaire ouverture, qui les a beaucoup touchés.

« Tu peux toujours compter sur mon amitié et mon bon conseil. Porte-toi aussi bien que je me porte, et que toutes les Vénus te gardent !

« P.-S. : La petite Claudia Augusta, malgré les sacrifices des Arvales, vient de mourir assez subitement et la douleur du couple impérial est immense. Ton père, accablé de festins funèbres, a du mal à digérer sa peine.

« Néron a brusquement quitté une séance de lecture publique de *la Pharsale* de Lucain, le fils de Mela et neveu de Sénèque. Sénèque, déjà, boudait volontairement la cour. Lucain la boudera contraint et forcé.

« Il faut dire qu'il avait tout fait pour s'attirer cette disgrâce, dont il faut espérer pour lui qu'elle n'ira pas plus loin.

« Lucain avait d'abord été l'enfant chéri du pouvoir. Il y a trois ans, lors des Jeux quinquennaux à la grecque organisés par l'empereur, il avait encore été récompensé d'une couronne pour un poème sans réserve à la gloire du Prince. Mais il semble que son stoïcisme comme son talent lui soient montés à la tête et il s'est pris très au sérieux. Sa *Pharsale* reflète cette dangereuse évolution. Le début ne présente rien qui pourrait déranger Néron, lequel est même comparé à Apollon-Phœbus. Toutefois, plus l'ouvrage s'avance, plus les critiques du régime s'y font évidentes et acerbes. Caton d'Utique, l'ennemi mortel de César, y prend des allures de demi-dieu. L'hellénisation accélérée de tous les aspects de la vie romaine, si chère à l'empereur, est traitée avec un mépris croissant. L'absolutisme même est remis en question. Et tout cela, non pas au nom d'un quelconque optimisme virgilien : le pessimisme désespéré de l'auteur est foncier et tranche cruellement avec la fête joyeuse dont Néron a fait un principe de gouvernement. Tel que je connais Lucain, au lieu de se tenir tranquille, il accentuera encore ses imprudences dans les derniers livres qui lui restent à écrire.

« Ce que je t'en dis, c'est pour te retenir de te livrer à des éloges inconsidérés de Lucain si l'humeur t'en prenait. Même à Athènes, les murs ont des oreilles.

« Nous vivons sur une Atlantide qui peut sombrer d'un moment à l'autre, avec ses temples et ses graffiti obscènes. Sois sage, pour toi comme pour moi. »

Ce mot un peu embarrassé de Silanus fut cependant pour Kaeso un trait de lumière : toute vraie morale commençait avec le mépris de l'opinion des autres. A y bien réfléchir, il n'était pas si étonnant que cette leçon de morale fût donnée au nom de la morale du plaisir, car c'était la morale la plus personnelle et la plus intime, celle qui exigeait le plus de retranchement, de précautions et d'ascèse pour être pratiquée avec une aristocratique rigueur. Comme le disait avec bonheur Silanus : « ... personne ne viendra jouir à ta place. » Et il n'était pas si étonnant non plus que la leçon fût donnée par un patricien romain de culture grecque à un jeune Romain visitant Athènes. Ces mêmes Grecs qui importunaient Kaeso, alors que les Romains étaient demeurés dans l'ensemble très grégaires, avaient développé sur les ruines de leurs cités conquises les herbes folles d'un individualisme forcené. Le danger comme le remède étaient en Grèce.

Libéré d'un faux problème, Kaeso remercia Silanus de tout cœur, et, au lieu de s'adonner comme tout le monde aux garçons, il se singularisa par la qualité de ses hétaïres et la grâce de ses banquets.

L'année se poursuivit et s'acheva sur des correspondances estivales ou automnales plus anodines. Après s'être inquiétée des garçons, Marcia s'inquiétait des filles, et Kaeso commit à son égard ses premiers mensonges, que la subite élévation de ses dépenses rendait transparents. L'hétaïre de grand luxe était hors de prix. Du moins Kaeso enrichit-il son vocabulaire. La richesse du grec en obscénités plaisantes dépassait encore celle du latin.

Corbulon avait repris du poil de la bête sur le front d'Arménie et les Romains étaient aussi fatigués que les Parthes de cet interminable conflit. Néron, de guerre lasse, fit adopter une solution raisonnable : l'Arménie, la pomme de discorde, recevrait comme roi Tiridate, le prétendant que les Arsacides voulaient imposer. Mais l'empereur de Rome lui donnerait l'investiture. Le protectorat romain sur l'Arménie était ainsi maintenu en principe. Dans le même temps, la révolte des Bretons fut définitivement écrasée et l'hiver s'annonça paisible.

Marcus divorcé, Marcia et Silanus remariés, la lettre qui devait informer Kaeso de ces événements ainsi que des perspectives d'adoption avait sans cesse été remise. Il appartenait à Marcus de la rédiger, mais les termes convenables fuyaient son esprit dès qu'il taillait sa plume.

Enfin, dans le courant de janvier 817 [1], il se prit par la main pour rédiger le pensum et l'habitude du mensonge lui inspira quelques jolies tournures. Il savait du reste que l'art de mentir consiste à être clair sans être trop précis, bref, sans être trop court, avec ce badigeon de beaux sentiments et de dignité qui fait toujours impression sur la jeunesse. Il ne s'agissait d'ailleurs que de pieux mensonges, dans l'intérêt de l'enfant.

1. An 64 de l'ère chrétienne.

« M. Aponius Saturninus à son cher fils Kaeso, salut !

« J'ai bien tardé à te faire part d'importantes nouvelles, que j'étais seul en droit de te communiquer, car j'avais du mal à trouver mes mots. Ces nouvelles sont en effet aussi attristantes qu'heureuses et un tel mélange ne s'exprime pas aisément. Mais le printemps de ton retour approche et nécessité fait loi.

« Sache donc que Silanus s'étant sérieusement épris de Marcia, j'ai consenti au divorce, et que le remariage a été consommé.

« Oui, j'ai fait ce sacrifice, après tant d'années de la plus heureuse union. Et Marcia l'a fait aussi, que je n'ai pas convaincue sans peine. Elle éprouve naturellement beaucoup d'estime pour Silanus, qui est un homme du plus grand mérite. Mais elle avait espéré, après m'avoir connu, n'en pas connaître un autre. Tu sais tous les liens qui existent entre nous deux et le déchirement que nous avons dû éprouver.

« Ce qui a finalement décidé Marcia, c'est la même puissante raison qui m'a permis de venir à bout de ses réticences. La tâche des parents n'est pas finie tant qu'ils sont encore en mesure de s'arracher un lambeau de cœur au profit de leurs enfants.

« Non seulement Silanus peut tout pour mes deux fils chéris, mais il a pris la décision de t'adopter. Tu imagines bien que ce remariage et cette brillante adoption ne sont pas sans liens étroits.

« Réserve, je te prie, toute ta reconnaissance pour Marcia. Mon sacrifice est naturel. Le sien est extraordinaire, car elle n'est après tout qu'une mère de rencontre.

« Je puis t'avouer à présent qu'elle aurait pu à maintes reprises, dans le passé, m'abandonner pour un nouveau mariage plus digne de ses charmes et de ses mérites. Mais l'amour qu'elle vous portait à tous deux — je n'ose parler de mes qualités — aurait suffi à la retenir à mon foyer. Les dieux lui réservaient une occasion de te pousser dans le monde qu'il eût été impie de refuser et elle a ainsi porté à son comble toutes les maternelles attentions qu'elle t'avait prodiguées jour après jour.

« Ta sagesse m'a épargné le plus souvent le souci de te donner des ordres. Tu me pardonneras de faire preuve d'autorité en la circonstance. Le fait étant accompli, tes répugnances instinctives à ne pas accepter notre dévouement nous plongeraient, Marcia et moi, dans le plus amer désespoir et seraient insultantes pour Silanus, à qui on ne peut rien reprocher dans l'affaire. Tout s'est passé le plus honnêtement du monde. C'est donc avec ma totale puissance paternelle que je te demande d'accepter les rares bonheurs qui t'attendent et qui seront la consolation de mes derniers jours.

« Ces bonheurs n'iront pourtant point sans efforts. Silanus, chef de sa " gens ", et déjà fort riche à ce titre, a encore recueilli une partie des biens de son frère Lucius, disparu sans enfant, et qui s'était donné la mort avant d'avoir été condamné. Et le testament de son frère assassiné Marcus, qui laissait un jeune fils — Lucius —, comportait aussi une clause en sa faveur. Ton futur père adoptif dispose ainsi de l'une des plus grosses fortunes de Rome. Il est depuis longtemps parmi ces rarissimes privilégiés qui ne sauraient chiffrer leurs biens tellement ils sont riches. Et comme Silanus s'est prudemment détourné de la politique, il a eu le loisir de beaucoup dépenser, mais aussi de surveiller la gestion de ses capitaux mobiliers et immobiliers. Il possède à coup sûr plus d'un milliard... Tu vois à quels efforts je fais allusion.

« Te constituer héritier d'un pareil pactole à ton âge avait de quoi effrayer, et il m'a également fallu convaincre Marcia que tu saurais te montrer digne du sourire toujours ambigu des dieux. J'ai pris en ton nom l'engagement que tu n'adopterais point l'attitude d'un dissipateur, gaspillant en jouissances stériles le pactole que les siècles avaient amassé. Non, ton devoir sera de maintenir, et ne serait-ce qu'en mémoire de moi, de t'exercer à la maîtrise de ton esprit, de ton cœur et de tes sens, à la mesure et à la sobriété, de manière à laisser intacte la réputation sans tache que je te lègue, ne pouvant te léguer davantage ni plus précieux à l'instant de nous séparer. Et tu auras d'autant plus de peine à dominer ta fortune comme ta personne que les tentations seront plus fortes et plus constantes. Il y a heureusement dans notre histoire romaine d'autres exemples que le mien pour t'inspirer.

« Puisque tu voyageras bientôt d'est en ouest, contre les vents dominants, je pense que tu rentreras par la route de terre, qui ne comporte qu'un assez bref intermède marin entre Dyrrachium et Brindes. Silanus et Marcia passent actuellement la mauvaise saison dans leur villa de Tarente. Avec les beaux jours, ils reviendront à Rome. Au passage, Silanus s'arrêtera quelques semaines pour retrouver ses chers poissons dans sa magnifique villa campanienne des environs de Baïes, tandis que Marcia, que les piscines n'intéressent guère, poursuivra sa route. Notre Decimus est un mordu, un enragé des poissons. Puisque la Campanie est sur ton chemin, ton futur père adoptif serait heureux que tu reprennes contact avec lui à cette occasion. Et vous serez deux pour terminer le voyage dans les meilleures conditions : entre Baïes et Rome, Silanus, qui ne saurait se contenter des auberges communes et qui est soucieux de ne pas déranger ses amis, dispose de haltes privées avec tout le confort possible.

« Vous parlerez de l'adoption prévue, que Silanus a la bonté d'espérer toute proche. Mais auparavant — et l'adoption n'en sera que plus solennelle —, tu pourras prendre la toge virile et déposer ta barbe par-dessus le marché, comme l'a fait ton frère Marcus à Xanten. Je conserverai ainsi ta bulle enfantine et ta jeune barbe avec dévotion, avant que tu ne changes de Lares et de Pénates. Silanus nous offre le banquet traditionnel, ce qui soulagera mes finances. Ce sera un instant des plus émouvants et des plus mémorables.

« Marcia te serre sur son cœur. Elle aura l'inestimable avantage de vivre à tes côtés comme par le passé, douceur que le destin me refuse. Il va de soi qu'après ce banquet, je ne saurais être un hôte assidu et indiscret du nouveau ménage.

« Ma douloureuse solitude a été un peu atténuée par la présence d'une esclave grecque qui n'est pas sans quelques charmes... Mais si j'en juge par tes dépenses, je prêche un converti qui me pardonnera cette humaine faiblesse. Il faut bien que vieillesse se passe.

« Porte-toi au mieux et fais-moi honneur ! »

Quand Kaeso reçut la lettre de son père, il était en train de suer sur un exercice de rhétorique, dont l'irréalité était vraiment prodigieuse dans l'impérial climat de l'époque : « Un philosophe persuade un tyran de se donner la mort. Mettre en forme la plaidoirie du philosophe, qui réclame la récompense promise par la loi au tyrannicide. » Ce sujet, aussi peu flatteur pour l'intelligence des tyrans que pour le désintéressement des philosophes, devait comporter exorde, narration, division, argumentation, digression et péroraison, chaque partie, suivant sa place dans le discours, étant à traiter selon le genre humble, tempéré ou sublime. Et toute une mnémotechnie détaillée, fondée sur l'association des images visuelles, avait été mise au point pour soutenir la mémoire, car les orateurs n'avaient pas de souffleur. De même la gestuelle d'accompagnement avait-elle été poussée jusqu'au dernier détail. Après une préparation aussi savante et aussi minutieuse, on pouvait enfin accéder à la pratique de l'éminente qualité qui distingue le bon rhéteur du médiocre : l'improvisation, qui, elle, étant affaire de génie, ne se codifie pas.

La communication de Marcus plongea Kaeso dans une honte insondable, une honte à en étouffer. Tandis qu'à Athènes il tricotait des pattes dans une bande de joyeux pédérastes, tandis qu'il s'ornait l'esprit de ratiocinations métaphysiques ou de futilités rhétoriques, tandis qu'il honorait des hétaïres de choix, à Rome, pays de vieille et solide morale, malgré quelques bavures, on ne songeait qu'à lui, on se sacrifiait pour lui, une mère plus sublime que toutes les plaidoiries se séparait d'un mari aimant pour suivre un inconnu et assurer ainsi la carrière du fils prodigue. « C'est pour moi, se répétait Kaeso, que maman est allée coucher avec ce vieux stoïcien aux mines de sybarite ! », et, ultime honte, il ne pouvait décliner l'holocauste. Qu'avait-il fait aux dieux pour être aimé à ce point ?

La connaissance physique plus approfondie que le jeune homme commençait à prendre des femmes soulevait en lui des images cruelles parce que trop précises : Marcia, soutenue par la pensée de Kaeso, se prêtant avec des politesses de fille aux caprices les plus bizarres d'un froid amoureux des poissons. Et ce n'était pas Marcia qui sortait salie de ces rapports sans âme, c'était Kaeso ! Comment Marcia, aveuglée par un sentiment outré de ses devoirs, égarée par une tendresse maternelle dévoyée, avait-elle pu lui infliger une telle épreuve ?

De nouvelles images ressuscitèrent la Marcia d'autrefois aux bains des femmes proches du Forum, dans toute la grâce de sa jeunesse et de sa chaste nudité, telle Diane entre deux ondes. Mais un autre souvenir remonta à la mémoire de Kaeso : celui d'un sosie de Marcia qu'il avait vu par hasard apparaître avec un immense étonnement aux thermes mixtes tout neufs de Néron, alors qu'il venait d'avoir seize ans et que la petite « ânesse » de la « popina » paternelle tolérait depuis peu ses prestes approches. Comme un somnambule, Kaeso avait marché sur la femme qui bavardait coquettement avec deux hommes nus d'un certain âge, aux doigts ornés de bagues luxueuses suffisant à révéler une bonne position sociale. L'un des barbons effleurait de l'index le mamelon du sein droit, et l'autre interrogeait le sein gauche, comme si, par mesure d'économie, ils avaient envisagé un partage symétrique du lot. Le trouble de l'adolescent était extrême. Une poussée de désir le faisait trembler, alors que l'extraordinaire ressemblance mettait du plomb dans ses jambes. Il s'était arrêté, tout interdit, à quelques pas du trio. Le regard de la femme l'avait soudain fixé, avait vacillé, s'était aussitôt raffermi, et Kaeso avait entendu à son adresse, dit d'une voix sans timbre : « Va jouer plus loin, petit : tu vois bien que je suis avec des grands ! » Les deux prétendants avaient ri et Kaeso s'était détourné, confus.

Quand Kaeso, le soir, avait raconté l'incident à Marcia, elle en avait plaisanté, puis avait déclaré : « La confusion était flatteuse : tu as dû reconnaître la femme que j'étais il y a quelques lustres ! » Et le lendemain, Marcus père avait négligemment fait allusion à la présence de Marcia dans la maison à l'heure critique.

C'était pourtant à croire désormais qu'il y avait deux femmes en Marcia : la « domina » de l'insula de Subure, qui passait aux beaux jours avec hauteur devant les filles du quartier juchées sur leur tabouret, et celle qui prenait conseil de la prostituée des thermes neufs ! Mais comment leur en vouloir d'un abaissement qui n'avait été recherché que par altruisme ?

Au cours de cette nuit d'hiver, Kaeso fut poursuivi en rêve par le triangle de fourrure noire de Marcia, qui s'était promené des années durant à hauteur de ses lèvres aux bains des femmes, et qui lui aurait permis à lui seul de reconnaître sa mère dans le va-et-vient continuel de toutes ces dames nues. Triangle que les Grecs, bien avant Aristophane qui l'avait mis à toutes les sauces, avaient appelé « le jardin ». Et ce n'était pas un hasard, dans un pays lumineux et sec, où le beau gazon était rare, qu'on eût si couramment donné ce nom de « jardin » au seul coin de végétation que les dieux semblaient faire pousser sans effort.

Lorsque Kaeso se réveilla, la bouche amère et l'esprit flou, la chanson qui avait accompagné son rêve en sourdine résonnait encore faiblement à ses oreilles. Les couplets, naturellement pédérastiques au départ, avaient été laborieusement adaptés au goût des femmes, et la jeune hétaïre ionienne de Kaeso chantait avec âme ces quatrains, dont le leitmotiv renfermait déjà, pour des Grecs, une allusion obscène...

> *Si j'étais jardinier d'amour,*
> *Égaré de folles ivresses,*
> *J'hésiterais au carrefour*
> *Du noir bosquet de nos caresses.*

> *Si j'étais jardinier d'amour,*
> *Entre les deux puits de tendresses,*
> *Je ferais maints aller-retour*
> *Afin d'arroser tes faiblesses.*

> *Si j'étais jardinier d'amour,*
> *Dans l'ombreux sillon de tes fesses,*
> *Je labourerais nuit et jour*
> *Le double anneau de tes promesses*[1].

Cette chansonnette en vogue, que l'on fredonnait dans les ruelles du Pirée comme sur l'« agora » de la capitale, se ressentait encore, par son amphibologie, de son origine pédérastique. Mais les dames grecques savaient bien qu'on ne prend pas les mouches avec du vinaigre et que pour retenir des hommes qui cultivaient de si pénibles penchants, il ne fallait pas faire la fine gueule.

La vision de Decimus labourant Marcia à la grecque, tandis que la malheureuse lisait le *Diurnal*, s'imposa tout d'un coup à l'imagination enfiévrée de Kaeso, qui en mordit son oreiller de désespoir.

---

1. L'auteur a ici préféré la libre traduction que troussa André Chénier dans sa prison pour se distraire, peu de temps avant de monter sur l'échafaud, à celles de Pierre Louÿs ou d'Aragon, qui ne rendent pas, en effet, avec le même bonheur, le caractère léger et pour ainsi dire précieux du texte original grec transmis par Hérode Atticus.

Pas un instant, Kaeso n'avait songé au milliard de sesterces qui se rapprochait. La noble indifférence des jeunes gens pour les questions financières est un tel scandale pour les personnes de sens rassis qu'elles ont peine à la croire possible, ce qui peut les amener à de graves erreurs de perspective.

III

Aux Ides de mars de cette fatidique année 817, Kaeso et son pédagogue étaient sur le quai de Dyrrachium, guettant le premier navire en partance pour Brindes, et ils eurent la chance de ne l'attendre que quelques jours : les souffles les plus extrêmes de la bora, qui avait sévi en rafales jusqu'au sud de Raguse, s'étaient calmés, et il en restait une brise fraîche qui poussait dans la bonne direction. Tous les bateaux hissèrent donc la voile de concert, pour profiter de l'opportunité.

En réponse à une lettre digne et délicate de Kaeso, où le jeune homme manifestait une joie et une peine des plus convenables — la rhétorique sert quand même à quelque chose —, Silanus avait expédié un flot de recommandations destinées à tous les amis fortunés qu'il pouvait avoir sur la route, et dont les intendants se feraient un devoir d'être aussi accueillants que les maîtres dans le cas — le plus probable — où ces derniers seraient absents. Et sur la Voie Appienne, qui remontait de Brindes à Rome, la première halte des voyageurs, qui avaient loué un petit cabriolet à deux chevaux, était prévue à la villa des environs de Tarente, que Silanus et Marcia avaient quittée récemment.

Artère essentielle vers l'Orient, la Voie Appienne, en cette saison où les mers se rouvraient au trafic, était des plus encombrées : courriers de la poste impériale, toujours impatients, étudiants, fonctionnaires, « publicains [1] », marchands, soldats ou touristes qui se rendaient dans les pays grecs ou en revenaient. Il était bien agréable d'échapper aux auberges douteuses et surpeuplées pour se reposer dans des paradis, où l'on faisait chauffer les thermes dès que des hôtes de marque étaient annoncés. A Rome, même les plus riches avaient encore des problèmes de place. Mais dans les étonnantes villas qui s'étaient

1. Adjudicataires des services publics, et, notamment, « chevaliers » responsables de la ferme des impôts indirects.

bâties sur tous les plus beaux sites lacustres, fluviaux ou maritimes de l'Italie centrale ou méridionale — ces paysans de Romains adoraient l'eau à condition d'en boire et d'y naviguer le moins possible —, l'argent avait eu latitude de se répandre dans toutes les dimensions. On changeait subitement d'échelle, et les plus belles maisons d'Athènes n'étaient que taudis à côté de ces villas princières, auxquelles seuls quelques palais romains pouvaient être comparés.

Le domaine tarentais de Silanus, qui bordait une belle étendue de côte, était enchanteur. Au milieu de jardins et de parcs, la façade de la villa était grande ouverte sur la mer, et, des terrasses, on distinguait un petit port privé où se balançaient mollement un yacht à voile et une miniature de galère pour les calmes plats. L'intérieur de la maison était un véritable musée : un Silanus faisait vraiment collection de musées !

Kaeso et Diogène, arrivés dans l'après-midi, en étaient muets d'admiration, et Kaeso, plus muet encore que son compagnon, car, pour un esclave affranchi depuis peu, il était dans la nature des choses qu'il y eût des richissimes de par le monde. Mais pour un garçon librement et honnêtement ambitieux, de telles visions matérialisaient la distance incommensurable qui était de règle entre la commune médiocrité et le sort fastueux de quelques-uns. On porte d'autant plus attention au sommet d'une montagne qu'on a une chance de la gravir — et Kaeso s'était envolé sans le faire exprès, porté par les ailes palpitantes d'une femme !

Après le bain, selon la coutume, on fit visiter en détail la maison aux invités, des 4 000 livres d'argenterie fine exposée dans l'atrium à la chambre que le maître et son épouse avaient occupée, et qui se distinguait par des tableaux licencieux, des lampes aux motifs érotiques et de grands miroirs où l'image de Marcia paraissait tristement attachée.

Kaeso préféra dîner en compagnie de son pédagogue dans un pavillon champêtre entouré de volières et de viviers d'animaux sauvages, qui ne visaient d'ailleurs qu'à l'agrément.

Dans les villas de rapport qu'il possédait aux environs de Rome, les gens de Silanus, pour la table des amateurs, élevaient en grand des palombes et des grives, des cailles, des tourterelles, des perdrix grises, des sarcelles, des foulques, des canards sauvages, des francolins, que la captivité rendait silencieux, des cigognes et des grues, dont les amateurs discutaient les mérites, des paons et des faisans, des nuées d'ortolans, quelques autruches de Mésopotamie ou des confins libyques, et même des cygnes, mis à l'engrais paupières cousues, dont la chair était réputée indigeste, mais la graisse, appréciée des médecins. Les flamants figuraient en vastes troupeaux de basse-cour, depuis qu'Apicius avait découvert que leur cervelle, et surtout leur langue, était délectable. Et dans d'immenses enclos, on élevait de même, pour la boucherie, des sangliers et des cerfs, des chevreuils, des daims, des oryx, des lièvres, que l'on capturait pour les engraisser quand ils avaient atteint l'âge critique. L'intendant expliqua que les escargotières industrielles avaient fait leur temps, mais qu'il y avait surproduction de loirs depuis que chaque paysan avait pris coutume de faire crever sa bête de mangeaille au fond d'un tonneau obscur.

Dans les volières que les invités avaient sous les yeux, il n'y avait que des oiseaux décoratifs ou mélodieux, faisans, rossignols ou perroquets... Les paons étaient en liberté comme les poules sultanes, qui détruisaient les souris, les reptiles et maints insectes. Et dans les viviers de quadrupèdes, se promenaient nonchalamment des animaux exotiques, dont la plupart étaient inconnus du vulgaire.

Le repas fut d'autant plus délicieux que le cuisinier n'avait que deux personnes à soigner.

Sur la fin, alors que le soleil déclinait derrière les arbres, Kaeso dit à Diogène, étendu à son côté :

« Tu nous as servis avec dévouement. Combien de fois ne m'as-tu pas mené à l'école par la main ou sur tes épaules, qu'il plût ou qu'il ventât ? Et combien de petites choses ne m'as-tu pas apprises, dont je m'aperçois à présent qu'elles sont la base de tout, les premières marches sur l'escalier du savoir ? Je t'ai pourtant fait enrager bien souvent. Plus on grandit, plus il est paradoxal d'avoir un esclave pour professeur. Mon père a eu la bonté de t'affranchir en reconnaissance de tes loyales années de servitude. Mais un pauvre affranchi est souvent plus à plaindre qu'un esclave, qui a le gîte et le couvert assurés. C'est à mon tour de faire quelque chose pour toi. Dans les derniers temps de mon séjour à Athènes, je n'étais plus guère d'humeur à fréquenter les hétaïres et j'ai réalisé des économies. Je te donnerai donc de quoi t'établir, te marier, peut-être... ou acheter un beau petit esclave, qui te rappellera le temps de ma première adolescence. »

Diogène en bégayait d'émotion, et, sur sa face ravinée de chien fidèle, des larmes coulèrent.

Comme beaucoup de pédagogues, Diogène avait des tendances contre nature, mais sa correction à Rome avait été si prudente et si parfaite que les Aponius avaient mis longtemps à s'en douter. A Athènes, toutefois, le vieux s'était relâché de ses précautions et Kaeso l'avait surpris un soir en conversation avec un jeune prostitué dans une ruelle proche de l'« agora ».

Kaeso reprit, ému à son tour : « Je dois aussi te remercier de n'avoir commis ni geste ni mot susceptibles de me corrompre, et je devine aujourd'hui que cette réserve a dû d'autant plus te coûter que ton attachement pour moi était plus profond et plus sincère, un peu comme celui d'une nourrice, qui a au moins la satisfaction de donner le sein à celui qu'elle aime. Mais qu'y aurait-il eu à téter sur un vieil échalas comme toi ? »

Diogène sourit à travers ses larmes, embrassa la main de son maître et avoua sans fard : « Tu es beau comme le jour. Mon mérite a été grand, en effet, car je me serais fait fouetter à mort pour un baiser de toi. »

De plus en plus ému, Kaeso demanda à Diogène : « 50 000 sesterces te suffiraient-ils ? Voudrais-tu davantage ? »

L'affranchi branla affirmativement la tête avec énergie, à la grande surprise du donateur — et ils éclatèrent bientôt de rire tous deux en s'apercevant du malentendu. Les Grecs, au contraire des autres peuples de l'humanité, branlent effectivement la tête de haut en bas pour dire oui, mais de bas en haut pour dire non, comme on le voit déjà faire à Ulysse dans l'Odyssée. Il faut être expert pour ne pas faire confusion. Le premier soin des guides touristiques romains était d'attirer l'attention sur cette ahurissante particularité, dont la méconnaissance égarait le voyageur et ne facilitait pas les rapports entre les sexes [1].

Élevé dans les bas quartiers de Corinthe, Diogène était venu à Rome à vingt ans et l'habitude d'acquiescer ou de nier à la grecque, qu'il avait peu à peu perdue en Italie, lui était revenue à Athènes.

« Vu que tu te contentes si énergiquement de 50 000, précisa Kaeso, tu en auras 100 000 ! Et tu auras mieux encore puisque tu as du cœur... »

Joignant le geste à la parole, le jeune homme enlaça son vénérable pédagogue, baisa sans répugnance apparente sa bouche édentée, et ajouta : « Tant que je vivrai, on ne te chagrinera plus ! »

Au détour d'un sentier, un esclave espagnol, qui apportait une corbeille de fruits mûris en serre, et un jeune esclave gaulois, qui suivait avec des rince-doigts, étaient tombés en arrêt devant cette scène charmante. Et dans un abominable latin, pire encore que celui de Silanus quand il cessait de se surveiller, un latin sans brèves ni longues, sans génitif, ni datif, ni ablatif, un latin syncopé, télescopé et salopé, bourré de prépositions aberrantes et d'accents toniques fantaisistes, un latin émaillé de barbarismes et de solécismes, mais un beau latin quand même, parce qu'il permettait à toute l'humanité se définissant comme telle de se comprendre verbalement, l'aîné dit à l'apprenti :

« Tu vois une fois de plus ce qu'il en est de ces pédés de Grecs ! Les Romains envoient à Athènes un noble jeune homme encore en

---

1. J'ai erré moi-même toute une matinée en Chalcidique à la recherche du mont Athos, constamment fourvoyé par des originaux qui branlaient la tête à l'inverse du sens commun.

toge prétexte, innocent comme un veau, il ne reste que quelques mois là-bas, et, à peine débarqué, il est déjà en état de manque et il saute sur son vieux pédagogue. »

Une main crispée sur sa poitrine, Diogène ne pouvait reprendre sa respiration. Il suffoquait et les ailes de son nez en forme de courge se pinçaient et viraient au violet. L'émotion avait été trop forte. Soudain, terrassé par l'excès de bonheur, il rendit l'esprit et s'effondra dans les bras de Kaeso. En somme, il était mort du cœur.

Kaeso laissa à l'intendant de quoi faire édifier un tombeau décent pour les cendres de Diogène dans un recoin ombreux du parc, à proximité d'un ruisselet murmurant, et il demanda que fût inclus dans l'épitaphe ce certificat qui avait déjà honoré son premier maître primaire :

SUMMA CASTITATE IN DISCIPULOS SUOS

Les deux esclaves indiscrets ayant bavardé sans retenue, cette épitaphe fut pour toute la domesticité du domaine une inépuisable source de plaisanteries. La vie est tissée de malentendus.

Le surlendemain, Kaeso reprit solitairement la route de Baïes. C'était toute une partie de sa jeunesse que le bûcher funèbre venait de consumer et il avait l'impression d'avoir vieilli soudain.

De Brindes à Rome, en marchant bien, il ne fallait d'ordinaire que huit ou neuf jours. En quatre étapes luxueuses, allant de riche en riche comme un papillon de fleur en fleur, Kaeso fut à Baïes.

En été, les nobles qui ne regardaient pas à la dépense faisaient des séjours rafraîchissants du côté des monts Albains ou de Tibur ; aux villas des pittoresques monts Albains ou de Tibur s'en ajoutaient d'autres sur la côte toute proche du Latium. En hiver, la plus élégante noblesse affluait vers la riviera de Tarente. Mais il y avait en toute saison des amateurs pour les eaux thermales et les sites si variés de la côte campanienne, et notamment pour les rivages et les stations des golfes de Pouzzoles et de Naples, entre le cap Misène et Sorrente, sur fond de Vésuve et de ciel bleu.

C'est à Baïes, renommée pour sa frénétique corruption, que le vieil Auguste bigot était venu pourtant soigner sa sciatique. C'est à Capri que Tibère avait installé son principal domicile après avoir imaginé une technique assez efficace pour se faire assassiner le plus tard possible : ne plus remettre les pieds à Rome et changer de lit fréquemment. C'est sur ce golfe béni des dieux, se disputant chaque

« jugère » de littoral, faisant assaut d'argent et de goût — parfois mauvais —, que la plus prestigieuse noblesse romaine, tout ce qui comptait dans la Ville, avait accumulé les plus magnifiques villas.

Les premières chaleurs avaient attiré vers Baïes ou Pouzzoles un surcroît de visiteurs ou de voyageurs printaniers, et le chemin de la station thermale et balnéaire de Baïes était peuplé comme la Voie Appienne aux approches de la capitale : se croisaient mules et chevaux, litières et véhicules de tout genre, jusqu'à des voitures aménagées en appartement, où il était possible de passer la nuit. Le cabriolet de Kaeso devait se faufiler entre les files montantes et descendantes.

Après avoir cheminé le long de la digue qui séparait les lacs Lucrin et Averne de la mer, Kaeso traversa Baïes, où l'animation était extrême, et à force de longer le rivage sud du petit golfe de Baïes, il parvint au promontoire couvert d'une végétation touffue, où se dissimulait, de notoriété publique, la villa de Silanus.

L'intendant alerté dit à Kaeso que le patricien se trouvait au bord de la mer, du côté des piscines, et, après s'être changé, le futur fils adoptif s'empressa de descendre jusque-là, guidé par un esclave.

De la villa, on avait vue sur Baïes et son golfe vers le nord, sur Baules et Misène au sud, et la façade regardait vers le golfe de Pouzzoles, borné à l'est par l'île Nésis et le gros promontoire du mont Pausilype. La position était splendide. Mais les piscines marines qui faisaient l'objet de la passion de Silanus étaient du côté nord, bien abritées dans les indentations du golfe. Le soleil déclinait et les ombres s'allongeaient le long des pentes colonisées par le luxe.

Decimus, habillé avec une négligence étudiée et nu-pieds comme un pêcheur, était en train de surveiller de gros travaux, dont il se détourna pour accueillir Kaeso avec les dehors d'une affection gracieuse. Marcia, avant de regagner Rome, lui avait seriné tout ce qu'il ne fallait point dire et tout ce qu'il devait suggérer pour maintenir le jeune homme dans l'état d'innocence qui lui allait si bien, et il se faisait fort de manœuvrer au mieux. Depuis le temps que tout le monde s'efforçait de le tromper, il avait d'ailleurs renforcé sa connaissance de la nature humaine. Au surplus, Kaeso lui était fort sympathique et il ne demandait qu'à l'aimer de son mieux, c'est-à-dire tant que ça lui ferait plaisir.

Après l'avoir embrassé, Decimus s'adressa à Kaeso sur le ton le plus aimable, mais le plus ordinaire, comme s'il l'avait vu la veille, et lui parla aussitôt de ses préoccupations, ce qui était la plus sûre manière de détendre et de distraire le jeune homme...

« Tu vois, je fais élever cette voûte au-dessus de cette nouvelle piscine d'été pour que mes précieux surmulets puissent passer du soleil à l'ombre par les fortes chaleurs. Le surmulet est l'un des poissons les plus difficiles à élever. Mes dorades, mes bars, mes lottes, mes turbots, même les soles, pourtant très délicates, ne me donnent pas tant de mal. En revanche, la murène ne présente aucune difficulté. Puisque tu dois me succéder un jour, il te faut apprendre à bien connaître les poissons, de manière que mes pensionnaires restent en bonnes mains. »

Suivit une dissertation technique, qui laissa Kaeso un peu ahuri, les oreilles bourdonnantes...

On avait réussi à acclimater des poissons de mer en eau douce, notamment des dorades dans les lacs d'Étrurie, mais la haute aristocratie se consacrait surtout à l'élevage marin, la côte campanienne arrivant au premier rang. De telles piscines coûtaient beaucoup à construire, à peupler, à entretenir, et la rentabilité en était d'autant plus douteuse que certains passionnés n'avaient pas le cœur de vendre ou de manger leurs plus beaux produits.

La profondeur des bassins comme la nature des fonds devaient être soigneusement adaptées aux différentes espèces. Il y avait aussi à résoudre de graves problèmes de régime et de soins. Mais le plus ardu était encore, dans des piscines qui communiquaient avec la mer, d'établir un brassage et un renouvellement des eaux propices à la reproduction et à la croissance. Sur près de 1 800 pieds de côte rocheuse — et à un endroit où le terrain en bordure de mer était hors de prix ! —, des digues, avec tout un système d'écluses, avaient emprisonné pour Silanus des portions adéquates d'eau salée. C'étaient les piscines d'hiver. Pour les piscines d'été, de profondes excavations avaient été pratiquées au cœur de la roche volcanique, chaque fois qu'un courant favorable avait pu être aménagé. Mais comme la chose n'était pas toujours possible dans une mer où l'ampleur des marées est réduite, il y avait aussi de larges sections ombragées de voûtes en maçonnerie, sous lesquelles soufflaient de frais courants d'air. Ces travaux étaient cyclopéens ! Et l'on y œuvrait encore en fin d'après-midi, à une époque où le peuple se refusait énergiquement à lever le petit doigt après déjeuner ! Il est vrai que l'été était proche et que des surmulets patriciens ne sauraient attendre.

« Je laisse beaucoup d'argent dans mes piscines, avoua Silanus. Mais c'est un plaisir unique. Le dicton a bien raison qui dit que les piscines plébéiennes que l'on trouve dans l'intérieur du pays sont douces, alors que les piscines marines de la " nobilitas " seraient plutôt amères ! »

Silanus fit visiter chaque bassin à Kaeso. Les uns grouillaient de poissons, d'autres paraissaient déserts. Il fallait faire effort pour discerner les soles enfouies dans le sable ; et la plupart des poissons de roche, comme le labre foncé, s'étaient cachés dans les cavernes artificielles qu'on leur avait préparées.

Silanus laissait à d'autres éleveurs moins ambitieux ou moins fortunés le soin de faire venir des poissons aussi communs que les dentex, les oblades, les mulets, les plies, les tourds ou les ombrines.

Chemin faisant, Silanus discourait sur les plus célèbres entreprises de la région, qui portaient encore les noms de leurs illustres fondateurs, bien qu'elles eussent en majorité changé de mains, pour tomber souvent dans l'immense patrimoine impérial. Sergius surnommé « Dorade », Licinius surnommé « Murène » avaient été jadis les pionniers. Sergius Orata (ou Aurata) s'était en effet spécialisé dans la dorade (ou daurade), et Murena, dans la murène. Hirrius avait été capable de fournir 6 000 murènes d'un coup à César pour l'un de ses populaires banquets arrosé de grands vins. Les piscines de Philippus, celles d'Hortensius à Baules n'étaient pas moins réputées. L'un des frères Lucullus s'était établi à Misène, et l'autre, dans la petite île Nésis, en face du mont Pausilype, au pied duquel le fameux Pollion lui avait fait concurrence.

« C'est ce Pollion, dit négligemment Decimus, dont Auguste, en veine de sensiblerie ce jour-là, a fait combler une piscine parce qu'il nourrissait ses murènes d'esclaves fautifs. Un mépris du droit de propriété, un acte de tyrannie qui annonçaient des temps bien sombres. C'est ruiner les lois que de prétendre les mépriser sous prétexte d'excès qu'on en pourrait faire. »

Un bassin était réservé aux scares, ce dont Decimus était particulièrement fier. Le scare, dont Vitellius, le tuteur à la fois négligent et abusif de Marcia, appréciait tout particulièrement le foie, ne se pêchait pas normalement en Méditerranée occidentale en deçà de la Sicile, et les essais d'acclimatation avaient longtemps échoué. Mais sous Claude, le préfet de la flotte de Misène, L. Optatus, en avait fait capturer de grandes quantités en Méditerranée orientale, et les bancs, transportés sur des viviers flottants, avaient été remis à la mer entre Ostie et Sorrente, avec interdiction de pêcher cette espèce durant cinq ans. Les élèves de Silanus étaient de cette origine et ils donnaient de l'espoir.

Devant un bassin apparemment vide, Decimus frappa dans ses paumes, et une troupe de murènes sortirent bientôt en ondulant de leurs repaires pour se diriger vers lui. La plus grosse, qui avait des boucles d'oreilles, vint même se frotter à sa main comme un chat...

« Elle s'appelle Agrippine : comme l'Augusta si justement défunte, elle adore la chair humaine. Je lui donne de temps à autre un petit esclave bien tendre. Elle préfère les Noirs qui doivent avoir plus de goût — et sont d'ailleurs plus chers, vu leur rareté. Mais elle ne semble pas faire la différence entre les garçons, les filles et les eunuques. J'ai appris à Marcia à la caresser. »

Kaeso venait d'entendre tant de précisions surprenantes que sa capacité d'étonnement était un peu amortie. Ce qui le frappa d'abord de façon pénible est que Marcia, dont il savait bien qu'elle n'éprouvait que de l'horreur pour la tête monstrueuse de la murène aux dents acérées, ait pu se surmonter au point de toucher à cette bête féroce. Et c'était encore pour lui qu'elle avait couru ce risque en souriant ! Il commençait à comprendre comment elle était capable de coucher avec ce Silanus. C'était sans doute affaire de maîtrise nerveuse.

Ici et là, on voyait au fond de l'eau des débris de squelettes d'enfants et des petits crânes, que la végétation marine avait déjà verdis plus ou moins. Mais l'un des squelettes était encore dans toute sa blancheur.

Tandis que Silanus caressait son Agrippine avec des mots affectueux, Kaeso, qui avait du mal à en croire ses yeux, demanda discrètement au serviteur qui l'avait guidé :

« Combien ces murènes mangent-elles de petits esclaves par mois ?

— Je ne saurais te dire. Nous sommes si nombreux ici qu'il est difficile de faire la différence...

— Te moquerais-tu de moi, par hasard ?

— C'est notre bon maître, qui a de l'humour ! »

Decimus entraîna Kaeso dérouté dans une grotte qui faisait face au bassin et ils s'assirent dans la douce et fraîche pénombre du lieu, où un confortable mobilier avait été disposé autour d'une vasque alimentée par des suintements à travers la roche. Et on leur apporta un vin apéritif parfumé, coupé de glaçons que l'hiver avait fabriqués dans les montagnes pour le plaisir des riches.

« La légende de Pollion, dit Decimus après avoir joui de l'embarras de Kaeso, a la vie dure, et il faut songer aux jolies visiteuses naïves. Tu penses bien que j'ai rencontré peu de cruelles dans ma carrière, mais on a parfois envie de presser une coquette. Dès que la fille, déjà émue par les paroles, a vu les squelettes d'argent dans le bassin, elle entre en pâmoison, et la grotte est là pour l'accueillir. Les dieux jumeaux les plus efficaces ne sont pas Castor et Pollux, chers aux Spartiates, ce sont Éros et Thanatos ! »

Cette mise en scène de milliardaire pour « presser les coquettes » faisait rêver.

« La présence d'un squelette, ajouta Decimus, égaie aussi nombre de nos festins. Elle presse les uns de jouir et elle en détourne les autres. Nous nous déterminons sur des apparences et ces mêmes apparences sont susceptibles d'interprétations contradictoires. L'illusion que j'ai ici mise en forme ne te fait-elle pas songer au mythe de la caverne de Platon ?

« Mais garde-moi le secret, je te prie, sur les amours évanouies et macabres que cette grotte a abritées. Marcia, tu t'en doutes, va plus loin pour moi que les apparences : c'est une quintessence de femme ! »

Silanus avait appris que la confidence intime, surtout d'aîné à cadet, apprivoisait les hommes plus sûrement encore que les murènes.

A la nuit tombante, alors que des lumières commençaient de clignoter du côté de Baïes, ils remontèrent en litière vers la villa, par le chemin que Silanus avait fait tailler dans le roc pour se faire porter vers ses poissons. Les Romains haïssaient la marche, sans doute parce que, de la Lusitanie aux frontières parthiques, avec armes et bagages, ils n'avaient que trop marché autrefois.

Après un bain nonchalant, la soirée étant douce, ils dînèrent tous deux à la lumière des lampes sur une terrasse d'où l'on dominait Baïes illuminé, spectacle qui étonna Kaeso, car la nuit imposait alors sa loi aux villes comme aux campagnes. Parfois, à l'occasion d'une grande fête, on illuminait le cœur de Rome en tremblant d'y bouter le feu, et ces expériences inquiétantes étaient plutôt rares.

« Baïes vit nuit et jour, dit Decimus. Elle brûle la chandelle par les deux bouts. Et comme tu le vois, la mer elle-même est éclairée par les luminaires des bateaux de plaisance. Si nous étions plus proches, tu entendrais la grande rumeur des fêtards et les chants de ceux qui se sont embarqués pour quelque Cythère. »

La chère, sans être trop abondante, était d'une délicatesse exquise et Decimus, après l'éducation piscicole, s'efforça de faire l'éducation gastronomique de son futur fils...

« Le premier souci, le premier devoir d'un véritable gourmet — il y en a tant de faux ! — est de connaître toutes les caractéristiques du produit. Chaque chose est meilleure à un certain endroit et à une certaine époque. Je dois avouer par exemple à ma honte que les lottes des viviers de Clupea, un port africain du cap Bon, sont encore plus fines que les miennes. D'où l'intérêt, malgré tout, d'être en mesure de produire soi-même : on sait ce qu'on mange.

« Tantôt la nature ne saurait mieux travailler et il serait vain de prétendre y ajouter. Tantôt il est indispensable d'aider la nature, ce qui ne peut se faire que si l'on en connaît et respecte les lois. C'est ainsi qu'un gibier sauvage est généralement plus délectable qu'un gibier de " vivarium ", mais que nos horticulteurs ont sélectionné plus de soixante espèces de poires, des petites poires d'hiver aux " pira libralia ", ainsi nommées parce qu'elles pèsent couramment une livre.

« A côté de ces considérations, qui pourraient à des gloutons sembler un exorde, l'art du cuisinier est presque secondaire. Il doit en tout cas faire en sorte que toute la qualité originelle du produit soit très perceptible. Et, bien sûr, le gourmet se sustente et boit modérément. Je dirais qu'il ne mange point : il goûte. »

Kaeso demanda à Decimus pourquoi il se passionnait pour les poissons...

« Voilà une question pertinente, que je me suis souvent posée moi-même.

« J'ai participé jadis à de grandes chasses, où une foule de rabatteurs faisaient converger vers les filets une foule d'animaux. J'ai vu, comme tout le monde, à l'amphithéâtre, le filet du rétiaire capturer un homme. Mais n'est-il pas, à la réflexion, un peu facile, un peu vulgaire, de mettre à mort ce que le filet a retenu ? Mes piscines sont comme un immense filet où je verrais vivre tout ce que j'ai pris.

« Et la captivité du poisson me semble plus intéressante que celle du gibier ou celle de l'homme, qui sont toujours plus ou moins gâtés par les barreaux ou par les fers. Tout l'art de l'amateur de poisson est de reconstituer le plus exactement possible le milieu naturel où l'animal devrait vivre pour présenter la plus grande succulence. Le poisson est chose si délicate qu'il serait outrecuidant et sans espoir d'en imaginer un meilleur que celui élevé par Neptune. Tu peux nourrir correctement un gibier captif, le manque d'exercice affadira sa chair. Tu peux améliorer une oie en la gavant de figues. Le poisson marin, toujours égal à lui-même, à quelques nuances près, ne naîtra et ne grandira en piscine que si tu as percé les secrets des dieux pour en copier avec minutie les façons. C'est une excitante activité de démiurge. »

Vers la fin du repas, le démiurge mit la conversation sur la religion. Malgré les efforts de Marcus père pour inspirer à ses enfants un certain respect de la religion romaine, Kaeso partageait le préjugé péjoratif ambiant, et son séjour chez les philosophes et les sophistes n'avait pas accru sa piété. Depuis que Cicéron avait répété que deux haruspices ne pouvaient se regarder sans rire, la phrase célèbre était devenue une manière de dogme dans l'aristocratie, et le peuple lui-même était en passe de tourner en plaisanteries ses frayeurs d'autrefois. Silanus étant justement augure, Kaeso écouta ses déclarations avec une curiosité particulière.

Ce fut d'abord un long et minutieux exposé sur la religion privée, propre à la « gens » du patricien. Kaeso devait être au courant de maintes coutumes et prescriptions originales pour reprendre le flambeau à la disparition de son père adoptif, diriger le sacristain qui s'occupait du laraire édifié chez Silanus dans une chapelle « ad hoc », et contrôler aussi l' « auspex » familial et le petit clergé du temple de la Pudicité Patricienne.

L'importance que l'orateur paraissait attacher sincèrement à ces vétilles ne laissait pas de surprendre Kaeso, et cette surprise, bien que peu perceptible, fut perçue par Silanus du fait qu'elle ne le surprenait point. Un peu piqué quand même, il réagit avec vigueur :

« C'est un augure qui te parle, Kaeso, et qui te dit qu'il n'y a pas de quoi rire. La religion romaine est la plus sage du monde, et quand elle aura disparu, on la regrettera. »

Comme Kaeso avait quelque peine à en bien distinguer toutes les qualités, Decimus s'expliqua avec clarté :

« La première vertu de notre religion nationale — qu'elle partage d'ailleurs avec celle des Grecs — est que c'est une religion sans prêtres. Je veux dire que, dans certains pays barbares, dont l'Égypte des pharaons fut le meilleur exemple entre quelques autres, une caste fermée, doctrinaire et autoritaire, se mêlant de tout et de rien, possessive et indiscrète, mystérieuse et abusive, a mis l'État en tutelle. Alors que chez nous, au service d'un panthéon élastique et flou, il n'y a que des fonctionnaires, dont le seul rôle est de veiller, par le respect de certaines règles, à maintenir la concorde entre la terre romaine et les cieux qui la recouvrent. Nos prêtres, qu'ils soient élus ou cooptés, provisoires ou permanents, ont une activité, des responsabilités, qui ne sont jamais que conventionnelles. A Rome, chacun peut être prêtre un jour, comme il pourrait être procurateur ou consul. Bien mieux, le cumul est des plus courants. L'État donc respire en liberté : tout le monde étant prêtre potentiellement, le prêtre est nulle part et partout. Il se dissout dans le peuple et se confond avec le bon génie de la nation.

« La deuxième vertu de notre religion est que ce prêtre fonctionnaire est parfaitement irresponsable. Quand il offre des sacrifices pour capter la faveur des dieux, on ne saurait lui demander plus que de veiller à la stricte observance des rites traditionnels. Si le sacrifice n'est pas agréé dans ces conditions, il va de soi que le prêtre n'y est pour rien. Et quand il prend les augures dans les formes pour savoir si les dieux sont propices à une entreprise quelconque, il est encore irresponsable des erreurs d'interprétation qu'il serait amené à commettre en matière si délicate. " Errare humanum est ", et notre prêtre n'est qu'un homme comme les autres. On a saqué des généraux qui, investis de la délégation spéciale à cet effet, avaient refusé de consulter les poulets sacrés à la veille d'une bataille. On a saqué des généraux qui avaient livré bataille en négligeant l'évidente inappétence des poulets. Mais lorsque le général se fait écraser après que les poulets ont voracé tout leur soûl, on se borne à dire tristement : le général X, en matière de poulets, n'est pas chanceux. Un tel système ne présente que des avantages. Les plus sceptiques sont toujours ravis d'apprendre que les dieux paraissent favorables à leur action et leur courage en reçoit un coup de fouet. Mais si les résultats sont désastreux, quelle importance ? L'erreur du prêtre n'est-elle pas celle de tous et de chacun ? Qui pourrait se flatter d'avoir mieux fait à sa place ? Dans le désastre même, tout est en ordre, car la plus belle qualité de notre religion est d'être humaine.

« Sa troisième vertu la place encore au-dessus de celle des Grecs. Le Grec s'imagine que les dieux ont une puissance suffisante pour lui imposer leur volonté. Passe-moi l'expression, nous sommes entre hommes : je dirai que le Grec se fait enculer par ses dieux toute la journée. Alors que Rome a été bâtie par la volonté de quelques-uns et de tous qui savaient par expérience que la volonté de l'homme est sans limites, parce que sans limites les obligations et les libertés qu'il s'invente. La mauvaise volonté des dieux n'est pas une limitation pour nous. Il nous suffit d'attendre pour agir une éclaircie bienveillante dans les nuages de leur courroux, et nous sommes patients. Ainsi, avons-nous toujours le mot de la fin.

« As-tu bien compris ? »

Kaeso réfléchit un moment et répondit :

« Tu veux dire au fond que la force de la religion romaine serait de pouvoir se passer des dieux comme elle se passe déjà des prêtres ? Que nos dieux, en tout cas, ne sont pas nos maîtres ? »

Silanus sourit et laissa tomber :

« Avec une finesse au-dessus de ton âge, tu ne m'as que trop bien pénétré !

— La force de notre religion, à ce compte-là, est aussi sa faiblesse. Beaucoup demandent autre chose à une religion que d'être une forme encourageante au service de leurs intérêts. L'homme est ainsi fait qu'il présente plus volontiers au Ciel son derrière que sa figure. Ne sommes-nous pas exposés à ce qu'une bande de prêtres indiscrets nous fassent un jour la loi ?

— Tant qu'il y aura des Romains, le risque est exclu. Et c'est bien pour cela que je t'ai entretenu si longtemps du culte privé de ma famille. »

Kaeso s'efforça enfin de faire parler Silanus des affaires politiques, mais son hôte s'y montra fort prudent et se borna à quelques généralités :

« Les affaires vont mal, car le ver est dans le fruit, et depuis long-temps. La civilisation romaine, c'est moi — et une poignée de gens distingués qui s'efforcent de m'imiter. Pour me permettre de mener cette vie inimitable qui est la mienne, les paysans romains, à force de guerroyer, ont perdu leur champ. Ils sont donc venus à Rome pour mendier les miettes de ma table ou ont constitué quelques légions de mercenaires assoiffés d'argent. Combien de temps crois-tu qu'une pareille situation puisse durer ?

« A l'heure actuelle, ce sont les prétoriens qui contrôlent l'élévation à l'Empire. Tôt ou tard, les armées provinciales voudront partager le privilège, nous aurons de nouvelles guerres civiles, à côté desquelles nos guerres civiles d'autrefois paraîtront un hors-d'œuvre, et la première pensée de tout ce joli monde sera de se servir à la source, de se partager mes terres et ceux qui les cultivent, mes villas et mes 3 000 esclaves urbains et de faire griller mes poissons sur les cendres rougeoyantes de Baïes.

« Rien ne pèse plus devant cette menace. Le citoyen romain lui-même est en train de devenir une figure de rhétorique. Il y en a peut-être déjà cinq ou six millions aujourd'hui et les affranchissements ou les naturalisations en augmentent constamment le nombre. Dans quelques générations, ce ramassis de privilégiés de seconde zone, qui aurait pu faire obstacle au désordre si on l'avait contenu dans des limites raisonnables, se sera étendu à tous les hommes libres de l'Empire et le citoyen aura vécu parce que tout le monde aura droit au titre. Alors, l'échine déjà fatiguée de l'État sera rompue. Mais une telle évolution est inévitable. Dans un premier temps, on pille tous les étrangers qui tombent sous la main, dans un second et dernier temps, lorsqu'il n'y a plus rien à piller nulle part, on décore les vaincus du titre de citoyen pour les faire tenir tranquilles.

« Les mercenaires, c'est le désordre militaire. La vulgarisation de la dignité de citoyen, c'est l'indignité générale et le désordre civil.

« Pis encore, plus nous commerçons, plus nous nous ruinons. L'or de la partie orientale de l'Empire va s'entasser chez les Parthes, les Arabes ou les Hindous, voire les Chinois. Et l'or de la partie occidentale file également vers l'est. Car, par une étrange malédiction, les marchandises précieuses circulent d'est en ouest et les marchandises sans grande valeur, en sens contraire. Les Gaulois font des jambons, et les Phéniciens, de la pourpre. Par conséquent, plus l'empereur de Rome aura de pourpre, moins il mangera de jambon. Il arrivera un moment où l'Occident ne pourra même plus payer ses mercenaires en liquide, ce qui est pourtant la seule façon de maintenir un minimum de discipline. Nos frontières seront ouvertes, nos villes mises à sac, et les ultimes traces de civilisation seront effacées, car, être civilisé, cela veut dire jusqu'à nouvel ordre qu'on mange en ville les revenus de la campagne. En somme, il y a plus affreux encore que l'insolence criminelle des mercenaires et de la plèbe urbaine : c'est la disparition même des mercenaires et de la plèbe !

« Mais je suis peut-être pessimiste. C'est une attitude fréquente chez ceux qui ont de grands biens. »

Il était en effet difficile d'imaginer de pareilles catastrophes devant une Baïes toute scintillante.

« Tu oublies une chose, dit Kaeso, c'est le droit reconnu par tous à la descendance de César de commander les armées. Cette sorte de légitimité a son poids.

— Oui, fit Decimus, la dernière fois que j'ai soupé avec Néron, j'ai observé qu'il avait grossi... Mais moi, qui suis aussi héritier d'Auguste, j'aurais plutôt tendance à maigrir. Le mariage, peut-être... »

Kaeso n'aurait pas dû faire allusion à l'empereur, qui était certainement pour un Silanus le danger le plus immédiat. Néron était de taille à le faire maigrir plus vite encore que Marcia.

Decimus se leva de son lit et donna le bonsoir à Kaeso, qui passa une nuit agitée, toute peuplée de murènes, de squelettes, de mercenaires en délire et de plébéiens incendiaires. Il n'entrait pas sans inquiétude dans la vraie civilisation romaine que prétendait résumer Silanus.

IV

Silanus s'attarda encore une quinzaine de jours à Baïes, car, malgré les hautes payes, il avait les pires difficultés à faire travailler des maçons campaniens du matin au soir. L'équipe de l'après-midi souffrait d'absences et de défaillances continuelles. Et c'étaient des discussions orageuses avec les délégués syndicaux. Les travailleurs étaient organisés en « collèges », où les mêmes intérêts, une même solidarité unissaient hommes libres et esclaves sous couleur de rendre un culte à une divinité quelconque ou d'assurer les obsèques décentes des membres. Ces associations suspectes, sans cesse interdites, étaient sans cesse reconstituées sans que l'on osât sévir, crainte de déchaîner des troubles superflus. Les motifs religieux et funéraires étaient une habile couverture pour la défense des privilèges professionnels. Au surplus, on avait besoin de ces gens-là. Une voûte de grande portée n'était-elle pas affaire de spécialistes ?

Tandis que la voûte pour surmulets se montait « piano piano », Kaeso s'initiait à l'exquise existence de la haute aristocratie et recevait ainsi un intéressant complément d'éducation. Tantôt on assistait aux premières loges à un « munus » assez convenable dans l'amphithéâtre tout proche de Pompéi, qui avait bonne réputation et concentrait les fanatiques à plusieurs journées de marche à la ronde. Tantôt on écoutait poliment la lecture publique d'une ennuyeuse tragédie, dont les vers auraient découragé les spectateurs du commun. Tantôt on s'encanaillait au théâtre, dont les sanglantes violences et les vulgaires obscénités avaient la faveur de la plèbe. C'étaient aussi des promenades en mer, sur l'une des embarcations à voiles ou à rames du port de plaisance de Baïes, ou des randonnées en litière dans les environs. Silanus avait des participations dans l'affinage des huîtres réputées du lac Lucrin, et il ne dédaignait pas d'aller voir ses succulents coquillages plats à écaille lisse, les célèbres « leiostreia ». On préférait les huîtres affinées en eau douce, on faisait de l'huître partout, de Tarente à la Bretagne, et l'on en dégustait jusque dans les montagnes de l'Helvétie ou sur les frontières germaniques. Elles valaient pourtant deux fois plus cher que les oursins, dont on raffolait également. Et il y avait en outre des élevages de spondyles, de glands de mer, de palourdes ou de pétoncles. Il n'était point de repas prié d'un certain rang sans fruits de mer.

Les dîners fins succédaient aux dîners fins, chez Silanus ou ailleurs, et les cuisiniers rivalisaient d'imagination et de dépenses.

Quand Silanus recevait à la nuit tombante pour des agapes qui se poursuivaient à grand renfort de luminaire, son premier soin était d'aviser une jolie femme et de lui dire, avec un clin d'œil à Kaeso : « Si ton mari (ou ton ami) le permet, mon futur fils va te montrer mes murènes avant que le soleil ne se couche. » Si la tête du mari ou de l'ami n'était pas trop sympathique, Kaeso, bien qu'il éprouvât comme une étrange répugnance pour l'amour depuis le remariage de Marcia, se laissait tenter. Le truc de Silanus était quasi infaillible. Kaeso ne connut qu'un échec : une évaporée qui voulait absolument voir dévorer un enfant tout cru sur-le-champ.

Ces soirs-là, les conversations étaient d'un niveau exceptionnel, car Silanus savait choisir ses hôtes. Pétrone fut invité une fois, après lecture publique d'un long passage de son *Satiricon*, qui était en voie d'achèvement. Le débat au sortir de la séance avait été exceptionnellement animé, et il s'était poursuivi durant le souper. Pour la première fois, des gens cultivés avaient pu ouïr un pastiche de roman populaire, et un roman dont maintes péripéties étaient écrites dans un latin qui se rapprochait de la langue parlée. L'innovation avait suscité encore plus de scandale que d'intérêt. Pétrone faisait semblant de n'accorder aucune importance à son essai — qui avait cependant amusé Néron —, mais on voyait bien qu'il était déçu que son message se heurtât à tant de préjugés.

Pétrone était arrivé en compagnie d'une fille éblouissante, et Kaeso s'étonnait du silence de Decimus, quand Pétrone lui dit : « J'ai promis à Popillia que tu lui ferais visiter la piscine des murènes — sans oublier la grotte où l'on dit que Vénus s'est refait une beauté en sortant de l'onde. Fais-moi ce plaisir ! » Puisque Pétrone était dans le secret, il eût été goujat de le décevoir.

Cette « dolce vita » avait tant de charmes que le soupçon effleura Kaeso que le sacrifice de Marcia était peut-être moins cruel qu'il ne l'aurait cru. Mais il en fut plutôt content pour elle, qui aurait ainsi des compensations auxquelles elle n'avait évidemment pu songer. Ses yeux étaient longs à s'ouvrir.

Sentant bien que le terrain était glissant, Silanus parlait fort peu de sa femme et moins encore de son avant-dernier mari. La veille du départ, il se décida néanmoins à dire à Kaeso :

« J'ai noté chez toi un soupçon de froideur à mon égard, qui n'est plus à mettre au compte de la timidité, à présent que tu me connais un peu mieux, après deux semaines de séjour. Cette froideur, que tu n'es pas d'un caractère à trop dissimuler — franchise qui me confirme dans l'estime que je te porte —, sache que je la comprends et la pardonne dans la mesure où elle est le reflet d'une prévention toute naturelle. La cote des beaux-pères n'est guère meilleure que celle des belles-mères. Puisque j'ai la vanité de croire qu'il s'agit d'une prévention plutôt que d'un jugement impartial, j'aimerais t'aider à te raisonner, du haut de l'expérience que je puis avoir.

« Tu sais la mésaventure d'Actéon, ce jeune chasseur curieux, changé en cerf pour avoir surpris Diane au bain, et dévoré par ses chiens.

« Ces faits sont assurément exacts, mais une compréhension plus profonde les éclaire d'un jour nouveau. Contrairement à ce qu'on imagine, Diane n'était pas vierge du tout. Le jour, elle faisait semblant, pour asseoir sa réputation, mais, au clair de lune, Éros venait la retrouver sur la mousse. De leurs étreintes était né le bel Actéon, garçon naïf, qui avait moins d'excuses que les autres, étant son fils, à croire que sa mère n'avait jamais connu d'hommes. Il est vrai qu'il était encore plus vierge que sa mère. Le soir où, poursuivi par de vagues inquiétudes, il surprit Diane au bain, la vierge n'était pas seule, mais Éros la chevauchait " more ferarum ", en battant des ailes. Diane s'empressa de changer Actéon en cerf, non point certes pour le punir, mais pour lui épargner ce choc que les enfants candides ressentent toujours en pareil cas. A quelque temps de là, alors qu'Actéon saillait une grosse biche complaisante, le souvenir lui revint tout à coup de la scène que Diane s'était efforcée de chasser de sa mémoire. Il en fut si malheureux qu'il laissa la biche en plan et n'eut pas le cœur de courir la première fois qu'il rencontra ses propres chiens.

« En réalité, les enfants pardonnent à leur mère d'avoir fait l'amour une fois — mais pas deux. Et la rancune sournoise qu'ils nourrissent contre leur père ne connaît plus de frein à l'encontre d'un beau-père, car les nécessités de la génération ne sont plus là pour couvrir de leur manteau des plaisirs dont l'enfant est exclu.

« Mais les enfants intelligents, dès qu'on leur a raconté la véritable histoire de Diane et d'Actéon, l'apprennent par cœur pour se démystifier. »

Kaeso fut très frappé de l'apologue et finit par dire au fabuliste :

« Si j'avais connu cette histoire plus tôt, j'en aurais fait mon profit et le tien. Je m'efforcerai de ne plus penser ni à ma mère ni à toi quand je serai sur une biche.

— Ce serait la plus sûre façon d'y penser ! Penses-y donc sans effort, et pense surtout que Marcia et moi avons les mêmes droits que toi-même à disposer de nos personnes. »

La largeur d'esprit et la perspicacité de Silanus faisaient peu à peu la conquête de Kaeso, malgré ses répugnances instinctives.

Le matin du départ, il y avait foule pour saluer Silanus : amis divers, clients attachés à ses vignes campaniennes, président et vice-présidents du collège funéraire local des maçons, qui tenaient à le rassurer sur la bonne suite des travaux...

La caravane ne s'ébranla que tardivement, et, passé Capoue, on préféra la Voie Appienne à la Voie Latine, car c'était sur cet itinéraire que se trouvaient les deux étapes avec thermes et cuisines que Silanus faisait entretenir afin d'y coucher quelques nuits par an. Pour rompre la monotonie du voyage et préserver ses muscles de la courbature, le patricien faisait alterner les modes de transport, passant de sa litière à un char à quatre chevaux, de son char sur un cheval, du cheval dans une voiture-salon. Suivaient, traînés par des mules, une voiture-cuisine pour les pique-niques et une douzaine de chariots à bagages, dont celui qui renfermait la somptueuse garde-robe que Decimus avait offerte à Kaeso. En tête et en queue, des troupes compactes d'esclaves assuraient la sécurité du convoi.

Les forêts de Campanie étaient infestées de brigands, appelés « grassateurs » ou « sicaires », qui venaient tendre leurs embuscades jusqu'à l'entrée des marais Pontins, traversés par une chaussée de dix-huit milles de long, qui semblait avoir été construite exprès pour eux : une fois engagés dans cette souricière, les voyageurs étaient rattrapés, agressés, puis les brigands fuyaient en barque dans le dédale des marécages. La seconde zone dangereuse était les alentours immédiats de Rome, où les sicaires s'étaient établis à distance respectueuse des polices urbaines. Sur la Voie Appienne, leur point d'agression favori était le lieudit « Tombeau de Basilus », à proximité d'un bois sinistre.

La dissuasion étant la plus heureuse expression de la force, le voyage se déroula sans accident ni incident, les populations admirèrent à loisir un cortège qu'on aurait pu qualifier d'impérial si Néron avait été un modeste, et, dans l'après-midi du troisième jour, on aborda la région des tombeaux de la Voie Appienne.

Jusqu'à quinze ou vingt milles de Rome, toutes les grandes voies étaient bordées de tombeaux, dans un ordre d'autant plus continu qu'elles étaient plus fréquentées et que l'endroit était plus proche de la Ville. Les Voies Appienne, Latine et Flaminienne étaient particulièrement gâtées et décorées par les morts. Les monuments les plus riches avoisinaient la route, avec leur aire de crémation privée. Plus on s'éloignait de la route, plus les tombeaux étaient pauvres : des pièces montées où la plus grande fantaisie se donnait libre cours, on passait insensiblement aux plus humbles pierres. De loin en loin, était une aire de crémation publique, associée à une auberge, où étaient servis les banquets funèbres des petits bourgeois.

Silanus, qui avait pris les rênes de son char, retenait parfois les chevaux, le temps de lire une épitaphe qu'il ne connaissait pas encore et de faire quelque commentaire à Kaeso.

Les Romains fortunés se faisaient rarement inhumer dans leur jardin. Cette foule qu'ils avaient fuie de leur vivant, ils ambitionnaient de s'en rapprocher une fois défunts, de se rappeler à son bon souvenir, de lui léguer un message. Et rien de mieux qu'une belle route pour établir et maintenir une communication permanente entre les morts et les vifs.

Cet appétit de dialogue personnel rendait les épitaphes extrêmement variées et dénuées le plus souvent de la moindre convention quant à l'essentiel du texte. Toutes les qualités et tous les défauts s'exprimaient ainsi dans cette prose éternelle. Des vaniteux entassaient une douzaine de surnoms en guise d'introduction à un « curriculum vitae » ridicule. Des hommes célèbres — dont certains n'étaient que trop connus — travaillaient dans le genre sobre. Les pensées, les sentiments les plus contradictoires, les plus profonds ou les plus futiles se faisaient jour. Les Romains se révélaient soudain beaucoup plus originaux dans leur mort que dans leur vie.

Kaeso, à son tour, attirait l'attention de Decimus sur tel ou tel extrait qui l'avait frappé pour une raison ou pour une autre...

« Ci-gît Similis, ancien Préfet du Prétoire : il supporta la vie durant cinquante ans et ne vécut vraiment que durant sept ans. »

« La vertu est ouverte à tous, elle n'exige ni rang ni richesses : l'homme seul lui suffit. »

« Tant que j'ai vécu, je me suis bien amusé. Ma pièce est finie, la vôtre finira bientôt. Adieu, applaudissez ! »

« Vivant, je n'ai jamais maudit personne. A présent, je maudis tous les dieux des enfers. »

« T. Lollius a été placé près de cette route pour que le passant lui dise : cher Lollius, adieu ! »

« Ci-gît Amymone, femme de Marcius. Excellente, très belle, elle fila la laine, fut pieuse, pudique, honnête, chaste et resta à la maison. »

« A la femme la plus aimable : elle ne m'a causé d'autre chagrin que celui de sa mort. »

« Je vous supplie, très saints dieux Mânes, d'avoir pour recommandé mon très cher mari et d'être assez indulgents avec lui pour que je le voie durant les heures de la nuit. »

« Ce que j'ai bu et ce que j'ai mangé, c'est tout ce que j'emporte avec moi. »

« Pieux, vaillant, fidèle, sorti de rien, il a laissé trente millions de sesterces et n'a jamais voulu entendre les philosophes. Porte-toi bien et prends exemple sur lui. »

« Jeune homme, quelque pressé que tu sois, cette pierre te demande de lever ton regard et de lire : ci-gît le poète M. Pacuvius. Voilà tout ce que je voulais t'apprendre. Adieu. »

« Terre, ne pèse point sur cette enfant, qui n'a point pesé sur toi ! »

« Puisse-t-il bien se porter celui qui me salue en passant ! »

Il y avait même une tombe anonyme :

« Mon nom, mon père, mon origine, mes actions, je ne les dirai pas. Muet pour l'éternité, je ne suis plus qu'un peu de cendres et quelques os, trois fois rien. Sorti du néant, je n'existe plus et n'existe-rai plus jamais. Ne me reprochez point mon incrédulité, car mon sort vous guette ! »

Kaeso demanda à Decimus :

« Ne crois-tu pas que notre âme survit ?

— Les questions insolubles ne méritent pas qu'on s'y arrête trop longtemps. Ce qui est certain, c'est que nous devons vivre comme si nous étions immortels. »

Silanus arrêta le char une nouvelle fois et en descendit. On se trouvait devant une grosse tour en pierre de taille. Le soubassement était en marbre blanc, ainsi que la frise du sommet, où étaient sculptés des bucranes, des guirlandes de feuillage et des patères, emblèmes des sacrifices. C'était le tombeau des Silanus.

Le maître se fit ouvrir la chambre funéraire par le gardien et Kaeso fut très surpris de distinguer dans le clair-obscur de la pièce des rangées de sarcophages marmoréens sur plusieurs niveaux. Ce n'était pas le nombre des sarcophages qui le surprenait : les « gentes » illustres pouvaient se permettre de telles réunions. Mais il se serait attendu aux urnes funéraires de rigueur.

Decimus lui expliqua : « Les plus anciennes " gentes " de Rome n'avaient pas coutume de pratiquer la crémation. Sulla, par exemple, a été le premier de la " gens " Cornelia à finir sur le bûcher : ayant fait déterrer le cadavre de Marius, il voulait se garantir d'un pareil inconvénient. Cette crainte est révélatrice du motif général qui a fait passer la crémation dans les mœurs : il s'agit d'une habitude pratique de populations nomades, qui peuvent de la sorte circuler aisément et à peu de frais avec leurs morts et en soustraire les cendres à l'ennemi. Il est probable que des envahisseurs nous ont imposé cette innovation aux temps légendaires de la Ville, mais les Romains l'ont adoptée d'autant plus volontiers qu'ils allaient au loin mourir en grand nombre dans les légions et que le rapatriement des restes ne faisait dès lors aucune difficulté.

« Encore aujourd'hui, le sarcophage est de règle dans notre famille, pour bien rappeler à tous l'antiquité de nos origines. »

Decimus s'approcha cependant d'une paroi percée de niches où avaient été déposées des urnes...

« Ici sont les cendres de mes ancêtres tombés à l'ennemi sur les champs de bataille étrangers. Cette dernière urne est celle de mon pauvre frère Marcus, assassiné durant son proconsulat d'Asie. Mais ce sarcophage est celui de mon jeune frère Lucius, contraint au suicide à Rome. »

Après s'être détourné pour s'essuyer les yeux et renifler discrètement, Decimus dit à Kaeso quelle victime il convenait de sacrifier pour apaiser les Mânes des morts le IX des Kalendes de mars, lors de la fête des Parentales, et quelles formalités religieuses étaient de règle pour les apaiser de nouveau et les tenir à distance des habitations, lors des Lémuries, les III, V et VII des Ides de mai. Les Romains, qui ne craignaient aucun vivant, redoutaient les morts insatisfaits.

Kaeso prit note des moindres détails avec un exemplaire sérieux. L'endroit, d'ailleurs, ne donnait guère envie de rire.

Satisfait de cette bonne volonté, Decimus crut bon d'ajouter :

« Je t'ai déjà fait comprendre qu'il faut veiller au maintien de la religion parce que les plus efficaces vertus romaines y sont attachées. Quoi de plus beau qu'une religion qui ne détourne pas l'homme de faire tout ce qu'il peut et tout ce qu'il veut ? Et là-dessus, les grandes et petites têtes politiques de Rome sont de mon avis. Les plus sceptiques des responsables défendront notre religion nationale jusqu'au bout contre toutes les influences, toutes les idées, tous les systèmes qui risqueraient de l'anéantir, risque heureusement peu probable, car, chez nous, la religion est uniquement affaire de formes et l'on voit mal qui ces formes pourraient gêner. Le principal risque est que les Romains eux-mêmes se détournent de vieilleries jugées de plus en plus ridicules. Ris de la religion tant que tu voudras avec un Pétrone, Kaeso, n'en ris jamais devant les pauvres et les ignorants ! Et ne fût-ce que pour eux, entretiens avec un visage grave toutes les traditions qui méritent de vivre. Si elles s'effaçaient, qu'aurions-nous à mettre à la place ?

« Mais dans mon privé, je serais plutôt stoïcien, comme le prétendent à bon droit les rumeurs. Tu as dû ouïr à Athènes suffisamment de conférences sur le stoïcisme à la mode pour n'avoir pas envie d'un supplément. Aussi serai-je laconique. Le stoïcisme nous apprend à ne pas nous préoccuper de ce qui ne dépend pas de nous pour devenir divinement libres dans les choses qui dépendent de notre volonté. Le tri est d'autant plus aisé à faire que nous avons mieux pénétré l'ordre du monde, auquel la sagesse veut que nous conformions nos pensées et nos aspirations.

— Cette liberté dans les choses qui dépendent de nous n'est-elle pas, chez la plupart, un facteur permanent de désordre ?

— Tel est en effet le gros problème. Les uns appliquent leur liberté à l'ordre et les autres, au désordre. Mais quand une liberté aveugle a déchaîné un désordre sans remède, le stoïcien a encore la liberté de se retirer des affaires publiques, comme Sénèque ou comme moi-même. Et la sublime liberté lui reste toujours, en désespoir de cause, de se retirer de la vie. »

Parmi les épitaphes qui ornaient la chambre funéraire, figuraient les malédictions d'usage à l'encontre de l'impie qui oserait troubler le sommeil des morts : « Qu'il soit privé de sépulture ! », « Qu'il meure le dernier de sa lignée ! »

« Mon neveu Lucius, le fils du regretté Marcus, est menacé au même titre que ma personne, dit Decimus, mais grâce à toi, je ne serai peut-être pas le dernier... »

Ils ressortirent au grand air, alors que, sur la Voie Appienne, la promenade favorite des Romains avec le Champ de Mars, la foule se faisait de plus en plus dense, au point de gêner par endroits le trafic des voyageurs, et surtout celui des marchandises, qui allaient s'entasser devant la Porte Capène pour attendre l'heure nocturne de pénétrer en Ville. Le Champ de Mars aussi, par dérogation spéciale, avait pris ici et là des allures de cimetière. Les Romains vivaient avec leurs morts.

Ils jetèrent un dernier coup d'œil sur l'imposant monument qui, vu sa destination communautaire, ne présentait point d'épitaphes extérieures. On y lisait seulement, déjà rongé par le temps, le classique : « H.M.H.N.S. », c'est-à-dire : « Ce monument n'est pas la propriété de l'héritier. »

En droit romain, par une extraordinaire exception à toutes les règles, les morts étaient en effet propriétaires de leur tombeau. Il fallait leur permission pour y toucher, et les morts étrangers eux-mêmes ne se pressaient pas de la donner : au pied du mont Esquilin, à la naissance de la Voie Sacrée, on voyait toujours l'emplacement où les Gaulois de Brennus, plus de quatre cents ans auparavant, avaient brûlé leurs morts, durant les sept mois de siège du Capitole.

On passa bientôt devant le petit sépulcre prétentieux de l'oncle Rufus, dont Kaeso signala à Decimus la curieuse inscription : « Il est mort comme il est né : sans le faire exprès. Imitez son imprévoyance ! » C'était l'une des épitaphes qui avaient le plus de succès chez les badauds.

Puis Decimus prit un chemin de traverse, on longea les immenses « colombaria » où reposaient les cendres des esclaves de la « familia » impériale, et aussi celles des affranchis qui n'avaient pu ou voulu se payer un monument particulier. On pénétra enfin dans un vaste colombarium, qui était aux Silanus. Il y avait là des milliers de niches, chaque urne étant assortie d'une inscription passée au minium, qui rappelait le nom, la qualité, et souvent la fonction de l'affranchi ou de l'esclave.

Decimus était naturellement fier de l'importance de la collection, qui lui inspira une remarque : « Cette foule d'esclaves ont préféré l'indignité de leur condition à un suicide stoïcien, démontrant par là qu'ils avaient mérité leur sort. Mais combien d'hommes libres ne vivent-ils pas dans l'esclavage de leurs passions, de leurs préjugés, de leurs erreurs ? Un tel spectacle n'invite-t-il point à se libérer de tous les esclavages, des plus anodins, qui viennent d'autrui, comme des plus dangereux, qui viennent de nous-mêmes ? »

Marcia avait, entre autres, insisté auprès de Decimus sur le fait que Kaeso avait été tenu dans l'ignorance de ses origines. Mais Decimus estima que l'endroit était bien choisi pour faire à Marcia une infidélité qu'il estimait sans conséquence. Il désigna à Kaeso une inscription : « T. Junius Aponios, trésorier », et lui dit : « De cette urne, ton arrière-grand-père grec te salue ! »

Devant l'effarement et le trouble du jeune homme, il poursuivit : « Telle est bien l'origine de l'affectueuse et reconnaissante clientèle que ton honorable père me porte. Une vanité très excusable l'avait incité à tirer un voile, un juste orgueil m'incite à te mettre au courant. Au fond, tu es un peu comme mes plus beaux poissons : le produit d'un élevage qui a nécessité des générations de soins. Les plus anciennes de mes piscines ont été créées par mon grand-père, et il est bien possible que ton arrière-grand-père en ait tenu la trésorerie et classé les fiches. En t'adoptant, je récolte ce que nous avons semé. Je n'adopte pas un inconnu ! Mes esclaves ont eu pourtant du mal à retrouver cette inscription : ils sont tellement là-dedans...

« Ne te frappe point : la majeure partie des citoyens de Rome descendent aujourd'hui de ces foules de captifs que nos légionnaires avaient raflés. Et ces esclaves, Rome en a fait des hommes, et parfois des consuls. Notre esclavage n'est qu'une grande fabrique de citoyens. Tu n'es pas en trop mauvaise compagnie. Beaucoup d'esclaves étaient d'ailleurs plus doués que leur maître — surtout les Grecs comme ton arrière-grand-père — et tout le mal que je te souhaite est de ne pas me ménager tes bonnes leçons.

« Désires-tu que je fasse édifier pour notre Aponios un sépulcre convenable, avec une belle épitaphe :

— Non, non, il est très bien là où il est ! »

Decimus sourit, mettant la réaction de Kaeso en rapport avec la vanité de son père. Pourtant, ce qui froissait Kaeso, ce n'était pas la trouble obscurité de sa source, c'était que le fleuve se fût révélé si trompeur. Quelle petitesse de lui avoir caché un fait si important ! Et Marcia elle-même... Mais Marcus avait dû imposer cette discrétion à sa femme.

Dans la litière où ils étaient montés à la Porte Capène, Decimus aborda le sujet de la prise de toge virile et des formalités d'adoption. Comme il se lançait dans un cours sur les beautés de l'adoption romaine, dont la moindre n'était pas qu'elle permettait au père adoptif de choisir un adulte qui avait fait ses preuves ou un adolescent qui donnait de l'espoir pour garantir la permanence du culte familial, Kaeso, un peu impatienté, lui dit : « " Domine ", je ne suis pas digne d'entrer dans ta maison ! » Mais Decimus répondit : « C'est moi qui ne suis pas digne de t'adopter puisque je n'ai pas été capable de faire un enfant aussi beau que toi ! » Decimus avait pris l'habitude d'avoir le dernier mot.

Après de telles expériences, Kaeso retrouva une maison paternelle qui lui sembla des plus médiocres et un père qui lui sembla plus médiocre encore, malgré ses loyaux efforts pour le considérer avec son regard d'autrefois. Les enfants sont entraînés par la nature de leurs estimables exigences à mépriser leurs parents par insensibles paliers ou par accident subit. L'accident était survenu par l'orgueilleuse maladresse de Decimus, mais il n'était pas exclu que Kaeso eût déjà gravi auparavant, sans bien s'en rendre compte, quelques degrés du sournois escalier du mépris. Il était temps, par la grâce des lois et par la bienveillance des dieux, qu'il changeât de père.

La confiance étant un bloc qui ne se détaille point, Kaeso se demandait si on ne lui avait pas caché d'autres mystères, et sa curiosité de les découvrir était égale à sa crainte. L'apologue d'Actéon était insuffisant à le retenir sur cette voie périlleuse et à calmer ses sourdes inquiétudes.

Il y avait en tout cas une chose dont le maître faisait étalage, c'était sa Séléné. Marcus, naguère encore si réservé, si respectueux avec Marcia devant les enfants, couvait l'esclave des yeux et la traitait avec une familiarité qui n'aurait laissé aucun doute sur le concubinage si le moindre doute avait été possible.

Depuis longtemps, le mariage ne présentait plus que des inconvénients pour les hommes, privés de toute autorité légale sur leur épouse et incapables même d'entrer en possession de la dot qui leur filait sous le nez si l'infidèle s'envolait : la mise en ménage avec une affranchie ou une esclave était ainsi devenue fréquente et personne ne s'en formalisait plus, Kaeso moins que quiconque. Mais il ne pouvait s'interdire, dans ce cas particulier, de comparer la dignité affichée autrefois avec le relâchement qu'il était bien obligé de constater. Et la situation lui pesait, le décevait, l'agaçait d'autant plus que Séléné était merveilleusement belle et opposait aux déplaisantes vulgarités de Marcus un sang-froid et une correction imperturbables. Kaeso souffrait pour son père, qui présentait une image dégradée, et il souffrait pour Séléné, par une sorte de sensibilité esthétique. Il lui semblait que, dans une société bien organisée, l'usage des beautés parfaites aurait dû être réservé à des amateurs de goût en âge et en état de les apprécier. L'idée même lui vint à l'improviste — qu'il éloigna comme indécente — qu'une fois poussé plus avant dans les faveurs de Silanus, il serait en mesure de racheter l'esclave à son père, et pour une somme qui emporterait ses dernières hésitations.

Malgré de trop fréquents excès de mangeaille et de boisson, Marcus avait conservé suffisamment de finesse pour percer à jour les sentiments de Kaeso et, un soir, alors qu'ils dînaient tous trois, encouragé à la franchise par un certain vin de Clazomènes, le maître dit avec une pointe d'impatience :

« Eh oui, tout le monde doit en prendre son parti : le mauvais sort m'a privé d'une jolie femme, et une fortune clémente m'en a donné une autre, qui a tout... (presque tout !) pour faire le bonheur d'un homme : il est bien normal que je regarde avec admiration ce trésor, et sans me gêner, puisque je suis chez moi et qu'il s'agit d'une esclave ! »

Kaeso, qui était allongé en face du couple, baissa la tête pour tout commentaire. Marcus en profita pour donner une petite tape sur le derrière de sa concubine, qui avait naturellement pris place « en dessous » de lui, et poursuivit :

« Tu vas bientôt revêtir la toge virile, Kaeso, et il est temps que tu te pénètres de cette vieille moralité romaine, que je m'efforce de t'inculquer depuis ta première enfance et qui, en matière de femmes, se résume en une proposition : respecte les matrones, ton épouse ou celles des autres, respecte les tendres vierges qui sont encore sous l'autorité des pères, dans l'attente d'un mariage qui ne les débridera que trop ; et réserve les feux de ta jeunesse aux filles soumises et aux esclaves qu'une loi tolérante met à ta disposition. Ainsi ne feras-tu de mal à personne. Telle était déjà l'opinion du vieux Caton, qui épousa une jeunesse à soixante-dix ans. »

Devant le silence prolongé de Kaeso, il ajouta encore, mesurant ses expressions :

« Marcia m'a touché un mot de tes démêlés avec les pédérastes grecs — tous les hommes le sont plus ou moins, là-bas, dans ce pays de facilité et de décadence. Ce qui est honteux, chez ces Grecs, c'est leur prétention, tenue pour honnête, de corrompre des jeunes gens de bonne famille. Nos lois romaines — qui hélas ne sont guère appliquées — persistent à tenir pour infâmes et sanctionnent en conséquence les liaisons de ce genre entre citoyens, dont l'inverti sort irrémédiablement souillé. Mais elles ferment les yeux sur l'usage d'un mignon servile. En somme, en fait d'hommes comme en fait de femmes, l'esclavage est là pour préserver l'honneur des citoyens. L'esclave ne servirait-il qu'à cela, qu'il serait déjà indispensable. »

La façon dont Marcus, descendant d'un esclave grec qui avait dû subir tous les caprices de ses maîtres, parlait des Grecs et des esclaves était d'une inconscience qui, pour relever de la nature humaine élémentaire, n'en était pas moins fort remarquable. Kaeso ne pouvait qu'imiter le silence de Séléné, car il y aurait eu trop à dire.

Pour beaucoup de Romains aux revenus modestes, l'un des plus beaux attraits de la concubine esclave ou affranchie était qu'on pouvait la mettre aux travaux de cuisine sans discussion, alors que la matrone, après le mythique enlèvement des Sabines, s'était juré de ne pas en passer la porte. Depuis que Marcus était un peu mieux dans ses finances, il avait acheté un cuisinier syrien d'un talent passable, qui lui avait coûté 10 000 sesterces, mais qui n'était pas doué pour la pâtisserie. Comme il n'était pas question d'acheter aussi un pâtissier, qui formait, avec le chef, la base de l'équipe minimale d'une cuisine d'un certain rang, Séléné s'était offerte pour remplir cet office à ses moments perdus, qui étaient assez nombreux, vu que l'âge avait fait passer les ardeurs du maître de la torche au « lucubrum ». Les coups de reins de Marcus, rares et brefs, coïncidaient généralement avec la pleine lune, et il fallait de longs artifices pour le mettre en action. Le reste du temps, le maître sortait de ses somnolences ou de ses travaux juridiques pour imposer à l'esclave des assiduités sans conséquence, qui ne lui échauffaient guère que les yeux et la main. Lorsque brillait de tout son éclat l'astre des nuits, Séléné était prise d'une rage de gâteaux, dont la confection la retenait parfois dans la cuisine, à la lumière des lampes, jusqu'à des heures indues, et Marcus devait, ces soirs-là, choisir entre sa lubricité lunaire et sa gourmandise constante.

Séléné était experte dans la confection de ces nombreux « liba », ces gâteaux rituels que l'on offrait aux dieux en si grande quantité que les esclaves des prêtres en étaient dégoûtés et préféraient un bon pain. Mais elle était également habile à bien d'autres préparations. Se succédaient les « crustula » craquants ; les « globuli », boulettes de pâte levée, enduites de miel et rissolées dans l'huile ; le « hamus » en forme de croissant ; les divers « lagana » de pâte mince, découpés en longues bandes et dégustés avec poivre et garum — appelé de plus en plus « liquamen » — au sortir de la friture ; les « lucuncula », beignets croustillants ; les « perlucida », crêpes si étirées par le rouleau que l'on pouvait voir à travers ; les « summanalia », en forme de roue, qui étaient en principe le lot de Jupiter ; le « thrion » grec, où intervenait le fromage râpé ; l'épaisse « placenta » romaine, gâteau analogue au thrion, mais plus bourratif ; et aussi toutes sortes de crèmes et d'omelettes, les « pains perdus » et les dattes fourrées de noix et de poivre, salées et cuites dans le miel... La liste, où les fruits et les vins cuits tenaient une place de choix, était interminable.

Mais le beurre, produit barbare qui passait pour médicament de régime, n'était jamais utilisé. Les chaleurs des pays méditerranéens nuisaient à sa fabrication, à sa conservation et à son transport. Séléné travaillait au saindoux frais et à l' « huile d'été » de Vénafre, dans le Samnium, la plus réputée, dont la première pression à froid était faite à partir d'olives de septembre encore blanches.

Il arrivait à Kaeso, désœuvré, de tenir compagnie à la pâtissière, dont le corps, sculpté par Praxitèle, se profilait sous la robe légère à la douce lueur des lampes à huile.

Cette cuisine, où Kaeso n'avait presque jamais mis les pieds autrefois — et Marcia moins encore ! —, avait bénéficié de toutes sortes d'améliorations au fur et à mesure que l'argent se faisait moins rare. Le four, où se doraient les gâteaux, les rôtis en cocotte — et même les viandes en broche préalablement bouillies — avait été refait. Les grils et réchauds à braise s'étaient multipliés. Les batteries de poêles, de casseroles, de marmites, étaient au complet ; et, avec le cuisinier syrien, qui se prenait très au sérieux, étaient apparus toutes sortes de plats plus ou moins creux, dont la plupart poussaient l'élégance jusqu'à porter un nom grec : artocreas ou artolaganon, epityrum, tyropatina ou tyrotarichum... Sans parler d'une plaque aux indentations hémisphériques pour que les œufs « miroir » ne se mélangent point durant la cuisson ! Le rayon des condiments et des épices italiens, étrangers ou exotiques, indispensables aux innombrables sauces, était devenu imposant, et parmi une soixantaine de produits, trônaient en bonne place le meilleur garum et le meilleur miel, le poivre le plus fin et les précieux pignons du pin parasol, du pin cembro ou de l'épicéa, qui n'était souvent cultivé que pour le plaisir des gastronomes. Et le Syrien avait encore sous la main toute une bibliothèque, dont la majeure partie était grecque — c'étaient les Grecs qui avaient enseigné la cuisine aux Romains —, mais où l'on distinguait aussi les trois traités de C. Matius, l'ami d'un César qui pourtant ne portait aucune attention à ce qu'il mangeait, et, bien sûr, le traité complet de Gavius

Apicius [1], ce gourmet passionné de recettes et de jeunes marmitons. Apicius, dont l'école de gastronomie avait fleuri sous Tibère, s'était donné la mort, après avoir ingurgité une fortune, quand il s'était aperçu qu'il ne lui restait plus que dix millions de sesterces. Martyr des plus fines sensations, il avait préféré une fin exemplaire à une réduction de son train de bouche.

Ce soir-là, Séléné œuvrait à un « canopicum » égyptien. Comme elle reposait *l'Art du boulanger* de Chrysippe de Tyane, Kaeso lui demanda soudain :

« L'autre jour, quand mon père a dit que tu avais " presque tout " pour faire le bonheur d'un homme, j'ai observé par hasard que ta main se crispait sur la fourchette à escargots, ce qui me paraît une réaction un peu vive pour une bien banale plaisanterie. Qu'avais-tu alors derrière la tête ?

— Silanus a donné mon corps à ton père, et tu veux encore ma tête ?

— Silanus ?

— Garde-moi le secret, je te prie, car Silanus et ton père sont d'accord pour ne pas s'en vanter auprès de toi. Je suis le cadeau de ce patricien au maître, en compensation du départ de ta belle-mère. Le geste me flatte, vu les charmes étonnants de Marcia — à ce qu'on dit — mais je suis de mauvaise humeur, car j'ai connu des hommes moins déplaisants. Il est vrai que je n'en connais guère de plaisants. »

Kaeso comprenait enfin comment son père avait pu se procurer une esclave de ce prix.

Tout songeur, il insista, passant du latin au grec, langue maternelle de Séléné, qui était peut-être plus favorable aux confidences :

« Tu n'as pas répondu à ma question ?

— Je t'ai déjà livré un secret. Tu es exigeant. Et exigeant sans titre, car je ne t'appartiens pas. »

La curiosité de Kaeso était excitée et son esprit se perdait en conjectures. Séléné était fort réticente, mais le garçon avait encore un autre charme que le charme masculin proprement dit, auquel la jeune femme paraissait peu sensible : il irradiait aisément d'humaine sympathie, et le cœur a parfois ses raisons que le sexe ignore.

Vaincue enfin, Séléné pleura et dit :

« Tu n'ignores pas qu'en amour certains hommes prennent plaisir à la jouissance d'autrui, que d'autres, en revanche, découvrent leurs plus vives jouissances dans la totale passivité de leur victime. De jeunes garçons à peine pubères sont ainsi castrés pour alimenter les lupanars de pédérastes, et certains maîtres pervers font castrer aussi

---

1. Nous n'en avons malheureusement conservé qu'un résumé, dont les proportions sont absentes.

tel ou tel mignon, comme Néron, paraît-il, a fait de son pauvre Sporus[1]. Les femmes ne sont pas épargnées par de tels caprices. En Égypte, une mode ancestrale veut que les filles du pays soient excisées de bonne heure, c'est-à-dire que le couteau du sacrificateur leur retranchera ce que les Grecs appellent le " kleitôris ", le " kleidion " — ou " petite clef " du plaisir —, le " murton " — ou baie de myrte —, voire l'" asticot "... Il y a bien d'autres termes, que tu as dû apprendre si tu as fréquenté les hétaïres d'Athènes. Les Romains nomment la chose " colonnette ", " douceur de Vénus ", " myrte " ou " petit Priape "... Je suis moins savante en latin qu'en grec. J'ai connu le couteau fort tardivement, alors que ma petite clef m'avait déjà ouvert de nouveaux horizons. Ton père est bien cruel d'en plaisanter, car...

— Car c'est lui, qui ?... »

La méprise de Kaeso induisit Séléné en tentation, et elle y succomba, se délectant à l'idée de se venger de Marcus, sans trop penser à la sensibilité de son interlocuteur.

Elle baissa les yeux et murmura : « Je te supplie de ne pas dire au maître que je t'ai révélé sa perversité. Bien qu'il ne soit pas le seul à Rome à s'offrir cette fantaisie, que les Égyptiens ont répandue, il me ferait fouetter. »

Horrifié, Kaeso jura tout ce que l'on voulait.

Le mensonge étant d'autant plus délectable qu'on le distille en détail, Séléné, pleurant de plus belle, décrivit par le menu la scène du sacrifice, où la cruauté vicieuse de Marcus prenait des allures épiques. L'imagination de Séléné était d'autant plus brillante qu'elle s'appuyait sur une douleur ineffaçable, plus vive et plus réelle. Mais la boue était trop épaisse, et Kaeso protesta : « J'ai du mal à te croire ! »

Ce n'était pas l'instant des demi-mesures. Avec une ferme douceur, Séléné s'empara de la main droite de Kaeso, et la força à remonter sous sa robe jusqu'au théâtre du crime, où l'inspection tâtonnante fut facilitée par le fait que le sexe de la jeune femme était toujours rasé de frais pour que fût mieux mise en valeur la pureté des lignes. Kaeso toucha, et il crut.

Une brusque envie de vomir le prit. Il se dégagea, se détourna, et ses yeux tombèrent sur une marmite où nageaient dans une sauce épaisse une demi-douzaine de chiots de lait rôtis. La mode de manger du chien était passée depuis longtemps, mais le chiot de lait demeurait l'attribut rituel de certains repas d'entrée en charge dans les col-

1. La castration des esclaves ne sera interdite que par Domitien († 96), et à partir d'Hadrien († 138), leur livraison au proxénète ou au laniste sera — très théoriquement — subordonnée à l'agrément du Préfet des Vigiles.

lèges religieux, et l'on en sacrifiait aussi à des dieux ou déesses, notamment à Genita Mana, qui présidait de son Olympe à l'heureuse régularité des menstrues. Marcus avait évidemment rapporté cette gourmandise de l'une de ses pieuses expéditions.

Complètement écœuré, Kaeso rendit tripes et boyaux dans la marmite et se sauva.

V

D'ordinaire, les jeunes gens romains déposaient la toge prétexte pour revêtir la toge virile entre quatorze et vingt ans, le XII des Kalendes d'avril — c'est-à-dire le dix-septième jour de mars —, jour « néfaste gai », à l'occasion des « Liberales », ou fêtes de Bacchus.

Durant les jours fastes, on rendait la justice ; durant les jours néfastes, la justice chômait, car les dieux cessaient d'y apporter leur caution. Un jour néfaste gai était un jour néfaste qui coïncidait avec une fête. Un jour « coupé » était néfaste matin et soir, et faste en son milieu. Durant les jours « funestes », anniversaires endeuillés de quelque catastrophe, vaquaient les affaires publiques et privées. Durant les jours « comitiaux », on avait autrefois réuni les comices curiates, centuriates ou tributes, assemblées progressivement réduites à rien. Et d'un bout de l'année à l'autre, les jours des calendriers étaient affectés d'une lettre, qui se répétait de A en H, le A permettant de repérer les « nundines », ou jours de marché et de vacances pour les écoliers. Avec un peu d'habitude, on parvenait à s'y retrouver.

Au matin de cette fête de Bacchus, le jeune homme qui devait déposer sa « prétexte » allait suspendre sa « bulle » porte-bonheur au cou d'un Lare domestique, puis, drapé dans sa nouvelle toge virile, tout environné de parents et d'amis, il montait offrir un sacrifice au Capitole et descendait se promener par les Forums pour annoncer à tous que Rome comptait un citoyen de plus. La journée se terminait naturellement par un banquet, les Romains ne ratant jamais une bonne opportunité de s'allonger à table. Aux « Liberales », la Ville était toute sillonnée de ces joyeuses processions entre Capitole, Forums et salles de réjouissances.

Par cas de force majeure, on pouvait évidemment revêtir la toge virile un autre jour. Marcus junior, ayant reçu son ordre de route, avait dû partir la veille des « Liberales » de l'année précédente, et Kaeso s'était embarqué l'avant-veille, aux Ides de mars, pour ne revenir qu'en avril. Et Marcus tenait absolument à ce que Kaeso prît la toge virile avant d'être adopté, pour que la cérémonie se déroule sous les bons augures de la religion familiale des Aponius, pour que la « bulle » du jeune homme figure dans le laraire de l'insula de Subure et non pas dans celui de Silanus. On choisit donc de reporter la fête au XI des Kalendes de mai (soit le vingt et unième jour d'avril), qui coïncidait aussi avec une grande fête publique, celle des Palilies, anniversaire de la fondation de Rome. Ce jour-là se déroulaient au Cirque Maxime les cavalcades et courses de chevaux des Jeux troyens, où se distinguait la plus brillante jeunesse romaine. La noble gravité des Palilies convenait fort bien à une prise de toge virile.

Une semaine après les Palilies, à cheval sur avril et mai, commençaient les Jeux floraux où il eût été indécent d'arborer pour la première fois la toge du citoyen. Ces « Floralia », en l'honneur de Flore, déesse de la fécondité et du plaisir plus encore, étaient d'abord, en effet, la grande fête nocturne des courtisanes. Il en sortait alors de partout. Le premier choix, qui tapinait sous les portiques du Champ de Mars ou aux alentours du proche temple d'Isis, déesse des entremetteuses ; le deuxième choix, qui se terrait sous les voûtes des Cirques, des théâtres et des amphithéâtres, ou à la porte des thermes ; le troisième choix, qui encombrait le pont Sublicius, dans le quartier proche des docks, ou les portes de la Ville ; et beaucoup de filles en maison, celles des établissements plus ou moins élégants de l'Aventin, celles du Vélabre, celles de Subure, dévouées au bas peuple ou aux aristocrates amateurs de sensations fortes et d'odeurs pénétrantes, celles qui végétaient derrière les rideaux crasseux des étroites cellules de l'enfer spécialisé du « Submemmium »... elles accouraient par milliers pour se former en longues processions qui traversaient lentement la Ville en direction des théâtres, et, vision unique dans l'année et sans doute au monde, sur les invitations pressantes de la foule compacte des spectateurs, chaque fille commençait de se déshabiller, égrenant ce faisant son adresse et ses tarifs, qui allaient de deux « asses » à des milliers de « nummi ». C'était une armée de femmes nues qui prenait tout d'un coup possession de la Ville Éternelle.

Mais dans les lupanars masculins, les petits mignons castrés n'étaient pas de la fête. L'impudeur est affaire de nuances.

Entre les Palilies et les Floralies, on ne trouvait comme fête que les « Vinalia », en l'honneur de la dégustation des vins de la précédente récolte. Cependant, le côté bacchique de la journée avait permis aux courtisanes d'en faire comme un hors-d'œuvre des Floralies. Dès le lever du jour, elles se pressaient vers le temple de Vénus de la Porte

Colline pour apporter des offrandes à la déesse ; et se tenait alors devant l'édifice une grande foire aux prostituées, pour le plus grand plaisir des proxénètes, des badauds et des pratiques.

Si l'on voulait associer la prise de toge de Kaeso à une fête convenable sans la reporter aux Kalendes grecques, il n'y avait vraiment d'autre solution que les Palilies.

Ces Palilies approchaient et, au dîner, Marcus se faisait de plus en plus sérieux et didactique, oubliant d'en taquiner Séléné...

« Le grand jour, Kaeso, est pour bientôt. Il y a une intention belle et profonde dans le fait que la toge prétexte est ornée de cette même bande de pourpre que l'on retrouve sur ma toge de sénateur. C'est le signe de l'éminente dignité de l'enfance, qui a droit à tout honneur et à toute protection. Tu vas maintenant entrer dans le monde des adultes et choisir la carrière que tu voudras : le barreau, l'armée, le sénat, où j'ai encore quelque influence... Silanus couronnera mes efforts pour que tu deviennes un homme digne de ce nom et un vrai Romain. Marcia te donnera aussi de bons conseils... »

Séléné jouissait impassible du dégoût croissant que Marcus inspirait à son fils. Elle se sentait moins seule.

A plusieurs reprises, Marcia avait fait tenir un billet à Kaeso, le pressant de passer la voir, mais il avait remis de jour en jour et avait finalement résolu de ne la retrouver que le plus tard possible, lors de sa prise de toge et dépose de barbe.

Kaeso vivait en état de permanent malaise. Choqué d'abord du remariage de Marcia, il était encore plus choqué, depuis l'atroce révélation de Séléné, qu'une femme comme sa belle-mère ait pu vivre si longtemps avec un Marcus dissimulé et cruel. Avant de se sacrifier pour lui dans le lit de Silanus, Marcia se serait-elle aussi sacrifiée pour la même cause dans le lit de son père ? Des profondeurs de la mémoire de Kaeso remontait le souvenir des cris de Marcus devant la porte de sa femme, qui prenait tout à coup une affreuse signification. Tant de sacrifices avaient quelque chose de fantastique !

Mais Kaeso se rappelait aussi toutes les bontés que son père avait eues à son égard. Peut-être n'était-il méchant qu'avec les esclaves ? Peut-être son caractère, à la suite du départ de Marcia, s'était-il aigri jusqu'à une fureur vicieuse ? Kaeso ne savait que penser, et le courage lui manquait d'affronter Marcia en tête à tête dans un climat aussi malsain. Il pressentait des abîmes.

Séléné posait un dernier problème à Kaeso. A son retour, il ne lui avait pas accordé plus d'attention qu'aux exquises femmes de marbre qui peuplaient la villa de Silanus à Baïes. Mais depuis qu'il avait dû mettre la main au creux d'une de ces statues pour vérifier à quel point elle était lisse, l'étrange tiédeur de cette expertise le poursuivait et ne laissait pas de le troubler. A travers le voile de la pitié perçait l'aiguillon d'un incestueux désir.

La veille des Palilies, Kaeso reçut dans la matinée un mot de Silanus l'invitant à passer après la sieste, et une courte lettre de Marcus junior :

« M. Aponius Saturninus à son bon frère Kaeso, salut ! »

« Ma joie aurait été grande d'être à Rome pour ta prise de toge, mais le légat m'a retenu. C'est l'époque où l'on reprend les armes pour impressionner les Germains, et, au sortir de l'hiver, les Germains les reprennent aussi, possédés d'un désir tout neuf de se battre, comme des ours qui se réveilleraient de leur long sommeil pour aller voler du miel. Mon service est donc sur les dents, car il faut profiter des bonnes dispositions de ces brutes pour les jeter les unes sur les autres plutôt que sur nos légionnaires. Ceux-ci font déjà quelques incursions de l'autre côté du fleuve, poussant des reconnaissances et nettoyant des régions suspectes. Il arrive que, poursuivis, des Germains isolés, pour échapper à nos chiens, se cachent dans des arbres, d'où les font dégringoler, tels des fruits mûrs, nos archers et nos frondeurs. Mais c'est une distraction qui ne vaut pas un banquet de prise de toge chez un membre de la famille impériale !

« On m'a mis au courant de ta proche adoption. C'est là une chance qui tient du prodige, et que tu dois mériter par beaucoup de prudence et de diplomatie. Comme il arrive à chacun d'entre nous, tu apprendras sans doute tôt ou tard des choses qui ne te feront pas plaisir. Ce sera le moment de garder tes pensées pour toi et de faire bonne figure. Il y a de grandes différences entre le monde que l'on souhaite et le monde où les dieux se jouent de nos espoirs et de nos sentiments. J'ai toujours éprouvé, par exemple, une grande tendresse pour Marcia, à qui je suis au fond assez indifférent, et elle nourrit pour toi une vraie passion, que tu mérites bien, mais qui pourrait devenir embarrassante. Veille à ce que Silanus ne prenne pas ombrage de ces relations. Un homme d'âge est facilement jaloux et les occasions de méprise sont nombreuses au cours d'une vie commune. Je te conseille de t'éloigner dès que tu pourras le faire décemment.

« Je ne désespère pas de me libérer dans les semaines qui viennent pour faire un saut à Rome et y prendre quelque distraction. Ici, l'huile a gelé en février ! C'est te dire la contrée de sauvages où nous sommes.

« Je me porte bien. Tâche d'en faire autant. »

Kaeso appréciait le bon sens de son frère, cette qualité que l'intelligence et l'instruction ne sauraient développer chez celui à qui elle fait défaut, et il se promit de mettre un jour Marcia en garde, avec toute la délicatesse possible, contre le danger que Marcus junior avait flairé de si loin — peut-être, après tout, par excès de bon sens ?

Silanus accueillit Kaeso dans l'atrium de la maison cicéronienne du Palatin, Marcia n'étant pas visible. Mais tout autour de la vaste pièce, les armoires où dormaient les « images » des ancêtres de la « gens » Junia étaient ouvertes. Ces masques mortuaires de cire, des plus réalistes, peints aux couleurs blêmes de la chair mourante, mais figés dans ce dernier souffle que le fils aspirait à la bouche de son père, étaient saisissants. Aux obsèques, le masque tout frais du défunt était porté par le mime de service préposé à la critique, et les autres masques, par des gens silencieux qui avaient endossé le costume d'époque des morts et arboraient les insignes de leurs dignités. Le défunt conduisait ainsi avec humour ses propres obsèques, devant la suite de ses ancêtres, qui n'avaient plus droit qu'aux éloges.

Silanus fit faire à Kaeso le tour des armoires funèbres, gratifiant chaque masque d'un commentaire historique et volontiers moral. Les consuls, les proconsuls, les dictateurs, les tribuns, les « imperatores », les gloires vraies ou usurpées du barreau ou des lettres, les esthètes ou les passionnés de piscines faisaient la ronde, qui se terminait sur les deux malheureux frères du maître de maison. Après quoi, Silanus montra à Kaeso un arbre généalogique assez touffu [1], dont il s'efforça de résumer ce qu'il tenait pour essentiel :

« Suis-moi bien...

« C. Julius César — dont une sœur avait épousé Marius — eut trois enfants de son épouse Aurelia : le grand Jules César et deux sœurs, chacune nommée Julia.

« Jules César se maria quatre fois : avec Cossutia, qui avait une belle dot ; avec Cornelia, fille de Cinna, chef du parti populaire après la disparition de Marius ; avec Pompeia et avec Calpurnia, fille d'un Pison. De tous ces mariages, il n'eut qu'une fille, Julia, issue de Cornelia, qui fut mariée à Pompée et mourut sans descendance.

« Mais l'une des deux Julia, sœurs de César, épousa M. Atius Balbus, et la fille née de ce mariage, Atia, s'unit à C. Octavius pour engendrer Octavie la jeune et le futur Auguste. (D'un premier mariage avec une Ancharia, C. Octavius avait eu Octavie l'aînée, qui n'était donc pas du sang de César, et sur laquelle je passe...)

1. Voir en fin de volume.

« L'autre Julia, sœur de César, épousa Q. Pedius, l'un des exécuteurs testamentaires d'Auguste, mais cette branche s'arrêta bientôt de fleurir.

« Auguste descend ainsi d'une sœur de César, faute de mieux.

« De son premier mariage avec Scribonia, Auguste n'engendra qu'une fille, encore une Julia, qui épousa successivement M. Claudius Marcellus, Agrippa et Tibère. D'Agrippa, la fille unique d'Auguste eut C. et L. César, Agrippa postumus, Agrippine l'aînée, épouse de Germanicus, et une fille, également nommée Julia, laquelle épousa L. Aemilius Paullus. Cette dernière Julia et Aemilius Paullus engendrèrent une fille, Aemilia Lepida, qui épousa C. Junius Silanus, mon père.

« Je descends ainsi directement d'Auguste par les deux Julia, ses fille et petite-fille, et Agrippa est mon arrière-grand-père.

« Tu as bien saisi ?

— Tout à fait.

— Auguste n'eut pas d'enfant de son second mariage avec Livie, mais Livie avait eu deux rejetons de Ti. Claudius Nero, Tibère et Drusus. La descendance du mariage de Tibère avec Vipsania Agrippina s'est éteinte : on l'a d'ailleurs aidée. Cependant, Drusus épousa Antonia la jeune, qui, avec sa sœur Antonia l'aînée, étaient filles de Marc Antoine et d'Octavie la jeune, sœur d'Auguste. Antonia la jeune et Drusus engendrèrent une fille, Claudia Livilla, dont la descendance a fini par disparaître brutalement, et deux fils, Claude et Germanicus.

« Germanicus et Agrippine l'aînée, petite-fille d'Auguste, eurent sept enfants, dont Caligula et Agrippine la jeune, mère défunte du Prince actuel. La mort a fait là ses ravages.

« Claude avait épousé Urgulanilla, Paetina et Messaline, avant de fixer son choix sur sa nièce Agrippine la jeune, et sa descendance a disparu aussi de façon tragique.

« D'autre part, Antonia l'aînée, dont je te rappelle qu'elle était fille de Marc Antoine et d'Octavie, sœur d'Auguste, épousa L. Domitius Ahenobarbus, qui devint père de Cn. Domitius Ahenobarbus, le premier mari d'Agrippine la jeune. Cneius et Agrippine engendrèrent notre Néron — Cneius ayant deux sœurs, les deux Domitia.

« C'est du mariage de l'une d'elles avec M. Valerius Messala, lui-même descendant d'un mariage d'Octavie, sœur d'Auguste, avec C. Claudius Marcellus, que naquit Messaline, troisième femme de Claude et mère infortunée de Britannicus et de l'Octavie qui fut l'épouse de Néron.

« Par conséquent, la descendance de Livie, seconde épouse d'Auguste, s'est unie au sang de César par le mariage de Drusus avec une Antonia, fille de Marc Antoine et de la sœur d'Auguste, Octavie.

« Tu vois que sur cet arbre généalogique, certains noms sont affectés d'un signe noir. Ce sont les noms de ceux ou de celles qui ont péri de mort violente. La légende des Atrides n'est que petite bière gauloise à côté de la réalité julio-claudienne. Tu compteras ici plus de trente victimes de marque. Et tu vois par la même occasion que le présent empereur, mon neveu Lucius et moi-même sommes parmi les tout derniers à pouvoir nous glorifier d'être du sang de César.

« Plutôt que de trembler pour un fils de mes œuvres, je crois plus raisonnable d'adopter un garçon que l'heureuse obscurité de sa lignée met à l'abri des assassins. »

Il était temps que Silanus rassure Kaeso, qui ne tenait pas du tout à mettre les pieds trop avant dans le nid de guêpes de ces nouveaux Atrides.

Pour distraire Silanus de ses funestes idées fixes, il suggéra :

« En saine logique, je distingue mal pourquoi on attache tant d'importance à ces exercices de généalogie. Étant donné le peu de vertu des femmes en général, un arbre n'est-il pas d'autant plus faussé par le cocuage qu'il est plus long ? »

Silanus, qui n'avait jamais contemplé son arbre sous cet angle, dut reconnaître la pertinence de la remarque : « Tu as mis en effet le doigt où le bât blesse ! Seul un système matrilinéaire, comme on en trouve chez quelques lointains barbares, pourrait donner toute garantie. Mais si la théorie de notre propre système est douteuse, la réalité des héritages qui en dépendent est des plus tangibles. »

Après réflexion, il ajouta, les yeux fixés sur l'arbre :

« Il serait presque à regretter qu'il n'y ait pas plus de cocus là-dedans. Le sang, que les mariages consanguins ont vicié, serait peut-être meilleur. Tous ces gens-là sont cousins et archicousins à tous les degrés. Auguste a donné sa fille au fils de sa sœur, puis à son beau-fils. Messala, petit-fils d'Octavie, épouse une petite-fille d'Octavie. Le second Drusus épouse Claudia Livilla, fille de son oncle. La petite-fille de Tibère épouse le petit-fils du frère de Tibère. Cn. Domitius Ahenobarbus, fils d'Antonia l'aînée, épouse Agrippine la jeune, petite-fille d'Antonia cadette. Claude, avant d'épouser sa nièce, épouse Messaline, arrière-petite-fille d'Octavie, alors qu'il était lui-même petit-fils d'Octavie. Néron est arrière-petit-fils d'Antonia cadette et petit-fils d'Antonia l'aînée. C'est peut-être, au fond, le sang de Marc Antoine qui lui inspire ses mirages orientaux ?

« Et je ne parle pas des liaisons de Caligula avec ses sœurs...

« Oui, toutes les grandes familles patriciennes sont inextricablement apparentées : les Domitii, les Calpurnii Piso, les Cornelii Sulla, les Anii, les Valerii Messala, les Manlii, les Quinctii, et les Silani comme les autres... Il était temps que tu apportes un peu de sang frais dans ce panier de crabes, Kaeso. Et comme je t'adopte, je suis au moins sûr d'une chose : ce n'est pas ta naissance qui m'aura fait cocu ! »

Marcia, qui sortait du bain et des bras des masseuses, les surprit en train de rire. Par ce bel après-midi d'avril, elle n'avait jamais été plus rayonnante.

Ses premiers mots furent pour gronder Kaeso :

« Je te fais dire plusieurs fois de venir me voir, visite qui me semblait bien naturelle après une si longue séparation, et il faut un mot de mon mari pour que nous ayons le plaisir de te retrouver ! Ce n'est guère gentil de ta part.

— Il doit être amoureux, dit Decimus. A Baïes, déjà, il était très recherché. Mes murènes elles-mêmes lui faisaient fête. »

Kaeso s'empressa de sauter sur la suggestion, et le premier mensonge qui lui vint à l'esprit était assez plaisant : « J'avoue que j'ai rencontré une beauté rare, et que je reste à la maison à la contempler, sans oser lui avouer mes sentiments, car elle paraît de marbre. Mon père m'a dit que c'était une esclave grecque, qu'il avait achetée pour faire la pâtisserie, une certaine Séléné, je crois, qui ne me semble pas avoir d'amant à première vue. Quand les gâteaux arrivent sur la table, papa sourit à travers ses larmes. C'est la seule chose qui puisse le consoler. »

L'embarras de Marcia et de Silanus était visible, avec un rien d'amusement chez le patricien et une pointe d'énervement chez Marcia, qui réagit la première :

« Une esclave, voilà une belle conquête en perspective ! Et une esclave de marbre ! D'ailleurs, il est bien possible que ton père, malgré ses larmes et sa gourmandise, ne l'ait pas seulement achetée pour faire de la pâtisserie. Si j'ai un bon conseil à te donner, c'est d'aller contempler d'autres statues. »

Decimus estima opportun qu'on aille les contempler tout de suite, et l'on passa dans le péristyle, où la roseraie était pleine de promesses.

Kaeso, malgré son séjour en Grèce, ne faisait guère la différence entre la sculpture d'un maître et les innombrables copies. Ses impressions esthétiques, pour vives qu'elles fussent parfois, demeuraient assez confuses. Alors que la sensibilité aux œuvres d'art était largement répandue chez les Grecs, la plupart des Romains, malgré la transformation progressive de Rome en ville-musée, se désintéressaient de l'art officiel ou ne s'y intéressaient que par snobisme. Cette absence de goût faisait le désespoir de Néron.

Silanus fit visiter cette maison historique à Kaeso, qui fut surtout frappé par l'importance et la qualité du mobilier, d'ordinaire assez succinct, voire déficient, même dans de riches demeures.

C'était un entassement d'argenterie fine, de lampes à huile en or massif, de vases ou de bronzes grecs de la meilleure période, de verreries et bibelots précieux, de lits, d'armoires, de tables ou de coffres, dont chacun aurait mérité un commentaire, de braseros ouvragés, de fauteuils et de chaises, de bancs et de canapés au capiton de cuir fin, de tentures somptueuses et de tapis rarissimes. Devant une vitrine qui regorgeait de camées, Silanus fit admirer, entre autres, l'un de ces tapis que les Grecs appelaient « tapis blancs de Perse », qui avait six cents ans d'âge et comportait plus d'un million cinq cent mille nœuds. Il fallait, paraît-il, trois ans de travail pour réaliser une pareille chasse au cerf dans les plaines de Scythie.

C'était encore plus beau sur ce chapitre que dans les villas de Tarente ou de Baïes. Il est vrai que la maison de Cicéron était devenue la résidence habituelle de Silanus.

De temps à autre, de derrière le dos de son mari, Marcia glissait un coup d'œil affectueux à Kaeso, qui signifiait clairement : « Tout cela, grâce à mon industrieux dévouement, sera à toi un jour. » Mais Kaeso, gêné, détournait la tête.

En fin de parcours, on admira la pinacothèque, où la table de citre de Cicéron paraissait à cette heure bien inoffensive. « Je te léguerai aussi un fantôme », dit Decimus à Kaeso. Et il lui expliqua que les impressionnantes apparitions n'avaient point cessé. On en était bien à la douzaine, toujours le soir, et d'autres que Silanus, Marcia ellemême, avaient pu en profiter.

« Oui, dit-elle, et par deux fois. Ces pittoresques visites permettent de vérifier à quel point les fantômes sont inoffensifs. Les morts n'ont plus de toucher et ne mordent pas. Pour une femme tendre et craintive, c'est l'essentiel. Qu'importe qu'ils agressent la vue ou poussent quelques gémissements : on peut toujours regarder ailleurs et crier plus fort qu'eux. Ils sont battus d'avance. La dernière fois que Cicéron est venu me déranger, j'ai posé ce bronze sur sa tête, et il n'a pas insisté. Je comprends mal pourquoi Decimus s'inquiète... »

Ce dernier protesta : « Ton sang-froid me ravit, mais il n'est pas exclu que les morts viennent en visite pour nous apporter quelque message utile. Si c'est le cas, j'aimerais le connaître, et ce n'est pas en assommant Cicéron qu'on le fera parler distinctement. »

Marcia caressait la surface polie du citre en soupirant.

« Je ne le ferai plus, dit-elle. Mais je ne suis pas trop sûre que tu aies intérêt à ce que ce bavard t'apporte des messages, bons ou mauvais. D'abord il n'est pas dit qu'il y voie plus clair que nous dans les régions infernales où il se promène avec sa tête en bandoulière et ses mains dans son sac. Un mort qui a envie de converser peut raconter n'importe quoi pour faire l'intéressant, et il n'y a aucune raison pour qu'il soit plus malin mort que vif. De son vivant, Cicéron n'a pas cessé de commettre des erreurs politiques, et il en est mort. Ce n'est pas une référence pour monter des enfers te faire la leçon. Et ensuite et surtout, tu n'ignores pas que Rome est remplie de mages, d'astrologues ou de chiromanciens qui font parler les morts par tous les procédés imaginables, ce qui est tenu par les lois pour " superstition illicite " et condamnable. En pratique, le gouvernement se moque bien de la vogue d'une telle superstition chez le peuple ou chez ses protégés. Mais toute accusation de lèse-majesté se complète aisément d'une accusation de magie, pour faire bonne mesure. Le suspect est soupçonné d'être entré en relation avec les esprits infernaux pour découvrir la date de la mort de l'empereur ou lui jeter un mauvais sort. Dans ta situation, Decimus, tu n'as vraiment pas besoin de prêter le flanc à de pareils ennuis. Si tu négliges mon conseil, au moins n'invite pas trop de monde ! »

Kaeso approuva Marcia et Silanus convint qu'elle n'avait pas tort.

En raccompagnant Kaeso, Decimus lui proposa aimablement d'agrémenter son banquet de prise de toge, qui devait se dérouler dans les jardins de sa villa du Pincius, par la présentation d'une paire de gladiateurs pris en location-vente au petit ludus de Marcus. Une attention aussi délicate ne pouvait se refuser.

Kaeso courut parler de la proposition à son père, qui le chargea de courir lui-même au ludus pour régler l'affaire. Depuis son récent retour, perturbé de déceptions et d'inquiétudes, l'éphèbe honoraire n'y était pas retourné.

Le jour tombait. Les charrois en arrêt étaient si nombreux jusque bien au-delà de la Porte Capène, que Kaeso prit un chemin de traverse pour gagner le ludus.

Le raccourci cheminait par des cimetières anonymes réservés aux indigents et qui avaient été repoussés plus loin encore de la route que les tombes individuelles les plus modestes. Les cimetières de ce genre se trouvaient surtout au sortir de la Porte Esquiline, mais il y en avait aussi à proximité des autres portes de la Ville : on ne se souciait pas de faire une longue marche pour enterrer n'importe qui. Les installations étaient partout semblables : des celliers de maçonnerie recouverts d'une dalle scellée, que l'on descellait pour jeter, dans ces demeures communautaires, les cadavres des misérables apportés de nuit sur des brancards. La loi interdisait les obsèques diurnes, mais il y avait depuis longtemps une tolérance en faveur des riches et des gens aisés. L'obscurité de la nuit s'accordait au contraire à l'obscurité des morts. C'était le rebut de l'esclavage, les « vespillons » à la tête à moitié tondue — appelés ainsi parce qu'ils ne s'agitaient que le soir — qui étaient chargés d'alimenter les celliers. Et on les appelait aussi « détrousseurs de cadavres », car, à la moindre négligence des familles, ils ne se faisaient pas faute de dépouiller le mort de son linceul — quand il en avait un — et en tout cas de la pièce d'airain d'un « triens » qu'il avait en bouche pour payer son passage souterrain à Charon, le batelier des enfers. En cas de mortalité anormale, la Ville faisait avec répugnance les frais d'une crémation, et les vespillons empilaient alors les défunts sur de grands bûchers, intercalant des cadavres de femmes parmi les cadavres masculins, vu que le beau sexe avait la réputation de s'enflammer plus aisément. A parcourir de tels cimetières, on comprenait mieux pourquoi la basse plèbe et les esclaves dont les maîtres étaient dans la gêne étaient si préoccupés de leurs fins dernières et s'étaient agglomérés en collèges, dont l'un des buts avoués était de régler décemment les obsèques des associés. Il n'était pas rare que les affreux vespillons, livrés à eux-mêmes, abusent des femmes ou des jeunes garçons avant de les mettre au trou.

Dans l'ombre qui s'épaississait, au milieu d'une odeur pénétrante de charnier, les vespillons étaient déjà à l'œuvre. Kaeso, de moins en moins rassuré, ne regrettait pas d'avoir caché une épée courte sous son manteau gaulois à capuchon et de s'être fait accompagner d'un esclave.

Les vespillons n'étaient d'ailleurs pas les seuls à rôder dans les zones de nécropoles. Des affamés y venaient honteusement dérober la nourriture déposée à l'intention des défunts. Les bandes de brigands, qui établissaient parfois leur repaire dans les « bois sacrés » des environs de la Ville, où la police n'avait pas le droit de pénétrer en armes, affectionnaient aussi les cimetières, spéculant sur la peur répandue par les morts pour ne pas être dérangés. Dans la journée, des prostituées se déguisaient en veuves éplorées et gémissantes pour entraîner dans l'ombre d'un tombeau le consolateur naïf ; le soir, des « louves » à la perruque rousse faisaient leur apparition le long de la Voie Appienne.

On voyait aussi d'abominables sorcières, à la recherche d'ossements et d'herbes magiques pour confectionner des philtres d'amour ou des potions malfaisantes, si ne suffisait pas le classique envoûtement par figurines de cire à l'image de la victime. Et l'on cachait parmi les sépultures des tablettes de plomb gravées d'imprécations haineuses, qui vouaient aux dieux infernaux un rival, un gladiateur, un concurrent quelconque...

Les silhouettes du ludus et du colombarium voisin se profilaient déjà à quelque distance, quand, tout d'un coup, quatre vespillons hideux sautèrent sur Kaeso et sur l'esclave illyrien, qui fut tué sur-le-champ. Kaeso eut tout juste le temps de se débarrasser de son manteau, de s'en constituer un bouclier autour de son bras gauche et de saisir son glaive pour faire face aux longs couteaux que les sicaires maniaient en connaisseurs, les pointant de bas en haut et visant au ventre. La supériorité du glaive était mince dans ces conditions, et Kaeso devait sans cesse virevolter avec angoisse pour éviter de se faire prendre de dos. Il tentait naturellement de manœuvrer pour s'ouvrir un passage vers le proche ludus, mais les vespillons s'ingéniaient à lui interdire cette issue, et il n'osait crier, de crainte d'attirer plutôt un renfort d'assassins qu'une aide quelconque.

Un temps fort bref s'écoula, qui parut à Kaeso un siècle. A la peur physique s'ajoutait une peur métaphysique et scandaleuse : celle de finir sa vie de la façon la plus imprévue et la plus absurde, percé par des croque-morts et sournoisement fourré dans une fosse commune, alors qu'une existence de réflexions et d'élégantes délices s'ouvrait toute grande devant lui, jusqu'au monumental tombeau qui illustrerait sa mémoire. Et malgré son scepticisme d'école, il élevait des prières et des promesses de sacrifices vers tous les dieux connus, et même vers ce dieu Inconnu que les prêtres prudents avaient rajouté au panthéon, pour être sûrs de n'oublier personne.

Cette élévation de l'âme vers les nuées fut pour Kaeso comme une prise d'augures favorables pour un légionnaire crédule, et il se rappela les conseils dont l'avaient gratifié les gladiateurs de son père lorsqu'il faisait des armes avec eux : « Ne t'énerve pas !... »

Un des vespillons, déjà vieux, traînait la patte. Kaeso concentra sur lui une attention particulière, et fut enfin assez heureux pour lui couper le nez d'un revers de glaive. Le hurlement du mutilé ayant distrait son voisin, Kaeso l'atteignit à la gorge d'un coup d'estoc alors qu'il détournait la tête. Le courage n'étant pas la qualité première du vespillon, qui n'avait pas été élevé à la romaine, les trois qui pouvaient encore courir disparurent dans la nuit, et le vainqueur se hâta vers le ludus, envahi de sueurs froides et le cœur chaviré.

A la porte de l'établissement, Kaeso eut une défaillance et dut s'appuyer au mur pour la surmonter. L'héroïsme, l'inépuisable résistance nerveuse des grands de la gladiature lui apparurent soudain dans toute leur prodigieuse dimension. Esclaves ou hommes libres, c'est volontairement qu'ils s'exposaient jour après jour, année après année, à ces mortelles angoisses, donnant à tous le plus bel et le plus fort exemple de contrôle et de maîtrise de soi. Car seuls des exercices physiques permanents, un entraînement assidu, un régime approprié, permettaient aux qualités fondamentales de triompher sur le terrain. Le gladiateur ivrogne, paresseux ou goinfre ne faisait pas de vieux os et l'épitaphe de son sépulcre mentionnait peu de victoires.

Les hommes d'Aponius achevaient de dîner et Kaeso fut frappé d'entrée par l'odeur âcre des huiles de lampe médiocres, qu'il n'avait pas sentie depuis son débarquement à Brindes. Il commençait à vivre à l'écart du peuple.

Mais ce petit peuple des gladiateurs de son père valait qu'on le fréquentât, puisqu'il se mettait justement par son courage au-dessus de la plèbe vulgaire, lâche et cruelle, dont le vespillon insulteur de cadavres était comme le symbole. C'était pour beaucoup un fait inexplicable qu'à force de goûter des combats de gladiateurs, la foule ne soit pas devenue plus vertueuse. Sans doute était-elle prédestinée à un abaissement dont rien ne la pouvait tirer.

Kaeso retrouva ses amis et salua quelques nouveaux avec une fierté et une joie particulières, au sortir de l'horrible épreuve qu'il venait de subir à son honneur. Il était désormais initié au danger, connaissance qui ne s'efface plus de l'âme des braves. Avec soulagement, il nota que Capreolus était toujours en vie.

Le laniste Eurypyle et la petite troupe furent enchantés d'apprendre que Silanus désirait une paire de qualité pour honorer Kaeso dans une occasion si solennelle, qui promettait un cachet fructueux. Tout le monde savait que le patricien était loin d'être pingre. Et l'extra fut d'autant mieux accueilli que pour les hommes d'un ludus privé peu connu, le sous-emploi était fréquent. Néron n'utilisait pas à plein ses ressources, et le gladiateur était trop cher pour la plupart des festins.

Silanus — peut-être par suite de son penchant pour les poissons — avait souhaité un bon rétiaire s'il s'en trouvait, et Eurypyle n'avait pas meilleur que Capreolus, qui venait de remporter son dix-septième combat. On opposait habituellement au rétiaire un combattant spécialisé, le « secutor » (ou « poursuivant »), vu qu'il s'agissait d'une rencontre où une technique très particulière était requise de part et d'autre. Le ludus disposait de deux « secutores », Armentarius (le « Bouvier »), un affranchi sarde râblé, et Dardanus, un libre et souple originaire d'Antioche. La réputation des deux hommes était égale — ils étaient crédités d'une vingtaine de victoires chacun —, mais le Sarde était là depuis deux ans, alors que le Grec venait d'entrer. On donna à choisir à Capreolus entre un camarade dont il connaissait bien les qualités ou les défauts — et réciproquement! — et un inconnu, qui pouvait réserver des surprises bonnes ou mauvaises, mais qu'il ne serait pas tenté de ménager. Après de longues hésitations, Capreolus pencha pour Dardanus...

« La tentation d'épargner un ami, dit-il fort sagement, est d'autant plus dangereuse que la tentation peut être moins forte de l'autre côté. Et nous nous devons de présenter à notre mécène un combat digne de mémoire. »

La fréquentation de la police n'étant jamais un plaisir, Kaeso pria l'assistance de faire disparaître les cadavres du vespillon et de l'Illyrien mort à son service dans un cellier quelconque. Il eût certes préféré traiter l'esclave avec plus d'élégance, mais après tout, il ne lui causait aucun tort qui ne puisse se discuter entre philosophes. Cependant les vespillons avaient déjà fait le nécessaire. Il était bien pratique d'assassiner les gens au milieu de fosses communes épouvantables. C'était une perfection de crime dans une perfection d'horreur.

Il n'était pas question d'effrayer les étalons en les caressant à cette heure-là, et Kaeso s'en retourna, accompagné de Capreolus et de Dardanus, qui avaient tenu à lui faire escorte.

A l'instant de prendre le chemin de la Voie Appienne, Kaeso se dit que l'on avait peut-être mal cherché les deux cadavres, et l'envie lui prit de vérifier lui-même. Il retrouva facilement l'endroit de l'agression, mais les cadavres avaient effectivement disparu. Dans le faible clair de lune, on distinguait toutefois, à quelque cent cinquante pieds, une dalle dérangée au sommet d'un cellier. Les trois hommes poursuivirent leur marche silencieuse dans cette direction, et bientôt leur parvinrent des gémissements étouffés. Redoublant de précautions, ils finirent par distinguer, dans l'ombre lunaire dudit cellier, deux des vespillons de Kaeso, qui pansaient tant bien que mal la face blessée du troisième, après avoir jeté les deux corps au creux de l'édifice.

Sans s'être même donné le mot, Kaeso et les deux gladiateurs tirèrent leur glaive et furent d'un bond sur les trois misérables, qui se trouvèrent massacrés avant d'avoir pu tirer le couteau. Le cellier n'avait pas été ouvert pour rien ce soir-là !

« Tu as déjà tué deux hommes cette nuit, dit plaisamment Capreolus à Kaeso, le métier vient ! »

Mais étaient-ce bien des hommes ?

On gagna par le plus court la Voie Appienne et l'on marcha sur Rome d'un pas rapide. La nuit était fraîche. Aux approches de Subure, on fit un détour pour éviter une bande d'ivrognes qui dévastaient à grand bruit des boutiques, quand ils ne faisaient pas sauter dans un vaste manteau les bourgeois aventurés ou les filles perdues qu'ils avaient pu attraper. Une telle engeance était d'autant plus téméraire que Néron, alors qu'il était encore dans toute l'ardeur de sa jeunesse, s'était amusé à des expéditions de ce genre, dont le butin était vendu aux enchères au profit d'œuvres charitables dans une salle du Palais. Un soir, l'empereur s'était même fait pocher l'œil par un sénateur peu physionomiste dont il avait houspillé la femme, et son auguste désespoir avait été si grand que l'insolent s'en était ouvert les veines d'émotion. Même un Néron n'oserait chanter avec un œil de toutes les couleurs. Le risque de confondre l'empereur avec un gredin incitait les nocturnes victimes des truands à une déplorable passivité et décourageait les vigiles.

Ils parvinrent tous trois à la porte de l'insula sans autres ennuis.

Kaeso n'avait pas dîné, et il invita les deux gladiateurs à prendre un supplément à la cuisine pendant qu'il s'y restaurerait. Tout le monde semblait couché. Alors qu'ils traversaient l'exèdre, le rossignol de l'horloge que Marcia avait offerte à Marcus pour l'un de ses anniversaires siffla la quatrième heure [1] de la nuit.

Dans la cuisine, Séléné regardait mélancoliquement cuire un gâteau.

Capreolus et Dardanus tombèrent en admiration profonde devant l'esclave affairée à les servir. Ils en oubliaient de boire et de manger.

Kaeso, qui tenait malgré tout pour une honte les désirs qu'il sentait poindre en lui à l'égard d'une biche qui demeurait, jusqu'à nouvel ordre, dans la chasse gardée de son père, éprouva soudain le besoin hautement moral de se mortifier en faisant plaisir à tout le monde.

Séléné battant une omelette, Kaeso souffla à l'oreille de Capreolus, qui était assis à côté de lui :

« Elle te plaît ?

— Pour sûr ! D'autant plus qu'elle est juive comme moi.

— Juive ? A quoi vois-tu ça ?

— Un Juif ne reconnaît pas toujours un Juif, mais il flaire toujours une Juive : c'est affaire de nez.

— Si le cœur t'en dit, ma chambre est à côté à droite.

— Et Dardanus ?

— Il est grec.

— Et alors ?

— Il n'est pas pédéraste ?

— Je n'en sais rien. C'est un nouveau. Il dévore en tout cas ta Séléné des yeux.

— Chez un Grec, ça ne veut rien dire. Silanus m'a assuré que toutes les plus belles statues de femmes avaient été sculptées par des pédérastes confirmés.

— Cela doublait leur mérite ! Si tu le permets, je vais en toucher un mot à l'intéressé... »

Après discrète consultation, Capreolus murmura à Kaeso : « Il n'est pas pédéraste ce soir. »

Comme l'omelette arrivait sur la table, saupoudrée de poivre, arrosée de miel et de liqueur de poisson, Kaeso dit gracieusement à Séléné :

1. L'heure de nuit romaine étant au 20 avril d'une cinquantaine de minutes et le soleil se couchant vers 18 h 50 — heure solaire —, la quatrième heure sonne à 21 h 20.

A partir du XIVᵉ siècle, la vulgarisation des horloges mécaniques à poids et échappement, incapables de marquer des heures élastiques, familiarisera les populations avec les heures égales auxquelles nous sommes habitués.

La première pendule à poids est attribuée au moine Gerbert, devenu pape sous le nom de Sylvestre II († 1003).

« Il me semble que ton inlassable dévouement auprès de mon père — vu le peu de gratitude qu'il manifeste — mérite bien récompense. Ces deux magnifiques garçons brûlent pour toi d'une passion subite. Regarde donc si le maître dort comme il faut, et fais ton profit de l'occasion si Flore et Vénus t'inspirent. »

Séléné gardait un silence bizarre. Certains maîtres s'ingéniaient à empêcher leurs esclaves de copuler. D'autres fermaient les yeux sur les plus brutaux dévergondages dès que le service n'en souffrait pas. D'autres croisaient des esclaves contre leur gré pour en élever les produits. D'autres admettaient libéralement des concubinages d'inclination... Mais un tel libéralisme n'était pas si fréquent, et tolérer une rencontre, fût-elle fugitive et sans lendemain, était d'ordinaire une gâterie appréciée de la gent servile.

Le silence de Séléné était de plus en plus pesant. Kaeso avait bien saisi que le sacrifice dont la jeune femme avait souffert avait pu atténuer ses sensations, mais il devait lui en rester suffisamment pour apprécier un Capreolus et un Dardanus. Toutes les filles ne raffolaient-elles point des gladiateurs ? Et les matrones elles-mêmes...

Le diagnostic de Kaeso, pour béotien qu'il fût, était physiologiquement exact. Sa grave méprise était d'ordre psychologique.

Séléné sortit sa « placenta » du four et dit : « J'irai avec vous trois, ou pas du tout. Vous voyez bien que je suis pâtissière : il m'en faut un aussi pour la bonne bouche. »

Le silence changea de camp. La récente allusion de Kaeso à son père révélait clairement qu'il ne fallait pas compter sur le fils et que la triste obscénité de Séléné sentait le prétexte.

Capreolus et Dardanus se retirèrent rapidement, et Séléné poursuivit sa comédie :

« Je ne te plais pas ?

— Ce n'est pas la question, et tu le sais fort bien !

— Tu crois que je vous aurais manqué de parole si tu avais été de meilleure composition ?

— Tu ne risquais pas grand-chose ! Mais si j'avais cédé, tu aurais certes été capable de te prendre au mot. Tu aurais couché avec mes deux amis pour le plaisir de te moquer de mon père avec moi.

— Alors, dans une hypothèse comme dans une autre, j'avais toute satisfaction !

— Je ne suis pas un instrument à ton service.

— Je ne suis un instrument que pour ceux qui l'ont payé.

— Si un jour j'avais les fonds suffisants pour te racheter à mon père ?

— Tu n'aurais pas à me demander la permission pour me faire coucher avec tes amis.

— J'aurais cru que Capreolus, au moins, te plairait...
— Pourquoi donc ?
— Tu n'as pas idée de quelle nation il pourrait être ?
— Pas la moindre et je m'en fiche ! »

Si les Juifs reconnaissaient toujours les Juives, la réciproque paraissait douteuse. Mais c'était peut-être l'excision qui privait Séléné de son nez habituel...

Ces affaires de Juifs étaient bien compliquées.

En ce grand jour de prise de toge virile, que tous les jeunes Romains attendaient avec impatience, Kaeso se réveilla au chant du coq — car les locataires de la terrasse avaient dans leur basse- (ou haute ?) cour un animal redoutable — et dans de fort mauvaises dispositions. Son père n'était plus celui qu'il avait cru. Marcia n'était peut-être pas celle qu'il croyait. Séléné n'était pas encore celle qu'il voulait croire. Et Silanus l'adoptait visiblement, moitié pour faire plaisir à Marcia, moitié pour mettre son sang — c'est-à-dire ses biens — à l'abri du mauvais coup qu'il sentait venir. Au moins, celui-là était-il un modèle de franche clarté à côté des trois autres et on ne pouvait que lui en être reconnaissant. Quoique, assis sur une pléthore de millions, on ait moins de mérite qu'un pauvre à être franc, car les occasions de mensonges indispensables se font plus rares.

A potron-minet, Kaeso descendit chez le barbier carthaginois pour se faire raccourcir les cheveux et raser pour la première fois, opération dont la longueur et l'ennui lui donnèrent un sinistre avant-goût des servitudes adultes.

Néron s'était fait couper la barbe le jour d'un grand concours de gymnastique à la grecque, dans la pompe d'une hécatombe de bœufs blancs, avait renfermé le divin poil dans une boîte d'or enrichie de perles énormes, qu'il avait consacrée à Jupiter Capitolin. Mais l'empereur avait le génie de l'ostentation. La barbe de Kaeso n'irait pas plus loin que le laraire des Aponius, qui devait aussi recueillir sa « bulle ».

Marcia lui fit la surprise de venir de bonne heure, pour l'aider elle-même à draper la toge que son père venait de lui confier avec émotion. La toge prétexte des adolescents était plus courte et moins ample que la toge des citoyens, et la mettre en place ne présentait pas la même difficulté. Marcia, s'affairant à draper cette encombrante toge virile avec des minuties et des douceurs d'habilleuse consommée, était l'image du bonheur et de la fierté.

Progressivement, les pièces de réception de l'insula se remplissaient de visiteurs, en nombre qui aurait pu surprendre si le bruit ne s'était répandu par la Ville de la proche adoption de Kaeso par l'un des patriciens les plus en vue. Des tapeurs étaient déjà là pour préparer le terrain, et même des captateurs de testaments, dont les vampiriques manœuvres se déroulaient patiemment sur des années et des lustres. On en avait vu travailler vingt ans pour se faire léguer un esclave gâteux ou un vieux tabouret. Ces infatigables avaient en fiches ou en mémoire l'évolution de toutes les fortunes de Rome, et il n'y avait pas de maison de quelque importance qui ne fût l'objet de leurs collantes tentatives. Ils couraient les clientèles, les prises de toge, les naissances, les mariages ou les obsèques pour tisser leurs intrigues et nouer leurs trames. Les voir arriver était un signe de réussite qui ne trompait pas.

Marcus, qui avait jadis échoué dans cette spécialité difficile, goûtait un sentiment de plaisante revanche devant les mines chafouines et visqueuses de cette racaille, qui faisait mine de s'extasier à la vue de ses meubles.

Excédé par la foule, Kaeso se retira sur un banc du faux atrium, où la plupart des visiteurs n'osaient mettre les pieds sans invitation expresse, car la présence de l'autel et du laraire donnait à l'exèdre de réception une allure d'atrium ultra-théorique, à côté duquel le faux atrium central faisait figure de péristyle, pièce toujours privée dans les maisons romaines.

C'est alors qu'une dame d'un certain âge et fort parée se dirigea vers le banc de Kaeso et s'assit à son côté, comme pour partager le même rayon de soleil. La robe vaporeuse ne parvenait pas à dissimuler une sveltesse qui confinait à la maigreur, et, à une époque où le sein se portait menu et serré, on se demandait si les bandes du « strophium » avaient encore trouvé quelque chose à aplatir. Mais la chevelure était artistement disposée et le visage, bien conservé. Un peu trop bien, même, car on distinguait sous le parfum la tenace odeur du fard à base de suint de brebis, dont les Romaines anxieuses de vieillir s'enduisaient pour la nuit. Le meilleur venait d'Athènes, où Kaeso l'avait déjà flairé auprès d'hétaïres sur le retour.

« Que tu es beau ! s'extasia la dame. C'est une grande amie de Marcia qui te le dit. »

Au lieu de bêler méchamment, Kaeso dressa l'oreille. Car les amies de Marcia, on ne lui en avait pas laissé voir beaucoup, et de moins en moins au fur et à mesure qu'il grandissait, comme si elles eussent été affectées d'une maladie honteuse et contagieuse.

Il répondit donc des plus gracieusement :

« Tu ne pouvais être qu'une amie de Marcia : toutes ses amies ne sont-elles pas plus jolies les unes que les autres ? »

La dame roucoula, ronronna et s'épancha :

« Sais-tu que, toute jeunette encore, j'étais par hasard allongée " au-dessus " de ton père, le jour du remariage de Marcia ? Quelle émouvante journée ! Ton père et Marcia étaient si bien assortis : la noblesse et la beauté ! Vitellius lui-même, le tuteur, qui a pourtant le cuir dur, en était touché...

— Ah ? Marcia se remariait ?

— A vrai dire, je me le demande... Dans sa robe jaune et sous son voile flamboyant, elle faisait en tout cas on ne peut plus jeune fille. Et la récente mort de son père lui donnait une gravité nouvelle... »

S'apercevant qu'elle avait gaffé en parlant de remariage, la dame était passée de Charybde en Scylla.

Kaeso poursuivit, rêveur :

« Oui, son père... Elle m'a en effet raconté avoir perdu son père peu de temps avant son mariage... son remariage. Je ne l'ai guère connu, ce père, tout compte fait.

— Tu étais si jeune ! Et puis ton propre père et l'oncle Rufus ne s'entendaient plus guère. Passons, c'est trop triste... »

Kaeso n'en croyait pas ses oreilles, et il dut faire un effort surhumain pour garder son sang-froid, comme s'il avait affaire à quatre vespillons. Afin de s'assurer qu'il avait bien saisi, il dit négligemment :

« L'oncle Rufus n'a pas dû se montrer un père très attentif.

— Tu sais que c'était un panier percé. Il n'a pas été plus prévoyant pour sa fille que pour lui-même.

— Mais pourquoi Marcia ne s'appelle-t-elle pas Aponia, du nom patronymique de Rufus ?

— Elle a préféré porter le nom de sa mère dès avant son remariage... Son mariage, je veux dire.

— Pardonne-moi de te quitter : j'ai l'impression que le cortège se forme pour monter au Capitole... »

Après un premier mariage, dont Kaeso n'avait jamais entendu parler, Marcia avait épousé son oncle paternel, et comme elle était la nièce de son mari, elle était à la fois belle-mère et cousine germaine des enfants. La surprise avait de quoi plonger en état de stupeur, d'autant plus que le mystère qui entourait Marcia prenait des profondeurs nouvelles. Pourquoi cette femme jeune, jolie et brillante avait-elle scandaleusement convolé, au mépris de tous les usages, avec un sénateur déjà sur le retour et sans la moindre fortune ? Et pourquoi donc n'avait-elle pas plaqué cet oncle libidineux, capable de martyriser une belle esclave pour la satisfaction d'inavouables jouissances ? Dans la lettre capitale que Kaeso avait reçue de lui à Athènes, Marcus suggérait modestement que Marcia n'était demeurée à son foyer que par attachement pour Kaeso et Marcus junior. Mais une femme fourvoyée, si intelligente et si positive, irait-elle sacrifier sa vie à des affections de belle-mère ? Sans mettre en doute la qualité de l'amour maternel que Marcia lui portait, Kaeso se rendait compte pour la première fois qu'un tel sacrifice n'était pas dans son caractère.

Et que lui avait-on encore caché ? En quelques jours, il s'était retrouvé descendant d'un esclave grec et flanqué d'une belle-mère incestueuse — pour ne point parler d'un père menteur et indigne ! La liste des révélations était-elle close ?

Plongé dans ses pensées, Kaeso prit machinalement place dans la procession et vécut jusqu'au dîner comme environné de brouillard. Il était ailleurs, si distrait qu'il répondit même de travers à Silanus, qui était aimablement venu rejoindre la fête devant l'autel capitolin. On attribua cette absence à l'émotion.

La vaste villa du Pincius valait surtout par ses magnifiques jardins, qui faisaient concurrence aux proches jardins de Lucullus, à ceux de Salluste, entre Pincius et Quirinal, à ceux d'Asinius Pollion ou de Crasipès, gendre de Cicéron, au-delà de la Porte Capène, à ceux de Mécène, sur l'Esquilin, à ceux de Lucius et Caius, en contrebas du Janicule, à ceux de César et Pompée, également sur la rive droite, en face de l'Aventin et des greniers de Sulpicius Galba, à ceux de Scapula et de Néron, dans la région vaticane, à ceux d'Agrippine, qui dominaient le Tibre en amont du Vatican, à ceux d'Agrippa lui-même, au cœur du Champ de Mars, à ceux de Drusus, de Cuisinius, de Trebonius, de Clodia et de bien d'autres, auxquels étaient encore venues s'ajouter les superbes réalisations des affranchis favoris du Prince... Les jardins du palais Junius du Caelius, bien que de moindre ampleur, étaient également réputés. Depuis bien des générations, tout Romain célèbre et fortuné tenait à honneur de tracer un jardin. Beaucoup de ces chefs-d'œuvre, où rien n'avait été épargné pour ravir et surprendre, étaient tombés dans le domaine impérial et avaient plus ou moins été ouverts aux promeneurs. C'était là, avec les espaces du Champ de Mars et le volume des multiples thermes, une compensation très appréciée au surpeuplement des « insulae ». Dans la Rome de Néron, qui comptait près d'un million et demi d'habitants, il y avait moins de deux mille maisons particulières pour près de cinquante mille immeubles de rapport. De quoi donner envie de prendre l'air !

Silanus et Marcus avaient invité deux cents personnes à ce banquet de prise de toge, qui devait être aussi l'occasion de manifester publiquement les paternelles intentions adoptives du patricien à l'égard de Kaeso, nouveau citoyen, que son passage coûteux dans l'éphébie d'Athènes avait nimbé d'une gloire de bon ton, à la fois sportive, militaire et intellectuelle. Il s'était présenté quatre cents convives, dont on avait finalement refoulé le quart.

Après une nuit plutôt fraîche, une bouffée de chaleur qui annonçait l'été avait soufflé sur la Ville dans la journée, on pouvait prévoir que le banquet se poursuivrait dans la douceur d'une nuit tiède, et les lits avaient été dressés dans les jardins, en demi-cercle autour d'une arène de quelque étendue, avec tout Rome en arrière-plan.

Tandis que le soleil d'avril déclinait, on présenta Kaeso à maintes personnalités, amis de Silanus ou Frères Arvales... Vitellius, qui avait su se pousser fort avant dans les bonnes grâces de Néron, avait bien voulu se déranger, attiré sans doute par la réputation du maître queux de Silanus, dont l'embauche ne s'était faite qu'à feu d'argent.

« Tu as décidément une belle-mère en or, jeune homme, dit l'énorme Vitellius à Kaeso. Prends bien soin d'elle, et tu seras peut-être empereur un jour... si Néron t'adopte, bien sûr ! »

Les plaisanteries de Vitellius étaient toujours du même vinaigre.

Enfin, sous les vélums ou les arceaux de feuillage, le festin s'ouvrit, après la pieuse libation d'usage, par les fruits de mer habituels, oursins, huîtres, moules, palourdes, spondyles, glands de mer noirs ou blancs, pétoncles, orties de mer, pourpres et murex, accompagnés de blancs de poularde en sauce et de grives sur fonds d'asperges, tandis que sommeliers et serveurs faisaient la ronde des vins apéritifs...

Kaeso était à la place d'honneur d'un triclinium, Marcia « au-dessous » de lui, qui s'efforçait de le distraire de ses visibles préoccupations. Elle avait bien senti un changement dans l'attitude de Kaeso, et qui l'inquiétait fort, mais ne sachant au juste à quoi l'attribuer, elle jugeait préférable d'attendre, de l'air le plus naturel, les éclaircissements qu'un proche avenir ne pouvait manquer d'apporter. Silanus était à un triclinium voisin, en compagnie de Vitellius et de Marcus, et la conversation entre trois hommes si différents devait être plutôt laborieuse.

Marcia, qui depuis son énième mariage prenait la pudicité très au sérieux — et se souciait peut-être aussi d'éloigner de Kaeso des tentations superflues —, avait opéré des coupes sombres parmi les invertis du personnel de Silanus, et les « décuries » de jeunes et gracieux garçons dressés au service des « triclinia » avaient été passées au crible selon des critères qui, faute de mieux, n'avaient pu être que formels plutôt que moraux. L'inspection des visages avait prévalu sur celle des derrières, et les têtes les plus caractéristiques de l'emploi étaient tombées. Silanus n'avait même pu sauver un Épictète de quinze ans, dont il appréciait l'intelligence, et qui avait été vendu à Épaphrodite, l'un des affranchis les plus débauchés du Prince. Le service avait en tout cas conservé son extraordinaire qualité. La doctrine du maître, toute de carotte et de bâton, était d'être exigeant et implacable dans ce qui regardait le travail, d'une hauteur dédaigneuse et coulante quant au reste. L'important, pour les esclaves, étant de savoir à quoi s'en tenir, Silanus était plus apprécié de sa « familia » que bien d'autres, qui faisaient alterner, de façon imprévisible, et sur les points les plus divers, l'indulgence ou la fureur. Il est vrai que la division et la spécialisation des travaux étaient telles que le labeur était loin d'être écrasant. La situation de l'esclave urbain était en général un rêve par rapport à celle des esclaves ruraux, et même à celle de beaucoup de citoyens, qui ne possédaient qu'une toge élimée pour tout capital.

Entre la « gustatio » de fruits de mer et la « prima cena », qui se composait d'entrées chaudes, on goûta des intermèdes poétiques. Un déclamateur fit un sort en grec à des extraits du chant IX de *l'Iliade*, celui où Homère enseigne aux populations de tous les temps la bonne technique du rôtissage :

« Achille, alors, à la lueur du foyer, dressa la grande table à découper les viandes. Il y plaça les dos d'un mouton et d'une chèvre grasse et l'échine florissante de lard d'un porc appétissant. Automédon présentait les viandes, et le divin Achille les tranchait, les dépeçait en petits morceaux, qu'il enfilait sur les broches. Le fils de Ménoetios, égal aux dieux, attisait un grand feu. Puis, quand le feu eut brûlé et que la flamme fut tombée, il aplanit la braise et disposa les broches par-dessus. Plus tard, soulevant les broches des chenets, de divin sel il saupoudra les viandes. Lorsque Patrocle les eut enfin rôties... »

Vitellius, plus que jamais amateur des rarissimes bœufs gras qui étaient le privilège des commensaux des dieux, applaudit à ce passage et fit remarquer la justesse des conseils : ne rôtir qu'à la braise, la moindre flamme donnant une odeur de brûlé, et saler tardivement, après cautérisation par le calorique de la surface du rôti. Mais à la même table, Pétrone faisait la fine bouche, ces mœurs culinaires, quelle que fût l'illustre caution du poète, lui paraissant bien primitives.

Un autre déclamateur, latin celui-là, s'attaqua à la deuxième *Bucolique* de Virgile :

« Pour le bel Alexis, chéri de son maître, le berger Corydon brûlait d'un amour sans espoir... »

L'assistance connaissait par cœur les plaintes passionnées du malheureux Corydon, dédaigné par un Alexis accoutumé au luxe de la Ville et peu pressé d'aller s'installer dans une cabane de campagne pour le plaisir de forniquer avec un pâtre rustaud. Et à chaque triclinium, les gémissements amoureux et fleuris du naïf Corydon étaient repris à mi-voix par des hommes ou des femmes qui avaient eu des peines de cœur.

Marcia elle-même murmurait au rythme de la voix chaude et nuancée de l'artiste :

« Viens ici, ô bel enfant : pour toi, à pleines corbeilles, voici les Nymphes qui t'apportent des lis ; pour toi, la blanche Naïade, cueillant les pâles giroflées et les pavots en tige, assemble le narcisse et la fleur de fenouil odorant ; puis, les entrelaçant au garou et à d'autres plantes suaves, elle marie les tendres vaciets au jaune souci... »

Et peu après, elle murmura plus fort, le regard fixé sur Rome qu'incendiait le soleil couchant : « ... le soleil à son déclin allonge les ombres ; moi pourtant, l'amour me consume encore ; peut-il donc y avoir un terme à l'amour ? »

Kaeso se demandait qui Marcia avait pu aimer, alors que son amour, en fait, n'avait jamais été plus actuel.

Silanus accrocha le regard de Kaeso pour lui signaler que cette émouvante déclamation lui était offerte en hommage à ses études, et un petit clin d'œil lui révéla en outre qu'en matière de Corydons, il ne serait peut-être pas aussi sévère que Marcia.

La « prima cena » comportait un supplément de fruits de mer, chauds cette fois-ci, avec addition de poulpes, des pigeons et pintades, et surtout un choix de poissons de grand prix, turbots et merlus, dorades et sterlets, bars, surmulets et soles, scares, saumons ou saint-pierre, et même ces grands esturgeons du Pô, qu'on appelait des « attili », entourés de truites saumonées dans des plats immenses. Tous ces poissons sortaient de l'eau. En effet, la constante préoccupation des gourmets étant de relier l'excellence du produit à une origine des plus précises, telle bête devant ainsi provenir de telle côte, de telle rivière ou de tel lac, les chefs auxquels on ne ménageait pas les moyens n'avaient d'autre solution pour avoir certains produits en état de parfaite fraîcheur que de s'approvisionner à des fournisseurs qui les faisaient voyager par bateau dans des cuves d'eau de mer doublées de plomb ou par charrois terrestres, dans des cuves analogues. Heureusement, le prodigieux essor de l'élevage réduisait les distances.

« Il n'y a pas de murènes, dit Marcia à Kaeso. Silanus affectionne trop ces monstres pour en voir manger sous ses yeux.

— Decimus m'a dit que tu avais caressé son Agrippine ?

— Il est très important pour une femme de s'entraîner à des contacts déplaisants. »

Il eût été indiscret d'exiger plus de précisions.

Entre ces entrées et les plats de résistance de l' « altera cena », on fouetta l'appétit des convives par une présentation de danseuses gaditanes, qui n'étaient guère habillées que de leurs castagnettes, et qui évoluèrent entre les « triclinia », le sable de l'arène n'étant pas propice à leur art lascif. Le jour mourant leur prêtait seul un peu de pudeur.

L' « altera cena » suivit son cours à la lumière des torches et des candélabres, qui vacillait dans la brise du soir. C'était le moment des tétines et vulves de truie, des hures de sanglier, des faisans et des paons, des lièvres et des canards sous les présentations les plus diverses. En l'honneur de Vitellius, Silanus avait même réussi à se procurer à prix d'or un bœuf gras de sacrifice digne des Arvales, dont on servit à l'invité un quartier rôti selon l'archaïque méthode d'Homère. Une telle curiosité fit sensation.

Vers la fin de ce troisième service, on vit paraître sur l'arène une troupe de chiens savants, dont le dompteur, lors des séances éducatives, brûlait la plante des pieds au fer rouge. Et ces animaux sans dignité, qui étaient à l'ordre des quadrupèdes ce que l'esclave était à l'ordre des bipèdes, venaient encore lécher spontanément la main du maître entre leurs épreuves. Des incurables.

Les Romains n'avaient guère de sympathie pour les chiens depuis que la garnison canine du Capitole, par un sommeil impie, avait failli laisser prendre par les Gaulois la forteresse que le cri des oies avait sauvée. Et en commémoration du fait, chaque année, au III des Nones du mois d'août, alors que les oies blanches du temple de Junon, habillées de pourpre et d'or, étaient baladées processionnellement en litière, la même procession portait des chiens en croix jusqu'au champ de supplice, près du pont Palatin, entre les temples de la Jeunesse et de Summanus. Les prêtres de Junon élevaient spécialement des chiens pour cette cérémonie, bel et patriotique exemple de rancune.

Après de joyeuses démonstrations, le maître et ses élèves se retirèrent un peu à l'écart de la piste, et le chef des « nomenclatores », qui avaient filtré, présenté et placé les invités, annonça que le pantomime Terpandre, assisté de trois confrères, allait présenter un impromptu sur un sujet mythologique : « Imprudence et punition de l'infortuné Actéon » — surprise qui avait de quoi faire sursauter Kaeso.

Terpandre était l'un des pantomimes les plus courus. Ses scandales, ses caprices avaient défrayé la chronique, mais on lui pardonnait tout en raison de son génie — et l'on chuchotait d'ailleurs que Néron avait eu quelque tendresse pour sa précieuse personne. Il était traditionnel que les pantomimes en renom eussent les faveurs intimes des Princes les moins vertueux.

Dans le rôle de Diane — on ne pouvait confier à des femmes superficielles et babillardes des rôles féminins d'importance —, Terpandre fut effectivement extraordinaire, et d'un mérite d'autant plus grand que la fable, étrangement remaniée par Silanus, prenait le contre-pied de la version classique. On vit ainsi Terpandre perdre sa virginité dans les bras de Cupidon, et, tout étonné d'enfler à vue d'œil, se résoudre enfin à accoucher d'Actéon, bientôt grandi et indiscret. Le désespoir de Diane prise sur le fait, le sursaut de divine pudeur qui transformait Actéon en cerf, sa mémoire obscurcie, puis réveillée par la saillie de la biche, tout était clair, tout était à peindre. Un grand silence était tombé sur l'assemblée et l'on retenait son souffle devant une qualité d'expression que le mutisme des acteurs semblait pousser à l'extrême. Les seuls sons audibles étaient ceux d'une musique douce et plaintive, qui accompagnait les scènes du creux d'un bosquet. Enfin, les chiens savants dévorèrent Actéon.

Le charme de ce ballet fut rompu par des applaudissements frénétiques. Un tel sujet, dont personne ne parlait jamais, n'était-il pas l'un des plus graves et des plus lourds de conséquences dans l'éducation et dans la formation de tout un chacun ?

Decimus fixa de nouveau Kaeso et son regard était aussi expressif que le jeu de Terpandre. « Attention, disait-il, je te le répète encore par le biais d'un talent supérieur au mien : les secrets d'une femme et d'une mère sont pour ses amants ou pour ses maris et ne regardent pas son fils. Ne lève point le voile ! »

Silanus ne pouvait être plus perspicace ni plus prévoyant, plus paternel dans le meilleur sens du terme. Il eût mérité d'être mieux servi par les circonstances.

Arrivèrent alors les « mensae secundae » ou desserts, alternance de gâteaux, crèmes, fruits recherchés et pièces montées originales, tandis que les vins cuits succédaient aux grands crus.

Plutôt que de se singulariser par le nombre des services ou par des plats extravagants, Silanus préférait s'en tenir, dans ses réceptions, aux quatre services ordinaires et à des prestations d'une solidité classique. Mais la succulence et la variété de la chère étaient de premier ordre. Chaque convive, à partir d'un choix aussi riche, pouvait régler son appétit et se composer le menu qu'il voulait. Un Sénèque y eût dîné de trois oursins, de quelques asperges et d'une poire arrosés d'eau pure.

On disposait un renfort de luminaires autour de l'arène en prévision du combat. Marcia, que l'art de Terpandre avait laissée impassible, s'anima, les yeux brillants : elle adorait la gladiature. Cette excitation rappela à Kaeso celle des filles de Baïes devant les gueules pointues des murènes de Silanus, dévoreuses d'enfants, excitation qui ne demandait, au fond, qu'à se résoudre en défaillance voluptueuse. Il était mal vu que les femmes romaines convenables assistent à des pièces de théâtre pornographique trop crues, mais les amphithéâtres étaient en harmonie avec leurs vertus et leurs penchants. Si la cruauté était en principe un spectacle tonifiant pour les êtres forts, les femmes, les enfants, les esclaves, tous les humiliés de la vie, par nature, par position ou par accident, y trouvaient une revanche à leur malheur. Ces femmes, qui versaient déjà leur propre sang au rythme des lunaisons, ne voyaient pas couler sans joie le sang des mâles.

Les combats de gladiateurs se déroulaient toujours en musique, et un petit orchestre avait pris place à droite de l'arène : cors et trompettes, instruments militaires, mais aussi quelques flûtes, compagnes normales des rencontres de boxe, et un orgue hydraulique, nouveauté qui s'était taillé dans les « munera » un rôle de choix. Le pesant instrument une fois mis en place, la virtuose qui en avait la responsabilité plaqua quelques accords pour vérifier que tout était en ordre. C'était une frêle jeune fille éthérée, dont l'aspect faisait un plaisant contraste avec les violences qui allaient se déchaîner.

Le commentaire musical d'un « munus » exigeait beaucoup d'expérience et de talent. Il y avait des morceaux obligatoires, l'ouverture ou la sonnerie aux morts, mais la ponctuation du combat proprement dit relevait d'une certaine improvisation, en rapport avec la diversité des armements et des péripéties. Les bons orchestres savaient même ménager des silences angoissants, des pauses palpitantes aux instants les plus favorables. Orphée ne charmait plus les bêtes sauvages : il les encourageait à déployer leurs plus forts instincts.

Enfin, la fanfare éclata, soutenue par la puissance de l'orgue et accompagnée par l'aigre chant des flûtes. Capreolus et Dardanus ne se firent pas désirer trop longtemps et entrèrent dans l'arène côte à côte, comme lorsqu'ils avaient raccompagné Kaeso chez lui la veille au soir, précédés par un arbitre en renom avec sa baguette. Les arbitres en chef étaient toujours des hommes libres, réunis en collèges prétentieux, et l' « infamie » prétendue de la gladiature ne les concernait pas.

Vu les circonstances, assez intimes malgré tout, et la relative obscurité des deux champions, l'arbitre crut bon de les présenter brièvement, insistant sur le nombre de leurs victoires. Puis les adversaires saluèrent Silanus, le « président éditeur », l'un de son sabre, l'autre de son trident, et, sur un signe de la baguette, se mirent en position de combat.

Pour accroître l'intérêt des affrontements, la règle voulait qu'on opposât toujours des armements différents, et la rencontre du « secutor » et du rétiaire illustrait au plus haut point cette préoccupation. Torse nu, jambes nues et tête nue, le rétiaire n'avait d'autre protection qu'une armure articulée autour de son bras gauche, surmontée d'une large épaulière débordante faisant office de bouclier, et il n'était armé que de son trident et de son filet — le couteau ne figurait à sa ceinture que pour achever proprement la victime. Le secutor portait un casque hermétique, d'une simplicité linéaire, qui tranchait par son dépouillement sur les fantaisies orfévrées des autres panoplies. Il ne distinguait le rétiaire que par deux orifices ronds percés dans la visière rabattue, qui faisaient songer aux yeux fascinants d'une grosse bête de proie funèbre. Une armure souple enveloppait son bras droit, un bouclier rond défendait son flanc gauche, et il avait en main un sabre court. Certains de ces sabres étaient munis, à leur extrémité, d'un crochet aiguisé et retroussé, qui devait permettre au secutor prisonnier — si on lui en laissait le temps — de couper plus aisément les mailles du filet qu'avec le tranchant de la lame. Mais l'avantage était bien hypothétique, et les coups de pointe s'en trouvaient moins efficaces. Dardanus préférait les lames sans fioriture. Pour ne point gêner la course du secutor, les jambes de ce combattant n'avaient pas de cnémides, et elles demeuraient ainsi exposées aux coups sournois du long trident.

Le filet étant encore plus dangereux pour lui que le trident aux pointes fourchues, le secutor devait inciter le rétiaire, par d'apparentes imprudences, à un jet maladroit, et profiter de la brève mise hors service du filet pour s'assurer un avantage décisif. Le jeu inverse du rétiaire consistait à ne lancer ses rets qu'à coup sûr, afin de massacrer au trident le secutor empêtré dans les mailles. Faute de quoi, il lui fallait compter sur la rapidité de sa course pour trouver le temps de rassembler de nouveau dans sa main le filet en position de contre-attaque. Ces assauts et feintes réciproques chez des spécialistes bien entraînés étaient vraiment d'un intérêt irrésistible. Beaucoup, qui avaient affiché pour la gladiature un philosophique dédain, s'étaient découverts captivés comme au sein du tragique filet par la sanglante grâce d'un tel spectacle. Le vieux Sénèque lui-même fréquentait les amphithéâtres juste ce qu'il fallait pour en médire élégamment.

A chaque triclinium, on avait pris des paris. Le rétiaire était le plus souvent donné perdant, car l'arène était trop réduite pour lui garantir un répit salvateur. Capreolus s'en rendait bien compte et ne pouvait se tirer d'affaire que par une adresse, une prudence exceptionnelles.

Trompettes et cors s'étaient tus, flûtes et orgues modulaient une musique discrète et dansante, tandis que les combattants s'observaient. Capreolus raccourcissait la portée de son trident pour inciter Dardanus à s'approcher de trop près, mais le Grec évoluait à distance respectueuse. Le public finit par s'impatienter de toutes ces précautions. « Tu veux le prendre vivant ? » lança Marcia à Capreolus, au milieu des rires. Dardanus fonça brusquement, fut repoussé par un choc brutal du trident contre son heaume, qui en sonna comme une cloche. Changeant de cap en un éclair, le trident cloua soudain le pied gauche du Grec dans la terre meuble du jardin, qu'on avait recouverte pour l'occasion d'une couche de sable assez mince. Alors seulement, le filet enveloppa Dardanus gémissant. Toute l'assemblée applaudit à ce joli coup. Avec un remarquable sang-froid, Capreolus avait ménagé son filet jusqu'à l'instant où il ne pouvait plus manquer la cible. Et un brin de chance avait aidé une expérience consommée.

Sans relâcher son sang-froid, le Juif s'accorda un moment de réflexion. Faute de pouvoir lever la main pour demander grâce, Dardanus aurait pu laisser choir sabre et bouclier afin de manifester ses intentions, mais avec une détermination stoïque, il demeurait en armes, cloué au sol sous son filet, et retenant ses hurlements de douleur. Pour achever le Grec, Capreolus devait retirer son trident, le couteau étant insuffisant à cet office dans de pareilles conditions. Cependant, par une chance inverse, deux des pointes du trident avaient encadré le pied de Dardanus au cou-de-pied, et l'organe ne semblait que superficiellement blessé.

Durant cette phase d'attente intensément poignante, trompettes et cors se remirent de la partie et la petite organiste s'empressa de forcer ses effets. C'était encore plus émouvant que du Virgile pédérastique.

Capreolus se résolut enfin à retirer son trident, et la chance capricieuse le desservit : en se retirant, l'instrument accrocha le filet, le Grec s'en dégagea avec souplesse, et, malgré son pied meurtri, fondit sur le rétiaire, dont le trident se trouvait embarrassé par les rets. Capreolus s'enfuit, traînant filet et trident. Le pied valide de Dardanus, dans la course, pesa par hasard sur le filet à la traîne, et au lieu que le filet se détache du trident, ce fut le trident qui tomba des mains moites du Juif. Toute résistance étant désormais impossible, Capreolus mit aussitôt un genou sur le sable et leva la main, s'efforçant de prendre un air fier et digne, tandis que son regard cherchait à accrocher celui de Kaeso.

L'arbitre avait interposé sa baguette entre les adversaires et l'orchestre faisait silence. C'était l'instant que Romains et Romaines attendaient avec le plus de plaisir.

Par politesse, l'assistance bien élevée guettait la décision de Silanus avant d'exprimer la sienne. Une égale politesse conseillait au donateur du « munus » d'incliner vers la mort du vaincu, pour bien montrer qu'il n'en était pas à un sacrifice financier près à l'égard de ses hôtes, car le cadavre, il faudrait bien qu'il le paye beaucoup plus cher que le prix de location. Hésitant, Silanus prit le parti de remettre ses pouvoirs à Kaeso, qui, après avoir fait semblant d'hésiter lui-même pour la forme, leva les deux pouces en signe de grâce, suivi par la majorité des spectateurs. Il y eut bien quelques protestataires pour murmurer que le combat avait été trop court, mais de vifs applaudissements couvrirent le murmure. Et l'orchestre, au lieu de la lugubre sonnerie de mise à mort, joua une marche entraînante. Dardanus quitta l'arène en boitant, appuyé sur l'épaule de Capreolus, image d'une fraternité d'armes qui ne se démentait paradoxalement que lorsque les armes parlaient.

On éteignit toutes les lumières autour de l'arène, et un nouveau spectacle captiva un moment l'attention, celui de Rome par une claire nuit de printemps. Au-delà des espaces à peu près obscurs du Champ de Mars, on distinguait en face, sur la rive droite du Tibre, la silhouette de la forteresse du Janicule, et sur la gauche, celles du Capitole et du Quirinal. La vieille Ville était parcourue à cette heure par les torches et les lanternes des travailleurs nocturnes, et, dans les bas-fonds que l'on pouvait apercevoir de l'éminence du Pincius, quelques incendies d' « insulae » mettaient leurs taches rougeoyantes et fumeuses. Un incendie plus considérable dévastait une partie du Trastévère. Mais les hôtes de Silanus, tout au plaisir de la vaste perspective, n'avaient cure d'incidents aussi fréquents et aussi vulgaires. Ils vivaient dans des maisons isolées par des jardins, défendues du feu par des vigiles et des brigades privés sans cesse en alerte. Seuls des incendies d'ampleur exceptionnelle pouvaient les inquiéter.

Silanus fit servir de nouveaux vins et les jeunes esclaves mouchèrent bon nombre de lampes et de torches autour des « triclinia ». Après un festin aussi réussi, il était bien agréable de répudier les conversations générales pour des entretiens plus doux avec des voisins ou voisines que les vins avaient rendus encore plus aimables, au sein d'une douce pénombre. Entre le repas guindé et l'orgie, il y avait des nuances pour gens honnêtes, qui n'étaient pas étrangères à un Silanus.

« Je voudrais te donner, dit Marcia à Kaeso, Rome tout entière !

— Si notre maison de Subure est en feu, Rome ne me sera pas de trop !

— Qu'importe Subure, désormais ! »

Excitée par le combat — et peut-être par quelques coupes superflues — Marcia n'avait jamais été plus belle, dans sa synthesis légère, qu'aucune tache n'avait osé insulter. Comme beaucoup de prostituées de haut luxe, Marcia était propre comme une chatte. Et la joie intense du bon succès de Kaeso ajoutait au charme de son visage une irradiation particulière et touchante. Son regard était en adoration devant son fils.

Et tout d'un coup, ce fut comme si le trident de Capreolus se fût planté droit au cœur de Kaeso : ce regard humble, affectueux, émerveillé, plein de dévouement, d'abandon et de promesses, il le connaissait et reconnaissait, c'était celui d'Hégésippe, un éphèbe sans grâce qui l'avait pressé, tanné et collé, jusqu'à ce qu'une noyade suicidaire, tenue pour accidentelle, vînt l'en débarrasser, c'était celui de l'amour passion, d'autant plus grave et sans remède, d'autant plus profond et désespéré que le désir même finit par ne plus en être qu'une composante secondaire, quoique indéracinable.

Le regard de Marcia s'était déjà voilé, mais Kaeso avait enfin compris et il était épouvanté. Les mystères dont Marcia avait protégé et bercé son existence, les mystères passés, présents et futurs n'étaient rien à côté de celui-là, qui les avait tous commandés et qui commanderait bientôt de nouveaux mensonges. Il venait de surprendre Diane au bain avec Éros, et Éros n'était autre que lui-même !

Marcia prit la main tremblante de Kaeso et dit :

« Quel frisson t'effleure-t-il soudain par un si beau soir ? Si une ombre te poursuit, tâche au moins de m'en décrire les contours, que je la dissipe comme naguère ?

— J'ai eu l'impression subite que... tu m'aimais trop.

— C'est bien la première fois, rétorqua Marcia en riant, qu'un homme me fait ce reproche ! »

Pour la première fois, sans doute, elle lui disait la pure vérité.

C'était insupportable ! Kaeso prit rapidement congé de sa belle-mère sous un prétexte, alla saluer et remercier Silanus, qui était en conversation avec son neveu Lucius et avec Pétrone, tandis que Vitellius et Marcus échangeaient des plaisanteries bruyantes. Avant de se retirer, il dit spontanément à l'oreille d'un Decimus un peu surpris : « Moi, je ne te trahirai jamais ! » Revenu de sa surprise, Decimus lui répondit simplement : « Trahis-moi plutôt pour une bonne cause, et nous resterons amis ! »

Kaeso ne ferma pas l'œil de la nuit. Tantôt, il avait l'impression d'avoir fait un mauvais rêve, tantôt l'implacable réalité se mettait en place, toutes les obscurités se dissipaient, et il se voyait pris au piège.

Au petit matin, il hésitait toujours entre les certitudes d'une fulgurante intuition et le raisonnable doute.

VII

Un doute si crucial, implanté et monté comme une fièvre, pressait de mettre bas toute pudeur et demandait à être dissipé d'urgence. De la solution du problème dépendait d'ailleurs la mirifique adoption, dont la date avait été fixée aux Kalendes de mai, et dix jours pleins seulement séparaient Kaeso du premier mai. Silanus tenait à fêter l'adoption à cette date, car c'était celle des Lararies de printemps, consacrées à honorer les dieux Lares protecteurs de Rome, qui comptaient une chapelle par quartier. La piété toute politique de Silanus ne faiblissait jamais.

Mais comment se tirer du doute ? Dans la pratique, Kaeso se heurtait à un mur. S'il mettait Marcia à l'épreuve en lui déclarant une flamme subite, et si la suspecte était pure de toute arrière-pensée incestueuse, il se trouverait dans une situation impossible, où l'odieux le disputerait au ridicule. De toute manière, si Marcia était amoureuse, elle devait couver jalousement son secret depuis tant d'années qu'elle ne se découvrirait point sans déplaisantes manœuvres, où Kaeso risquait fort de perdre la face avant elle.

A force de se torturer l'imaginative, Kaeso dut convenir que le mur était toujours debout et que le génie risquait de lui faire défaut longtemps pour l'ébranler. Il avait besoin des conseils d'un esprit neuf, mais à qui s'adresser, dans une affaire où la moindre indiscrétion eût entraîné des conséquences imprévisibles et incalculables ? Vu les circonstances, il ne pouvait se fier qu'à son frère Marcus, qui était loin.

Dans sa détresse, l'idée le frappa que Séléné était une solitaire, qui semblait dédaigner les hommes et ne faire confiance à personne. Et une Grecque juive (ou Juive grecque ?), qui ne manquait ni d'à-propos, ni de pénétration, ni de finesse. Mais c'était une esclave. D'un côté, les esclaves femelles passaient pour moins sûres encore que les mâles, mais d'un autre côté, en tant qu'esclaves, on pouvait les tenir par la peur ou par l'intérêt, et en tant que femelles, on pouvait peut-être les avoir au sentiment. Les relations de Kaeso avec la jeune femme avaient, il est vrai, pris un certain tour d'intimité, qui pour être assez étrange, devait faciliter confidences et conseils. Il lui avait quand même mis la main entre les jambes et s'était efforcé de lui donner un peu de plaisir par procuration. Ce sont des choses qui rapprochent toujours malgré tout.

En désespoir de cause, dans le jour naissant de sa chambre, Kaeso lança un as de bronze. Il avait décidé que si le sort voulait que la pièce tombât de façon à montrer la double face du Janus, il s'abstiendrait de la tentative. Mais l'as mit en évidence son revers, orné d'une proue de navire, en mémoire de l'arrivée de Saturne dans le Latium. Les dieux lui avaient refusé l'ambiguïté et accordé les avantages de l'action, sous l'égide du plus romain d'entre eux.

Séléné n'était pas dans sa chambre. Un esclave interrogé lui désigna celle du maître en passant. A travers la porte, filtraient les ronflements sonores d'un Marcus qui devait encore être pris de boisson. Seules les quatre portes d'entrée étaient défendues — sans parler des barres — par des serrures, très compliquées d'ailleurs. Kaeso entrouvrit tout doucement la porte. Son père reposait sur le lit. Séléné, enveloppée d'une couverture, s'était réfugiée sur la descente de lit, où elle dormait paisiblement, la tête sur un coussin. Les bruits de la rue, qui commençaient de se déchaîner, ne paraissaient pas troubler son sommeil. Sans doute, son maître l'avait-il empêchée de dormir une bonne partie de la nuit.

Kaeso ne savait que faire devant cette fille à moitié nue, quand Séléné, réveillée par les hurlements d'un marchand de fromages, qui remontait la ruelle avec ses chèvres, s'étira, se découvrant tout à fait, et considéra sans trop de surprise la tête de l'observateur, dont le regard la fixait par l'entrebâillement de la porte. Kaeso lui fit signe aussitôt de le rejoindre, et elle se leva nonchalamment pour passer une robe d'intérieur et enfiler ses pantoufles. Sa nudité ne semblait guère la gêner.

La porte refermée, elle dit à Kaeso : « La dernière fois, tu voulais me voir coucher avec deux gladiateurs, et cette fois-ci, tu veux me voir coucher avec ton père ? Mais tu es puceau ou gâteux ? Et t'imaginerais-tu par hasard que ces choses-là sont gratuites de nos jours ? »

L'entretien béni par Saturne, dont Kaeso se promettait tant, commençait mal. Il s'empressa de dissiper la fâcheuse méprise, entraînant Séléné vers les appartements d'en face, qui étaient vides à cette heure, ayant été consacrés aux aises de Marcia et aux thermes, quand les esclaves avaient pu en être refoulés vers les hauteurs de l'immeuble.

Ils s'assirent tous deux dans une sorte de boudoir, qui faisait transition entre l'ancienne chambre de Marcia et le faux atrium.

« De quoi veux-tu donc me parler ? demanda Séléné. Tu as la tête d'un garçon dont un spectre aurait troublé le sommeil.

— Le spectre est bien vivant et me ronge le foie ! »

S'exprimant en grec courant, Kaeso s'épancha longuement et avec force détails. La confession le soulageait. Et il finit par dire à Séléné, qui l'avait écouté avec une attention plutôt sympathique : « Tu m'as fait de tristes confidences l'autre jour. Je te fais les miennes aujourd'hui, esclave comme toi d'un destin cruel qui ne me laisse guère d'issue. J'ai l'intime conviction que les sentiments de ma belle-mère à mon égard ne sont pas ceux qu'ils devraient être, mais il me faut avouer que la preuve me manque. Et je dois être fixé dans les jours qui viennent, car l'adoption est proche. J'ai des devoirs envers le noble Silanus, qui n'a eu que des bontés pour moi. Je ne puis les reconnaître en introduisant le scandale dans sa maison. Par tous les dieux, comment savoir ce qui m'importe tellement ? »

Après un brin de réflexion, Séléné déclara : « C'est tout simple. Il convient d'employer l'un de ces expédients qu'utilisent les gens de théâtre pour faire progresser l'action quand elle paraît bloquée. Le truc de la fausse lettre, par exemple. Cela marche à tous les coups. »

Avec méfiance, Kaeso pria Séléné de s'expliquer, ce qu'elle fit de la façon la plus claire :

« As-tu jamais écrit en grec à Marcia ?

— Jamais. Elle ne le possède pas à fond, malgré les progrès qu'elle a pu faire, et elle éprouve quelques difficultés à écrire dans cette langue une lettre correcte.

— Elle ne connaît donc point ton écriture grecque, si tant est qu'elle soit bien caractéristique ?

— Certainement pas. Mais pourquoi cette question ?

— Imagine que je charge un messager quelconque, inconnu de la " familia " de Silanus, de déposer chez son concierge des tablettes scellées de ton sceau, que j'aurais remplies de ma main d'une déclaration d'amour en grec. De deux choses l'une : ou bien Marcia est possédée par Éros et elle te saute au cou, ou bien elle n'a que des sentiments maternels et elle pousse des cris d'indignation. Dans les deux cas, tu fais celui qui ne comprend rien. Mis au courant, tu affirmes que le mot n'est pas de ton écriture, et tu soutiens qu'un être malveillant, à l'affût d'une mauvaise plaisanterie, a dû t'emprunter ton sceau alors que tu dormais. Comme tu le vois, quoi qu'il arrive, tu sors la tête haute de cette terrible entrevue. Marcia est obligée de se livrer, ne pouvant soupçonner la ruse, et aurait-elle après coup le moindre soupçon contre toi, que je serais toujours là pour le dissiper. Vois-tu mieux à faire ? »

Kaeso était sidéré par l'efficace et rapide simplicité de cette théâtrale machination. C'était évidemment ce qu'il lui fallait. Soulagé d'un poids énorme, il embrassa Séléné, qui ajouta : « La présence de ton sceau, le fait que je sois la seule personne de la maison, en dehors du maître, à pouvoir écrire un grec coulant, qui ne soit pas trop inférieur au tien, me désigneront tout de suite à la suspicion, et bientôt à l'animosité de Marcia. Et je gage qu'une Marcia furieuse doit avoir le bras long. Seras-tu en mesure de me protéger ? »

La question, que Kaeso s'était posée en même temps que Séléné l'exprimait, était fort embarrassante.

Séléné poursuivit à sa place :

« Il va de soi que la vengeance de Marcia ne saurait faire état de ces tablettes — et dans les deux cas déjà envisagés —, par égard pour elle-même et pour bien d'autres. Elle ne soufflera mot de cette affaire à personne. Mais elle peut me nuire sous bien des prétextes détournés, et à la première occasion favorable. Ma seule sûreté serait alors entre tes mains.

— De quelle façon ?

— Innocente ou amoureuse, Marcia ne bougera point si tu la menaces — par affection pour moi — de divulguer l'affaire à Silanus. Amoureuse, la révélation de sa turpitude serait pour elle une catastrophe. Innocente, cette histoire de tablettes serait déjà de nature à mettre dans la tête du mari des idées superflues. Et la menace, tu peux lui donner effet, que Silanus t'adopte ou non. »

Kaeso réfléchit et fit observer :

« Si Marcia est amoureuse, j'aurais à mes propres yeux une bonne excuse à te défendre. Mais si elle est innocente, je n'aurais plus d'excuse aux siens. Et même dans la première hypothèse — à plus forte raison dans la seconde —, le fait de te défendre me fera tenir pour complice.

— C'est un risque que tu dois courir si tu veux en avoir le cœur net et me protéger. Mais ta Marcia n'est pas innocente. »

Kaeso sursauta :

« Que dis-tu là ?

— Je dis en latin : " In vino, veritas. " Quand le maître est soûl, il lui arrive de laisser échapper des allusions significatives. Un soupçon jaloux le ronge depuis longtemps. Mais sans plus de preuves que toi, il l'avait renfermé au plus noir de son cœur. La coïncidence entre ton soupçon et le sien donne pourtant à songer. Foin de l'innocence ! Je parie pour l'amour. Il est d'ailleurs dans cette histoire ma meilleure sûreté, puisque c'est grâce à lui et au secret qu'il exige que ma protection serait la plus forte... tant que tu voudrais bien y contribuer du moins. »

Tout bien pesé, Kaeso, brûlant de savoir enfin, jura ses grands dieux de veiller sur Séléné comme sur la prunelle de ses yeux.

Suivant son idée, la jeune femme fit un pas de plus :

« Le jour où Silanus se désintéresse de Marcia, ma peau ne vaut pas cher. Or j'ai une belle peau, à peine écorchée, et je n'en ai qu'une. »

Kaeso eut beau soutenir que les charmes de Marcia étaient capables de faire des miracles, il ne pouvait offrir d'éternelles garanties à ce sujet.

« Je tenterai cependant ma chance, dit Séléné. Le bruit court à Rome que Silanus rejoindra un jour ses frères, et, quand les patriciens s'ouvrent les veines, il est de bon ton que la femme suive. Mais je ne puis compter tout à fait sur Néron, et un risque demeure pour moi, que tu ne peux m'épargner. En cas d'ennui, il me serait fort précieux d'avoir de l'argent de côté... »

Kaeso avait gratté environ 120 000 sesterces sur sa pension et ses frais de route. Les 100 000 sesterces de Diogène furent finalement accordés à Séléné.

« Tu me parais forte en affaires, dut reconnaître Kaeso. Mais puisque tu es esclave, comment vas-tu t'y prendre pour conserver une telle somme ? Je doute qu'un temple honnête l'accepte en dépôt.

— Je la remettrai à un saint homme de ma religion.

— Es-tu sûre de pouvoir lui faire confiance ? Les prêtres sont tellement voleurs.

— Pas chez nous. D'ailleurs, je te fais bien confiance.

— Qui te dit que je te protégerai comme promis ?

— Ma connaissance des hommes et mes charmes. Apporte-moi donc des tablettes banales et un poinçon... »

Séléné éprouvait un délicieux plaisir à se venger de Marcia, qui l'avait fait fouetter après avoir abusé d'elle. A chaque coup de verge, elle avait supplié Yahvé de lui accorder vengeance, et le jour était arrivé plus tôt que prévu. Ce plaisir, joint aux 100 000 sesterces, valait bien de courir quelques risques.

Kaeso et Séléné devisèrent un moment à propos des termes à employer. Séléné, de toute évidence, ne pouvait faire allusion qu'à des idées, à des faits, qu'elle aurait puisés chez un Kaeso trop confiant. La lettre mensongère devait avoir une base vraisemblable.

Kaeso ayant fourni de bonne grâce tous les éléments nécessaires, Séléné écrivit donc ce qui suit :

« K. Aponius Saturninus à sa très chère Marcia, salut !

« A l'instant que je vais vivre avec toi pour toujours, je dois t'avouer pourquoi aucun garçon ne m'a intéressé à Athènes, pourquoi aucune hétaïre ne m'y a retenu plus d'une nuit, pourquoi les courtisanes de Rome me semblent sans saveur, et les jeunes filles, bien pâles : un amour plus exigeant m'occupe et me poursuit depuis mon enfance. Longtemps, il n'a pas osé dire son nom, mais à mon retour de Grèce, il a enfin pris ton visage, il a emprunté ta voix pour me dire : " Kaeso, nous ne faisons qu'un ! " Cet aveu m'oblige à voir clair en moi-même. Il y a au monde une femme qui les vaut toutes, qui les résume toutes, sans laquelle je ne pourrais envisager un quelconque avenir ni supporter la vie : c'est toi, modèle de grâce et de générosité ! J'ai tout reçu de tes mains et mes mains sont là pour te chérir, pour te rendre tout ce que j'en ai recueilli. Mais pourrais-je m'acquitter jamais ? Sois indulgente pour mes juvéniles maladresses ! Ah, pourquoi mes yeux se sont-ils ouverts si tard ? Avec quelle joie je te serais demeuré fidèle à Athènes si une claire raison avait pu me le commander ! Dis-moi par retour où et quand tu as décidé que je t'appartiendrai tout entier. Ton amour est ma blessure, mon fouet et mon délice. Longue vie à ta beauté et paix à ton cœur ! »

Kaeso trouvait excessif de parler de blessure et de fouet, mais Séléné lui garantit que les amants avaient coutume de s'exprimer de la sorte. Il était si anxieux de savoir, que le caractère ignoble de la ruse n'occasionnait chez lui qu'une gêne légère.

A la réflexion, Kaeso se dit tout de même que Marcia n'avait jamais rien avoué et que, si amoureuse fût-elle, rien ne permettait d'affirmer qu'elle eût la moindre intention de changer de politique. Mais, d'autre part, même si elle avait eu l'impatient désir de se dévoiler, elle eût certainement attendu le fait accompli de l'adoption, qui retenait Kaeso à sa portée et sous son charme. Cette dernière considération était de nature à atténuer une honte bien naturelle.

Au milieu de l'après-midi, les tablettes n'étaient pas encore de retour. L'idée vint à Kaeso, qui se rongeait, de revoir la prétendue grande amie de Marcia, à qui il devait déjà de mémorables révélations. S'il parvenait à la faire bavarder davantage, il se présenterait à l'entrevue critique en bien meilleure position. Renseignements pris, la femme, une certaine Arria, vivait seule avec quelques esclaves dans une petite maison du Viminal, au cœur de la VIᶜ région « Alta Semita », entre la station de la troisième cohorte des vigiles contre les incendies et l'antique rempart de Servius. Le temps pressait, et Kaeso courut la chance d'aller la surprendre.

Il faisait chaud par les sentiers montueux et ombragés du vieux Viminal, et Kaeso se félicitait d'être sorti en simple tunique. Un passant finit par lui indiquer une modeste villa, à moitié cachée par la verdure d'un jardin non moins modeste et assez mal entretenu. Kaeso poussa la barrière du jardin et alla frapper à la porte. Il était en train de se persuader que la maison était déserte, quand il entendit une voix mâle et geignarde, qui semblait sortir de par-derrière : « Domna, domna, je me les gèle ! » Et la voix d'Arria qui répondait : « Encore un petit moment, Arsène ! »

Intrigué, Kaeso contourna la maison par la droite, traversa une cuisine grande ouverte sur un poulailler, et se trouva nez à nez avec le dénommé Arsène, si l'on peut employer cette expression pour des nez qui étaient à des hauteurs si différentes : l'esclave était en effet plongé jusqu'au cou dans la piscine froide de thermes rudimentaires, dont la chaudière était d'ailleurs éteinte. La tête congestionnée de ce grand Gaulois roux donnait à penser qu'il s'agissait peut-être d'un bain thérapeutique. A la vue de Kaeso, Arsène s'empressa de crier : « Domna, un noble visiteur pour toi ! » Kaeso se nomma d'une voix forte et Arria le pria d'attendre un instant. Bientôt, d'un air charmé, elle ouvrit elle-même une porte, qui donnait sur une pièce encombrée de canapés et de coussins, où régnait une forte odeur de sueur et de musc. Dans la pénombre du lieu, la robe lâche d'Arria semblait un sac sur un piquet.

Kaeso n'aurait obtenu aucune confidence s'il avait mentionné l'objet de sa visite. Il n'avait d'autre ressource, pour mettre la dame en humeur convenable, que de prétexter des intentions galantes. Mais il fut vite fort clair que des intentions ne suffisaient pas à l'hôtesse. Et comme elle se fût affreusement vexée d'intentions sans suite, Kaeso, mis au pied du mur, fut bien obligé de s'exécuter. La dame était vraiment très, très svelte, et son agitation voluptueuse n'était pas une compensation suffisante à l'absence d'appas tangibles. Le pubis osseux, les seins en forme d'œufs sur le plat avaient quelque chose de décourageant. Malgré sa politesse et sa bonne volonté, Kaeso bâcla son affaire, et si Arria ne fut pas vexée, elle fut pour le moins déçue.

Il résulta de ce malentendu que Kaeso ne put rien tirer d'intéressant de cette grande amie de Marcia. Ouverte à tous les assauts, la femme demeurait méfiante et fermée comme une huître dès qu'il s'agissait du principal, comme si elle avait voulu payer en silence ou en bavardages inconsistants le peu de plaisir qu'elle avait pris à la rencontre.

Sur le point de renvoyer Kaeso, Arria eut cependant pour lui une sorte de regard maternel et lui dit :

« On raconte qu'une grande destinée t'attend, mais la Fortune est capricieuse. Un jour, peut-être, tu n'auras plus pour faire carrière que ton charme et ta beauté. Ce jour-là, tout pourra dépendre de l'attachement passionné que tu auras su inspirer à une femme. Te rends-tu compte que si tu la traites à la va-vite comme tu viens de me traiter, tu n'auras pas grand-chose à en attendre ?

— Pardonne-moi, je te prie : malgré les apparences, j'ai de grands soucis en ce moment...

— C'est précisément quand les hommes sont distraits qu'ils sont les plus satisfaisants.

— Voilà un beau paradoxe !

— Quel enfant tu fais ! Tu as besoin de conseils. Me permets-tu de compléter ton éducation sur ce point ? »

Kaeso aurait eu mauvaise grâce à refuser la leçon, et Arria poursuivit :

« Un homme ne s'attache point une femme en lui procurant quelques jouissances aiguës mais superficielles : elles ne sont que mises en train à la jouissance profonde, indescriptible, si forte que la femme s'en évanouit pour de bon. Toutes les femmes ne connaissent point cette jouissance-là. Mais pour celles qui la connaissent, elle est d'ordinaire assez longue à venir. Et une bonne fois qu'elle est connue, la femme ne vit que pour la connaître de nouveau, car son plaisir dépasse alors de cent coudées [1] celui de l'homme à son service. Il est donc de première importance que l'amant soit capable de tenir le coup longtemps à défaut de pouvoir récidiver souvent. Comprends-tu bien cela ?

— C'est tout à fait clair. Mais le moyen ?

— Pendant que tu fais l'amour, ne songe surtout pas à ta maîtresse. Compte plutôt des chèvres ou des moutons. Retiens-toi le plus longtemps possible. Et lorsque tu crains de te répandre, arrache-toi à l'étreinte, et saute dans un bain froid. »

Pensant à Arsène dans son bain, Kaeso ne put se retenir d'éclater de rire.

« Eh oui, fit Arria : ce Gaulois est plus doué que toi. Et heureusement ! Car je ne puis me payer pour cet office qu'un seul esclave convenable, et je dois l'user jusqu'à la corde. Arsène songe au siège d'Alésia par César et il n'en est pas à un bain près pour soulager sa tension et demeurer en forme. C'est un garçon très dévoué. »

Grâce à Arsène, Kaeso se retira finalement d'assez bonne humeur, mais il s'assombrit vite. A la réflexion, il lui semblait scandaleux et inquiétant que seuls des esclaves bien dressés fussent capables de faire jouir une femme à fond et à de multiples reprises. Quel homme libre irait se plier de gaieté de cœur à cette dégradante et ridicule gymnastique ? Mais alors, comme les Grecs le pensaient bien, les relations dans le mariage ne pouvaient être que décevantes.

Autre sujet d'amère réflexion : Marcia avait vraiment comme amies des numéros peu ordinaires. Sans doute, à Rome, les matrones qui couchaient avec leurs esclaves n'étaient pas trop rares et les lois prises pour combattre cet abus avaient bien peu d'effet. Il arrivait que l'on

---

1. La coudée romaine fera 0,4416 mètre.

distinguât, au sein des frondaisons du Champ de Mars ou de quelque jardin, une vaste litière fermée, entourée de porteurs musculeux en nombre impair, qui se croisaient les bras, tandis que le nombre pair invisible s'agitait, le bras tendu, derrière les rideaux. Et chacun avait son tour de faire plaisir à la patronne, en attendant de porter le mari à ses affaires. De pareils excès entachaient quand même une réputation et les honnêtes femmes ne fréquentaient point de telles dévergondées.

Quand Kaeso rejoignit l'insula, les tablettes étaient de retour. Avec l'extrémité aplatie de son poinçon, Marcia avait prudemment effacé le texte compromettant de Kaeso, et elle avait écrit à la place :

« Marcia à Kaeso, salut !

« Je serai demain matin à la cinquième heure chez mon amie Arria, dont la villa se trouve au Viminal. Montant de Subure, tu la trouveras un peu au-delà du poste de la troisième cohorte des vigiles. Il y a un grand peuplier dans le jardin. Puisses-tu te porter aussi bien que moi ! »

Séléné était toute triomphante, mais Kaeso, qui avait eu du mal à rompre le cachet [1] tant son émotion était grande, restait écrasé d'amertume et d'angoisse. Son intuition ne l'avait pas trompé.

Le lendemain matin, donc, jour des « Vinalia », alors que le grand marché des prostituées battait son plein devant le temple de Vénus de la Porte Colline, Kaeso fut à l'heure dite devant la villa d'Arria, qu'il n'aurait jamais cru revoir, et revoir si tôt. Il lui était très désagréable que le rendez-vous eût été fixé en un lieu illustré par les exploits d'un Arsène comme par sa propre maladresse, mais pour ce que Marcia comptait y faire, la maison était assurément bien choisie, et la discrétion d'Arria, rassurante. Afin de donner à l'entretien plus de dignité, Kaeso avait revêtu sa toge toute neuve, où il voulait voir aussi une manière de protection : une femme abusive n'aurait pas violé sans mal un jeune garçon en toge, cramponné à son viril attribut.

Marcia lui ouvrit elle-même. « Les esclaves sont au marché et Arria est en visite », dit-elle sur le ton le plus naturel. Et sans rien ajouter, elle conduisit Kaeso à l'alcôve qu'il connaissait déjà, où une douce lumière d'avril filtrait à travers les volets déclos. Elle s'assit alors et fit remarquer avec tendresse : « Tu en auras mis du temps à comprendre que tu étais l'homme de ma vie, que je ne respire que par

1. C'est seulement à partir du XVe siècle que la signature commencera de concurrencer le sceau pour authentifier la personnalité du scripteur.

et pour toi ! Mais viens t'asseoir, que je te touche enfin comme tu m'en as donné le droit... »

C'était l'instant de faire la bête et Kaeso s'y efforça de son mieux. Le malentendu fut dissipé en quelques phrases, Séléné, aussitôt mise en cause, et Kaeso demeura stupide devant cette femme cruellement choquée qui venait de lui dévoiler son cœur par accident.

« Eh bien, fit enfin Marcia après un long silence, nous savons au moins où nous en sommes... Cette Séléné est une perspicace entremetteuse qui m'a bizarrement percée à jour. Mais se serait-elle trompée à ton sujet ? »

Kaeso avança que la révélation était si brutale, si nouvelle, qu'il avait besoin de quelque temps pour s'y faire et se forger une conduite.

« S'il te faut du temps pour savoir si tu m'aimes, c'est que ton amour est bien timide à côté du mien ! »

Embarrassé dans toutes ses expressions, Kaeso prit le parti le plus facile, celui d'interroger Marcia. Sa légitime curiosité était d'ailleurs insatiable.

« Tu vis avec ton amour depuis des années et je viens seulement d'en découvrir toute l'étendue. Il y aurait quelque légèreté de ma part à prendre de graves engagements à l'égard d'une personne chérie alors que je suis encore sous le coup d'un pareil événement. Mais il y a plus : nous ne sommes pas à égalité. Je veux dire que tu connais tout de moi, alors que tu restes à mes yeux très mystérieuse. Un beau-fils a le devoir d'ignorer bien des choses concernant la femme de son père. Un futur amant n'est-il pas en position de tout savoir ? Voudrais-tu me faire coucher avec une inconnue ?

— J'admets que ce serait outrecuidant de ma part. Que souhaites-tu donc apprendre ?

— Silanus m'a révélé l'histoire de l'esclave Aponios — qui d'ailleurs ne te regarde pas directement. Séléné m'a avoué que Silanus l'avait offerte à mon père, en compensation de ton départ, ce qui me paraît te concerner moins encore. Mais Arria m'a appris par hasard, sans songer à mal, que ton mariage avec mon père n'était pas le premier, et surtout, que tu étais sa nièce. Tu avoueras que tout cela déconcerte.

— Je l'avoue bien volontiers. Tu es toutefois en âge de comprendre qu'il existe de pieux mensonges, où parents et enfants trouvent longtemps leur compte.

— Oui, certes. On ne m'a menti que pour mon bien. Mais encore une fois, ce n'est plus ma belle-mère qui me parle, mais une femme qui ambitionne des relations d'une autre nature.

— Désormais, je n'ai plus rien de caché pour toi. Je te jure sur ta propre tête de répondre avec une parfaite franchise à toutes tes questions. Mais il me semble que tu as déjà appris l'essentiel de ce qu'on avait prétendu te laisser ignorer le plus longtemps possible.

— Comment le saurais-je ? »

Marcia se débarrassa de son châle et se renversa à demi sur les coussins, robe un peu retroussée et gorge à moitié nue, dans la pose alanguie et patiente d'une personne qui s'apprête à satisfaire longuement les plus indiscrètes curiosités.

« Combien de fois as-tu été mariée ?

— Pas plus de quatre, et encore en comptant Silanus.

« J'ai épousé très jeune un " chevalier " sans grand intérêt. Il manque encore une liberté aux femmes, et la plus sensible, peut-être : celle de se marier à leur gré la première fois. Autant la femme mariée, divorcée, remariée ou veuve est libre de ses sentiments et de ses actes, autant la malheureuse jeune fille reste contrainte. Je reconnais que les pères à la mode se soucient de plus en plus des inclinations de leur jeune fille, mais cette mode est longue à se généraliser.

— J'ai fait moi-même mes premières armes avec la " petite ânesse " de la popina de papa : ce n'était pas non plus l'idéal.

— Pour un garçon, les premières armes ont moins d'importance.

— As-tu trompé ce " chevalier " ?

— Tant et plus : c'était une brute et je ne l'avais épousé que pour me libérer !

— C'est le plaisir qui t'attirait alors ?

— En ce sens que j'aurais aimé savoir enfin ce que c'était. Mais la quête est bien décevante pour une femme, car les hommes ne pensent qu'à eux-mêmes.

— Quel conseil me donnerais-tu sur ce point si l'occasion se présentait ?

— Prendre ton temps. La femme est une cithare dont il faut gratter toutes les cordes durant des heures si on prétend la faire chanter comme il faut.

« Bref, j'ai divorcé de mon " chevalier " pour épouser un propriétaire terrien, qui s'est tué bientôt accidentellement.

— L'as-tu aimé, celui-là ?

— Un peu et quelques semaines.

— Alors, pourquoi ce remariage ?

— Je ne pouvais vivre décemment avec ma dot et les femmes distinguées n'ont droit à aucune activité rémunérée [1]. Une jolie femme sans argent est donc condamnée au mariage. A défaut de bon parti, sa liberté ne va pas plus loin que de choisir le moins mauvais.

---

1. Exception faite de quelques femmes-médecins.

— As-tu trompé ce second mari ?

— Moins que le premier. Je tenais à cette situation.

— Tu étais toujours en quête de ce fameux plaisir, dont on prétend que certaines femmes s'en évanouissent de bonheur ?

— Je ne l'ai jamais rencontré. Mais je m'évanouis déjà de bonheur à ta seule présence, Kaeso ! »

Restait le plus délicat...

« Je ne parviens pas à comprendre pourquoi tu as épousé mon père, qui était ton oncle.

— Claude venait d'épouser sa nièce Agrippine, et nous avons sauté sur l'occasion de faire notre cour. Une affaire en partie ratée. Marcus y a seulement gagné d'être élu au collège des Arvales, position qu'il a été incapable d'exploiter.

« Il s'agissait, bien sûr, d'un mariage blanc, ce qui me donnait le droit moral de t'aimer, n'est-ce pas ?

— Tu n'aurais jamais couché avec mon père ? Vraiment ? »

Marcia fit un signe de tête négatif.

Kaeso s'en assit du coup. Les sentiments de Marcia prenaient soudain une tout autre allure : la paralysante notion d'inceste se dissipait.

Matérialisant son avantage, Marcia se redressa et s'empara de la main de Kaeso, le garçon lui faisant face. Mais celui-ci retira bientôt sa main...

« Tu ne me dis pas toute la vérité. Mon frère Marcus et moi, nous nous rappelons un temps où notre père hurlait à la porte de ta chambre, et nous savons bien qu'il y est parfois entré.

— Quelle mémoire, alors que la mienne était en défaut ! Oui, à la réflexion, j'ai peut-être cédé cinq ou six fois à ce mari formel, mais c'était bien pour toi et pour ton frère que je l'ai fait !

— Par exemple ?

— Dans les premiers temps de ce remariage, comme vous avez pu en juger tous deux, ton père a été pris de frénésie, malgré ses promesses renouvelées, et de telles scènes vous effrayaient fort. Au prix de quelques brefs abandons sans conséquence, je vous assurais le sommeil et la paix. Crois-tu donc que j'y aie pris plaisir ?

— Quel amour tu avais déjà pour ces deux enfants !

— Merci de t'en rendre compte !

« J'ai toujours aimé les enfants. Je ne puis passer près d'un dépotoir où s'égosillent des marmots sans que mon cœur se serre. Mais je n'avais pas voulu d'enfant de mon premier mari parce que je ne l'aimais point. Je n'en ai pas voulu du second parce que je ne l'aimais pas assez. Mon mariage avec Marcus devait évidemment être stérile. Et je ne veux pas non plus d'enfant de Silanus — au cas douteux où il serait encore capable d'en faire un — pour mieux préserver tous tes droits à l'héritage.

« Durant mon union avec Marcus, j'avais ainsi à ma charge les enfants que j'aurais aimé avoir. Comment ne m'y serais-je pas attachée ?

— Et à quel moment t'es-tu prise pour moi d'un sentiment plus fort encore ?

— Quand j'ai commencé à être jalouse de la pauvre "petite ânesse" de notre popina, je crois. Rien de tel que la jalousie pour vous éclairer. »

Kaeso réfléchit et avança prudemment :

« Durant ton mariage blanc... ou gris avec mon père, je présume que tu n'as pas renoncé à prendre des amants ?

— Tu présumes juste.

— Quelques plaisirs de surface t'attiraient sans doute ?

— A l'occasion...

— Et en dehors de ces bonnes occasions ?

— Je couchais encore pour toi et pour ton frère !

— Encore !

— Nous avons connu, Marcus et moi, de longues années où l'argent était rare, quand il ne manquait pas tout à fait. J'ai failli bien souvent abandonner cette maison impossible, mais tu me regardais de ton œil confiant, et je me sentais faiblir. Il arrivait même qu'il n'y eût plus de quoi nourrir les esclaves ! Un jour, nous avons dû mettre sur le pavé une esclave malade et un infirme. Quelque édit de Claude venait de décider l'affranchissement d'office dans ce cas, mais je crains que ces deux affranchis ne soient vite morts de faim. Lorsque la bourse était vide, les esclaves levaient vers moi des yeux suppliants, tandis que Marcus détournait la tête. Je savais alors ce que j'avais à faire.

— Voilà qui est positivement admirable ! Mais enfin, les finances ont fini par s'améliorer et les amants ne t'ont pas manqué pour si peu. C'est bien toi que j'ai vue par hasard aux thermes neufs de Néron ?

— Les femmes, Kaeso, n'ont jamais su faire la distinction entre le nécessaire et le superflu. Mettre d'ailleurs les jambes en l'air pour cent ou pour mille sesterces — ou pour un milliard de sesterces avec un Silanus ! —, où est la différence ?

— Elle est assurément dans la somme plus que dans les jambes !

« Tu me sembles avoir recruté ces amants utilitaires dans des milieux très variés...

— En effet. Les discrètes liaisons avec les hommes riches sont souvent décevantes. Il faut consacrer à ces gens-là beaucoup de temps, satisfaire à beaucoup d'exigences, savoir se contenter de cadeaux difficilement négociables. Un certain niveau d'élégance est l'ennemi d'une prostitution fructueuse — sauf exception assez rare. Aussi, quand l'argent liquide faisait trop cruellement défaut, il m'arrivait d'aller lever un sauveur aux thermes neufs de Néron ou sous un portique du Champ de Mars, craignant de me faire repérer et rosser par des maquereaux jaloux de leurs prérogatives. Comme je t'aurai aimé, Kaeso !

— Tout le confort dont j'ai pu jouir viendrait de là ?

— Aux deux tiers ou aux quatre cinquièmes...

— Silanus est au courant ?

— Il s'en doute et il s'en fout.

— C'est un sage !

— Une sagesse d'autant plus à ta portée. »

Kaeso médita un instant sur une aussi belle franchise. Marcia avait pris le parti héroïque de ne rien dissimuler, dans le doute où elle était de pouvoir mentir longtemps. Et cet abaissement où elle n'hésitait pas à se vautrer donnait au fond à Kaeso un émouvant motif de la relever avec affection.

« Je pense que je dois te remercier, dit-il. Tu as fait pour moi plus encore que je n'aurais cru... et même souhaité ! Je me sens toutefois un peu débordé à la perspective de devoir succéder à une si longue suite de maris, d'amants ou de simples pratiques...

— Mais tous ces hommes, Kaeso, ont passé sur moi comme de l'eau sur des plumes de canard ! Je les ai oubliés. Je n'ai jamais aimé, je n'aimerai jamais que toi !

— Il en est un, hélas, que je ne saurais oublier, moi, parce qu'il prétend m'adopter bientôt.

— Silanus a l'esprit large. Il a eu des tas d'épouses, de maîtresses, de mignons...

— Mais il ne m'adopte pas pour que je couche avec sa femme !

— S'il se trouvait un jour devant le fait accompli, il fermerait probablement les yeux. Les hommes distingués ont de remarquables talents pour jouer les cocus avec dignité.

— Je te mets au défi de l'informer de tes intentions avant qu'il ne m'adopte !

— Pourquoi courir le moindre risque alors qu'une des premières fortunes de Rome est en jeu ? »

Kaeso médita encore et dit :

« Chacun est construit d'une certaine façon. Il y a des choses qu'on peut faire, d'autres qu'on ne peut pas faire. Il m'est impossible de me laisser adopter par ce Silanus dans de telles conditions. Et si je parle ainsi, c'est d'abord pour moi, plutôt que pour Silanus.

— Alors, nous admettrons qu'il ne s'est rien passé, que Séléné ne m'a pas écrit cette belle déclaration d'amour. Et comme la mienne est le résultat d'un abus de confiance, il me semble que je suis habilitée à la reprendre. Laisse-toi donc adopter comme prévu, et tu n'auras plus à redouter mes assiduités. Pour t'assurer une telle fortune, je n'en suis pas à un sacrifice près. N'en ai-je pas pris l'habitude ?

— Malheureusement, Séléné a écrit et je te connais à présent presque aussi bien que tu m'as toujours connu. Cette jalouse passion pour moi, que l'on découvre parfois dans ton regard, combien de temps la pourrais-tu cacher au cours d'une vie commune dans la maison de Cicéron, à Tarente, à Baïes ou ailleurs ? Et à présent que je sais que tu n'as pas été vraiment la femme de mon père, combien de temps pourrais-je moi-même résister à ton intelligence et à tes charmes ?

— Si tu te refusais à cette adoption, aurais-tu encore scrupule à tromper Silanus ? »

La question prit Kaeso de court, et son hésitation à répondre était éloquente.

« Je crois, finit-il par déclarer, que j'aurais encore des scrupules. Silanus a eu tant de bontés pour moi...

— Parce que j'en avais eu pour lui !

— Ton adresse ne lui retire pas tout mérite. »

Marcia dit gaiement : « Pour t'enlever le moindre scrupule, il est une solution inverse : tu te fais adopter, je divorce d'avec Silanus, et nous tombons dans les bras l'un de l'autre. Qu'en dis-tu ?

— J'en dis... qu'une pareille combinaison soulèverait encore en moi quelque scrupule, et surtout, que je n'admettrai jamais que tu renonces par amour à une position aussi brillante.

— J'y renonce quand même ! Et pour dissiper ton dernier scrupule, je te ferai une dernière et honnête proposition : je divorce d'une part, tu dédaignes l'adoption de l'autre. Quel obstacle scrupuleux resterait-il entre nous ? »

Après un pénible silence, Marcia fondit en larmes : « Je vois bien que tu ne m'aimes pas, disait-elle entre ses sanglots, que tu es le seul homme de la terre à ne pas me désirer ! »

Le premier torrent de larmes passé, Kaeso précisa :

« Je te désire, au contraire, et à ce point que ton corps de déesse hante fréquemment mes nuits. Mais tu as tenu tant d'années à mon côté un rôle de mère exemplaire que mon désir se heurte à un barrage. Il y a deux femmes en toi, et comme je ne puis coucher qu'avec l'une d'entre elles, il faut bien que je couche ailleurs. Ce n'est ni ta faute ni la mienne. Et je suis malgré tout si peu sûr de moi que j'appréhende sincèrement de te céder si je devenais le fils de Silanus.

— Alors, que vas-tu faire ?

— Eh, qu'en sais-je moi-même ! dit Kaeso avec désespoir. Je suis comme au fond d'un puits... »

Midi était là, comme en témoignait l'affaiblissement des rumeurs qui montaient de la Ville. Le travail avait fait relâche et les outils se reposaient en attendant que la sieste s'emparât des hommes. Comme Kaeso, à bout de nerfs, prétendait se retirer, Marcia s'accrocha à sa toge, dans un grand désordre de paroles et de toilette, le suppliant de la posséder au moins une fois, en récompense de tant de dévouements. La requête était d'autant plus émouvante que l'attrait d'un quelconque plaisir ne la commandait point. Cette femme, qu'aucun mari, aucun amant n'avait su combler, savait bien que les jouissances les plus profondes et les plus bouleversantes n'étaient pas encore pour cet instant. Elle ne voulait qu'entendre son cœur battre comme il n'avait jamais battu.

Mais Kaeso répétait : « Laisse-moi, laisse-moi donc, je t'en supplie ! Ne vois-tu pas que je ne suis en état de rien ? Une autre fois, peut-être... »

Kaeso finit par s'arracher et par s'enfuir, laissant Marcia aux prises avec sa toge, qu'il lui abandonnait comme le dérisoire symbole du peu qu'il pouvait offrir.

Descendant vers Subure, au détour d'un escalier, Kaeso tomba sur Arria, qui remontait chez elle. Elle lui lança un regard complice et interrogateur, vite déçu par l'apparence défaite du visage de l'amant malheureux.

« Ta maison porte décidément malheur, lui dit Kaeso. Cupidon ne peut que s'y noyer ! »

A travers Subure, les bordels de tout poil s'animaient déjà et faisaient leur toilette, en attendant la neuvième heure, heure légale d'ouverture. Désormais, la vue de chaque putain allait évoquer une mère pour Kaeso, et comme les rues de Rome en étaient remplies, il aurait beaucoup d'occasions de songer à Marcia.

VIII

Chemin faisant, la situation apparaissait à Kaeso dans toute son affreuse clarté.

Adopté par Silanus, il serait en butte à toutes les plus séduisantes attentions de Marcia, et il n'était pas dit qu'il pût s'en tirer par la fuite. On ne prend pas le large sans bon prétexte. S'il résistait à la tentation, Marcia, réduite au désespoir, serait capable d'un éclat terrible. S'il y succombait, il ne pourrait plus regarder Silanus en face et risquerait de se faire prendre tôt ou tard. Plus les matrones romaines étaient environnées d'esclaves, plus elles avaient du mal à tromper leur mari sans qu'il le sût. Dans la haute société, beaucoup de conjoints menaient sans doute une vie indépendante, à base de tolérance et d'indifférence mutuelles. Mais il était visible que Silanus était encore amoureux, et bien capable de le rester longtemps. Or les lois d'Auguste, qui punissaient l'adultère de déportation, étaient toujours en place [1]. Pour théoriques qu'elles aient pu paraître dès leur promulgation, quelle que fût leur désuétude, un amant malchanceux, une femme adultère demeuraient exposés à la vengeance d'un mari soucieux de réclamer son droit. Et même si un Silanus, crainte de ridicule, n'allait point jusqu'à cette extrémité, l'époux outragé ne manquerait pas de moyens pour sanctionner une trahison aussi infâme. Car ce serait alors son propre fils, gardien du culte familial, qui aurait introduit le déshonneur dans sa maison.

Il y avait aussi des taches noires sur l'arbre généalogique de Silanus, qui montraient bien que, tout compte fait, une telle adoption n'était pas sans risque. Lorsque les Julio-Claudiens se massacraient, l'humble obscurité de leurs proches ou de leurs amis ne les préservait pas forcément du sort du maître. Les affranchis, les esclaves étaient

1. Auguste avait même décrété que les cocus complaisants seraient poursuivis d'office pour proxénétisme illégal !

mis à la torture afin de nourrir le dossier et les pires soupçons n'épargnaient personne.

Quant à dire adieu à Silanus pour filer le parfait amour avec une ex-belle-mère divorcée une fois de plus, Kaeso n'était pas très chaud. Il avait naturellement envie de profiter librement de l'existence. Tomber sous la coupe d'une Marcia possessive et jalouse ne serait pas une partie de plaisir. Une telle femme, qui mettait une vive intelligence au service de ses desseins et de ses passions, exerçait une domination étrange sur tous ceux à qui elle s'attaquait. Marcus n'avait guère pesé. Silanus s'était incliné. A combien d'hommes n'avait-elle pas pris ce qui l'intéressait, mariage, menus plaisirs, sentiments ou argent ? Habitué à obéir, à se laisser influencer en tant que fils aimant, confiant et soumis, Kaeso n'entrerait dans le lit de Marcia que pour s'y faire presser goutte à goutte comme un cédrat médique. Les grandes jouissances qu'elle n'avait jamais connues, elle prétendrait les obtenir de lui et, à l'école d'Arria, l'enverrait au bain plus souvent qu'à son tour. Kaeso n'était pas mûr pour un esclavage de ce genre.

D'ailleurs, on ne file pas le parfait amour sans argent. Accoutumée à un certain luxe qui lui tenait à cœur et était de plus en plus nécessaire au maintien de sa beauté, la maternelle maîtresse de Kaeso continuerait bientôt à se dévouer pour lui sous quelque portique. Il avait assez mangé de ce pain amer et honteux !

Et vu la différence d'âge, combien de temps, de toute manière, une si passionnée liaison pourrait-elle durer ? Kaeso en avait vu quelques-uns, collés par des maîtresses vieillissantes et criardes... La nature humaine elle-même prédisait le naufrage.

Oui, Kaeso devait rompre, se meurtrir le cœur pour survivre. Il avait pourtant besoin de Marcia. La perspective de ne plus la voir lui était une souffrance. Elle avait tant d'années veillé sur lui avec une constance si attentive et si rare ! A qui s'en remettre désormais pour éclairer et diriger ses jours ? Kaeso se sentait de plus en plus orphelin.

Couronnant ces ennuis, s'élevait en outre une difficulté d'ordre pratique, qui paraissait même, à première analyse, insurmontable. Il était de toute nécessité de renoncer à cette adoption, mais, pour ce faire, encore fallait-il fournir à Silanus une raison tout à fait convaincante. On ne se prive pas d'un milliard de sesterces sous un prétexte obscur ou futile. Si Kaeso n'arguait d'aucun motif, ou si son motif n'était pas crédible, Silanus, vexé et méfiant, se mettrait à réfléchir, et, étant donné sa finesse naturelle, ses réflexions risqueraient fort de le conduire à la vérité, une vérité où Marcia avait tout à perdre.

Divine surprise, Marcus junior, comme envoyé par les dieux, attendait Kaeso devant un petit temple en ruine, à proximité de l'insula familiale, un peu en retrait de la ruelle qui y conduisait. Kaeso reconnut en passant le large dos de Marcus, qui était pour l'instant occupé à arroser le mur de l'édifice, sous une inscription cependant péremptoire :

DUODECIM DEOS ET DIANAM ET JOVEM OPTIMUM MAXIMUM HABEAT IRATOS QUISQUIS HIC MINXERIT AUT CACAVERIT
(Puissent les douze dieux et Diane et Jupiter Très Bon et Très Grand poursuivre de leur courroux celui qui aura uriné ou déféqué à cet endroit !)

Marcus, tout poussiéreux du voyage, était encore en cuirasse et, avec une désinvolture très militaire, il avait dédaigné de pousser jusqu'aux demi-tonneaux ou aux amphores ébréchées disposés aux carrefours pour cet usage.

Kaeso lui tapa sur l'épaule et ils s'embrassèrent. Marcus jouissait d'une permission imprévue : on l'avait chargé de dépêches particulièrement importantes pour le quartier général des « frumentaires », et il avait licence de passer huit jours à Rome. Le jeune tribun semblait inquiet, et il avait guetté Kaeso pour lui demander des nouvelles en dehors de la présence de leur père.

Les deux jeunes gens allèrent s'attabler dans le jardin d'une petite popina, sous une treille bien verte, l'aîné commanda du vin frais, et Kaeso révéla longuement à son frère à quel point les funestes pressentiments qu'il avait nourris dans son exil étaient justifiés, ne lui cachant rien de tout ce qui l'angoissait — prostitution de Marcia mise à part. Mais qu'aurait-il pu apprendre sur ce point à Marcus junior qu'il ne sût déjà ?

« Je me doutais bien, lui dit Marcus, que Marcia avait jeté son dévolu sur ta personne. Tout le monde le sentait plus ou moins dans la maison. Il n'y avait que toi pour ne pas t'en rendre compte. Une femme profondément amoureuse ne peut cacher son jeu indéfiniment. Même si elle se tait, tout le reste parle pour elle. Oui, Marcia t'adore.

« Mais pourquoi serait-ce là un inconvénient ?

« Tu viens de m'apprendre que notre belle-mère était la fille de l'oncle Rufus et notre cousine germaine, mais qu'elle n'avait jamais partagé — à un poil près — le lit de notre père. Il n'y a donc pratiquement pas eu d'inceste entre les deux époux, d'où il découle qu'il n'y en aurait pas non plus si Marcia devenait ta maîtresse. Tu peux ainsi la considérer à bon droit d'un œil nouveau au cas où une telle liaison te semblerait agréable et avantageuse. J'ai le devoir de te parler ici en ami plutôt qu'en frère...

— Veux-tu dire que si tu étais à ma place, tu aurais quand même des hésitations, des répugnances instinctives ?

— Nous étions déjà grands lorsque Marcia nous a avoué qu'elle était notre mère par choix et non point par nature, et elle nous a présenté la chose de telle sorte que nous en avons été filialement émus. Il est certes difficile de passer de la mère à l'amante sans transition. Mais un peu de temps arrange bien des choses...

« Un fait est en tout cas certain : Marcia est très séduisante, elle te veut du bien, et son amour a prouvé qu'il était efficace. Si tu la désespères, j'appréhende d'horribles malheurs. Les femmes rebutées sont capables de tout.

— Et si je me prends par la main pour combler ses espoirs, de quoi serait capable Silanus ?

— Il n'est pas encore cocu, il n'a pas encore appris qu'il l'était, et il n'est même pas dit que la nouvelle le rendrait bien dangereux. Ce ne serait pas la première fois, s'il faut en croire les rumeurs, que Silanus connaîtrait une telle infortune, et il s'est montré jusqu'à présent de bonne composition.

— Il n'avait pas adopté les amants de ses autres épouses, qui n'avaient pas à charge le culte familial de sa " gens ".

— La religion d'un Silanus est pour le Forum. Dans de pareilles familles, en fait de piété, ce qui n'est pas officiel ne compte pas.

— Silanus aime Marcia.

— Comme peut aimer un blasé qui a connu tous les plaisirs.

« Imagine un peu que tu tires un trait par scrupule sur cette extraordinaire fortune que les dieux t'apportent comme par hasard. Imagine encore que tu rencontres Silanus sur le Forum dans un lustre ou deux et que tu l'informes de ta noble conduite. Imagine enfin que Silanus te réponde : " Quel sot tu as fait ! J'aurais été si heureux de partager Marcia avec toi ! A mon âge, on aime les triangles. " Quel argument, toi qui sors de chez les sophistes, irais-tu présenter alors pour ta défense ?

— J'ai peine à t'entendre ! Pour quelques sesterces, tu ferais des galipettes avec notre Marcia et ce vieux jeton ?

— Pour des centaines de millions de sesterces, oui, je le crains ! »

Marcus vida sa coupe et ajouta, le plus sérieusement du monde :

« Je ne suis pas un grand philosophe, Kaeso, mais je m'en vais te dire une bonne chose : nous ne savons point où nous irons une fois morts, ni même si nous irons quelque part. Il n'y a donc à mes yeux qu'une seule morale raisonnable : celle de la réussite. On peut réussir au détriment de l'État ou au détriment d'autrui, ce que je ne recommanderai point, car l'intérêt général, celui de tous et de chacun, en sort blessé. Mais quel mal y aurait-il à faire des galipettes en compagnie d'un mécène généreux et d'une femme dévouée ? C'est le rêve de tous les jeunes Romains d'aujourd'hui. Après tout, pour ce qui est du sang, Silanus n'est pas plus ton père que Marcia n'est ta mère. J'ai remarqué que tous les hommes illustres, à un moment ou à un autre, avaient dû donner de leur personne pour arriver.

— Mais non point Caton d'Utique.

— Il n'est arrivé qu'au suicide !

« Je ne suis pas non plus compétent en fait de croyances, mais une évidence me frappe : dans notre bonne vieille religion romaine, les dieux se sont multipliés au point que chaque activité humaine, chaque vertu et même chaque vice peut se recommander de la protection d'une divinité. Il y en a pour les militaires, pour les gladiateurs, pour les amoureux comme pour les voleurs. Cette vision me paraît très profonde. Dans *l'Iliade*, déjà, que nous avons tant étudiée et que tu connais mieux que moi, les dieux embrassent les intérêts humains les plus terre à terre et les plus contradictoires. L'important, pour l'homme pieux, n'est-il pas de se vouer au protecteur utile, qui le gardera des coups et lui assurera une bonne fortune ? De la sorte, s'il y a des dieux, tu trouveras toujours chaussure à ton pied. Et s'il n'y en a point, ne peux-tu, à plus forte raison, suivre ton étoile à ta guise ?

— Ton bon sens m'effraye. J'ai une autre conception de la morale.

— Alors, ce n'est pas une conception romaine. N'aurais-tu pas été infecté par une superstition orientale quelconque ?

— Pas même. Il faut croire que je suis la pente de ma nature, à défaut d'étoile bien visible.

— C'est une pente qui n'est guère favorable à mon avancement ! dit Marcus en riant. Je me vois longtemps tribun ! »

Ce rire forcé cachait évidemment une réelle et légitime inquiétude.

Déçu et froissé, Kaeso reprit : « Je ne puis me faire à l'idée que Marcia couche avec Silanus dans l'intérêt de ma carrière. Je ne coucherai pas avec Marcia dans l'intérêt de la tienne, avec un Silanus tenant la chandelle — même si ce rôle lui faisait plaisir, hypothèse qui n'est nullement certaine. Et si ce patricien avait une vue décente du mariage, ce serait notre avancement à tous deux qui se trouverait définitivement compromis. Il arrive que l'antique morale soit aussi la voie de la prudence. »

L'atmosphère du léger déjeuner familial fut assez empruntée. Une ombre pesait, malgré la joie suscitée par la visite de Marcus junior. Tout dans cette maison, de l'horloge au moindre meuble, rappelait désormais à Kaeso les multiples et discrets dévouements de Marcia. Tout était suspect et sali. Et la face satisfaite du père prenait une profondeur d'abjection nouvelle.

A l'heure de la sieste, son frère étant sorti courir les filles, Kaeso prit à part Séléné dans le faux atrium, lui exposa en détail — mais sans parler des faiblesses rétribuées de Marcia — le dramatique succès de sa ruse, et lui demanda une nouvelle fois conseil. Quelle bonne et honorable raison pourrait-il à présent invoquer afin de ne pas donner suite au projet d'adoption ?

Séléné, au contraire de Marcus junior, ne fit aucun effort pour convaincre Kaeso de se plier aux exigences de sa belle-mère, comme si la stoïcienne abstention du jeune homme lui semblait normale en l'occurrence. Elle l'entraîna enfin dans sa propre chambre et tira de son coffre un gros « tome » au parchemin jauni, qu'elle lui prêta avec ce commentaire :

« Je suis juive. Voici la Bible des Septante, le Livre sacré de ma religion, une traduction grecque déjà ancienne de l'hébreu original. Plonge-toi dans ce texte toutes affaires cessantes. Tu y trouveras ce qu'il faut dire à Silanus pour te tirer de ce piège à ton honneur, et sans qu'aucun soupçon ne puisse effleurer ta Marcia. Si tu ne trouves point par toi-même, je t'aiderai. »

Prodigieusement surpris, Kaeso se retira dans sa chambre et entreprit avec courage de parcourir ce livre étrange. En fait de Juifs, l'ignorance de la plupart des Romains était à peu près totale [1]. On savait que ce peuple difficile et ombrageux s'était répandu partout, qu'il menait volontiers une vie à part, et que sa religion était des plus originales. Mais cette originalité, on n'en distinguait d'ordinaire ni la nature ni la portée. Et à cette ignorance méfiante et méprisante, s'étaient mélangées des diffamations, des calomnies extravagantes, comme chaque fois qu'une secte prétend s'isoler d'un monde qui n'est pas prêt à l'admettre.

Kaeso était fort dérouté par l'histoire en apparence légendaire des relations entre un dieu et le peuple qu'il avait élu parmi tant d'autres, et il ne voyait point, à première vue, ce qu'un pareil ramassis folklorique pouvait lui apporter. Il était d'ailleurs dérangé dans sa lecture par un bébé qui gémissait sur le fumier de l'impasse. Les bébés d'hiver se taisaient encore assez vite. Les bébés de printemps se prolongeaient.

Certains points méritaient toutefois de retenir l'attention...

Le dieu des Juifs se présentait d'abord comme le dieu de toute l'humanité, créateur de la lumière, du ciel, de la terre et des eaux, de l'homme et de tout ce qui existait. Il y avait certes là une idée neuve, d'une portée philosophique évidente, et si simple en somme qu'on aurait pu se demander pourquoi les Grecs, qui avaient tant réfléchi, n'avaient pas été fichus de lui faire un meilleur sort et de la mettre en forme. De la Gaule jusqu'aux Indes, tous les dieux étaient plus ou moins empêtrés dans la matière, prisonniers de l'espace et du temps comme les poissons de Silanus dans une piscine. Platon lui-même

1. Tacite dira en effet sur les Juifs d'énormes sottises.

n'était guère allé plus loin qu'une métempsycose panthéiste qui voilait le problème fondamental : pourquoi y a-t-il quelque chose plutôt que rien ? Et de superposer à des familles de dieux ambulants un mystérieux Chronos ou une obscure fatalité n'était pas une réponse acceptable. Le dieu juif était enfin cohérent : s'il avait créé la matière, il avait aussi créé le temps et l'espace — qu'il pourrait faire disparaître quand il voudrait, puisque l'homme ne concevait le temps et l'espace que liés à une matière qui permettait de les fragmenter. Selon le vocabulaire de la philosophie, un dieu « transcendant » succédait à des dieux « immanents ». Et un dieu transcendant était obligatoirement unique. Tout cela se tenait bien.

L'explication de la présence du mal dans le monde par le péché originel et par la chute était intéressante, et se justifiait par le fait qu'un homme créé à l'image de dieu, c'est-à-dire souverainement libre, devait être capable de mal faire sans que dieu en fût tenu pour responsable. Ce n'était pas d'ailleurs le péché individuel qui se transmettait de génération en génération, mais une inclination au mal, qui découlait elle-même des dégâts moraux infligés à l'humanité par l'exercice assidu de tous les péchés possibles. Oui, la trouvaille était ingénieuse.

On tombait malheureusement bientôt dans un tissu de contradictions.

Abraham, un type quelconque, qui, de naissance, n'était pas juif du tout, était soudain appelé à faire souche d'un nombreux peuple juif, que le dieu de l'humanité, on ne sait trop pourquoi, prenait alors sous sa spéciale protection. Le dieu de l'humanité, si bien parti, rétrécissait curieusement son champ de sollicitude. Mais les Juifs ne se réduisaient pas à la descendance de cet Abraham, circoncis seulement à la veille de son centenaire, avec tous les siens : même les esclaves achetés à des étrangers avaient été circoncis à cette occasion. Dès le départ, le Juif se révélait difficilement définissable. Ou du moins, la seule définition possible était-elle de nature religieuse : un Juif était un individu circoncis et surtout croyant à Yahvé. Sa race était plus que douteuse. Et d'ailleurs, Kaeso devait lire par la suite que les Juifs s'étaient empressés de peupler leur harem de filles ou de captives de toute origine. La descendance d'Abraham était d'ordre mythique. Les circoncis allogènes l'emportaient évidemment de beaucoup sur la progéniture du patriarche, qui avait dû de toute façon — comble de paradoxe ! — faire ses propres enfants avant de subir la circoncision.

Allant plus loin, Kaeso rencontra une cascade de règlements, où il y avait à boire et à manger.

Les deux Décalogues de l'Exode et du Deutéronome avaient une certaine allure — bien qu'ils proscrivissent de façon aberrante la sculpture et la peinture. Mais la distinction entre animaux purs et impurs était tout à fait farfelue. Pourquoi éliminer le chameau, le précieux cochon, le lièvre savoureux, l'innocent escargot, les poissons sans nageoires ni écailles, les autruches, les hérons ou les cigognes ? Ce Yahvé était un drôle de cuisinier !

Il était bien d'autres prescriptions futiles ou extravagantes, comme celles de capturer les oisillons sans toucher à la mère, de ne pas mélanger le lin et la laine ou d'accrocher quatre glands à la frange des habits.

Et quand on arrivait aux punitions, on tombait dans la folie furieuse la plus primitive...

Étaient punis de mort pêle-mêle :

1) Les Juifs qui auraient abandonné Yahvé pour un dieu étranger. (Heureusement qu'une Rome tolérante était là pour protéger ces imprudents !)

2) Les taureaux qui auraient encorné quelqu'un.

3) Les femmes mariées et leurs amants.

4) La fiancée et son amant, si l'amant était distinct du fiancé.

5) La jeune fille parvenue au mariage sans le pucelage de rigueur et les filles de prêtre qui se seraient prostituées.

6) Les sodomites, les invertis et les magiciennes.

7) Les hommes et les bêtes, les femmes et les bêtes qui auraient fait des bêtises.

8) Les relations coupables entre un homme et sa mère, sa fille, sa belle-mère, sa belle-fille, sa belle-sœur, sa sœur ou sa tante.

9) Le fait d'épouser conjointement deux sœurs, ou bien une mère et sa fille.

10) Le fait de coucher avec une femme durant ses règles.

Ce second Décalogue était moins réussi que le premier, dont il semblait hélas exprimer certaines virtualités profondes.

Yahvé, si friand d'interdits sexuels plus ou moins extraordinaires, paraissait avoir négligé quelques points, comme les relations entre oncles et nièces, entre cousins germains ou entre lesbiennes. On se demandait aussi s'il était permis de sodomiser une femme — pendant ou en dehors de ses règles. Si Yahvé ne savait pas, comment savoir ?

Un peu découragé, Kaeso précipita sa lecture. L'histoire des démêlés des Juifs avec leur dieu était assez lassante, telle une pièce de théâtre où seraient perpétuellement revenus les mêmes effets. Kaeso se prit à survoler les siècles, les psaumes et les prophètes, et le livre lui chut finalement des mains...

Le bébé, sur son fumier, s'était découragé aussi, avec moins de chance que Job. Le précepte du Décalogue : « Tu n'assassineras point », concernait-il les petits êtres de ce genre, dont les sensations avaient sans doute quelque chose d'animal ? Mais si on les laissait vivre, ils devenaient volontiers des hommes. Le dieu de la bible, qui recommandait l'extermination des enfants mâles pour ne conserver que les pucelles dans les villes prises d'assaut par des bandes de Juifs féroces, lesquels s'amusaient ensuite à faire cuire leurs prisonniers dans des fours à pain, ce dieu devait pourtant interdire de tuer les enfants juifs, puisque son œil infiniment perçant condamnait déjà chez Onan la vieille technique contraceptive du retrait, que les Romains pratiquaient à qui mieux mieux avec une joyeuse animation[1]. Mais s'il avait fallu soumettre Rome aux règles de la morale juive, il ne serait pas resté douze non-Juifs en vie, parmi les cendres des bûchers et les cadavres des lapidés.

Tandis que le gros Marcus batifolait avec sa Séléné dans les thermes de la maison, Kaeso reçut la surprenante visite de Capreolus, anxieux de lui parler secrètement. Pour plus de sûreté, Kaeso l'invita à boire frais dans le jardin de la popina où il avait déjà conversé avec son frère avant déjeuner, et Capreolus lui dit :

« Ta belle-mère Marcia m'a fait demander d'urgence vers la huitième heure et je viens de chez elle. Elle m'a déclaré que votre esclave Séléné avait commis à son encontre le plus abominable des crimes, mais qu'elle ne pouvait suivre la procédure légale pour la faire crucifier ou jeter aux bêtes, et qu'elle me serait reconnaissante de l'égorger à la première occasion. Elle m'offrait pour ce faire une très forte somme, en rapport avec cette merveilleuse maison du Palatin. Je lui ai répondu que je l'aurais obligée avec plaisir, mais que j'étais juif, comme l'esclave en question, qu'entre Juifs, on ne se tue pas sans motifs sérieux, et que j'éprouverais un grand soulagement à ce qu'elle fît faire le travail par un autre. Elle n'a pas insisté et m'a fait compter douze mille " nummi " pour prix de ma discrétion. Mais après tout, cette esclave est vôtre et tu m'as sauvé la vie le soir de ta prise de toge. J'ai pensé que l'obligation de se taire ne jouait pas pour toi. »

---

1. Les Romains étaient passionnés de contraception, et les textes médicaux font allusion à une foule de méthodes, les unes inefficaces et plus ou moins dangereuses, les autres efficaces mais toujours fort dangereuses. Ces méthodes ne concernent que les femmes. Le premier texte latin mentionnant la pratique du " coïtus interruptus " se trouve à ma connaissance dans la Vulgate de saint Jérôme, à propos de l'affaire d'Onan. Il serait pourtant des plus invraisemblables que les mâles romains ne se soient pas exercés à ladite pratique, connue depuis la sortie du Paradis terrestre. Le silence des textes là-dessus pourrait avoir deux motifs. D'une part, les médecins se sont tus parce que le " coïtus interruptus " ne faisait intervenir aucun médicament. D'autre part, la littérature latine est une littérature masculine, volontiers obscène, mais fort pudique en tout ce qui regarde les relations sexuelles dans le mariage, sujet tabou. Or c'est seulement dans le cadre du mariage que l'homme égoïste pouvait avoir une raison de se gêner au détriment de sa fierté naturelle.

Petite recette contraceptive romaine : faire manger à l'homme distrait du poisson « remora ». En se fixant à la coque des navires, ce poisson freine leur marche : il doit freiner par conséquent la progression du sperme.

Kaeso était épouvanté par la cruauté de Marcia et par sa rapidité d'action. Il entraîna aussitôt Capreolus jusqu'à l'insula, lui remit douze mille sesterces sur les quinze mille qui lui restaient, et écrivit rapidement ce mot, dont il lut les quatre premières phrases au gladiateur avant de cacheter :

« Kaeso à Marcia, salut !

« Capreolus te rapporte honnêtement tes sesterces, ayant jugé à la réflexion que l'affaire me regardait peut-être. Tu me fais aimer Séléné de plus en plus et je ne souffrirai pas qu'on y touche. Capreolus, qui est également sous ma sauvegarde, ne s'est confié qu'à moi et ne bavardera point. S'il arrivait malheur par ta faute à Séléné ou à ce garçon, je cesserais tout à fait de t'aimer et de te voir. Que la douleur ne t'égare donc plus ! Ne sais-tu pas à quel degré je la partage ?

« Porte-toi bien et conserve-moi néanmoins toute ton affection. »

Kaeso avait rédigé le billet dans sa chambre, tandis que Capreolus regardait la bible avec curiosité. Après avoir remercié Kaeso de sa générosité et de sa protection, il se permit d'ouvrir le livre, et de faire une remarque flatteuse sur la netteté et la clarté de la graphie des copistes. Les scribes juifs des écritures sacrées étaient très entraînés.

Kaeso expliqua que c'était un prêt de Séléné, ajouta qu'il venait de parcourir une bonne partie de l'ouvrage, et fit observer :

« Ton dieu unique ne badine pas avec les histoires de fesses. On lapide, on brûle pour un rien, chez vous !

— Oui, nous sommes le peuple le plus vertueux de la terre, dit modestement Capreolus, et les Juifs de la petite île d'Afrique où je suis né, toute plate, mais piquetée de beaux palmiers, sont pieux parmi les plus pieux.

— Comment peuvent-ils supporter de pareilles exigences morales, avec les terribles sanctions qu'elles entraînent en cas de défaillance ?

— D'abord, toutes les défaillances ne sont pas punies de mort. Un Juif, par exemple, peut se branler sans ennuis immédiats, à condition de le faire tout seul et de ne pas inviter des amis bavards.

— C'est là, en effet, un magnifique exemple de libéralisme ! Et qui serait presque inquiétant. Car un dieu sévère et juste, qui inspire lui-même toute la législation dans le détail, se devrait de ne rien laisser passer.

— Notre Dieu est aussi un Dieu de bonté. Mais il y a d'autres exutoires. Les peines contre l'adultère ne frappent que la femme mariée — ou la fiancée — et son complice. La fréquentation des prostituées ne tombe pas sous le coup des lois. Quand nous avons assiégé la ville de Jéricho, dont les murailles devaient s'écrouler au son de nos trompettes, les espions de Josué avaient trouvé asile chez une vaillante putain, qui en fut d'ailleurs bien récompensée avec toute sa famille.

— Yahvé a même fait pour elle un miracle particulier. J'ai été frappé en passant par le fait que la maison de Rahab était contre le mur d'enceinte et qu'elle logeait elle-même dans cette muraille. Par la grâce de Yahvé, tout s'est donc écroulé, sauf le bordel.

— Tu en remontrerais déjà à nos rabbis ! Oui, la prostituée a chez nous droit de cité. De plus, si la polygamie est tombée peu à peu en désuétude, les hommes gardent le privilège de répudier leur femme et d'en changer à leur guise.

— C'est une polygamie par voie de succession !

— Comment pourrait-on vivre autrement ? Et, de toute manière, il y a bien sûr une tolérance pour les relations avec les servantes, comme partout ailleurs.

— Je vois. Avec des femmes interchangeables, des servantes et des prostituées, les Juifs seraient bien vicieux d'aller chercher plus loin des accouplements contre nature.

— C'est tout à fait notre avis. Je préciserai encore que la connaissance de toutes les finesses de la Loi n'est pas donnée à tous, que la plus haute piété est chez les Juifs le fruit de l'instruction, que beaucoup, dans le peuple, pèchent par ignorance. Je suis un peu dans ce cas. Puisse Yahvé m'absoudre ! »

Séléné sortit du bain alors que Kaeso raccompagnait Capreolus, qui put la saluer avant de prendre congé. « Je m'appelle Isaac, lui dit-il, et tu peux en remercier notre Créateur. »

Capreolus parti, Séléné demanda à Kaeso ce que signifiaient ces paroles, mais il répondit à côté, soucieux de ne pas alarmer la jeune femme inutilement. L'idée qu'il s'en était fallu d'un cheveu que toute cette beauté, toute cette fraîcheur, ne s'en retournât en poussière par la volonté d'une femme furieuse, était poignante.

Marcus père sortit à son tour des thermes, l'œil encore allumé par le souvenir du corps nu de Séléné, et il fit signe à l'esclave de le suivre.

C'est seulement après le dîner — Marcus junior étant toujours absent — que Kaeso put enfin parler à Séléné de ce qui lui tenait à cœur. Ils allèrent s'asseoir, à la nuit tombante, sur un banc de pierre, devant le proche petit temple en ruine, où leur parvenait la rumeur des points chauds de Subure.

« Je dois avouer, dit Kaeso, que je n'ai rien vu dans ta bible qui fût utilisable pour moi. Raconter à Silanus que je suis impressionné par les idées juives ne me donnerait pas un bon motif de couper à l'adoption. Qu'importent les Juifs à un Silanus ?

— Le point essentiel t'aura échappé. N'as-tu pas lu que notre Dieu était un Dieu jaloux et unique ?

— Oui. Ce que les philosophes grecs appellent « une entité métaphysique transcendante ». Leur opinion, si j'ai bonne mémoire, est que, de toute manière, on ne peut rien tirer de pratique d'un principe inconnaissable par nature. C'est pour eux l'impasse en fait de philosophie, et j'attends toujours que tu me démontres le contraire.

— Le contraire est déjà démontré puisque cette entité a parlé à Moïse et que six millions d'hommes suivent sa Loi.

— Et pour en revenir à ma personne ?

— Puisque ce Dieu est jaloux, unique, « transcendant », pour reprendre ta savante expression, tous les autres dieux, qui se promènent dans le monde comme dans une prison idolâtre, n'ont plus d'existence et d'intérêt concevables. Le Dieu juif ne saurait s'ajouter aux autres dieux : il les supprime et les remplace. Tu es bien en mesure d'expliquer cela à Silanus, qui est cultivé et intelligent, et même de l'expliquer dans la langue des philosophes grecs, que tu possèdes mieux que moi ?

— Assurément : c'est élémentaire. Mais ensuite ?

— Par conséquent, un Juif ne peut offrir de sacrifices à un autre dieu que Yahvé. Les Juifs sont si irréductibles là-dessus que Rome a dû leur accorder dispense de sacrifier aux dieux de la Ville, à Rome et à Auguste. Ils ont licence de substituer des prières aux sacrifices et ils sont les seuls au monde à jouir de cette facilité. Ils prient sans conviction pour la prospérité de l'empereur et de l'Empire, mais ils ne sacrifient qu'à leur Dieu national.

« Il va donc de soi que si tu fais mine d'adopter les idées juives, tu ne peux te faire adopter par un Romain : ne serais-tu pas devenu incapable de maintenir son culte familial ? Or, d'après ce que j'ai saisi, Silanus doit être très attaché à cette perspective. Il t'adopte en grande partie pour cette raison. Tu aurais en tant que Juif un prétexte très fort et très honorable de te défiler, un prétexte de conscience. Pour les Romains, sans doute, les sacrifices ne sont que formalités, mais c'est bien parce qu'ils ne sont que cela qu'ils tiennent tant à ce qu'ils se poursuivent de génération en génération. Que leur resterait-il si les formalités mêmes venaient à disparaître ? »

Kaeso eut comme un éblouissement. Le conseil de Séléné était génial ! Demeurait toutefois une difficulté...

« La ruse est d'une extrême finesse. Un prétexte de conscience se discute d'autant moins qu'il est étonnant et métaphysique, et aucune autre religion ne peut en effet m'offrir une pareille issue. Mais, si je veux que ma parfaite bonne foi ne puisse être suspectée, je ne dois pas me borner à de vagues sympathies pour Israël. Il me faut faire semblant d'être un vrai Juif. Et comment faire semblant d'être circoncis sans outrer la mauvaise foi de façon bien déplaisante ?

— Ce n'est pas une grande affaire que la circoncision...

— A mon âge...

— Abraham avait quatre-vingt-dix-neuf ans.

— Quand on est gâteux, l'inconvénient paraît moins sensible.

— L'opération est rapide, ta convalescence te fournirait déjà un excellent motif pour retarder l'adoption, et par la suite, tu t'en trouveras bien.

— A quel point de vue ?

— Les matrones voluptueuses rêvent de se payer des esclaves juifs, car le retranchement du prépuce, en émoussant légèrement les sensations au cours du coït, retarde l'épanchement final. Au lit, le Juif tient le coup plus longtemps qu'un autre. Si tu couches un jour avec ta Marcia, elle te remerciera. »

Ce n'était guère engageant. Toutes ces femmes, Arria, et maintenant Séléné, semblaient s'être donné le mot pour transformer Kaeso en machine d'amour infatigable ! L'esclave juif, plongé régulièrement dans une piscine froide, afin qu'il y conserve ses forces intactes, était évidemment le fin du fin.

Kaeso tergiversa un bon moment et finit par se résoudre à l'inévitable. Il devait bien à Marcia, malgré ses quelques défauts, de tout faire pour détourner les soupçons de Silanus.

Séléné ajouta : « Le temps te presse. Je vais t'écrire un mot d'introduction pour le saint homme du Trastévère auquel j'ai confié mes cent mille sesterces. Il s'agit d'un Pharisien. Les Juifs les plus pieux sont tous pharisiens. Ce sont les meilleurs connaisseurs d'une Loi qu'ils s'ingénient à tourner et à détourner au gré de leurs intérêts ou de leurs plaisirs. Et ils y ajoutent chaque jour des développements subtils, qui leur sont de nouvelles occasions de fraude. Mais notre Loi est si forte, si envahissante, qu'elle leur résiste avec une constance admirable. Le Pharisien suivra toujours sa conscience quand il ne distingue plus d'échappatoire, et il est difficile d'exiger mieux d'un homme. Tu peux donc faire toute confiance à rabbi Samuel, que tu iras voir demain matin. Il complétera ton instruction et se fera peut-être un honneur de te recommander à un pieux chirurgien.

— " Peut-être ? "

— C'est la soumission à Dieu qui fait que l'on mérite de devenir juif. Ta soumission est bien douteuse et Samuel connaît son monde. Je m'efforcerai cependant de donner à ma lettre le tour le plus habile... »

Ils rentrèrent à l'« insula », et Séléné, dans l'intimité de sa chambre, traça ces lignes en grec, sous les yeux de Kaeso :

« Séléné à rabbi Samuel, très respectueux salut !

« Je te recommande vivement le jeune Kaeso, fils puîné de mon maître Marcus, sénateur et Frère Arvale. La belle-mère de Kaeso a divorcé de Marcus pour épouser D. Junius Silanus, de la famille impériale. C'est donc un garçon d'un grand avenir. Ma chaste et modeste influence y étant sans doute pour quelque chose, Kaeso, après quelques autres Romains, a étudié notre Bible avec une sympathie croissante, et la main de Celui dont on n'ose dire le Nom l'a frappé au point qu'il ambitionne bien plus que de rester sur le seuil de notre communauté. Il m'a déclaré en un mot qu'après mûre réflexion, il voulait se faire vraiment juif et que la circoncision ne lui faisait pas peur. Avec ta sagacité coutumière, tu feras ta part de l'enthousiasme juvénile et des dispositions profondes.

« Ne pourrais-tu placer en toute sécurité mon argent à 6 % plutôt qu'à 5 % ?

« Veille bien sur ta santé et prie pour la mienne ! »

Cette lettre était parfaite et la considération que Kaeso nourrissait pour Séléné s'en accrut encore. Marcia venait de lui manquer et il retrouvait une femme forte et intelligente pour le guider, avec cette circonstance favorable qu'une fille excisée n'aurait jamais à son encontre des arrière-pensées exténuantes. Il embrassa Séléné le plus affectueusement du monde, louchant malgré lui sur ses seins admirables et oubliant momentanément les droits abusifs de son père. Séléné se dégagea avec douceur et le congédia.

IX

Le ghetto du Trastévère, de loin le plus important de Rome, était vraiment une ville à part. L'idée de confiner une communauté dans un quartier ne serait jamais venue à des juristes romains, et si les Juifs pieux et pratiquants, qui étaient alors la grande majorité, vivaient partout entre eux, ce n'était pas la loi romaine qui le leur imposait, mais leur propre Loi. Un Juif de stricte observance, obsédé par la notion d'impureté, ne pouvait se sentir à l'aise en milieu étranger. Tout le heurtait et le contexte lui posait sans cesse des problèmes insolubles. L'alimentation, le costume, les mœurs, la morale de ce peuple étaient extraordinaires — quand ils n'étaient pas un défi constant à la civilisation ambiante.

C'est dans la XIVᵉ région transtibérine, au nord de la forteresse du Janicule, que s'étalaient en désordre les quartiers les plus pauvres et les plus industrieux de Rome. Les nouveaux venus de toutes nations s'y concentraient, dans l'espoir de gagner un jour les bas quartiers de la rive gauche et de monter enfin à l'assaut de l'une des six fameuses collines (le Capitole, bourré de monuments prestigieux, n'était plus habité que par quelques prêtres ou gardiens). Et au Trastévère, le ghetto juif semblait particulièrement miséreux, resserré et, en tout cas, d'une remarquable saleté.

Les Juifs, en effet, ne fréquentaient pas les bains romains, qu'ils avaient en abomination, et leur idée de la propreté, pour obsessionnelle qu'elle fût, était plutôt d'ordre métaphysique. A chaque impureté, ils devaient se laver. Les hommes se lavaient après telle ou telle maladie, au sortir d'une chaude-pisse ou d'une teigne quelconque, voire à la suite d'un écoulement séminal accidentel ou d'un simple rapport conjugal. Et la femme devait encore prendre un bain après ses règles. Mais si chaque synagogue était assortie de thermes modestes pour la purification mensuelle des femmes juives, les ablutions des hommes restaient d'ordinaire localisées, furtives et lourdes de symbole. Le Juif, enfant du désert, n'avait nullement pour l'eau la passion du Romain.

Le soleil était déjà haut lorsque Kaeso parvint à la minable maison de rabbi Samuel, dans une zone où les légères constructions individuelles l'emportaient de beaucoup sur les « insulae ». Qu'est-ce que tous ces Juifs pouvaient bien faire de l'argent qu'ils passaient pour manier à foison ?

La servante du rabbi porta les tablettes à son maître, laissant Kaeso, que Séléné avait drapé dans une autre toge, patienter dans un couloir obscur.

Et le rabbi en personne vint à sa rencontre, grand, vieux, sec, voûté, chevelure grisonnante et barbe noire hirsute, vêtu de ce curieux manteau à houppes que Kaeso avait déjà pu apprécier dans les ruelles du « vicus judaicus ».

Le Pharisien paraissait fort surpris et passablement embarrassé, fixant Kaeso d'un œil inquisiteur, caressant d'une main parcheminée et ridée son poil qui semblait dégager de forts effluves.

Il dit enfin, dans un grec assez rocailleux, mais sur un ton des plus aimables : « Tu me fais un grand honneur en te déplaçant pour goûter mes humbles paroles et profiter du peu de science que j'ai pu thésauriser. Il n'est pourtant pas conforme à nos coutumes que des étrangers, même les plus honorables et les plus amicaux, franchissent le seuil de nos demeures et y reçoivent l'hospitalité : ils pourraient, par simple ignorance, se mettre en contravention avec notre Loi. C'est si vite arrivé ! J'ai du mal moi-même à éviter toutes ces minimes impuretés qui nous guettent... Mais depuis que nous nous sommes dispersés à travers le vaste monde, nos docteurs ont trouvé une heureuse solution à tout. Puis-je te louer aujourd'hui ma maison pour un as ? De la sorte, je ne serais plus chez moi, et je deviendrais irresponsable des erreurs que tu pourrais innocemment commettre. Il va sans dire que j'accepte de te faire crédit, et sans intérêt, car nous prêtons en principe gratis à nos compatriotes et à nos amis. »

Ahuri par cette étonnante casuistique, Kaeso s'empressa de louer la maison à des conditions aussi avantageuses, et il suivit le rabbi dans une petite pièce paisible, tapissée de « tomes » et de « volumes », qui ouvrait sur un jardin minuscule, où un gros chat, bête pure, jouait avec un petit lézard, bête impure.

Samuel mit aussitôt les choses au point. Les Juifs étaient toujours profondément charmés que de nobles étrangers s'intéressent à leurs idées, à leurs doctrines, à leurs conceptions religieuses et morales. Le grand rabbin de Rome était d'ailleurs bien vu à la cour. L'impératrice Poppée, Acté, longtemps maîtresse de l'empereur, quelques autres

Romains notables encore, avaient quelque sympathie pour les Juifs. Mais de là à se faire circoncire, il y avait un pas énorme, bien rarement franchi.

« Pourtant, dit Kaeso, à ce que j'ai compris, rien, dans la Loi juive, ne s'oppose à une conversion, puisque c'est justement cette conversion qui fait le Juif.

— En théorie, assurément! La circoncision n'est toutefois que l'une des caractéristiques du Juif. Être juif, c'est aussi avoir assimilé toute la Bible, à laquelle s'ajoutent les commentaires de la Mishna (" midrash " en hébreu), qui datent de notre retour d'exil à Babylone. Cela demande un temps considérable, et d'autant plus que, pour une meilleure pénétration des textes, la connaissance de l'hébreu est vivement conseillée, et même celle de l'araméen, car beaucoup de pieux commentaires ont été rédigés dans cette langue. La Bible des Septante, pour utile qu'elle soit, vu la baisse alarmante de la pratique de l'hébreu, n'est jamais qu'un pis-aller. De plus, l'instruction du Juif débouche sur une pratique journalière assidue, minutieuse, scrupuleuse, dont les étrangers à nos coutumes n'ont aucune notion et que la plupart seraient incapables d'admettre et de supporter. Tu vois toute la science et toutes les informations, toutes les habitudes nouvelles que tu dois acquérir avant de songer au grand moment de la circoncision. En attendant, ta sympathie nous sera fort précieuse et utile.

— Mais enfin, tu me demandes là beaucoup plus que ce que Dieu a exigé d'Abraham!

— Eh, c'est que tu n'es point notre père Abraham! Ce qui n'enlève rien à ton rare mérite.

— J'ai l'impression que beaucoup de Juifs ne sont guère instruits...

— Ce n'est que trop vrai. Mais la question est de savoir si tu veux faire un mauvais Juif ou un bon Juif. Des mauvais Juifs, il y en aura toujours trop, et les bons Juifs seront toujours trop rares. Pourquoi borner tes ambitions, mon fils? »

L'affaire semblait être dans une impasse.

Kaeso souleva alors un problème que sa première prise de contact avec la bible lui avait permis d'apercevoir :

« Peux-tu me révéler pourquoi le dieu universel de la Genèse, au lieu de traiter tous les hommes sur le même pied, a bientôt concentré ses faveurs — et parfois ses courroux — sur ce peuple juif qu'il avait créé de ses mains, et de la façon la plus artificielle? En d'autres termes, dans une perspective universelle, à quoi peuvent bien servir les Juifs selon le plan de Yahvé? »

Le rabbi médita un moment et déclara :

« Excellente interrogation, que devrait se poser, au fond, chaque Juif pieux et intelligent ! Je distingue trois réponses, qui ne sont pas exclusives les unes des autres.

« La réponse nécessaire et suffisante : le plan de Yahvé est en Yahvé, et nous n'en savons que le peu qu'Il veut bien nous en dire.

« La réponse la plus humble : Yahvé a choisi Abraham et sa descendance naturelle ou spirituelle parce qu'Il veut tenir au cœur et dans l'esprit de l'homme la première place. Chez le nomade ignorant, chez celui qui en est à l'aurore de toute civilisation, les ordres de Yahvé ne rencontrent d'autre obstacle que le péché originel. Dieu est tout en celui qui n'est rien, et l'humilité de l'élu ne fait que mieux resplendir la magnificence de la grâce divine. Et quand l'élu sera devenu savant, ses livres ne parleront que de son Créateur.

« La réponse la plus orgueilleuse : les Juifs sont mandatés par Yahvé pour être le sel de la terre, pour informer le monde entier de Son existence et de Ses vœux, et pour donner partout le meilleur exemple. Ce qui t'explique que le Juif ne saurait se multiplier abusivement sans que sa qualité ne risque de se perdre. Ne viens avec nous, Kaeso, que si tu en es vraiment digne ! »

Dans le jardin, le pur gros chat dévorait sans scrupule l'impur lézard : il n'avait rien compris au système.

A force de creuser, Kaeso fit une décevante découverte : les Juifs limitaient aussi le recrutement pour s'épargner des ennuis superflus. Il est vrai qu'avec leur caractère, ils en avaient déjà quelques-uns !

« Oui, avoua enfin le rabbi, il est évident que Rome ne supporterait pas des conversions massives au judaïsme, car augmenterait alors de façon alarmante pour les autorités le nombre de ceux qui se refusent à sacrifier à Rome, à Auguste et à tous les faux dieux de l'État. Le Juif n'est toléré qu'à cause de sa singularité, qui décourage elle-même la conversion. Et tout est très bien ainsi. Que deviendrait la prodigieuse sainteté d'Israël, si la porte était soudain grande ouverte à la foule inculte de toutes les nations ? »

Cette suffisance lettrée, cet égoïsme tranquille énervèrent Kaeso, qui répliqua : « Je ne connais pas mieux que toi les arrière-pensées de Yahvé, mais une chose me paraît tout à fait claire : les dieux, pas plus que les hommes, ne peuvent vivre longtemps en contradiction avec eux-mêmes. A dieu transcendant, religion universelle ; à dieux immanents, religions particulières. Un dieu transcendant et universel ne saurait se faire dieu national sans une excellente raison, et celles que tu m'as présentées tout à l'heure : mystérieuse, humble ou orgueilleuse, ne sont pas entièrement satisfaisantes. Un esprit chagrin pourrait croire que le dieu juif est un mythe, ou bien que les Juifs ont pris et retenu pour eux un dieu prévu pour tout le monde. »

Devant cette accusation de prévarication, le vieux Samuel, vexé, eut du mal à garder son calme.

« Sais-tu, répondit-il, que si Yahvé nous comble de faveurs, Il est aussi beaucoup plus exigeant pour nous que pour les autres ? Pratique donc notre morale un instant, et tes reproches seront sans doute moins acerbes. Nous sommes comme le grand phare d'Alexandrie, tantôt dans le soleil, tantôt dans la tempête : mais je l'ai toujours vu éclairer au loin.

— Je dois admettre modestement que mes ambitions morales sont moins élevées que les tiennes. Plutôt que de m'introduire à grand-peine dans le cercle éminent des docteurs de la Loi, plutôt que de me faire leur disciple, j'avais espéré une religion plus accueillante et plus aimable, sinon plus facile, où la circoncision ne serait pas la quadrature du cercle, où le dieu unique, qui ne tolère pas d'autres dieux que lui, serait cependant venu en aide à ma faiblesse. Tu me pardonneras de t'avoir dérangé pour rien. »

Kaeso se leva et le rabbi le raccompagna jusqu'à la porte avec une politesse assez froide.

Comme Kaeso prenait congé sur le seuil, Samuel, après avoir pesé le pour et le contre, lui dit brusquement :

« Tu ne m'auras pas dérangé pour rien, car, étant donné tes ambitions, je crois savoir ce qu'il te faut.

« Il existe depuis quelque temps une secte juive des plus imprévues, qui recrute à tour de bras sans imposer la circoncision. Et pour plus de facilité encore, ces gens-là ont envoyé promener le plus clair et le plus précis de notre Loi, qu'ils ont remplacé par quelques nouveautés assez étourdissantes. S'ils pouvaient convertir une bonne graine de patricien pour avancer leurs affaires, ils seraient aux anges, car jusqu'à présent leurs convertis romains ne brillent point par la position sociale. On te recevra là comme le Messie, à bras ouverts. La croix est d'ailleurs l'extravagant signe de ralliement de la secte, son fondateur juif, sous Tibère, ayant poussé son dernier soupir sur le gibet. Mais l'accident ne doit pas te décourager. Un dieu sans circoncision ni Loi gênante, n'est-ce pas là une solution aimable pour un jeune homme qui répugne à de longues études religieuses ?

— Je cherche, tu t'en doutes bien, quelque chose de vraiment sérieux, qui puisse accessoirement faire impression favorable... sur un parent, par exemple.

— Je ne sais pas si l'adjectif " sérieux " convient tout à fait aux " chrétiens ", mais je puis te dire que leur prédication, malgré son étrangeté — ou à cause ? — a rencontré quelque succès en Orient, au point d'inquiéter parfois les autorités. L'un des principaux de la secte, un certain Cn. Pompeius Paulus, Juif naturalisé et étrangement fier de l'être, a même attendu deux ans son procès à Rome, mais il a été relaxé au printemps dernier. Il s'était, entre autres, singularisé à Césarée par un discours de propagande devant le roi Agrippa et sa concubine-sœur Bérénice. Tu vois que ce Paulus a de belles relations. Et comme ses amis romains l'ont déclaré innocent, rien ne t'empêche de le fréquenter aussi. C'est un homme un peu bavard, mais à l'esprit délié et intéressant. Il aurait vu, dans la poussière, un phénomène stupéfiant du côté de Damas, et il n'a pas son pareil pour commenter les Écritures de façon puissamment originale.

— Serait-il à Rome en ce moment ?

— C'est ce que j'ai appris aux dernières nouvelles. Il revient de porter la bonne parole en Espagne, et il séjourne un moment dans la Ville, avant de poursuivre vers l'Orient. Il n'arrête pas de bouger. Si tu veux le saisir au vol pour un complément d'informations, tu le trouveras le matin, avec un peu de chance, à ces grandes latrines qui sont chauffées en hiver, à l'intersection du Forum d'Auguste et du Forum de César. Ce Pompeius Paulus, en effet, ne rougit pas de vivre à la romaine ou à la grecque, et vos latrines sont de vrais salons, où l'on fait les plus belles rencontres. Pour un prédicateur ambitieux, c'est un terrain d'expérience idéal.

— Comment peut-on prouver que l'on est chrétien ? Ces chrétiens ont bien dû substituer quelque chose à la circoncision ?

— Évidemment !

— Un tatouage, peut-être ?

— Le tatouage — comme le travesti — est interdit par la Bible, car on ne doit pas défigurer l'image de Yahvé. Je soupçonne que les chrétiens ont dû se dépêcher de l'autoriser, mais ils n'en font pas, que je sache, une marque de reconnaissance. L'opération du tatouage est effectivement longue et douloureuse. Pour des chrétiens, il fallait quelque chose de rapide et d'indolore, de façon à pouvoir opérer en masse et sur-le-champ, si l'occasion se présentait. On a tout simplement imaginé de faire prendre un bain au converti. »

(L'idée effleura Kaeso qu'Arsène était peut-être chrétien, mais il la repoussa comme improbable.)

« Les chrétiens appellent ce bain le " baptême ", et, en cas de nécessité, un peu d'eau suffit. Ils te baptiseront tout de suite avec enthousiasme. Chez eux, au point où ils en sont, les études sont prodigieusement brèves. On prétend que toute la doctrine chrétienne se résume en quelques lignes, que tu n'auras pas de mal à apprendre par cœur. C'est une religion sur mesure pour les jeunes gens pressés. »

Kaeso partit rêveur avec ce viatique. Il sentait bien qu'il n'avait pas fait trop bonne impression sur le rabbi, et se demandait pourquoi ce

Pharisien méfiant avait critiqué les chrétiens de façon à piquer sa curiosité.

La servante, qui avait suivi dans l'ombre la fin de la conversation, dit à son maître, dès que la porte fut refermée : « Mes oreilles ont mal entendu ! Pourquoi parler des chrétiens à cet élégant jeune homme ? Ignorant comme il doit être, il est capable d'aller les voir et de se laisser embobiner. »

C'était une servante entre deux âges, et qui avait son franc-parler, une maîtresse femme qui gouvernait la maison depuis que la cinquième épouse du rabbi avait succombé sous le poids des grossesses.

Samuel avait une bonne occasion de préciser sa pensée :

« Comme le renégat Pompeius Paulus sur le chemin de Damas, je viens d'avoir une vision, mais bien meilleure que la sienne. Yahvé m'a dit : " Pour que les Romains indolents, malgré tous nos avertissements, s'intéressent enfin aux chrétiens comme ils le méritent, cette canaille blasphématrice doit pénétrer la haute aristocratie. " Il y a sept ans, Pomponia Graecina, la femme du général Aulus Plautius, accusée de " superstition illicite " et plus que probablement chrétienne, a été sauvée de justesse grâce à la complicité aveugle de son mari. Ce fut un coup pour rien. Nous devons encourager la récidive.

— Notre noble visiteur risque des ennuis par ta faute.

— Ce garçon prétendait se faire juif au rabais. Les chrétiens ne sont-ils pas faits pour ça ? »

Fatigué de marcher, Kaeso loua une litière pour rentrer chez lui. Les caractéristiques de la secte chrétienne semblaient prometteuses. Mais si une conversion au judaïsme était déjà difficile à faire passer aux yeux d'un Silanus, une conversion à un christianisme encore à peu près inconnu — et probablement sans lendemain — posait des problèmes de vraisemblance encore plus ardus. Le bain ou l'aspersion baptismaux n'avaient pas, de toute façon, le côté indiscutable et spectaculaire d'une franche circoncision, source de bonheur pour les dames.

Afin de rejoindre le centre de Rome, les porteurs avaient le choix entre le proche pont Janicule, la traversée de l'île Tibérine, ou le pont Palatin, appelé encore « pont Sénatorial ». Kaeso demanda qu'on le dépose un instant au cœur de l'île Tibérine, à côté de l'obélisque qui se dressait entre le temple de Vejovis et le grand temple d'Esculape, dieu thérapeute acclimaté en grande pompe dans cette île l'an 461 de la fondation de la Ville. Et toute la partie de l'île en aval des ponts Fabricius et Cestius avait été dotée d'un quai en forme de poupe de trirème, qui commémorait le navire d'où le dieu avait débarqué à cet endroit sous l'apparence d'un serpent (bête impure pour les Juifs !).

Autour du temple d'Esculape, une foule de malades attendaient sous les portiques une guérison miraculeuse qui tardait à venir. Kaeso acheta un coq à l'un des nombreux marchands qui exploitaient la crédulité publique, de connivence avec les prêtres. Et à tout hasard, il demanda que l'on sacrifie l'animal à sa santé.

Il avait en effet de plus en plus l'impression de ne pas être dans son état normal. Tous les coups qui venaient de le frapper en si peu de temps avaient ébranlé, puis jeté à bas l'édifice bien clos et bien assuré qui avait abrité son enfance et l'heureux début de son adolescence. Et sous les ruines accumulées, le sol lui-même paraissait mouvant. Kaeso comprenait bien qu'une ferme philosophie, une forte croyance lui eussent été nécessaires pour surmonter la crise, l'éclairer sur son devoir et lui donner le courage de l'accomplir sans faiblesse. Mais où était donc cette vérité capable de prendre en charge un cas comme le sien, qu'il aurait pu déclarer inouï si l'*Hippolyte* d'Euripide ou la *Phèdre* assez récente de Sénèque n'avaient été là pour l'avertir que son malheur avait déjà été partagé? Les dieux romains étaient muets ou contradictoires, et d'une intervention plus que douteuse. Le dieu juif souffrait d'être plus juif que dieu et son « avatar » chrétien n'inspirait guère confiance. Quant aux diverses philosophies, elles reflétaient toutes les tendances de l'esprit humain et l'inflation du verbalisme ne simplifiait pas leur approche.

Cn. Pompeius Paulus venait de partir des magnifiques latrines que son brûlant souci d'apostolat le poussait à fréquenter. Nombre de Romains qui pouvaient se les payer[1] commençaient la journée par là. C'était, avec le barbier, un centre trépidant de diffusion des nouvelles, vraies ou fausses.

Poursuivant ses réflexions au rythme de ses porteurs, Kaeso songea un moment à toutes ces mystiques orientales qui avaient peu à peu acquis droit de cité, non sans un passage en pays grec, où l'esprit hellène les avait marquées. Cultes d'Anatolie, en particulier ceux de Cybèle et d'Attis, soigneusement réformés par l'empereur Claude; cultes égyptiens comme celui d'Isis, bannis par Tibère, mais publiquement admis par Caligula; culte syrien d'Hadad et de sa parèdre Atargatis, récemment importé, et qui avait les faveurs de Néron, tandis que Mithra patientait encore pour être admis... Mais la réputation en était fort mauvaise auprès des Romains traditionalistes, et le père de Kaeso — qui ne pouvait sans cesse avoir tort malgré ses talents pour l'erreur — avait toujours eu la dent dure contre les Chaldéens, Commagéniens, Phrygiens ou Égyptiens qui mélangeaient l'astrologie

---

1. Vespasien ne taxera point les latrines, mais l'urine recueillie par les foulons devant leur porte pour les besoins de leur industrie, à partir des passants bénévoles.

et l'obscénité, l'hypnotisme et la musique, la divination et l'hystérie, les macérations et la danse, la prostitution et la castration, en promettant à leurs initiés des immortalités bienheureuses, des jouissances d'outre-tombe ou des renaissances salvatrices. Kaeso n'avait évidemment que faire de ces charlatans qui spéculaient sur la sensibilité et sur l'inquiétude des naïfs. On voyait même en janvier des bigotes se tremper dans le Tibre pour satisfaire au caprice prétendu régénérateur d'un prêtre quelconque. D'ailleurs, si de tels cultes différaient profondément de la vieille religiosité romaine, si déprimante sur le registre des fins dernières, en ce sens qu'il s'agissait de se fondre, par des techniques appropriées, dans le giron d'un dieu sauveur, ils lui ressemblaient aussi par le simple fait qu'ils étaient officiellement admis au panthéon de Rome, dont l'élasticité semblait sans limites. Le seul culte oriental se dégageant du commun était celui des Juifs, qui prenait même le contre-pied de tous les autres.

Quant aux cultes orgiaques, on ne pouvait décemment y toucher qu'avec des pincettes. Les dernières manifestations marquantes s'étaient déroulées au temps déjà lointain des guerres civiles, mais en dépit de toutes les interdictions, ils subsistaient encore. Des femmes perdues de mœurs, des hommes déguisés en femmes — comme on le tolérait seulement lors des Saturnales ou des Kalendes de janvier —, un ramassis d'individus libres, affranchis ou même esclaves, se réunissaient secrètement de nuit pour se livrer en troupe compacte à tous les excès possibles, recherchant dans les ténèbres, dans l'ivresse, dans la confusion des sexes et des âges, dans l'excitation érotique la plus folle, une manière de divine extase, de sublime communion. La possession divine devenait inséparable de la possession sexuelle. Plaisir et douleur, violences et abandons étaient censés introduire les affiliés dans un monde sans frontières et sans limites, sans cloisons et sans murs. C'était la libération par la partouze. Mais l'État avait fini par réagir, car en de telles occasions, les lois civiles les plus intangibles étaient forcément foulées aux pieds : l'inceste, l'adultère féminin — le seul puni par le code —, d'infâmes rapprochements entre matrones et esclaves devenaient monnaie courante.

Le problème de Kaeso était plutôt de se libérer l'esprit, et le temps pressait d'ailleurs de plus en plus.

Marcus père était allé prendre de bonne heure l'air du Forum et Marcus junior courait encore. D'après l'horloge qui trônait dans l'exèdre, il n'était pas encore cinq heures du jour. Kaeso aperçut Séléné, assise immobile dans le faux atrium, telle une statue pensante.

Il la salua et lui résuma son entrevue assez décevante avec rabbi Samuel. Séléné avait vaguement entendu parler des chrétiens, qui avaient fait à Rome leur apparition sous Claude et y agaçaient les Juifs depuis quelque temps. Comment les Juifs auraient-ils pu supporter d'être concurrencés sur leur propre terrain ? L'hérésie chrétienne, en se développant contre toute attente raisonnable, mettait en péril leur précieuse singularité, leurs privilèges, et jusqu'à leur sûreté, car une police impériale sans expérience avait trop souvent attribué à des Juifs tel ou tel trouble que la seule présence chrétienne avait suscité. Les autorités, accablées de protestations et d'informations par les rabbis outrés, commençaient à peine à distinguer les vrais Juifs des faux. Mais ce qui compliquait pour elles la question, c'est que certains chrétiens étaient circoncis et que d'autres ne l'étaient point, et elles flairaient, non sans raison, de redoutables embrouilles, où elles n'étaient pas pressées de mettre le nez. Chaque fois que l'empereur n'était pas directement concerné, la police romaine était d'ailleurs longue à réagir. On attendait que la situation se fût dangereusement dégradée pour prendre des mesures, qui étaient alors globales, brutales et sans nuances.

« Les chrétiens, dit Séléné, ont une particularité que tu dois connaître : ils racontent à qui veut l'entendre, sans crainte de ridicule, que le chef de leur secte, un certain Jésus, qui a été crucifié à Jérusalem sous Tibère, aurait ressuscité, et de son propre chef !

— L'invention n'a rien d'original : dans bien des religions de l'Orient, notamment l'égyptienne, dieux ou déesses passent leur temps à ressusciter. Ils ressuscitent même tous les ans !

— Tu n'y es point. Je ne te parle pas de dieux ni de mythes printaniers, mais d'un charpentier mort sur la croix, qu'on aurait vu ensuite se promener.

— Alors, c'est un fantôme. Le spectre de Cicéron hante bien la maison de Silanus, et Cicéron n'est pas ressuscité pour autant.

— Tu n'y es pas encore. Les chrétiens affirment que l'on pouvait manipuler ce Jésus ressuscité, et qu'il avait même bon appétit. »

La nouvelle était un ennui supplémentaire, et des plus graves.

« Voilà bien ma chance ! gémit Kaeso. Si je dis à Silanus que je me suis fait chrétien, il va me prendre pour un menteur ou pour un fou. Je perds ma dernière planche de salut et mon cas devient désespéré.

— Je reconnais que l'histoire est un peu grosse. Les charpentiers fabriquent des croix, ils y meurent à l'occasion, mais il n'est pas fréquent qu'ils en reviennent.

— Ce Jésus était vraiment charpentier ? Tu conviendras que, pour un patricien, cela fait un chef de secte d'un goût douteux. L'individu a tout pour plaire !

— Il était on ne peut plus charpentier, et son père légal, Joseph, l'était aussi. Sa mère Marie, une chaude lapine, l'aurait eu d'un oiseau de passage, et certains rabbis assurent que c'est ce Joseph, qui, pour se venger de la tromperie, aurait dégrossi avec zèle la croix sur laquelle Jésus est mort. Mais il s'agit peut-être d'une calomnie... En revanche, les chrétiens eux-mêmes sont forcés d'avouer que leur Jésus était un bâtard. Pour voiler cette affligeante réalité, ils prétendent que Marie se serait fait engrosser par un ange. Mais les anges juifs ont rarement la queue si longue...

— C'est complet. Quelle famille! »

Cette affaire de résurrection était le dernier coup pour Kaeso. La mine du malheureux était si déçue, que Séléné, émue de compassion, se jeta soudain à ses pieds, lui embrassa les genoux, et lui dit :

« Ta déception m'afflige et je suis d'autant plus peinée de tes ennuis que je t'ai causé naguère une souffrance inutile par un faux témoignage que je confesse, que je regrette, que je te supplie de me pardonner. Rabbi Samuel, qui est mon directeur de conscience, me l'a vivement reproché... »

Et Séléné d'avouer à Kaeso que son père n'était pour rien dans l'affreuse mutilation qui avait assombri ses jours.

Séléné, ainsi effondrée, était bien touchante : le marbre s'était animé, les beaux yeux gris étaient voilés de larmes, la gorge palpitait de légers sanglots...

Soulagé d'un poids par la révélation, Kaeso prolongea l'épreuve, la vue plongeante sur les charmes de Séléné n'étant pas de nature à l'abréger.

Il releva enfin la jeune femme et lui demanda :

« Pourquoi donc un si pénible mensonge? Quel démon te poussait?

— Je voulais me venger de ton père, qui m'impose des rapports désagréables. Et je dois t'avouer aussi qu'un sentiment de vengeance n'était pas absent de la lettre d'amour que j'ai écrite à Marcia.

— Marcia? Que t'a donc fait Marcia?

— Je t'ai déjà dit que Silanus m'avait achetée pour m'offrir à ton père. Tu as pu voir exposé, sur les tréteaux des " tavernes ", le tout-venant des esclaves : prisonniers de guerre couronnés de laurier, individus originaires d'outre-mer, aux pieds frottés de craie, sujets difficiles ou douteux, vendus sans garantie, et signalés alors par un bonnet de laine blanche... Mais les esclaves de prix ne connaissent pas cette promiscuité. Les maquignons vont les présenter aux amateurs à domicile. C'est ainsi que le trafiquant Afranius, celui qui a ses tréteaux du côté du temple de Castor, en face du vieux Forum romain, m'a montrée nue à Silanus et à Marcia — que le patricien avait d'ailleurs prise chez lui bien avant de l'épouser. L'affaire ayant été vite conclue, Marcia m'a demandé de me déshabiller de nouveau, sous prétexte de vérifier si ses propres mensurations se rapprochaient des miennes, et elle s'est par conséquent déshabillée elle-même. Mais au fond, elle voulait surtout prendre du plaisir avec moi et en donner à Silanus. J'ai été frappée de son savoir-faire, qui ne pouvait être que le fruit d'une longue expérience. Elle venait d'inviter Silanus à participer à nos ébats (" il faut étrenner le cadeau de Marcus ! " disait-elle), quand elle s'est aperçue tout à coup que j'avais été excisée — ce qu'Afranius n'avait pas signalé, parce qu'il l'ignorait. Et furieuse de ma propre dissimulation, elle a ordonné qu'on me passât sur-le-champ par les verges. L'épreuve aurait encore été pire si le noble Silanus n'avait pas recommandé à son spécialiste de ne point me déchirer la peau, puisque cette peau, il désirait en faire bientôt présent. Tu comprends pourquoi je ne porte pas Marcia dans mon cœur. C'est une femme vicieuse et cruelle. »

Meurtri, Kaeso se réfugia dans sa chambre, se jeta sur son lit et pleura. Que restait-il de l'image de Marcia qui avait dominé et accompagné son enfance ?

Silanus prenait d'autre part une dimension nouvelle, qui suscitait d'inquiétantes réflexions. S'il avait pris plaisir aux débordements de Marcia et de Séléné, se pourrait-il qu'il affichât un jour le même goût pervers pour d'éventuelles conjonctions entre sa femme et Kaeso ? L'hypothèse avancée par Marcus junior, qui s'était toujours flatté de son absence d'illusions, n'était-elle pas conforme à la nature humaine chez un homme richissime, et âgé déjà, qui avait connu bien des plaisirs ? Kaeso devait-il sacrifier un avenir doré pour respecter l'honneur d'un personnage qui n'en avait pas, ou qui, du moins, n'en avait pas une conception ordinaire ?

Mais le vrai problème était sans doute ailleurs. En acceptant par souci de carrière les délices et les hontes d'un ménage à trois, Kaeso serait entré dans un monde de prostitution, dont l'exemple même de Marcia venait de lui faire découvrir le côté dégradant. Après s'être prostituée pour Kaeso, Marcia allait-elle couronner sa victoire en prostituant Kaeso avec elle ?

Ayant gratté humblement à la porte, Séléné avait fini par entrer, et elle était venue s'asseoir sur le lit du jeune homme, dont elle regardait le visage bouleversé avec tristesse.

« Je n'aurais pas dû te parler de ta Marcia...

— Au contraire ! Ce que tu m'en as dit ne m'a pas trop surpris... »

Et Kaeso de révéler à Séléné ce que Marcia lui avait appris de ses excessifs dévouements...

« Tu étais en somme l'amant de cœur d'une putain, en qui tu voyais une mère, et tu ne le savais même pas !

— L'ironie du mauvais sort ne saurait aller plus loin.

« — Je compatis d'autant mieux à tes malheurs que je n'ai pas été épargnée moi-même. Le commerce d'épicerie de mes parents ayant été saccagé par les Grecs du quartier voisin, et mon père n'ayant pu satisfaire ses créanciers, je suis finalement devenue à quinze ans l'esclave d'un prêtre égyptien eunuque, qui s'est empressé de me faire exciser, selon l'ancestrale et barbare coutume du pays. J'étais encore vierge alors. Les esclaves mâles de ce monstre ont sur-le-champ abusé de mes charmes, et j'ai attendu un enfant, qui a été exposé à sa naissance : c'était une fille. Chagriné de mon dévergondage, mon maître m'a vendue alors à l'un des lupanars les plus réputés d'Alexandrie. Je n'avais pas dix-sept ans. Comme les diverses pénétrations me révulsaient, je me suis évertuée à sucer le plus de monde possible, et j'y suis devenue experte. Un philosophe en visite m'a dit un jour doctement que c'était là le plus parfait exemple d'application de la loi du moindre mal, qui est encore ce que les moralistes auraient trouvé de plus beau. J'ai rencontré dans cette maison des artistes qui ont été sensibles à ma beauté, et j'ai changé de propriétaire pour devenir modèle. J'ai ainsi fait le bonheur, durant des années, de sculpteurs ou de peintres, jusqu'à ce qu'un riche procurateur des domaines impériaux me distingue. Mais il me reprochait une certaine froideur, et il m'a donc cédée à Afranius, qui était de passage à Alexandrie et à Canope pour y faire l'acquisition de sujets de choix. Afranius ne m'a pas touchée : les amateurs qui payent une esclave très cher seraient froissés qu'elle ait donné du plaisir à son maquignon. Les trafiquants copulent avec des esclaves bon marché. Mais sur le bateau, dès qu'Afranius avait le dos tourné, les marins me sautaient dessus, et je n'osais me plaindre de peur d'être fichue à l'eau. Tu sais le reste et tu peux constater que tu n'es pas le seul à souffrir. »

Cette détresse, bien que de qualité servile, était contagieuse. Kaeso mit avec tendresse sa main sur la tête de Séléné, qui se posa tout naturellement au voisinage de son bas-ventre, où la bouche exercée s'affaira bientôt. « Laisse-moi faire, disait Séléné. Je dois m'humilier un instant pour mieux mériter ton pardon. »

La morale sexuelle des Romains et des Grecs était en effet dominée par la facile et évidente distinction entre donneur et receveur. L'homme actif conservait toujours le respect de son concierge, alors que les femmes ou les invertis sortaient souillés de leurs épreuves. Le raisonnable ou sublime paradis des amours était déjà un enfer de préjugés.

Séléné avait d'autant plus de cœur à l'ouvrage qu'elle avait la plaisante sensation de se moquer de Marcus à bon marché et d'accroître son empire sur l'honorable patient ; et Kaeso se disait de son côté que l'inceste, après tout, était peut-être affaire d'opinion...

Dans la promiscuité des grandes maisons romaines, il n'était d'ailleurs pas rare que des fils irrespectueux tirent un coup à la sauvette avec les belles esclaves ou les gitons qui faisaient déjà l'agrément des pères, et certaines matrones jalouses puisaient même dans ces irrégularités sournoises une savoureuse vengeance.

Kaeso abandonné tout pantelant, Séléné lui dit avec humour : « Tu viens de connaître un moment exceptionnel, que tu ne goûteras plus de sitôt. On dit en latin d'une femme exemplaire, qui n'a eu qu'un seul mari, que c'est une " univira ". Je serai ton " unifellatrix ", celle d'une seule fois. »

Ce néologisme, dont la formation grammaticale était peut-être douteuse, n'en était pas moins clair, et Kaeso se le tint pour dit.

Les talents de Marcia pour les amours lesbiennes ne laissaient pas de l'étonner et de l'ennuyer, et il interrogea Séléné à ce sujet, puisqu'elle devait avoir une riche expérience de tout.

« D'après ce que tu viens de me révéler de cette femme, répondit-elle, de tels talents vont de soi. Dis-toi bien que dans le monde tel que les hommes l'ont fait parce qu'ils ont plus de force dans le biceps que dans la queue (petite tape en passant sur le membre flapi de Kaeso), les femmes sont condamnées à coucher la plupart du temps avec des mâles qu'elles n'ont pas choisis. Elles ne peuvent alors trouver d'affectueuses et agréables caresses que chez les êtres de leur propre sexe. Et comme la condamnation des prostituées est particulièrement sévère, leur propension est d'autant plus grande à apprécier l'amoureuse compagnie de leurs égales. Ce fait bien connu te livre l'explication de la brutale conduite de Marcia à mon égard : le destin m'avait privée du seul organe qui ait eu jusqu'à présent ses faveurs... »

Séléné s'empressa d'ajouter : « Pour la plupart des femmes, ce n'est cependant qu'un pis-aller. Elles ont ancrée au fond du cœur l'attente d'un grand amour, et ce jour-là, l'organe de leurs rêves ne sera jamais trop gros. Si Marcia te met enfin le grappin dessus, c'est le compliment qu'elle te fera, et elle sera pour une fois sincère. »

Marcus père venait de rentrer et appelait sa Séléné d'une voix forte. La jeune femme s'essuya soigneusement la bouche du revers de sa robe et courut sourire à son maître.

Les relations assez spéciales de Marcia avec ses servantes remontaient à la mémoire de Kaeso. Elle les aimait très féminines, petites, gracieuses et bien en chair. Et son attitude à leur encontre était une alternance de caresses — qui semblaient désormais des plus suspectes — et de sévérités, par où la « domina » se revanchait sans doute de toutes les injures pénétrantes que des hommes indésirables lui avaient fait subir. Les coups de badine sur les fesses, les coups de poinçon sur les seins faisaient ainsi bon ménage avec les pinçons rieurs, les pattes de velours et les baisers de genre colombin.

Mais bien entendu, c'était toujours Kaeso le grand responsable : si Marcia n'avait pas dû mener une pénible existence de sacrifices pour équilibrer le budget de la maison et assurer l'avenir des enfants, elle n'aurait pas éprouvé le besoin de papouiller ou de martyriser les filles de service — des filles auxquelles son mari (encore un signe révélateur !) ne semblait pas s'adresser quand il était en rut. Une chasse gardée ?

Un soupçon vint à Kaeso comme l'éclair, le mit sur ses jambes et le précipita vers la petite popina paternelle, dont sa nourrice tenait le comptoir : à cette heure, le travail venait de cesser et toutes sortes de petites gens étaient entrés manger un morceau et boire un coup.

Il se pencha vers la vieille Crétoise anguleuse et lui glissa à l'oreille : « Pourquoi ne m'as-tu pas dit que mon père se tapait aussi la " petite ânesse " ? Si tu n'étais pas ma nourrice, tu verrais de quel bois je me chauffe ! »

La femme sursauta et répondit avec embarras : « Je n'avais pas à te le dire. C'était un secret de famille. Reproche-moi plutôt d'avoir essayé de te faire plaisir. Es-tu vraiment très fâché, mon fils ? »

Avec un lugubre sourire, Kaeso la rassura. Avant même sa mère, sa nourrice l'avait convié à l'inceste. C'était dans l'ordre. Mais l'innocence de Kaeso était toujours aussi éclatante. Il y avait décidément du « Phèdre » ou de l' « Œdipe » dans son cas. Quelque dieu irrité avait dû le prendre pour cible.

Durant le frugal déjeuner, tandis que Marcus junior narrait ses bonnes fortunes, Séléné se montra particulièrement gracieuse pour un Marcus père ravi. Mais elle avait une façon de sucer son pouce qui en disait long sur sa malignité. Malgré toutes les médisances des rabbis, la famille du charpentier Jésus n'avait pu être pire que celle-là ! C'était à fuir.

Les convives en étaient aux fruits, lorsque Kaeso, arrangeant son coussin de la main gauche, renversa une salière, et une partie du sel renversé vint choir au creux d'une coquille d'œuf, qu'il avait négligé d'écraser après consommation. Un silence glacial tomba sur la petite assemblée.

On prenait toujours bien garde à ne pas entrer du pied gauche dans la salle à manger, à ne rien toucher à table de la main gauche, à écraser les coquilles d'œuf, crainte qu'un magicien ne puisse utiliser la coquille intacte pour jeter un mauvais sort à celui qui avait mangé l'œuf, à ne pas renverser de sel, surtout, ce qui eût été présage de mort.

Kaeso écrasa aussitôt la coquille de la main droite, geste prophylactique assez dérisoire vu l'accumulation des signes de mauvais augure.

Comme on discutait fiévreusement d'autres mesures préservatives pour assainir la situation, Kaeso, excédé, se retira. Les dieux avaient-ils voulu l'avertir que le geste gracieux de Séléné leur avait déplu ?

Kaeso se promena un moment dans le faux atrium afin de se calmer, et ses réflexions le conduisirent tout droit au problème de l'inceste, qui était plus que jamais d'actualité. Après le remariage de Claude avec sa nièce, Néron avait à son tour défrayé la chronique, et les fouineurs s'étaient partagés entre deux écoles quant à savoir, de la mère ou du fils, qui avait bien pu séduire l'autre et lui imposer des rapports coupables. Toute la geste maléfique des Julio-Claudiens baignait d'ailleurs dans un climat irrespirable de coucheries étroitement consanguines.

Mais il apparut à Kaeso que ces fantaisies nobiliaires, exacerbées par le libéralisme sexuel à la mode, n'étaient que l'expression d'un malaise plus vaste et plus profond. Que ce soit dans les cabanes des paysans ou dans les « insulae » romaines, la promiscuité était continuelle et renversante. Ceux que les lois avantageaient, les plus forts, les plus autoritaires, y étaient exposés à de honteuses tentations. Et dans les vastes demeures aristocratiques, les fils n'étaient-ils pas confrontés à de jeunes belles-mères excitantes, pour ne point parler des concubines paternelles délaissées ou des mignons en souffrance ?

Signe des temps, les accusations de lèse-majesté étaient fréquemment renforcées par une accusation d'inceste, comme si chaque fumée soulevée ainsi avait dû correspondre à un feu lascif et secret.

Autre considération qui pouvait avoir son poids : les lois contre l'inceste ne concernaient par définition que les citoyens et les affranchis, seuls capables de se marier et d'avoir des enfants. Pour les esclaves, qui étaient hors la loi, dont les rapports confus, avoués ou mystérieux, se déroulaient sans la garantie du gouvernement, on n'y regardait pas de si près. Qui se préoccupe de l'inceste des mouches autour d'une lampe ? Mais ces esclaves, une fois affranchis, faisaient souche de citoyens.

Si l'on remontait plus haut dans l'histoire, on s'apercevait que l'inceste du beau-fils avec la belle-mère, celui de la mère avec le fils, avaient été des grands thèmes du théâtre grec, qu'ils continuaient de passionner tout le monde, que Sénèque lui-même, toujours si sensible à l'ambiance morale, avait consacré au premier de ces thèmes l'une de ses neuf tragédies destinées à des lectures publiques ou à des représentations privées devant une élite de lettrés.

Et si l'on remontait plus haut encore, on était frappé de l'importance et de la précision des lois réglementant les rapports sexuels dans les sociétés primitives et nomades, comme en témoignait éloquemment la bible des Septante. Au sein d'une petite tribu isolée dans un monde hostile, il était capital de savoir qui avait le droit de coucher avec qui. Mais les Grecs et les Romains des origines avaient-ils été si différents de ces Juifs bizarres ?

Les ennuis de Kaeso semblaient venir de loin, ce qui ne les rendait pas moins lourds.

X

En désespoir de cause, Kaeso songea à Sénèque. Et, durant la
sieste générale, il écrivit à Silanus :

« K. Aponius Saturninus à D. Junius Silanus Torquatus, très filial
salut !

« Je te remercie encore du festin organisé pour ma prise de toge
virile, où tout était d'une perfection et d'un intérêt soutenus. Tu es
décidément digne de tes richesses par le goût et par la générosité que
tu apportes en chaque occasion. Je n'ai jamais vu Marcia plus jolie ni
plus heureuse que ce soir-là. Puisse-t-elle te donner, à toi qui as tout,
ce qui te manquerait encore !

« Je n'ai pas manqué de réfléchir aux si traditionnelles considérations religieuses dont tu as bien voulu me gratifier. Elles ne regardent
cependant que les apparences. Puisque, dans l'intimité de ton esprit
et de ton cœur, tu es stoïcien, j'aimerais naturellement approfondir
cette doctrine avant de devenir ton fils affectionné. Mais j'ai déjà mis
ta patience à rude épreuve. Tu appartiens à la même société que
Sénèque, que tu admires comme moi, et tu as tes amicales entrées
chez lui. J'ai toujours rêvé d'approcher ce grand homme, dont la vie
se passe à éclairer sa propre conscience comme celle des autres. Si tu
lui demandes un entretien pour ton futur fils, je sais qu'il te l'accordera avec son affabilité coutumière. Je ne puis jouir de cet honneur et
de ce bonheur que par toi. C'est pour mieux te comprendre et t'aimer
que je le sollicite, et j'ai donc la faiblesse d'être pressé.

« Porte-toi au mieux. Je vais bien de mon côté. »

Kaeso dit au messager de se dépêcher, et en attendant qu'un
esclave de Silanus rapporte les tablettes, il se rendit chez les frères
Sosion. Les libraires se concentraient sur l' « Argiletum », mais il y en

avait aussi tout autour des Forums, et la « taverne » des Sosion avoisinait le temple de Vertumne, entre le Forum Sud et le Forum aux Bœufs. C'était une librairie cotée, où se tenaient régulièrement les pédantes assises de quelque cercle littéraire. Kaeso s'y fournissait du temps de ses études « grammaticales », et il souhaitait acquérir, en vue de son entretien avec Sénèque, la dernière livraison de ses *Lettres à Lucilius.*

Depuis l'été précédent, Sénèque utilisait les loisirs de sa retraite à polir des lettres pour son ami Lucilius Junior, procurateur en Sicile, lettres qui étaient aussitôt répandues par l'heureux destinataire aux fins d'édition. Ces écrits étaient particulièrement intéressants pour Kaeso en ce sens que Sénèque s'efforçait de détourner Lucilius de l'épicurisme pour le convertir au stoïcisme, comme si le passage du matérialisme au panthéisme pouvait être une source de progrès moral. En tout cas, l'épicurisme, modéré ou jouisseur, qui avait si longtemps eu les faveurs des Romains cultivés, n'était certes plus en accord avec l'inquiétude et la sensibilité du temps. Kaeso avait lu les premières *Lettres* à Athènes, et notamment celle du Livre III qu'on aurait pu intituler : « Voyager n'est pas guérir son âme. »

La « taverne » des Sosion n'avait pas changé. La devanture était toujours garnie d'une foule de livres, la longue liste des auteurs et des ouvrages en vente étant affichée sur la façade et jusque sur les piliers adjacents du portique, ce qui était bien commode. On constatait d'un coup d'œil que Sénèque avait encore avancé dans ses dissertations morales pour gens du monde.

Kaeso entra dans la pièce où se tenait d'ordinaire l'un des frères Sosion, entre des cloisons garnies de compartiments cylindriques horizontaux, joliment appelés « nids », où reposaient les « volumes ». Mais il y avait également de gros « tomes » sur quelques étagères. Sosion cadet était au courant de la proche adoption de Kaeso et il se précipita pour se mettre à son service et lui faire crédit. Sa parfaite correction était soudain devenue de l'aimable politesse.

Hélas, on s'était arraché les dernières *Lettres à Lucilius* ; mais de nouveaux exemplaires étaient en cours de fabrication, et Sosion offrit à Kaeso, si cela pouvait l'intéresser, de l'introduire dans les ateliers, où l'on verrait sur-le-champ où en était le travail. Car les Sosion n'étaient pas seulement libraires comme l'étaient la plupart de leurs confrères, dont certains faisaient même les bouquinistes ambulants, ils étaient encore fabricants et éditeurs, une notable partie de leur production, quand un ouvrage marchait bien, étant distribuée entre des libraires qui n'avaient pas les reins assez solides pour entretenir des ateliers.

On passa d'abord par un magasin qui était bourré de « papyri », et dans une moindre mesure, de parchemins, matières qui provenaient du grand dépôt voisin du Forum, au pied du Palatin. Il y avait neuf sortes de « papyri », du grossier « emporeutique », qui servait aux emballages, au coûteux « augustale » pour éditions de luxe, et ce, en cinq largeurs différentes. Les Égyptiens débitaient ce papyrus depuis des temps immémoriaux, et ils avaient créé le parchemin sans le vouloir plus de trois siècles auparavant. Fier des 700 000 volumes de sa bibliothèque alexandrine, Ptolémée avait décrété l'embargo sur le papyrus à destination de Pergame, où le roi Eumènes ambitionnait de monter une bibliothèque concurrente. Les Pergaméniens imaginèrent alors de remplacer le produit par des peaux de brebis artistement tannées et travaillées. Malheureusement, le produit restait hors de prix par rapport au papyrus, et les éditions sur « pergamin » étaient forcément peu nombreuses. Sosion montra à Kaeso des peaux naturellement jaunâtres, qui avaient l'avantage de ne pas fatiguer la vue, et des peaux blanchies, que certains trouvaient plus flatteuses pour l'œil.

Il y avait plusieurs ateliers de scribes, chacun consacré à un ouvrage, car ces scribes n'étaient point des copistes : ils écrivaient sur leurs genoux sous la dictée d'un lecteur, ce qui permettait de fabriquer un grand nombre d'exemplaires à partir d'un seul original. Kaeso considéra un instant ce travail avec curiosité. Les scribes trempaient leur plume dans des encriers d'encre noire ou sépia, ils avaient des compas pour mesurer l'espacement et la longueur des lignes, des règles pour les tracer, des éponges ou des grattoirs pour les corrections.

Mais avec un tel système, les scribes commettant malgré tout des fautes assez nombreuses, un atelier spécialisé dans les corrections était absolument nécessaire. Le prix des livres dépendait même étroitement de la qualité desdites corrections, et chaque ouvrage devait porter le nom de son correcteur.

Les feuilles de papyrus ou de « pergamin », une fois collationnées et corrigées, allaient à l'atelier de reliure. Des ouvriers collaient les feuilles de papyrus les unes à la suite des autres et attachaient la dernière à un axe appelé « ombilic », autour duquel le volume était roulé. Il y avait des rouleaux de longueur et d'épaisseur fort diverses. Et aux deux bouts de l'ombilic, après avoir rogné et poli les deux tranches du rouleau — les « fronts » —, on montait des disques ou des croissants, dont le diamètre était égal à celui du livre roulé. Finalement, le volume était introduit dans un sac de peau ou d'étoffe, muni de courroies pour en serrer le contenu, et un index était collé sur le bord de l'enveloppe, où figuraient, écrits au minium, le nom de l'auteur et le titre de l'ouvrage. Les feuilles de « pergamin », après superposition convenable, étaient cousues et collées sur le côté gauche, et assorties d'une couverture de cuir ou de bois : on avait alors des « tomes ».

La matière de certains livres de prix était blondie avec une huile spéciale pour la protéger des vers et de l'humidité, et l'encre, mélangée d'absinthe, pour décourager les souris.

D'autres ouvriers épongeaient ou grattaient « papyri » ou « pergamins » à partir d'invendus pour en tirer des « palimpsestes », qui serviraient à de nouvelles fabrications de peu de valeur. Les invendus dont la qualité matérielle ne méritait pas même ce traitement étaient cédés au poids à des bouquinistes gagne-petit. Des enfants y apprendraient à lire, s'exerceraient à écrire au revers des feuillets, se torcheraient enfin malicieusement avec le studieux témoignage de leurs efforts, car les éponges demeuraient assez coûteuses étant donné la relative rareté des bons plongeurs. Parfois, les livres de rebut allaient chez les marchands de poisson ou d'épices, qui en faisaient des emballages ou des cornets...

Sosion aîné, qui était en train de superviser la correction d'un Ovide, annonça à Kaeso qu'un nouveau lot de *Lettres à Lucilius* venait tout juste d'être mis en caisse, et on lui fit admirer le travail : il se présentait comme un rouleau sans ombilic, par suite de la brièveté du texte, qui n'exigeait pas un long déroulement. Il arrivait aussi que de courtes productions vulgaires couchées sur papyrus fussent présentées sous la forme pratique du tome, solution normale pour les livres de grand luxe sur pergamin : la peau de brebis ainsi traitée, en prenant le pli du rouleau, aurait en effet rendu le déroulement difficile.

La conversation revint à Ovide. Le grand-père Sosion l'avait bien connu ; et le père en avait parlé à ses fils.

« Voilà quarante-six ou quarante-sept ans, dit Sosion aîné, que le malheureux est mort de désespoir dans un lointain et rigoureux exil. Le prétexte de sa condamnation est demeuré mystérieux jusqu'à ce jour. Mais la raison profonde, celle qui l'avait rendue sans appel, je puis vous la dire. Alors que le vieil Auguste, après une jeunesse orageuse, s'échinait à remettre en honneur les antiques vertus romaines, qui faisaient déjà sourire toute notre noblesse depuis longtemps, Ovide avait commis le crime capital de révéler avec le plus beau talent ce que l'expérience avait déjà appris à tout le monde : à condition de savoir s'y prendre, la plus vertueuse matrone pouvait hurler de plaisir. Notre auteur inconscient traitait enfin de la jouissance des femmes qui étaient réputées ne jamais devoir jouir. Auguste, qui avait les pires ennuis avec sa fille et sa petite-fille, dévergondées malgré l'éducation la plus sévère, voyait soudain le premier poète de la cour proposer à l'humanité une image insoutenable de l'homme romain qui avait conquis les nations, de l'épouse romaine qui avait engendré de tels hommes : un amant à quatre pattes, en train de lécher à ravir non seulement la femme du voisin, mais, bien pis encore, la sienne à l'occasion ! Les conseils, les techniques d'Ovide intéressaient évidemment tous les hommes et toutes les femmes, renversaient toutes les barrières et tous les préjugés. La mère romaine semblait sortir d'un lupanar.

— A cette différence près, avança Sosion cadet, que les filles de lupanar jouissent beaucoup moins qu'on ne l'imagine !

— Oui, reprit tristement l'aîné, c'est à croire que la jouissance des femmes porte quelque ombrage à l'homme. Peut-être parce que chaque homme a une mère, qu'il répugne à imaginer en chaleur, poussant des cris de louve au crépuscule.

— J'ai l'impression, dit Kaeso, que les mères d'aujourd'hui ne se retiennent plus de crier, et en plein jour ! »

Il détourna un entretien qui commençait de lui peser, et les Sosion lui proposèrent une merveille d'artisanat : toute *l'Iliade* sur un rouleau de très fin papyrus, qui tenait dans une coquille de noix en or massif. Mais Kaeso avait suffisamment sué sur *l'Iliade* et il n'emporta que les dernières *Lettres* de Sénèque.

Le Forum aux Bœufs étant à deux pas, Kaeso poussa jusque-là, dans l'intention de voir enfin la statue de Marcia. A cette heure, les Forums ne connaissaient plus l'animation de la matinée. Beaucoup de Romains étaient aux thermes, sur le Champ de Mars, sur la Voie Appienne ou en quelque jardin public, et les mendiants — vrais ou faux — qui pullulaient, avaient pour la plupart suivi le mouvement. A la nuit tombante, les vrais mendiants et de nombreux sans-logis, encouragés par les premières chaleurs, iraient s'installer dans un théâtre, un amphithéâtre ou un Cirque, solution que la police tolérait afin que rues, portiques et jardins fussent dégagés de cette tourbe. Les vastes monuments servaient aussi parfois à héberger des soldats de passage.

Devant le temple de la Pudicité Patricienne était demeuré, assis sur le pavé, un aveugle aux yeux purulents couverts de mouches, qui faisait songer à Œdipe. Pour la première fois, Kaeso se demanda pourquoi Œdipe s'était crevé les yeux après avoir appris qu'il avait été le mari de sa mère. Pourquoi n'avoir pas puni la main qui avait caressé ? Pourquoi pas le nez qui avait flairé ? Pourquoi pas la verge qui avait fait pire ? Les images qui le poursuivaient, Œdipe ne les voyait-il pas encore les yeux fermés ?

Le mendiant avait un petit tableau d'une facture naïve accroché à son cou, qui le représentait en train de nager sur une mer démontée, alors que son bateau sombrait à l'horizon. On saisissait tout de suite la prétendue raison de sa misère. Mais des gamins facétieux avaient surchargé le tableautin de graffiti cruels. Ici, c'était une sirène qui jouait de la cithare ; là, on pouvait lire : « A boire ! »... Kaeso fut ému de cette détresse, qui naguère encore ne l'aurait que peu touché. Depuis que le malheur l'avait subitement agressé, il se découvrait plus sensible au malheur d'autrui. Le mendiant lui donna l'adresse du gardien, qui habitait à proximité, et Kaeso lui remit un denier [1] en échange, aumône très inhabituelle.

Le gardien était aux thermes, mais sa femme ouvrit le temple à Kaeso. Les temples étaient fermés d'ordinaire, et avec d'autant plus de soin qu'ils servaient parfois de banque. L'autel des sacrifices était toujours sur le parvis, en bas des marches, dont le nombre était calculé pour que le pied droit joue son rôle bénéfique.

Dans le clair-obscur du vieux sanctuaire, la statue de Marcia était en effet une réussite, et l'on comprenait que Silanus l'ait jugée digne du lieu. Sous le voile, le visage exprimait toute la pudicité que les hommes aiment à lire dans les yeux d'une épouse ou d'une mère supposée frigide. La frigidité même du marbre blanc accentuait encore cette délicate et pure impression.

Kaeso dit à la femme : « C'est ma mère qui a servi de modèle.

— Quelle chance tu as ! »

Avec un gros soupir, Kaeso versa un petit pourboire à la flatteuse, et il rentra chez lui.

Marcus père était dans sa bibliothèque, aux prises avec une cause délicate, qui avait déjà engendré une jurisprudence contradictoire. L'un des multiples protégés de Silanus, jeune homme de bonne famille dissipé et ruiné, avait signé un contrat de gladiature. Puis, ayant pris peur, il avait soutiré de l'argent à une sœur mariée et avait pu racheter son contrat avant d'avoir combattu. L' « infamie » frappant les gladiateurs découlait-elle du contrat ou d'une première parution dans l'arène ?

Marcus fut heureux d'être interrompu dans ses recherches par Kaeso, avec lequel, depuis son retour, il n'avait guère eu l'occasion de converser. Il lui semblait qu'une ombre s'était dressée entre son fils et lui, mais il était loin d'en soupçonner la nature et l'importance.

Kaeso commença par mettre son père de bonne humeur en lui rappelant d'heureux souvenirs communs. Il était assez souvent arrivé à Marcus, soucieux de donner une image flatteuse de sa personne, d'entraîner ses enfants devant telle ou telle juridiction civile ou criminelle où il avait à plaider. L'un des plus anciens souvenirs de Kaeso concernait un procès d'usurpation du droit de cité romain intenté à

---

1. Quatre « asses » faisaient un sesterce ou « nummus » ; quatre sesterces de bronze faisaient un denier d'argent ; vingt-cinq deniers faisaient un « aureus » d'or.

un Grec, que l'empereur Claude avait tenu à présider, et qu'il avait marqué de son humour grotesque. Comme les avocats n'étaient pas d'accord sur la tenue que l'accusé devait adopter durant les débats, toge romaine ou manteau grec, Claude, avec une superbe impartialité, avait ordonné que le suspect s'habillât à la romaine quand son avocat plaiderait sa cause, et à la grecque quand l'avocat de la partie adverse plaiderait contre lui. Marcus, qui, en dépit de ses lointaines origines familiales, avait été amené à plaider contre, s'était trouvé en panne d'éloquence dans cette atmosphère ridicule, et le Grec avait été acquitté. Plus tard, Kaeso avait suivi d'interminables plaidoiries civiles, allant jusqu'à sept clepsydres (environ deux heures et demie !) devant les centumvirs de l'immense basilique Julia bourrée d'une foule compacte. Comme il était fréquent que quatre procès s'y déroulent à la fois, c'étaient les avocats les plus criards qui se faisaient le mieux entendre dans cette cacophonie, et les avocats les plus riches qui étaient les plus applaudis, car ils payaient la claque de leurs deniers. L'organe assez faible d'un Marcus désargenté ne pouvait guère briller dans ce monument redoutable. Kaeso avait quand même été très impressionné par l'éloquence paternelle, et il essayait à présent de retrouver sa naïve mentalité d'enfant pour flatter son père sur un point qui lui était sensible.

Tout cela afin de parvenir dans les meilleures conditions à ce qui le préoccupait tout d'un coup : qui avait été au juste sa vraie mère Pomponia ? Le jeune homme s'était pris d'une vive curiosité pour cette femme dont on l'avait rarement et assez peu entretenu.

Marcus se laissa volontiers aller à des confidences qui lui rappelaient une époque de sa vie où il avait été riche, satisfait, et surtout fier de sa personne. Mais bien que Kaeso le pressât de questions, ses réponses étaient affreusement décevantes par un manque absolu de traits originaux. On aurait dit Tite-Live récitant sans se lasser toutes les hautes vertus classiques de la matrone romaine d'autrefois. Pomponia avait été chaste, fidèle, casanière, discrète, réservée, pudique, aimante, économe, sévère et juste avec les esclaves... la dignité personnifiée ! Kaeso comprit qu'avec un homme de cette constitution, il ne parviendrait jamais à en savoir davantage. C'était comme s'il venait de perdre sa mère une seconde fois, et définitivement. Il remercia son père et se retira les larmes aux yeux.

Séléné remit à Kaeso les tablettes qui venaient de revenir avec la réponse de Silanus, et Kaeso s'assit à l'écart dans un coin du faux atrium pour en prendre connaissance.

« D. Junius Silanus à son cher Kaeso, salut !

« Sénèque te fait dire que tu pourras le trouver à la bibliothèque Palatine jusqu'à l'heure de la fermeture. Et il y sera encore demain en fin d'après-midi, " ce grand homme dont la vie se passe à éclairer sa propre conscience comme celle des autres ". Ta soudaine passion pour le stoïcisme me flatte, mais j'ai eu surtout l'impression, à lire cette petite phrase qui t'avait sans doute échappé, que tu avais besoin d'éclairer ta conscience, et je me suis demandé pourquoi ton honorable père, ta belle-mère ou moi-même ne te paraissions plus suffisamment compétents à cet effet. Peut-être parce que ton problème de conscience serait en rapport avec l'adoption en cours ?

« Je me suis ouvert à Marcia de ton inquiétude, et je lui ai mentionné ton étonnante apostrophe à mon égard le soir du festin de ta prise de toge : " Je ne te trahirai jamais ! " Tu avais à cet instant un bien curieux visage.

« J'avais le sentiment que Marcia me cachait quelque chose, et je me flatte d'avoir su lui inspirer confiance au point de lui arracher enfin son petit secret.

« Dans l'été qui a précédé ton départ pour la Grèce, tu t'es aperçu tout à coup que tes sentiments pour Marcia prenaient un tour nouveau et tu n'as pas su lui cacher la passion qui te dévorait. Tu ne vivais plus, tu menaçais de te tuer si la dame de tes pensées tenait pour enfantillage un sentiment si profond et si durable...

« Mais moi aussi, à ton âge, j'ai eu quelques grandes passions, dont certaines ont duré plus de six mois ! Et ces passions duraient bien sûr d'autant plus longtemps qu'elles n'étaient pas satisfaites. Les jeunes gens ont tendance à se faire une idée mythique de l'acte le plus naturel et le plus simple.

« Marcia était d'ailleurs la grande responsable de cette passion subite, puisqu'elle venait de te révéler que son mariage avec ton père avait toujours été purement formel. Tu n'avais plus à voir en elle une véritable belle-mère et il n'est guère surprenant que tu te fusses alors enflammé.

« Je crois que Marcia, en cédant à tes désirs, a agi de façon fort raisonnable. Il est bon, pour un adolescent, que sa première expérience soit guidée par une femme nettement plus âgée que lui, dont les qualités de cœur et de délicatesse sont à la hauteur de sa mission. Ma première maîtresse avait plus de quarante ans, et je lui suis encore reconnaissant de tout ce qu'elle m'a appris. Elle m'a épargné bien des dangers et bien des erreurs.

« Marcia, dont la connaissance des hommes est approfondie, avait d'ailleurs un autre motif, qui n'était pas mince. Lors de leurs ébats amoureux, les hommes sont poursuivis toute leur existence par la pure et tendre image de leur mère, contradiction qui peut entraîner chez eux un certain déséquilibre, parfois même des conduites étranges. Si les dieux le permettaient, il serait certes d'utilité publique que chaque garçon couche une fois avec sa mère alors qu'elle est encore accueillante et fraîche. Il serait assurément libéré d'un poids par la suite. Tu as eu la merveilleuse chance, Kaeso, de pouvoir coucher avec une mère délicieuse sans que les dieux pussent s'en formaliser. L'enivrant parfum était incestueux, mais le flacon était innocent. Tu dois en remercier Marcia, toujours si dévouée à ta personne.

« Ta lettre à ta belle-mère sur les pédérastes grecs, à laquelle je me suis permis de répondre, montrait bien toute la portée du service qu'elle venait de te rendre et témoignait de la nouvelle et confiante nature de vos relations. La crise était surmontée. Tu ne craignais plus d'exposer tes problèmes de cœur et de morale à cette femme qui venait d'être pour toi mère et amante. Et ces aimables hétaïres que tu as préférées aux garçons étaient une preuve supplémentaire que tu étais heureusement guéri de ton trouble.

« Aujourd'hui, avec un scrupule qui t'honore beaucoup, tu te demandes si tu as le droit de te faire adopter par le mari de cette femme qui t'a initié à l'amour avant de me connaître. Et c'est moi-même qui t'affirme que le scrupule est excessif. J'ai une trop haute opinion de ma personne pour avoir jamais été jaloux, et la forme la plus stupide de la jalousie est d'être jaloux du passé.

« Peut-être n'es-tu pas tout à fait sûr de toi ? Peut-être crains-tu un retour des anciennes tentations si tu étais appelé à vivre dans l'intimité d'une femme si belle et si attirante ? Je sais que tu feras effort dans ce cas pour n'y pas succomber. Mais je sais aussi que les froideurs de l'âge me guettent, que tout homme est faible devant le plaisir — et les femmes plus encore ! —, que la nature, à laquelle nous devons nous soumettre sans murmurer, veut que la jeunesse triomphe toujours. Si un retour de flamme te brûlait et trouvait Marcia maternellement complaisante, je saurais en prendre un indulgent parti plutôt que de me meurtrir la main en tapant sur la table. L'important pour moi est de passer mes dernières années dans votre double compagnie, entre deux combles de beauté.

« Tu vois, je te mets à l'aise.

« Porte-toi bien. Je me porte à merveille de mon côté, quelques rhumatismes mis à part. »

Quand Kaeso avait lu : « Je crois que Marcia, en cédant à tes désirs... », il avait poussé malgré lui un cri de surprise et de douleur qui avait attiré Séléné. Sa lecture finie, il fit lire la lettre à la jeune femme, qui en parut vivement impressionnée.

« Marcia, dit-elle, vient de retourner la situation comme une peau de lapin. Bébé trépignait de concupiscence. Maman l'a calmé d'une caresse distraite. Bébé a grandi, et à présent, on le " met à l'aise " ! Tu n'as plus aucune raison valable de te refuser à cette adoption. Silanus a cessé d'être un obstacle. Et, habileté suprême, si désormais tu avais l'inélégance de lui dire toute la vérité, ta déclaration sonnerait faux à côté des subtils mensonges qu'il paraît tout fier d'avoir tirés de sa Marcia. Comment pourrais-tu échapper à une femme aussi redoutable ? »

Kaeso gémit :

« J'ai encore une bonne raison de couper à cette situation pourrie : je ne me sens décidément pas le courage de coucher avec Marcia.

— C'est bien la seule raison que tu ne puisses donner, puisque c'est la seule que les femmes n'admettent point et que les hommes comprennent mal. D'ailleurs, n'es-tu pas réputé avoir déjà sauté le pas ?

— Eh, je ne le sais que trop ! J'étais amant de cœur inconscient, et toujours en toute inconscience, je suis devenu amant honoraire ! Mais qui me débarrassera de ce vampire[1] ?

— Je te ferai remarquer que ma sûreté est en jeu. Lorsque je t'ai permis de tirer ton angoissante affaire au clair, tu as juré de me protéger. Or la menace ne joue plus de révéler à Silanus l'indignité de Marcia. Tes bonnes relations avec elle sont dans l'avenir ma seule sauvegarde.

— Parle net : devrais-je coucher avec ma belle-mère pour sauver ta peau ?

— Le cas de conscience est pour toi. »

Kaeso se prit la tête à deux mains et s'arracha les cheveux...

« Je suis vraiment entouré de vampires femelles !...

— Après la complaisance que j'ai eue pour toi, le terme n'est guère aimable. Mais l'autre vampire pourrait disparaître.

— C'est-à-dire ?

— Les gladiateurs n'ont-ils pas été prévus pour dénouer de pareils conflits ? Veux-tu que j'en parle à Capreolus, qui est juif et sympathique ? Pour une bonne somme, il se laisserait peut-être tenter. »

Séléné avait l'excuse que Marcia avait déjà essayé de la faire assassiner par ce biais, mais l'excuse n'était qu'objective : l'esclave ignorait tout de l'affaire.

Avec horreur, Kaeso repoussa la tentation qui venait de l'effleurer :

« Marcia reste ma mère. Il y a eu assez de matricides à Rome

---

1. Chez les Romains, cadavre qui sort du tombeau pour sucer le sang des vivants. Par extension, on trouve déjà chez Cicéron l'expression imagée : « Sangsue du Trésor public. »

comme ça ! N'aie pas peur : je parviendrai bien à te protéger d'une façon ou d'une autre...

— Si tu n'y parviens pas, je sortirai du tombeau afin de sucer ton sang pour de bon ! »

Vu les rares talents de Séléné, la perspective était effroyable. Les filles entraînées et les invertis experts devaient faire des vampires sans merci.

Dans ce climat d'obscures et aberrantes inquiétudes, la personnalité de Sénèque apparut à Kaeso comme un havre de paix et de raison, et, après un petit supplément de paroles rassurantes pour Séléné, le garçon se hâta vers la bibliothèque Palatine, ses *Lettres à Lucilius* sous le bras.

Le gastronome Lucullus, durant ses brillantes campagnes d'Asie, avait raflé tous les livres qu'il avait pu et ouvert aux amateurs la riche bibliothèque qu'il avait constituée dans sa splendide villa de la « Colline des Jardins ». Plus tard, Asinius Pollion avait fondé sur l'Aventin, près de l'Atrium de la Liberté, la première bibliothèque publique. Auguste avait bâti, jouxtant le portique d'Octavie, la bibliothèque Octavienne, puis la bibliothèque Palatine, sur la colline du même nom, bâtiment qui ouvrait sur le portique ou atrium d'Apollon. Partout, les lecteurs avaient ainsi de quoi se dégourdir les jambes en méditant ou en conversant.

La bibliothèque Palatine était la plus importante et la plus luxueuse.

Composée de trois vastes et majestueuses galeries, elle ouvrait au sud-ouest sur le temple d'Apollon palatin et sur son portique ; et au nord-est, sur une floraison de temples, auxquels on arrivait par la Porte Mugonia, l'un des principaux accès de l'enceinte palatine. Il y avait là le temple de Jupiter vainqueur, le temple de la Fortune privée, le temple de la Fortune gluante, le temple de la Foi, le temple de la Fièvre, le temple de Junon Sospita, le temple de Cybèle, le temple de Bacchus, le temple de Viriplaca, consacré à la déesse qui apaisait les maris furieux. Cette déesse surmenée donnait une haute et sage idée de la remarquable spécialisation des dieux romains, et ce d'autant plus que le monument était fort ancien. Les guerres continuelles l'avaient autrefois commandé. Lorsque, après des années de campagne, le légionnaire cocu rentrait chez lui, c'était trop souvent l'occasion de sacrifier à Viriplaca. Et comme les femmes n'avaient plus besoin de longues campagnes militaires pour être infidèles, Viriplaca était désormais assiégée de matrones inquiètes, qui ne rougissaient point de se montrer là, un faible pourcentage d'atrabilaires ne mettant pas en doute la vertu de leur épouse. C'étaient d'ailleurs les cas les plus désespérés, car les douceurs de l'oreiller commun ne peuvent rien contre l'incompatibilité d'humeur.

Kaeso pénétra dans la galerie centrale, qui était plus une pièce d'apparat qu'une salle de lecture. Les lieux, ornés des bustes de tous les écrivains défunts et célèbres, étaient dominés par une statue d'Auguste en airain. Kaeso chercha Sénèque dans les salles annexes. Là, au sein d'armoires en bois de cèdre, dont l'odeur résineuse éloignait les vers, reposaient, chacun dans son « nid », une multitude de volumes ; chaque tome était rangé à plat sur une tablette, et le pavage était de marbre vert pour ménager la vue.

On annonçait la fermeture quand Kaeso reconnut Sénèque, dont le buste avait été vulgarisé. Le personnage, qui avait sans doute entassé pour lors trois cents millions de sesterces [1] en dessous-de-table d'avocat, en usure, en prévarications diverses dans les coulisses du pouvoir, d'abord par la grâce d'Agrippine, puis par celle de Néron, était d'une extrême élégance, mais le visage buriné était bien celui d'un végétarien maladif et anxieux.

Sénèque accueillit Kaeso et son opuscule flatteur avec une urbanité des plus cordiales. Après la mort de Burrus, l'arrivée de Tigellin à la préfecture du Prétoire, le remariage du Prince avec Poppée, l'élimination d'Octavie et la vague de procès de lèse-majesté contre des sénateurs suspects, notre philosophe, désespérant de son élève, s'était retiré dans sa tour d'ivoire sur la pointe des pieds, mais ses sympathies secrètes allaient évidemment à toute cette opposition, tantôt organisée, tantôt confuse, qui, sans espérer le retour impossible à la République, souhaitait du moins une monarchie augustéenne éclairée plutôt qu'une tyrannie à la grecque. Sénèque était donc au mieux avec toutes sortes de cercles ou de groupes de pression aristocratiques, avec le stoïcien Thraséa aussi bien qu'avec Calpurnius Pison, de tendance vaguement épicurienne. Et son estime était grande pour les Silanus si éprouvés.

Les « custodes » refoulant les lecteurs vers les sorties — vu les risques d'incendie, il eût été impensable de travailler de nuit dans une bibliothèque —, Sénèque entraîna Kaeso sous le beau portique d'Apollon, où ils firent les cent pas en devisant.

Kaeso jugea préférable de ne pas se lancer aussitôt dans de doulou-

---

1. Soit, en « aurei » romains, 23 400 kilos d'or. En comptant le kilo à 100 000 F, on obtient 2 milliards 340 millions de francs. Mais l'ouvrier néronien était payé autour de deux sesterces par jour. Le capital d'un Sénèque pouvait donc rétribuer 150 millions de journées de travail, qui reviendraient, payées au SMIC, à plus de 24 milliards de francs actuels.

reuses confidences, et il amorça le dialogue par des considérations générales, qui portèrent notamment sur le destin des âmes après la mort. Conférencier mondain réputé et avocat talentueux, le distingué philosophe n'était pas embarrassé pour si peu...

« J'ai effleuré le sujet — il t'en souvient peut-être ? — dans ma " Consolation à Marcia ". Après avoir quitté le corps, l'âme subit un temps de purgatoire en relation avec ses fautes et ses mérites, puis elle gagne un céleste séjour, où elle connaît une joie sereine, délivrée du mal, du doute et de l'ignorance, tous les secrets de l'univers étant à sa portée. Mais tu sais que, pour les stoïciens, l'évolution du monde, conçu comme éternel, est cyclique. Tantôt l'univers se contracte jusqu'à l'embrasement général d'une immense " conflagratio ". Tantôt il se dilate et se réorganise par degrés. Selon cette optique, l'immortalité individuelle de l'âme ne va naturellement que d'une conflagration à une autre — séparées d'ailleurs par des temps pour ainsi dire infinis. A chaque conflagration, l'âme retourne aux éléments dont elle était sortie. Les stoïciens pensent que l'énergie destructrice ou constructrice de tout le système est due à une sorte de feu. Mais nous ne sommes point matérialistes au sens où le sont les épicuriens, dont les atomes crochus demeurent gouvernés par une manière de hasard. Nous croyons au contraire que l'univers s'identifie à un dieu, qui est Raison, et ce que nous appelons " matière " n'est que l'émanation de cette raison divine. L'esprit règne partout et en tout.

— Dieu ferait donc partie du monde, serait organisateur et régulateur, comme le démiurge platonicien, et non pas créateur comme le dieu juif dont tu as sans doute entendu parler, puisqu'on dit que tu as bien connu Philon ?

— Tu m'as parfaitement saisi. J'avoue que ce dieu juif m'a donné à réfléchir et m'a même séduit un moment. Cette conception transcendante supprime certes bien des difficultés, mais pour en soulever d'autres, qui ne sont pas moins embarrassantes. Car si dieu est un pur esprit en dehors du monde, comme le veulent les Juifs, on se demande alors comment il pourrait avoir de l'action sur lui, par quel biais, par quel moyen, il serait capable de se faire entendre, d'exprimer ses désirs et sa volonté. Le Yahvé qui se promène sur le Sinaï relève évidemment de l'enfantillage.

— As-tu entendu parler des chrétiens ?

— Avant toi, sans aucun doute ! Quand mon frère Gallion était proconsul à Corinthe, un certain Pompeius Paulus, un Juif de Tarse, qui se disait chrétien, lui a causé des ennuis agaçants, dont il m'a entretenu. Il ne s'agissait plus de Yahvé sur le Sinaï, mais d'un dieu incarné, crucifié et ressuscité. Tu m'excuseras du peu ! Toujours ce désir lancinant des Juifs, inhérent à leur système, d'établir des contacts avec un au-delà pourtant imaginé comme immatériel. Malgré la totale invraisemblance de ses postulats, cette secte chrétienne a fait depuis quelques progrès, et ce Paulus étant présentement à Rome, j'ai eu la curiosité de me le faire présenter avant-hier[1]. Ce fut hélas un beau dialogue de sourds! La formation de notre propagandiste est plus rabbinique que philosophique et sa culture grecque est assez superficielle. Il ne sait que répéter des exégèses très discutables ou des extravagances dogmatiques. En somme, il est à moitié juif et à moitié fou. Mais comme beaucoup d'esprits dérangés, il raisonne parfaitement; son discours a beaucoup de feu et de conviction. C'est une nature! On ne s'ennuie pas avec lui, et je ne pourrais en dire autant de quelques philosophes de mes amis... »

Kaeso en arriva enfin à ce qui le tourmentait, se confessa longuement et de façon assez confuse, encouragé de temps à autre par une question pertinente de Sénèque, qui finit par avoir une vue passablement claire de la question. Le sage demeura pensif un moment et dit:

« J'ai de la sympathie pour toi, car ton histoire, au fond, ressemble beaucoup à la mienne. Tout au long de mon existence, le destin n'a cessé de me poser cette tragique interrogation: jusqu'où, dans quelle mesure, le sage doit-il composer avec le mal pour éviter le pire? On m'a reproché mes richesses; mais pour un vrai stoïcien, l'argent n'est-il pas synonyme d'indépendance et de dignité? On m'a reproché, durant mon affreux exil corse, ma " Consolation à Polybe ", cet affranchi de Claude qui venait de perdre un jeune frère, et ce morceau de circonstance — qui n'a pas même obtenu mon rappel! — était certes d'une platitude achevée. Mais un Sénèque ne pouvait-il pas faire à Rome plus de bien qu'en Corse, où il n'avait que des chèvres comme auditoire? On m'a reproché, après la mort d'Agrippine, d'avoir rédigé la lettre que Néron adressa au sénat, et où le matricide était à la fois justifié et présenté comme un suicide. Mais Burrus et moi avions été placés devant le fait accompli, et grâce en partie à mon influence, les années qui avaient précédé, l'année qui a suivi ont été les meilleures du règne, en harmonie avec mon dialogue " De la Clémence ", où je prône un despotisme modéré. Que d'assassinats, d'ailleurs, Agrippine n'avait-elle pas commis? Ton futur père adoptif en sait malheureusement quelque chose! Cette " eukairia " stoïcienne — pour parler grec —, cet opportunisme raisonné a cependant des limites. Il est un temps pour s'engager, pour le pamphlet, pour écrire " La métamorphose en citrouille de l'empereur Claude divinisé ", il en est un autre pour se retirer du jeu, lorsque les règles n'en sont plus

1. La correspondance entre Sénèque et saint Paul est apocryphe.

supportables. Voilà deux ans que j'en suis arrivé là et que ma femme Pauline s'efforce de me consoler de cette sorte de nouvel exil que je me suis imposé à l'intérieur même de la Ville... »

A force de parler de lui, Sénèque était en train d'oublier Kaeso. Il s'en aperçut et revint précipitamment à son interlocuteur...

« Pour ce qui est de ton affaire, je te poserai une question que j'ai l'habitude de poser à tous les jeunes gens qui viennent me demander conseil : " Quel conseil veux-tu au juste ? " Car nous ne suivons jamais que les conseils qui nous plaisent et que nous aurions pu faire l'effort de découvrir par nos propres moyens, avec un peu de réflexion. Le conseiller n'est jamais qu'un accoucheur, qui tire de l'esprit, du cœur d'autrui, ce qui y était déjà.

— En me confessant à toi, et grâce à tes sympathiques questions, je crois que je me suis déjà éclairci les idées...

— J'ai éprouvé moi-même ce sentiment dans ma " Consolation " à ma mère Helvia, d'une facture très personnelle, que je lui fis tenir de la Corse sauvage pour sécher ses larmes. (Sénèque semblait avoir consolé dans les formes un monde considérable !)

— Une chose est à mes yeux tout à fait certaine : quelles que soient les complaisances (exemplaires ou honteuses ? je t'en laisse juge) de Silanus, je ne saurais envisager aujourd'hui une liaison avec Marcia.

— Et pourquoi donc ?

— Autrefois, je l'estimais infiniment et ne la désirais pas. Ou du moins, si mon désir s'était éveillé, la crainte de l'inceste le maintenait dans un demi-sommeil. Comme je viens de te le dire, j'ai appris que son mariage avec mon père avait été dans l'ensemble de pure forme, mais elle a dû avouer qu'elle avait partagé sa couche un instant. Mon désir a reçu un coup de fouet ; la paralysie demeure. Ce n'est pas le nombre de rapports qui détermine l'inceste, n'est-ce pas ?

— Je pense qu'on peut l'avancer sans peur d'être démenti.

— Si je succombais aux charmes de Marcia, les manifestations physiques de mon amour ne seraient-elles pas empoisonnées par cette évidence ?

— C'est bien possible...

— Mon affection subsiste, mais une grande part de l'estime que je lui portais s'est évanouie cependant. Avec les meilleures intentions, sans doute, elle a dû comme toi composer avec le mal...

— Sans vouloir te froisser, j'ai prostitué mes talents à des causes plus relevées !

— Je ne suis en effet qu'une bien petite cause ! De toute façon, qu'est-ce qu'un amour sans estime ?

— Il sied bien à ton âge exigeant de tenir ce noble langage.

— Or, si je me laisse adopter, je suis perdu d'avance. Comment résister aux manœuvres d'une femme si passionnée, si entreprenante, si implacable ?

— Assurément, tu ne pèserais pas bien lourd !

— Pis encore si possible : ma personnalité serait écrasée par la sienne. Réduit à l'état d'esclave, je n'existerais plus. Tout mon temps se passerait auprès d'elle à satisfaire toutes ses exigences.

— C'est encore un point important à considérer. Mais si tu déclines cette adoption dangereuse, que vas-tu dire à Silanus, qui t'ouvre ses bras avec tant de bienveillance ? Que diras-tu même à cette Marcia pour lui épargner le désespoir d'une vexation sans remède ? Une femme dédaignée se transforme en furie. Mon théâtre en témoigne assez éloquemment !

— J'avais songé un instant à me faire juif, pour avoir un bon prétexte de ne pouvoir reprendre le culte familial de Silanus. »

Sénèque s'arrêta et sourit...

« Idée brillante s'il en fut ! Et pourquoi n'as-tu pas donné suite ?

— Le rabbi consulté repoussait ma circoncision dans une brume lointaine.

— Évidemment ! Si les Romains se faisaient circoncire en masse, il n'y aurait plus ni religion romaine ni religion juive. Des Juifs de pacotille refuseraient de sacrifier à nos dieux, et ce serait la fin de tout... en admettant que César et le peuple le tolèrent sans réagir !

— J'avais songé ensuite aux chrétiens, mais d'après ce que tu m'en dis toi-même... »

Sénèque réfléchit quelque temps et déclara en choisissant ses mots :

« Pour ce qui est des sacrifices, les chrétiens ont naturellement adopté la position juive. Puisque c'est un bon prétexte que tu cherches, Pompeius Paulus, à l'affût de conversions, te le fournirait beaucoup plus vite que les rabbis.

— Mais ces balivernes d'incarnation et de résurrection ne sont-elles pas rédhibitoires ? Tu me vois racontant sans rire de pareilles fables à Silanus ?

— Vu ce qui est en jeu, rien ne t'interdit, en bonne morale, de déguiser ces affirmations insensées sous les oripeaux familiers d'une quelconque mythologie. Ému de ta défection, Silanus n'y regardera pas de si près... »

La litière de Sénèque, qui allait dîner chez Pison, était avancée. Le philosophe s'excusa de devoir interrompre une conversation aussi passionnante, et dit à Kaeso en guise de conclusion : « Écoute ta conscience, que je vois déjà très avertie, et tu t'en trouveras bien. »

Poursuivant Sénèque jusqu'au pied de sa litière, Kaeso répliqua :

« Mais si dieu se confond avec le monde, ce n'est pas une Personne ! Que pourrait-il alors souffler à ma conscience qui eût valeur bien assurée ? »

Avant de s'allonger sur ses coussins, le philosophe multimillionnaire lui répondit : « Prie les dieux que dieu ne soit jamais une Personne, capable de donner à ton infirme conscience des ordres sans réplique. Ce jour-là, ce n'est plus l'esclavage d'une femme qui te guetterait ! »

TROISIÈME PARTIE

Paul ne séjournait à Rome que par devoir et il ne s'y attardait pas sans la plus extrême répugnance. Tout le hérissait dans cette ville monstrueuse. L'insolence d'une poignée de riches, qui gaspillaient les revenus de terres énormes, et dont beaucoup n'étaient impérativement retenus à Rome que par des obligations sénatoriales ou politiques. La fainéantise incurable d'une plèbe qui travaillait de moins en moins et exigeait de plus en plus d'un État-providence. La détresse, plus encore morale que matérielle, d'une masse d'esclaves, publics ou privés, nés pour la plupart dans les fers par élevage ou par accident, et concentrés dans cette Babel à partir de toutes les régions du monde connu. Le pullulement des mendiants professionnels ou amateurs. Le nombre incroyable des prostituées ou des gitons. L'obscénité des thermes mixtes. La sanglante violence des « munera ». La dangereuse brutalité des courses de chars, où maints cochers succombaient, traînés dans la poussière ou écrasés par les sabots. La luxurieuse et cruelle vulgarité des théâtres. L'abandon si fréquent des nouveau-nés dans les dépotoirs. La politique même d'un Néron, qui, par démagogie calculée aussi bien que par conviction intime, avait poussé à un degré jamais vu tous les vices de Babylone et de Sodome. Faire jouir le peuple par tous les bouts était le programme officiel, affiché partout sans pudeur. Le faire jouir tout le temps, l'abrutir de plaisirs, le tenir par le ventre et le laisser vidé de sentiments et de pensées.

Et comme un symbole permanent de l'idolâtrie ambiante, spectacle odieux pour un Juif de naissance, une foule de statues décoraient la Ville. Fruit du pillage de l'univers comme d'une incessante industrie, en pied, en buste, par groupes, elles se dressaient en rangs serrés sur toutes les places, à tous les carrefours, sous tous les portiques, et tous les prétextes pour les multiplier étaient bons. L'homme fait à l'image de Dieu s'était insolemment reproduit en bronze, en pierre, en marbre, comme si les atomes d'Épicure avaient soudain copulé avec frénésie pour insulter le Ciel de leur regard vide. La tête de beaucoup de statues impériales était même amovible, tête que l'on s'empressait de changer à l'aurore d'un nouveau règne, et ces têtes branlantes semblaient un divin avertissement au Prince diabolique de ce monde. La plupart des statues étaient d'ailleurs d'une facture médiocre, et de temps à autre, on en expédiait une légion au rebut. Mais le mal repoussait sans cesse et la législation était impuissante à le contrôler. Il est vrai que Paul ne faisait aucune différence entre une Aphrodite de Praxitèle et la grossière ébauche d'un sculpteur de village. Et il englobait dans sa réprobation exaspérée tous les tableaux qui ajoutaient leur impiété à celle des statues.

Il devait pourtant consacrer quelque temps à Rome avant de repartir pour la Grèce et l'Orient, où la pourriture, au fond, n'était pas moindre, mais d'un caractère moins grandiose : la libidineuse Corinthe elle-même paraissait un quartier de cette métropole, qui n'était plus à l'échelle humaine. Sa présence était d'autant plus utile que Pierre, qui détestait Rome carrément, était plus souvent absent. Il avait l'excuse de ne pas être citoyen romain, excuse que Paul n'avait même pas.

En tant que citoyen, Paul aurait bien voulu aimer cette Ville impossible. Et il se laissait aller parfois à des rêves absurdes : une Rome sans temples, sans statues, sans tableaux, sans courses de chars, sans « munera », sans théâtres, sans thermes immodestes, une Rome où sodomites et gitons seraient lapidés et crucifiés sans merci, où les nécessaires courtisanes seraient contenues dans la discrétion et la modestie par des édiles sourcilleux, où les femmes seraient indissolublement mariées à des hommes fidèles, où les adultères seraient pourchassés et exemplairement punis, où les bourreaux d'enfants seraient exterminés, où les esclaves vivraient heureux sous la baguette enrubannée de maîtres paternels. Parfois même, il imaginait le pain et le vin distribués à une assistance recueillie, pas trop goinfre et pas trop soûle, dans une basilique purgée de la chicane et des pas perdus, ou dans un temple dont l'idole aurait été fracassée. Mais il savait bien que cette Rome idéale, il ne la verrait jamais, qu'elle était seulement dans l'esprit de la Trinité sainte comme les idées pures chez le dieu de Platon.

En attendant, la situation n'était fameuse pour les chrétiens ni à Rome ni ailleurs. En Orient, les plus gros succès de prédication avaient été obtenus dans des régions perdues d'Asie Mineure, auprès de populations incultes, prêtes à croire n'importe quoi. Dans les grandes villes, cibles privilégiées des missionnaires chrétiens, que les paysans n'intéressaient guère, on se heurtait à la coriace animosité des

Juifs ou aux mordantes railleries des Grecs. En Occident, les communautés chrétiennes étaient encore rares et maigres. A Rome même, l'Évangile avait surtout fait tache d'huile dans les surabondantes domesticités de quelques grands et jusque dans l'immense « familia » du Prince. Les motifs de cette modeste percée étaient bien clairs : d'une part, les esclaves hellénophones abondaient chez les plus riches, et les prédicateurs parlaient grec ; d'autre part, « épiscopes » ou « presbytres » chrétiens (les termes étaient à l'époque à peu près synonymes) avaient évidemment saisi que la conversion d'esclaves grecs de bonne maison était la voie la plus rapide et la plus sûre pour obtenir la conversion de maîtres cultivés, qui pratiquaient aussi bien le grec que le latin. Une concubine chrétienne, un giton chrétien avaient ainsi des chances d'insinuer la juste doctrine dans le cœur d'un « dominus » troublé, et de petites camséristes elles-mêmes pouvaient semer le bon grain chez leur maîtresse. Or la conversion d'un patricien, d'un membre de la « nobilitas », d'un simple « chevalier », voire d'un affranchi politiquement influent, eût été d'une extrême importance. Le nouveau chrétien ne pouvait que favoriser la propagation de l'Évangile parmi ses pairs comme parmi les siens, les « familiae » de cinq cents esclaves [1] étant déjà courantes chez les Romains d'une fortune très moyenne de vingt ou trente millions de sesterces.

A Rome, frapper à la tête était l'obsession de Paul et de ses émules. Paul se rendait bien compte que la persuasion serait toujours insuffisante à changer de telles mœurs et à bouleverser tant d'intérêts. L'Empire ne se convertirait que le jour où l'empereur se ferait chrétien, où la force du glaive, l'appât de l'argent et des faveurs viendraient au secours de la parole exténuée. Et pour préparer l'avènement de ce grand jour, il fallait d'abord convaincre ceux qui possédaient la terre, l'argent et les hommes.

Ces visions lointaines témoignaient chez Paul d'un scepticisme accru quant à l'imminence des bouleversements apocalyptiques que certaines déclarations de Jésus semblaient avoir laissé présager. Ruine de Jérusalem ou fin du monde, il fallait bien s'organiser pour vivre. Depuis le Calvaire, une génération était en passe de passer.

Malheureusement, la conversion du moindre noble romain n'était pas une petite affaire. Ces gens-là avaient assimilé suffisamment de culture grecque et de philosophie facile pour se montrer raisonneurs et incrédules, et à ces mauvaises dispositions s'ajoutait, chez les individus de vieille souche, le lourd héritage de l'esprit paysan : goût accusé des choses concrètes, attachement forcené aux biens de ce

---

1. Telle sera la domesticité de Pline le Jeune, mort en 114 ap. J.-C.

monde, défiance des nouveautés et des beaux discours, superstitions ineffaçables, respect formel des plus obscures coutumes et orgueil invétéré. Il était presque plus facile de convertir un rabbi qu'un vrai Romain !

Les Juifs de Rome, dont certains avaient réussi à pénétrer au Palais, étaient d'ailleurs particulièrement rétifs et hostiles, et ils n'oubliaient pas les déportations qu'ils avaient dû subir sous Claude à la suite des premières prédications chrétiennes et des émeutes qui en avaient résulté. Dès le premier contact, les gens de « Chrestos » leur avaient attiré des ennuis.

Tout cela n'était pas encourageant, et les esclaves grecs eux-mêmes, qui devaient jouer le rôle du cheval de Troie, mais avaient souvent beaucoup plus d'esprit qu'un cheval, ne laissaient pas de poser des problèmes désagréables. Les uns avaient tendance à croire que la liberté amenée par l'Évangile aurait dû briser leurs chaînes, et il fallait les chapitrer. D'autres, filles ou garçons, avaient des inquiétudes qu'il n'était pas facile de calmer. « Comment pourrais-je être chaste ? demandait une servante. Le maître n'arrête pas de me sauter ! » Paul répondait naturellement que, là où il y a nécessité, il n'y a point péché. La vertu consistait alors à ne pas se complaire en de telles situations. « Mais, insistait la fille, c'est que mon maître me fait jouir ! » Quand des gitons exprimaient de semblables doléances, Paul, qui détestait les homosexuels, s'énervait, et refilait le sujet à Luc, dont la douceur était inaltérable.

Paul songeait souvent à Néron, dont l'étonnante personnalité le fascinait. Et dans son sommeil agité, à des Nérons lubriques succédaient des Nérons en prière, environnés de séraphins...

Kaeso passa de son côté une très mauvaise nuit. Sénèque, qui semblait porter en lui le résumé de toutes les plus antiques sagesses, ne lui avait pas donné l'aide attendue.

Au matin des Robigales, jour « néfaste gai » où l'on sacrifiait traditionnellement des chiens roux au dieu Robigus pour qu'il protège les jeunes blés contre la rouille, Kaeso se leva du pied gauche, sursauta, remonta précipitamment sur son lit pour en redescendre correctement du pied droit, et renonça à revêtir la toge qu'il avait estimée de rigueur la veille pour le rabbi et pour Sénèque, mais où il avait étouffé. A l'intention de ce Paul, une belle tunique suffirait bien...

La quatrième heure était commencée lorsque Kaeso arriva aux grandes latrines du Forum, qui comptaient parmi les plus magnifiques de la Ville, avec leur chauffage hivernal et leur revêtement de marbre blanc. Le gracieux hémicycle comportait vingt-quatre sièges, séparés par des accoudoirs sculptés en forme de dauphins. Au-dessus des sièges, trois niches étaient consacrées à une déesse Fortune porte-bonheur, encadrée par Esculape et par Bacchus, alors que sur le diamètre de la pièce, en face de l'hémicycle, étaient alignés les bustes rassurants des sept sages de la Grèce, qui n'avaient pu manquer de se libérer les intestins et la vessie avec une philosophique et régulière aisance. Un petit vestiaire, gardé par deux esclaves publics, était adjoint à l'édifice ; l'un étant toujours disponible pour aller chercher une boisson ou une friandise dans une proche « thermopolia », l'autre aidant à revêtir un manteau ou à rectifier la chute d'une toge.

Sous le demi-cercle des sièges percés coulait en permanence un fort courant d'eau pour entraîner les matières à l'égout, et, en continuité avec chaque trou horizontal, était aménagée de face une indentation verticale, qui permettait de manier la douce éponge d'Afrique ou de Grèce, fixée au bout d'un manche. Au pied des sièges, en arrière des talons des chalands, un courant d'eau plus modeste suivait une rigole, où étaient rincées les éponges. Et au centre des lieux, un jet d'eau glougloutait dans une vasque, qui servait de lavabo.

Par son harmonieuse beauté et par sa position au cœur de Rome, au milieu de l'animation matinale des Forums, cet endroit si utilitaire était devenu pour les hommes un élégant lieu de rendez-vous. (Les latrines des thermes mixtes étaient communes aux deux sexes, mais les femmes ne se hasardaient point dans les latrines extérieures. Et comme elles ne pouvaient non plus uriner dans les amphores ou dans les tonneaux si libéralement distribués, elles étaient obligées de se contenir, habitude qu'elles avaient perdue d'autre part.) De la sorte, accoudé sur le dos des dauphins, on s'attardait volontiers. Les ragots allaient leur train. Des homosexuels lorgnaient des parties intéressantes et présentaient l'éponge avec des mines gourmandes. Certains s'attardaient pour quêter une invitation à dîner.

Une plaisante épigramme courait du jeune Martial, petit poète à gages récemment arrivé à Rome de son Espagne tarraconaise, où le parasite Vacerra était apostrophé :

IN OMNIBUS VACERRA QUOD CONCLAVIBUS
CONSUMIT HORAS ET DIE TOTO SEDET
CENATURIT VACERRA NON CACATURIT

(Il a envie de dîner et non pas de chier, ce Vacerra qui passe ses heures et siège des journées entières dans tous les chalets de nécessité !)

Kaeso pénétra dans les latrines, où régnait une puissante odeur, qui avait quelque chose d'éminemment intime et social. Habitué à sa propre odeur, l'animal s'alarme des odeurs étrangères. Et l'homme, qui apprécie les senteurs de son propre étron bien moulé, apprécie beaucoup moins d'ordinaire les étrons des autres. Le fumet de ces latrines, qui résultait d'un mariage réussi entre nombre de nuances différentes, était le signe que l'homme romain avait appris à supporter son semblable et à partager ses plus humbles satisfactions [1].

Rien qui ressemblât à l'idée que Kaeso pouvait se faire d'un Juif, et l'un des esclaves publics lui confirma que Pompeius Paulus, déjà connu pour ses harangues, n'avait pas encore fait son apparition.

Kaeso poussa jusqu'à la grande basilique Julia, où la justice chômait puisqu'il s'agissait d'un jour néfaste. La voix de son père semblait encore résonner sous les voûtes et couvrir les piailleries des enfants qui jouaient à la marelle sur le carrelage. Il ressortit et, pour tuer le temps, remonta la Voie Sacrée jusqu'au « marché aux friandises », où l'on pouvait se procurer les choses les plus rares, les plus étranges et les plus chères. En étonnante contradiction avec leurs origines paysannes, les Romains qui en avaient les moyens ne s'étaient pas seulement pris de passion pour le poisson et les fruits de mer, ils avaient tenu à expérimenter, avec une curiosité insatiable, tout ce qui pouvait se manger à travers le monde. Et dans les fantastiques frais de table de certains maniaques de la gastronomie, l'extravagance lointaine des produits comptait pour beaucoup.

La foule admirait un arrivage de perroquets, dont les gourmets, suivant la recette d'Apicius, ne mangeaient que la cervelle et la langue.

Dans un recoin du marché, calé par des pierres, était couché sur le flanc l'un de ces grands tonneaux gaulois que les navires apportaient jusqu'à Rome, tandis qu'à Ostie s'accumulaient des montagnes d'amphores brisées, traitées comme emballages perdus. Le couvercle du tonneau, qui servait de porte, avait été mis de côté, de manière que l'occupant, qui n'avait pas quitté sa maison, puisse prendre le frais. Parmi les philosophes besogneux de toutes tendances qui écumaient la Ville pour diffuser leurs idées et remplir leur estomac, le cynique Gratus Lupus — surnommé « Leo » en raison de sa crinière — avait une certaine réputation. Comme bien d'autres de la même

---

1. La défécation conjugale commune était encore fréquente au XVIIIe siècle dans les maisons les plus distinguées, où la place n'était pas mesurée. M. Carcopino rappelle fort justement que Philippe V d'Espagne et Élisabeth Farnèse allaient utiliser, la main dans la main, des « commodités » à deux places. C'était, il est vrai, un ménage pieusement exemplaire.

école, éliminant avec rigueur le moindre superflu, il avait cassé son gobelet le jour où il avait vu un enfant boire dans le creux de sa main. Mais s'il buvait sans façon, il avait installé ses pénates dans un marché luxueux, où ses consultations pouvaient se régler en nature.

Pour la première fois, Kaeso fut frappé par l'incommensurable distance entre le nécessaire de Leo et le superflu de stoïciens opportunistes comme Sénèque ou Silanus. Si l'on pouvait vivre heureux dans un tonneau, à quoi bon se fatiguer et s'ingénier pour mettre le monde à ses pieds ? Et si la réussite matérielle était indifférente, quelle autre réussite méritait donc considération ?

Pour la première fois aussi, Kaeso fut pénétré par le vertige du suicide, qui tente si facilement les jeunes gens que de longues années d'épreuves n'ont pas attachés à la vie. Il se pencha vers le solitaire et lui demanda : « Que faut-il, à ton avis, penser du suicide ? » Et Leo répondit simplement : « On ne se suicide pas : on se suicide tous les matins ! »

Il y avait de quoi méditer. Kaeso alla acheter un perroquet, qu'il offrit au philosophe avec ces paroles : « Tu n'as aucun besoin, je vois, d'une langue ou d'une cervelle de perroquet. Mais apprends-lui à parler : tu auras toujours un auditeur de ton avis. »

Kaeso s'en retourna vers les latrines, où Paul et Luc étaient arrivés. Il les repéra tout de suite, modestement vêtus, encadrant un riche « chevalier », qui les écoutait d'une oreille distraite.

Les métaphysiciens sont du type gras ou du type maigre, les maigres recherchant les gras pour se pondérer, et les gras collant aux maigres pour s'énerver un peu. L'association de Paul et de Luc était de ce genre. Paul, sec et nerveux, légèrement voûté, avait un faciès sémite en lame de couteau, emmanché d'un long cou, et ses yeux d'insomniaque bordés de rouge semblaient regarder à l'intérieur de lui-même quand ils ne transperçaient pas autrui de leur étrange acuité. Luc, Syrien d'Antioche d'origine grecque, était grassouillet et irradiait une paix profonde et naïve. Le « chevalier » s'étant retiré, Kaeso se retroussa et s'assit entre les deux voyageurs. Pour l'heure, les conversations des autres occupants n'étaient ni bruyantes ni passionnées, et Kaeso, après s'être poliment assuré en grec qu'il ne se trompait pas d'adresse, entra sur-le-champ dans le vif du sujet :

« Je m'appelle Kaeso. Mon père est Aponius Saturninus, sénateur et Frère Arvale. »

Luc demanda :

« Avant d'aller plus loin, apprends-nous ce qu'est un Frère Arvale. Nous sommes de passage et Rome nous est encore bien étrangère.

— C'est un membre d'un collège sacerdotal des plus aristocratiques, dont la fonction est d'offrir des sacrifices à la déesse Dia et de tenir des annales qui touchent César de près.

— Nous aussi, offrons des sacrifices, dit Paul. Mais ils ne sont pas adressés à des statues.

— Bref, reprit Kaeso, D. Junius Silanus Torquatus, descendant direct d'Auguste et arrière-petit-fils d'Agrippa, m'adoptera bientôt, le jour des Kalendes de mai, afin que je reprenne plus tard la responsabilité de son culte familial, et je suis en quête de vérité, après avoir achevé mes études supérieures dans l'éphébie athénienne, dont vous avez sans doute entendu parler. »

Paul et Luc en avaient effectivement entendu parler comme d'un repaire de frétillants pédérastes et de bons à rien dorés sur tranche. L'allusion à Silanus faisait malgré tout de Kaeso un envoyé du Ciel. Enfin l'occasion paraissait s'offrir de faire pénétrer l'Évangile dans la plus haute aristocratie, et non point par le biais douteux d'un esclave quelconque, mais par le canal du fils adoptif d'un membre éminent de la famille impériale.

« Puisque tu es en quête de vérité, déclara Paul le plus simplement du monde, tu ne saurais mieux tomber : je la possède tout entière pour le besoin que j'en ai.

— Et ton compagnon également ?

— Mon ami Luc également.

— Si vous la possédez chacun tout entière, avec peut-être quelques différences d'instruction entre vous deux, c'est que votre vérité ne dépend pas de l'étude, comme celle des philosophes, ou celle même des Juifs, qui sont tout confits en interminables Écritures.

— Tu as vu juste. Notre vérité s'adresse aux savants comme aux ignorants, du fait que ce n'est pas la nôtre, mais celle du Dieu Tout-Puissant.

— Chez les hommes qui s'occupent de philosophie, de religion ou de science, il est généralement considéré comme outrecuidant de prétendre que l'on possède toute la vérité. Qu'est-ce qui vous permet de prétendre que la vérité d'un dieu tout-puissant est en vous ?

— Parce que Jésus notre Maître a dit : " Je suis la Vérité et la Vie ", et qu'Il nous a donné la preuve qu'Il savait de quoi Il parlait.

— Avant de prendre contact, j'ai parcouru assez attentivement la Genèse, l'Exode, le Lévitique, les Nombres et le Deutéronome, passant plus rapidement sur le reste, que j'ai trouvé un peu indigeste. Et je me suis aperçu que si les Juifs instruits prétendaient posséder la vérité comme tu le prétends toi-même, c'est que leur Moïse avait entendu des voix sur le Sinaï. Tu avoueras que de pareils accidents ne sauraient entraîner une entière conviction chez un homme raisonnable. Comment un dieu créateur et transcendant pourrait-il s'abaisser à de pareilles fantaisies ?

— Je reconnais très volontiers que les révélations de Yahvé au peuple juif ne sont pas de nature à entraîner une entière conviction chez un non-Juif. Mais ces révélations rationnellement discutables n'étaient que les prodromes d'une ultime Révélation indiscutable, adressée aux Juifs et à tous les autres hommes.

— Qu'est-ce qui fait pour toi, en la matière, la différence entre le discutable et l'indiscutable ?

— Dieu ne s'est pas borné à parler, Il s'est incarné en la personne de notre Jésus, vrai Dieu et vrai Homme.

— En matière de communication entre la transcendance et ce bas-monde, c'est incontestablement une grande nouveauté. Ainsi, votre dieu, vous avez pu le voir à loisir, entendre ses discours et le toucher. Il mangeait comme nous, comme nous allait aux latrines et couchait avec des filles.

— Jésus a assisté à de nombreux banquets, les latrines ne lui étaient pas étrangères et Il avait une grande influence sur les femmes pieuses. Mais pour consacrer plus de temps à sa mission, Il a laissé les filles de côté. (Comme moi, d'ailleurs...)

— Un dieu incarné et vierge ?

— Précisément.

— Où sont les preuves que votre Jésus était dieu ? La chose est-elle annoncée clairement dans les Écritures juives ?

— En interprétant de façon correcte quelques passages de la Bible, on peut y lire l'annonce d'un Messie souffrant et sacrifié, qui sera Jésus. Mais je dois avouer honnêtement que l'annonce d'un Dieu incarné ne s'y lit pas en toutes lettres.

— Ce silence des Écritures sur ce point capital ne vous fait-il pas difficulté ?

— Au contraire ! Après le péché originel et la chute, l'humanité étant tombée dans une épouvantable obscurité, le premier souci de Yahvé a été de maintenir sur terre l'idée de sa providentielle transcendance, qu'une nuée d'idolâtres avait oubliée. Et les Juifs ont été choisis, mis à part de toutes les nations, marqués du sceau divin, pour sauvegarder l'étincelle, qui aurait dû se faire flamme et brasier illuminant tout l'univers. Mais les Juifs se sont recroquevillés autour de la sublime étincelle, de façon à être les seuls à en profiter. Dans leur orgueil satisfait, ils n'ont pas voulu comprendre qu'ils n'étaient qu'un jalon provisoire dans le plan divin de reconquête des âmes. La première qualité de Dieu, son amour infini pour toutes ses créatures, persistait à leur échapper. A force de transcendance, un Dieu inhumain — ou plutôt a-humain, puisque nous parlons grec — était refoulé, comme dans un " ghetto ", au-delà même des dimensions infinies de l'espace et du temps. Alors que Dieu, qui a fait l'homme à son image, doit être pour nous le plus lointain des êtres, mais aussi le plus proche. L'homme, au fond, n'a que faire de transcendance si l'amour n'est pas au rendez-vous. Dieu a donc résolu de s'incarner pour nous rappeler que le Maître était aussi un père et un frère, un serviteur et un esclave. La profonde humilité de Jésus est en raison directe de sa prodigieuse divinité.

« Quand tu me demandes pourquoi les Écritures n'annoncent pas en clair l'Incarnation, je te réponds que, dans notre Bible inspirée, il y a du Dieu, mais il y a aussi du Juif à « nuque raide [1] ». L'Incarnation, triomphe de Dieu sur l'orgueil de Satan, mariage de Dieu avec ses créatures, demeure scandale incompris et blasphème épouvantable pour la plupart des Juifs. Ainsi, lorsque Jésus, Juif parmi les Juifs, se présente comme Dieu incarné, deux explications seulement s'offrent à notre bon sens : ou bien Il est Dieu, ou bien Il est complètement fou. Mais personne ne peut soutenir que notre Messie a pêché une divinité de rencontre au détour d'un texte biblique. Si un Jésus aventurier avait voulu se faire bien voir des Juifs, l'Incarnation est la dernière chose qu'il aurait inventée. Jésus, issu du milieu juif le plus traditionnel, est totalement, sur ce point essentiel, à contre-courant du milieu. Tu saisis pourquoi la plus grosse objection des Juifs est pour les chrétiens la plus favorable des présomptions. Car, pour les Juifs, crucifier un faux Messie était d'une politique très accessoire. C'est d'abord un faux dieu qu'ils ont prétendu sacrifier dans leur aveuglement, et c'est bien parce que le Dieu Jésus n'avait pas été annoncé par les Écritures — meilleure preuve de sa divinité — qu'Il est mort de son Incarnation. »

La subtilité de l'argument était remarquable.

Les latrines s'étaient remplies et quelques prétendants s'impatientaient. Paul et Luc, qui s'étaient réservés jusqu'alors, se mirent en devoir de se soulager. Paul pétait sec ; Luc filait plutôt des pets doucereux. Kaeso se dit soudain qu'une Providence minutieuse avait peut-être voulu que son premier cours sur l'Incarnation lui fût donné dans des latrines publiques, afin de mieux mettre en valeur le scandale de l'humanité d'un dieu descendu des nuages dans une merde insondable pour éclabousser les Juifs à nuque raide.

Après un instant de réflexion, Kaeso fit observer : « J'ai sollicité des preuves, et nous n'en sommes qu'aux présomptions favorables. »

Paul hésitant à poursuivre, Luc dit alors : « Jésus prêchait non pas selon le langage des prophètes, mais comme un homme qui a pleine autorité de lui-même, et il a remis plusieurs fois des péchés, ce que Dieu seul peut se permettre.

— Ce qui signifie qu'un Jésus illuminé se croyait dieu. Il m'en faudrait davantage pour aspirer à votre baptême. »

1. Citation biblique.

Paul hésitait encore. Combien n'avait-il pas perdu de brebis en parlant prématurément de Résurrection ? C'était le plus dur à faire passer, et il n'existait point de formule irrésistible. En désespoir de cause, il avait rédigé des fiches argumentaires, en relation avec les différents milieux et les différentes personnalités, mais il s'était aperçu, à l'expérience, que chaque cas était un cas d'espèce. Raison supplémentaire d'hésiter : si la mentalité des Juifs et des Grecs ne lui était que trop connue, celle de la noblesse romaine lui demeurait par bien des côtés mystérieuse.

Il leva le siège, le trio se retrouva sur le grouillant Forum ensoleillé, et Paul poursuivit enfin :

« Il n'y a qu'une preuve de la divinité de Jésus, notre Christ oint et sacré, et le moins qu'on puisse dire est qu'Il a eu la main lourde pour ce qui est de cette preuve. En tout cas, je ne suis pas suspect d'avoir inventé le fait, car si j'avais voulu faciliter ma mission sans souci de vérité, j'aurais imaginé quelque chose de plus vraisemblable. Quand j'ai avancé ladite preuve, les philosophes d'Athènes se sont esclaffés, et de même Gallion, le frère de Sénèque, et aussi le gouverneur Festus, tandis que le roi Agrippa et Bérénice s'amusaient ferme...

— Tu as plaidé ta cause devant la fameuse Bérénice ?

— Je n'en suis pas autrement fier.

— Elle est jolie, à ce qu'on raconte ?

— La beauté du Diable !

— Si tu n'as pas imaginé cette preuve, tu as pu suivre naïvement ceux qui l'avaient imaginée ?

— Si le moindre doute avait pu m'effleurer à ce sujet, je te prie de croire que je mènerais une existence plus tranquille ! En un mot, Jésus, crucifié pour le rachat de nos péchés — car Dieu nous a aimés au point de vouloir mourir pour nous ! —, ce Jésus est sorti du tombeau le troisième jour pour apparaître souventes fois à des centaines de frères. J'ai eu le privilège de parler à beaucoup de ceux qui L'avaient ainsi revu : et notamment à Simon-Pierre, à Jacques, fils de Zébédée, à Jean, frère de Jacques, à Matthieu, à André, à Philippe, à Thomas l'incrédule, qui avait tenu à Le toucher. Car cette fantastique Résurrection, personne ne s'y attendait et personne ne voulait y ajouter foi. Mais il ne s'agissait pas d'un fantôme : on ne touche pas les fantômes et ils ne mangent pas du poisson. Jésus est resté de la sorte quarante jours avec les siens, parachevant Son enseignement, puis Il est monté aux Cieux.

— Tu n'as pas vu toi-même le Christ ressuscité ?

— Alors que je persécutais les chrétiens, Il m'est apparu du côté de Damas, mais comme c'était après Sa montée aux Cieux, j'ai été le seul à distinguer Son éblouissante lumière et à entendre Ses paroles.

Tu peux ne pas me croire sur ce point : je ne t'en voudrai pas. Mais il faut bien croire ce qu'une foule de cinq cents personnes ont vu, entendu et touché quarante jours durant.

— Pourquoi persécutais-tu les chrétiens ?

— Parce que je suis pharisien de la tribu de Benjamin et que, pour un Juif pieux insensible à la grâce, l'Incarnation de Dieu dans la Personne de son Fils est une sacrilège et insupportable absurdité.

— Si un Juif pieux comme toi a eu besoin d'une apparition personnelle pour changer d'avis, cela ne donne-t-il pas une belle et bonne excuse aux opiniâtres ?

— C'est à Dieu de leur trouver des excuses et non à moi. Je prie chaque jour l'Esprit Saint de les éclairer.

— Dans beaucoup de religions orientales, les faiseurs de miracles abondent et séduisent les populations. Ton Jésus n'aurait-il pas été aussi un peu thaumaturge ?

— Ce n'est pas une preuve de divinité. J'ai moi-même guéri un homme perclus des jambes à Lystres de Lycaonie, et il peut arriver sans doute que des possédés du Démon chassent des démons plus faibles, pour mieux tromper les naïfs. Jésus a certes guéri beaucoup de monde, mais il a aussi, entre autres, ressuscité son ami Lazare, qui commençait déjà de sentir. Le talent du Démon trompeur, qui est la mort personnifiée, ne va pas jusque-là. »

Luc ajouta : « Pierre, à Joppé, a également ressuscité Dorcas, cette sainte femme si morte que son corps avait été lavé pour le tombeau. Et toi-même, Paul, n'as-tu pas ressuscité à Troas le jeune Eutyque, qui était, du troisième étage, tombé sur le pavé tandis que tu discourais ? »

Paul, ennuyé de ces rappels, qui ne faisaient pas crédible, jeta un coup d'œil de reproche à Luc, agita les mains pour minimiser le fait et dit avec une feinte négligence :

« C'est moi qui avais assommé ce pauvre garçon avec mes discours : c'était la moindre des choses que je le réveille. D'ailleurs, était-il vraiment mort ? »

Cela faisait beaucoup de résurrections, qui commençaient à donner envie de rire.

S'efforçant de garder son sérieux, Kaeso ne put s'empêcher de dire : « Puisque vous connaissez le truc pour ressusciter les gens, je suis surpris que vous n'en fassiez pas un plus grand usage. Est-ce incapacité ou défaut de charité ? »

Paul jeta un nouveau coup d'œil à Luc, plus noir que le premier, qui signifiait évidemment : « Tu vois où nous en arrivons avec tes maladresses !... »

La promenade à travers les Forums les avait conduits jusqu'au Forum Boarium, au pied du temple de la Pudicité Patricienne.

Craignant d'avoir blessé Paul par sa manifestation intempestive d'incrédulité, Kaeso détourna la conversation...

« C'est la famille de mon futur père adoptif qui a fondé ce petit temple, et c'est mon ex-belle-mère, la présente femme de Silanus, qui a posé pour la statue du sanctuaire. Elle fait une Pudicité Patricienne très réussie. »

L'aveugle, avec son tableautin, était toujours là, plus lamentable de jour en jour.

Paul, qui était en passe de s'énerver, dit soudain à Kaeso : « Nous ne faisons pas seulement des miracles par charité, mais pour manifester que Dieu vient de visiter la terre. »

Il dénoua le foulard de soie bleue qui était au cou de Kaeso et, après avoir levé les yeux au ciel, essuya les yeux purulents de l'aveugle, qui se mit bientôt à gambader et à hurler comme un possédé : « J'y vois clair ! J'y vois clair ! La bonne déesse de la Pudicité Patricienne m'a guéri ! » Et comme le gardien du temple et sa femme avaient entrouvert la porte pour faire le ménage, l'homme, hors de lui, se précipita en trébuchant à l'intérieur de l'édifice pour se jeter au pied de la statue de Marcia, tandis que les badauds s'attroupaient.

Outré, Paul essaya bien de rétablir la situation, mais ses paroles impies soulevèrent de tels murmures que Luc et Kaeso durent l'arracher à la plèbe, qui menaçait de lui faire un mauvais parti.

On se réfugia dans une « thermopolia », où une foule de boissons et de gourmandises permettaient de se réconforter. Mais Paul était trop abattu pour trouver le moindre plaisir aux nourritures terrestres.

« A Lystres déjà, dit-il, quand j'ai guéri cet infirme en compagnie de Barnabé, les gens ont crédité Zeus de ce prodige, et les Juifs s'en étant bientôt mêlés, j'y ai gagné de me faire lapider et laisser pour mort. »

Kaeso suggéra : « Tu as guéri avec mon foulard un aveugle qui s'était installé à demeure devant le temple de la Pudicité Patricienne. A première vue, il n'y a pas de raison de ne pas attribuer ce miracle à la bonne déesse ou même à mon foulard. Tu dois faire la part des choses... »

Paul lança à Kaeso un regard tellement ulcéré et tellement furieux que Luc se dépêcha de poser la main sur son avant-bras pour le calmer. Et au prix d'un grand effort, Paul parvint à se contenir. Il eût été coupable de gâcher une conversation si précieuse par des énervements hors de saison, et après tout, c'était la belle-mère du jeune homme, peut-être une Romaine pieuse et pudique, qui avait posé pour la statue. Il était assez naturel au beau-fils d'exprimer poliment quelques réserves.

En fait, Kaeso était encore plus ahuri que douteux. La fréquentation de ces missionnaires n'était pas de tout repos. Il y avait chez eux un mélange de raisonnements impeccables, de déclarations insensées et de mystérieuse thaumaturgie, qui mettait fort mal à l'aise. Mais s'il voulait avoir son baptême dans les plus brefs délais, il était nécessaire d'adopter une tactique lénifiante, d'accumuler les convictions au galop, tout en discutant pied à pied pour la forme, afin de n'éveiller aucune méfiance. Tandis que Luc grignotait des gâteaux en sirotant du vin cuit, il se mit en devoir de calmer Paul et de faire progresser son affaire...

« Ta démonstration thérapeutique, à y bien réfléchir, m'inspire confiance. La déesse Pudicité Patricienne n'avait encore guéri personne à ce jour, mon foulard non plus, et si tu chassais des démons moins forts que toi, le démon laisserait passer le bout de l'oreille, ce qui est loin d'être le cas.

— Merci de le reconnaître !

— Je note donc que le dieu de la bible, longtemps solitaire à nos yeux, s'est tout d'un coup incarné dans la personne de son fils Jésus-Christ, qui a été crucifié pour le rachat de nos péchés...

— Et du péché originel !

— J'allais le dire : qui peut le plus peut le moins. Et Jésus, ressuscité le troisième jour, est monté aux cieux quarante jours plus tard, après s'être montré en chair et en os à de nombreux disciples. Durant ce temps-là, on pouvait le toucher, il mangeait du poisson, mais on ne le voyait pas tout le temps.

— Non. Tous les témoins m'ont dit d'ailleurs qu'Il avait quelque chose de changé, et il arrivait qu'on ne Le reconnût point au premier abord.

— Tiens, tiens !

— Mais on Le reconnaissait vite à un trait familier.

— Ce qui est assurément la façon la plus sûre de reconnaître. Un imposteur se déguise, le trait familier lui échappe.

— Ce n'est pas toi qui le dis : c'est l'Esprit Saint qui te l'a soufflé ! »

Kaeso se rengorgea et poursuivit son avance...

« Pourquoi, durant ces quarante jours, ne le voyait-on pas tout le temps ?

— C'était un corps glorieux, qui passait à travers les murs, affranchi de l'espace et du temps.

— Alors, comment pouvait-on le toucher et comment pouvait-il manger ?

— Je te prie de considérer que si nous avions forgé de toutes pièces cette histoire, nous aurions supprimé cette contradiction en tirant dans un sens ou dans un autre. Mais nous ne sommes que des témoins scrupuleux.

« — Et quand il mangeait du poisson et passait ensuite à travers un mur, le poisson se faisait aussi corps glorieux pour suivre le mouvement ?

— Tu le demanderas au poisson !

— Après sa montée aux cieux, Jésus a-t-il conservé ce corps glorieux, qui ne lui servait plus à grand-chose ?

— Oui, car ce corps ressuscité préfigure la résurrection au Dernier Jour de tous les corps humains, pour le meilleur ou pour le pire. Chez les Juifs, les Sadducéens ne croient pas à cette résurrection, mais les Pharisiens y croient.

— Au Dernier Jour, il y aura donc un jugement ?

— Le Paradis, où l'on verra Dieu ; l'enfer, où chacun ne verra que son nombril en train de griller. »

Luc intervint : « Jésus a dit à l'un des deux larrons crucifiés avec Lui : " Dès aujourd'hui, tu seras avec moi dans le Paradis. " Il y a donc un jugement particulier avant le jugement général. »

Paul fit une légère grimace et avoua qu'il y avait, là encore, contradiction difficilement soluble.

Toujours désireux de se faire bien voir, Kaeso lui vint en aide :

« La solution me paraît toute simple et doit découler du fait que votre Christ serait à la fois vrai dieu et vrai homme. Quand il parle en dieu, étranger au temps et à l'espace, tous les événements de l'histoire sont ensemble dans sa pensée comme dans un présent perpétuel. Il a tendance alors à tout ramasser en un événement unique et sans date. Et quand il parle en homme, sensible au temps qui s'écoule et à l'espace qui l'environne, il fait tout naturellement allusion à aujourd'hui ou à demain. »

Luc et Paul se regardèrent avec une surprise charmée et complimentèrent le jeune homme de son ingéniosité.

« Oh, fit Kaeso modestement, ce n'est que le résultat de mes études philosophiques dans l'éphébie. Si vous voulez avoir une doctrine solide et vraiment au point, il faut la faire réviser en détail par des philosophes grecs. Ils sont pédérastes, mais ils raisonnent juste. »

A considérer les mines pincées de ses deux interlocuteurs, Kaeso se rendit compte qu'il avait commis une grave maladresse, et il se promit d'être plus prudent.

Il changea de sujet : « Parlez-moi un peu de l'origine humaine de ce dieu incarné. Qui étaient son père et sa mère ? »

Luc prit la parole : « Une jeune fille nommée Marie était fiancée à un charpentier de la descendance de David, à Nazareth, en Galilée. L'ange Gabriel lui apparut pour lui annoncer qu'elle concevrait un fils par l'opération de l'Esprit Saint. Et un autre ange fut bientôt envoyé à Joseph pour le mettre au courant, lui recommander d'épouser Marie et de servir de père nourricier à Jésus. Le Sauveur est né à Bethléem, dans une étable, car les auberges étaient pleines à cause d'un recensement.

— Marie a-t-elle eu d'autres enfants ?

— Elle est restée vierge.

— La chose ne me surprend guère : quand on a accouché d'un dieu pareil, il y a un devoir de réserve ! »

Paul et Luc se détendirent. Il était rare que ces points délicats fussent acceptés avec une telle bonne grâce, et l'expression « devoir de réserve » était heureusement trouvée.

« Et Joseph ? s'inquiéta Kaeso. Notable de village, je suppose qu'il a pris une concubine pour se consoler.

— Non, non, fit Luc précipitamment.

— Il serait resté vierge, lui aussi, le pauvre ?

— C'est un fait. Comme l'exemple des monastères esséniens nous l'indique, la continence, à l'époque de Joseph, était en passe de devenir une vertu chez de nombreux Juifs pieux.

— En somme, un père vierge et une mère vierge auraient eu un enfant demeuré vierge, conçu par un Esprit vierge ?

— Tu résumes à merveille. »

C'était de plus en plus fort ! Une chose à ne raconter à Silanus qu'à la dernière extrémité et avec une bonne dose de mythologie rassurante.

« Les disciples de Jésus ont cependant bien le droit de coucher avec des femmes ? »

Ce fut Paul qui répondit :

« La plupart des apôtres étaient en effet mariés, mais nombre d'entre eux ont dû se séparer de leur femme durant de longues périodes pour les besoins de leurs missions. Moi-même, j'ai jugé plus pratique de ne pas prendre femme.

— Et tu n'as pas droit, au passage, à quelques jolies filles ?

— Non. Jésus nous a révélé que, désormais, les chrétiens n'auraient le droit de s'unir à une femme qu'en légitime mariage, et que ce mariage serait indissoluble. En cas de mésentente, il est interdit de se remarier tant que le conjoint est en vie. »

C'était plus fort que tout !

« Sais-tu, dit Kaeso en posant la main sur la maigre épaule du missionnaire, que tu viens presque de me convaincre de la divinité de ton Christ ?

— Et pourquoi ?

— Ressusciter, à ce que j'ai vu, devient assez commun chez vous, un peu plus tôt, un peu plus tard, individuellement ou en masse ; mais pour inventer le mariage indissoluble dans un monde où le mariage lui-même est en train de se perdre, il fallait le culot d'un dieu ! Où donc Jésus a-t-il pu prendre une idée pareille, dont il n'avait jamais été question nulle part ?

— Pierre m'a dit, en effet, que les apôtres avaient été suffoqués de la prescription, au point qu'ils l'ont fait répéter plusieurs fois. Et ils ont rétorqué à Jésus qu'il valait mieux ne pas se marier que de se marier dans de si tristes conditions.

— Je partage leur surprise. Et je commence à comprendre pourquoi tu es resté célibataire ! »

Paul se contenta de sourire.

II

Après cette troublante prise de contact, Kaeso marcha au hasard en repassant dans sa tête tout ce qu'il venait de voir ou d'entendre, et ses pas le conduisirent au Champ de Mars, peu encombré à cette heure encore matinale. Il finit par entrer dans les jardins d'Agrippa, qui jouxtaient les thermes du même nom, s'assit au bord du bel étang que ridait une brise légère, et prit connaissance de l'Évangile de Marc : le récit commençait alors de se répandre, et Paul avait prêté à Kaeso ce texte assez court, écrit sur un seul volume sans ombilic, en lui recommandant d'en prendre le plus grand soin. « J'ai voyagé avec Marc, que je connais bien, avait dit Paul à son futur converti. Marc est avec mon ami Sylvain l'interprète attitré de Pierre, à qui Jésus a donné prééminence sur nous tous. (Le grec de Pierre n'est pas fameux, et son latin est encore pire !) Tu auras dans cet opuscule un résumé un peu désordonné, mais tout à fait authentique du trop bref passage du Christ parmi nous, inspiré directement des souvenirs de Pierre comme du texte araméen d'un autre apôtre appelé Matthieu [1]. »

Cette lecture laissa Kaeso déconcerté. L'histoire, rédigée dans un grec assez rugueux, n'avait en effet de rapport ni avec la littérature mythologique grecque ou romaine, ni avec les élucubrations des prêtres de ces religions orientales qui avaient envahi Rome, et moins encore avec les habituels traités de philosophie. Des témoins se bornaient à raconter sans fioritures ce qu'ils avaient vu ou cru voir, et leur mémoire devait être bonne, car Jésus avait là une présence, une manière d'être, un « style » cohérent qui n'appartenaient qu'à lui. Il n'en était que plus renversant de lire : « Quiconque répudie sa femme et en épouse une autre commet un adultère à l'égard de la première ; et si une femme répudie son mari et en épouse un autre, elle commet un adultère. »

1. Le Matthieu araméen s'est perdu.

Paul n'avait pas menti : Jésus avait bien lâché une énormité pareille ! Le fait montrait à l'évidence que le personnage n'avait aucune idée des réalités sociales et que cette religion chrétienne n'était pas faite pour durer.

Depuis une longue suite de siècles, les Athéniens fortunés avaient en principe un amant, une femme légitime, des concubines pour tenir la maison et des hétaïres pour les accompagner aux banquets et leur faire honneur en ville (plus quelques gitons épisodiques). Et les pauvres hères se partageaient entre leur femme — s'ils en avaient une ! —, des garçons complaisants et les bordels à quelques oboles, organisés par Solon, et d'autant plus précieusement reconduits qu'ils rapportaient en taxes de fortes sommes à la ville. Et le même système fonctionnait dans toutes les grandes cités de Grèce ou de l'Orient hellénisé.

A Rome, les riches avaient normalement à leur disposition une femme légitime et des concubines ou gitons, sans parler de courtisanes huppées ou d'éventuelles liaisons avec ces citoyennes émancipées, qui étaient une caractéristique originale du paysage romain des cités d'Occident. A Rome, la matrone sortait comme elle voulait. En Orient, la femme mariée était encore la plupart du temps retenue chez elle, où elle n'avait d'autre distraction que la conversation des concubines de son mari si elle avait la chance qu'il ait assez d'argent pour en entretenir. Mais à Rome — comme à Athènes et ailleurs — les lupanars, gérés dans la cité de Romulus par des édiles attentifs, restaient la plus fréquente ressource des misérables, et même des esclaves, soucieux de varier leur menu.

De telles mœurs étaient si ancrées, si universelles, d'une apparence tellement irréversible, qu'une société où le divorce eût été interdit, et la fidélité conjugale, doublement requise, apparaissait à tout être de bon sens comme proprement impensable. Oui, pour un homme, ressusciter était vraiment plus facile que de se montrer fidèle !

Jésus, si les réalités sociales lui échappaient, n'avait pas non plus la moindre notion des réalités psychologiques et physiologiques élémentaires. A croire, en effet, qu'il était resté tout à fait vierge ! Car les quelques expériences que Kaeso avait pu connaître jusqu'alors avec la « petite ânesse » interchangeable de la popina ou avec des hétaïres coûteuses l'avaient persuadé d'une incontestable vérité : les femmes, qui n'ont qu'à écarter les jambes, sont susceptibles de faire l'amour par devoir jusqu'à ce que la coupe déborde. Mais l'homme, lui, quelles que soient sa moralité et ses bonnes dispositions, n'est pas un arc que le devoir ferait bander à volonté. Le mariage indissoluble de Jésus, appliqué à la lettre, eût vite débouché sur l'abstention dégoûtée du mari et sur l'abstention contrainte de la femme. Est-ce cela que les chrétiens voulaient ?

Autre marque d'inconscience : pour la première fois dans l'histoire telle qu'on pouvait la connaître, la même loi sexuelle ambitionnait de s'appliquer à l'homme comme à la femme, en dépit de leurs constitutions si différentes et des chroniques désaccords entre leurs modes et facultés de jouissance. Si Jésus s'était vraiment soucié d'harmonie, il aurait maintenu la polygamie pour les femmes frigides, qui y trouvent un aimable repos, et aurait en revanche prévu toute une tribu de maris pour des femmes comme Arria, réduites à tremper leur esclave dans un bain glacial pour en prolonger l'usage. En attendant, des hommes fatigués étaient toujours en proie à une épouse hystérique, qu'une légion n'aurait pas satisfaite.

L'Évangile de Marc se terminait de façon assez abrupte sur le tombeau vide et sur le message de l'Ange à trois femmes, venues avec des aromates [1]. Kaeso se dit que, pour la vraisemblance, il devait creuser avec Paul cette affaire de résurrection, qu'il avait semblé admettre un peu vite. Paul n'avait-il pas déclaré lui-même que c'était la seule preuve valable de la divinité de Jésus ?

Kaeso lava soigneusement son foulard miraculeux dans l'étang et rentra déjeuner à la maison. Depuis que les finances de son père s'étaient améliorées, le repas succinct de midi, que chacun, à Rome, prenait d'ordinaire individuellement à l'endroit et à l'instant qui lui convenaient, s'était transformé en légères agapes familiales, à l'instar de ce qui se passait parfois chez les plus fortunés.

Paul, ravi à la perspective de revoir Kaeso le plus tôt possible pour mener son instruction tambour battant, lui avait fixé rendez-vous pour après la sieste, chez le judéo-chrétien de la Porte Capène, où l'apôtre s'était installé de nouveau, après y être resté cloîtré deux ans dans l'attente de son procès. Le maître de maison, qui avait atteint une certaine aisance, fabriquait des tentes pour l'armée, et les campagnes d'Arménie ou de Bretagne avaient été une bénédiction pour ses affaires.

La maisonnée, qui grouillait de chrétiens, avait des allures de quartier général, et personne ne proposa à Kaeso la moindre location rabbinique. Paul, dans une petite exèdre du premier étage, qui donnait sur une cour bruyante, présenta son poulain au fabricant, et même à sa femme, ce qui n'était pas non plus dans les mœurs juives orthodoxes.

« Je suis heureux, dit gracieusement Kaeso, de voir pour la première fois un couple fidèle et indissolublement marié. Lorsqu'on lit de telles choses chez Marc, on a l'impression d'un rêve, mais il suffit

---

1. Une main étrangère n'avait pas encore complété le récit par la finale qui devait s'imposer comme canonique par la suite.

de venir chez vous pour constater que le rêve s'est incarné. Que d'incarnations surprenantes dans votre religion ! »

L'ombre d'une gêne passa, et la femme précisa : « Quand mon mari s'est converti, il a chassé deux concubines sur trois, gardant la plus vieille, qui lui avait donné des enfants et serait, paraît-il, morte de faim s'il l'avait mise à la porte.

— Tu sais bien, dit l'homme, que Daphnis n'est plus qu'une sœur pour moi ! »

Paul intervint avant que le différend ne tourne à la scène de ménage déplacée : « La régularisation de certaines situations pose parfois des problèmes délicats, que le cœur est heureusement là pour résoudre. »

Kaeso se dépêcha de glisser du particulier au général :

« Avant d'avoir le grand honneur de rencontrer Pompeius Paulus, j'ai fréquenté un rabbi, qui m'a dit tant de mal des chrétiens, que cela m'a donné envie de les voir de plus près. Ce rabbi reprochait à Paulus et aux siens de ne retenir de la Loi juive que ce qui les arrangeait. Si j'ai bien saisi la situation, les chrétiens ont ajouté l'indissolubilité du mariage au Décalogue, mais ils ont laissé tomber la circoncision et tous ces règlements minutieux qui sont chez les Pharisiens l'objet d'une si longue étude ?

— Tu as bien saisi, reconnut Paul, à ceci près que les chrétiens n'ont rien ajouté ni retranché : c'est le Christ Lui-même qui a rétabli le mariage comme il avait été prévu par Dieu dès l'origine et qui a déclaré périmées toutes les minuties dont tu parles.

— J'ai lu chez Marc que Jésus ne craignait pas de manger avec n'importe qui — et sans s'être lavé les mains, comme le font les Juifs pieux... et même quelques Romains impies —, qu'il mangeait de tout au lieu de chicaner sur le pur et sur l'impur, et qu'il en prenait à son aise avec le sacro-saint sabbat. A-t-il laissé d'autre part une liste exhaustive des prescriptions pharisiennes qu'il retenait ou répudiait ?

— Il a eu autre chose à faire !

— Tu veux dire que les chrétiens ont pris sur eux d'abolir un grand nombre de coutumes juives en se basant sur quelques idées générales que Jésus avait émises ?

— Cela est incontestable. Le problème a d'ailleurs entraîné chez nous de grandes discussions.

— Est-ce Jésus qui a supprimé la circoncision ? »

Paul parut ennuyé de la question, et finit par répondre :

« C'est à un concile, qui s'est tenu à Jérusalem, que la décision a été prise, pour faciliter les conversions. Mais si tu tiens absolument à te faire circoncire, il n'y a point péché à cela !

— Qui vous dit que Jésus approuve cette suppression ?

— Montant aux Cieux, Jésus nous a laissé l'Esprit Saint, qui ne saurait nous égarer. Il parle par la bouche de Pierre et des autres apôtres.

— Voilà une solution très pratique, mais seulement lorsque tout le monde est d'accord !

« Les Pharisiens exagèrent sans doute avec le raffinement de leurs multiples prescriptions, mais je me demande si les chrétiens n'exagèrent pas en sens inverse et si une telle politique n'est pas susceptible de leur porter malheur. Cette religion m'est sympathique et j'aimerais qu'elle fasse impression le plus longtemps possible. »

L'assistance regarda Kaeso avec des yeux ronds, et le théologien d'occasion s'expliqua :

« J'ai encore lu chez Marc l'annonce de la destruction de Jérusalem et du Temple [1], celle de la fin du monde et celle de persécutions contre les chrétiens. Ce sont ces persécutions qui me semblent les plus probables si le mouvement se développe au-delà d'un certain point, car les Romains ne pourraient passer aux chrétiens le refus de sacrifier qu'ils ont dû passer aux Juifs. Or vous fabriquez des chrétiens très vite, avec un bagage bien réduit, de votre propre aveu. Comment la plupart de ces nouveaux convertis résisteraient-ils à des ennuis policiers s'ils étaient privés de cette armature que constituent pour le Juif pieux la connaissance approfondie des textes sacrés et la scrupuleuse pratique journalière ? Ce serait la débandade ! L'Esprit Saint peut assurément beaucoup, mais il faut l'aider un peu. »

Le fabricant de tentes approuva vivement ce diagnostic de bon sens, dont Paul combattit la justesse avec humeur.

Il dit à Kaeso : « J'espère pour toi que ton instruction chrétienne te permettra de te faire martyriser comme un Juif ! »

Kaeso répondit en riant : « Les poursuites, comme toujours, ne frapperont que de petites gens. La noblesse et même les citoyens en seront exclus. »

Paul jeta à Kaeso un regard profondément douloureux.

« Que signifie ce regard étrange ? Me reprocherais-tu de voir les choses comme elles sont ? Est-ce ma faute s'il y a deux poids et deux mesures ?

— Non, ce n'est pas cela. Je viens d'avoir une vision. Cela m'arrive...

— Une vision d'avenir ?

— Oui. Elles ne me trompent point.

— Et qu'as-tu donc vu ?

— Je te le dirai plus tard. »

1. Elle aura lieu six ans plus tard.

« — Ces phénomènes de prescience posent aux philosophes le problème de notre liberté. Certains soutiennent qu'ils ne sont possibles que si tout est écrit d'avance. Comment peux-tu concilier tes visions et ta liberté ?

— Je ne suis pas philosophe.

— Nous dirons que dieu sait d'avance ce que nous ferons librement.

— Mais oui, pourquoi pas ?

— Dieu n'en est pas à un paradoxe près ! »

Le sujet agaçait Paul et Kaeso l'entraîna en promenade, dans l'espoir de lui faire prendre un bain. Les Romains se lavaient tout le temps ; les Juifs se lavaient peu ; les chrétiens ne se lavaient plus guère, et cela se sentait.

Les deux promeneurs traversèrent, en direction du Champ de Mars, le quartier du Grand Cirque et les Vélabres, qui étaient avec Subure les endroits de la rive gauche les plus populeux, ceux où la prostitution, presque partout présente, était la plus active. Mais Paul, le regard en dedans, ne voyait rien : il dissertait intarissablement sur son nouveau dieu, sur son Père et sur l'Esprit Saint. Kaeso finit par comprendre que, pour Paul, il s'agissait de trois aspects d'une même réalité : trois Personnes égales en tout, qui ne faisaient qu'Un cependant. Paul avouait lui-même de bonne grâce que c'était là un grand mystère.

« Toute religion qui se respecte, lui dit aimablement Kaeso, doit avoir ses mystères. Le peuple adore ça !

— Qui te parle du peuple ? La Trinité aurait-elle besoin du peuple pour être ce qu'elle est ? »

C'était bien l'avis de Kaeso, qu'une diplomatie élémentaire conseillait d'édulcorer.

On était parvenu aux thermes neufs de Néron, construits à proximité des thermes d'Agrippa et alimentés par la dérivation « Alexandrina » de l'aqueduc principal de la « Virgo ».

« C'est l'heure de se baigner, suggéra Kaeso. Tu as adopté les mœurs romaines, n'est-ce pas ? »

Paul sursauta : « Je les ai adoptées quand il n'y avait pas péché à le faire. Crois-tu que je vais me hasarder au milieu de femmes et d'hommes nus ?

— Sauf erreur, je n'ai pas lu que le Pentateuque l'interdise. L'expression : " Tu ne découvriras pas la nudité de telle ou telle personne " signifie évidemment : " Tu n'auras pas de rapports sexuels avec elle. "

— La lettre est une chose, l'esprit et le bon sens en sont une autre.

— Le nu te donnerait-il de mauvaises pensées ?

« — C'est un risque que je ne veux point courir.

— Soit dit sans te froisser, si tu aspires à fréquenter la haute aristocratie romaine, il est indispensable de te baigner. Nous allons faire un échange de bons procédés : tu me mets dans le bain du baptême, et je te mets dans le bain de Néron.

— Jamais ! »

Pour dénouer la situation, Kaeso retira son foulard et dit comme par plaisanterie : « Avec ce foulard miraculeux, qui a rendu la vue à un aveugle imbécile, je vais moi-même faire un miracle : te permettre de te baigner sans la moindre tentation malsaine. »

Ce disant, Kaeso banda serré les yeux de Paul, puis le tira, le poussa vers la porte des thermes sans qu'il osât trop protester. « Nous prétexterons, ajouta-t-il, que tu souffres des yeux, que la moindre lumière te fait mal... »

Faisant contre mauvaise fortune bon cœur, Paul se laissa manœuvrer avec une patience exemplaire, lâchant parfois de petits soupirs, dont il était difficile de savoir s'ils étaient d'aise ou d'agacement.

Alors que Kaeso, à grands coups de strigile, décrassait Paul au « caldarium », il se trouva nez à nez avec son frère Marcus, qui récurait lui-même une fille gloussante. Seuls les solitaires avaient recours au personnel des bains pour se faire gratter le dos. Kaeso présenta Marcus à Paul, « éminent pontife d'une nouvelle religion qui a l'avenir devant elle ».

Passablement surpris, Marcus demanda : « C'est une religion où l'on va vers l'avenir les yeux bandés ? »

Kaeso donna la version prévue, et murmura à l'oreille de son frère :
« En fait, je baigne un Juif qui ne peut supporter de voir des femmes et des hommes nus. »

La chose amusa infiniment Marcus, qui souhaita bonne chance à Kaeso.

Paul et Kaeso s'assirent un moment dans un coin du « tepidarium », et Kaeso dit à son compagnon :

« Puisque l'aveuglement favorise le recueillement, j'aimerais obtenir quelques précisions supplémentaires sur ton histoire de résurrection, qui est, paraît-il, la clef de toute ta doctrine.

« Ne peut-on soupçonner les chrétiens d'avoir caché le cadavre de Jésus ?

— C'est ce que les Juifs racontent, mais la chose ne tient pas. Malgré les avertissements de Jésus, les disciples ne voulaient pas imaginer la possibilité de la crucifixion, et moins encore, Jésus une fois supplicié, s'attendaient-ils à une résurrection. Ils étaient à ce moment-là dans le plus complet désarroi, et c'est justement la Résurrection et l'activité de l'Esprit Saint qui leur ont rendu confiance. Comment, d'ailleurs, ces gens craintifs et assez frustes auraient-ils pu avoir l'idée de machiner une fausse résurrection à laquelle personne n'aurait attaché crédit et qui ne pouvait que leur attirer des ennuis dans l'improbable mesure où l'on y aurait cru ?

— L'argument me semble assez fort.

— Mon grand argument est le suivant, que tu pourras retourner dans tous les sens : il n'existe aucune explication profane satisfaisante de la résurrection de Jésus. Quand une chose n'est pas explicable par les ressources de la critique humaine intelligente, il faut bien qu'il y ait du Dieu là-dessous !

— L'explication profane la plus vraisemblable serait encore que les disciples ont cru voir, entendre et toucher un Jésus ressuscité.

— Assurément. Mais le nombre des témoins, la précision, l'identité, l'uniformité de leurs déclarations s'opposent à cette dernière hypothèse. Quelques-uns d'entre eux sont déjà morts martyrs de leur foi. On ne se fait pas tuer pour une histoire de ce genre quand on n'a pas de bonnes raisons d'être tout à fait sûr. Et, les yeux bandés, je vais te dire à présent la vision que j'ai eue et qui te concernait : toi aussi, tu mourras témoin de la Résurrection.

— Tu ne m'encourages guère au baptême !

— Sois tranquille : ce baptême, tu l'auras ! »

Il n'y avait pas de quoi être tranquillisé.

Sortant des thermes, les yeux de Paul s'étant rouverts sur la Ville, les deux promeneurs marchèrent jusqu'au proche Panthéon, que Kaeso tenait à faire admirer à son judéo-chrétien bien propre.

L'arrière du bâtiment donnait sur les thermes d'Agrippa ; la façade ouvrait sur les espaces verdoyants, encore peu construits, du Champ de Mars. Agrippa l'avait consacré à Jupiter Vengeur et à tous les dieux pendant son troisième consulat, c'est-à-dire en l'an 729 de Rome, comme le rappelait l'inscription d'airain du fronton. C'était l'un des temples les plus grandioses de la Ville, et assurément le plus original. Des architectes inventifs avaient saisi qu'après le Parthénon d'Athènes, modèle insurpassable de perfection classique, il fallait trouver autre chose. Et, s'inspirant sans doute de solutions iraniennes, ils avaient édifié un temple circulaire, accessoirement doté d'un péristyle corinthien.

Ce péristyle présentait seize colonnes monolithes de granit rouge ou gris, dont la hauteur et l'énormité étaient impressionnantes, et au faîte du fronton, à quatre-vingt-sept pieds [1] du pavé, s'élançait un quadrige de bronze.

Le Panthéon ayant le privilège d'être ouvert à tous dans la journée,

1. 25,879 mètres.

Kaeso et Paul y pénétrèrent. La gigantesque coupole, qui avait cent quarante-sept pieds de diamètre [1], était percée en son centre d'une ouverture ronde d'un diamètre de vingt-huit pieds [2], par où l'on voyait le ciel bleu.

L'ensemble était d'un luxe fou. A l'intérieur comme sous le péristyle, tout était revêtu de marbre blanc. La coupole reposait sur des colonnes de marbre jaune et le sol était dallé de carreaux de marbre jaune ou blanc veiné de violet, avec de grands ronds de porphyre. Le dôme était couvert de tuiles d'airain doré en forme de feuilles de laurier, et le bronze, rehaussé d'or et d'argent, abondait aussi dans la décoration des voûtes du péristyle ou du sanctuaire [3]. La statue de Jupiter, face à l'entrée, était une orgie d'ivoire et de métaux précieux.

« N'est-ce pas extraordinaire ? dit Kaeso. Peux-tu imaginer plus splendide ? »

Paul faisait la moue...

« Un jour viendra, s'il plaît à Dieu, où cette statue de Jupiter sera détruite, où les chrétiens prendront possession de ce temple pour y consommer leurs cérémonies [4].

— Tu oublies qu'Agrippa est l'arrière-grand-père de mon futur père adoptif ! Tes visions t'entraînent un peu loin.

— Pardonne-moi de voir plus loin que toi.

— En quoi consistent vos cérémonies ?

— Jésus a été crucifié un vendredi 14 Nisan, jour du repas pascal chez les Juifs, et enseveli avant la tombée de la nuit, moment où commençait le sabbat. Il a donc fêté la Pâque avec ses disciples un jour en avance, le jeudi soir. Et à cette occasion, Il a béni du pain et du vin en disant : " Ceci est mon Corps, ceci est mon Sang, refaites cela en mémoire de moi. " Nos prêtres consacrent par conséquent du pain et du vin et les distribuent aux fidèles.

— Je ne saisis pas grand-chose à cette histoire.

— Tu n'es pas le seul ! Les apôtres m'ont dit qu'ils n'avaient pas compris grand-chose non plus.

— Pourquoi n'ont-ils pas questionné le Christ à ce sujet ?

— Ils osaient rarement L'interroger, crainte de passer pour bêtes aux yeux des autres. Mais Jean, notre plus distingué théologien, à qui

---

1. 43,374 mètres.
2. 8,260 mètres.
3. L'empereur chrétien Constance II fauchera les tuiles, et en 1626, un autre vandale, Urbain VIII, empruntera au seul péristyle plus de quinze tonnes de bronze pour la confection du baldaquin biscornu de Saint-Pierre. Ce sont les papes de la Renaissance, qui, malgré les gémissements de Michel-Ange, ont détruit l'indestructible Rome antique, en vue de constructions d'un goût douteux.
4. Peu après 600 de notre ère, le Panthéon deviendra « Santa Maria ad Martyres », autrement dit « la Rotonda ».

Jésus faisait des confidences particulières, soutient qu'il faut prendre les paroles de Jésus au pied de la lettre.

— Une manière d'anthropophagie rituelle, en quelque sorte ?

— Je préférerais une plus heureuse expression.

— Voilà, en tout cas, qui n'est guère juif.

— Jésus était Dieu, et Dieu n'est plus juif ! »

L'idée d'une anthropophagie rituelle orientale consommée dans le Panthéon d'Agrippa par des Juifs en rupture de ban était si grotesque que Kaeso fut tout à fait rassuré quant à la sinistre prédiction de Paul à son égard : il pouvait demander le baptême sans risque.

Sur l'esplanade, ornée de l'autel d'usage, qui s'étendait devant le Panthéon, Paul dit à Kaeso :

« En contrepartie de l'instruction religieuse que je te donne — nous appelons cela une " catéchèse " —, je te demanderai un grand et signalé service : nous autres chrétiens sommes d'origine grecque ou juive et le milieu romain nous demeure étranger sur bien des points [1]. Romains et Grecs se ressemblent, mais ils diffèrent aussi. Veux-tu, à l'occasion, me parler de cette ville et de ses habitants, qui ont fait la conquête du monde et passent pour en être les modèles ? »

Kaeso se mit bien volontiers à la disposition de Paul...

« Serais-tu intéressé par les cent vingt principaux temples de Rome, à commencer par celui de Jupiter Capitolin ? Ou bien par les neuf plus grandes basiliques ? Je n'ose faire allusion aux innombrables thermes, dont certains ont la dimension d'une petite cité...

— Les pierres ne m'intéressent guère. C'est aux hommes que j'en ai. En un mot, qui compte vraiment, ici ?

— Si j'étais chrétien, je te répondrais : les plus pauvres. Mais ce n'est évidemment pas avec une bande de pauvres que tu vas mettre la main sur mon Panthéon !

« L'empereur compte d'abord. Il a le commandement des armées et c'est le plus riche de tous.

« Les armées comptent, et surtout les prétoriens à demeure, car c'est d'abord l'agrément de ces militaires qui fait et maintient César.

« Le sénat et les riches comptent aussi, bien qu'ils soient désarmés, parce qu'ils possèdent la fortune foncière et mobilière.

« Affranchis et esclaves comptent quand l'empereur ou les riches les mettent en position de compter.

« Voilà tout ce qui compte à Rome, et même dans les provinces ; tout ce qui a une valeur positive.

« D'autres n'ont qu'une valeur négative, en ce sens qu'ils ne comptent pas d'ordinaire, mais pourraient compter s'ils étaient trop mécontents.

---

1. La liturgie de l'Église dite « romaine » restera grecque jusqu'au IIIe siècle.

« Je parle des citoyens de la plèbe romaine " frumentaire ", des deux cent mille familles qui ne survivent que par les distributions gratuites de l'Annone. Lorsque, à l'automne, les transports de blé d'Alexandrie ont du retard, toute la cour commence à trembler.

« Je parle de la foule des vagabonds étrangers qui encombrent la Ville, sans résidences ni occupations bien assurées, des déclassés, des mendiants, des hors-la-loi de toutes sortes, que la plèbe " frumentaire " se donne le ridicule de regarder de haut, mais qui pourraient faire cause commune avec ladite plèbe si cette dernière était poussée au désordre par la famine.

« Je parle des nombreux clients des grandes familles, qui ont dans l'ensemble d'autant plus de mal à subsister avec leur " sportule " réduite qu'ils ne présentent plus pour leur protecteur l'intérêt politique de jadis, quand les votes passionnaient encore le Forum.

« Je parle des esclaves, qui répandraient comme autrefois la terreur, s'ils pouvaient s'unir entre eux et avec d'autres.

« Tout ce monde, exposé dans les bas-fonds de Rome aux inondations du Tibre, aux tremblements de terre, aux incendies et aux " pestes ", n'est tenu en respect de jour que par les quatre cohortes urbaines, qui dépendent du Préfet de la Ville, de nuit que par les sept cohortes de vigiles, qui dépendent du Préfet des Vigiles, à quoi il faut ajouter les prétoriens et la garde germanique, qui dépendent du Préfet du Prétoire : guère plus de vingt mille hommes au total.

— Et les artisans libres ?

— Ce sont eux qui comptent le moins, car la concurrence du travail servile en diminue le nombre et l'importance. Comme j'achetais un jour chez un orfèvre une babiole pour un anniversaire de ma belle-mère, celui-ci s'est plaint de son sort en m'affirmant que sur cent orfèvres, trente-cinq étaient esclaves, et cinquante-huit, affranchis. La proportion serait sensiblement la même dans les autres corps de métier.

— Quels sont, à ton avis, dans une pareille société, les gens qui seraient les plus disposés à entendre la bonne nouvelle de la Résurrection ?

— L'empereur, qui se prend en principe pour un dieu, doit évidemment faire la sourde oreille. Les soldats, qui ont l'habitude de crucifier les malfaiteurs, ne voudront pas d'un dieu crucifié. Les riches ne marcheront point parce qu'ils sont trop cultivés. Les misérables ne songent qu'à leur ventre, aux spectacles et aux lupanars, et la libération spirituelle que tu feras miroiter aux esclaves ne vaudra jamais pour eux un affranchissement en règle.

— Et toi, pourquoi m'écoutes-tu ? »

Avec une hypocrisie parfaite, Kaeso leva les yeux vers la voûte céleste et répondit : « Une vision a dû te l'apprendre ! »

Ils venaient de rentrer dans Rome par la Porte Carmentale, au pied de la façade ouest du Capitole. Devant les sombres perspectives énumérées, Paul avait l'air assez défrisé.

Kaeso lui demanda :

« Quels sont les délais pour avoir droit au baptême ?

— Il nous est arrivé de baptiser beaucoup trop vite et tu insistes toi-même sur les avantages d'une solide instruction à la juive.

— Pour ce qui me regarde, et en admettant que je mette les bouchées doubles, serait-ce une affaire de jours ou de semaines ?

— Plutôt de semaines. Ce n'est pas ton instruction qui m'inquiète, mais ton âme : tu n'as pas encore le langage d'un chrétien.

— Dis-moi donc comment je dois parler !

— Tu dois parler avec ton cœur. »

Le soleil était nettement sur son déclin. Paul devait dîner avec Luc et quelques autres chez un nouveau converti de la petite-bourgeoisie, un affranchi grec qui faisait des écritures au Trésor public. Une réforme monétaire de grande ampleur était dans l'air, mais on ne savait en quoi elle consisterait au juste. Par bonheur, le Grec avait pu donner à Paul des renseignements de première main, qui l'intéressaient vivement dans la mesure où il avait la gestion de fonds liquides assez importants, dons de chrétiens généreux pour les pauvres de la communauté.

Avec une arrière-pensée d'évangélisation, Paul fit part du précieux tuyau à Kaeso et ajouta : « Ne pourrais-tu, sous le sceau du secret, communiquer l'information à ton futur père adoptif, en lui signalant que c'est une gracieuseté que les chrétiens lui font ? »

La discussion financière fut interrompue par un bruit de galopade et par des hurlements : « Au voleur ! Au voleur ! » Une forme fuyante se jeta, au détour d'une ruelle, dans les jambes des deux promeneurs, qui, d'un mouvement commun et automatique, se saisirent du fugitif, qui se trouvait être une fugitive. Mais on aurait pu s'y tromper à première vue, car la fillette de onze ou douze ans, taillée comme un chat maigre, avait ces cheveux courts que les prostituées ambulantes cachaient d'ordinaire sous une tiare spéciale ou sous une perruque.

Les policiers, le proxénète qui recherchait son bien, quelques citoyens de bonne volonté, débouchèrent à leur tour et poussèrent un cri de triomphe à voir leur gibier ainsi immobilisé. Le « leno » remercia Paul et Kaeso avec exubérance et mit la main au collier de plomb qui cerclait le cou de la petite, dont il lut l'inscription à haute voix, pour bien montrer à tous qu'il n'y avait pas erreur sur la personne : « Je m'appelle Myra. Attrape-moi car je suis en fuite, et ramène-moi au lupanar du " Phénix ". Bonne récompense. »

Les esclaves dangereux ou fugueurs, qui étaient tenus sous clef, étaient en effet dotés d'un collier de bronze ou de plomb, qui rendait leur évasion plus difficile.

Tenant le collier d'une main, le leno se mit sur-le-champ à battre comme plâtre la fillette avec sa canne, tandis que policiers et badauds se retiraient discrètement. Il était de la dernière impolitesse à Rome de se mettre en tiers dans une affaire de ce genre.

La fugitive hurlait avec désespoir. Kaeso et Paul échangèrent des regards ennuyés, et Kaeso, pour détourner l'attention de la brute, lui demanda :

« Pourquoi donc criais-tu : " Au voleur ! " ? T'aurait-elle volé ?

— Par Hercule ! Cette question ! Mais c'est elle-même qu'elle essayait de me voler ! »

Paul ne voyait pas de remède, et il se détourna en soupirant. Les malheurs de Séléné avaient rendu Kaeso sensible à une question qui ne l'avait jamais ému auparavant, et le spectacle était d'autant plus pitoyable que la victime était plus jeune. Les lois rigoureuses qui protégeaient les mineurs ne pouvaient protéger les esclaves. A Rome, les filles étaient mises au bordel au voisinage de la puberté. A Athènes, à Corinthe, à Alexandrie, où abondaient les amateurs de chair fraîche, on prostituait les enfants à partir de six ou sept ans.

Kaeso finit par s'écrier : « Arrête de la battre ! Tu vas l'abîmer et c'est mon bien que tu abîmes ! »

Le leno s'arrêta du coup et considéra la fine tunique de Kaeso avec intérêt, le manteau grec de Paul avec dédain.

« Aurais-tu l'intention de l'acheter ?

— Une esclave fugitive de cet âge ne s'achète pas cher... »

Véhémentes protestations du leno, qui se lança aussitôt dans un éloge enthousiaste de la grâce et des talents de sa protégée, pinçant une joue fraîche, dévoilant un sein naissant... Pressé de conclure cette dégoûtante discussion, Kaeso signa dans une taverne une promesse d'achat ferme pour 7 000 sesterces, à régler dès le lendemain, mais il avait la permission d'emmener la fillette tout de suite. Le rang sénatorial de son père, le nom de Silanus avaient inspiré confiance à l'ignoble individu. Tout le monde s'accordait dans la Ville pour mépriser le troupeau des proxénètes, qui étaient cependant indispensables.

La petite suivit donc comme un chien. Elle venait d'une île des Cyclades par le chemin des écoliers, et elle demanda innocemment en grec à Kaeso : « Combien y a-t-il de filles dans ton lupanar ? »

Paul la fit taire. Il n'avait pas l'air trop content de cette acquisition, craignant sans doute pour la vertu fragile de ce jeune Romain un peu étrange, qui ne lui inspirait qu'une confiance limitée. Comprenant cette réaction, Kaeso lui dit : « Ne t'en fais pas ! Je les préfère plus vieilles ! » Mais il comprit, à la mine de Paul, qu'il s'était encore exprimé dans un style déplorable. Pour parler en vrai chrétien, il convenait de surveiller chaque mot.

Afin de réparer la gaffe, Kaeso invita Paul à passer un moment chez lui, insistant sur le fait que toute la population de l'insula, du maître aux balayeurs, était à convertir.

Cependant, Kaeso se disait aussi qu'il ne serait pas mauvais que son père pût voir Paul un instant, ou apprendre du moins qu'il était passé. Sa bonne foi serait moins suspecte le jour où il devrait déchirer le cœur de Marcus. Et pour la même raison, il ne serait pas mauvais non plus de parler de Paul à Silanus.

Marcus était sorti, mais Séléné, qui mettait rarement le nez dehors, traînait dans la maison. Kaeso lui raconta en quelques phrases l'achat de Myra, lui ordonna de la faire baigner et manger, à la grande surprise de la petite, qui n'avait jamais vu un lupanar pareil, puis on bavarda dans l'exèdre.

Devant la beauté de Séléné, Paul semblait un peu crispé, comme s'il voyait là un nouveau péril pour Kaeso. Mais il parut soulagé quand il apprit que l'esclave juive appartenait au maître des lieux, et il se montra dès lors des plus aimables, présenté d'ailleurs de façon flatteuse par Kaeso.

« Je ne prêche pas seulement, dit Paul à Séléné, un Dieu crucifié pour nos péchés, mais un Dieu de Vérité, une vérité qui rend libres les maîtres comme les esclaves, égaux sous son regard aimant.

— Je ne pense pas, vénérable rabbi, que tu veuilles encourager les esclaves à la révolte, comme ces stoïciens dévoyés qui ont mis l'Asie à feu et à sang au temps déjà lointain où les Romains s'emparaient de l'héritage du roi de Pergame ?

— Assurément non ! Nous sommes contre toutes ces violences qui deviennent injustes du seul fait qu'elles sont inutiles. Comment concevoir une société sans esclaves ?

— Mais une minorité de maîtres exercent pourtant des violences injustes à l'encontre de leurs esclaves. Ils les maltraitent cruellement sous le moindre prétexte. Ils font castrer de jeunes garçons pour en faire des invertis ou des chanteurs. Ils prostituent, dans un âge encore tendre, des malheureux des deux sexes. Parfois, au contraire, ils les empêchent de copuler en passant un anneau à travers le prépuce des hommes (les Juifs ont bien de la chance !) ou à travers les grandes lèvres des femmes. Et tous les jours, partout, des individus lubriques abusent de la pudeur de leurs serviteurs et servantes. De telles violences ne me semblent ni justes ni utiles.

— Le cœur saigne à t'entendre. Mais comme l'esclavage est une triste nécessité, la seule amélioration concevable est celle que j'apporte : les esclaves, touchés par la grâce, obéiront avec zèle à leur maître dans tout ce qu'il leur commandera de décent, et les maîtres, touchés par la même grâce, ne commanderont que des choses décentes, se conduisant en pères attentifs et non plus en tyrans. Et peu à peu, si les chrétiens prennent de l'influence dans la cité, des lois vraiment protectrices verront le jour.

— En attendant, qu'ai-je à faire de ta belle doctrine si par hasard je n'étais pas satisfaite de mon maître ?

— Tu auras la satisfaction de souffrir pour tes péchés et pour les siens. Tes humiliations prendront une éternelle valeur et le Christ te consolera en son Paradis.

— Puisque tu prétends parler pour tous les hommes, et non plus seulement pour les Juifs, comme les rabbis orthodoxes, tu aurais intérêt à relire la Loi juive, dont tout le monde sait, dans les synagogues, que tu as mis inconsidérément la majeure partie au panier. Tu verras dans l'Exode que l'esclave hébreu d'un Hébreu doit être relâché avec sa femme au bout de sept ans de service. Tu verras dans le Lévitique que tous les esclaves hébreux des Hébreux doivent être relâchés avec femme et enfants à l'occasion de notre année jubilaire, qui revient tous les cinquante ans. Au lieu de parler d'amour d'un cœur saignant, incorpore donc ce programme dans ta prédication universelle. Pourquoi le commun des esclaves n'y aurait-il pas droit, après les esclaves hébreux des Hébreux ? Mais tu t'en garderas bien, car, comme tous les propagandistes de ton espèce, tu manœuvres pour séduire les maîtres en séduisant d'abord les esclaves qui pourraient les convaincre. Et si tu veux un jour souper avec Silanus et ceux qui lui ressemblent, il ne faut pas leur faire de peine en touchant à leur capital humain. Aussi, pour moi, esclave, tu vaux beaucoup moins qu'un Juif, qui m'assurerait un meilleur sort que toi s'il respectait sa propre Loi, que tu t'es empressé d'oublier pour réussir plus vite. Je te tiens pour un faux jeton, et le Dieu de mes pères, qui a l'œil sur ta personne, te punira un jour de ta trahison et de ton hypocrisie. »

Paul, suffoqué, passait par toutes les couleurs, tandis que Kaeso, amusé par cette discussion entre Juifs, grondait sévèrement Séléné pour la forme. L'apôtre, qui débordait de sincérité et de charitables sentiments, était d'autant plus choqué que l'injurieuse sortie de Séléné avait, de son point de vue servile, quelque chose d'irréfutable.

Paul émergea de son désarroi pour dire : « Je te supplie de croire que si ces vieilles lois juives avaient quelque chance d'être adoptées par des Grecs ou des Romains, nous les aurions en effet incorporées à notre doctrine. »

Séléné répliqua : « Tu te fais fort de persuader les Gentils que ton

Jésus est ressuscité, et tu te sens incapable de les persuader de relâcher un esclave tous les cinquante ans ? Mais tu ne persuaderais pas une souris ! »

Kaeso montra sévèrement la porte à Séléné en lui clignant de l'œil, et il présenta ses excuses à Paul, ajoutant :

« Cette fille étant la concubine de mon père, elle a ses aises dans la maison. Puisque les chrétiens ont un don pour pardonner, voilà une excellente occasion de mettre l'Évangile en pratique.

— C'est bien ce que je fais. L'esclave est visiblement malheureuse, et le malheur trouble l'esprit. »

Kaeso raccompagna Paul jusqu'au seuil, et ils prirent rendez-vous pour le lendemain.

En attendant l'heure du dîner, Kaeso se mit à ses tablettes pour écrire un mot à Silanus...

« K. Aponius Saturninus à D. Junius Silanus Torquatus, filial salut !

« La générosité éclairée de ta dernière lettre m'a vivement ému. Que pourrais-je y ajouter puisque tu prétends tout savoir et que tu es de taille à deviner ce qu'on ne t'a pas appris ? Tu comprends à présent pourquoi je ne t'ai sans doute pas rendu, depuis mon retour en Italie, tous les assidus devoirs que tu méritais : une gêne bien naturelle me retenait.

« J'ai rencontré récemment un individu assez intéressant et haut en couleur, un certain Cn. Pompeius Paulus, Juif de Tarse, qui fait un drôle de citoyen. Il est parmi les plus notables d'une secte juive hétérodoxe, dite " chrétienne ", qui prétend faire éclater aux dimensions de la terre entière la bible grecque des Septante, dont tu as peut-être entendu parler par Sénèque, lequel a tout lu. Par quelques côtés, Paulus serait plutôt stoïcien, puisqu'il insiste sur la liberté que nous accorde la Providence de déterminer notre conduite à partir de ce qui dépend étroitement de nous. D'un autre côté, il ampute sa bible ou y ajoute avec une fantaisie originale, parfois teintée d'une mythologie d'avant-garde. C'est un homme à suivre, et dont je dois reconnaître qu'il m'impressionne fort.

« Mais ce qui t'impressionnera à coup sûr, c'est une nouvelle qui l'emporte sur toutes les autres, que Paulus m'a aimablement prié de te communiquer, et qu'il tient de l'un de ses adeptes, scribouillard bien placé dans les arcanes du Trésor. Les modalités de la dévaluation dont on parle viennent d'être arrêtées et le décret serait imminent. On taillera désormais, dans notre livre romaine, 45 " aurei " au lieu de 42, et 96 deniers au lieu de 84. Ce qui revient à dire que le poids du denier argent sera diminué d'un peu plus de 1/8, et celui de l' « aureus », d'un peu plus de 1/19 seulement. Mais, décision capitale, le rapport de 25 deniers d'argent pour un " aureus " sera maintenu. Tous les gens informés de la cour, Tigellin en tête, se mettent donc sur l'argent, pour racheter, après la dévaluation, avec un denier très dévalué, un " aureus " qui l'aura été beaucoup moins. La mesure est conçue pour favoriser " chevaliers " et hommes d'affaires, qui manient des masses énormes de deniers, au détriment de la " nobilitas ", dont on sait qu'elle thésaurise l'or avec une passion jalouse. De plus, le nouveau denier équivaudra à la drachme qui a cours dans tout l'Orient, ce qui facilitera les échanges commerciaux. Tu as tout à gagner et rien à perdre à écouter religieusement cette révélation chrétienne. »

La petite Myra, baignée et rassasiée, vêtue d'une robe de Séléné beaucoup trop longue pour elle, qui lui faisait une traîne cocasse, rôdait depuis un instant autour de Kaeso.

Elle osa enfin lui demander : « J'aimerais quand même bien savoir avec qui je dois coucher ici ! »

Agacé, Kaeso lui rétorqua : « Avec personne ! Je t'ai achetée pour que tu couches toute seule avec ta poupée ! »

La petite se mit à pleurer d'inquiétude. Depuis qu'elle avait été prostituée à huit ans dans un bordel de Corinthe, elle avait l'impression que son corps, qui était sa malédiction, était aussi sa seule sauvegarde, la seule valeur en ce monde qu'elle pouvait présenter. Combien de temps allait-on continuer à la nourrir sans lui en demander l'usage ?

Kaeso poursuivit sa lettre en sollicitant un prêt de 7 000 sesterces, et il suggéra : « Les obscènes Floralies nocturnes se prolongent au-delà des Kalendes de mai, et Paulus, dont la pudeur juive s'alarme d'un rien, souhaiterait que mon adoption fût reportée aux Ides du même mois, jour traditionnellement consacré à Jupiter. Je me permets de t'en prier aussi. J'ai besoin d'un temps de réflexion supplémentaire pour mieux me préparer à l'honneur que tu souhaites pour moi. »

Myra continuant de pleurnicher, Kaeso lui permit de dormir dans un coin de sa chambre.

III

Le lendemain matin de bonne heure, sixième jour des Kalendes de mai, Silanus fit tenir les 7 000 sesterces à Kaeso avec un mot aimable, et Marcia lui envoya d'autre part un court billet :

« Marcia à Kaeso, salut !
« Decimus a été vexé que tu repousses la cérémonie après la lettre si noble où il avait éclairci la situation à partir des vérités qu'il m'avait arrachées. Qu'aurais-je pu lui dire d'autre qui fût conforme à tes plus profonds intérêts ? Ce report m'a plongée moi-même dans de sinistres tourments, accrus encore par ton absence. Comme tu es dur avec la seule femme qui t'aime ! Tu tiens ma vie entre tes mains ingrates, car je ne survivrais pas à ton abandon.
« Puisses-tu te porter mieux que moi ! »

Ce chantage était affreusement déprimant.
De son coin, Myra demanda : « Mauvaises nouvelles ? »
Distrait, Kaeso daigna répondre :
« Une femme menace de se tuer si je l'abandonne. »
L'œil de la petite brilla. Toutes les prostituées adoraient les histoires d'amour, dont la mythologie était une compensation à leur travail.
« Cela ne m'étonne pas : tu es beau comme un dieu. Que vas-tu faire ?
— J'aimerais bien le savoir !
— Moi, je ne sais qu'une chose : l'amour est un oiseau, qu'on ne peut retenir quand il n'a plus faim. Et si on le met en cage, ça lui coupe l'appétit. »
La vérité sortait de la bouche des enfants !
« Je ne te plais pas ? »

Encore une Marcia qui posait des questions !

« Je suis adepte d'une religion nouvelle : on se marie vierge avec une fille vierge, et tant que la femme est en vie, on n'a pas le droit de coucher avec quelqu'un d'autre — et réciproquement. »

Myra lança à Kaeso un regard peiné : il se moquait d'elle. Également peiné, Kaeso se détourna. Les beautés de la nouvelle doctrine étaient vraiment incompréhensibles. L'invention ne pouvait pas même servir à de chastes prétextes !

Durant des heures, Kaeso remua des pensées moroses. Il déjeuna sans entrain, et, après la sieste, se décida à rejoindre Paul, qui devait, à ce moment, haranguer les promeneurs au Champ de Mars, devant la « Villa Publica ».

Toutes sortes de doctrinaires ne se faisaient pas faute de répandre leurs idées le matin par les Forums, devant la populace la plus mélangée de la terre. La fréquentation du Champ de Mars, l'après-midi, était nettement plus élégante, la foule y était moins dense, les distingués auditeurs hellénophones, relativement plus nombreux, et plus attentifs parce que moins affairés, allant aux thermes d'Agrippa ou de Néron, ou bien en revenant, cherchant une bonne fortune sous le Portique des Argonautes ou dans les « tavernes » de luxe avoisinantes.

La Villa Publica, qui servait entre autres à la réception des ambassadeurs étrangers que le sénat ne voulait pas admettre en ville, était le domaine des grands antiquaires, et elle n'était séparée du temple de Bellone, déesse de la Guerre, que par la largeur du Cirque Flaminius. Dans l'immense atrium de cette Villa Publica, Sulla avait fait autrefois massacrer quatre mille proscrits, durant une séance du sénat, qu'il présidait justement dans ce temple de Bellone. Et comme les hurlements des victimes troublaient la réunion, Sulla avait dit en riant aux Pères conscrits peu rassurés : « Ne vous troublez pas : ce sont quelques mauvais garçons que je fais corriger. » Les proscriptions des « populaires » avaient été désordonnées. Celles de Sulla avaient brillé par leur organisation et par leur méthode.

C'est donc devant ce monument mémorable que Paul, aux prises avec une trentaine de personnes, préparait les esprits à recevoir son message. Mais les mécomptes qu'il avait enregistrés à Athènes et ailleurs l'avaient rendu prudent, et il ne se hasardait plus à parler de Résurrection sans avoir tâté le terrain.

Kaeso, avec un sourire aimable pour l'orateur, se mêla au petit groupe. Paul, après avoir annoncé l'existence d'un Dieu créateur de toute chose, le décrivait comme un Père, à qui aucun détail n'échappait, et qui exigeait de l'homme pour son prochain un amour semblable à celui qu'Il lui portait. De même que Dieu faisait luire son soleil sur les bons comme sur les méchants, l'homme devait faire le bien, et même rendre le bien pour le mal.

La nouveauté de la proposition fit dresser l'oreille, et un homme en toge d'un certain âge, qui semblait très à son aise, interrompit le conférencier : « Si nous rendons le bien pour le mal, cela ne revient-il pas à encourager autrui à nuire ? Pour un méchant que tu désarmeras par ta faiblesse, combien de méchants ne poursuivront-ils pas leur carrière avec une audace accrue ? Et, en définitive, sous couleur de faire du bien à quelqu'un, tu auras fait du mal à beaucoup. Dans cet atrium, Sulla a fait exécuter quatre mille assassins, qui avaient sur les mains le sang de mes ancêtres et de la plus belle noblesse romaine. Si tous ces criminels avaient vécu, n'auraient-ils pas récidivé à la première occasion ? »

Les affaires politiques étaient glissantes. Paul — à l'image du Christ — préférait le terrain plus solide de la morale privée.

« Auguste, à ce qu'on raconte, répondit-il, a pardonné à un Cinna avec d'heureux résultats. Mais je n'ai jamais prétendu que les méchants ne devaient pas être punis selon de justes lois. Pardonner à son prochain, ce n'est pas le laisser libre de nuire. C'est l'aimer avant, pendant et après qu'il aura été sanctionné ; c'est exclure de son propre cœur tout sentiment de vengeance. Car nous aussi, nous sommes pécheurs et devrons un jour demander à Dieu qu'Il nous pardonne. »

Kaeso intervint flatteusement : « Tu prêches une doctrine très sage et très prévoyante. La justice doit ramener la paix, et la clémence ne saurait lui être étrangère. Alors que chaque vengeance en commande une autre. Toutes nos malheureuses guerres civiles témoignent de cette vérité. »

Un murmure d'approbation s'éleva, Paul remercia les auditeurs de leur attention et s'approcha de Kaeso...

« Grâce à toi, j'aurai pu terminer un discours sans me faire jeter des pierres !

— Dans les théâtres, dans les basiliques où se déroulent des procès, la claque joue un grand rôle. Tu ne dois jamais prendre la parole sans quelques compères pour te soutenir et t'applaudir.

— Dieu n'a pas besoin de claque !

— La conviction n'exclut pas l'habileté. Il y a des claques qui se perdent, et c'est dommage. »

Paul soupira et saisit l'occasion d'exprimer une inquiétude qui le tourmentait :

« A propos de théâtre, de gladiature ou de Cirque, un bref séjour en liberté à Rome m'a fait découvrir la prodigieuse importance des fêtes et des Jeux pour le peuple romain, sans commune mesure avec ce que j'avais pu constater en Grèce ou en Orient. Tous les habitants de la Ville me paraissent fascinés par ces spectacles continuels, qui sont aux antipodes de la douceur et de la décence. Quel chemin à parcourir pour émerger de ce bourbier ! A ton avis, à quoi peut tenir une aussi funeste passion ? »

Ils étaient parvenus devant l'entrée principale du vaste Cirque Flaminius, qui semblait pourtant une miniature à côté de l'énorme Cirque Maxime.

Kaeso répondit : « Tout a contribué à cette inflation. Sous la République finissante, les ambitieux se bousculaient pour offrir des Jeux à la plèbe. César demeure aujourd'hui le seul ambitieux en piste, et il y a tendance à surenchère de règne en règne, car la popularité du Prince dépend étroitement de telles satisfactions. Il est plus facile de distraire les gens que de les nourrir ou de les loger.

« Nous avons ainsi à notre calendrier dix-neuf grandes fêtes fixes de nature religieuse, qui comportent des rites agraires ou guerriers, quand elles ne sont pas destinées à conjurer les maléfices des dieux ou des morts. Certaines se prolongent durant plusieurs jours. Les Saturnales sont peut-être les plus frappantes et les plus connues des étrangers, car on permet alors aux esclaves de jouer le rôle des maîtres.

« Et nous avons surtout dix séries de Jeux publics, qui vont d'avril à décembre et coïncident souvent avec la fête religieuse qui leur sert de prétexte. Et il s'y ajoute tous les quatre ans les " Ludi Actiaci ", institués par Auguste pour célébrer l'anniversaire de la victoire d'Actium début septembre. Je ne parle pas des " Jeux séculaires "... Au début de ce mois, c'étaient les " Ludi Megalenses ", en l'honneur de Cybèle. Nous sortons des " Ceriales ", en l'honneur de Cérès, et nous allons entrer dans les licencieuses Floralies, au soir desquelles tu ne pourras mettre le nez dehors, car la Ville grouille de femmes nues. Nous aurons eu ce mois-ci une vingtaine de jours de Jeux. Sous la République, il y avait par an une soixantaine de jours de Jeux ordinaires, auxquels s'ajoutaient les Jeux exceptionnels, donnés par l'État ou par un particulier. Aujourd'hui, fêtes et Jeux occupent normalement près de deux cents jours. »

Paul était affolé :

« Plus d'un jour sur deux de théâtre, d'amphithéâtre, de Cirque ou de libertinage ?

— Il faut ça pour satisfaire le peuple.

— Mais quand donc travaille-t-il, ce peuple ?

— Les Romains sont renommés de par le monde pour leurs travaux. En fait, ils seraient plutôt doués pour faire travailler les autres, et c'est à coup sûr à Rome qu'on travaille le moins. Rome mange les revenus de l'univers, mais ne produit guère que des Jeux. Tel est le fruit de nos victoires.

« Tu vois que tu n'es pas près de faire des chrétiens de ce monde-là. Partout, la nature humaine élémentaire est en contradiction avec ta magnifique doctrine, mais à Rome, capitale de la terre, tu dois de plus compter avec la rage des Jeux. Quand un peuple a cette rage en lui, on ne revient plus en arrière.

« Comme fils de sénateur et ami de Silanus, je puis me procurer d'excellentes places. Aimerais-tu assister à un spectacle, pour voir le degré d'aliénation où en est arrivée la plèbe romaine ?

— Mais la noblesse y assiste aussi ! Et toi-même, peut-être ?

— On peut partager à l'occasion les divertissements de la plèbe sans en être prisonnier. C'est affaire de mesure et de bon goût. Tu as toute la sagesse nécessaire.

— Un chrétien ne saurait aller à ces Jeux.

— Et pourquoi pas ? »

Kaeso éprouvait une répugnance instinctive à tromper Paul plus que le nécessaire, et l'idée de devoir promettre abstention sur ce point pour obtenir le baptême ne laissait pas de l'agacer. Ce Paul exagérait !

« Regarde, dit-il en montrant de la main la piste du Cirque Flaminius, qui se déroulait en enfilade sous leurs yeux. Ici, c'est la passion de voir courir les chevaux et de parier qui excite les gens. En admettant que parier ne soit pas chrétien, il n'y a pas péché à admirer des chevaux.

— Tu parles toi-même de passion. La passion de Dieu doit suffire.

— Me refuserais-tu le baptême, si je te jurais seulement de ne plus parier ?

— Si tu vas au Cirque modérément et sans parier, tu as encore droit au nom de chrétien.

— Tu fais bien d'être coulant. Si tu refuses la moindre distraction à peu près honnête à tes fidèles, ils risquent de s'ennuyer ferme et de succomber à de pires tentations.

— Il y a du vrai dans ce que tu dis. »

Kaeso désigna la silhouette du vieil et médiocre amphithéâtre de Taurus qui se dressait à l'horizon, puis celle du grand amphithéâtre en bois de Néron, édifié sept ans plus tôt, et il poursuivit :

« Pour ce qui est de la passion du sang qui remplit les amphithéâtres, il convient encore de distinguer.

— Pour le coup, je distingue mal !

— Tu ne prétends pas empêcher les chrétiens de chasser, et les grandes chasses de l'arène sont un beau spectacle. Si tu admets que le chrétien tue un lapin, il a bien le droit de regarder tuer des lions, des ours ou des éléphants. A combien de bêtes commencerait le péché ? »

Paul laissa tomber avec répugnance :

« J'admettrais encore les chasses, à l'extrême rigueur... Seulement les chasses !

— Autre divertissement bien innocent, quoique d'un intérêt qui se discute : après les chasses matinales, durant l'entracte de midi, on exécute les condamnés à mort qui n'avaient pas été livrés aux bêtes, avec parfois des recherches artistiques pittoresques pour dérider la menue plèbe, mais aussi les enfants qui sont demeurés à casser la croûte sur les plus hauts gradins, en compagnie de leur pédagogue. Il y a chez les organisateurs, depuis quelque temps, un sérieux souci — des plus louables, il me semble — de répudier à cet instant les monotones boucheries d'autrefois pour des mises en scène instructives, illustrant telle ou telle fable de notre si abondante mythologie. On voit Icare, par exemple, agitant ses ailes tout en haut d'une plate-forme. Il hésite à sauter, comme s'il se doutait bien que la conquête de l'élément aérien nécessitait de plus longues expériences. On le persuade enfin d'une main ferme : il saute et s'écrase avec un cri de déception. Quand un enfant a vu le mythe d'Icare illustré de la sorte, l'histoire reste gravée dans son souvenir. Il est bon que l'enseignement fasse appel à l'image.

« Y aurait-il péché à voir exécuter des condamnés à mort de droit commun, qui ont cent fois mérité leur sort ? Je te ferai observer qu'à lire ta bible, on a l'impression que les Juifs ne ratent pas une lapidation, et que le peuple est même convié à y participer de bon cœur ! »

Cet argument biblique était assez gênant pour Paul, plus encore même que Kaeso ne l'aurait pensé.

« Tu remues le fer dans la plaie ! Quand les Juifs ont lapidé Étienne, le premier de nos martyrs, c'est moi qui gardais avec satisfaction les manteaux des témoins de l'accusation, appelés à jeter les premières pierres.

— Tu vois bien ! Ce que tu regrettes, à présent, ce n'est point d'avoir participé consciencieusement à une lapidation où tu tenais le vestiaire, c'est d'avoir été complice par ignorance de l'exécution d'un chrétien, d'une erreur judiciaire à ton point de vue. Si on avait lapidé une femme adultère, ta complicité te laisserait la conscience nette et satisfaite aujourd'hui.

— Selon Jean, Jésus est intervenu pour sauver l'une de ces femmes de la lapidation.

— Peut-être parce qu'elle était jolie ? En tout cas, en dépit de ce geste charitable, je ne pense pas que Jésus ait remis la Loi en question. Tu es sans doute partisan toi-même de la punition exemplaire des chrétiennes adultères... si tant est qu'il puisse y en avoir !

— Je crains qu'il y en ait déjà quelques-unes. Oui, assurément, il faut bien une sanction à l'adultère, et qui devrait même frapper également les deux sexes si les lois étaient vraiment chrétiennes.

— Donc, tu admets que l'on assiste à d'honnêtes exécutions à mort ? Les Romains valent bien les Juifs !

— Ce qui me gêne, dans l'affaire, c'est le côté artistique et prétendu plaisant. Un chrétien ne doit pas enjoliver les cruautés nécessaires.

— C'est là, selon toute vraisemblance, une affaire de mœurs, de pays, de sensibilité particulière, plutôt que de morale. »

Kaeso, héritier d'un ludus, avait réussi à manœuvrer Paul dans deux domaines qui étaient pour lui très secondaires. Mais Paul se révéla intraitable sur les combats de gladiateurs. Le fait que tous les combattants, esclaves ou hommes libres sous contrat, étaient par la force des choses plus ou moins volontaires ne paraissait pas l'impressionner. Il voyait même dans ce volontariat quelque chose de coupable, car, à son avis, le droit de tuer devait toujours relever de la légitime défense, sociale ou individuelle. Pour lui, par un paradoxe incompréhensible aux yeux de Kaeso, le soldat le plus abruti, le bourreau le plus infâme étaient moralement justifiés dans l'exercice normal de leurs fonctions, tandis que le plus glorieux des gladiateurs ne l'était point.

Un pareil illogisme ne méritait qu'une fausse promesse, que Kaeso ne se fit aucun scrupule de donner.

Longeant le Cirque Flaminius, ils avaient atteint le superbe Portique de Pompée, au fond duquel s'élevait le mur de scène du théâtre du même nom, où régnait une grande animation en prévision des Jeux Floraux, qui devait s'ouvrir deux jours plus tard. Une nuée de machinistes et de balayeurs étaient à l'œuvre.

Le théâtre de Pompée avait été le premier à Rome construit en pierre, et dans son hémicycle, pouvaient s'asseoir à l'aise 27 000 spectateurs. Sous le règne d'Auguste, dans la même région, mais en face de l'île Tibérine, étaient venus s'ajouter les théâtres de Marcellus et de Balbus, qui offraient 14 000 et 7 700 places supplémentaires. Contenance encore bien faible par rapport à celle des amphithéâtres permanents ou provisoires, à celle surtout du Grand Cirque, sans cesse agrandi, qui admettait alors un quart de million de personnes. Malgré les efforts de renouvellement des genres et des répertoires, le théâtre restait le parent pauvre du système.

Kaeso expliqua à Paul que la passion du théâtre ne mobilisait pas autant d'amateurs que les « munera » gladiatoriens ou les courses de chevaux. On évitait même, autant que possible, de donner des munera ou des courses durant une représentation théâtrale, car on avait vu un édifice se vider alors au profit de l'amphithéâtre ou du Cirque, dont la concurrence était irrésistible. Les munera, plus rares et plus coûteux, étaient d'ailleurs encore plus appréciés que les courses.

Paul avait par ouï-dire quelques lumières sur le théâtre des provinces helléniques, qui avait totalement dégénéré, et il avait entendu raconter des choses abominables sur le théâtre romain. Il pria Kaeso de le mettre au fait sans le ménager.

Plutôt que de se lancer dans un discours abstrait, Kaeso invita Paul à contourner le bâtiment. Si les Grecs avaient excavé des collines, les Romains, qui avaient mis au point d'efficaces techniques de coffrage et de blocage pour le cœur de leurs constructions, parées ensuite de revêtements convenables, ne craignaient pas de bâtir en terrain plan. Sur l'arrière du théâtre était accolé un temple à Vénus de trois étages, dont le dernier était à hauteur du sommet de l'hémicycle, qui était agrémenté d'un promenoir couvert. Paul et Kaeso montèrent jusque-là. Un détachement de marins était en train de régler le vélum coulissant de lin fin, car si les prostituées, lors des Floralies, se déshabillaient en nocturne par les rues et sur la scène des théâtres, la fête comportait aussi des représentations diurnes plus ordinaires.

Kaeso fit apprécier à Paul les impressionnantes dimensions du chef-d'œuvre pompéien. Quand l'orchestre — réservé aux sénateurs, aux « chevaliers » et aux notables —, les gradins, le promenoir, le parvis du temple de Vénus étaient bourrés de monde, la capacité était portée à 40 000 spectateurs. De leur observatoire vénusien, les deux visiteurs distinguaient à une échelle bien réduite les ouvriers qui s'agitaient sur scène.

« Notre premier théâtre de pierre, dit Kaeso, par son énormité même, a condamné à mort une sorte de spectacle qui se mourait déjà plus ou moins.

« Imagine les effectifs de sept légions concentrés dans cette enceinte, et des légions de pouilleux, surtout, avec la rumeur constante qui découle d'une telle affluence. On bavarde, on crie, on lutine les filles, on bouge, on se promène, on mange, on boit, on pisse dans ces rigoles, par où descend en menues cascades une eau rafraîchissante — une invention des ingénieurs de Pompée qui eût mérité plus de respect ! Comment l'acteur pourrait-il se faire entendre et comprendre d'un peuple ignorant, insensible à la beauté du texte ? Il a contre lui le son, l'espace et l'inculture.

« Aux temps héroïques du théâtre grec, ou du théâtre romain qui en était l'originale copie, déjà, malgré une assistance plus restreinte et plus compétente, le problème était ardu et ne connaissait que des palliatifs. La scène était par exemple munie d'un abat-son de bois. Les acteurs avaient de grands masques porte-voix. Masques et costumes étaient conventionnellement de formes et de couleurs différentes. Les rôles féminins étaient joués par des hommes, qui avaient seuls un coffre assez puissant pour prétendre dominer le désordre...

« Telles furent, tant bien que mal, nos vieilles tragédies ou comédies romaines, de style grec ou latin, de plus en plus incomprises d'une plèbe accrue et bruyante. On ne les joue plus guère pour le grand public.

« Peu à peu, une évolution fatale s'est produite. Le chœur tragique est passé de l'orchestre à la scène pour prendre, avec ses solistes, une part prépondérante à l'action. Le chant et la musique s'entendent mieux que les paroles. La tragédie est ainsi devenue un répertoire de chansons populaires, de " cantica ". Aux obsèques de César, la plèbe en larmes s'égosillait sur un refrain de Pacuvius : " Men' servasse ut essent qui me perderent ? " (Ne les ai-je donc sauvés que pour périr de leurs mains ?)

« Mais pour 40 000 spectateurs, la vue est encore un plus sûr organe que l'ouïe. Le texte a non seulement été sacrifié au chant, mais le chant, à la danse et à la pantomime. Aujourd'hui, toute la tragédie est subordonnée au pantomime muet, doublé par tel ou tel soliste, soutenu par le chœur, accompagné d'entrechats et de flon-flons. La célébrité des pantomimes égale presque celle des gladiateurs !

« Parallèlement, les sujets de tragédie sont devenus de plus en plus osés et vulgaires. La pire mythologie y sévit et des Pasiphaés s'offrent à des taureaux dans des Labyrinthes crétois. L'art du pantomime est entièrement de suggestion.

« Quant à la comédie, abandonnant toute convention décente, c'est un fait qu'elle a sombré dans le réalisme le plus cru. Il ne s'agit plus de suggérer, mais de montrer. La brutalité et la pornographie, les tortures, les assassinats et les viols y sont monnaie courante. Car en fait de comédie, les mimes sont mâles et femelles. Le roi Penthée est écartelé par des Bacchantes, Hercule brûle sur son bûcher, le brigand Laureolus, dûment crucifié, est de surcroît dévoré par un ours, des filles gémissantes sont saillies par des ânes lubriques avant d'être étranglées par des débardeurs...

— J'ai peine à saisir... Tu parles toujours de suggestion ?

— Pas du tout ! Dans notre comédie romaine, les mimes décriés des deux sexes font ce qu'ils peuvent, mais, par une tolérance du pouvoir, qu'il est question de légaliser bientôt [1], la scène est une occasion choisie d'expédier des condamnés à mort de droit commun, garçons ou filles, qui sont naturellement substitués aux mimes à l'instant de l'épreuve. Nous avons de cette manière un théâtre de vérité à nul autre pareil et de tels spectacles parviennent à soutenir l'intérêt du plus grand nombre.

1. Perfectionnement officiellement autorisé par Domitien, qui régnera dix-sept ans plus tard.

« En tant que futur chrétien, je me rends compte que je dois faire des réserves, sinon sur le supplice esthétique des condamnés à mort, du moins sur les viols, qui se consomment à coup sûr en dehors du mariage indissoluble.

— Tu peux effectivement faire quelques réserves ! »

Dépassé, Paul s'assit, les yeux fixés sur cette scène lointaine, où se montaient de magnifiques décors. Toutes les ressources de la machinerie et du trompe-l'œil avaient pris une grande importance, et, entre les tableaux, un rideau abaissé se relevait pour masquer le labeur des hommes de main.

Kaeso crut bon de préciser : « C'est une pieuse coutume à Rome que de violer les filles vierges avant de les exécuter. C'est ainsi que la jeune fille de Séjan a été dépucelée par ses bourreaux. Mais je ne saurais évidemment garantir la virginité des condamnées violées sur la scène des théâtres. Des abus se glissent partout... »

Paul se boucha les oreilles et quitta sans plus attendre le théâtre de Pompée.

Kaeso et Paul marchèrent un moment le long de la Voie Triomphale, qui menait au Champ Vatican par le pont du même nom. Comme sur la Voie Appienne à la même heure, c'était là le rendez-vous de maintes élégances.

Pour distraire Paul de son ennui lancinant, Kaeso lui demanda :
« Parle-moi un peu de toi. Où as-tu fait tes études ?

— D'abord à Tarse, en Asie Mineure. Jusqu'à douze ans, comme tous les enfants juifs, j'ai été exempt de la Loi. Puis j'ai étudié la Loi, et avec mon père, et à la synagogue de Tarse. Puis, adolescent, j'ai encore étudié la Loi, avec une passion accrue, à Jérusalem, sous l'autorité de l'illustre rabbi Gamaliel, un grand " nassi[1] " — c'est-à-dire " prince " — pour tous les Juifs d'alors. Je lui dois une vision très libérale des Écritures. Ainsi, Gamaliel était-il d'avis d'ouvrir à tous les mendiants, aux Juifs comme aux non-Juifs, l'accès d'un champ pour y glaner.

— Belle générosité ! Quelle langue avait cours chez toi à Tarse, en Cilicie ?

— Le grec. Mais avec Gamaliel, je me suis perfectionné en araméen, la langue de Jésus et de ses disciples.

— Jésus ne parlait pas hébreu ?

— L'hébreu n'est plus qu'une langue religieuse et liturgique. On l'étudie dans les livres. Il ne se parle point. Et comme les Juifs ont à leur disposition depuis longtemps la Bible des Septante, la connais-

---

1. Titre encore porté par les présidents de l'État d'Israël. Les orthographes avec un seul S ou avec un Z sont fautives.

sance de l'hébreu, surtout en Égypte, ne cesse de régresser. Jésus, qui avait fréquenté les synagogues, devait en avoir des notions. La plupart des disciples l'ignoraient et je n'y suis pas moi-même bien savant.

— Jésus devait en tout cas savoir un minimum de grec.

— Et pourquoi ?

— Parce que, selon Marc, il s'est entretenu avec Pilate sans interprète et que Pilate ignorait à coup sûr l'araméen.

— Je n'y avais point songé. Après tout, c'est bien possible. Le grec est une seconde langue très répandue par là-bas. Certains disciples, même parmi les plus humbles, en avaient une teinture.

— Tu ne parles pas latin ?

— Je le comprends passablement, mais je fais encore beaucoup de fautes. Quand on vient du grec, l'absence d'articles est très gênante.

« Mais il me semble que ces histoires de langues te préoccupent ?

— Il y a de quoi !

— Que veux-tu dire ?

— Mets-toi à ma place !

« Ton Jésus a prêché en araméen [1], un patois impossible, devant des foules analphabètes. Je suis donc préoccupé de savoir si les auditeurs ont bien saisi, s'ils ont exactement répété les paroles de Jésus aux gens capables de les traduire en grec, si enfin la traduction est fidèle. Un grand problème d'authenticité se pose déjà quant à l'Évangile de Marc, et je suis surpris que tu n'y paraisses pas sensible. »

Paul et Kaeso avaient obliqué à droite, vers les jardins d'Agrippa, et marchaient au bord de l'étang, reste d'un « Marais de la Chèvre », où Romulus était censé avoir disparu.

Après réflexion, Paul répondit : « Ton inquiétude est naturelle, mais tout à fait injustifiée, et pour d'évidentes raisons.

« Premièrement, Jésus s'est exprimé de la façon la plus concrète et la plus simple. Toutes les versions qui nous sont parvenues de Ses paroles peuvent légèrement différer quant à la forme, mais la teneur en est identique.

« Deuxièmement, en dépit de ce que pourrait penser un Gentil ignorant des Écritures juives, la plupart des déclarations de Jésus, qui n'était pas un moraliste, ne sont originales que par le tour très personnel de l'expression. Jésus — excepté sur le point du mariage — n'innove point en fait de morale pratique. Il se borne à reconduire la Loi — dans son esprit, plutôt que dans ses moindres détails. Et même quand Il prêche l'amour de Dieu et du prochain, Juif ou non-

---

1. Dans les pieuses communautés juives, le vieil araméen, encore aujourd'hui, joue le rôle d'une seconde langue liturgique, après l'hébreu classique. Il est donc toujours lu, et même parlé. Quand le Messie reviendra à la fin des temps, seuls les Juifs pourront lui servir d'interprètes dans ses conversations avec le pape.

Juif, Il reprend souvent des idées, des formules, déjà présentes dans les Écritures, anciennes ou plus récentes, déjà défendues par quelques Pharisiens éclairés. Mais Il les ramasse, les pousse à bout, leur fait rendre tout leur suc. S'il n'y avait que cela, nous n'aurions cependant affaire qu'à un prophète de plus, dans une certaine tradition d'Israël. Le problème d'authenticité ne serait pas plus lancinant que pour tous les autres prophètes ou docteurs.

« Troisièmement, il y a bien un problème d'authenticité, mais il concerne beaucoup plus les actes que les paroles et se résume dans cette interrogation : " Jésus a-t-Il ressuscité ou non ? " S'Il n'a pas ressuscité, qu'importent Ses paroles ! Et s'Il a ressuscité, qu'importent encore Ses paroles, car comment ne pas être alors tout à fait certain que l'Esprit Saint veille de près à ce qu'elles nous parviennent comme il faut pour notre gouverne !

« Quand Jésus m'a parlé sur le chemin de Damas pour me reprocher de Le persécuter, Il s'est adressé à moi dans sa langue maternelle. " Saoul ! Saoul ! ", s'est-il écrié en araméen. Qu'y aurait-il eu de changé s'Il m'avait parlé en hébreu ou en grec comme à Pilate ? »

Kaeso commençait à mieux saisir l'étrange mentalité de Paul. Il lui fit toutefois remarquer :

« Tu vois certes les choses de haut puisqu'un dieu t'a apostrophé dans la langue de sa mère. Mais à moi, il n'a encore rien dit, en quelque langue que ce fût. Tu pardonneras donc ma légitime curiosité. En attendant qu'elle soit mieux satisfaite, je te donnerai le bon conseil de t'intéresser de plus près aux paroles bien précises de ton Jésus. A défaut d'apparition près de Damas, la plupart des chrétiens n'auront que cela à se mettre sous la dent.

— Nous n'avons pas attendu ton conseil ! D'autres disciples que Marc, mon ami Luc lui-même, travaillent à traduire de l'áraméen en grec tout ce que Jésus a fait ou dit, et ce personnellement ou à l'aide de secrétaires fidèles.

— J'oubliais les secrétaires !

— Quand j'envoie des pages de circonstance à une communauté chrétienne, j'utilise un secrétaire la plupart du temps, n'écrivant de ma main que les dernières lignes, mais je n'ai jamais constaté que ma pensée en fût déformée.

— Pourrais-tu me donner à lire quelques-unes de ces lettres ? Je présume qu'on en a pris copie, comme des lettres de Sénèque à Lucilius.

— Tu me flattes de me comparer à ce rhéteur richissime ! Je te ferai tenir dès ce soir une épître de Jacques, le « frère » de Jésus, que les Juifs ont lapidé à Jérusalem durant ma récente captivité romaine. J'y joindrai mes épîtres aux Thessaloniciens, aux Corinthiens, aux Philippiens, aux Galates, aux Romains, aux Colossiens et aux Éphésiens, ces deux dernières rédigées alors que j'étais enchaîné. Mais tu ne chercheras pas là un complet exposé doctrinal. J'ai traité de questions qui se posaient ici ou ailleurs, à un moment donné. Le Diable est au travail derrière mon dos pour semer le trouble. La Résurrection l'a mis hors de lui.

— Le Diable ne t'est pas apparu comme Jésus, pour te parler garamante ou chinois ? »

Paul se mit à rire : « Les chrétiens voient le Diable tous les jours d'assez près ! »

Ils s'en revenaient vers la Ville, serrée dans les vieux remparts de Servius, dont les chemins de ronde n'étaient plus parcourus que par les guetteurs nocturnes des sept cohortes d'affranchis qui avaient la responsabilité de combattre les incendies avec l'aide des autorités de quartier. Le soleil déclinant rougeoyait.

Nombre de chrétiens attendaient encore la fin du monde comme une sorte de « conflagratio » stoïcienne, mais Paul doutait de plus en plus de l'imminence de l'événement. Ne fallait-il pas d'abord que l'Évangile eût été prêché partout ? Et le monde était peut-être plus grand qu'on ne pensait. Tout ce que les chrétiens pouvaient espérer, à moins de vivre indéfiniment dans un ghetto comme les Juifs, c'était la fin du monde de Néron, et il ne finirait pas tout seul. Heureusement, cet ordre romain était fragile : une collection de cités paresseuses, défendues par quelques mercenaires douteux. Que ces villes soient détruites, et l'insolente civilisation qui s'opposait au Christ par toutes ses fibres cesserait de faire obstacle à la grâce. Les Romains croyaient naïvement leur Empire éternel, mais les chrétiens avaient déjà compris instinctivement qu'ils ne pourraient asseoir leur humble domination que sur des ruines et des déserts.

Kaeso demanda :

« A quoi songes-tu ? Que vois-tu de beau derrière ce soleil rouge ?

— Je songe à la fin d'un monde.

— Qu'importe à l'homme raisonnable de périr tout seul ou avec des troupeaux de moutons ? La mort n'est-elle pas pour chacun la fin d'un monde ? »

Quand Kaeso parlerait-il en chrétien ?

En attendant cette conversion du langage, le catéchumène de circonstance fut pour la première fois effleuré par un soupçon qui aurait pu lui venir plus tôt s'il avait mieux réfléchi, et il dit à Paul :

« Ta foi en arrive à m'impressionner, et je sais au moins une chose de toi, c'est que tu n'es pas un menteur. Tu crois certainement à ce que tu racontes. Alors je te prierai de répondre en toute franchise à une question importante pour moi et bien précise. Tu peux reprocher aux Romains tous les vices de la création, mais ils ont au moins la vertu de ne pas te contraindre à les partager. Néron t'autorise libéralement à rester vierge, à ne pas fréquenter son théâtre, et tu pourrais même refuser de rendre un culte aux idoles si tu étais encore un Juif comme les autres. C'est une tyrannie somme toute assez débonnaire en ce qui te concerne. Mais si Néron était chrétien, y aurait-il toujours des gladiateurs, des thermes mixtes, des divorces ?

— Un Néron chrétien aurait certes pour premier devoir d'abattre les idoles et d'imposer des lois chrétiennes à tous les habitants de l'Empire.

— De gré ou de force ?

— La force serait alors au service du droit puisque le droit se confondrait avec la volonté du Très Haut.

— J'oubliais que Jésus t'avait appelé " Saoul " !

— Tu oubliais donc l'essentiel. »

Kaeso comprit qu'on ne discute pas avec des gens qui fréquentent un dieu transcendant incarné. A y bien penser, c'était même sur cette terre le seul argument sans réplique, puisqu'il avait l'imparable vertu d'être on ne peut plus terrestre mais de prendre paradoxalement son appui au ciel.

Paul s'inquiétait de savoir où il pourrait rencontrer Néron avant d'abandonner Rome, quitte à ne le considérer que d'assez loin, même un instant. Les courses étaient nombreuses durant les Floralies, et la première journée de fête leur était consacrée dans le Cirque Maxime, de la levée du jour à la tombée de la nuit. Néron ne pourrait s'abstenir de présider un moment, du haut de sa loge palatine, le « pulvinar », d'où les empereurs dominaient tout le Cirque. En prenant place à proximité de la loge, il serait aisé d'apercevoir le divin Ahénobarbe, promis à l'apothéose.

L'intérêt de Paul pour la personne de Néron amusait Kaeso et lui semblait très provincial. Les citoyens résidant à Rome s'estimaient tellement au-dessus de toutes les nations, que la distance leur semblait beaucoup plus courte entre l'empereur et eux-mêmes qu'entre eux-mêmes et la foule indistincte des non-citoyens de l'Empire. Ils avaient le sentiment de faire partie, avec le Prince, de la société d'exploitation des vaincus, et tout le monde savait bien que c'était seulement le hasard des armes qui avait poussé les Julio-Claudiens au premier rang. Les relations entre les vrais Romains et l'empereur relevaient plutôt d'une envieuse familiarité que d'un quelconque respect. Les empereurs sensés ne croyaient même pas à leur divinité, qui faisait en privé l'objet de grasses plaisanteries.

Paul et Kaeso approchaient des Forums, quand l'apôtre avisa un bébé abandonné près d'une marmite hors d'usage. Pour protéger des chiens les enfants exposés — de façon assez dérisoire, il est vrai — en attendant le ramassage hypothétique du mendiant professionnel ou du proxénète aux vues d'avenir, il arrivait qu'on les déposât dans un quelconque récipient. Paul mit le bébé dans la marmite, la recouvrit aux trois quarts, et demanda à Kaeso :

« Quelles sont les lois sur l'avortement, à Rome ?

— C'est en principe un crime pour la femme si elle opère à l'insu d'un mari non consentant, et, toujours en principe, une femme exemplaire ne doit point s'y refuser si le mari est favorable. Mais l'avortement provoqué est bien dangereux et l'exposition est là pour résoudre le problème sans risque de santé. Un Néron chrétien condamnerait, je pense, avortement et exposition ?

— Il interdirait même toute tricherie lors des rapports conjugaux.

— Que de lubrique espionnage en perspective ! »

Dans sa transcendante folie, Paul paraissait considérer cette situation comme toute naturelle.

Ils prirent un nouveau rendez-vous pour le lendemain, et Kaeso, malgré ses répugnances, se dirigea vers la maison de Silanus, qui devait s'apprêter à cette heure pour aller dîner en ville. Plus on était riche, plus on avait tendance à dîner tard et à faire durer le plaisir.

Kaeso sentait bien qu'il ne pouvait plus remettre la politesse, qui serait de toute manière assez brève, et le devoir le pressait aussi de faire au moins quelques sourires à Marcia, faute de mieux.

La « familia » de Silanus venait d'être plongée dans le trouble. La tête incongrue de Cicéron, non contente d'inquiéter le maître ou d'agacer la « domina », avait fait hurler de terreur un esclave grec épris de peinture, qui rêvait à la nuit tombante devant les tableaux.

Lorsque Kaeso, guidé par un serviteur tout tremblant, déboucha dans le péristyle, Marcia, en présence de Silanus, était en train de rappeler à la raison une bande d'esclaves choqués, et elle criait à leur adresse : « Ce n'est pas des fantômes qu'il faut avoir peur, mais des vivants ! Est-ce Cicéron ou le maître qui vous fera fouetter si la crainte de l'au-delà vous fait négliger votre service ?... »

L'arrivée de Kaeso fut un bon prétexte pour abréger le discours et renvoyer les peureux à leur travail ou à leurs vacances.

Malgré les déplorables fantaisies de Cicéron, Silanus était d'excellente humeur, et il en dit sur-le-champ le motif à Kaeso : « Je suis d'autant plus heureux de te voir, que j'ai de vifs remerciements à t'adresser. Les tuyaux financiers que tu m'as communiqués sont de premier ordre. En te lisant, je n'y croyais guère, mais j'ai pris mes renseignements. Sénèque et quelques autres se débarrassent déjà de leur or pour se mettre sur le denier. Il y aura un paquet de millions pour moi dans cette affaire ! »

Même à un richissime, quelques millions de plus, si facilement gagnés, font toujours plaisir.

Kaeso déclara que la reconnaissance devait aller à Paul.

« C'est une commission que veut ce Juif ?

— Non, ce n'est pas l'argent qui le fait marcher.

— J'entends bien ! Les philosophes et les prêtres ne recherchent jamais l'argent : il leur vient par surcroît, en récompense de leur désintéressement, et ils ne le lâchent plus.

— En effet, Paul serait plutôt de ce type. Pour l'instant, son ambition est de voir Néron avant de quitter Rome. Pourrais-tu nous réserver de bonnes places près du " pulvinar " pour le Cirque d'après-demain ?

— Vous aurez les miennes : j'ai une indigestion de cheval !

« Mais si ton Paul veut voir Néron de plus près, c'est bien facile : le Prince vient dîner ces jours-ci. Dès que la date sera fixée, je te la dirai. En l'invitant de temps à autre, je me forge des excuses pour ne pas aller lui faire ma cour aussi souvent que je devrais. L'atmosphère bordélique du Palais me coupe la respiration.

— Tu le reçois ici même ?

— Dans le jardin du fond, si le temps est favorable.

— Il sera bon, ce soir-là, de fermer les portes de la pinacothèque, de façon que le fantôme ne bouleverse pas le dîner.

— Excellent conseil ! Néron est déjà aux prises entre autres avec les fantômes d'Octavie et d'Agrippine, peut-être avec celui de Britannicus... Il déteste les fantômes. Mais il n'a pas moins peur des assassins. Tu réponds de ce Paul, j'espère ? Il serait préférable que Néron se fît égorger ailleurs que chez moi.

— Paul est la douceur même. Les gladiateurs lui donnent la fièvre et il fait en passant des caresses aux enfants dans les dépotoirs. Il ne se montrera pas violent avant d'avoir trente légions sous ses ordres, et ce n'est pas pour demain ! »

Kaeso dit force gracieusetés à Marcia, qui avait un peu maigri et cachait un regard douloureux derrière ses longs cils peints. Le cœur de Kaeso se serra, au point que la détermination de poursuivre son programme de sauvegarde lui fit défaut un instant. Il abrégea sa visite.

Silanus, en le raccompagnant, lui confia, faisant visiblement effort sur lui-même : « Marcia a maternellement besoin de toi, et j'ai absolument besoin de Marcia. Tu es trop intelligent pour que de puérils scrupules te retiennent plus longtemps de faire son bonheur et le mien. Peut-être crains-tu de perdre de ta liberté ? Crois-en toute mon expérience : il n'y a qu'une liberté qui résiste aux aléas et aux désillusions de la vie, celle que donne l'argent. Or mes biens sont à toi. Tu n'as qu'à te baisser pour les ramasser. »

Kaeso se serait bien baissé. Mais s'abaisser était une autre affaire.

IV

Durant le dîner, Kaeso dut avouer à son père qu'il avait fait reporter l'adoption aux Ides de mai, et son incapacité à fournir du fait un plausible motif plongea Marcus dans une vive inquiétude. Il avait toujours pensé, au fond de lui-même, et malgré tant d'apparences encourageantes, que l'affaire était trop belle pour être vraie, et voilà qu'à la veille de la déguster enfin à longs traits, la coupe s'éloignait de ses lèvres.

Séléné vint au secours de Kaeso : « Il est normal que ton fils retarde l'instant de te quitter après tout ce que tu as fait pour lui. »

Avec humeur, Marcus laissa tomber :

« Ce n'était pas à toi, mais à Kaeso, d'avancer ce beau prétexte !

— N'as-tu jamais entendu parler de la pudeur des jeunes gens ? »

Kaeso ne pouvait que baisser pudiquement les yeux.

On approchait de la pleine lune, et Séléné encourageait Marcus à boire, dans l'idée de se consacrer bientôt à la pâtisserie, tandis que Myra, accroupie aux pieds de Kaeso, le regardait avec dévotion.

Marcus demanda soudain à son fils : « Pourquoi donc as-tu acheté cette petite, à laquelle tu ne sembles guère prêter attention ?

— Pour la voir grandir en beauté et en vertu ! »

Ce n'était pas la réponse qu'attendait Marcus, chez qui la jeunesse de la fille avait éveillé des désirs.

Kaeso précisa : « Myra m'appartient. Si un esclave de la maison se permettait de porter la main sur elle, je t'en rembourserais le prix, puisque je l'aurais tué de ma main. »

Séléné, pince-sans-rire, ajouta : « Kaeso songe à la faire infibuler pour la préserver de toute atteinte, et il couchera avec elle dans dix ans, quand ses appas seront au mieux. »

Marcus se leva du triclinium de fort mauvais poil.

Le lendemain matin de bonne heure, Kaeso reçut quelques lignes de Silanus :

« Decimus à Kaeso, salut !

« Hier soir, chez Thrasea, le bruit courait que la statue de Marcia aurait guéri un aveugle. La gardienne du temple vient de me dire qu'elle a entendu ton ami Paul revendiquer le miracle en ta présence. Pourquoi ne m'as-tu pas parlé hier après-midi de cette étrange affaire, et que dois-je croire ? Si Paul a des talents de ce genre, j'aimerais bien qu'il s'occupe de mes rhumatismes.

« Porte-toi aussi bien que l'aveugle ! »

Avant de sortir, Kaeso répondit :

« Kaeso à D. Junius Silanus Torquatus, salut !

« J'ai hésité à te parler de cette affaire pour le motif que je ne sais moi-même ce qu'il faut en croire, et j'espérais que la fréquentation de Paul m'apporterait peut-être une lumière décisive. Le fait est que ce Juif en rupture de synagogue a frotté les yeux de l'aveugle avec un foulard bleu que Marcia m'avait offert autrefois, que l'aveugle a vu aussitôt et qu'il a couru se jeter devant la statue du sanctuaire. Je n'en sais pas plus. En tout cas, Paul soutient qu'il n'en est pas à son coup d'essai, et son ami Luc affirme même qu'il aurait ressuscité un auditeur que ses discours avaient assommé. A défaut d'une résurrection — qui te coûterait sans doute horriblement cher — je me ferai un devoir de lui parler de tes rhumatismes.

« Puisse ton bon sens résister aux chrétiens ! Le mien est à rude épreuve. »

Kaeso se dit tout à coup que si le noble Torquatus, guéri de ses rhumatismes — ou ressuscité en un tour de main ? — avait la désastreuse idée de se faire chrétien, son propre baptême ne lui servirait plus de rien, la religion patricienne du père adoptif sombrant alors dans l'oubli. Par bonheur, Silanus semblait présenter toutes garanties. Assommé et ressuscité, il serait encore stoïcien sybarite. La puissance de conviction de Paul avait des limites.

Lorsque Kaeso arriva chez le judéo-chrétien de la Porte Capène, les fidèles étaient réunis dans une salle où l'on ne lui permit pas d'entrer, mais on lui accorda volontiers le droit de regarder ce qui s'y passait par la porte entrouverte. La cérémonie était d'ailleurs très décevante : les gens étaient simplement en train de manger du pain et de boire du vin, que Paul distribuait. Puis, avant de se séparer, l'assistance entonna un cantique de facture populaire, où il était question d'un agneau.

Paul, Luc et Kaeso gagnèrent le petit jardin de la maison, sous une pergola fleurie, et Kaeso demanda à Paul :

« Tous les chrétiens sont-ils autorisés à distribuer le pain et le vin ?

— Les pasteurs seulement, appelés presbytres ou épiscopes.

— C'est la même chose ?

— Il n'y a pas chez nous de plus haute dignité que de consacrer et de distribuer le pain et le vin. Les " épiscopes " ont seulement un rôle de surveillance particulier.

— Les fils de " prêtres " ou d' " évêques " deviennent-ils " prêtres " ou " évêques " à leur tour ?

— C'est ce qu'ils pourraient faire de mieux, mais la prêtrise est ouverte à tous, par cooptation.

— Qui commande, chez vous ?

— Jésus-Christ.

— Vous avez bien un chef ?

— Jésus a donné la plus haute autorité à Pierre, mais sans bien préciser en quoi elle consistait. J'ai eu moi-même de pénibles discussions avec Pierre...

— Jésus n'a pas confié à Pierre un territoire particulier ?

— Pas à ma connaissance. Pierre, comme nous tous, rêve d'implanter solidement la foi chrétienne à Rome, où il a fait des séjours prolongés, et nombre de fidèles de la Ville se recommandent de lui. Pierre ne peut supporter Rome, mais il y revient toujours comme le canard à la mare, et il aimerait y laisser un successeur. Il va de soi que la prééminence de Pierre est transmissible.

— C'est lui qui désignera son successeur ?

— Les chrétiens s'en chargeront.

— En dehors de prêcher, de coopter des confrères, de consacrer pain et vin, et de coucher avec leur femme pour faire des " prêtres " supplémentaires, que fabriquent vos anciens ?

— Ils remettent les péchés de ceux qui se repentent, publiquement si le péché est public, privément si le péché est secret. Jésus leur a accordé ce privilège, car c'est encore Jésus qui pardonne par la voix du " prêtre ".

— Tous les péchés des repentis sont pardonnés ?

— Tous. Mais la valeur du pardon est évidemment en rapport avec la valeur du repentir. On peut tromper le " prêtre ", on ne trompe pas Dieu.

« Les " prêtres " font encore descendre l'Esprit Saint sur les fidèles baptisés pour les éclairer, et ils frottent les mourants d'une huile sacrée, qui les rétablit parfois, et efface de toute façon leurs péchés — si les pénitents sont en disposition favorable.

— Cette onction d'huile fait alors double emploi avec la rémission ordinaire des péchés ? »

Luc toussota avec un rien de gêne, et Paul lui-même répondit avec hésitation : « Le très regretté Jacques était le grand connaisseur de cette affaire, dont je dois reconnaître qu'elle n'est pas très claire. Marc y fait aussi allusion. L'essentiel n'est-il pas que ça marche ? »

Luc confirma que l'onction faisait merveille la plupart du temps.

« Et le mariage ? fit Kaeso. Vos " prêtres " ne marient-ils pas les gens ?

— Ils servent seulement de témoins, au nom de l'Église. C'est le libre engagement des conjoints qui fait en réalité le mariage. En cas de force majeure, la présence du " prêtre " n'est même pas nécessaire. D'autres témoins suffisent, autant que possible chrétiens.

— S'il n'y a pas liberté d'engagement, il n'y a pas mariage chrétien ?

— Le mariage est en effet nul devant Dieu, et notre Église peut l'annuler devant les fidèles. »

Kaeso, qui avait fini par s'asseoir, se leva, très songeur, et se promena un instant. La veille au soir, après dîner, un émissaire avait apporté à l'insula l'épître de Jacques et les épîtres disponibles de Paul, que le prétendu catéchumène avait lues ou parcourues une bonne partie de la nuit, à la lueur de son « lucubrum », intéressé malgré lui. Après le folklore de la bible, après les témoignages nus et naïfs recensés par Jean-Marc, on en arrivait, avec ces épîtres, par une sorte d'étonnante accélération de l'histoire, au stade de la réflexion personnelle sur les faits. Paul, notamment, s'il livrait son dieu à l'ébahissement des foules, se livrait peut-être plus encore avec lui. Et quelles que fussent les particularités d'un raisonnement qui était, à l'occasion, plus rabbinique que grec, l'auteur versait dans un genre qui avait, dans le monde gréco-romain, plus de répondant que la bible ou l'Évangile. La personnalité de Sénèque, aussi, avait répandu son empreinte dans maintes œuvres qui lui avaient dû le plus clair de leur charme. La bible, c'étaient « les Juifs vus par eux-mêmes ». L'Évangile de Marc, c'était « Jésus vu par n'importe qui ». Les épîtres de Paul, c'était « Jésus vu par Paul ». Et, étant donné la remarquable mémoire de Kaeso, si longtemps exercée sur Homère ou sur Virgile, la question se posait, déjà résolue par Séléné de son point de vue partial : « Paul était-il un faux jeton ? »

Kaeso revint aux deux compères et suggéra :

« Je n'ai en effet rien trouvé de clair chez Marc, ni même chez Jacques, à propos de cette onction d'huile. Serait-ce une création de Jésus ou de l'Esprit Saint ? »

Paul prit sur lui de répondre :

« De l'Esprit Saint en tout cas. Car Jacques était un intime de Jésus et on peut lui faire toute confiance. Ou bien Jésus lui aura parlé privément de la chose, ou bien Jacques, sous l'influence de l'Esprit, aura dit ce que Jésus Lui-même aurait pu lui dire.

— L'Esprit Saint souffle sur tous les baptisés ?

— Sur celui qui L'a reçu par le " prêtre ", plus que sur tout autre.

— Et quand Jésus s'est tu, ou quand ses paroles n'ont pas été rapportées, quel critère permet de savoir si l'Esprit souffle ou non sur celui qui se prétend inspiré ?

— C'est l'Église qui tranche, que l'Esprit dirige. »

Paul défendait sa cause avec subtilité, mais il avait écrit lui-même avec trop d'imprudence pour ne pas être pris la main dans le sac. Kaeso poursuivit sur un ton patelin :

« J'ai noté dans tes épîtres, dont j'ai pris cette nuit connaissance, une honnête et sympathique distinction entre ce que tu affirmes comme venant de Jésus, et ce que tu affirmes sous ta propre responsabilité, qui commande déjà le plus grand respect.

« Dans ton épître aux Romains, par exemple, tu écris ces phrases de bon sens : " Que chacun se soumette aux autorités établies. Car il n'y a point d'autorité qui ne vienne de Dieu, et celles qui existent sont constituées par Dieu. Si bien que celui qui résiste à l'autorité se rebelle contre l'ordre établi par Dieu. Et les rebelles se feront eux-mêmes condamner. En effet, les magistrats ne sont pas à craindre quand on fait le bien, mais quand on fait le mal... Aussi doit-on se soumettre non seulement par crainte du châtiment, mais par motif de conscience. N'est-ce pas pour cela même que vous payez des impôts ? Car il s'agit de fonctionnaires qui s'appliquent de par Dieu à cet office. Rendez à chacun ce qui lui est dû : à qui l'impôt, l'impôt ; à qui les taxes, les taxes ; à qui la crainte, la crainte ; à qui l'honneur, l'honneur. "

« Mais dans ta première épître aux Corinthiens, tu écris d'autre part : " Quand l'un de vous a un différend avec un autre, ose-t-il bien aller en justice devant les injustes magistrats, et non devant des arbitres chrétiens ?... Vous allez prendre pour juges des gens que l'Église méprise !... On va en justice frère contre frère, et cela devant des mécréants ! "

« Ainsi, d'un côté, tu invites à la soumission aux magistrats par motif de conscience. Et d'un autre côté, tu prétends ériger contre l'ordre établi un simulacre de justice confessionnelle, traitant ces mêmes magistrats d'injustes, de méprisables et de mécréants.

« Je présume que cette contradiction est de toi et non du Christ ? »

Paul était d'autant plus gêné de cette sortie qu'une année seulement séparait la première épître aux Corinthiens de l'épître aux Romains : il ne pouvait pas même arguer d'une évolution de sa pensée. Son esprit agile lui souffla la seule réponse possible : « Dans l'épître aux Romains, je fais allusion au cas général. Dans l'épître aux Corinthiens, je traite d'une exception. Il est naturellement déplorable que des chrétiens se disputent devant des Gentils, et tu comprendras aussi qu'étant donné l'originalité de notre morale, les tribunaux romains soient forcément incompétents pour un certain nombre de litiges.

— Voilà que tu parles de nouveau avec la finesse d'un ange. Mais pourquoi donc, après les avoir réputés dignes d'honneur, couvres-tu d'injures ces magistrats qui font leur métier et ne sont aucunement responsables de la curieuse nouveauté de tes croyances ? Est-ce le Christ ou Paul, qui parle ici ?

— C'est Paul, et j'ai trop parlé. »

Luc fit remarquer : « Paul a beaucoup écrit, et parfois, il a dû écrire très rapidement, sous le coup d'une urgence ou d'une émotion. Il n'est pas étonnant qu'il y ait quelques scories sous sa plume. L'étonnant est qu'il n'y en ait pas davantage. »

Paul, sans chaleur notable, remercia Luc du compliment, auquel Kaeso s'associa, avant de reprendre sur le même ton :

« Toujours dans ta première aux Corinthiens, on peut lire : " Comme dans toutes les églises chrétiennes, que les femmes se taisent dans les assemblées, car il ne leur est pas permis de prendre la parole ; qu'elles se tiennent dans la soumission, comme la Loi même le dit. Si elles veulent s'instruire sur quelques points, qu'elles interrogent leur mari à la maison ; car il est inconvenant pour une femme de parler dans une assemblée... Même si quelqu'un se croit prophète ou inspiré par l'Esprit, qu'il reconnaisse en ce que je vous écris un commandement du Maître. "

« Je constate que, de cette Loi juive où tu as fait des coupes sombres... et même des éclaircies !... tu as soigneusement conservé un précepte pour faire taire les femmes en public, meilleure façon de reconnaître que, ce précepte, tu ne le tenais pas du Christ, car alors, tu te serais empressé de le signaler. Et c'est pourtant à ce propos que tu oses invoquer un commandement de ton Maître ! Ne trouves-tu pas futile et fourbe, afin de fermer la bouche des femmes dans tes églises, de mobiliser l'autorité d'un Maître qui n'a rien dit, pour t'abriter derrière des Juifs dont tu as secoué le joug ? Là aussi, est-ce le Christ ou Paul qui a parlé ? »

Comme Paul gardait le silence, Kaeso fit cette réflexion : « Ce que je t'en dis, c'est par humble correction fraternelle et parce que je suis susceptible d'épouser une Romaine qui aura pris l'habitude de parler en public plus fort que les hommes. Et permets-moi d'ajouter, pour le succès de ta propagande à Rome, que tu vas braquer toutes les femmes contre toi si tu laisses inconsidérément courir de telles épîtres. Quand les Romaines se convertiront à ton Évangile, elles exigeront, avec toutes les libertés qu'elles ont prises, d'autres preuves que les tiennes avant de se taire ! Le Christ était plus aimable que toi pour les femmes et tu pourrais prendre modèle sur lui là-dessus. »

Ulcéré, Paul dit enfin : « Là aussi, je dois le reconnaître, c'est moi qui ai parlé, et non pas le Christ. »

Luc susurra : « J'ai souvent dit à Paul qu'il prenait les femmes d'un peu haut, et que même les homosexuels qu'il foudroie sont souvent plus à plaindre qu'à blâmer. »

Exaspéré, Paul cria : « Je t'abandonne les femmes, laisse-moi au moins les infâmes ! »

Avec une douceur accrue, Kaeso enfonça le clou :

« Je trouve pénible et inquiétant de voir un apôtre invoquer la parole de son Maître à tort et à travers. Non seulement Satan travaille derrière ton dos, mais il te prend parfois de face.

« Mais je ne voudrais pas abuser de ta patience — qui est d'ailleurs limitée —, et je me bornerai à souligner pour finir une contradiction de grande portée.

« Tu prétendais tout à l'heure que c'était la liberté d'engagement qui faisait le mariage chrétien. Or, toujours dans cette malheureuse première aux Corinthiens, dont certains passages seraient décidément à récrire, tu t'exprimes de la sorte : " Si pourtant quelqu'un croit manquer aux convenances envers sa fille en lui laissant passer l'âge du mariage, et que les choses doivent suivre leur cours, qu'il fasse ce qu'il veut ; il ne pèche pas : qu'on se marie. Mais si l'on est fermement décidé en son cœur, et qu'à l'abri de toute contrainte et libre de son choix, on ait résolu en son for intérieur de garder sa fille vierge, on fera bien. Ainsi donc, celui qui marie sa fille fait bien, et celui qui ne la marie pas fera mieux encore. "

« Par conséquent, pour toi, la seule liberté en fait de mariage, s'il faut du moins ajouter foi à ce que tu écris plutôt qu'à ce que tu dis, serait celle des pères à disposer de leur fille à leur gré. Voilà une introduction qui me semble maladroite à l'indissolubilité et à la liberté que tu prônes. Est-ce Jésus ou est-ce Paul qui permet à un père de priver sa fille de mariage ?

« Ce que je t'en dis, encore une fois, c'est dans l'intérêt de ta doctrine. Car l'usage va croissant à Rome pour les pères d'admettre l'inclination de leur fille, et une fois mariées, ce n'est d'ailleurs pas l'autorité du tuteur qui empêchera les femmes de se remarier à leur guise.

« Ainsi, tu te places en contradiction non seulement avec les nouvelles mœurs romaines — dont je comprends bien que tu ne t'inquiètes guère —, mais encore avec toi-même, ce qui me paraît plus grave. Si le père peut marier ou non sa fille, selon ton optique barbare qui remonte sans doute au déluge, où est la liberté de consentement de la victime ?

« Tout se passe comme si, par misogynie, par inconséquente légèreté, tu travaillais à mettre en œuvre une floraison de mariages nuls devant ton dieu, dont bien peu pourront être légalement annulés si les juges chrétiens te ressemblent. La liberté que tu apportes à la femme est aussi savoureuse que celle que tu apportes aux esclaves. Mais ton aveuglement travaille à la ruine de ta propre morale. Car ces chrétiennes mariées de force par des pères tyranniques sauront bien, au fond d'elles-mêmes, si elles ne sont pas tout à fait stupides, que leur mariage est religieusement nul, et elles en tireront la conséquence logique que leur mari a une tête de cocu. Et quand tu conseilles aux pères de garder leur fille dans le célibat, tu te rends également responsable de toutes les masturbations ou coucheries sournoises qui découleront de cette situation anormale.

« Si Jésus a pardonné à la femme adultère, c'est peut-être qu'elle avait été mariée sous contrainte par un irresponsable dans ton genre.

« Il est dommage que ce Jésus que tu as rencontré près de Damas ne t'ait pas parlé plus longtemps. Après t'avoir reproché de le persécuter, il t'aurait sans doute invité à ne point persécuter les jeunes filles. Mais au fond, ces deux persécutions n'en feraient-elles pas une seule ? »

D'une voix blanche, Paul pria Kaeso de s'éloigner un instant, et il se mit à parler de façon animée avec Luc. Des éclats de voix parvenaient à Kaeso, qui regardait des limaces manger des salades au fond du jardinet. Ces limaces avaient certainement une liberté supérieure à celle de la femme chrétienne selon Paul de Tarse.

Kaeso rappelé, Paul lui dit :

« Il est toujours facile de faire le procès de quelqu'un sur quelques phrases malencontreuses ou excessives. Tu aurais pu garder souvenir de bien d'autres passages où j'insiste sur la dignité de la femme, soumise temporellement à l'homme, mais son égale toutefois sur le plan spirituel. Cette égalité-là, qui est essentielle, que j'annonce malgré mes maladresses et mes faiblesses, elle ne passera point, car c'est la parole de Dieu qui la fonde. Alors que les libertés acquises par les matrones romaines vont pour la plupart à leur perdition. A quoi bon se marier librement, si c'est pour divorcer et demeurer stérile ?

« Je te prie de considérer à présent que les bonnes règles morales qui doivent gouverner les rapports entre hommes et femmes ont été longtemps susceptibles d'évolution, au contraire des autres règles intangibles et permanentes qui sont exprimées dans le Décalogue. La Bible témoigne elle-même d'une telle évolution. C'est ainsi que, dans la Genèse, on vit Jacob épouser deux sœurs à une semaine d'intervalle, alors que ce genre de promiscuité est interdit plus tard par le Lévitique. Il a été relativement bien d'avoir plusieurs femmes et de divorcer. Dieu l'a toléré par suite de l'endurcissement de notre cœur, après la chute. Avec Jésus, le mariage idéal a été enfin retrouvé et défini. Mais cet idéal, tu t'en rends bien compte, est aux antipodes des mœurs actuelles de tous les peuples, et il faudra sans doute des siècles d'efforts pour le faire passer dans les législations... si le Jugement dernier ne vient pas rendre ces efforts superflus.

« En attendant, le décalage est si grand entre les exigences du Christ et les mentalités que le chrétien en personne — et même un chrétien qui a vu Jésus mieux que je te vois ! — a du mal à « dépouiller le vieil homme », à ne pas raisonner, à ne pas sentir en matière de femmes comme on lui avait appris à le faire quand il était jeune. Dans mes épîtres, il peut ainsi arriver que le Juif l'emporte sur le chrétien au cœur de ce domaine si épineux, et même le mauvais chrétien sur le bon. Car voir le Christ ne nous préserve pas de toute erreur et de tout péché, *notre liberté étant encore plus importante que notre vertu, puisqu'elle la fonde.*

« Tu as souligné chez moi des contradictions qui ne sont que trop réelles et dont je viens de t'expliquer la genèse. Je travaillerai à les réduire et à les résoudre. L'Église défendra toujours par principe la liberté de consentement, mais les " prêtres " auront longtemps bien du mal à accorder leurs actes, et même leurs discours, avec le principe. S'il plaît à Dieu, la grâce emportera tout et fera tourner en ma faveur comme en faveur du prochain jusqu'à mes inconséquences.

— Tu veux signifier que quand tu parles bien des femmes, c'est dieu qui parle par ta voix ; et quand tu en dis des bêtises, ce sont les femmes qui te les font dire ?

— Exactement ! reconnut Paul en riant. C'est un plaisir que de t'instruire !

— Tu retombes toujours sur tes pattes comme un chat.

— Assurément, si tu persistes à me tourmenter de la sorte, parviendras-tu à me faire miauler ! »

Pour un être qui fréquentait Dieu d'aussi près, Paul avait conservé une humilité et une bonne foi sympathiques, d'autant plus méritoires que son caractère était plus difficile. Convaincu d'erreur par une démonstration rigoureuse, il parvenait encore à se dominer et à faire amende honorable.

C'était l'heure du repas de midi. Comme ils se rendaient à la salle à manger, Luc, qui marchait derrière avec Kaeso, lui dit à voix basse : « Tu as fait beaucoup de peine à Paul, qui ne l'avait pas mérité. Même quand tu vois juste, ton verbe est bien orgueilleux. Tu parles comme si tu étais sorti de la cuisse de Jupiter, alors que ta petite tête est apparue un jour, comme celle de tout le monde, au bord d'un sexe de femme, entre le conduit pisseux et le conduit merdeux [1].

---

1. L'image sera reprise par saint Augustin, qui avait recueilli des informations précises dans de mauvais lieux avant de se ranger.

— Tu ne laisses pas oublier que tu as fait ta médecine ! »

On déjeunait assis sur des coussins, qui encadraient les tables basses de service. Il y avait là une douzaine de personnes, les femmes étant exclues.

Pour rétablir une cordiale atmosphère, Kaeso demanda à Paul :

« Jésus ayant fêté la Pâque un jour en avance, le jeudi soir, pour avoir le temps d'être enseveli avant le sabbat du lendemain soir — merveilleuse prévoyance ! —, la consécration du pain et du vin a eu lieu durant ce repas traditionnel. Or j'ai vu ce matin que ladite consécration n'était plus associée à un repas. Pourquoi cette dissociation ?

— Parce que Jésus n'est plus là pour modérer de son regard les gourmands et les buveurs. Partout où j'ai quelque influence, je conseille, pour couper court au risque d'abus, de faire de la Cène sacrée un repas séparé, qui précédera un repas ordinaire. Il y a d'ailleurs une grande différence entre la Cène ordonnée par le Christ et la nôtre. Jésus a changé le pain et le vin en Corps et en Sang qui allaient être sacrifiés pour nos péchés et pour nos erreurs. Entre Ses mains, l'hostie était un " prototype " — si je puis me permettre ce néologisme. Alors que notre hostie d'aujourd'hui, c'est de la Chair et du Sang déjà versés, toute la réalité d'un Corps crucifié, ressuscité et glorieux. La Cène de Jésus annonce, la nôtre réalise, renouvelle le sacrifice, et pour une assistance éventuellement très accrue. Il est donc légitime de passer de l'ambiance familière de la Cène primitive à une atmosphère plus officielle, où tout sera prévu pour mettre en valeur les vrais caractères de l'auguste phénomène. L'hostie-projet d'un Jésus mourant s'est accomplie par la parole de nos " prêtres ".

— Que deviennent les hosties qui ne sont pas consommées ?

— On les porte aux malades et aux mourants. »

A mots couverts, Kaeso remercia Paul de la part de Silanus et lui annonça qu'il pourrait voir Néron d'assez près, grâce à l'amabilité du patricien, dès le lendemain matin.

Marchant sur des œufs, il ajouta : « Silanus a appris par la rumeur publique avec quelle aisance tu avais guéri l'aveugle du temple de la Pudicité Patricienne, et il te serait très reconnaissant de t'occuper de ses rhumatismes, qui le gênent d'autant plus qu'il est jeune marié. »

Paul se rembrunit, ne sachant trop quoi dire.

Kaeso insista : « Ne parlons pas de charité — quoiqu'elle ne soit jamais tout à fait absente d'un miracle thérapeutique. Il est évident que les chrétiens ne peuvent guérir tout le monde sous prétexte de charité : les gens n'auraient plus aucun mérite à croire et il faudrait agrandir le Paradis. Mais tu aurais là une bonne occasion de prouver une fois de plus que " Dieu vient de visiter la terre ", pour reprendre ta magnifique expression. Silanus est cousin de Néron, il peut te recommander, et si tu guérissais seulement notre empereur d'un rhume à la veille d'un élégant concours de chant, la fortune des chrétiens serait faite. Après avoir soulagé le premier venu, tu peux soulager l'illustre mari de ma belle-mère, qui cherche la vérité, lui aussi, avec ses modestes lumières, et qui te veut du bien. »

Paul se résolut enfin à répondre : « Ce n'est pas moi qui guéris : c'est Dieu. Explique à ton parent, avec tous les ménagements désirables, que si Dieu prend en pitié les pires souffrances du pauvre, il m'est difficile de Le déranger pour des rhumatismes de riche nouveau marié.

— Jésus, dit Luc, a pourtant changé de l'eau en vin lors des noces de Cana, et ce fut même, selon Jean, son premier miracle.

— La Vierge L'en avait prié.

— Je dirai donc à Silanus, soupira Kaeso, que la Vierge, qui se préoccupe de miracles gastronomiques, se moque de ses rhumatismes.

— Je préférerais le lui dire moi-même si l'occasion se présente : j'ai l'impression que je le dirais mieux que toi. »

Les histoires de miracles étaient très embrouillées.

Kaeso jeta un regard à la ronde. Luc était impassible, mais les autres convives avaient l'air de penser que, dans l'intérêt de la cause, Paul aurait pu faire un petit effort pour les rhumatismes d'un cousin de l'empereur.

« Que savez-vous des affaires de Dieu ? leur dit Paul. Est-ce vous ou est-ce moi qui ai guéri cet aveugle et quelques autres ? »

Il n'y avait rien à rétorquer à cette remarque de spécialiste.

Kaeso demanda encore à Paul :

« J'ai lu chez Marc que la maladie est souvent présentée comme une possession démoniaque. Quel est ton avis là-dessus ?

— La mort et la maladie sont en effet les résultats du péché d'Ève et d'Adam, qui avaient désobéi à Dieu, tentés par le Démon.

— Comment Jésus qui, par définition, n'était pas tributaire du péché originel, a-t-il pu souffrir et mourir ?

— Exempt de ce péché, il en avait accepté ces conséquences-là par amour pour nous. Satan a même tenté vainement de Le séduire !

— Quand ce Satan a désobéi à Dieu, il n'a pu être tenté par le Démon, puisqu'il était le premier ange déchu de son espèce. »

Paul et Luc se regardèrent, comme si ce problème n'avait pas encore fait l'objet de leurs préoccupations.

Kaeso avança :

« Désobéir à Dieu sans être tenté par le Diable, cela dénote une incroyable dose de vice !

— Eh bien, fit Paul, une incroyable dose de vice, c'est justement la meilleure définition du Démon, qui a en effet inventé tous les péchés possibles à partir de rien. Méfie-toi donc ! Satan excelle à travailler sous le masque des meilleurs sentiments. Il est présent dans le vice, et plus encore sous la vertu. »

Des ambitions morales médiocres semblaient être la meilleure garantie pour tenir à distance ce Satan-là, et le soupçon fort désagréable effleura Kaeso qu'il était peut-être trop vertueux de nature pour ne pas lui donner une bonne prise. Les chrétiens parlaient du Diable et de l'enfer avec une certitude impressionnante et contagieuse, comme s'ils avaient compris que l'homme était encore plus sensible à la peur qu'à l'amour. A l'instar des maîtres d'esclaves, le Dieu chrétien agitait carotte et bâton.

Rendez-vous pris pour le lendemain matin au Cirque Maxime avec Paul et Luc, Kaeso rentra à l'insula pour la sieste. Reposé, il ordonna au cuisinier de faire porter quelques victuailles et une amphore de bon vin chez le judéo-chrétien de la Porte Capène pour le remercier de son hospitalité. Marcus junior était dans la cuisine, en train de manger tardivement sur le pouce. Exploitant sa permission à fond, il était le plus souvent absent de la maison. Kaeso l'invita à venir avec lui aux majestueux thermes neufs néroniens, qui étaient plus distrayants que l'installation privée due aux sacrifices de Marcia. Après avoir fréquenté Paul quelque temps, on éprouvait le besoin de se changer les idées. La petite Myra fut autorisée à suivre. Séléné, qui n'allait jamais aux thermes publics, se borna à leur souhaiter un bon après-midi, et conseilla au marmiton de ne pas mettre de porc dans la bourriche du judéo-chrétien, la plupart des Juifs convertis ayant gardé une invincible prévention contre cet utile animal.

« Et toi-même ? lui demanda Kaeso. Ne manges-tu pas de porc ? »

Avec un humour grinçant, Séléné répondit : « Quand on suce de l'homme, on peut bien manger du cochon ! », ce qui était assurément assez logique. La prostitution avait en tout cas ceci de coupable qu'elle faisait perdre le respect des interdits alimentaires religieux.

Nécessaire de bain sous le bras, le trio prit donc le chemin des thermes. Il était tombé de rares averses les jours précédents, mais le temps semblait se mettre au beau, ce qui présageait des courses superbes pour le premier jour des Floralies.

Les thermes étaient entourés de prétoriens et de soldats de la garde germanique, les vestiaires étaient bourrés de policiers : Néron se baignait. De temps à autre, avec une souriante démagogie, l'empereur faisait une apparition dans un bain public, où il prenait aussitôt un bain de foule, et la présente initiative était sans doute en rapport avec la présidence des courses du lendemain. Les Jeux donnaient au Prince l'occasion de tester périodiquement sa popularité, et il n'était pas mauvais de passer quasiment sans transition des thermes populaires au « pulvinar » olympien du Grand Cirque.

Autre avantage de ces contacts plébéiens : ils étaient les seuls de ce genre à présenter les meilleures garanties de sûreté. Un empereur nu, entouré de gros bras et d'amis nus, s'offrait à la vibrante sympathie de baigneurs et baigneuses, qui n'auraient pas même pu dissimuler le poinçon à écrire, dont Claude avait eu si peur parce que César s'y était piqué aux Ides de mars. A condition d'aller se baigner en ville par surprise, Néron combinait à ravir le maximum de publicité et le maximum de sécurité, cet éternel casse-tête des services de protection rapprochée.

Quand les deux frères Aponius et la petite Myra pénétrèrent dans les thermes, Néron barbotait déjà dans la piscine du frigidarium, tout entouré d'amis, qui interdisaient au cercle des curieux et des flatteurs d'étouffer l'auguste objet de leur attention. De l'eau agitée ou des bords de la piscine, maintes apostrophes fusaient vers l'héritier de tant de Césars, et Néron répondait plaisamment, sa suite ajoutant parfois son grain de sel. L'atmosphère était bruyante, détendue et bon enfant.

La question qui revenait le plus souvent était : « Quand donc, divin rejeton des Muses, te décideras-tu à chanter devant ta plèbe bien-aimée ? » Néron répondait avec une humilité sincère : « Je m'exerce nuit et jour, mais je ne suis pas encore prêt. Vatinius pourra vous dire combien de temps il faut pour apprendre à fabriquer une simple chaussure ! » Et Vatinius de ricaner : « Je chanterai avec mes pieds avant que César ose se produire sur une scène ! Ce n'est pas de vous qu'il a peur : c'est de lui-même ! »

Vatinius, élevé chez un savetier, méchant comme une gale et tout contrefait, était à la fois le bouffon de la cour et l'un de ses plus éminents délateurs. Sa perspicacité diffamatrice ou calomnieuse en arrivait à faire trembler Poppée ou Tigellin.

L'affreux Vatinius n'avait pas tort. Comme tous les artistes de tempérament, Néron était paralysé par le trac et remettait de mois en mois, d'année en année, le jour de la grande confrontation. Jusqu'alors, il n'avait exercé ses talents d'acteur, de conducteur de char, de poète, de chanteur ou de citharède que lors de représentations privées — il est vrai des plus encourageantes. Mais la foule, c'était autre chose... Étonnant paradoxe : cet homme qui faisait trembler l'univers tremblait à la perspective de se donner en spectacle à des inconnus. Les conquérir tous était cependant le grand dessein de son existence, et, pour accroître sa détermination, il se flattait, le jour où son génie éclaterait sans entraves, d'établir une telle communion avec le peuple que les assises du pouvoir en sortiraient renforcées. La rêverie esthétique tournait à la rêverie politique. Pour la première fois dans l'histoire, une toute-puissance de fait se pensait et se voulait toute-puissance de charme. Alexandre donnait la main à Orphée.

Marcus junior et Kaeso, jouant des coudes, parvinrent au bord de la vaste piscine couverte. Myra, juchée sur les épaules de Marcus, envoya de menus baisers à Néron, qui envoya de gros baisers mouillés en retour. Un empereur nu ne saurait donner autre chose.

Néron, qui avait eu vingt-cinq ans en décembre précédent, s'était déjà empâté à force de festins et de beuveries, malgré les régimes alimentaires et les purgatifs épisodiques destinés à maintenir au plus haut point toutes ses artistiques capacités. La beauté reconnue de l'adolescent aux flous cheveux d'un blond-roux et au regard bleu de myope s'était évanouie, et la noblesse impérieuse du haut du visage faisait contraste avec le menton gras et la bouche de sangsue. Par décision personnelle du Prince, les récents monnayages, répudiant la vision idéalisée du modèle, offraient d'ailleurs une face néronienne lourde et brutale, celle d'un homme sorti de l'enfance, désormais résolu à imposer toutes ses volontés.

L'empereur, qui suait beaucoup et se baignait plusieurs fois par jour, s'attardait dans l'eau fraîche, protégé du refroidissement par sa graisse, tandis que le maigre Vatinius commençait de claquer des dents.

Un peu à l'écart de la bande, un autre courtisan paraissait trouver le temps long. Marcus le désigna à Kaeso comme étant Flavius Vespasianus, personnage consulaire, frère de Flavius Sabinus, le Préfet de la Ville. Ce Vespasien, de modeste origine, empressé à plaire sous Caligula, avait été dans les bonnes grâces de Narcisse sous le principat de Claude, qui l'avait vu triompher des Bretons de l'île de Vectis [1] et faire son plein de sacerdoces. Mis au rancart par Agrippine au début du règne de Néron, il avait enfin décroché la province d'Afrique, d'où il était revenu désargenté, après que ses administrés d'Hadrumète [2] lui eurent jeté des raves à la figure. Depuis son retour, ce militaire entre deux âges, dont l'intégrité était la plus belle et la plus inutile parure, se morfondait sur les basques de Néron, dans l'attente d'un haut commandement qui tardait à venir. Néron, qui adorait la dépense, se méfiait des intègres, et avait plus de considération pour son Préfet Sabinus, dont l'intégrité était moins voyante.

1. L'actuelle île de Wight.
2. Sousse, en Tunisie.

Afin de soutenir son rang, il arrivait au pauvre Vespasien de faire le trafic des chevaux de remonte, ce qui n'était pas pour améliorer son crédit, et sa mine était d'autant plus maussade que le chant impérial l'ennuyait à périr.

Le Prince s'ébroua et sortit enfin de l'onde, mettant en évidence son cou trop fort, puis son ventre grassouillet, puis ses jambes maigres.

La meute des suivants se referma autour de lui, et le cortège reprit le chemin des vestiaires, au milieu d'une grande rumeur.

Myra descendit des épaules de Marcus, qui lui dit :

« N'es-tu pas fière que Néron t'ait envoyé des baisers ?

— Je trouve que, pour un empereur, il a une bien petite quéquette ! »

Enfantine naïveté, qui fit rire Kaeso et Marcus aux larmes.

« C'est parce qu'il a grossi, expliqua Kaeso. S'il était aussi maigre que cette vipère de Vatinius, le membre t'aurait paru plus gros. » Kaeso ajouta : « Tout est relatif », expression familière au philosophe qui lui avait enseigné le scepticisme dans le cadre de l'éphébie.

Sur le chemin du retour, Kaeso révéla à Marcus quel plan de sauvetage Séléné avait imaginé pour lui et quels contacts extraordinaires en avaient découlé avec les Juifs, puis avec les chrétiens.

Marcus n'était guère favorable à l'expérience.

« Par ce biais, dit-il, tu conserveras peut-être l'estime — et même la faveur — de Silanus, mais durant combien de temps ? Marcia, et pour cause ! ne croira jamais à ta sincérité, et le plus amer désespoir risque de la pousser à toutes les vengeances. Elle s'empressera de te desservir auprès de Silanus.

— Elle m'aime trop pour me faire du mal. Elle risque plutôt de se tuer, et cette éventualité fait mal au cœur.

— Raison de plus, il me semble, pour te montrer raisonnable et accommodant. »

Kaeso révéla encore à son frère les manœuvres mensongères de Marcia et l'attitude complaisante de Silanus...

« Mais alors, Kaeso, qu'est-ce qui te retient ? L'habileté de notre belle-mère a tout aplani. Tu es déjà son amant, et Silanus s'en accommode. C'est une situation de rêve. Comme j'aimerais pouvoir être à ta place ! »

Il était difficile de faire saisir les nuances morales essentielles à un être aussi épais. Cependant, Marcus produisit bientôt un argument, qui avait de quoi troubler : « Que tu te moques de Silanus et de Marcia, passe encore, mais est-il bien prudent de te moquer de ce dieu chrétien ? Tu me dis toi-même que ce n'est pas un dieu comme les autres, susceptible de s'ajouter au panthéon. On trouve toujours un dieu antidote pour contrebalancer la colère d'un dieu défavorable. Mais quand il s'agit d'un dieu supérieur qui prétend remplacer tous les autres, où est le recours ? »

L'idée frappa soudain Kaeso que le dieu de Paul était bien capable d'exister. Après tout, il n'était pas philosophiquement plus improbable que les dizaines de milliers de dieux immanents, empêtrés dans de ridicules affaires. Et si ce dieu existait, le baptême n'allait-il pas porter malheur à l'imprudent ? Le dieu chrétien, proche parent du dieu juif, n'avait pas l'air de plaisanter.

Après dîner, Kaeso relut en détail l'Évangile de Marc, et une chose prodigieuse lui sauta tout à coup aux yeux, qu'il s'acharna à vérifier phrase par phrase : on pouvait naturellement discuter des faits et gestes de Jésus tels que les témoins les avaient vus et rapportés, mais quant aux phrases du réputé dieu, il n'y avait pas une sottise, pas une contradiction. Il était aisé de prendre Paul en flagrant délit d'intempérance de langage, mais Jésus, extraordinaire ou familier, était d'une cohérence supérieure. Et une nouvelle question se posait de ce fait : un homme qui se présente comme dieu, maître de la vie et de la mort, est obligatoirement un illuminé ou un escroc, et les paroles de Jésus excluaient l'une et l'autre hypothèse. Alors ?...

V

Dès le milieu de la nuit, la basse plèbe faisait la queue devant le Cirque Maxime.

Sans doute, les Jeux étaient-ils gratuits, mais encore fallait-il se préoccuper d'y avoir une bonne place, et même une place tout court. Au Cirque, à l'amphithéâtre, au théâtre, les sénateurs avaient leurs rangées réservées, et Néron avait gratifié les « chevaliers » du même honneur. De plus, en rapport avec un spectacle déterminé, les organisateurs distribuaient des « tessères », plaques rondes ou oblongues de bois, d'os ou d'ivoire, qui étaient autant de réservations pour une ou plusieurs personnes, auxquelles on voulait assurer les meilleures places après celles des sénateurs et des « chevaliers ». Le gros de ces nombreux privilégiés était choisi dans la plèbe « frumentaire », parmi ces citoyens qui mangeaient déjà en partie aux frais de l'État. Mais certains d'entre eux, renonçant à la représentation, refilaient moyennant finance leur tessère à des loueurs, qui les revendaient à des amateurs avec bénéfice. La police voulait ignorer ce marché parallèle, qui avantageait tout le monde sans nuire à qui que ce fût. Et les places restées libres dans les hauts des édifices pouvaient elles-mêmes faire l'objet d'un trafic : des citoyens ou affranchis misérables, des esclaves même occupaient avant l'aurore une place, qu'ils cédaient à un passionné modeste au moment de l'affluence.

Les femmes, les enfants avec leur « pédagogue » bénéficiaient également de rangées particulières, afin que fussent préservées leur pudeur ou leur tranquillité d'assiduités fâcheuses. Toutefois, cette facilité n'était pas une obligation, et beaucoup de femmes préféraient se frotter aux hommes à l'heure des grandes émotions complices.

Aux temps héroïques de Rome, la dépression herbeuse de la vallée Murcia, entre Palatin et Aventin, servait déjà à des courses de chevaux ou de chars, et ce cirque naturel avait fait l'objet, de génération en génération, d'aménagements toujours plus considérables et plus luxueux, jusqu'à mesurer plus de 2 000 pieds sur 700[1]. Après construction, au Champ de Mars, du Cirque plus restreint de Flaminius Nepos, quelque deux cent quatre-vingts ans auparavant, le premier Cirque avait pris le nom de Cirque Maxime, et l'avait à plus forte raison conservé après l'ouverture dans les jardins du Vatican du Cirque mis en chantier par Caligula, qui était le plus petit des trois.

La cinquantaine de jugères du Cirque Maxime, qui s'étendait « grosso modo » de l'ouest à l'est entre les deux collines, avaient vu s'accumuler, à l'assaut du Palatin et de l'Aventin, des sièges de marbre, de pierre et surtout de bois, en deçà des murs de soutènement dominant les pistes. La capacité de 150 000 places assises du temps de César avait presque doublé du temps de Néron, et deux siècles plus tard on devait parvenir à 385 000. C'était le plus vaste ensemble architectural du monde.

L'entrée monumentale, dominée par deux tours, était située à l'ouest, du côté des Vélabres, près du temple de Cérès et du Tibre. A droite et à gauche, s'étageaient les gradins, qui se rejoignaient tout au fond en arc de cercle, endroit où le mur de soutènement était percé d'une autre porte, ouvrant vers l'est et la Voie Appienne.

La partie ouest abritait douze « carceres » de marbre, boxes où les chars attendaient de courir, et dont la façade formait une courbe étudiée pour que les quatre attelages participant à chaque course puissent en principe — quel que soit le box de départ — arriver de front sur la piste de droite où ils devaient s'engager. Le premier tiers de l'arène, tapissée de sable brillant, était libre ; un terrassement longitudinal appelé « spina » (épine dorsale) partageait le reste de l'arène en deux pistes distinctes, qui allaient en se rétrécissant légèrement d'ouest en est afin que fussent augmentés, au fond du Cirque, les difficultés de virage et les risques d'accrochage. La tête et la queue de cette spina, qui avait 750 pieds de long, étaient protégées par deux bornes coniques de trente pieds de haut en bronze doré — dues à la munificence de Claude —, dont le piédestal était arrondi du côté de l'arène. La borne qui faisait face aux « carceres » était la « meta prima » ; la plus lointaine était la « meta secunda ». Chaque course se jouait en sept tours, sur une distance de quelque 14 000 pieds[2]. De douze courses par journée sous Auguste, on était passé à trente-quatre sous Caligula, pour en arriver à une soixantaine, en attendant de plafonner à une centaine à partir de Domitien — avec, il est vrai, une réduction de sept à cinq des tours de piste. Il y avait donc environ six heures de course effective, de quoi gaver le public.

1. Environ 600 mètres sur 200.
2. Environ 4 kilomètres.

La ligne d'arrivée était située en face du « pulvinar » palatin, à la hauteur de la « meta prima ».

Une telle évolution avait obligé les organisateurs à se spécialiser et à tout sacrifier aux chevaux. Autrefois, on exterminait entre les courses des masses de bêtes, à ce point que César avait dû protéger les spectateurs par un fossé rempli d'eau. A présent, les bêtes étaient plutôt réservées aux matinées de l'amphithéâtre — où, d'ailleurs, le mur de soutènement des gradins était nettement plus élevé — et, durant les intercourses, très abrégées, on ne présentait plus guère que des spectacles secondaires, de quoi faire patienter.

Quand Paul, Luc et Kaeso occupèrent la petite loge qu'ils devaient à l'amabilité de Silanus, vers la quatrième heure du matin, l'arène était provisoirement animée par une foule de boxeurs poids lourds, qui se massacraient avec entrain au son des flûtes. L'avant-bras et la main de ces braves étaient armés de « cestes », bandes de cuir garnies de plaques de plomb, dont chacune pesait neuf livres, et la technique la plus efficace consistait bien sûr à viser la tête. Quand un maladroit attrapait un bon coup dans les dents, il était condamné à la soupe pour le restant de ses jours. Sous le choc des cestes, manœuvrés par des athlètes aux carrures de bûcheron, les bouches et les nez s'écrasaient, les yeux crevés sortaient des orbites, les oreilles s'effilochaient, des fragments de cervelle jaillissaient des crânes fracturés. Le premier coup sévère étant décisif, les combats étaient naturellement brefs. Après quelques passes, quelques feintes, l'un des adversaires s'effondrait, mort ou défiguré. Ce qu'il y avait d'émouvant dans cette boxe, susceptible de toucher un public moins blasé, c'est que chaque combattant, à chaque rencontre, ne risquait pas seulement sa vie pour le plaisir des spectateurs, mais son intégrité physique, allant encore plus loin que le gladiateur dans le dévouement. La plupart des boxeurs étaient ainsi assez vite éliminés de la compétition et les carrières d'une certaine durée étaient rares.

Plutôt que de suivre ce massacre, qui était pour lui imprévu, Paul, écœuré, regardait vers la loge impériale, demeurée vide. Néron, tard couché, ne se levait pas de bonne heure. Mais déjà, on apportait dans le « pulvinar » des lits et des coussins, ce qui confirmait la proche venue de l'empereur. Le pulvinar, au sens général du terme, c'était d'ailleurs ce coussin sur lequel on allongeait la statue des dieux lors des « lectisternes », festins sacrés où les immortels banquetaient en compagnie des mortels. Et, par extension, le mot avait fini par désigner un lit de parade, voire telle ou telle loge, d'où les Césars suivaient un spectacle. Le pulvinar du Grand Cirque, couvert et de vastes dimensions, communiquait avec le vieux palais d'Auguste et avec le reste des palais de la colline.

Luc, Grec d'origine, avait fréquenté les spectacles orientaux avant sa conversion, et il fut d'abord surpris par l'aspect grandiose des lieux. Du haut pulvinar impérial au mur de soutènement, qui dominait le fossé plein d'eau — l'« Euripe » — et les pistes, c'était une cascade de toges claires, de tenues militaires d'apparat, de toilettes féminines multicolores. On retrouvait des masses de toges claires sur tous les gradins inférieurs du Cirque, et aussi sur la terrasse qui recouvrait les « carceres », où se tenaient le président des Jeux et sa suite. Les empereurs rappelaient constamment que les citoyens se devaient de paraître en toge au spectacle, mais beaucoup — et même des sénateurs — se faisaient tirer l'oreille et préféraient se mélanger anonymement à la foule des « pullati », basse plèbe vêtue de brun, où ils avaient leurs coudées plus franches pour chercher de bonnes fortunes et pour manger. Tout le monde se rappelait l'algarade entre l'empereur Auguste et un « chevalier », qui s'était vu reprocher d'apaiser sa soif en toge. L'homme avait répondu au Prince insolemment : « Toi, quand tu sors pour déjeuner, tu es sûr de retrouver ta place ! » Mais on fermait les yeux sur la boustifaille des « pullati ».

Cette foule énorme attendait avec impatience la prochaine course, tandis que Kaeso faisait admirer à Luc le coup d'œil sur les frondaisons et les monuments de l'Aventin. Mais des flancs de l'Aventin, le coup d'œil était encore plus beau sur le Palatin couronné d'édifices somptueux.

Les derniers combats se déroulaient. On évacuait les éclopés, les assommés, les morts. On ratissait les pistes pour enfouir le sang, et on les arrosait avec des outres perforées.

Paul dit à Kaeso :

« Tu ne m'avais pas averti que, même à l'occasion de courses de chevaux, on faisait couler le sang humain de façon gratuite.

— Les places sont en effet gratuites !

« Allons, élève ton esprit et songe un peu à ton... à notre Christ, qui ne craignait point de côtoyer la lie de la population. Comment pourras-tu convertir les Romains si tu t'emprisonnes dans un ghetto comme les Juifs ? Faire acte de présence n'est pas forcément faire acte de complicité. »

Paul méditant cet enseignement, dont l'exégèse était hélas bien difficile, Kaeso ajouta : « Tu as emprunté une toge pour figurer ici aujourd'hui. Songe encore que ta qualité de citoyen romain t'impose de considérer nos coutumes sans hostilité systématique. Efforce-toi de comprendre avant de condamner. Sinon, abandonne la citoyenneté romaine. Ou bien tu portes la toge, ou bien tu ne la portes pas. Puisque tu y as droit, et que tu la portes, ne bave point sur elle ! »

Kaeso touchait là une question qui ne laissait pas de préoccuper Paul. Un Juif, dans la mesure où les lois romaines lui assuraient une place légale dans l'Empire, pouvait accepter sans crise de conscience d'être citoyen romain. En était-il de même d'un chrétien, qui ne pouvait arguer de l'appartenance à une nation précise pour vivre en marge des mœurs courantes, et parfois des lois ?

Comme si Kaeso avait intuitivement flairé toute l'acuité du problème, il le résuma en une phrase percutante, dont la cruauté lui échappait : « Les citoyens insupportables se font simplement couper la tête, alors que les non-citoyens sont crucifiés, jetés aux bêtes, dépêchés dans les conditions les plus infamantes et les plus abjectes : n'abuse pas de ta toge ! »

Piqué au vif, Paul répondit : « Si ma citoyenneté romaine ne favorisait pas mon apostolat parmi les Gentils [1], j'aurais décliné cet honneur depuis longtemps !

— Je te crois. Mais alors, tu te sers de ta toge pour vulgariser une doctrine où cette toge victorieuse n'a pas de place.

— Je ne bave point sur ma toge : les Romains me l'ont salie, et je la lave ! »

Luc, qui avait l'air d'être le serviteur des deux autres sous son manteau grec, intervint avec douceur : « Vous devez avoir raison tous deux, car à première vue, je ne saurais trancher. Quand un chrétien revêt la toge romaine ou en a seulement hérité avant conversion — comme ce fut le cas de Paul —, doit-il, après mûre réflexion, la laver ou la quitter ? La quitter serait dommage, car les chrétiens aspirent à être de bons citoyens, meilleurs même que les autres. Mais en attendant, il est certes difficile de garder cette toge propre au milieu de tant de souillures. »

Avec un hurlement, le dernier boxeur, une bouillie sanglante à la place de la bouche, venait d'embrasser la poussière, et le vainqueur, détourné de sa proie par l'arbitre, se dirigeait hâtivement vers la ter-

---

1. Cette expression est empruntée au latin ecclésiastique de la décadence, « gentiles », qui signifie « les nations (non chrétiennes) », et « gentiles » est lui-même l'exacte traduction du grec paulinien « ta ethnê », équivalence convenable pour le « gôim » hébreu, qui veut dire « peuples », d'où « les non-Juifs ». Il est donc licite, faute de mieux, de rendre par un « gentiles » tardif le « ta ethnê » de Paul.

En revanche, je n'ai pu me résoudre à parler de « païens », malgré tant d'exemples savants.

Sous Néron, « paganus », qui signifie normalement « paysan », est déjà employé en argot militaire dans le sens péjoratif de « civils »... pour ne pas dire de « pékins ». Cette acception passera même bientôt dans la langue relevée de Pline le Jeune ou de Tacite. Il faudra rencontrer Tertullien (155 ? - 222 † ?) pour que le terme, par un nouveau glissement significatif, soit appliqué aux « pékins » incroyants par opposition aux soldats du Christ.

On voit que les chrétiens, pour stigmatiser les « païens », n'ont pas attendu les difficultés d'évangélisation des campagnes après la ruine de la civilisation urbaine antique.

De toute façon, pour l'époque néronienne, « païen » se révèle lourd d'anachronismes et de contresens.

rasse des « carceres » pour recevoir sa récompense, sous des applaudissements assez maigres. Les boxeurs étaient les bouche-trou de l'arène. Leur rêve était de se faire engager comme garde du corps par un riche noctambule peureux, mais beaucoup de gladiateurs, au chômage ou à la retraite, étaient déjà sur les rangs.

On s'agitait du côté des « carceres ». Des esclaves prenaient position pour ouvrir les portes à claire-voie derrière lesquelles piaffaient les chevaux. D'autres s'apprêtaient à baisser la corde, soutenue par des Hermès, qui barrait à quelque distance l'entrée de chaque remise. Et l'on s'agitait aussi sur la spina, ornée de divines statues dorées, d'autels, de colonnes commémoratives et de cet obélisque en granit de cent vingt pieds de haut qu'Auguste avait fait rapporter d'Héliopolis, car c'était sur l'« épine » que les sept tours de piste étaient comptés et affichés : en face de la ligne d'arrivée, on élevait un gros œuf en bois à chaque tour accompli, et à l'autre bout de la spina, on abattait à chaque demi-tour l'un des dauphins de bronze qui dataient d'Agrippa. L'intermède distrayant des boxeurs était terminé. Les choses sérieuses reprenaient leur cours.

Sur la terrasse des « carceres », les trompettes éclatèrent, quatre portes s'ouvrirent, et quatre nouveaux biges s'avancèrent jusqu'à la corde.

Les courses commençaient par les attelages de deux chevaux, et plus la journée s'avançait, plus croissait le nombre de chevaux par char : on allait jusqu'à six, huit et même dix, en passant par les triges et les quadriges. Mais la plupart du temps, biges et quadriges composaient l'essentiel des prestations, à raison de deux biges environ pour un quadrige.

Les palefreniers, cramponnés à la bouche des animaux, avaient du mal à les retenir. Ce moment capital se prolongeait, car c'était l'occasion des derniers paris, que recueillaient les préposés qui quadrillaient l'assistance. Avant l'ouverture des Jeux, le magistrat curule qui présidait tirait au sort les appariements de chars d'un même type, dont le public était informé par cavaliers crieurs et porteurs de pancartes, mais une station assez prolongée devant les cordes de départ permettait de vérifier l'information et de juger surtout de l'état des chevaux, dont l'allure était en tout cas superbe : plumet sur la tête, queue et crinière artistement travaillées, poitrail constellé de phalères tintinnabulantes, souple collier autour du cou. Les haras d'Apulie, de Sicile, de Thessalie, d'Afrique et surtout d'Espagne s'ingéniaient à produire les coursiers les plus rapides, mis au dressage à trois ans et présentés au Cirque à cinq.

Les auriges eux-mêmes, debout sur leur léger char étroit, casque sur le crâne, bottes bien lacées, revêtus des couleurs de leur « factio », que l'on retrouvait au plumet des chevaux, tenaient leur fouet en arrêt d'une main et, de l'autre, tiraient sur les rênes, dont les longs prolongements leur entouraient la taille. Plus les chevaux étaient nombreux, plus ce dangereux arrangement devenait indispensable pour que les cochers puissent maîtriser un pareil jeu de commandes. En cas de chute, un poignard bien aiguisé leur donnait une faible chance de se dégager des rênes mortelles.

« Si je connais bien mes Romains, dit Paul à Kaeso, l'excitation qui parcourt à présent tout le Cirque n'est point telle qu'elle pourrait paraître à un naïf : ce n'est pas le cheval que ces gens doivent flairer, mais le sang.

— Ta toge ou la rumeur publique te l'auront soufflé, répondit Kaeso en souriant. Le risque de catastrophe — nous disons en latin de " naufrage " — est très grand. Mais il y a des compensations. La plupart de ces auriges sont d'origine servile. Certains, les " miliarii ", ont cependant gagné plus de mille courses et ramassé des dizaines de millions de sesterces. Ils sont, avec l'élite des gladiateurs et des pantomimes, la coqueluche des dames et les chéris du Prince, qui leur passe bien des frasques, car ils mènent leur vie à grandes guides, dans l'incertitude du lendemain. Pour un qui se retire affranchi et fortune faite, combien meurent à vingt ans pour avoir serré une borne de trop près !

« Et tu as déjà dû te rendre compte que leurs chevaux sont presque aussi célèbres qu'eux-mêmes : on en voit les noms sur les lampes des potiers comme sur les pavements de mosaïque, on leur élève des tombeaux où sont gravées leurs victoires. Chaque animal a sa généalogie et ses fanatiques...

« Le dix-huitième jour des Kalendes de janvier, au milieu du mois de décembre, qui se trouve être par hasard le jour anniversaire de la naissance de Néron, on sacrifie au dieu des chevaux Consus, dont le temple est enfoui sous le piédestal de la " meta prima ". Et aux Ides d'octobre, on immole à Mars, sur son autel du Champ de Mars, le cheval de droite d'un bige vainqueur, celui qui a parcouru le plus de terrain. C'est ma fête du " cheval d'octobre ". (Le vainqueur est tiré au sort, car autrement, un aurige qui aime ses chevaux ne serait pas pressé de gagner une telle course.) Caligula, dit-on, voulait faire son cheval favori consul. Tu peux constater le cas que nous faisons de ces quadrupèdes à Rome. »

L'édile curule bipède chargé de la présidence, du haut de sa tribune, jeta soudain une serviette blanche [1] dans l'arène, les trompettes

---

1. Néron ayant un jour donné par fantaisie le départ d'une course en jetant la serviette dont il se servait à déjeuner, le blanc avait dès lors remplacé le rouge traditionnel.

résonnèrent de nouveau, les cordes tombèrent et les quatre biges s'élancèrent. C'était la dix-neuvième course de la matinée, et après une pompe inaugurale qui avait pris du temps.

Des clameurs torrentielles encourageaient les Bleus ou les Verts. Paul demanda pourquoi les Blancs et les Rouges étaient oubliés.

« ... parce que, expliqua Kaeso, Bleus et Rouges d'un côté, Verts et Blancs de l'autre ont fini par fusionner, pour mieux faire face aux frais considérables nécessités par l'entraînement des chevaux et des hommes. Les primes versées aux vainqueurs, les générosités du Prince ne couvrent pas toujours les frais. Pratiquement, il ne reste donc plus que deux " factions ", les Verts plébéiens que soutient Néron, et les Bleus. Mais chaque faction conserve ses écuries et ses aires d'entraînement. Le quartier général des cochers, où règne une activité trépidante, est au Champ de Mars, à peu de distance du pont Janicule, appelé encore pont d'Agrippa. Mon futur aïeul — si je puis dire ! — a mis son nom partout. »

Les quatre chars avaient successivement surmonté le danger présenté par la première borne. Vu le sens giratoire, les « metae » se trouvant toujours à gauche des attelages, les auriges faisaient mettre de ce côté les chevaux les mieux dressés. Plus la borne était frôlée de près, plus la distance à parcourir était réduite. La largeur de la piste permettait à plusieurs chars de virer de front, mais l'ampleur de la manœuvre faisait perdre beaucoup de terrain aux mal placés, qui en perdaient plutôt moins en talonnant un adversaire, qu'ils s'efforçaient ensuite de dépasser dans la ligne droite subséquente. Au fur et à mesure que la course s'avançait, les accélérations se faisaient plus forcenées, les risques de bousculades et de « naufrages » augmentaient de façon dramatique au voisinage des « metae ».

Certains auriges croyaient pouvoir prendre la tête dès le départ et la conserver sept tours durant. D'autres se maintenaient à la seconde place pour effectuer une percée sur la fin. D'autres encore ne craignaient pas de retenir leurs chevaux, dans l'idée d'exploiter, tour après tour, la fatigue des plus rapides et de coiffer le favori sur la ligne d'arrivée.

Un peu avant la dernière « meta secunda », deux essieux se heurtèrent, l'aurige bleu fut précipité, mais parvint heureusement à trancher ses rênes.

Kaeso dit à Paul et à Luc : « L'exploit n'est pas si facile quand le cocher a autour du corps les rênes d'un attelage de dix chevaux — les " decemjuges " —, ou même celles d'un quadrige. Si le public a une préférence pour les quadriges, cela tient sans doute à ce que la conduite exige une habileté supérieure, mais aussi, à coup sûr, au risque accru. »

L'aurige blanc, à grand renfort de fouet, franchit en vainqueur la ligne d'arrivée : les Verts avaient donc gagné la course.

La marée des hurlements fit place à des cris de joie ou de déception, bien que les plus forts paris concernassent les quadriges ou des formules encore plus ambitieuses.

Les trois chars restants avaient évacué la piste par la porte qui séparait les deux rangées de « carceres » et ouvrait sur une cour d'honneur, donnant elle-même sur des écuries et sur la première porte ouest d'accès au Cirque.

L'aurige victorieux monta bientôt recevoir des mains du président des récompenses honorifiques : une palme et une couronne de laurier à feuilles d'or et d'argent. Le prix monnayé était versé plus tard. Cette solennité était rehaussée par la mise superbe du président responsable : tunique pourpre, toge brodée, pesante couronne d'or sur la tête, si lourde qu'un esclave devait parfois en rectifier la bonne ordonnance, bâton d'ivoire à la main, surmonté d'un aigle aux ailes déployées.

A peine couronné, l'aurige s'empressa de déposer sa couronne sur le crâne chauve d'un personnage de la suite de l'édile.

Kaeso dut encore expliquer : « Si l'aurige est esclave ou affranchi, il honore ainsi son maître, avant de partager l'argent avec lui selon des conventions préalables, qui font l'objet d'un chantage constant. Les auriges libres, eux, se vendent très cher à une faction ou à une autre. »

Du portique-promenoir qui dominait les gradins, deux pigeons verts s'envolèrent tout à coup, un peu à droite du pulvinar, derrière la loge de Kaeso et de ses invités. Comme Paul et Luc suivaient des yeux, ahuris, ces bêtes étranges, Kaeso dit en riant : « Le maître de l'attelage vainqueur prévient de la sorte sa femme ou un ami... à moins que les deux ne fassent qu'un ! Les pigeons peints en bleu ou en rouge ne sont pas moins plaisants. Seuls les pigeons blancs voués au blanc échappent à la peinture. »

Le soleil prenait de la hauteur et le Cirque achevait de se peupler, phénomène qui était surtout sensible dans les zones réservées. Lorsque gagnait sa place une personnalité connue, c'était aux alentours une vague d'applaudissements ou d'insultes. Après la disparition des élections républicaines — qui d'ailleurs n'avaient jamais favorisé que les riches de tous les partis —, les spectacles étaient devenus la meilleure occasion pour la populace d'exprimer ses sympathies ou ses antipathies. Les sénateurs les plus traditionalistes étaient généralement les plus houspillés.

On eut cette fois-ci en intermède des « desultores », acrobates qui menaient deux chevaux à la fois et devaient sauter en course d'une monture à l'autre (d'où la charmante expression d'Ovide, « desultor amoris », pour qualifier un volage !). D'autres acrobates prenaient à cru toutes les positions possibles, ramassaient au galop des mouchoirs sur la piste ou franchissaient un quadrige d'un bond. On eut même une course très classique entre neuf chevaux arabes issus des haras de Cordoue. Mais ce genre d'épreuves ne passionnait pas : la chute d'un cavalier était beaucoup moins spectaculaire qu'un beau naufrage de « decemjuges ».

Durant ces fantaisies, Marcia vint prendre place dans la loge, vêtue d'une « stola » éblouissante, abritée du soleil par une large ombrelle portée par un petit Éthiopien. Le vert clair de l'ombrelle, le jaune canari de la stola, le noir de l'Éthiopien costumé de rouge formaient une orgie de couleurs qui n'était pas faite pour passer inaperçue.

Après les présentations, Marcia s'assit d'autorité entre Paul et son beau-fils, Luc étant à côté de Paul. La soudaine présence de Marcia n'avait rien d'étonnant. Sevrée de Kaeso, elle devait être à la recherche de toutes les opportunités pour le revoir et le captiver.

« Ah, fit Marcia à Paul, c'est toi le fameux Juif chrétien, expert en dévaluations, qui ressuscites les auditeurs que tu endors et fais concurrence à ma statue pour guérir les aveugles ? »

L'entretien commençait mal. Paul ne pouvait qu'exciter la jalousie naturelle de Marcia pour tout ce qui risquait de lui aliéner Kaeso, et cette femme brillante était aux yeux d'un vertueux misogyne le résumé de tous les défauts et de tous les dangers du sexe.

La question de Marcia était assez complexe pour que Paul pût s'incliner sans répondre.

« Quand viendras-tu soigner les rhumatismes de mon mari ?

— Je crains de ne pas être compétent pour les rhumatismes.

— Et pourquoi donc ? Qui peut le plus peut le moins.

— Justement non. Le Dieu que je sers ressuscite toujours les morts, guérit parfois un malade ou un infirme gravement atteint, mais Il estime que les petits inconvénients de l'existence doivent concourir à notre amélioration morale.

— Voilà un dieu bien contrariant, s'il faut attendre d'être mort pour avoir affaire à lui !

— C'est en effet la plus sûre façon de Le connaître.

— Parles-tu du dieu juif ou du dieu chrétien ?

— Ils sont de la même famille.

— Quelle nouveauté !

— La nouveauté du siècle... et même de quelques autres ! »

Marcia dit à Kaeso, sans baisser la voix : « Ton ami est bien distrayant. J'adore les gens qui racontent des énormités sur le ton le plus prophétique ! »

Kaeso essaya d'arranger les choses : « La doctrine de Paul peut sembler un peu abrupte au premier abord, mais elle est riche en détails intéressants. Dès que l'incroyable est admis, le reste coule de source, de la manière la plus logique et la plus séduisante. »

Et comme l'occasion était bonne pour glisser dans l'esprit de Marcia le soupçon que son intérêt pour certains dogmes chrétiens pouvait être sincère, Kaeso ajouta : « Il est difficile de fréquenter Paul sans être peu à peu convaincu de ce qu'il avance. Ses idées sur le mariage sont par exemple neuves et sublimes.

— Des idées neuves là-dessus, depuis le temps ?

— Oui, il ne serait plus permis aux hommes de divorcer pour se remarier, ni de tromper leur femme, ni de faire l'amour en dehors du mariage, ni même de tricher au lit pour éviter une grossesse. »

Marcia jeta un regard torve à Paul, qui fit le gros dos, et se retourna vers Kaeso : « Avec ce système, les femmes claquant en couches comme des mouches, les hommes n'auront certes plus besoin de divorcer ! Tu ne me feras pas croire que de pareilles calembredaines t'auraient impressionné ?

— Ah, il faut entendre Paul, aussi chaste que la mère de son dieu, plaider sa cause avec des accents où l'on sent frémir la brise du ciel ! Qu'importe, après tout, que les femmes claquent en couches, s'il est aux aguets pour les ressusciter ! »

Selon sa mauvaise habitude, Paul commençait de s'énerver. Luc, qui lui tapotait l'avant-bras pour le ramener au calme, prit sur lui de dire à Marcia :

« Nous pensons surtout, " clarissima [1] ", que la divine raison d'être du mariage chrétien est la procréation et que la légitime concupiscence elle-même doit être soumise à cette fin. Ne peux-tu nous comprendre, toi qui as si bien élevé Kaeso qu'il parle de toi avec honneur ?

— Voilà qui sonne mieux. »

Une énième course allait commencer, quand le portique, de chaque côté du pulvinar, se remplit de prétoriens ; et des soldats de la garde germanique vinrent prendre position dans la loge impériale elle-même. Enfin Néron parut, dans le costume de triomphateur habituel en pareille circonstance, accompagné de Poppée, de quelques amis et « augustiani », ainsi que d'une Vestale, reconnaissable à sa robe blanche et à sa haute coiffure à bandeaux.

1. Cette appellation est à l'époque de pure politesse et ne qualifie pas encore une catégorie précise de dignitaires.

L'empereur demeura debout un instant pour répondre aux acclamations de bienvenue de la foule, qui eut bientôt le caprice d'exiger les quadriges en avance sur l'horaire. Comme le Prince restait impassible, des injures se mêlèrent vite aux supplications. Injurier ingratement et anonymement César à l'occasion des spectacles était la dernière liberté politique des citoyens, et la première des esclaves et des affranchis qui n'en avaient jamais connu d'autre. On comprend que le moindre prétexte était bon.

Néron faisait durer l'épreuve, attentif ainsi qu'à un air de cithare, essayant de distinguer les notes justes des fausses. La plèbe des Verts braillait : « Matricide, fratricide, assassin de ta femme et de tes parents... », mais ces coutumières gentillesses étaient scandées d'une voix complice et rassurante, parfois rieuse. Elles signifiaient au fond : « Bien que tu sois encore plus crapule que nous autres — et surtout à cause de cela ! — nous t'aimons bien. » En revanche, depuis quelques années, les gradins des Bleus, aux prétentions aristocratiques, donnaient de moins en moins satisfaction. Quelques excités glapissaient d'un air méchant ; la plupart conservaient un lourd et désagréable silence.

Néron dit à Pétrone : « Tu entends ce que j'entends ? »

Pétrone tendit l'oreille et répondit :

« J'entends ceux qui se taisent et qui sont évidemment trop nombreux. Les chiens qui aboient ne mordent jamais.

— Ah, tu as remarqué aussi ?

— Après toi ! Tu écoutes le bruit de cette houle en artiste à qui rien n'échappe. Seule ta voix pourrait faire l'unanimité. »

Le compliment s'adaptait au sujet. Néron était intelligent, mais artiste, et pour un vrai artiste, un compliment ne saurait être trop fort.

L'empereur haussa les épaules et fit dire au président de produire les quadriges. On en serait quitte pour proposer ce qui restait de biges en fin de programme, avant les chars à six chevaux et plus. Avec un geste aimable et circulaire de la main, qui déchaîna immédiatement l'enthousiasme, Néron s'assit, et les 250 000 spectateurs qui s'étaient levés à son entrée se rassirent, qui sur la pierre, qui sur le bois, qui sur le coussin qu'il avait loué ou apporté. Certaines dames, juchées sur des coussins, avaient même un petit banc sous les pieds.

Paul était très surpris de la canaille insolence de la plèbe et de la tranquillité magnanime du Prince, lequel était si près de la loge de Silanus qu'il avait pu scruter sa physionomie ; et, par un total contresens, il se demandait si cette attitude n'était pas l'indice d'un remords, de confuses dispositions chrétiennes que l'on pourrait éclairer. Les foules d'Orient passaient de la platitude à l'émeute et les derniers potentats de là-bas, chatouilleux clients de Rome, n'avaient pas ce côté familier.

Après la halte critique devant les cordes, quatre quadriges bondirent, et l'exaltation des spectateurs monta d'un degré. Seuls les deux juments du centre étaient reliées au timon par leur collier. Les deux étalons extérieurs, placés légèrement en flèche, étaient appelés « funales », car la liaison n'était plus assurée que par des cordes ou « funes ». La précision des virages à la borne dépendait alors du « funalis » de gauche.

Marcia suivait les évolutions des quadriges avec le franc plaisir qu'elle apportait à tous les Jeux, mais l'éventuelle influence de Paul sur Kaeso ne laissait pas de la préoccuper. Combien de jeunes Romains naïfs et épris d'idéal n'avaient-ils pas été victimes de charlatans de toute espèce, qui travaillaient à dominer les esprits par le biais d'une secte quelconque ? Et fort souvent, des prétentions thérapeutiques s'associaient à des bizarreries sexuelles pour mieux troubler et désaxer les victimes. Ce Paul était bien de son temps !

Il arrivait même que des sorciers ou sorcières volent des enfants en bas âge, les fassent lentement mourir d'inanition, enterrés jusqu'au cou devant des victuailles, et fabriquent des philtres d'amour avec la moelle et le foie. La tragique épitaphe du cimetière Esquilin n'était que trop connue de tous les parents de Rome :

« JUCUNDUS, FILS DE GRYPHUS ET DE VITALIS. J'ALLAIS SUR MA QUATRIÈME ANNÉE, MAIS JE SUIS SOUS TERRE AU LIEU DE FAIRE LA JOIE DE MON PÈRE ET DE MA MÈRE. UNE ABOMINABLE SORCIÈRE M'A ÔTÉ LA VIE. ELLE SE TROUVE TOUJOURS DE CE MONDE ET NE CESSE DE PRATIQUER SES CRUELS ARTIFICES. VOUS, PARENTS, GARDEZ BIEN VOS ENFANTS, SI VOUS NE VOULEZ PAS AVOIR LE CŒUR TRANSPERCÉ DE DOULEUR. »

Mais il y avait pis que ces sorcières, qui ne retiraient que la vie. Les propagandistes du genre de Paul s'en prenaient à l'âme même des jeunes gens, et à force de singer la bête afin de faire enrager sa belle-mère, il n'était pas tout à fait exclu que Kaeso ne le devînt pour de bon.

Après un parcours sans naufrage, un char Rouge et un char Vert s'étaient présentés ensemble à l'arrivée, d'où une contestation toujours délicate, qui devait être tranchée par les juges de ligne, sous les pressions furieuses et contradictoires de l'assistance.

Pendant que le jury délibérait, deux escadrons de la garde germanique, sortis de leur caserne de l'Esquilin — plus proche du Palais que le camp des prétoriens —, entrèrent en piste en même temps par les portes est et ouest du Grand Cirque et se livrèrent à maints assauts courtois au son martial des trompettes.

Néron était intéressé par la présence de Marcia et d'un beau jeune homme dans une loge, dont il avait oublié que c'était celle de Silanus. Tandis que Poppée, dont la beauté hiératique concentrait les regards, bavardait avec la Vestale, encore assez fraîche, il griffonna un mot de sa main sur ses impériales tablettes, qu'il fit porter à Marcia, assise un peu en contrebas à sa droite.

Et Marcia put lire, après avoir rompu le divin sceau :

« Ta beauté égale celle de ton voisin. Que faites-vous tous deux après le spectacle ? »

Le messager attendait la réponse et présentait le poinçon pour l'écrire. Marcia lut à haute voix pour Kaeso les deux phrases dont profitèrent Paul et même Luc.

Flatté, quoique un peu inquiet, Kaeso dit à Paul :

« La beauté du voisin ne peut être que la tienne. Tu voulais voir Néron et tu as déjà une touche avec lui ! N'est-ce pas l'occasion ou jamais de te soumettre à la volonté du maître, comme tu le recommandes aux esclaves, pour insinuer en lui la pure doctrine ?

— Ce n'est pas le moment de plaisanter, dit Marcia. L'empereur a l'œil sur nous. »

Devant une telle proposition, il eût été impolitique de réfléchir trop longtemps. Marcia écrivit donc en retour, lisant à mi-voix pour Kaeso et Paul au fur et à mesure qu'elle traçait les lignes :

« Je suis la nouvelle épouse de ton fidèle D. Junius Silanus Torquatus et mon voisin est mon beau-fils d'un premier mariage, que j'ai élevé quinze ans durant. C'est dire à quel point tu nous flattes ! Mais nous te le redirons le soir du IV des Nones de mai, puisque Decimus m'a annoncé tantôt que tu venais dîner chez nous ce jour-là. »

Après que Néron eut pris connaissance de la réponse, Marcia et son auguste personne échangèrent un sourire de regret poli.

Kaeso fit remarquer à Paul :

« Tu vois ce que c'est que la vieille vertu romaine. L'empereur nous jette son mouchoir, à ma belle-mère et à moi, pour une agréable partie, où il y aurait peut-être beaucoup à gagner. Eh bien, Marcia l'envoie paître, et moi aussi. Même chez les Juifs ou les chrétiens, des pudeurs de cette qualité sont rares.

— Je suis en effet dans la plus vive admiration, reconnut Paul. Mais j'avais entendu dire que les empereurs ne se gênaient point pour déshonorer ceux ou celles qui leur plaisaient.

— Chaque empereur, dit Marcia, a ses habitudes. Caligula sautait sur n'importe qui, et pour augmenter ses revenus, il avait même fait rafler par la Ville des tas de matrones aventurées, qui s'étaient retrouvées dans une aile du Palais aménagée en lupanar. Mais de pareils attentats ne lui ont pas porté bonheur. Claude n'a insulté la femme de personne, et Néron a été relativement sage de ce point de vue jusqu'à présent. C'est un homme qui sait vivre.

« D'ailleurs, pour te remercier de ton information financière, et puisque Néron t'intéresse, paraît-il, plus que l'argent, mon mari te fait dire que tu es également invité pour le soir du IV des prochaines Nones. Nous te placerons à un triclinium d'où tu pourras suivre les conversations au triclinium impérial.

— Vous me faites là un grand plaisir et un grand honneur.

— Surtout, tiens-toi tranquille ! Ne va pas reprocher à Néron de faire l'amour en dehors du mariage.

— N'aie aucune crainte à ce sujet ! Je sais être diplomate à l'occasion. »

Kaeso précisa : « Paul a l'habitude du grand monde. Il a exposé un jour sa doctrine devant le roi Agrippa et la délicieuse Bérénice, et je suis bien certain qu'il n'a pas reproché au roi de coucher avec sa sœur. Son silence de bonne compagnie a même dû les encourager. J'ai lu, dans un petit livre que m'a prêté Paul, la triste histoire d'un prophète juif, appelé Jean-Baptiste, qui s'est fait couper le cou pour avoir accusé un dynaste local d'avoir pris la femme de son frère. Mais Paul n'est pas de cette race insolente. Les chrétiens — jusqu'à nouvel ordre — sont la douceur et la discrétion mêmes. »

Luc tapotait avec une énergie accrue l'avant-bras de Paul pour prévenir un éclat pénible. Kaeso avait un innocent génie pour mettre les pieds dans le plat.

Paul se borna à demander : « Quel jour tombe le IV des prochaines Nones ? Je sais compter à la juive ou à la grecque, mais le calendrier romain est un casse-tête pour les Orientaux. »

Marcia compta sur ses doigts et dit : « Le IV des Nones est aussi le quatrième jour après les Kalendes, étant entendu que les Kalendes sont incluses dans le compte.

— Pourquoi les Romains comptent-ils à rebours, et non point à partir d'un jour quelconque ?

— Kaeso, qui est si savant, te le révélera peut-être...

— Ce compte à rebours exprime, je crois, le caractère profondément religieux des Romains. Les Nones, les Ides, les Kalendes correspondent à de vieux jours de fête, et lorsqu'on se prépare à une fête, il est naturel de retirer chaque soir une journée du calendrier, comme le légionnaire qui attend sa libération. »

Et s'adressant plus particulièrement à Paul, Kaeso développa sa pensée : « Ta nouvelle religion pourrait heureusement s'inspirer de notre calendrier religieux romain. L'année serait divisée en fêtes commémoratives : naissance, baptême, transfiguration, crucifixion, résurrection, ascension... que sais-je ?... de Jésus, et les peuples d'Occident, déjà habitués à déduire les jours en prévision d'une date, déduiraient désormais en fonction de ces événements. »

Pour chimérique qu'elle fût, l'idée était frappante et manifestait chez le catéchumène un intérêt éclairé pour l'implantation du christianisme à l'Ouest.

Après de longues discussions, le jury venait d'attribuer la victoire au quadrige Vert, d'où une tempête de protestations dans le parti Bleu. Et les mauvais coucheurs ne se bornaient plus à invoquer les mânes de Britannicus, d'Agrippine ou d'Octavie. Les injures devenaient vraiment vicieuses. On montrait du doigt la Vestale installée dans le pulvinar et les accusations de sacrilège retentissaient. Comme on ne prête qu'aux riches, une opposition toujours prête à diffamer ou à calomnier avait accusé Néron du viol de ladite Vestale, nommée Rubria, et du fait que l'empereur, pour couper court à ces ragots absurdes, ne craignait point de présenter la Vestale en public à son côté, les accusations de viol s'étaient changées en accusations de concubinage impie.

Ennuyé par cette orgie de sottises, l'empereur donna l'ordre d'expulser quelques-uns des perturbateurs les plus violents ; et, du promenoir-portique qui couronnait l'enceinte sur trois côtés, des soldats des cohortes urbaines, aidés ici et là par des prétoriens, plongèrent parmi les gradins pour empoigner les coupables, ce qui n'alla point sans quelques échauffourées assez violentes.

Mais la foule savait d'instinct les limites à ne pas dépasser, car les Cirques, amphithéâtres ou théâtres, s'ils favorisaient, par un phénomène contagieux, les plus insolentes contestations, étaient aussi de magnifiques souricières, où un nombre de soldats réduit pouvait passer au fil de l'épée d'énormes populations désarmées, tous les coups portant dans cette masse d'énervés serrés comme des harengs dans une amphore [1].

Paul s'informa :

« On va supplicier ces insolents ?

— Mais non ! répondit Marcia. Pour ce qui est des injures personnelles et publiques, l'empereur est d'ordinaire la patience même. Les auteurs de satires et d'épigrammes, les acteurs ou mimes hargneux s'en tirent à bon compte. Après la mort d'Agrippine, une femme d'esprit qui avait exposé un garçon sur le Forum avec cet écriteau qui eut un grand succès : " Je t'abandonne de crainte que tu ne m'assassines un jour ! ", ne fut pas même inquiétée. Ce que Néron ne par-

1. Il faudra attendre les empereurs chrétiens Théodose et Justinien pour voir à Thessalonique et à Constantinople des massacres en règle de spectateurs séditieux.

donne point, ce sont les atteintes directes à son pouvoir, à sa sûreté et à sa réputation d'artiste, le tout paraissant lié dans son idée. »

Au milieu d'un calme relatif, les quadriges reprirent leur envol.

Paul n'avait pas saisi grand-chose à l'incident Rubria, laquelle, toute rougissante, était pour l'heure consolée par Poppée. Kaeso le mit au courant, et lui donna un bref aperçu des fameuses Vestales : « L'empereur, en tant que " Pontifex Maximus ", les prend entre six et onze ans dans les familles patriciennes, celles dont la noblesse remonte en théorie aux premiers temps de Rome. On leur coupe les cheveux, elles sont novices dix ans, pratiquent leur ministère dix ans, instruisent les novices dix ans de plus. A près de quarante ans, elles ont le droit de rentrer dans le monde et de se marier, mais il est rare qu'elles acceptent de renoncer à leurs privilèges pour ce mariage hypothétique. De la sorte, les Vestales dépassent le nombre de six, considéré comme nécessaire et suffisant.

« Ces pieuses personnes sont libres de toute tutelle, elles sortent en char curule ou en litière, les magistrats font abaisser leurs faisceaux devant elles et leur cèdent le passage, elles ont le droit de gracier les criminels qu'elles rencontreraient fortuitement, beaucoup de citoyens déposent leur testament entre leurs mains, elles ont des places réservées dans les spectacles. Ne jouissant légalement d'aucune autorité, elles inspirent tant de vénération que leur discrète intercession dans les affaires publiques ou particulières est toujours efficace. Ce sont les Vestales, dit-on, qui ont détourné Sulla de porter Jules César sur les listes de proscription.

« Leur demeure est un édifice circulaire, entre Palatin et Capitole, qui n'a pas été consacré par les augures, afin que le sénat ne puisse s'y réunir. Ce n'est donc pas un véritable temple, et les hommes n'ont pas le droit d'y pénétrer après la tombée de la nuit. Le feu sacré que les Vestales entretiennent est allumé aux Kalendes de mars par le soleil lui-même, qui se réfléchit dans un miroir métallique concave. La Vestale qui laisse le feu s'éteindre risque d'être fouettée. Celle qui rompt son vœu de chasteté est, en principe, enterrée vive. »

Après apaisement des acclamations qui avaient salué la victoire d'un char Rouge, Kaeso ajouta : « Vu l'importance de la virginité dans ta religion, et pour rester dans la tradition romaine, il serait tout indiqué que des pères chrétiens de bonne volonté fassent tondre leurs jeunes filles en âge tendre, qui seraient ensuite bouclées dans des maisons de prière. Et à la moindre faute contre la chasteté, on les crucifierait pour distraire le peuple... »

Cette perspective ne semblait séduire ni Paul ni Luc, et Kaeso renonça momentanément à leur donner de bons conseils. Il se tourna vers Marcia, et ils bavardèrent tous deux comme autrefois, tandis que courses et intermèdes suivaient leur cours.

A midi, le spectacle fut interrompu. Néron et ceux qui avaient des places réservées se retirèrent pour déjeuner en ville. Les autres, « pullati » et « togati », montèrent se dégourdir les jambes au promenoir, sous lequel des marchands ambulants de mets froids et même chauds avaient fait leur apparition, ou bien restèrent tout simplement sur leur siège, à grignoter du pain, des olives et des oignons.

Marcia, qui sentait bien que Kaeso allait lui échapper, prolongeait son bavardage.

Les grandes largesses, pour consoler les perdants et combler les gagnants, banquets et cadeaux divers, étaient traditionnellement reportées en fin de journée, mais Néron n'en était pas à une attention près pour sa plèbe, et des esclaves parcouraient déjà les gradins avec des corbeilles, jetant des poignées de jetons dans le public clairsemé. L'un de ces jetons s'en vint tomber par hasard sur les genoux de Paul, qui le montra à Marcia d'un air interrogateur...

« Chacun de ces jetons, dit-elle, donne droit à un présent quelconque... Tu es bon pour une visite aux " Trois Sœurs ".

— Mais encore ?

— C'est un lupanar assez coté de l'Aventin, en face, expliqua Kaeso. Mais rien ne te force à monter jusque-là. Nous sommes encore au pays de la Liberté ! »

L'embarras de Paul était comique. S'il rangeait le jeton dans sa bourse, le geste semblerait équivoque, et s'il le rejetait pour faire le bonheur de quelqu'un d'autre, il se chargeait du péché.

Ce fut pourtant ce que lui recommanda Kaeso :

« Donne-le-moi : l'un des esclaves de mon père en profitera. En toute bonne morale, le péché commence avec la connaissance qu'on en a.

— Il suffit que Dieu en ait connaissance pour qu'il y ait péché ! Tu comprends pourquoi Pierre ne se plaît guère à Rome, ni moi non plus.

— Si les péchés des autres te dérangent, lui dit Marcia, il n'y a que deux solutions : les empêcher de fauter, ou t'enfuir vers un désert.

— Mais j'en sors, " clarissima " ! J'ai commencé ma vie chrétienne par une retraite en Arabie. »

Paul, exaspéré, se leva, son odieux jeton à la main, et les trois autres le suivirent vers la sortie.

Devant sa litière, qui attendait près du Tibre, au voisinage du temple de Castor, Marcia s'en prit à Kaeso : « Je suppose que, toi aussi, tu préfères désormais les déserts d'Arabie à ma compagnie ?

— Mais nous nous revoyons bientôt !

— Sept jours ! Tu appelles cela " bientôt " !

— Six jours et demi, juste après les Floralies... »

Kaeso se pencha vers l'oreille de Marcia et murmura : « Bien que tu aies été ma maîtresse — si je dois en croire ton souvenir ! — je t'aimerai toujours.

— Il est encore temps de mettre nos souvenirs d'accord ! »

Là-dessus, Marcia remonta en litière, découvrant une jambe parfaite, et Kaeso invita ses deux amis à déjeuner.

VI

Le populeux quartier du Grand Cirque ne connaissait pas d'agitation plus trépidante que durant les courses. Les moindres gargotes, étaient prises d'assaut. Kaeso entraîna Paul et Luc dans la région beaucoup plus tranquille du proche Caelius. Alors qu'ils passaient à l'est du Cirque, Paul, qui venait de jeter son jeton de bordel dans une bouche d'égout, s'étonna du nombre d'échoppes en bois et de l'importance des dépôts de madriers nécessités par les réfections constantes des échafaudages de l'immense édifice, et il fit allusion aux risques d'incendie.

« En effet, reconnut Kaeso, l'empereur, en son Palatin, dort au-dessus d'un volcan. Heureusement, on monte bonne garde. Le quatrième poste de vigiles contre les incendies est sur l'Aventin, le cinquième, sur le Caelius, et de là, les guetteurs ont l'œil sur tout le Cirque Maxime. De plus les patrouilles sont fréquentes et il y a en permanence dans cette région une forte concentration de police, vu le nombre des bouges et des tripots. Les espions du Prétoire y apprennent bien des choses, et ils sont les premiers à crier au feu, crainte de voir disparaître les maisons accueillantes où ils ont leurs habitudes.

— Je croyais, dit Paul, que les jeux d'argent étaient interdits à Rome.

— Ils ne sont en principe autorisés que pendant les Saturnales, puisque tout s'y passe à l'envers du sens commun. Le reste du temps, seuls fonctionnent légalement les paris sur les chevaux et les gladiateurs. Mais les Romains ayant la passion de tous les jeux possibles, on est bien forcé de tolérer plus ou moins ce qu'on ne peut empêcher.

« Je suppose que, pour des chrétiens, les jeux d'argent sont un péché ?

— Oui, car nous ne devons pas livrer au hasard l'argent que la Providence nous accorde afin que nous en fassions un décent et pieux usage. »

Kaeso avait machinalement poussé jusqu'à la belle villa où ses parents avaient vécu autrefois, avant que l'empereur Caius, d'un revers de main, n'expédie son père dans les ténèbres extérieures. Quand les enfants avaient été en âge de comprendre, Marcus leur avait touché un mot de cette lamentable affaire, la malédiction de son existence. Mais il y jouait le rôle d'un richissime Romain en butte à la jalousie, à la vindicte de Caligula. Comment aurait-il pu avouer que ce dément l'avait écrasé par hasard, comme un lion balaye une mouche de sa queue ? Les enfants ont besoin qu'on leur dépeigne les plus grands malheurs sous une apparence relativement raisonnable.

Montrant à Paul et à Luc les toits rouges de la propriété, au-delà du mur de clôture et des arbres du parc, Kaeso leur dit avec émotion : « C'est là que ma mère a résidé jadis, avant des revers de fortune qui se sont prolongés. Puis elle est morte à Subure en me donnant le jour, le premier et le plus grand de mes malheurs, qui a commandé tous les autres. Rien ne remplace une mère. Parfois, me promenant par là, je m'attarde devant cette toiture, et j'essaie d'imaginer. Mais je sais bien, à présent, que ma mère n'a laissé d'autre trace dans ma vie que cette vie même qu'elle m'a consentie au péril de la sienne.

« Chez les chrétiens, revoit-on au Paradis ceux qui vous ont aimé ? »

Paul offrit la parole à Luc :

« Tous les honnêtes gens sont au Paradis, où ils se fréquentent honnêtement sous le regard de Dieu.

— Sénèque prétend qu'il existerait un purgatoire, où les âmes se purifieraient avant d'aller plus haut.

— C'est également une idée juive, à laquelle il est fait allusion dans les Maccabées, mais ce livre n'est pas reçu par beaucoup de rabbis. Pour les chrétiens d'aujourd'hui, la question n'est ni actuelle ni importante. L'essentiel est d'être du bon côté.

— Je ne vois pas ma mère dans un quelconque purgatoire. D'ailleurs, si elle ressuscite affranchie de l'espace et du temps, comme un Jésus passe-muraille, comment pourrait-elle demeurer provisoirement en un lieu ?

— Ce n'est certes pas moi qui te le dirai !

— Je ne vois pas non plus ma mère en enfer... »

Paul et Luc protestèrent poliment contre une telle éventualité.

« Alors, je la verrai peut-être en Paradis ; mais sous quelle apparence ? Quand Paul a vu le Christ, quelle tête avait-il ?

— J'ai été aveuglé par Sa lumière, rappela Paul. C'est Sa lumière que j'ai vue jusqu'à en devenir aveugle quelque temps. Les apôtres m'ont dit que Jésus était barbu, comme tous les Pharisiens, d'ailleurs.

« — Et, une fois ressuscité, il avait encore sa barbe ?

— Je présume... Qu'importe ?

— Il m'importe de savoir à quoi ma mère ressemblera si je la revois ! »

Paul et Luc s'efforcèrent d'expliquer à Kaeso que la première qualité des corps glorieux était d'avoir une apparence tout à fait satisfaisante.

Kaeso demanda soudain : « Si tous les honnêtes gens vont au Ciel, à quoi sert le baptême ? Chacun ne sera-t-il pas jugé sur le capital que Dieu lui aura donné à faire valoir ? Dès lors, un capital n'en vaut-il pas un autre ? »

Les deux théologiens s'interrogèrent du regard, et Luc répondit : « Le baptême n'est nécessaire au salut que pour ceux qui l'ont refusé en toute connaissance de cause. Un juste non informé peut être sauvé. Mais le baptême nous permet de faire plus de bien en ce monde et d'occuper dans l'autre une place plus haute. Comme chacun est parfaitement heureux de la sienne au Paradis, Dieu, dans son amour, est le premier bénéficiaire des bonnes places. C'est donc d'abord pour faire plaisir à Dieu et ensuite dans l'intérêt de ton prochain que tu dois réclamer le baptême. »

Ils redescendirent pour déjeuner jusqu'à la proche popina, où, en des temps révolus, Marcus s'était réfugié pour boire plus que de raison, après la vente aux enchères historiques des gladiateurs de Caligula.

La petite place, avec sa fontaine et son platane, était toujours aussi tranquille, et la popina inchangée, d'autant plus déserte que tout le Caelius s'était vidé vers le Grand Cirque. Même les « petites ânesses » de la maison étaient descendues voir courir. Il est vrai que c'était le premier jour des Floralies, qui étaient leur fête en soirée. Seule demeurait au comptoir, plutôt pour garder la « taverne » que pour grossir le chiffre d'affaires, une jeune hôtesse, qui semblait originaire de Syrie ou de Palestine.

Kaeso commanda une cruche de vin rustique, mais déclina l'offre d'un quartier d'ours en saumure, relief de la dernière « venatio » dans le grand amphithéâtre en bois de Néron. Les lions et les ours étaient grands consommateurs de condamnés à mort mal lavés, et une telle dégustation eût peut-être blessé la sensibilité frémissante de Paul. La fille offrit de faire cuire son ours, mais les convives préférèrent une petite friture, suivie d'un « minutal », c'est-à-dire d'un hachis. Les autorités ne cessaient de tracasser les « tavernes » quant aux plats chauds qu'elles avaient ou non le droit de servir, dans l'idée de réduire l'attirance qu'elles exerçaient et d'y décourager le stationnement d'une foule vite jugée subversive. Mais il en allait de ces décrets comme de toutes les prescriptions du même genre, sans cesse victimes du mépris comme de l'oubli.

Tout en mangeant sa friture, qui était pourtant excellente, d'une main distraite, Paul dit à Kaeso : « Tu as saisi, j'espère, toute la différence entre le Paradis que nous offrons et la triste destinée souterraine des âmes dans les religions traditionnelles grecque ou romaine. Nous autres chrétiens, nous n'avons pas peur que les morts reviennent nous tirer par les pieds. Ceux qui gémissent en enfer pour l'éternité sont désormais hors d'état de nuire, et nos frères qui ont mérité le Ciel par l'ardeur de leur foi nous assistent de leurs prières en attendant que nous allions les rejoindre. Le seul mort agissant n'est plus un épouvantail, mais un modèle à suivre et un ami influent. Avec le Christ, les relations avec les morts changent de nature. »

Kaeso demanda :

« Vous brûlez ou enterrez vos morts ?

— Nous les enterrons comme les Juifs, car l'homme ne doit point détruire l'image de son Créateur. »

La proximité de la villa familiale incitait Kaeso à songer malgré lui à son père, et il demanda encore : « Je présume qu'il est interdit, chez les chrétiens, d'épouser sa nièce ? »

Luc s'arrêta de déguster sa friture, pour traiter avec Paul de cette question, qui faisait justement problème. Chez les Juifs, les oncles avaient le droit d'épouser leur nièce, mais Paul et quelques autres inclinaient à supprimer cette tolérance, et même à interdire les mariages entre cousins germains. Kaeso était aussi surpris de la largeur d'esprit des Juifs sur ce point que de l'étroitesse de vue des chrétiens. Enfin un peuple spécialisé dans la piété, qui considérait comme normale l'union des oncles et des nièces ! Une bouffée de sympathie pour les Juifs monta au cœur de Kaeso, et il s'écria :

« Si la bible permet ce genre de mariage et si Jésus ne l'a pas aboli, de quel droit prétendez-vous y toucher ? »

La vivacité de la réaction étonna les deux auditeurs et Paul s'enquit :

« Aurais-tu, à ton âge, l'intention d'épouser une nièce ?

— Je constate simplement avec inquiétude que, sous prétexte d'Esprit Saint, vous vous permettez bien des innovations ou suppressions que ni les Écritures ni Jésus n'autorisent formellement. Si cet Esprit Saint n'existait pas, vu l'usage intensif que vous en faites, il aurait fallu l'inventer ! »

Luc se dépêcha de calmer Paul, qui prenait la réflexion de travers, et il expliqua posément :

« Bien que d'origine grecque, j'ai beaucoup réfléchi sur les Écritures, et, à mon avis, si les Juifs ont permis à l'oncle d'épouser sa nièce, c'est parce que la loi du lévirat faisait déjà obligation à un homme d'épouser la femme de son frère défunt. Si l'on peut épouser la femme, pourquoi pas la fille [1] ? Chez les Juifs eux-mêmes, cette loi du lévirat n'est plus guère appliquée de nos jours, mais sa conséquence accidentelle a subsisté. N'est-il pas souhaitable que des chrétiens fassent table rase de cette anomalie ?

— Je vois une autre raison, dit Kaeso. Quand la belle-sœur était moche, son mari, à l'article de la mort, et la fille, ravissante, un frère avisé se précipitait sur la fille pour s'épargner la mère. »

Paul et Luc n'avaient jamais considéré la question sous cet aspect, et la discussion entre eux rebondit de plus belle autour du hachis.

Impatienté, Kaeso les coupa : « D'après ce que je vois, l'Écriture sainte n'est pas la parole de dieu : on peut en prendre et en laisser... »

Paul sursauta et précisa :

« Nos Écritures sont inspirées. Cela veut dire que Yahvé, Jésus ou l'Esprit Saint ne nous sont historiquement connus que par des témoignages humains, qui sont bien sûr plus ou moins faillibles. On rencontre ainsi dans l'Ancien Testament des invraisemblances, l'expression de nombreux préjugés, tout n'y est pas assurément de même intérêt ni de même valeur. Et jusque dans les Évangiles parus ou en cours de rédaction, il y a, il y aura forcément des contradictions. Par exemple, Luc a savamment mis au point une généalogie du Christ à partir d'Adam, Matthieu, dans son compte rendu araméen, une autre généalogie à partir d'Abraham, et les deux listes n'ont que deux noms en commun, pour aboutir à Joseph, qui n'était d'ailleurs que le père légal... D'où la nécessité d'un pouvoir respecté, les rabbis chez les Juifs, les " prêtres " chez nous, pour définir une bonne exégèse. Dieu, en quelque manière, se tient en retrait des textes sacrés, mais pour mieux permettre au croyant d'y trouver ce qu'il y cherche, à chaque âge de sa vie et à chaque âge de l'humanité. De cette façon, l'Écriture a la faculté de vivre et d'évoluer. Si un jour, un faux dieu, qui ferait illusion, remettait à l'homme un ouvrage écrit de sa propre main, on verrait aussitôt le lecteur s'abrutir, prosterné devant la moindre lettre. C'est par notre libre bouche que parle le Dieu chrétien, et c'est parce qu'Il a cette humilité qu'Il sollicite et qu'Il touche en permanence notre raison et notre cœur.

— Tu veux dire qu'il faut laisser à des inspirés le commentaire d'un texte inspiré ?

— Dieu inspire tout être qui L'en prie, et Il lit les Écritures avec nous. Il y a souvent de multiples façons de comprendre le moindre

---

1. Il résulte d'une consultation au Grand rabbinat de Paris que cette explication séduisante serait douteuse. Mais on n'a pu m'en donner une meilleure.

passage, qui ne sont pas forcément exclusives les unes des autres. Telle phrase ne sera bien saisie qu'à la fin des temps. »

Luc avait une envie de fromage, mais, vu la saison, le rayon des fromages frais était maigre, les bergers n'étant pas encore à l'œuvre dans les pâturages d'été. Les Romains ne faisaient pas de fromages à pâte cuite. Le caillé aromatisé, salé, était surmonté d'un poids pour faciliter l'écoulement du petit lait, parfois plongé dans l'eau bouillante, pressé à la main, séché et fumé. Certaines fromageries du Vélabre, spécialisées dans le chèvreton, utilisaient même du bois de pommier pour leur fumage. Toutes les régions d'Italie ravitaillaient plus ou moins Rome en fromages, et les produits de Luna, en Étrurie, pesaient jusqu'à un millier de livres ! Mais il en arrivait aussi de Nîmes, de Lozère, du Gévaudan, de Dalmatie, des Alpes Carniques ou de Bithynie. Lorsque le brebis, notamment, était trop vieux et trop sec, on le faisait mariner dans du moût, et Luc se laissa finalement tenter par un fromage de ce genre.

La jeune hôtesse bredouillant le latin et massacrant le grec, Paul et Luc en étaient venus à lui parler sa langue natale, qui était l'araméen. Kaeso avait du mal à imaginer un dieu à prétentions universelles s'exprimant dans un pareil idiome [1], et il se demanda une fois de plus ce que Jésus était venu faire sur cette terre.

« A la réflexion, dit-il, j'ai le sentiment que l'essentiel de votre doctrine m'échappe encore, ou du moins que je ne le ressens pas comme vous autres. Que le fils d'un dieu transcendant se soit incarné pour rappeler son père à notre bon souvenir, je veux bien. Mais qu'avait-il besoin de mourir sur une croix pour racheter nos péchés ? N'aurait-il pu obtenir le même résultat en jouant de la flûte ?

— C'est assurément un grand mystère, reconnut Paul, que cet amour divin, poussé jusqu'à la souffrance et au sacrifice de la vie, d'un Dieu qui aurait pu demeurer impassible. La raison en reste confondue. Le cœur seul permet une approche. Ton père, ta mère, ta belle-mère ne se sont-ils pas aussi, à l'occasion, sacrifiés pour toi ?

— Sans être ingrat, il est permis de discerner de l'indiscrétion dans de telles démarches lorsqu'elles sont poussées à l'excès. »

Pour la première fois, le tendre Luc eut un mouvement d'humeur :

« Quand tu verras le Christ, reproche-Lui donc l'indiscrétion de Son sacrifice, et tu verras ce qu'Il te répondra ! »

Kaeso était très sceptique sur les chances de durée d'une religion

1. De même, la Vierge s'adressera à Bernadette Soubirous en patois pyrénéen. Il y a chez la Mère comme chez le Fils une paradoxale tendance à patoiser pour adresser à l'humanité des messages, alors que le Père Éternel avait adopté l'hébreu pour Ses communications. Nous sommes là aux antipodes des services modernes de relations publiques.

tellement irrationnelle, où les mythes avaient la prétention de se faire prendre au sérieux. Et le point le préoccupait fort eu égard à Silanus. Si le christianisme sombrait bientôt dans le ridicule, comme tout incitait à le penser, ce serait lui-même qui aurait l'air d'un sot devant ce patricien aussi intelligent que perspicace. Il attira donc l'attention de Paul et de Luc sur la nécessité de composer avec le milieu, avec les habitudes, avec les sensibilités, et d'autant plus que les Romains, faute de convictions bien fermes, vivaient en tout cas de traditions...

« Les prêtres romains ou orientaux ont des costumes caractéristiques. Les Pharisiens eux-mêmes ont un manteau spécial qui les fait repérer tout de suite. Alors que les " prêtres " chrétiens ressemblent à n'importe qui. Une telle discrétion ne peut que faire mauvais effet sur le peuple, et la police y verra tôt ou tard l'indice d'une société secrète et honteuse. Si vous voulez être efficaces et vous faire reconnaître du pouvoir comme les Juifs, il convient de soigner les signes extérieurs, et tout particulièrement durant les cérémonies cultuelles.

« D'après ce que j'ai pu en suivre chez le judéo-chrétien de la Porte Capène, votre Cène dégage un pesant ennui. Pour attirer du monde, il faut l'animer. Les gens d'ici aiment les mises brillantes et pompeuses, la musique, les lumières. Puisque les Romains ont des autels — et mêmes les Juifs dans leur Temple — et que c'est dieu en personne qui se sacrifie chez vous, pourquoi ne pas remplacer cette table quelconque par un bel autel sculpté, avec des dorures ? Et la vaisselle ? Y avez-vous songé ? Quand on mange et boit du dieu incarné et ressuscité, est-ce que des coupes, des plats de luxe ne seraient pas convenables ?

« Mieux encore ! Les Romains sont accoutumés à entretenir un feu sacré sur leur autel familial, de même que les Vestales veillent sur le feu de l'État. Ne serait-il pas du plus heureux effet de placer en permanence une lampe sur l'autel ?

« J'ai noté d'autre part que votre pain eucharistique était du vulgaire pain levé, sans doute dans le dessein de vous démarquer une fois de plus des Juifs, dont j'ai lu qu'ils utilisaient des azymes lors de leur Pâque annuelle. Mais vous oubliez que le pain azyme a pour les Romains une résonance religieuse, car il porte témoignage d'un temps très ancien où les paysans n'avaient pas encore appris à faire lever la pâte. Et notre flamine de Jupiter mange traditionnellement du pain azyme. Les convertis romains seraient flattés de trouver ce pain-là sur l'autel des chrétiens. Pourquoi dérouter le monde sans bonne raison ?

« De toute manière, une religion doit posséder un signe tangible de ralliement. Il me semble que, pour des chrétiens, la croix serait assez bien trouvée. Or, cette fameuse croix, vous en parlez d'abondance, certes, mais elle n'est représentée nulle part. Dans une Ville vouée au sang et à la violence, ne serait-il pas saisissant, par exemple, de voir, plantée sur un autel, une croix, avec son crucifié pantelant ? Mais un crucifié sans barbe : pour les Romains d'aujourd'hui, la barbe a quelque chose d'étranger et de douteux. Une fois chrétien, Paul s'est d'ailleurs empressé de se faire raser afin de produire une meilleure impression ! »

Pour le coup, Paul et Luc, qui avaient écouté jusque-là Kaeso avec un intérêt plutôt réprobateur, se récrièrent d'un commun accord, et Luc alla jusqu'à dire avec une douloureuse véhémence : « Tu parles à des hommes dont les amis ont vu le Christ en croix et qui ne sont donc pas pressés de Le revoir sur cet instrument de torture ! La croix est dans notre cœur et sur notre dos. Mais épargne-la donc à nos yeux ! »

C'était de la bonne logique sentimentale. Kaeso s'excusa de cette faute de tact et amena la conversation sur un terrain plus général.

« Je ne suis peut-être pas compétent, dit-il, en fait de religion, mais en fait d'organisation, vous pourriez prendre d'utiles leçons chez les Romains.

« A toute armée, il faut un chef et une discipline.

« Pour ce qui est de Pierre, Jésus a curieusement négligé de fixer ses attributions précises, ce qui me paraît lourd de disputes dans l'avenir. Et pour ce qui est des troupes, j'ai été frappé, à lire les épîtres de Paul, de voir la pagaille et les incertitudes qui se développent dès qu'il a le dos tourné. Lamentable situation, qui tient, je crois, à deux choses : sous votre chef assez vague, il n'existe aucune hiérarchie digne de ce nom, et les vérités de la foi, malgré le temps qui passe, ne sont pas encore résumées et définies dans un livre qui ferait autorité. Ainsi, au lieu d'organiser et d'administrer, on se perd en discussions théologiques. Personnellement, avant de recevoir le baptême, j'aimerais bien savoir ce qui, dans votre croyance, est principal, secondaire ou facultatif. Un rabbi m'a assuré avec mépris que toute votre doctrine se réduisait à quelques lignes. Pourrais-je au moins les connaître ? »

Paul admit que les chrétiens donnaient l'image d'un certain désordre, et il ajouta même, l'œil fixe et fiévreux :

« Le désordre est encore bien pire que tu ne l'imagines ! Et je m'en vais t'en donner un bel exemple. Après l'Ascension de Jésus, l'Esprit Saint se posa sur les Apôtres sous forme de langues de feu, et, tout à coup, restauration de l'unité perdue à Babel, ces Galiléens modestes et timides s'adressèrent à la foule de telle sorte que chacun les entendait parler dans sa propre langue. L'araméen de Pierre se faisait ainsi parthe pour le Parthe, crétois pour le Crétois, arabe pour l'Arabe.

Pierre et les autres ont à présent perdu ce don... à moins que les oreilles des Gentils ne se soient fermées. Mais quand je ne suis pas là pour surveiller la Cène comme il faut, il n'est pas rare que des individus troublent la cérémonie en prétendant posséder le don des langues. Et sous prétexte de charismes, ils se lancent dans des bredouillis inintelligibles. A ce point que j'ai conseillé, dans l'une de mes épîtres, de faire assister ces hystériques par des interprètes perspicaces.

« En somme, depuis que l'Esprit Saint a envahi toute l'Église, une saine fermentation s'accompagne certes de phénomènes aberrants. L'Esprit souffle partout, et le Démon aussi.

« Cependant, de tout ce tumulte, l'Église de demain va surgir, car l'Esprit Saint domine sans cesse le désordre nécessaire à Son action.

« Tu disais tout à l'heure que si l'Esprit n'existait pas, vu l'usage que nous en faisons, il aurait fallu L'inventer. Et tu disais la vérité sans le savoir. Car si l'Esprit n'était pas avec nous, tu nous verrais prisonniers de l'Évangile comme les Juifs le sont demeurés de la lettre de l'Ancien Testament. Seul l'Esprit nous permet de compléter et d'approfondir le message à l'intention de l'univers entier, ce qui ne va pas sans incohérences ni sans risques, mais tel est le mouvement de la vie et de la grâce. L'ordre viendra à son heure, et Dieu veuille qu'il ne fasse pas regretter le désordre !

« Quant au résumé que tu réclames, il tient en effet en peu de mots, que tu feras bien de graver en toi puisque tu as si bonne mémoire :

« Je crois en Dieu, le Père Tout-Puissant, Créateur du Ciel et de la Terre,

« Et en Jésus-Christ, son Fils Unique, Notre Maître,

« Qui a été conçu de l'Esprit Saint, est né de la Vierge Marie,

« A souffert sous Ponce Pilate, a été crucifié, est mort, a été enseveli,

« Est descendu aux enfers, est ressuscité le troisième jour d'entre les morts,

« Est monté aux Cieux, est assis à la droite de Dieu, le Père Tout-Puissant,

« D'où Il viendra juger les vivants et les morts ;

« Je crois à l'Esprit Saint,

« A la Sainte Église universelle, à la communion des saints,

« A la rémission des péchés,

« A la résurrection de la chair,

« A la vie éternelle. Ainsi soit-il. »

Kaeso fit répéter deux fois à Paul. Son âme romaine était sensible à cette relative clarté.

Après un instant de réflexion, il commanda une nouvelle cruche de vin et dit :

« Qu'est-ce que cette descente aux enfers, entre mort et résurrection ?

— Jésus, répondit Paul, est descendu en un lieu non douloureux pour délivrer les âmes des justes qui attendaient leur rédemption. Le péché d'Adam avait fermé le Paradis, que le sacrifice de Jésus a rouvert.

— Je ne te cacherai pas que cette petite phrase m'ennuie.

— Et pourquoi donc ?

— On retombe dans la même difficulté que celle soulevée par l'hypothèse du purgatoire. Le Christ ressuscité n'était-il pas affranchi, de ton propre aveu, des temps et des lieux ? Il est donc permis de concevoir dans l'au-delà un état de joie ou de souffrance, mais non pas un lieu où une âme attendrait de changer d'état. Et ces deux difficultés ressemblent fort à la contradiction que nous avons déjà vue entre Jugement général extra-temporel et Jugement particulier, tributaire du temps. Pourrais-je recevoir le baptême en omettant ladite phrase ? »

Paul et Luc paraissaient fort ennuyés de cette épineuse remarque. Ils se mirent à discourir en grec, mais passèrent vite à l'araméen, par une impolitesse qui donnait plus de franchise à leur verbe, malgré la pauvreté théologique de cet idiome populaire.

Luc dit enfin à Kaeso : « Nous n'oublions pas ta remarquable réflexion à propos des notions de temps et d'éternité chez Jésus vrai Homme et vrai Dieu. Elle peut éclairer notre problème. Nous t'autorisons par conséquent à déclarer, à la place de la phrase que tu critiques : " A rouvert le Paradis à tous les justes de tous les temps. " Comme tu le vois, nous ne précisons pas la date. »

Le Symbole devenait plus présentable [1], et Kaeso eut la bonne grâce de s'en contenter. Mais il s'étonna que bien des vérités à première vue importantes fussent absentes de ce Credo, comme le baptême, la Cène, l'indissolubilité du mariage ou l'onction d'huile sacrée sur les malades.

« Le baptême, fit observer Paul, fait partie de la rémission des péchés, puisqu'il efface le péché originel. La Cène et l'onction d'huile font encore l'objet de discussions. Quant à l'indissolubilité...

— Vous ne voulez pas effaroucher vos pratiques ?

— Disons plutôt que l'indissolubilité n'est pas une croyance, mais un règlement de morale. »

1. Les Pères un tantinet philosophes de Nicée, dans leur Credo de 325, où ils explicitent le primitif symbole, passeront sous silence la descente aux enfers du Christ, entre crucifixion et Résurrection. L'idée que les Justes de l'Ancien Testament avaient dû attendre dans des Limbes la récompense de leurs mérites avait sans doute paru d'un anthropomorphisme enfantin.

Égayés par un petit vin agréable, ils redescendirent vers la Porte Capène. La vive imagination de Kaeso marchait, et, pour faire plaisir aux deux missionnaires, il suggéra :

« Lorsque les chrétiens auront convaincu tout le monde — par la parole ou par la trique —, ne serait-il pas superbe d'inaugurer une ère nouvelle, qui partirait de la crucifixion ? Contrairement à la fondation de Rome, elle peut être datée à un jour près.

— Pourquoi pas la naissance de Jésus ? corrigea Luc. Pierre m'a dit qu'Il était né vingt-cinq ans après Actium, une vingtaine d'années avant la mort d'Auguste.

— En quelle saison ?

— Très probablement en été, puisque l'événement a eu lieu à l'occasion d'un recensement et que les bergers étaient en campagne.

— Nous serions donc en 70 de l'ère du Christ[1] ! Alors que si nous prenons la crucifixion comme référence...

— Nous serions en 34, puisque la Pâque juive est passée. Jésus avait dans les trente-cinq ans au moment du Calvaire. »

Dans la bousculade qui régnait aux alentours du Grand Cirque, où les courses et divertissements allaient reprendre, Kaeso s'informa :

« Qu'est devenue la mère de Jésus ?

— Le Christ mourant, dit Luc, avait confié sa mère au jeune Jean, un garçon prudent, qui s'est empressé d'aller la mettre à l'abri à Éphèse.

— Jésus avait prévu le martyre pour quelques-uns de ses amis et pour leurs parents, mais non pas pour sa propre mère ?

— C'est bien la première fois que nous entendons ce reproche !

— Ce n'est pas un reproche. Je me borne à constater que Jésus a l'esprit de famille. C'est bien naturel.

— La Vierge avait suffisamment souffert !

— Pas plus que les mères de tous les esclaves crucifiés. Cette vénérable personne serait-elle encore en vie ?

— Elle aurait plus de quatre-vingts ans ! Voilà vingt ans de cela, à Éphèse, elle était souffrante quand Paul et moi-même avons pu enfin lui rendre visite. »

Paul intervint :

« Luc parle pour lui. Ma propre visite a été brève. Je ne me suis guère entendu avec Jean, qui se complaît en raffinements théologiques très personnels, et Marie n'a retenu que Luc auprès d'elle, pour lui faire, il est vrai, des confidences intéressantes. Elle lui a raconté la visite de l'Ange, qui était venu lui annoncer la naissance de Jésus.

— Et Marie est morte, poursuivit Luc, peu après notre séjour à Éphèse, où elle vivait avec Jean, très retirée.

---

1. Jésus est né en effet six ou sept ans avant Lui-Même.

« — Je présume qu'avec son esprit de famille, Jésus a dû faire ressusciter sa mère tout de suite, afin de l'avoir auprès de lui, de l'embrasser et d'entendre sa voix. C'est en tout cas ce que j'aurais fait à sa place. »

Comme Paul et Luc se montraient surpris de l'hypothèse, Kaeso insista :

« Je vous parie trois sesterces contre un cheval que le tombeau de Marie est vide !

— Pour l'instant, dit Paul avec humeur, nous avons assez à faire avec le tombeau vide de Jésus. Ne compliquons pas la situation !

— Pourquoi Marie est-elle absente de tes épîtres ?

— Mais elle y est présente par Jésus ! Que peut-on lui demander de plus que de nous avoir donné le Christ ? »

Ils étaient arrivés devant la maison du judéo-chrétien. Avant de prendre congé, Kaeso ne put s'interdire une observation judicieuse :

« En négligeant Marie, tu commets, Paul, une lourde erreur. Les Romains sont habitués à des divinités mâles et femelles, qu'il s'agisse des dieux de la Ville ou des cultes orientaux peu à peu acclimatés. Avec une odeur de femme, tes épîtres passeraient mieux. A ta place, j'organiserais en vitesse le culte de Marie, parallèlement à celui de son fils. Les hommes ont plus encore besoin d'une mère que d'un père. Si Marie a pu lire tes premières épîtres, on comprend qu'elle ne t'ait pas retenu.

— Je doute que Marie ait su lire !

— Jean a pu lui faire cette lecture, qui ne l'aura pas flattée.

« Et à cette occasion, je me permettrai encore un conseil. Tu dois faire jouer un rôle journalier et pratique à cette communion des saints mentionnée dans ton Symbole. Les Romains ont un commerce avec des dieux de toute espèce, chacun étant spécialisé dans une activité quelconque. Les hommes sont d'autre part assistés chacun par un Génie particulier, du genre de tes anges gardiens. (Alors que c'est Junon, qui tient lieu pour toutes les femmes de Génie.) Fais donc un peu de publicité aux saints qui le méritent dans ton Paradis, répute-les connaisseurs de telles ou telles affaires, de sorte que les chrétiens les prient d'intervenir à leur profit. Les condamnés à mort innocents pourraient par exemple invoquer Étienne, que tu as expédié dans l'autre monde avec tes anciens amis ; Joseph, informé par un ange de l'honneur qui lui était fait, pourrait remplacer la déesse Viriplaca, qui apaise les maris trompés ; la Vierge elle-même, fille mère par l'opération de l'Esprit Saint, pourrait, entre autres, jouer le rôle de Genita Mana, qui s'intéresse de près à la régularité des menstrues... Tu vois ce que je veux dire ? Il faut humaniser ton système et songer à la plèbe... »

A bout de patience, Paul s'écria : « Je ne vois que trop bien ce que tu veux dire ! L'Esprit ne parle pas par ta bouche !

— Et qu'en sais-tu ? L'Esprit a plus d'un tour dans son sac ! Puisque le rôle de l'Esprit est d'innover dans l'intérêt général, quel critère aurons-nous pour déterminer si celui qui parle en langues ou qui prophétise est un saint ou un farceur ?

— Le rôle de l'Esprit est aussi de maintenir la vérité, et les vérités que nous t'avons enseignées sont suffisantes pour que je puisse me passer de tes conseils ! »

Paul se détourna et rentra dans la maison.

Luc dit doucement à Kaeso : « Sous une forme maladroite, qu'il serait injuste de te reprocher vu la nouveauté de ta foi, tu as certes dit des choses dignes d'intérêt. Dans l'Évangile que j'ai l'ambition de mettre à jour, je parlerai de la Vierge comme il convient. En attendant, je vais calmer Paul et le prier de te pardonner en vertu de l'excellence de tes intentions. »

Cela dit, avant de rejoindre son compagnon, Luc donna le baiser de paix à Kaeso.

Kaeso en avait par-dessus la tête des chrétiens, et il avait hâte d'extorquer un baptême dont il se promettait la liberté. Souhait d'autant plus paradoxal que, de toute évidence, le baptême était conçu pour jeter l'homme, esclave de lui-même, dans l'esclavage d'un dieu plus écrasant encore que Marcia. Tout ce qui pouvait paraître neuf et séduisant dans les idées chrétiennes était contrebalancé par une effrayante vérité : après les Juifs, les chrétiens avaient la prétention de faire régner sur terre un pur esprit créateur et maître. Mais les Juifs avaient eu le bon goût et la prudence de se laisser tyranniser par leur dieu en famille. Le dieu chrétien visait à remplacer Néron, mais avec des pouvoirs infiniment plus étendus et investigateurs. Le dieu juif avait parlé à Moïse sur le Sinaï. Le Christ était beaucoup plus qu'une voix sur une montagne. En chair et en os, il interrogeait la terre entière du haut de sa croix, prêt à condamner tous ceux qui ne répondraient pas comme il faut. Au fond, la grande nouveauté du christianisme était là : pour la première fois, dieu était présent au monde comme en dehors du monde, un pied de chaque côté pour que plus rien ne lui échappe nulle part. Après l'accident du péché originel qui avait jeté la maladie dans le troupeau, dieu rentrait dans la bergerie, tout sanglant et pitoyable pour inspirer confiance, mais le fouet derrière la croix.

Kaeso se rendait compte du motif pour lequel il avait du mal à supporter longtemps la conversation de Paul et même celle de Luc : ces deux vagabonds à la culture restreinte ou très spécialisée avaient naturellement le ton et le vocabulaire catégoriques. Et le plus beau était que si leur Christ était vraiment ressuscité, ils avaient tout à fait raison de trancher de tout avec impertinence et de travailler à imposer leur point de vue ! Dieu ne pouvait avoir tort et on ne saurait lui refuser le droit de régner partout puisqu'il est partout chez lui.

Kaeso se demandait même si, en dépit des prévisions les plus raisonnables, les chrétiens ne parviendraient pas à troubler les esprits quelques générations de plus. Car cet irrationnel, qui était leur faiblesse, était peut-être aussi une force. Ils ne prouveraient jamais que leur dieu s'était incarné ; mais qui leur prouverait le contraire ? Un glaive de certitude reposait sur le mol oreiller du doute, de façon que s'y écorche le dormeur réveillé en sursaut.

Durant sa sieste à l'insula, Kaeso fut pris de migraine et d'une fièvre qui parut bientôt se porter au cerveau, car en fin d'après-midi, à la grande frayeur de la petite Myra, il délirait. Après une nuit affreuse, Marcus père affolé fit prier Silanus d'envoyer de toute urgence son médecin grec particulier. Silanus entretenait une tribu de médecins pour maintenir en bonne forme son cheptel servile, et il s'était réservé celui qui passait pour le meilleur. Séléné obtint qu'on fît venir aussi un médecin juif. Les médecins juifs avaient grande réputation — c'était même le seul point où les Juifs eussent une réputation engageante. Et Marcus junior parvint à dénicher Dioscoride, un natif de Cilicie comme Paul, dont il avait apprécié les talents à l'occasion de l'une de ses tournées en Germanie. Dioscoride, chirurgien militaire, était le maître incontesté de toute la pharmacopée. Il était capital qu'un éminent connaisseur en fait de drogues et de dosages assiste des médecins, que l'on pouvait toujours soupçonner d'amateurisme.

Lorsque Rome avait commencé à faire parler d'elle, toute la lie des médecins grecs avait afflué sur la Ville pour plumer les Romains ignares, et la situation ne s'était guère améliorée avec le temps. L'école de médecine la plus réputée, celle d'Alexandrie, dédaignait elle-même de décerner des diplômes à ses élèves, et la médecine était ainsi tissée de mensonges et de faux-semblants.

Sous Néron, la plupart des praticiens se recommandaient toujours d'Hippocrate et de ses aphorismes, dont le plus célèbre était, qui avait traversé les siècles : « Aux grands maux, les grands remèdes ! » Mais le médecin de Silanus était plutôt de la tendance du docteur mondain Asclépiade, dont l'école avait fleuri une centaine d'années auparavant dans le respect de l'heureuse formule : « Cito, tute, jucunde » (Sûrement, vite et de façon plaisante). Les asclépiadistes avaient saisi que, pour des pratiques fortunées, le « jucunde » était essentiel, et à ce parti pris affiché d'euphorie, se joignait la discrète et prudente conviction que, dans le brouillard ambiant, ce qui n'était pas fait n'était pas mal fait.

Hippocratistes et asclépiadistes avaient en tout cas conjointement bénéficié des lumières de Celse, qui s'était assuré du temps d'Auguste une réputation encyclopédique en cataloguant avec logique les maladies d'après les remèdes qu'elles commandaient ; et Dioscoride avait naturellement pour Celse une révérence particulière. Dioscoride inspirait d'autant plus confiance qu'il avait pu se faire la main à loisir dans les hôpitaux des légions, remarquablement aménagés. A Rome, il n'y avait point d'hôpitaux, car les malades étaient trop nombreux et sans valeur.

L'homme de Silanus, Dioscoride et le Juif assiégèrent donc le chevet de Kaeso, qui ne sortait de son fiévreux délire que pour sombrer dans une totale prostration.

L'asclépiadiste, un Grec d'Alexandrie, se bornait à contrôler les pulsations avec sa clepsydre, spéculant sur une prompte convalescence, où il se serait senti plus à l'aise. Ce n'était pas le spécialiste des états de crise. Dioscoride, avec son verre compte-gouttes, administrait des calmants, dont l'effet le plus visible était d'accentuer les périodiques prostrations. Le Juif incriminait les miasmes du quartier. Les pluies de printemps avaient été maigres et les drainages étrusques, poursuivis et convertis en égouts, dégageaient déjà par Subure une puanteur estivale. Marcia accourue ne savait que dire et elle ne vivait plus.

Le surlendemain, à la veille des Kalendes de mai, le malade méconnaissable présentait déjà le fatal « faciès hippocratique » : nez effilé, yeux enfoncés dans les orbites, tempes creuses, sueurs froides, visage verdâtre. L'agonie paraissait proche.

Au matin des Kalendes de mai, Marcia fit transporter Kaeso inconscient à la maison de Cicéron, où les trois médecins, devant un patient qui s'en allait, poursuivirent leurs impuissantes discussions. Silanus, qui était venu jeter sur le mourant un coup d'œil navré, appela un renfort de médecins grecs. Les uns suggéraient des bains froids, d'autres des bains chauds, d'autres encore opinaient pour les lavements nutritifs à base d'épeautre bouilli que Celse avait introduits dans les thérapeutiques désespérées, lorsque l'estomac du malade ne supporte plus le moindre bouillon. Dans l'atrium, Marcus père invoquait en pleurant les divinités Febris et Mephitis.

Peu avant midi, le pouls se mit à filer si vite qu'aucune clepsydre réglable n'aurait pu en compter les pulsations. Les médecins grecs étaient dépassés. Ils connaissaient· la description des 147 blessures mentionnées dans *l'Iliade* : 106 par lance, avec une mortalité de 80 % ; 17 par épée, toutes mortelles ; 12 par flèche, avec une mortalité de 42 % ; 12 par fronde, avec une mortalité de 66 % ; l'indice global de mortalité par lésions traumatiques s'élevant à 77,6 %. Mais Homère n'avait point parlé des maladies sans gloire, et cette absence était irréparable.

A midi, Kaeso mourut et Marcia tomba inanimée dans les bras de Silanus.

VII

Dans son désespoir, Marcia dit enfin à l'asclépiadiste :

« Le bruit court qu'Asclépiade a ressuscité un mort que l'on menait au bûcher. N'es-tu pas de cette école ? Si tu pouvais nous rendre Kaeso, Silanus te donnerait des millions de sesterces !

— Le fait est avéré, " domina ", mais c'était le grand Asclépiade et je ne suis hélas qu'un élève. »

Marcia se tourna vers le Juif, vers Dioscoride et le reste de la troupe, qui baissaient la tête et manœuvraient déjà pour s'éclipser.

Malgré ses instinctives répugnances, Marcia écrivit alors à Paul :

« Marcia, femme de Silanus, à Cn. Pompeius Paulus, salut !

« Kaesio, tombé malade dans l'après-midi du premier jour des Floralies, a succombé tout à l'heure, terrassé par une fièvre maligne. Tu prétends avoir déjà ressuscité quelqu'un. " Bis repetita placent. " Je t'attends. Porte-toi mieux que nous autres ! »

Le mot toucha Paul au moment du dîner, alors qu'il venait de terminer une conférence catéchétique chez le judéo-chrétien, et il en ressentit un grand choc. Luc, les yeux fixés sur les foudroyantes tablettes, se taisait : Pierre avait ressuscité Dorcas à Joppé, Paul avait ressuscité Eutyque à Troas, mais lui-même n'avait jamais ressuscité personne. Paul était dans l'incertitude sur les intentions de Dieu dans cette affaire. Ressusciter les gens était l'enfance de l'art, mais à condition que Dieu veuille bien s'en charger. Après s'être recueilli pour solliciter l'inspiration, Paul dit enfin : « Dieu le veut. Allons-y ! »

A la nuit tombante, en présence de Marcia, de Silanus, et des Marcus père et fils, Paul et Luc furent introduits auprès de Kaeso, qui reposait à la lueur de quelques lampes. Le corps, qui avait été lavé, était froid, et la rigidité cadavérique semblait avoir commencé son œuvre.

Marcia demanda à Paul : « As-tu besoin d'un quelconque accessoire pour le faire revivre ? »

Paul s'assit près de Kaeso, lui prit la main, fit mine de lui tâter le pouls : « Il a encore un souffle de vie, dit-il. Il ne devrait pas tarder à revenir parmi nous... »

De fait, Kaeso ouvrit les yeux, considéra Paul un instant sans surprise apparente, et l'apostropha soudain en araméen :

« Que fais-tu là, malheureux Saoul, à perdre ton temps chez les riches, alors que les campagnes de tout l'Empire gémissent dans l'ignorance de la Bonne Nouvelle ? Jésus, pour l'édification des plus humbles, a parcouru les chemins de Galilée et de Judée. Prends ton bâton et tes sandales, quitte cette Ville de perdition, et va plutôt goûter le brouet des paysans qui t'attendent. Ce n'est pas en ville, mais sur les routes, dans les champs et jusque dans les forêts qu'il faut planter la croix ! »

Cela dit et bien dit, Kaeso ferma les yeux pour goûter un sommeil réparateur.

A force de baigner dans l'Esprit Saint, Paul et Luc ne s'étonnaient pas de grand-chose. Ils vivaient dans l'essentiel, au-delà des apparences. Plus que par l'étrangeté des événements et des formes, ils furent donc impressionnés par la teneur du message, où il était difficile de ne pas voir le souffle paradoxal de l'Esprit au travail.

Paul se leva et dit simplement : « Vous voyez ce que je vous disais : il ne va que trop bien et sera rétabli pour le banquet de Néron. »

Les deux missionnaires se retirèrent discrètement, laissant Marcia, Silanus et les deux Marcus muets de stupéfaction.

Silanus dit enfin : « Par Zeus, ce gaillard-là est encore plus fort qu'Asclépiade ! Il a une fortune devant lui et ses œuvres se vendront longtemps. »

Marcia et les autres ne disaient rien, ce qui est la sagesse même quand on n'a rien compris.

Comme on pouvait le prévoir, la convalescence de Kaeso fut extraordinairement rapide, et l'on en vint bientôt à douter qu'il eût été mort quelques heures. Ce fut comme si l'on avait fait un mauvais rêve. Kaeso, d'ailleurs, se souvenait à peine de sa fièvre cérébrale, encore moins de son évasion, de son retour, de son apostrophe à Paul dans un idiome incompréhensible. Toujours curieux de tout, Silanus avait beau interroger Kaeso sur l'au-delà, il n'en tirait que des déclarations confuses ou des boutades...

« Si Paul m'a vraiment ressuscité, nous devrons lui demander ce que son dieu a bien pu faire de mon âme durant l'après-midi où j'ai paru mort. Les chrétiens imaginent un enfer et un Paradis qui ne comportent pas d'évasion pour ceux qui s'y ennuieraient. Les stoïciens et quelques Juifs imaginent de leur côté un purgatoire, sur lequel les chrétiens ne semblent guère fixés, mais on ne quitte de toute façon un purgatoire que pour le Ciel. Je n'ai donc pu y séjourner. Le Symbole chrétien fait d'autre part allusion à un lieu assez brumeux, où les âmes des Justes morts sans baptême avant le Christ auraient moisi en attendant que la mort de Jésus leur ouvre le Paradis. Mais là encore, la sortie est à sens unique. Oui, il me faudra interroger Paul, quitte à le mettre de nouveau de mauvaise humeur, car il est plus fort en résurrection qu'en philosophie.

— Le dieu chrétien, suggéra Silanus en riant, a dû te fourrer un moment dans une salle d'attente spéciale, prévue à cet effet ! »

Dès le lendemain des Kalendes, le soir du VI des Nones de mai, Kaeso eut le bon esprit d'écrire à Paul, n'épargnant pour lui faire plaisir aucune politesse :

« Kaeso à son bien cher Paul, salut !

« Que n'es-tu déjà revenu pour que nous te remerciions ? Ne m'as-tu pas remis en santé et même en vie, s'il faut en croire ceux qui t'ont vu faire et qui nagent grâce à toi dans une joie sans bornes ? Marcia, plus que tout autre, te baise les mains à genoux et oindrait tes pieds de parfum si tu ne courais si vite.

« Mes proches, cependant, sont plus heureux que moi, car ils n'ont pas connu, fût-ce un instant, les délices d'où je descends et qui me feraient presque regretter l'étonnante efficacité de ta cure.

« Ainsi, ai-je en tout cas une bonne nouvelle pour ta gouverne : ce Paradis dont tu parles si souvent, mais dont tu dois pourtant douter quelques fois, car le Démon s'insinue par instants au sein des âmes les plus pures et les plus confiantes, eh bien, il existe ! Si j'étais un fabulateur, je te dirais que j'ai vu le Père avec une grande barbe, comme Jupiter. Mais du fait que le Père ne s'est pas incarné, je n'ai discerné que sa lumière, qui me réchauffe encore le cœur. En revanche, j'ai vu le Christ en gloire avec toute sa barbe, celui-là même qui t'a aveuglé pour te rappeler à de meilleurs sentiments. Et j'ai vu aussi l'Esprit Saint, puisqu'il s'est incarné à son tour sous forme de colombe, lors du baptême de Jésus rapporté par Marc, pour remonter ensuite à tire-d'aile vers le Père. Qui n'a pas contemplé le Christ, dans la lumière du Père traversée par le vol de la sainte colombe, ne peut savoir ce que c'est que le bonheur.

« Ma mère, que j'ai retrouvée en tout cas adorablement jeune, te fait dire bien des choses.

« J'ai été infiniment satisfait de constater, ce qui vérifie les déclarations de Luc, que le baptême n'est pas le seul talisman qui ouvre les portes du Paradis. J'ai trouvé là-haut une foule immense, où, par la force des choses, les baptisés se comptent encore sur les doigts.

— 410 —

« Ce baptême, je te le réclame malgré tout une fois de plus, non pas pour entrer au Paradis dont je sors, mais surtout pour m'aider à défendre sur cette terre les intérêts de mon prochain.

« Il va de soi que je serai discret sur cette expédition. Le chrétien doit avoir la modestie de ne pas se singulariser.

« On m'a rapporté que je t'avais, en me réveillant, adressé la parole dans une langue étrange. Je me demande ce que j'ai bien pu te dire. Aurais-je " parlé en langues ", comme les chrétiens en ont pris l'habitude ? Ou bien aurais-je employé l'unique langage du Paradis que je venais d'apprendre, mais que je suis déjà en train d'oublier ?

« Porte-toi bien ! Et ne me ressuscite pas deux fois ! »

Cette lettre jeta Paul et Luc dans des abîmes de perplexité.

On aurait certes pu y voir une manifestation de cet humour déplacé dont Kaeso n'était que trop coutumier. Mais était-il concevable qu'un garçon fraîchement ressuscité se livrât à des manifestations d'humour ?

D'autre part, rien de ce qu'écrivait Kaeso n'était franchement invraisemblable. Le point de l'incarnation et de l'ascension de la Colombe laissait place lui-même à délicates discussions. Il y avait déjà tant de choses bizarres dans la foi nouvelle...

« La lettre de cet ami, dit Luc, pose de toute manière une question à laquelle notre théologie se doit de répondre : où vont momentanément les âmes des morts que Jésus et nous-mêmes avons ressuscités ? Avec Lazare, la fille de Jaïre, le fils de la veuve de Naïm, Dorcas, Eutyque et Kaeso, cela fait six jusqu'à nouvel ordre. Les gens finiront par s'interroger. Kaeso est le premier à avoir dit où il était allé, mais puisque cette révélation peut ne pas être sérieuse, elle ne nous aide guère à résoudre le problème. Imagine qu'un septième ressuscité raconte une histoire différente : la contradiction ferait le plus fâcheux effet. Dans l'évangile que j'ai en projet, je ferais bien, si tu n'y vois pas d'objection, de passer sous silence la résurrection de cet inquiétant Romain. Et ne serait-il pas préférable, tout compte fait, de cesser de ressusciter ces morts qui nous émeuvent ? Au fond, en toute justice, pourquoi eux et pourquoi pas tant d'autres ? A la longue, même si Dieu avait la complaisance de nous assister, il y aurait de quoi fomenter des jalousies et des troubles.

— Dieu m'a dit que Kaeso serait le dernier, assura Paul. Peut-être l'Esprit voulait-Il se servir de lui pour me délivrer ce troublant message en araméen. Mais il y a autre chose. Ce garçon, d'une manière ou d'une autre, est au cœur, je le sens et je le sais, d'un plan divin de grande envergure, qui nous concerne tous. Voilà pourquoi il fallait qu'il vécût encore quelque temps. »

Alors que l'on discutait de son sort, dans la matinée du V des Nones de mai, en ces termes sibyllins, Kaeso disait au revoir à son frère, qui avait obtenu de prolonger sa présence de quelques jours.

Kaeso était allongé, encore dolent, dans le jardin-belvédère où Néron devait dîner le lendemain soir. Marcus junior, après avoir cherché quelles idées, quelles expressions pourraient le mieux frapper et convaincre Kaeso, lui déclara :

« Tu vois comme il est difficile de juger des choses, et des plus essentielles : on ne sait pas même si tu étais mort ou vif dans l'après-midi des Kalendes de mai. Et toi, le premier intéressé, tu ne peux nous en dire davantage ! D'après les cadavres de Germains que j'ai eu l'occasion de voir de près, je t'aurais donné pour mort sans hésiter, et à présent, tu as l'air de sortir d'un rhume.

« Je t'en conjure : que cette difficulté de juger te rende modeste et prudent, sage et raisonnable dans ta conduite avec Silanus et Marcia ! Bien que nous ayons eu la pudeur de ne pas en faire un sujet de conversation, nous avons tous deux deviné, moi d'abord et toi ensuite, tout ce que Marcia, depuis trois lustres, avait fait pour nous deux et pour la maison, mais surtout pour toi, son préféré, qui avais tout pour lui plaire. Une telle étendue de sacrifices ne lui donne-t-elle pas aujourd'hui quelque droit à compter sur ta reconnaissance ?... »

Kaeso le coupa avec lassitude :

« Le Christ de Paul, aussi, a donné sa peau pour des pécheurs qui ne lui demandaient rien. J'en ai plein le dos de ces Christ ou de ces Marcia qui se font martyriser pour émouvoir le monde et tendre la main. Quel repos, le jour où je ne serai plus en butte à de tels excès de bonté !

— Mais Marcia n'est pas comme le Christ : elle ne réclame presque rien ! Elle veut seulement respirer le même air que toi, se réjouir de ta présence, te voir en se levant le matin...

— A condition que je me lève de son lit !

— Mon expérience des femmes est supérieure à la tienne...

— Et quelles femmes !

— Elles se ressemblent toutes. "Tota mulier est in utero." Et mon expérience me permet de te dire que cet adage n'a pas la signification équivoque que la plupart lui donnent. Sans doute, la femme est-elle plus viscérale que cérébrale, mais parmi les viscères qui la gouvernent, ce sont le cœur et la matrice qui jouent les plus grands rôles. Il est important, mais il n'est pas essentiel pour Marcia de coucher avec toi. Elle préférerait encore vivre dans ta compagnie sans que tu la touches plutôt que de te perdre. Dans l'attente de Paul, elle paraissait vieillie de dix ans, et ta guérison l'a rajeunie de quinze. Si tu refuses l'adoption, tu la rendras folle et elle est vraiment capable de se tuer. J'aurais du mal à te pardonner cette fin lamentable, alors que Marcia exige si peu après t'avoir tant offert.

— Le peu qu'elle exige, c'est toute ma personne !

— Elle n'est quand même pas si précieuse que tu ne puisses la prêter sans scrupule.

— Tu en parles à ton aise !

— Promets-moi de ménager Marcia.

— Je ferai tout mon possible... »

Marcus embrassa Kaeso avec tristesse et se retira.

Prenant congé de Marcia dans l'atrium, après avoir été saluer et remercier Silanus, Marcus junior lui dit : « J'ai fait promettre à Kaeso de te rendre tout ce qu'il te doit, et j'espère qu'il tiendra parole. Il m'a mis au courant de la situation, et j'avoue que je suis inquiet pour vous deux — très accessoirement pour moi. Pourquoi faut-il que l'amour ne soit pas aveugle comme on le prétend ? Je ne me serais pas fait prier pour t'aimer. J'ai déjà tant d'affection à ton égard, et depuis tant d'années ! Si l'ingratitude de Kaeso devait un jour te désespérer, avant de faire une folie, songe un peu à moi s'il te plaît ! Tu as un gros ours fidèle, en Germanie, qui aimerait bien te conserver longtemps. »

Émue, Marcia lui dit à voix basse en le serrant dans ses bras : « Si l'amour n'était pas aveugle, c'est toi que j'aurais choisi, et non point ce garçon rêveur, qui me fait damner. »

Marcus parti, un esclave introduisit Myra, avec des tablettes pour Kaeso. Poussée par une curiosité bien naturelle, Marcia accompagna la petite jusqu'au convalescent. Kaeso expliqua brièvement dans quelles circonstances il avait fait l'acquisition de Myra, et pria Marcia de lire elle-même le message, qui se trouvait être de Séléné :

« Séléné à Kaeso, salut !

« Ton père est si content de ton retour en santé que j'ai du mal à soustraire Myra à son affection. Je devrais pourtant suffire à la tâche ! J'ai donc conseillé à l'enfant de se réfugier près de toi. Elle est toujours inquiète que ses charmes ne soient pas appréciés par une personne convenable. Tâche de la rassurer d'une façon ou d'une autre. Pourquoi pas de la façon la plus naturelle ? Porte-toi de mieux en mieux. »

Marcia jeta les tablettes avec humeur : « C'est décidément toujours un plaisir que de lire cette Séléné ! »

Kaeso s'efforça de la calmer par quelques plaisanteries faciles, mais Séléné n'était pas pour Marcia un sujet de plaisanterie.

« Si j'étais mort, lui demanda-t-il, tu l'aurais fait tuer, n'est-ce pas ?

— Mais tu étais mort ! Des tas de médecins en avaient ainsi décidé et il y avait motif de leur faire confiance. Ton Paul a ressuscité deux personnes d'un coup, car, dans cet atroce après-midi des Kalendes, alors que je l'attendais, j'avais fait convoquer Dardanus, pour qu'il s'occupe de Séléné. Mais tu peux te rassurer : je l'ai fait décommander à la nuit.

— Quelle haine pour cette malheureuse !

— Je risque de mourir par sa faute !

— Tu mourras si tu le veux bien. Épargne-moi ce chantage, qui n'est pas digne de toi. Et promets-moi de ne pas toucher à Séléné, même s'il m'arrivait malheur.

— Tu étais complice de cette fausse lettre d'amour, n'est-ce pas ?

— Je dirais à présent le contraire que tu ne me croirais point. J'avais absolument besoin d'être fixé sur tes sentiments avant l'adoption, et il n'était pas tout à fait exclu que tu m'aimes encore comme une mère. Comment aurais-je pu t'arracher ton secret par une autre voie ?

— Je présume encore que l'idée de la lettre était de Séléné ?

— A ce qu'elle m'a révélé par la suite, elle avait des excuses à cette vengeance. Le plaisir de la caresser et le plaisir de la faire fouetter, cela faisait un plaisir de trop.

— Je l'ai fait fouetter pour la punir d'un mensonge.

— Elle me l'a dit, en effet. J'en ai conclu que tu me ferais également fouetter si mon membre n'était pas assez long pour te satisfaire. »

Marcia, qui s'était assise auprès de Kaeso, se leva soudain et eut un rire nerveux : « L'amour n'en est pas à un pouce près ! »

Comme elle se détournait pour se retirer, Kaeso la retint :

« Me promettras-tu de ne jamais toucher à Séléné ?

— L'aimerais-tu, par hasard ?

— C'est la justice qui m'intéresse dans l'affaire.

— En quoi mon serment pourrait-il t'inspirer confiance ? Je ne crois pas aux dieux. Le seul dieu que je connaisse, c'est toi. Et si je te perds, qu'importe que le monde s'écroule !

— Comme un dieu ou des dieux peuvent exister ou non, il est avisé de tenir compte des deux hypothèses dans nos actes. C'est un ressuscité qui te parle ! »

Marcia haussa les épaules et s'en fut.

Kaeso rappela Myra, qui jouait à une marelle improvisée dans une allée du jardin, et il lui dit :

« Un fantôme apparaît le soir, parfois, dans la galerie de peintures du péristyle. Je te déconseille d'y traîner à cette heure-là. Mais si la curiosité était plus forte que toi, sache que ce fantôme n'est pas méchant et qu'il n'y a pas lieu d'être effrayé.

— Le fantôme de qui ?

— D'un vieil avocat, qui a perdu la tête pour s'être trompé de cheval.

— Tu te moques toujours de moi !

— Mais non : je résume. Comment t'expliquer qui était Cicéron ? Tu as si peu d'expérience.

— Quand tu auras connu autant de femmes que j'ai connu d'hommes, tu pourras comparer nos expériences ! »

Vexée, l'enfant retourna jouer.

Kaeso songea que la doctrine de Paul sur le mariage avait peut-être une justification dans la mesure où, comme l'affirmait son frère, toutes les femmes se ressemblaient. C'était en tout cas ce que finissaient par déclarer les grands amateurs de femmes, qui poursuivaient cependant leur quête avec une ardeur aussi inlassable qu'illogique. A ce compte-là, ne connaissait-on pas mieux les femmes en approfondissant à loisir un seul sujet ?

Revinrent alors pour Kaeso les tablettes expédiées à Paul, où ce dernier s'exprimait en ces termes :

« Paul de Tarse à son cher Kaeso !

« Nous sommes ravis que ta santé se maintienne, après ce voyage que tu m'as narré de façon si pittoresque. Tu es le sixième à avoir fait cette brève expérience, sept en comptant Jésus, qui, Lui, avait ressuscité par ses propres moyens : les grandes vérités marchent toujours par trois, par sept ou par neuf. Mais les cinq personnes ordinaires qui t'avaient précédé s'étaient montrées moins bavardes que toi. Peut-être ton âme, demeurée près de ton corps qui gisait dans l'attente de ma venue, a-t-elle fait un rêve ?

« En te réveillant, tu m'as appelé " Saoul ", t'adressant à moi en araméen, ce qui m'a causé une émotion bien imprévue. Puisque tu sais tant de choses sur l'au-delà, tu dois savoir ce que tu m'as dit.

« Tu me réclames encore le baptême, et je sens pourtant que tu n'as pas une foi conforme à la nôtre. Il y a là un mystère dont la solution m'échappe. Je te baptiserai quand même, car je n'ai pas compétence pour sonder les reins et les cœurs. Le baptême n'est pas une affaire entre nous deux, mais entre Dieu et toi.

« Demain soir, à la tombée de la nuit, pendant que je dînerai chez Silanus afin de voir notre Néron de plus près, commencera le sabbat des Juifs, pour se terminer le lendemain soir. Répudiant les coutumes juives sur ce point, les chrétiens font commencer leur jour dominical, celui du Maître, à l'instant où le sabbat juif se termine. Notre dimanche va donc du samedi soir au soir suivant. Et c'est le samedi soir, pour commencer la semaine le plus saintement possible, que se consomme notre Cène principale, celle qui connaît le plus d'affluence. Après-demain soir, il y a Cène dans la villa d'Eunomos, au-delà de la Porte Viminale, passé le camp et le terrain d'exercice des cohortes prétoriennes. Eunomos est un riche esclave de la " familia " impériale, qui s'occupe à son corps défendant des plaisirs de Néron. Il y aurait là, si tu le veux bien, une proche occasion de te baptiser. Par la suite, après mon départ, des personnes de confiance compléteront ton instruction, et on t'imposera enfin l'Esprit Saint.

« Pour en revenir à ta foi, qui me paraît encore bien embrouillée et chancelante, malgré tes loyaux efforts d'information, je te répéterai seulement la fin d'une parabole de Jésus, que Luc m'a rapportée. Un mauvais riche, torturé par les flammes de l'enfer — c'est Jésus qui le dit, et il faut donc y croire —, ayant prié Abraham de permettre à un élu de redescendre un instant sur terre pour faire la leçon à ses proches en grand danger de perdition, Abraham répondit : " Du moment qu'ils n'écoutent ni Moïse ni les Prophètes, même si quelqu'un ressuscite d'entre les morts, ils ne seront pas convaincus. "

« Depuis, Jésus a ressuscité, et tu reviens toi-même de là-bas. Que te faut-il donc pour être convaincu, et quelle serait ton excuse à ne pas l'être ?

« Puisse ton âme se bien porter ! »

Kaeso répondit sur-le-champ, utilisant les mêmes tablettes :

« Kaeso à Paul, salut !

« Mais si, je crois ! Je veux dire que j'admets déjà l'incroyable comme possible. N'est-ce pas là un bon début, qui encourage tous les espoirs et mérite sans plus attendre le baptême ? Tu qualifies toi-même ta croyance de " scandale pour les Juifs " et de " folie pour les Gentils ". Aie donc un peu de patience et tâche de comprendre que le cheminement de la grâce dans les âmes n'est pas identique pour tous. Les uns sont aveuglés près de Damas. Les autres ouvrent les yeux avec circonspection et leurs progrès sont plus lents. Tantôt le barrage cède tout d'un coup ; tantôt l'onde use la roche. Je me sens, chaque jour qui passe, de plus en plus chrétien.

« Mais je suis surpris que tu me reproches la tiédeur de ma foi en invoquant Abraham : sa réputation me semble douteuse, s'il faut en croire la Genèse, que j'ai lue avec une attention particulière. Voilà un type qui fait passer sa femme pour sa sœur afin de vivre de ses charmes, et qui est tout heureux de quitter l'Égypte avec le produit de cette fourbe et honteuse industrie. Si ton Abraham, patron des proxénètes, a été admis au Paradis par erreur, il pourrait s'abstenir d'y donner des leçons, car chacun aurait le droit de lui crier en retour : " Et ta sœur ?! "

« Je te dirai très franchement aussi que la perspective d'aller me faire baptiser chez Eunomos ne me séduit guère, car il passe justement pour jouer auprès de Néron le rôle que jouait Abraham auprès du Pharaon — avec cette différence qu'il ne prostitue peut-être pas sa propre concubine au Prince.

« Comprends-moi bien ! Je ne reproche nullement à Eunomos d'être un esclave. Les stoïciens nous ont appris, déjà, que tous les hommes étaient égaux, sinon quant au mérite, du moins quant à la dignité. Et depuis longtemps, des hommes libres se sont associés à des esclaves dans beaucoup de collèges religieux. Je ne lui reproche pas non plus d'être pécheur, car Dieu seul sait comparer nos fautes en comparant les situations où elles se sont inscrites. Non, j'éprouve au contraire à l'encontre d'Eunomos une pieuse jalousie.

« Il existe, dans tes épîtres, un grand trou d'ombre, où, justement, des hommes comme Eunomos sont tombés, sans que tu paraisses te soucier du calvaire qu'ils supportent. Chaque fois que tu t'adresses aux esclaves, c'est pour leur recommander de prendre leur mal en patience, de ne pas changer de condition, de respecter et d'aimer leur maître. Que peut donc faire un esclave chrétien que son maître contraint de collaborer à tous ses vices ? Tu lui interdis le suicide, cette élégante solution stoïcienne pour dénouer dignement les cas désespérés. Tu lui interdis de se rebeller. Tu lui interdis de s'échapper. Tu le forces en somme à participer au péché du maître, avec pour seule consolation que le péché s'effacerait dès qu'une évidente contrainte l'impose.

« Ne vois-tu pas où mène cette triste contradiction ? Y aurait-il deux catégories de chrétiens ? Les uns, voués à la continence et à toutes les vertus ; les autres, condamnés par une amère Providence à souffrir dans leur corps et dans leur âme les caprices érotiques des maîtres. Dire qu'il n'y a point péché en ce cas pour les victimes relève d'un hypocrite verbalisme, car la nature humaine est telle que de pareils abus, s'ils laissaient par hasard l'âme intacte, marqueraient de toute façon la chair et l'esprit, et par les humiliations ressenties, et par les plaisirs qui les accompagnent malgré tout à l'occasion.

« Eunomos, frappé par la grâce et pourvoyeur de Néron en petits garçons ou filles, quelles que soient ses épreuves, jouit ainsi, au sein de ta morale si exigeante, d'une étrange tolérance, puisqu'il est en droit de me déclarer, à moi qui devrai me contenter d'une seule femme : " Je suis chrétien : voyez mes ailes ; je suis ' leno ', voyez mon cul ! "

« Mais allons un peu plus loin... Ta belle théorie du péché qui disparaîtrait pour cause d'obligation ne pourrait-elle pas être dangereusement reconduite au crédit d'hommes libres pris au piège d'une dure nécessité ? Où commence, où finit l'esclavage ? Chacun ne risque-t-il pas, un jour ou l'autre, de tomber dans le quasi-esclavage d'autrui, au cœur de ce monde de violence et d'arbitraire ? Si Néron me faisait enlever pour goûter mes charmes, aurais-tu pour mes complaisances les ménagements indulgents que tu as pour les compromissions d'un Eunomos ?

« J'ai bien raison d'être jaloux et je me ferai baptiser ailleurs.

« Je prie le Ciel que le Prince ne s'intéresse jamais de trop près à ta personne !

« Porte-toi bien, et qu'Abraham te bénisse ! »

Le soleil était parvenu au zénith. Silanus et Marcia vinrent rejoindre Kaeso en son jardin, où on leur monta bientôt à déjeuner.

Au cours de ce repas, un émissaire du Palais apporta la liste restreinte des invités du lendemain soir, que Néron soumettait aimablement à Silanus.

Il y avait Pétrone, que ses compétences artistiques et littéraires, son art désabusé de vivre, recommandaient depuis des années à la journalière sympathie de l'empereur. Il y avait l'abominable Vatinius, en raison de son côté distrayant, qui n'excluait pas la profondeur. Néron ne prenait-il pas plaisir à lui faire répéter : « César, je te hais, car tu fais partie du sénat ! » ? Il y avait le besogneux Vespasien, l'un des souffre-douleur préférés de Vatinius. Vespasien était accompagné de ses deux fils, Titus et Domitien, qu'il essayait de pousser. Titus était un grand benêt de vingt-cinq ans, mais Domitien, de douze ans son cadet, avait déjà l'air plus déluré. Il y avait Coccius Nerva, cousin éloigné et ami du Prince, vieux jeune homme précieux, qui était l'un des poètes attitrés de la cour. Il y avait l'énorme et insolent Vitellius, qui était devenu l'un des commensaux et compagnons de débauche les plus appréciés de Néron. Dans un océan de platitudes, le cynisme de Vitellius avait quelque chose de sain et de réconfortant. Et contrairement à toute attente, il y avait Othon.

« Que vient faire Othon ? demanda Marcia. Je le croyais toujours en Lusitanie ou en Tarraconaise ?

— En Lusitanie, précisa Decimus. C'est le vieux Galba, qui est aujourd'hui gouverneur de Tarraconaise.

« Othon a été rappelé pour un curieux procès. Avant de partir vers les bords du Tage, endetté jusqu'au cou — et même par-dessus la tête ! — il s'était fait verser, entre autres histoires véreuses, un million de sesterces par un esclave impérial, qui espérait en contrepartie un poste d'intendant quelconque je ne sais où. Et, naturellement, le poste était mythique. Quand un esclave enrichi — la plupart du temps, frauduleusement — se fait escroquer par plus malin que lui, il a bien du mal à rentrer dans ses fonds. Sans aucune personnalité légale, comment pourrait-il porter plainte autrement que par le biais de son maître, auquel il est rare qu'il puisse se confier ? Malchance pour Othon, l'esclave abusé a été affranchi et nommé à un poste de responsabilité dans le service des aqueducs de la Ville. Brûlant de se venger, il a rameuté d'autres victimes de son débiteur, qui ont formé un syndicat de plaignants et assiégé le préteur de leurs cris. Il en a résulté que le sénat lui-même a convoqué l'indélicat, forcément avec l'approbation de Néron, afin de lui demander des comptes, car il s'ajoutait à ces troubles affaires une accusation de mauvaise administration concernant la Lusitanie. Comme il n'y a rien à gratter sur une province aussi pauvre, les moindres excès s'y font tout de suite remarquer.

« Au sénat, c'est T. Clodius Eprius Marcellus qui avait été chargé de soutenir l'accusation, et l'on savait ce que ça voulait dire. Blanchi lui-même de justesse à la suite de barbotages en Lycie, Marcellus, comme Vibius Crispus ou Vatinius, se met en avant, avec son éloquence larmoyante, chaque fois que le pouvoir veut régler son affaire à quelqu'un.

« Marcellus polissait déjà sa plaidoirie, quand Néron a tout arrêté d'un mot, peut-être sur l'incitation de Poppée, qu'il eût été difficile de ne pas éclabousser en épluchant les frasques de son ex-mari.

« Othon, qui se voyait perdu, a eu très peur, mais il en sera quitte pour la peur jusqu'à nouvelle alerte, et l'empereur, sans doute, ne visait pas plus loin en permettant qu'il fût rappelé. Notre Néron aime maintenir dans la peur ceux qui lui portent ombrage, en attendant de resserrer le lacet. Et si Othon, avant de retourner dans son exil, figure à ma table, c'est assurément parce que l'odeur de son inquiétude mettra le Prince en appétit. »

Silanus retourna la liste d'invitation avec ce commentaire : « Je hais Vatinius, parce qu'il ne devrait pas faire partie du sénat ! »

Devant l'effroi de Marcia et de Kaeso, il fit observer : « Vatinius me hait déjà, car je représente à ses yeux tout ce à quoi il ne pourra jamais prétendre. Mais Vatinius ne saurait agir qu'avec la tolérance de Néron, qui a le tempérament du chien : flairer la peur lui donne envie de mordre. Attitude qui est d'ailleurs de haute politique, dans la mesure où la peur est le plus souvent un signe de mauvaise conscience. Je n'ai rien à me reprocher, et Néron se moque bien qu'on égratigne Vatinius, qu'il méprise comme tout le monde. »

Dans l'après-midi, Marcia vint tenir compagnie à Kaeso, qui avait regagné sa chambre, et elle s'efforça d'avoir avec lui une conversation futile, détendue et confiante, faisant souvent allusion aux choses d'autrefois.

Mais pour elle, plus aucun terrain n'était sûr. Kaeso la regardait comme si elle eût changé, et il finit par lui demander : « Combien de tes anciens amants seront donc présents au dîner de demain ? »

Après réflexion, Marcia répondit :

« Seulement trois ou quatre.

— Trois ou quatre ?! Ne sais-tu plus compter ?

— J'ai eu une courte liaison avec Vitellius, qui a été assez généreux. Othon, lui, m'a emprunté 20 000 sesterces, que je n'ai naturellement pas revus. Quant à Pétrone et à Nerva, le doute persiste, car nous étions dans le noir. Je ne sais à qui j'ai eu affaire, ni s'il y a eu répétition ou succession.

« Mais quelle importance à présent, Kaeso ? Ce noir ne devrait-il pas tout recouvrir ?

— Tu travaillais donc parfois gratis ?

— Eh, il fallait bien entretenir le mouvement, idiot ! »

Le retour des tablettes remplies de la main de Paul donnèrent à Kaeso un bon prétexte pour écourter ce pénible échange de vues. La rapidité de réaction de Paul était remarquable, comme si Kaeso eût mis le doigt dans une plaie.

« Paul de Tarse à son cher Kaeso !

« Tu as raison. Tu as toujours raison. Et comment pourrait-il en être autrement ? Tu es jeune, tu as l'esprit vif, ta mémoire fonctionne mieux qu'une horloge, tu as étudié à loisir la rhétorique et la philosophie, tu allies le bon sens romain à la finesse grecque, et tu parles haut, parce que tu appartiens à une société où parlent haut même les ignorants et les imbéciles.

« Qui suis-je, à côté de toi ? Je n'ai guère étudié que la Loi, et le Christ qui est venu l'accomplir. Et encore, pour ce qui est de la Loi, un Gamaliel ou un Philon en savaient plus long que moi. Mes connaissances en philosophie sont superficielles. Ma rhétorique est de premier jet. A force de courir et de me faire tracasser, je commence à ressentir l'usure de l'âge. Et mes défauts n'arrangent rien. Je sais bien que je supporte mal la contradiction, alors que mes raisonnements sont parfois discutables. J'ai beaucoup parlé, passablement écrit, pour m'apercevoir aujourd'hui que j'ai pu donner de ma pensée des images divergentes, voire contradictoires. Les uns m'accusent d'avoir trahi la Loi ; d'autres, d'avoir trahi le Christ ; d'autres encore, de m'être trahi moi-même. Plus je me rapproche de la tombe, plus je me rends compte de mes ignorances, de mes insuffisances, de mes faiblesses.

« Mais qu'importent ta raison et la mienne ! Est-ce la raison qui nous fait naître, vivre et mourir ? Comme tu dois le pressentir, puisque tu es venu à moi, la raison ne nous ouvre que les domaines très étroits de la journalière expérience. Elle nous aide à dresser un cheval ou à fumer des fromages. Elle n'a jamais résolu les problèmes essentiels, qui ne dépendent point de ses étroites et rasantes lumières. La vie et la mort sont au-delà de toute raison, et plus l'expérience nous serait nécessaire, moins elle est possible. On ne naît pas deux fois. Et toi-même, qui mourras deux fois, tu n'as rien appris.

« Il est toutefois une expérience, et une seule, qui n'a pas besoin d'être renouvelée pour se découvrir parfaite : celle de la foi. Si je voulais résumer d'un trait le grand dessein de ma mission et tout l'esprit de notre Église, j'emploierais le mot latin de " conversio ", qui signifie " se retourner ". C'est l'impression pour ainsi dire physique que j'ai éprouvée près de Damas. Après ce choc, je n'en savais certes pas plus sur le monde, mais j'avais été " retourné ", de telle sorte que je le considérais d'un point de vue nouveau. Les obscurités qui m'avaient troublé jusqu'alors devenaient tout à fait secondaires à côté de cette vérité ineffaçable : le Christ s'est chargé de tous les péchés, de toutes les erreurs, de toutes les ignorances de ceux qui ont foi en Lui. Dès lors, la faiblesse même du croyant devient sa force, puisque l'assume avec lui ce Christ, qui, planté au centre de tout, étend les deux bras de Sa croix sur toute l'histoire des hommes.

« Oui, tu as cent fois raison : je n'ai jamais su parler aux esclaves ni résoudre toutes les interrogations qu'ils me posent. Je n'ai su que leur dire : " Jésus est mort pour vos fautes comme pour celles de vos maîtres et Il aura pitié de vous tous au jour du Jugement. "

« Tu n'iras donc pas chez Eunomos. A bientôt. Je fais repasser ma toge et je prends un bain.

« Bonne santé, petit raisonneur ! »

Kaeso était fort satisfait de couper à la Cène chez l'infâme Eunomos. Il se faisait baptiser pour impressionner Silanus, son père et peut-être Marcia. Il ne voyait que des inconvénients à aller s'afficher dans une bande de chrétiens. Ces imprudents-là finiraient peut-être par avoir des ennuis, et moins il en fréquenterait, mieux ça vaudrait.

En fin d'après-midi, comme Silanus était venu le visiter, Kaeso saisit l'occasion de lui soumettre la dernière lettre de Paul, et il lui demanda son avis sur ce genre de littérature.

« Le point de vue est intéressant, déclara Decimus. Ce Paul a vraiment l'air persuadé de t'avoir ressuscité, puisqu'il soutient que tu mourras deux fois.

— Les médecins m'avaient laissé pour mort, et il paraît que j'en avais bien la tête. Paul a des excuses de croire à un miracle, qui n'est pas tout à fait exclu. Les chrétiens ne sont d'ailleurs pas les seuls à prétendre ressusciter les gens. Esculape, déjà, passait pour avoir opéré des réussites de ce genre, et, dans ses temples d'Épidaure, de Cnide, de Cos, de Pergame ou de Cyrène, les guérisons miraculeuses ne se comptent plus. Même à Athènes, où le scepticisme se porte bien, il y en a eu quelques-unes, durant mon séjour.

— Quel dommage que tes souvenirs soient si vagues !

— Ce qui ne prouve ni que j'étais mort ni que j'étais vivant.

— Cette incertitude est agaçante : un médecin qui ressuscite ses patients se paye plus cher.

— Je t'ai déjà assuré que Paul n'était pas intéressé, dit Kaeso en riant. D'ailleurs, tu as parcouru le reste de sa lettre...

— Oui, il s'agit manifestement d'un illuminé. Il admet lui-même qu'il voit le monde à l'envers. Quant au désintéressement, nous en reparlerons : ainsi que mon grand-père m'en avait averti, ce sont les honnêtes femmes qui m'ont coûté le plus cher.

— Tu n'as pas dû en rencontrer beaucoup.

— Heureusement ! Je n'aurais plus eu un " nummus " pour Marcia ! »

L'idée s'imposa tout à coup à Kaeso que, si Decimus pouvait se persuader de sa résurrection, il aurait là un excellent motif de « conversion » et de baptême, le seul même qu'il fût difficile de discuter. Pour ne pas trop dérouter Silanus, il convenait cependant d'improviser un Paradis qui eût un petit côté stoïcien...

« Quelques souvenirs de l'au-delà me reviennent quand même, comme si un voile se déchirait par moments. Mais, chose curieuse, les images me fuient ou se dissolvent au profit de sensations, de sentiments, de points de vue rétrospectifs. Je distingue du blanc... Oui : nous étions tous en toge blanche...

— En toge ?

— Il y avait peut-être quelques tenues grecques ou barbares, à la réflexion. C'est un détail. Je puis me tromper quant aux formes et même quant aux couleurs, car il régnait là-haut une lumière éblouissante. Mais cette divine lumière était porteuse d'une foule d'informations d'ordre scientifique et moral. L'ordre du monde avait envahi mon esprit. Je comprenais tout et plus rien ne me surprenait.

« Aurais-je pu rêver cela ?

— C'eût été un beau rêve !

— Ce voyage m'aura en tout cas appris une langue étrangère, puisque Paul m'a révélé que je m'étais adressé à lui en araméen, l'idiome le plus répandu au Proche-Orient.

— Mais tu l'as oublié ?

« — Tout à fait. Les enfants aussi oublient leur langue maternelle, quand ils cessent de la parler prématurément. »

Silanus se retira fort songeur. Après son père et Marcia, Kaeso se distinguait dans le pieux mensonge.

VIII

Toute la journée du IV des Nones de mai, la « familia » de Silanus s'était affairée à briquer et à décorer la maison, qui présentait vers le soir un aspect des plus charmeurs : partout des fleurs printanières, des guirlandes, des couronnes, et comme l'empereur aimait l'ambre jusqu'à en parsemer ses amphithéâtres, on en avait fourré ici ou là, avec une feinte négligence. Pour parer à toute mauvaise plaisanterie de Cicéron, les tableaux de la pinacothèque, que Néron, passionné entre autres de peinture, risquait de vouloir contempler, avaient été disposés autour du lieu du festin, et la table de citre critique, soigneusement renfermée dans la galerie. A sa dernière visite, lors de la fête que Silanus avait donnée pour son installation dans la villa, le Prince s'était attardé une demi-heure devant le *Prométhée* de Parrhasios d'Éphèse.

Ce tableau célèbre, acquis par Silanus pour sept millions de sesterces, était d'autant plus criant de vérité que le maître, par un scrupule artistique assez rare, avait peint d'après nature le supplice de Prométhée, un condamné à mort lui ayant servi de modèle. Mais le foie du Prométhée de la légende repoussait au fur et à mesure que l'aigle le grignotait ; alors que les entrailles du condamné n'étaient pas douées de cette merveilleuse capacité. Parrhasios avait donc dû utiliser pour son chef-d'œuvre une kyrielle nécessaire et suffisante de suppliciés, l'aigle bien dressé demeurant à la tâche, puisqu'il améliorait ses prestations à chaque reprise. Cependant Parrhasios, mort près de cinq cents ans auparavant, était surtout célèbre pour ses corps efféminés et lascifs.

On s'était inquiété une fois de plus des goûts de l'empereur auprès du chef des cuisines du Palais. Auraient-ils subi une évolution récente ? Sans doute Néron appréciait-il toujours les mets les plus rares et les plus délicats, mais son goût pour les nourritures de régime s'accroissait avec ses ambitions artistiques, d'où son penchant de plus en plus accusé pour tous les légumes qui pouvaient présenter de quelconques vertus. Il mangeait des platées dépuratives d'orties blanches ou de ces grandes aunées salutaires dont la consommation chronique avait conduit ce vieux chameau d'impératrice Livie jusqu'à quatre-vingt-six ans, et il broutait du poireau vivace pour s'éclaircir la voix... Malheureusement, comme il absorbait ces plats de régime en plus de sa nourriture déjà extraordinaire, il ne cessait de grossir.

De bon matin, le chef de Silanus avait donc fait écrémer les marchés de la Ville de tout ce qu'on avait pu trouver de plus fin ou de plus thérapeutique comme légumes, et le choix était étourdissant.

Ces campagnards de Romains n'avaient pas renoncé à une foule de plantes sauvages, tandis que des horticulteurs émérites cultivaient ou perfectionnaient chaque jour de nouvelles espèces ou variétés. Et c'était bien sûr au printemps que la concurrence entre légumes sauvages et apprivoisés était la plus vive sur les marchés et la plus courue, car au sortir de l'hiver, tout le monde avait envie de se jeter sur du frais.

On voyait ainsi des étalages de délicieuses petites fèves, de navets, raves et carottes, raiforts et radis, de panais, de macerons, de bettes noires, de carvis, de salsifis, de colocases, de fenouils, d'oignons ordinaires ou muscaris, d'aulx, de laiterons, de bulbes de glaïeul, d'asphodèles, d'orchis, de dames-d'onze-heure ou de scilles, dont la consommation à haute dose était pourtant mortellement toxique.

Les Romains étaient également amateurs de toutes les jeunes pousses printanières de plantes ou d'arbustes, coupées avant l'apparition des feuilles : asperges de ramassage ou de jardin, que les maraîchers de Ravenne amenaient à une telle splendeur qu'il suffisait de trois pour faire la livre ; délicates tigelles du brocoli ou des gourdes, de criste-marine, d'orobanche, de liseron, de fraisier sauvage, de houblon ou de scolyme ; tendres pousses de tamier, de fragon, de bryone, de figuier ou de vigne.

Et l'on trouvait encore des cardons et des panicauts, des laitues, des pissenlits, des endives, des concombres, des chicorées frisées ou amères, du cresson des jardins ou de fontaine, du pourpier, du crithme, de la berle, du fenugrec, de la mauve, du céleri, de la bette blanche, de l'arroche, de la blette amarante, de la patience, de l'oseille-épinard, de la moutarde, de la grande ortie, de l'héliotrope, de la buglosse, des plantains, de la férule, de la guimauve, de naissantes feuilles d'orme et une douzaine d'espèces de choux...

Après un tel marché, les cuisines de Silanus ressemblaient à un potager ! L'empereur aurait le choix...

Étant donné le nombre plus restreint que prévu des invités, on avait renoncé à disposer des « triclinia » et l'on avait dressé dans le jardin du haut un seul sigma confortablement rembourré.

Vers le soir, des policiers de Tigellin s'étaient présentés poliment pour vérifier que le dîner se déroulerait dans les meilleures conditions de sûreté, et s'étaient retirés satisfaits. Le jardin était bien clos, hors des vues et des tirs de flèches : avec un arc à double courbure, un assassin exercé pouvait percer une victime à une grande distance.

Après un début de règne idyllique et confiant, les relations entre le Prince et la majorité du sénat avaient commencé de se détériorer six ans auparavant, et depuis trois ans, elles étaient devenues franchement mauvaises. Tigellin ne cessait de redouter un attentat. Aussi, les mesures de protection avaient-elles été renforcées, et l'empereur, de plus en plus craintif, ne voulait plus courir le moindre risque. Comme Tibère, il s'efforçait de décourager, sinon les complots, du moins leur exécution, par de fréquents déplacements en Ville et hors la Ville. Tigellin, dans la mesure du possible, faisait même préparer divers programmes, et Néron choisissait l'un d'entre eux au dernier moment. Les contacts entre le souverain et la foule, autrefois si fréquents, avaient été réduits à l'indispensable, et sous les portiques du Palais, pour rassurer l'auguste promeneur, des miroirs rétroviseurs — qui ne sauveront pas la vie de Domitien — avaient fait une apparition incongrue.

En se retirant, les policiers avaient laissé un cordon de prétoriens empanachés autour de la villa, ce qui pouvait avoir pour les passants deux significations : ou bien l'empereur était de visite, ou bien le propriétaire était en train de se faire ouvrir les veines. Dans l'atrium s'étaient postés une dizaine de gardes germaniques accrus de quelques gladiateurs de confiance, dont Ti. Claudius Spiculus, garde du corps préféré de Néron. Et dans les cuisines était demeuré un groupe de surveillants et goûteurs de mets. Depuis la mort de Claude, son fils adoptif se méfiait notamment des champignons, et on leur faisait la chasse quand il allait dîner chez des amis : en dehors de la saison, ces traîtreux comestibles se trouvaient encore séchés ou conservés dans l'huile.

Le Prince et sa suite — sans Vatinius — arrivèrent du Palatin tout proche à la nuit tombante, un bref instant après Paul ; et Decimus, assisté de Marcia et de Kaeso, les accueillit dans l'atrium illuminé a giorno. Néron fit élégamment semblant de ne reconnaître ni Marcia ni Kaeso.

Decimus présenta Paul en ces termes :

« Cn. Pompeius Paulus est un éminent thérapeute, spécialiste des cures miraculeuses, qui vient de sauver la vie de mon futur fils adoptif. Je tenais absolument à ce que tu le connaisses, car ta santé m'est encore plus chère que celle de mes plus proches parents.

— Enfin, un vrai citoyen romain ! »

Tout le monde rit à cette boutade du Prince. Paul était en effet le seul à être drapé d'une toge, qui lui allait d'ailleurs assez mal. Dans l'intimité, l'empereur affectionnait de lâches vêtements à la grecque, sans même de ceinture, et ses compagnons suivaient son exemple. Silanus et Kaeso, étant chez eux, avaient revêtu de simples tuniques.

Néron ajouta :

« Et enfin une vraie Romaine, fidèle à sa statue !

« Tu vois, Silanus, j'ai pris mes informations avant de venir, pour ne pas oublier un compliment. Je te félicite d'un remariage si bien assorti. Tu aurais pu épouser une aristocrate avec bec et ongles, comme ta sœur Silana, qui t'aurait bientôt causé des ennuis et m'aurait obligé à te gronder. Tu as sagement préféré donner dans la discrétion, la modestie et la pudicité.

— Je ne me suis remarié que par égard pour toi, César !

— Et je gagerais que c'est encore par égard pour moi que tu te prépares à adopter un jeune homme si obscur, mais si beau.

— Tu as encore deviné juste.

— Nous avons laissé Vatinius dans un mauvais lieu avec une rage de dents. Accident fatal à force d'exprimer du venin ! Tu as bien eu raison de ne pas désirer le voir chez toi, et surtout, de me le faire dire aussi franchement. La franchise est pour les Princes l'indice d'une conscience pure... ou de la plus profonde dissimulation. C'est une qualité que toi-même et Vatinius cultivez. »

L'allusion à Silana remuait le fer dans une plaie encore ouverte. Durant la deuxième année du règne, neuf ans auparavant, cette sœur de Decimus, pour venger ses deux frères défunts, avait ourdi contre Agrippine, de concert avec Domitia, la tante survivante de Néron, des accusations empoisonnées, qui avaient failli lui être mortelles avant l'heure. Sénèque et Burrus, par l'impartialité de leur enquête, lui avaient alors sauvé la mise de justesse. Cette Silana, extrêmement riche, sans enfants et sans mœurs, était déjà sur le retour lors de cette alerte. Sous Claude, elle s'était payé C. Silius, qui avait la réputation d'être le plus bel homme de la Ville, pour se le faire souffler par Messaline, intrigue où Silius et son impériale maîtresse avaient d'ailleurs fini par trouver la mort. Réconcilié en apparence avec sa mère, Néron avait exilé Silana, qui s'était rapprochée de Rome après le meurtre d'Agrippine, mais était décédée avant d'être autorisée à y rentrer.

Néron se débarrassa du coffret qui renfermait sa précieuse cithare dans les bras de Vespasien, comme pour lui reprocher son insensibilité à la musique ; on fit en bavardant une promenade pour admirer les meubles ; on passa au vestiaire pour revêtir les synthesis ; puis on monta au jardin s'étendre sur le vaste sigma. L'empereur y occupait naturellement le bon bout, suivi de Marcia, de Kaeso, de Silanus, de Pétrone, de Nerva, de Vitellius, d'Othon, de Vespasien, de Titus et de Domitien, Paul tenant modestement le bas bout. Le sigma étant en arc de cercle, l'apôtre se trouvait ainsi allongé en face de Néron, séparé de lui par les tables de service.

De son regard bleu un peu flou que le vin n'avait pas encore embrumé, Néron considérait Paul avec curiosité, et Kaeso crut opportun de faire un supplément de présentations :

« Paulus, citoyen romain de vieille roche, est de religion juive.

— Poppée et Acté ont des sympathies pour les Juifs. (C'est bien le seul sentiment qu'elles aient en commun avec l'amour de ma personne !) Je les vois moi-même d'un œil favorable. Ceux de Palestine sont assez turbulents, mais le reste donne à peu près satisfaction. Sénèque m'a raconté que les rabbis soutenaient qu'un dieu unique avait créé et organisé l'univers. Idée intéressante. Ce dieu pourrait s'agréger à notre panthéon et venir enfin couronner les autres. Je saisis mal pourquoi les Juifs jettent l'exclusive contre d'autres dieux que le leur, au point de se refuser à sacrifier dans les formes. Ils sont vraiment très contrariants d'attacher à ces cérémonies plus d'importance que nous ! »

Kaeso avait tout intérêt à ce que les chrétiens aient le moins d'ennuis possible, et il saisit l'occasion d'aplanir une difficulté latente :

« Je m'en voudrais, César, d'aborder une affaire politique dans une réunion amicale...

— Parle sans crainte : ne suis-je pas jour et nuit au service de la chose publique ?

— Cn. Pompeius Paulus est considéré comme hétérodoxe par la plupart des rabbis — pour des motifs d'obscure théologie qu'il serait déplacé de discuter ici ! En attendant, la secte originale de Paulus a converti de nombreux Juifs, et même, à ce qu'on m'a dit, quelques Grecs ou Romains, qui se refuseraient dès lors à jeter le grain d'encens habituel sur le foyer de l'autel de Rome et d'Auguste le jour où ils y seraient appelés par hasard. Ces nouveaux convertis, juifs, grecs ou romains, ne devraient-ils pas, en bonne justice, bénéficier de la même dispense sacrificielle que les Juifs orthodoxes, vu que les convertis au judaïsme ordinaire en bénéficient déjà par définition ? »

L'empereur interpella Paul :

« Es-tu juif ou non ?

— César ! je suis juif, fils et petit-fils de Juifs, juif depuis qu'il y a des Juifs, et plus juif même qu'Abraham puisque ma doctrine assume, accomplit et prolonge tout le judaïsme !

— Telle est ton opinion. Mais Kaeso nous dit que la plupart des rabbis te tiennent pour renégat.

— Parce qu'ils sont aveugles au pays des aveugles !

— Veuille te mettre un instant à ma place. N'est-ce pas à la majorité des Juifs de définir qui est juif ou non ? Si tes frères te repoussent, qu'y puis-je ? Pour bénéficier, toi et les tiens, de la dispense sacrificielle, tu dois te réconcilier avec les autres rabbis.

« Comment se nomme ta secte ?

— Je suis chrétien. »

Le terme semblait rappeler quelque chose à Néron...

« Tigellin m'a rapporté que le Grand rabbin de Rome se plaint de ces chrétiens, qu'il accuse de se moquer des lois de l'Empire, de mépriser ses coutumes et ses mœurs, et même de fomenter des troubles. Certains seraient excités au point d'imaginer pour un proche avenir la conflagration stoïcienne que Sénèque a la sagesse de repousser après mon règne. Il n'est pas sain de prédire des catastrophes. Quand elles tardent trop, n'est-on pas enclin à les hâter ?

— Dieu m'est témoin que tu as été mal informé. Les chrétiens peuvent avoir des coutumes et des mœurs particulières, mais je les encourage moi-même dans mes écrits à respecter les lois, et plutôt que de vouloir fomenter des troubles, ils prient chaque jour pour le bonheur de l'Empire et de ton auguste personne.

« Quant à l'embrasement dont tu parles, c'est un fait que nos livres sacrés y font allusion, mais sans préciser la date. Ceux qui l'imaginent pour bientôt vont au-delà des textes et ne sauraient se recommander des responsables de ma secte. Je pense quant à moi, comme tous les gens raisonnables, que la fin du monde n'est pas forcément pour demain, et que ton règne, commencé sous d'aussi heureux auspices, se terminera mieux encore qu'il n'a débuté. Les chrétiens y travailleront de tout cœur.

— Quoi qu'il en soit, seuls les vrais Juifs ont droit à dispense. Que la majorité de ces gens-là se fassent donc chrétiens, et il n'y aura plus de problème ! »

Néron se détourna pour parler à Marcia. L'incident était clos. Paul eut un regard de remerciement pour Kaeso, bien que son aimable intervention n'ait pas abouti à grand-chose. Il était évident que, du train où ils allaient, les chrétiens n'auraient jamais la précieuse dispense.

L'empereur faisait compliment des tableaux qui décoraient la scène verdoyante du festin. Marcia avait elle-même veillé à la disposition des éclairages destinés à les mettre en valeur et Silanus avait réglé leur distance par rapport aux observateurs du sigma.

« Voilà, dit Néron, qui révèle des amateurs d'art perspicaces. Chaque tableau est en effet avantagé ou desservi par telle ou telle lumière et il a été conçu pour être admiré à une certaine distance... On l'oublie trop souvent. »

Le premier service ne fut pas moins apprécié : le chef avait composé sur un immense plateau toute une mosaïque de fruits de mer et de petits légumes nouveaux, représentant Apollon Phoebus sur son char, délicate allusion à la mythologique splendeur du Prince.

Comme d'habitude, la conversation tournait autour de questions esthétiques ou artistiques, des réussites et des ambitions de l'empereur dans ces domaines qui étaient les seuls à vraiment l'intéresser. Et les courtisans avaient le choix en fait de flatteries...

Néron, nouvel Apollon, avait conduit des chars sur la piste du Cirque Vatican, fermé au grand public pour la circonstance. Néron, nouvel Hercule, avait failli étouffer un lion entre ses bras augustes — mais l'épreuve avait été décommandée, faute d'animal assez complaisant. Néron avait composé des poésies religieuses, des pièces de circonstance, des morceaux lyriques, érotiques ou satiriques, des poèmes dramatiques ou des tragédies, comme *les Bacchantes* ou comme *la Mutilation d'Attis*. Néron avait écrit des mélodies et des chansons, dont certaines étaient devenues populaires, signe qui ne saurait tromper sur le talent d'un auteur. Mais le Prince, passionné de vieilles légendes troyennes, avait surtout concentré ses efforts sur un long poème épique en l'honneur de la guerre de Troie, la *Troïca*, où le jeune pâtre Pâris jouait le principal rôle. Il ambitionnait ainsi de doter Rome d'une nouvelle *Énéide*, qui eût été comme une grandiose préface à l'épopée virgilienne. Et dans ce Pâris jouisseur et charmeur, sportif ou nonchalant, cruel ainsi qu'Achille, retors ainsi qu'Ulysse, tantôt plébéien, tantôt raffiné, l'empereur chantait son précurseur et son modèle. L'œuvre touchait à sa fin, au grand incendie de Troie, qui donnait au poète les pires difficultés. Car la riche nature à la fois apollinienne et dionysiaque de Néron, mélange intime de classique et de baroque, se prêtait mal à une telle évocation. La fougue, l'emphase, l'exubérance ne faisaient qu'un mariage boiteux avec la recherche des mots rares ou précieux, de l'expression raffinée ou de la tournure sophistiquée. Plus l'écrivain peinait, plus l'incendie sentait l'huile. Néron s'en rendait compte et cette déception était devenue pour lui un gros souci, presque une obsession.

Heureusement que ses talents d'acteur et de chanteur étaient là pour le distraire de ce labeur cyclopéen ! Devant des parterres soigneusement sélectionnés, l'empereur prenait un vif plaisir à interpréter des pièces d'Euripide — son tragique préféré —, voire des pièces de Sénèque, avec un masque qui reproduisait ses propres traits ou ceux de sa chère Poppée, car il tenait aussi bien des rôles d'homme que des rôles de femme, et il ne dédaignait pas non plus de se risquer dans des pantomimes, voire dans des comédies. Mais si la déclamation le faisait vibrer, il préférait par-dessus tout chanter en s'accompagnant de sa cithare. Il en était même arrivé, à force de prendre des leçons du célèbre Terpnos, à se considérer comme un citharède professionnel. Son rêve était de chanter un jour des passages de sa *Troïca* devant un vaste public médusé. Sculpture, peinture, architecture étaient à ses yeux secondaires.

Pétrone, Nerva, Silanus participaient avec compétence à la discussion. Othon et Marcia se bornaient prudemment à paraphraser ce qu'ils étaient certains d'avoir bien saisi. Vitellius fonctionnait par boutades. Vespasien, privé des agaceries de Vatinius, n'osait plus ouvrir la bouche. Titus bâillait en sourdine, et Domitien s'adonnait déjà à l'un de ses passe-temps favoris, que ses biographes auront l'inconséquente cruauté de lui reprocher : sa main droite se détendait soudain, emprisonnait une mouche, que les doigts de la main gauche privaient minutieusement de ses ailes, et la bestiole rampante, toute surprise de ce changement de condition, était livrée à elle-même jusqu'à ce qu'une tape précise vînt mettre fin à ses incertitudes. Des biographes qui apprécient les « munera » pourraient avoir la pudeur de tolérer en souriant le martyre des mouches.

De toute évidence, Néron était le seul à prendre l'art au sérieux. Nerva faisait semblant, et, même pour Pétrone ou Silanus, l'art n'était qu'un agrément parmi bien d'autres.

La solitude impériale faisait pitié et avait de quoi inquiéter sur l'avenir du régime. En Orient hellénisé, où l'art était une des raisons de vivre, aucun dynaste n'avait encore osé lui assurer le premier rôle dans ses États, et c'était à Rome, où l'art n'était guère qu'un signe extérieur de richesse, qu'il se trouvait un souverain pour lui consacrer le plus clair de ses ambitions. Le divorce entre un Prince, artiste-né, et des sénateurs, artistes d'occasion, risquait de finir en drame passionnel. Les traditions les plus ancrées de Rome faisaient de Néron un monstre de mauvais goût, dans la mesure où un goût éclairé consistait à tenir l'art comme subalterne et accessoire.

Kaeso ressentait divorce et drame de façon aiguë. Comme il se taisait, Néron lui demanda :

« Et toi, que nous n'avons guère entendu jusqu'à présent, que penses-tu de la question : l'artiste doit-il travailler pour le petit nombre ou pour la foule ?

— Je pense d'abord qu'il n'y a point de travail là où il y a plaisir et que l'artiste digne de ce nom, divine récompense de son génie, est le seul à être bien garanti contre tout travail. Les artistes sont comme les dieux. Est-ce que les dieux travaillent ?

— Bravo ! Voilà un excellent argument pour que je me sente encore plus divin que prévu ! Mais ensuite ?

— Je crois, César, que la question est mal posée.

« La philosophie, dont l'objet est de nous informer sur le Beau, sur le Juste et sur le Vrai, nous dit que lorsque ces deux dernières qualités sont réunies, la première s'y ajoute. Mais l'art pur est un domaine où ces notions de justice et de vérité n'ont, par définition, aucune place. Un acte de justice et de vérité sera toujours beau, alors qu'une belle statue n'est ni juste ni vraie : elle est beauté en soi, indépendante de tout critère qui ne serait point de nature artistique.

« Ce banal exorde pour rappeler que l'art relève logiquement d'un cercle vicieux, dont rien ne permet de briser le maléfice, puisqu'en matière esthétique, les critères de jugement seront eux-mêmes empruntés à l'esthétique. L'art est de la sorte juge et partie dans sa propre cause.

« Il en résulte qu'il est impossible d'établir des règles indiscutables du beau et du laid.

« Par conséquent, l'approbation du petit nombre ou du grand nombre ne renseignera jamais sur la qualité d'une œuvre. En pareille affaire, l'élite peut se tromper aussi bien que la foule, et toute appréciation, dans ce désert de critères où ne subsistent que des jugements de valeur individuels, sera indéfiniment à réviser.

« Sans doute pourrait-on déterminer, à partir de notre anatomie, de notre physiologie, de la conscience que nous en avons pris, des règles d'harmonie en dehors desquelles l'œuvre d'art heurterait le sens commun universel. Mais de telles règles précisent ce qu'il faut éviter ; elles sont muettes quant à la création du chef-d'œuvre.

« L'artiste se trouve ainsi condamné à une solitude, qui fait sa malédiction et sa grandeur. Individu social et altruiste, c'est avec ardeur qu'il recherchera les contacts humains et l'enthousiaste compréhension du plus grand nombre. Mais la vanité de cette quête lui apparaît bientôt. Incompris, il est désespéré ; accueilli avec faveur, il se rend compte que cette confirmation est impuissante à le tirer de ses doutes, qui seront d'autant plus lancinants qu'il est plus talentueux et plus scrupuleux.

« Et tu es bien, divin cithârede, le plus malheureux de tous les artistes de tous les temps, car l'enthousiasme des auditeurs, où tant de médiocres reconnaissent un baume, a encore moins de valeur pour toi que pour tes émules. Quand on loue tes vers et ton chant, sais-tu jamais si c'est l'empereur ou son œuvre que l'on applaudit ?

« Tu pourrais te réfugier dans une forêt profonde et ne plus jouer que pour les bêtes sauvages. Mais les dieux doivent avoir d'autres desseins à ton sujet. S'ils ont accordé à un empereur le génie qu'ils répandent d'ordinaire sur de simples particuliers, je ne vois qu'une explication à ce caprice : ils t'invitent à te surpasser, de manière que la sincère unanimité des ravissements soit pour la première fois comme un critère de vérité sur ce terrain mouvant où il n'y en a point. »

Néron était impressionné par ce discours de bon sens, que terminait une flatterie si perspicace, et après un silence, il déclara :

« Malgré ton jeune âge, tu me parles d'art aussi bien que Pétrone, et le fond du problème ne t'a pas échappé. Oui, je suis bien malheureux et ne puis me soustraire à mon destin qu'en me surpassant. Merci de me l'avoir dit si clairement ! »

Vitellius intervint alors : « La conception romaine de l'art est qu'il doit être un enseignement permanent au service de l'État. Et ce n'est que trop vrai qu'il n'existe aucune règle indiscutable du beau et du laid. Cependant, l'art doit remplir son office. Pour sortir de cette situation sans issue, il est un remède bien simple, et d'autant mieux applicable que la majorité des Romains se moquent totalement des problèmes artistiques : que le Prince précise donc une bonne fois pour toutes ce qui est beau et ce qui est laid, et ceux qui ne seront pas d'accord seront jetés aux bêtes !

— Alors, s'écria Néron, je préciserai d'abord ce que tu dois manger, espèce de béotien ! »

Au premier service avaient succédé des poissons que le chef s'était amusé à déguiser en viandes, puis était apparu un troisième service de viandes, déguisées en poissons.

L'empereur avisa Paul et l'interrogea :

« Quelles sont donc les conceptions esthétiques des Juifs ?

— Toutes celles des autres, César ! Ni les Juifs ni les chrétiens ne te donneront jamais le moindre ennui à ce sujet.

— Que veux-tu entendre par là ?

— Que la définition du Juste et du Vrai nous crée déjà tant de difficultés qu'il ne nous reste plus un instant pour nous occuper d'esthétique. En ce qui nous concerne, tu peux suivre hardiment le conseil de Vitellius. Dis-nous ce qui est beau, et nous l'afficherons en tête de notre Credo, quitte à changer le paragraphe de règne en règne. »

Néron fronça les sourcils, comme si cette complaisance lui était suspecte...

« En somme, le beau en soi ne vous intéresse pas ?

— Au contraire ! Nous lui portons tant de respect que nous attendons qu'il soit précisément défini pour nous y intéresser. N'est-ce point la sagesse ? Et une sagesse qui fait la tranquillité des gouvernements.

— Avec Vitellius, les Juifs et les chrétiens, soupira Néron, je suis bien monté en fait d'artistes ! »

Marcia fit remarquer : « Tout le monde sait que les Juifs sont si éloignés de tout souci de beauté formelle qu'ils condamnent toutes les représentations du corps humain, tirant un trait rageur sur les chefs-d'œuvre de la sculpture ou de la peinture. Et je suis certaine que les chrétiens eux-mêmes, si on les laissait faire, s'empresseraient de détruire tableaux et statues. »

Paul ne soufflant mot, sous le regard amusé de Kaeso, Néron lui demanda :

« Tu as entendu l'accusation ? Qu'as-tu à répondre ? »

Extrêmement ennuyé, Paul invoquait l'Esprit, qui, pour cette fois, ne lui inspirait aucune échappatoire décente.

Il finit par dire :

« Les Juifs, pour des motifs religieux, ne condamnent les statues que chez eux, mais ils ne s'attaquent pas aux statues des autres. Les chrétiens ont repris sur ce point la doctrine juive, mais en l'assouplissant, pour tenir compte de la sensibilité des nouveaux convertis. Ce qui choque les chrétiens, ce n'est pas la sculpture ou la peinture en général, mais le fait qu'on rende un culte à Dieu sous une apparence matérielle et non pas en esprit. Ce pour quoi, comme Kaeso te l'a dit tout à l'heure, nous persistons à espérer de ta justice et de ta bonté la même dispense que celle accordée aux Juifs. »

Au moment des desserts, où l'imagination du chef s'était surpassée, de la neige avait été versée dans les cratères, et les vins généreux absorbés depuis les hors-d'œuvre incitaient à une aimable gaieté.

Avec un malin plaisir, Kaeso relança Paul :

« Il me semble que tu détournes la question. César et Marcia te demandaient ce que deviendraient les statues dans une Rome chrétienne. Y en aurait-il de détruites et lesquelles ? »

Paul lança à Kaeso un regard de douloureux reproche et répondit avec une éminente subtilité :

« Dans une Rome chrétienne, le Prince lui-même serait chrétien, et je n'ai pas pour coutume de discuter les décisions du Prince. »

On rit de la dérobade, et Néron plus fort que les autres...

« Je te promets, le jour où je me ferai chrétien, de détruire mes propres statues, mais vu leur nombre, il y faudra longtemps ! »

Silanus, qui avait pour habitude de flairer les dangers de loin, n'était pas enchanté de la tournure qu'avait prise la conversation. Quels que fussent les dons thérapeutiques, vrais ou supposés, de Paul, le personnage était compromettant et Kaeso avait été imprudent de le fréquenter. Il était temps de faire diversion.

Le maître fit signe à l'affranchi qui veillait à la bonne ordonnance du festin, lui enjoignit discrètement d'augmenter la dose de vin dans le mélange des cratères, de ne pas toucher à l'éclairage des tableaux, de baisser un peu les lumières autour du sigma, et de faire paraître la pythonisse qu'il avait gardée en réserve à tout hasard. L'empereur savait gré à ses hôtes de ne pas produire d'attractions entre les services : n'était-il pas là pour ça, si l'envie lui en prenait ? Mais Néron, en dépit de sa chronique jalousie d'artiste, ne pouvait voir une concurrente dans une pythonisse.

Par une lumière adoucie, qui avait quelque chose d'inquiétant et de mystérieux, la femme parut donc, maigre, toute de noir vêtue, teint bistre, cheveu corbeau, œil de jais, sans âge bien défini, comme si le don de double vue l'avait rejetée hors du temps. Cette Melania, originaire de Maurétanie tingitane, avait une brillante réputation et on se l'arrachait. Plutôt que de travailler à grand renfort d'accessoires, elle lisait tout simplement dans les lignes de la main.

L'empereur, qui la connaissait déjà, présenta gracieusement sa paume, avec ces paroles : « Fais comme d'habitude. Ne me dis la vérité que si tu la vois heureuse. »

Melania scruta longuement l'auguste main et dit : « Tu as encore devant toi des années qui te sembleront très longues et tu mourras regretté du peuple.

— Peux-tu me donner le nom d'une personne qui m'aime sincèrement ?

— Il y en a au moins deux : Eglogé et Alexandria. »

L'affirmation suscita des murmures divers : il s'agissait des nourrices du Prince.

Avec impatience, Néron retira sa main : « Va plus loin ! Tu m'apprends ce que je sais depuis longtemps. »

La femme observa la main de Marcia, la laissa retomber sans rien dire, passa à Kaeso, puis à Silanus, toujours muette, s'en prit à Pétrone, ne dit mot non plus, arriva à Nerva...

« Enfin une heureuse nouvelle ! Toi, tu seras empereur, mais très vieux : tu ne verras la pourpre que pour t'y ensevelir. »

Comme Nerva n'avait que onze ans de plus que Néron, la nouvelle inspirait de sinistres réflexions. Nerva dégagea sa main précipitamment et haussa les épaules, prenant l'assistance à témoin de l'invraisemblance de la prédiction. Rien ne prédestinait Nerva, amuseur et dilettante, à un tel honneur. Sans doute était-il apparenté aux Julio-Claudiens, mais de façon assez lointaine, et sa fidélité à l'empereur, qui l'avait comblé de bontés, ne faisait aucun doute.

Néron lui-même s'empressa de rassurer Nerva, qui avait du mal à se remettre de l'alerte.

Melania regardait la main de Vitellius et s'y attardait, dubitative ou hésitant à parler.

Elle annonça finalement : « Toi aussi, tu seras empereur. »

Vitellius ricana. Il était presque deux fois plus âgé que Néron, il comptait parmi les sénateurs les plus inconditionnels du régime et la noblesse de sa famille était assez récente.

Prenant la main d'Othon, qui se faisait prier, et la présentant à la pythonisse, Vitellius lui lança : « Et Othon ? Sera-t-il empereur pour faire le trio ? »

Après étude de la paume de ce dissipé d'Othon, la femme déclara : « Je vais vous faire rire une fois de plus : même Othon sera empereur ! »

L'atmosphère, qui s'était un peu détendue à la révélation concernant Vitellius, se détendit tout à fait. Othon était à peine plus âgé que Néron et on ne le prenait guère au sérieux. Son plus grand titre de gloire était d'avoir vanté au Prince les charmes de sa femme jusqu'à ce qu'il y succombe, et sa plus grande erreur avait été de se prendre toujours pour un mari après le flatteur événement.

Comme Melania, vexée, négligeait Vespasien et faisait mine de se retirer, ce dernier, curieux, présenta sa paume, et, bientôt, la visionnaire déclara encore : « Mais voici un quatrième empereur ! »

Ce fut une explosion de plaisanteries. Militaire prudent et terne, ce sujet de cinquante-cinq ans n'avait nullement la tête de l'emploi. Mais quand Titus et Domitien eurent été successivement crédités de la pourpre, la joie se transforma en délire. Avec Néron, n'y avait-il pas sept empereurs à table ?

Le Prince, après avoir essuyé de sa serviette ses yeux qui pleuraient de rire, demanda à Melania : « Et peux-tu nous dire qui me succédera de toute cette bande ? »

La réponse se faisait attendre...

« Tu ne distingues pas ou tu prétends garder le renseignement pour toi ?

— Maître, ton successeur n'est pas là.

— Serait-ce un enfant à naître de mon sang ?

— Je vois ton successeur en Espagne.

— Alors, il ne saurait s'agir que de Galba [1], qui a près de soixante ans et n'a jamais fait parler de lui !

— Je ne sais. Montre-moi sa main et je te le dirai.

— En attendant, n'oublie pas de regarder la main de Paulus : il nous manque un empereur juif ! »

---

1. Par un extraordinaire paradoxe, le méfiant Néron, qui voulait absolument un héritier de son sang et travaillait à éliminer tous les prétendants imaginables, vivait dans la familiarité de Nerva et de Vitellius, avait épousé la femme d'Othon, recevait aimablement à sa cour Vespasien et ses fils, et avait confié la Tarraconaise à Galba parce que ce richissime personnage s'efforçait depuis des années de se faire oublier.
Galba sera empereur sept mois, en 68-69. Cette même année 69 verra les règnes d'Othon et de Vitellius, ainsi que l'avènement de Vespasien. Titus régnera de 79 à 81, Domitien, jusqu'en 96. Et Nerva, qui adoptera Trajan, disparaîtra en 98.
La mésaventure de Néron illustre bien toute la difficulté de prévoir quoi que ce soit.

Paul n'osa refuser sa main, que la femme scruta avec une attention particulière...

« Mais il y a ici plus que huit empereurs !... »

Et tout à coup, Melania tomba à la renverse sur le fin gravier, hurlante, l'écume à la bouche, en proie à une crise d'hystérie ou d'épilepsie. Et au milieu de ses divagations, revenaient, chose extrêmement bizarre chez cette pythonisse des confins du désert, qui ne parlait que le latin vulgaire, des bribes, des phrases ou passages des discours les plus frappants de Cicéron, du fameux « Quousque tandem, Catilina... ? » jusqu'au « O audaciam immanem ! » de la seconde *Philippique*.

L'impression pénible était encore accrue par les efforts de Paul pour chasser ce démon imprévu : « Sors de là, bête immonde, criait-il, c'est le Fils de la Vierge qui te l'ordonne ! »

Après quelques ultimes soubresauts, la possédée s'évanouit, se détendit, et Silanus pressa les esclaves d'escamoter ce tas de chiffons noirs, qui en avait assez fait pour la soirée.

Le calme revint donc, mais les convives demeuraient choqués, sollicitant de nouvelles rasades de vin et parlant à voix basse.

Pétrone, dont le sang-froid, en raison même de son robuste scepticisme, était remarquable, fut le premier à élever la voix, pour demander à Paul :

« Comment expliques-tu, toi qui t'occupes à l'occasion de calmer les possédés, que certaines personnes aient un don pour prévoir des événements, dont il arrive que quelques-uns se réalisent ? Après tout, Othon peut très bien être empereur un de ces jours chez les Éthiopiens ou chez les Iazyges... Et comment expliques-tu aussi qu'une possédée puisse citer des textes qu'elle ignore dans une langue littéraire qui lui est étrangère ? »

Devant l'embarras de Paul, Kaeso répondit à sa place :

« Depuis que je t'ai rencontré à Baïes, tu n'as rien perdu, Pétrone, de ta présence d'esprit ! Ces faits sont inexplicables dans un univers où des dieux seraient soumis à Chronos. De pareils dieux ne pourraient connaître l'avenir, puisqu'ils seraient comme nous prisonniers du temps. Mais le dieu juif dont se réclame Paul crée du temps et de l'espace comme il ferait pousser des raves. Il est capable de tout. Par voie de conséquence, l'avenir lui est connu comme le passé ou le présent. Le don de la pythonisse est donc une participation provisoire et partielle à la connaissance divine de toute chose — ou à la connaissance diabolique, car le Satan juif doit en savoir aussi long que le dieu juif sur ces affaires-là.

— Hypothèse fort ingénieuse ! Tu prouves en quelque sorte l'existence du dieu transcendant de quelques philosophes par le biais de la double vue de ses créatures, sacrées ou démoniaques ?

— Vois-tu une meilleure explication ?

— Je m'en garderais bien ! Je n'ai pas philosophé avec de gracieux éphèbes, moi ! Je ne suis qu'un Romain à vue courte. »

Des voix timides s'élevaient pour supplier Néron de chanter, et Marcia y mit une insistance particulière :

« Ne te fais pas prier plus longtemps ! Après cet intermède un peu grinçant, nous avons besoin d'être charmés, et songe que mon beau-fils et moi-même n'avons jamais eu le bonheur de t'entendre. Nous sommes anxieux de découvrir si ta réputation n'aurait pas été surfaite par la vile tourbe des flatteurs qui t'assiègent et qui ne distingueraient pas une cithare d'un hautbois. »

L'argument était sans réplique. Néron, qui mourait d'envie de chanter, s'assit au bord du sigma, dégagea lui-même avec précaution la cithare de son coffret, puis de sa housse, et vérifia le bon accord des cordes.

Les compositeurs modernes avaient apporté à la grande cithare de concert bon nombre de perfectionnements techniques ou de raffinements harmoniques, mais pour des soirées intimes, l'empereur préférait l'instrument des puristes intransigeants, l'antique lyre à sept cordes de Terpandre, dont les possibilités très limitées mettaient en valeur le doigté du virtuose. Dédaignant l'usage du plectre d'écaille, Néron jouait de son heptacordes avec ses seuls doigts, aux ongles coupés très court. Les jeux avec plectre ou sans plectre relevaient de techniques assez différentes pour avoir fait l'objet d'épreuves séparées dans les compétitions.

Marcia murmura à l'artiste :

« Tu as remarqué, j'espère, la salade de poireaux vivaces qui clôturait le troisième service ? Nous avons pensé à ta voix.

— Rien ne pouvait me toucher davantage. Veux-tu que je t'interprète une pièce de mon *Dominicum* ? (On avait rangé dans un recueil de ce nom les poèmes du Prince les plus appréciés.)

— Pourquoi pas un extrait de cette *Troïca* que tu as gardée jusqu'à présent sous le boisseau pour nous faire languir ?

— Il reste beaucoup de vers à polir. Mon incendie de Troie vient assez mal...

— On abîme parfois son ouvrage en voulant trop bien faire. Il me semble qu'un incendie, en particulier, ne devrait se polir qu'à moitié...

— Tu n'as peut-être pas tort, dit Néron en riant. Soit ! »

Et haussant la voix à l'intention de tous :

« A la demande de Marcia, je vais vous chanter pour la première fois un passage de ma *Troïca*. Terpnos, je l'avoue, m'a donné quelques conseils pour composer la musique. »

Quand se furent tus les remerciements extasiés, la voix impériale et la lyre résonnèrent. L'organe du chanteur, un peu voilé, avait des douceurs agréables, mais manquait de plénitude. Il paraissait mieux fait pour une assistance amicale que pour la foule. On comprenait que l'empereur hésitât à se risquer sur une vaste scène. Du moins la voix était-elle bien placée, et il était évident qu'elle avait fait l'objet d'un travail assidu. La technique du citharède était en tout cas excellente. Le toucher, d'une parfaite précision, avait d'exquises délicatesses et le son accompagnait étroitement le chant.

La poésie était pourtant le point fort de la représentation. Après une période baroque, Néron était plus ou moins revenu aux exigences d'un classicisme virgilien et il en résultait des vers ciselés d'une étonnante harmonie. On sentait que chaque mot avait été choisi, pesé, que sa place avait été méditée, pour obtenir le maximum d'effet.

Kaeso, qui était plus sensible à la poésie elle-même qu'à la musique ou au chant, songeait que c'était un grand malheur et un grand risque pour un tel poète que d'avoir atteint le pouvoir suprême. Si Néron finissait mal, si sa mémoire était condamnée comme celle de Caligula, que resterait-il de toutes ses œuvres ? L'empereur pouvait nourrir secrètement cette crainte, et dans ses efforts implacables pour se maintenir sur le trône et exterminer tous les concurrents possibles, dans son désir forcené d'assurer sa succession à un enfant de Poppée, la volonté de sauver ses vers du néant devait entrer pour beaucoup.

De temps à autre, Néron glissait un regard meurtrier vers le jeune Domitien, qui avait sournoisement capturé une grosse mouche. Son père lui donna une bourrade, et la mouche s'échappa en tournoyant sur son aile unique.

Le poète gratta un dernier accord et baissa la tête modestement. On lisait sur son visage l'angoisse réelle du créateur devant les réactions de son public. Il n'était pas facile de rassurer sur son talent un homme condamné à l'exprimer dans des conditions aussi fausses et aussi artificielles. La flatterie avait intérêt à confiner au génie.

Après le silence de rigueur, qui était censé exprimer le ravissement, chacun y alla de son compliment et de ses observations.

Néron venait de chanter la paix trompeuse qui avait rassuré les Troyens après le faux départ des Grecs, paix annonciatrice de l'embrasement général de la cité, et la beauté d'un vers était particulièrement frappante :

« COLLA CYTHERIACAE SPLENDENT AGITATA COLUMBAE »
(Les cous remuants de la colombe de Vénus brillent.)

L'adjectif, subtilement placé à la césure, renvoyait au génitif final dans une envolée de musicales sonorités, que ne déparait pas une élision, et toute la souplesse de la grammaire latine avait été mise à profit dans la disposition des mots [1].

Pétrone et Nerva, discrets collaborateurs occasionnels de la *Troïca*, avaient du mal à louer sans se louer eux-mêmes, mais les autres n'avaient pas ce motif de retenue. Les commentaires les plus compétents furent ceux de Silanus, qui parurent toucher l'empereur.

Vespasien, qui ne savait trop que dire, demanda bêtement : « Y aurait-il des colombes à plusieurs cous, dans la mythologie troyenne ? » Naïveté qui suscita de gros rires.

L'éducation de Vespasien, qui n'était pas de famille sénatoriale, avait été assez négligée.

Néron expliqua patiemment : « C'est une licence poétique courante, en poésie latine, que d'employer un pluriel au lieu du singulier pour assurer plus d'ampleur à l'expression. " Colla agitata " est donc mis pour " le cou remuant ".

« Et vous autres, ne vous moquez point de ce fidèle soldat ! Ce n'est pas l'ignorance qui est honteuse, c'est le refus d'apprendre. »

Kaeso intervint : « Ce pluriel me semble d'autant plus heureux et profond qu'il rappelle l'adage de la philosophie grecque : " On ne boit jamais deux fois l'eau du même fleuve. " La brillance des plumes est ici, comme l'eau qui coule, le résultat d'une foule de mouvements. Quelle différence entre l'eau et les eaux d'un fleuve ? Et de même, le cou de l'oiseau brille d'autant mieux qu'il ne cesse de s'agiter. C'est la succession rapprochée des images qui produit l'impression de brillant, et au fond, il y a un cou par image. Cela est finement observé. »

Néron était enchanté de la remarque, et, en récompense, il se remit à donner de la voix et de la lyre, tandis que les auditeurs forçaient sur les vins. Le poète, très soucieux de sa forme, buvait rarement jusqu'à l'ivresse. Ses auditeurs veillaient eux-mêmes à ne pas dépasser les bornes, car la vérité était au fond de l'amphore et toute vérité n'était pas bonne à montrer toute nue.

A la fin d'un charmant petit morceau tiré de son *Dominicum*, l'empereur se reposa un instant et but une coupe de vin frappé. Puis, comme Domitien cherchait un compliment, Néron le fit à sa place : « Si j'étais toi, je dirais : " César, ton chant est si beau que les ailes des mouches en tombent. Orphée n'était pas allé jusque-là ! " »

---

1. Ce vers est tout ce que les méchants ont daigné nous conserver de l'œuvre de L. Domitius Tiberius Claudius Nero.

Domitien rougit violemment. Vespasien et Titus cherchaient un trou où se fourrer.

C'était un trait notable de caractère du Prince que de différer ses vengeances quand on lui avait manqué.

Et le chant reprit, intarissable, devant ce cercle d'amis, dont la plupart pensaient à tout autre chose...

IX

L'empereur craignant que la fraîcheur de la nuit ne fût nuisible à sa voix, la compagnie s'était retirée dans un salon, où l'on continuait de boire et de discuter, mais en ordre dispersé. Néron, légèrement gris, s'était répandu sur les coussins d'un canapé, entre Marcia et Kaeso. Pétrone formait un autre groupe avec Nerva et Silanus. Vitellius conversait avec Othon, Paul avec Vespasien et ses fils.

Vitellius dit à l'oreille d'Othon : « L'heure approche du couplet sur Agrippine, et comme Marcia et Kaeso ne l'ont pas encore entendu, Ahénobarbe va se surpasser ! »

Poursuivi par les furies du remords, Néron avait effectivement coutume, sur la fin des banquets, de faire allusion à sa mère, pour peu qu'il fût entre amis et se sentît en confiance. Et, bien sûr, ce n'était pas la version officielle qui revenait alors, mais l'expression de la vérité, dans la mesure où on peut l'attendre d'un artiste imaginatif, toujours préoccupé de représentation et d'effets.

La main sur les yeux, Néron murmurait : « C'est la nuit qu'elle vient me voir pour m'assiéger de ses sanglants reproches. Si je dors, c'est un cauchemar, et si je veille, l'évocation n'en est que plus cruelle. Hélas ! Hélas ! »

Kaeso, qui était légèrement gris lui-même, demanda :

« De qui parles-tu ?

— Et de qui pourrais-je parler, sinon de ma mère ? J'avais une mère, et je l'ai fait tuer !

— Tu devais avoir quelques bonnes raisons...

— Tu t'exprimes comme un enfant. A-t-on jamais de bonnes raisons de tuer sa mère ? En vois-tu ?

— Agrippine avait elle-même, à ce qu'on dit, consommé la perte de beaucoup de monde, et parfois de façon assez gratuite.

— Oui, assurément... L. Silanus, d'abord, faussement accusé

d'inceste avec sa sœur Calvina. Agrippine désirait éliminer le fiancé d'Octavie, pour m'assurer la main de cette infortunée princesse. Puis elle a poussé Lollia à la mort, sous prétexte qu'elle aurait consulté des Chaldéens, mais son seul crime était d'avoir failli épouser Claude. Puis elle s'en est pris à Calpurnia, à qui elle n'a laissé que la vie, parce qu'elle était jalouse de sa beauté. Puis elle a obtenu la mort de Statilius Taurus, pour lui rafler ses jardins. Puis elle a fait accuser d'enchantements sacrilèges ma pauvre tante Domitia Lepida, que j'aimais bien, jusqu'à ce que mort s'ensuive. Elle craignait que cette parente n'ait sur ma personne plus d'influence qu'elle-même. Puis ce fut l'empoisonnement de Claude, afin de m'assurer le trône. Puis le meurtre stupide de M. Silanus en Asie. Grâce à ma mère, je suis parvenu au pouvoir chargé de crimes dont j'étais innocent. Et je passe sur sa liaison scandaleuse avec l'affranchi Pallas, qui demeure dans toutes les mémoires... Mais étaient-ce là de bons motifs pour la tuer ?

— Je pense que tu en as eu de meilleurs depuis.

— Agrippine voulait certes pour elle seule ce pouvoir qu'elle avait tant travaillé à me remettre. C'était la femme la plus autoritaire qui fût. Elle vivante, je n'étais qu'un jouet entre ses mains. Elle prétendait tout décider et tout régler. Était-ce là un bon motif ?

— Le pouvoir ne se partage pas. Mais je sens qu'il y a eu encore autre chose... »

Néron fixa Kaeso d'un œil hagard, se tourna vers Marcia, revint à Kaeso, et dit en baissant la voix :

« Oui, il y a eu autre chose. Lorsque Agrippine s'est rendu compte que je m'efforçais de me soustraire à son emprise, elle a jeté dans la balance contre moi ses dernières armes, et j'ai bientôt saisi avec horreur qu'elle avait médité l'inceste pour couronner dignement l'édifice de ses crimes. Et comment aurais-je pu demeurer insensible à ses avances ? O dieux, quelle belle femme c'était ! Bref, je l'ai fait tuer pour ne pas succomber à la tentation. »

La révélation était surprenante, et bien faite pour émouvoir Kaeso, qui affirma :

« Pour le coup, tu as toute ma sympathie ! Comment aurais-tu pu te soustraire autrement aux assiduités d'une mère abusive ? C'est une faute salutaire que de tuer pour sauver sa vertu. L'estime de tous les censeurs t'est acquise. A ta place, je ne sais si j'aurais eu ce courage, mais ce n'est pas l'envie qui m'aurait manqué.

— Ah, je vois que tu me comprends, toi, et ça me fait un vif plaisir ! Que de courage, en effet, il m'a fallu ! Et comme chaque fois qu'on ne s'occupe pas d'une affaire soi-même, tout a marché de travers. Après le naufrage de la galère qui aurait dû mettre fin à ses jours, Agrippine s'est retrouvée nageant ; et sous ses yeux, sa suivante imbécile Acerronia, qui criait qu'elle était la mère de l'empereur afin d'être sauvée, a été assommée à coups de crocs et de rames. C'est ainsi, de cette façon atroce, qu'Agrippine a appris sa condamnation.

— Combien justifiée ! Nous devons nous défendre des femmes qui s'acharnent à nous asservir. Contre les maîtresses collantes, les épouses accrocheuses, les mères lubriques, il n'y a qu'une solution : à l'eau ! à l'eau ! Et quand l'eau ne suffit pas, un bon coup de rame termine l'affaire. Si un fils couchait par malheur avec sa maman, quelle liberté lui resterait-il de devenir un homme ? »

Néron embrassa Kaeso en pleurant. Ils se comprenaient d'autant mieux qu'une même boisson les inspirait.

Cette scène d'attendrissement ridicule ulcérait Marcia, qui ne pouvait que ronger son frein, tandis que les observateurs — à l'exception de Silanus, dérouté, et de Paul, distrait — sentaient poindre en eux de l'inquiétude et de la jalousie devant l'habileté de ce garçon, qui, inconnu la veille, était déjà dans les bras affectueux de l'empereur. L'idée ne leur venait pas que Kaeso devait son succès à sa sincérité.

Rasséréné, le Prince se leva, reprit sa lyre, mais au lieu de chanter, il proclama :

« C'est décidé, et vous en serez les premiers informés ! Cette année nous verra en Égypte et en Grèce. Je chanterai là-bas devant des auditoires de connaisseurs, et à mon retour, ma réputation me permettra de triompher enfin à Rome. »

L'approbation ne fut pas si vive ni si générale que Néron s'y serait attendu. Pétrone, Kaeso, Silanus gardaient notamment un silence embarrassé. Néron s'en aperçut et les interrogea du regard.

Pétrone, qui était partisan de la franchise lorsqu'elle avait des chances d'être utile, se hasarda à résumer sa pensée d'une phrase frappante :

« Rien ne t'empêche de partir. Mais reviendras-tu ?

— Qu'as-tu derrière la tête ?

— L'appréhension de risques que tu ne devrais pas courir. Mais ils me paraissent si évidents qu'un jeune homme comme Kaeso te les décrira aussi bien que moi. »

Pétrone n'était pas fâché de mettre Kaeso sur la sellette à sa place, quitte à le désavouer s'il disait des bêtises. Et s'il disait juste, la déception de l'empereur serait à son discrédit.

Silanus fit signe à Kaeso de se taire, mais il n'y prit garde : « Je crains, César, que tu ne coures après une chimère. Il faudrait beaucoup plus que l'approbation des Grecs pour que l'inculte plèbe romaine apprécie ton chant comme il mérite de l'être. C'est de toute façon ta personne qu'elle applaudira, et elle peut donc le faire dès aujourd'hui. En revanche, si tu commets l'imprudence de partir pour l'Orient, cette plèbe qui t'est acquise, mais qui est si sensible aux faux bruits, va s'inquiéter et craindre pour son ravitaillement. Elle aura l'impression que tu l'abandonnes. Et les nombreux ennemis que tu as au sénat exploiteront cette situation pour te perdre. Le sénat et le peuple de Rome ont conservé envers l'Orient une ancestrale méfiance. Ton aïeul Antoine est parti, lui aussi, et il n'est pas revenu. »

Personne n'osant contredire Kaeso, Néron marcha un moment et sollicita l'avis de Silanus :

« Qu'en dis-tu, toi qui connais si bien la mentalité des sénateurs qui me sont hostiles ?

— Je connais aussi celle des autres, vu que tu es chez moi avec des amis sincères et que tu me fais la confiance de m'interroger !

— Certes. Et alors ?

— Kaeso a exprimé brutalement ce que nous pensons tous, craignant pour toi, mais aussi pour nous, quand nous avons attaché notre fortune à la tienne. Je ne nierai pas que la majeure partie du sénat préférerait un autre Prince, plus sensible à ses idées et à ses intérêts, et tu le sais au fond aussi bien que moi. Tu dois donc tenir compte de cette prévention et ne pas tenter le destin. Si tu pars pour la Grèce, emmène au moins tout le sénat dans tes bagages, tes amis parce qu'ils le sont, et tes ennemis pour ne pas les laisser à intriguer derrière ton dos.

— Bon conseil. Dans ce cas, je te laisserai tout seul à Rome, puisque tu as pour moi autant d'amitié que d'inimitié !

— Je ne me soucie, en effet, ni de te nuire ni de te flatter, et tu peux me faire confiance pour ces deux motifs. »

Le Prince se rassit avec humeur.

Pétrone suggéra :

« Rome n'étant pas prête à t'écouter, et Corinthe étant bien loin, pourquoi ne pas tenter d'abord un essai à Naples, ville grecque où les gens ont du goût ? Sous Tibère, il y avait encore une éphébie à Capri !

— L'idée n'est pas mauvaise. »

Kaeso suggéra de son côté :

« Le bruit de ton départ pour l'Orient court déjà depuis quelque temps, et la plèbe a besoin d'être rassurée. Si tu annonçais officiellement que tu repousses le voyage à des temps meilleurs, tu la comblerais d'aise, et les intrigants du sénat seraient déconcertés. Autant que ton méritoire renoncement serve à quelque chose.

— L'idée n'est pas mauvaise non plus. »

Marcia se leva pour aller aux latrines, et Néron dit à Kaeso, d'une voix basse et complice :

« Tu as une belle-mère très séduisante ! Quand j'ai parlé de ma mère, tout à l'heure, tu as réagi de telle façon que je me demande si nous ne serions pas frères d'infortune ? »

Très troublé de cette remarquable intuition, Kaeso se défendit mollement.

« Ces femmes-là, poursuivit rêveusement Néron, sont à corriger de main de maître !

— Elles sont hélas incorrigibles.

— Tu as succombé, toi ?

— Pas encore. Je fais des pieds et des mains pour me dégager, mais ce n'est pas facile.

— Il te manque une galère pour l'embarquer !

— Je ne suis qu'un bien petit prince... »

A l'autre bout de la pièce, Paul s'efforçait d'insinuer des inquiétudes métaphysiques dans l'âme de Domitien, dont les treize ans autorisaient tous les espoirs. Domitien était loin de se douter qu'une trentaine d'années plus tard, il ferait condamner pour « athéisme » chrétien son cousin Flavius Clemens et sa femme Flavia Domitilla, le premier à mort, la seconde à la déportation dans l'île de Pandataria, et que cette Domitilla laisserait son nom à une catacombe, dont elle avait offert le terrain à sa communauté.

Au retour de Marcia, après une tape amicale pour Kaeso, l'empereur se leva pour prendre congé. Les révélations que le beau-fils infortuné, mis en confiance, avait poursuivies sans songer à mal, faisaient soudain de Marcia, aux yeux de Néron, une autre Agrippine. Tout y était : les coucheries déshonorantes d'un passé trouble, la rage de posséder et de dominer par tous les moyens, la démarche voluptueuse, mais le regard plein de fierté. A combien d'hommes le corps d'Agrippine aussi n'avait-il pas servi de piège avant que les filets ne soient tendus pour son propre fils ? Mais avec Néron comme avec les autres, elle aurait fait l'amour en ne pensant qu'à son ambition. Il est des natures de femme désespérantes : on ne les pénètre que pour s'apercevoir qu'elles sont inaccessibles, et on ne les possède vraiment que dans la mort.

Kaeso tint à raccompagner Paul jusqu'à son logis de la Porte Capène, avec une petite suite d'esclaves en armes munis de torches. On était au cœur de la nuit, et aux abords de la « tête [1] » du Grand Cirque, on marchait sur les programmes de courses, où figurait la liste des chevaux et des auriges qui avaient excité les journalières pas-

1. Partie orientale et arrondie de l'édifice, opposée à l'entrée.

sions. Théâtres et amphithéâtres avaient également leurs programmes, que l'on prêtait parfois à une voisine pour lier connaissance. Et à ces débris de passions chevalines ou humaines, se mê-
laient des sous-vêtements féminins déchirés, reliefs des folles processions nocturnes et des désordres des Floralies, qui venaient de se
terminer.

Kaeso, que l'air de la nuit dégrisait, se reprochait d'avoir fait des
confidences plaintives à Néron, bien qu'il ne fût pas trop mécontent
de constater que son martyre avait été partagé par une personnalité
aussi illustre. L'ambition lascive des mères ou marâtres n'avait
d'autres limites que la rébellion des fils pudiques.

Paul demeurait stupéfait d'avoir entendu parler d'art ou d'esthétique presque toute la soirée, et il avait les oreilles encore bourdonnantes du chant de Néron et des accents de la lyre. Pour Kaeso, au
contraire, l'étonnant était que, dans toutes les Écritures juives ou
chrétiennes, il ne soit question que de beauté morale. C'était bien le
dernier livre à faire lire à un Néron !

Devant la maison du judéo-chrétien de la Porte Capène, il y avait
une fontaine.

Kaeso dit à Paul :

« Ne serait-il pas temps de me baptiser enfin ? Je suis certainement
beaucoup mieux instruit de ta religion que les chrétiens qui ne savent
ni lire ni écrire ; et aux latrines du Forum, tu m'as affirmé toi-même
qu'une instruction élémentaire suffisait pour faire un parfait chrétien. Je t'ai écouté avec patience et intérêt, je me suis préoccupé de
l'avenir de ta secte, je t'ai donné les conseils que j'ai pu, je t'ai montré
Néron comme tu le souhaitais, et même par deux fois : en " imperator " dans la gloire du pulvinar, et en négligé plaisant chez mon futur
père adoptif. Quant à ma foi, du moment que je confesse ton Symbole, tu es incompétent et Dieu seul en est juge. Alors, ne me fais
plus languir !

— Pour un garçon à la foi douteuse, tu es bien pressé.

— J'ai mes raisons de l'être, qui ne te regardent pas, mais je te jure
qu'elles sont honorables ! »

Paul hésitait.

Kaeso, en désespoir de cause, ajouta : « Je vais te faire une honnête
proposition. Si tu me baptises, je te confierai le motif qui m'a poussé
à demander le baptême, et si j'avais péché, le Christ me pardonnerait
par ta bouche, car dans un certain sens, c'est pour être fidèle à ton
dieu, tel que tu me l'as défini, que j'ai absolument besoin de ce sacré
baptême ! »

Paul hésitait de plus en plus. Kaeso vit qu'il avait fait fausse route,
et il imagina une manœuvre oblique :

« Les chrétiens baptisent-ils leurs enfants ?

— Pourquoi ne les baptiseraient-ils pas à l'article de la mort, et même avant, puisqu'ils ont l'âme plus blanche que la nôtre ?

— C'est donc que le baptême a une action en soi, indépendante des dispositions du baptisé ?

— Je te vois venir ! Ne compare point, s'il te plaît, l'innocence des enfants avec d'éventuels mauvais desseins chez un être doué de raison. Le baptême est la sanction de la foi, future ou présente. Il exige l'innocence dans tous les cas.

— Mais je suis innocent comme l'agneau ! Je n'ai aucun mauvais dessein. Au contraire !

— As-tu la foi ? »

Paul s'acharnait à le faire mentir. De guerre lasse, Kaeso s'y résigna.

« Oui, j'ai la foi, dit-il. Que veux-tu de plus ?

— Crois-tu que Jésus est mort crucifié pour tes péchés ?

— Je crois même qu'il est mort pour moi seul, que si dieu n'avait créé qu'un homme, il serait encore descendu mourir pour lui. Aux yeux d'un dieu logique, quelle différence entre un homme et des milliards ? Dieu est-il un épicier qui tient commerce de grâces ? A-t-il décidé de se faire crucifier quand le nombre des pécheurs a dépassé douze ou vingt-quatre ? L'Esprit me prie de te dire que Jésus serait mort pour rouvrir le ciel à Adam et Eve, si, en sortant du Paradis terrestre, ils s'étaient fait manger par un crocodile ! »

Kaeso avait le chic pour soulever des questions théologiques absurdes.

Paul soupira : « Jésus, en effet, est mort à cause des péchés de chacun d'entre nous. Crois-tu à la Résurrection ? »

Sur ce point, le mensonge ne semblait pas nécessaire.

« Quelle importance ?

— J'ai mal entendu ?!

— Ne m'as-tu pas toi-même déclaré que cette résurrection n'était qu'une pièce très secondaire dans ton système, à tel point qu'on pourrait la supprimer sans le moindre inconvénient ?

— Tu te moques de moi ! J'ai déclaré et j'ai écrit : " Si Jésus n'est pas ressuscité, notre foi est vaine ! "

— Tu as donc une grande propension à ne pas saisir le sens de ce que tu racontes.

— Qu'est-ce à dire ?

— Réfléchis un instant... La mort du Christ pour nos péchés nous rouvre le Paradis fermé par la faute d'Adam et Eve. Elle sert à quelque chose. Mais à quoi sert la Résurrection ? A nous prouver que Jésus était dieu et à préfigurer notre propre résurrection. Mais notre résurrection était déjà vérité de foi chez les Pharisiens avant le Christ, et, quant à la fameuse preuve, il me suffit d'affirmer que je n'ai pas besoin de cette preuve pour croire, et elle perd aussitôt tout intérêt. As-tu compris, homme de peu de foi ? Je crois que le Christ est mort pour mes péchés, qu'il ait ressuscité ou non ! »

La logique de Kaeso était terrifiante.

Paul rétorqua cependant : « Jésus est justement ressuscité pour convaincre ceux qui n'avaient pas une foi comme la tienne, dont tu avoueras qu'elle est plutôt rare. Cette Résurrection est un fait, que Jésus avait annoncé. Tu dois donc y croire, que tu aies ou non besoin de ce fait pour soutenir ta foi. Est-ce clair ? »

Les premières lueurs de l'aube mettaient en valeur la silhouette du Grand Cirque. Kaeso se résigna.

« Je crois donc à la Résurrection, dit-il. Mais je me demande si dieu a eu là une bonne idée. Elle poussera peut-être quelques-uns à croire, elle en poussera sans doute bien davantage à douter. Mais après tout, pourquoi ne serait-ce pas le résultat que ton dieu escompte ? J'ai l'impression qu'à force de fréquenter des Juifs, il est devenu avare de ses lumières. La Résurrection risque de devenir pour l'humanité ce que la circoncision est pour les Juifs : un barrage très étudié pour faire du Paradis un cercle restreint. Ne vois-tu pas cette étrange contradiction dans la théologie de ta secte ? Voilà un dieu qui verse son sang, et qui s'ingénie à ne fournir de son sacrifice que des preuves discutables...

— Que deviendrait notre liberté si même les hommes de mauvaise foi étaient condamnés à croire par des évidences indiscutables ?

— Il s'en trouverait toujours pour préférer l'enfer à dieu, puisque les mauvais anges, qui croyaient en dieu encore plus fort que toi, lui ont tourné le dos.

— Les hommes valent plus que les anges, car c'est pour les hommes que Jésus s'est sacrifié. Et le véritable amour ne s'impose jamais. »

Paul fit agenouiller Kaeso devant la fontaine et le baptisa : « Kaeso, au nom du Père, du Fils et de l'Esprit Saint. »

Kaeso se releva tout joyeux pour réclamer une attestation.

« Une attestation ? Ce n'est guère la coutume. Qu'en ferais-tu ?

— On voit bien que tu n'as pas le sens administratif des Romains ! Des attestations de ce genre permettraient aux " prêtres " de compter leurs brebis. Et en ce qui me concerne, si je me fais un jour martyriser comme Étienne, je tiens absolument à pouvoir présenter au juge un certificat, de façon qu'il n'y ait aucune erreur judiciaire. Verrais-tu un mauvais usage pour une pièce de ce genre ? »

Paul haussa les épaules, pria Kaeso de l'attendre un moment, sortit de sa ceinture une grosse clef, et se mit en devoir d'ouvrir la porte de la maison, derrière laquelle on s'était abstenu de mettre les barres de renfort en raison de sa sortie.

Comme il n'y parvenait point, n'étant pas habitué aux serrures romaines de sûreté, Kaeso dut lui donner un coup de main. Ces serrures, d'un maniement aisé dès qu'on en connaissait le principe, présentaient la plus belle qualité pour des serrures, celle d'être absolument incrochetables, du fait que le trou de serrure était largement décalé par rapport au mécanisme, que faisait jouer une clef en forme d'équerre.

Paul revint bientôt et remit à Kaeso un bout de papyrus où il attestait avoir baptisé chrétiennement « Kaeso Aponius Saturninus » dans la nuit du IV au III des Nones de mai ; et sur les indications du jeune homme, il rajouta : « C. Lecanius Bassus et M. Licinius Crassus Frugi étant consuls. » Kaeso s'abstint de lui dire qu'il aurait dû mettre son prénom en abrégé, puisqu'il était suivi du nom de famille et du surnom. Ce manquement aux coutumes consacrées était sans importance.

C'est alors que Paul lui rappela : « Ne m'avais-tu pas promis de me confier les raisons honorables pour lesquelles tu aurais demandé le baptême ?

— Oui, grâce à dieu et à toi, je me suis fait baptiser pour ne pas risquer de coucher avec ma belle-mère.

— Voilà qui est plus qu'étrange ! Penses-tu que le baptême t'apportera des grâces particulières pour résister à cette tentation ? »

Kaeso se résolut à exposer ses ennuis en détail. Paul avait une grande expérience des questions morales et pouvait être de bon conseil. Au fur et à mesure que Kaeso s'expliquait, Paul se rembrunissait.

Tout bien pesé, il déclara sévèrement : « J'ai du mal à te condamner, car tu as agi dans une intention louable. Il n'est pas courant de renoncer à une telle fortune par respect de soi-même. Mais tu n'attends pas, j'espère, que je te félicite. Tu m'as indignement trompé, avec toutes les ressources de ton instruction et de ton intelligence. Tu t'es servi de notre baptême pour des fins honnêtes, sans doute, mais profanes. Tu n'as songé qu'à toi, et Dieu n'a tenu aucune place dans tes décisions.

— Si le dieu chrétien existe, protesta Kaeso, j'ai dû songer à lui sans le savoir, car Jésus a dit chez Marc : " Quiconque fait la volonté de Dieu, celui-là est mon frère et ma sœur et ma mère. " C'est bien la volonté de ton dieu que je sois soustrait aux assiduités de ma belle-mère.

— Ce n'était pas la volonté du Dieu chrétien que tu réclames le baptême sans avoir la foi.

— Dans ces conditions, mon baptême est peut-être nul...

— Ta mauvaise action ne l'est point. Si tu ne te repens pas, Dieu te punira !

— Pour que je me repente, il faudrait que j'eusse la foi, et dieu ne saurait me reprocher de ne pas croire, puisque le fait ne relève pas de ma volonté.

— Dieu t'a donné plus de signes qu'à bien d'autres. »

Agacé, Kaeso vida son sac :

« Il m'a en effet envoyé le signe de ta personne, et c'est bien toi qui as écrit de dieu cette sottise impie dans ton épître aux Romains : " Il fait miséricorde à qui Il veut, et Il endurcit qui Il veut... Qui résiste en effet à Sa volonté ? "

« Ainsi, par une contradiction de plus, mais qui me semble au cœur de ta douteuse doctrine personnelle, tantôt tu m'assures que Jésus est mort pour moi, tantôt tu admets que dieu, me damnant par avance, pourrait avoir la fantaisie de m'endurcir à sa grâce. Pourquoi ne serait-ce pas mon cas ? Et si tel était le cas, c'est au dieu que tu inventes qu'il convient de faire des reproches, et non à moi, qui ne suis qu'un instrument de sa gratuite malice. D'ailleurs, si dieu est pire que Néron, s'il choisit ses élus en jouant aux dés, à quoi servent tes prédications ? Tu n'es pas plus utile que les mouches qui amusent le jeune Domitien.

— Ma parole ! Le baptême t'inspire ! Tu me taxes de contradiction et tu prends prétexte, pour ne pas croire, d'une définition de Dieu que tu récuses parce que tu juges qu'elle m'est personnelle !

— Je dis tout simplement que, si un homme sensé était enclin à croire au dieu chrétien, la caricature aberrante que tu en donnes suffirait à l'en éloigner. Plutôt l'enfer entre honnêtes gens que de fréquenter un dieu qui m'endurcit comme il veut et qui me juge sans égard pour mes actes.

« Bien sûr, tu vas encore prétendre que l'expression a dépassé ta pensée. Et de même quand tu soutiens que la foi justifie sans les œuvres, alors que Jacques, qui connaissait mieux le Christ que toi, affirme exactement le contraire : " C'est par les œuvres, écrit-il dans l'épître que j'ai pu lire, que l'homme est justifié, et non par la foi seule. " Et il poursuit : " ... Rahab, la prostituée, n'est-ce point par les œuvres qu'elle fut justifiée quand elle reçut les messagers et les fit partir par un autre chemin ? " Jacques te dit que les prostituées étrangères seront sauvées par leurs bonnes œuvres avant les justifiés dont tu te gargarises.

« Si la foi me vient un jour, ce ne sera pas la tienne, mais celle de Jacques, de Marc, et même de Luc, sur lequel tu ne me parais pas avoir une trop bonne influence.

— Garde donc tes préjugés contre moi, et que la foi de Jacques te vienne seulement ! Chacun a son chemin pour aller à Dieu, et je n'ai pas la prétention de les avoir tous explorés.

— Je n'ai aucun préjugé et tu me serais plutôt sympathique, avec cette " épine dans ta chair " que j'ai failli ressentir moi-même... »

Paul sursauta : « Que dis-tu là ? »

Les esclaves de l'escorte, qui s'étaient reculés à distance respectueuse, commençaient de s'impatienter, et Kaeso dut les rappeler à l'ordre. Le petit jour s'était levé et la Ville se mettait à bruire.

« Je ne fais que te citer...

— Tu me cites une fois de plus bizarrement. Que sais-tu de cette épine ? »

Kaeso ne s'était pas attendu à ce que Paul relevât l'allusion, et il était gêné de cette insistance. Dans l'expression de Paul, il avait entrevu un aveu pudique, et il s'apercevait que l'auteur ne l'avait pas entendu ainsi.

« J'en sais ce que tu en racontes...

— Mais je n'en raconte pas plus !

— Laissons cela. D'ailleurs, je puis me tromper...

— Le point est important pour moi, et je te prie de me dire sur-le-champ ce que tu as cru comprendre. »

Paul semblait anxieux.

« Tu le désires vraiment ?

— Oui.

— Tu ne m'en voudras point si la vérité te blesse ?

— La vérité ne m'a jamais blessé. Toute vérité est de Dieu par quelque côté. »

Pesant ses mots, Kaeso se rendit à l'exigence de Paul :

« Jésus, ton Maître, était tout entouré de femmes et il savait leur parler. Tu ne fais allusion aux femmes que pour les rappeler à l'ordre, à la modestie, à l'effacement, comme si la brutalité ordinaire des mâles avait besoin du renfort de ta voix. Ces femmes, il est visible que tu ne les aimes qu'en théorie. Tu ne donnes pas l'impression de t'attarder volontiers avec elles. Je ne t'ai jamais vu regarder une jolie fille avec un franc et innocent plaisir. Et parmi tous les disciples de Jésus, tu te singularises en ne te mariant pas. D'éducation pharisienne, alors que les Pharisiens sont de vigoureux partisans du mariage, tu n'étais pas encore marié, sauf erreur, lorsque tu t'es fait chrétien, et tu avais pourtant une trentaine d'années alors, si je ne m'abuse. Et Jésus non plus ne t'a pas incliné au mariage. Tu n'es pas eunuque, tu n'es pas impuissant, que je sache, et pourtant, tu ne parais avoir aucune activité sexuelle.

« D'autre part, tu t'exprimes avec dureté au sujet des sodomites ou des invertis, et les lesbiennes elles-mêmes ont droit à ta hargne.

« Alors, puisque ta chair, malgré une nature sensible et passionnée, irritable et nerveuse, est, pourrait-on dire, désaffectée, mais sans être à première vue malade, que peut signifier cette " épine dans ta chair ", qui semble avoir glissé par mégarde de ta plume ? Le terme est très précis. Ce n'est pas une épine dans l'âme et, dans ta chair, ce n'est qu'une épine. On comprend bien que cet ennui est pour toi subalterne, que tu le domines et considères de haut, bien qu'il ne laisse pas de t'affliger à l'occasion. Sans doute est-il à tes yeux une marque de la sollicitude de ton dieu, qui te rappelle ainsi à l'humilité en permanence et démontre qu'il peut faire merveille avec les instruments les plus fragiles et les plus déchus, ceux qui ont été blessés de longue date sans qu'aucune guérison ne soit possible.

« En somme, ton indifférence hargneuse pour les femmes, ta répulsion agressive pour les homosexuels, n'autorisent-elles pas à voir en toi un pédéraste honteux ?

« Par Jupiter, comme je t'admire et comme je te plains ! Les hommes ordinaires ont déjà bien du mal à garder la chasteté si le mariage ne vient apaiser leur concupiscence — pour employer des tournures qui te sont familières. Mais que dire de celui qui se sait condamné à abdiquer toute ambition charnelle jusqu'à ce que la mort le délivre ? Et la chasteté de l'homosexuel est d'autant plus méritoire qu'elle est à double face. Ton héroïsme donnerait à penser qu'il y a bien un dieu derrière toi !

« Ferais-je erreur dans mon compliment ? »

Paul se lava les mains et le visage à la fontaine, et revint à Kaeso :

« Tu ne m'auras fait grâce d'aucune critique et il t'aura fallu du temps pour découvrir le moindre compliment ! Aux yeux d'un garçon qui a fréquenté l'éphébie d'Athènes, il est possible que je donne prise au soupçon. Ma vie est certes peu banale. Si ton diagnostic était exact, ce serait en tout cas la meilleure preuve que l'Esprit souffle où Il veut et que nous sommes responsables de nos actes si nous ne le sommes point de nos tendances. Que mon exemple, vrai ou supposé, te serve donc de leçon quand Satan te poursuivra !

« Je dois te dire adieu, car je pars bientôt.

— Ce n'est pas mon compliment qui te fait fuir ?

— Je ne fuirais pas pour si peu ! Je pars pour le seul motif que j'avais fondé sur toi de grandes espérances et qu'elles auront été amèrement déçues.

— Reste au moins le temps que Silanus et Marcia te récompensent. Ils se demandent ce qui te ferait plaisir...

— Cette maison ne me vaut rien, et Néron non plus. La seule beauté qui importe lui échappera toujours.

« Ce qui me ferait plaisir serait que tu cesses de jouer au faux chrétien, et qu'en attendant tu lises mes épîtres avec plus de discernement. Je n'ai jamais méprisé les œuvres. J'ai seulement voulu dire que les œuvres ne valaient que comme conséquences de la foi et sanctifiées par le sacrifice rédempteur de Jésus.

« Un jour que je vois prochain, tu te feras couper la tête pour ce certificat que tu as eu l'inconscience de m'extorquer tout à l'heure. Ce jour-là, jusqu'à ce que le glaive tombe sur ta nuque, un acte de foi peut te sauver, et faire rétrospectivement de toutes les bonnes œuvres de ta vie une longue prière. Pense à mes paroles en cet instant si tu n'y as pas pensé plus tôt ! »

Sur cette prédiction sinistre, Paul embrassa tristement Kaeso et rentra dans la maison.

Le jour était tout à fait levé et l'on pouvait de nouveau circuler sans escorte. Kaeso congédia sa suite et revint chez Silanus à pas lents. C'était la seconde fois que Paul lui faisait une telle prédiction et il y avait toutes les chances qu'elle ne valût pas plus cher que les divagations de Melania, qui était décidément en baisse. Mais c'était tout de même impressionnant. Une prudente règle d'or de la vieille religion romaine qui avait bercé l'enfance de Kaeso était qu'il ne fallait jamais se mettre un dieu à dos, quel qu'il fût, car même un petit dieu de rien du tout pouvait vous causer beaucoup plus de tourments qu'un homme. Et le dieu chrétien était un gros morceau. Les éléphants furieux qui, sous Pompée, avaient piétiné la foule du Grand Cirque, n'étaient rien à côté de ce dieu-là s'il existait. Mais existait-il ? Une bonne probabilité était qu'il y eût des dieux au sein de l'univers pour régler des tas de choses, ou plutôt un dieu au sein de l'univers pour régler des tas de choses, ou plutôt un dieu du genre stoïcien, d'autant plus accommodant qu'il avait l'air assez confus et diffus. Mais un dieu créateur et personnel, c'était une autre histoire. Son caractère hypothétique ne rassurait qu'à moitié s'il y avait le moindre risque que Paul l'eût vraiment fréquenté. Et la conviction de Paul était d'un caractère absolu. En tout cas, le baptême paraissait bien porter malheur, car les chrétiens, à commencer par Jésus, n'avaient cessé d'avoir des ennuis. Jésus mourait pour les péchés des chrétiens, et comme si cela ne suffisait pas, il leur demandait de mourir ensuite. Paul avait semblé trouver tout naturel que Kaeso se fît couper la tête pour un ridicule certificat !

Kaeso avait hâte de présenter cette pièce à Silanus. Un bien mauvais moment à passer, mais après, il serait libre. Sa santé étant rétablie, il n'avait plus d'ailleurs aucune raison de s'attarder chez Cicéron.

En gravissant les marches qui montaient au plus court vers la maison de Silanus, Kaeso fut surpris de constater qu'un effectif réduit de prétoriens était demeuré sur place, et il eut le pressentiment d'un malheur.

Il interrogea aussitôt le centurion de garde sur les motifs de cette présence, et l'homme répondit : « Peu de temps après le départ des invités, l'empereur a envoyé une litière pour prendre ta belle-mère, et j'ai ordre de ne laisser sortir personne. Mais tu peux rentrer. »

Ce que Kaeso se hâta de faire, pour rejoindre Silanus, qui marchait de long en large dans le péristyle, sous l'œil inquiet de ses affranchis de confiance.

« Qu'est-ce que j'apprends ? Le Prince aurait enlevé Marcia ? La nouvelle est incroyable !

— Voilà des heures que je me demande ce qui lui a pris. Un pareil procédé ne lui ressemble guère. Toi qui as conversé en sa compagnie une bonne partie de la soirée, aurais-tu une idée ?

— Dans tout ce que nous avons pu raconter, rien ne laissait présager une telle lubie. Une chose est de toute façon certaine : Néron n'a aucune raison de t'en vouloir.

— Que m'aurait-il enlevé s'il m'en voulait !

— Je veux dire qu'il a sans doute songé plus à Marcia qu'à toi-même. »

Kaeso révéla à Silanus l'intérêt que la beauté de Marcia et la sienne avaient excité chez le Prince durant les courses, dans l'ignorance toutefois de leur qualité...

L'incident ne clarifiait guère la situation et Silanus restait perplexe.

« Pour ne pas m'alarmer, dit-il, Marcia avait passé cette méprise sous silence, dont le rapport avec l'événement de cette nuit n'est d'ailleurs pas évident.

— Je le crois aussi. Peut-être s'agit-il d'une vulgaire plaisanterie après boire ? La toute-puissance incite à faire peur à bon marché. Souviens-toi de Caligula ! Il convoquait au Palais avant l'aube des sénateurs, qui voyaient leur dernière heure venue. Puis, quand ces malheureux avaient bien moisi sur une estrade, il surgissait au son des flûtes et des sandales à soufflet [1] pour danser à leur intention de manière langoureuse.

— Mais Néron n'est pas fou.

— Il y a toujours un grain de folie chez celui qui peut tout se permettre. Quelle tête résisterait à ce vertige ?

— Que l'empereur ait songé à moi ou non dans l'affaire, cette fantaisie me met dans une position bien désagréable, et même dange-

_____
1. Sorte d'accordéon rudimentaire, manœuvré avec le pied.

reuse. Mes esclaves, ceux du Prince vont bavarder, toute la Ville jasera, on guettera mes réactions comme si j'avais quelque chose à répliquer... »

La position de Marcia ne semblait pas inquiéter outre mesure Silanus. Il est vrai que la vertu de la patiente ne risquait plus grand-chose.

Kaeso éprouva le besoin d'affirmer :

« Quoi qu'il en soit, je puis te garantir que Marcia n'a usé d'aucune coquetterie ni agacerie avec Néron...

— Cela va sans dire ! Ne doit-elle pas te rester fidèle ? »

C'était la première fois que Silanus dévoilait aussi crûment ses soupçons, et l'émotion devait y être pour beaucoup. Sans doute n'avait-il pas cru un mot des faux aveux de Marcia, que sa lettre complaisante avait pourtant reflétés.

Un brouhaha du côté de la porte dispensa Kaeso de répondre : Marcia était de retour. Et sous le pâle soleil de la deuxième heure, elle parut bientôt, la jambe alerte et l'œil vif, comme si rien d'anormal ne s'était passé.

« J'ai une faim de loup, dit-elle. Je sors de croisière. »

Marcia alla s'enfermer avec Silanus, tandis que Kaeso se perdait en conjectures délirantes.

Un long moment plus tard, Silanus rejoignit Kaeso et lui dit :

« Marcia voudrait te voir pour achever de te rassurer. En ce qui me concerne, j'avoue que je suis totalement dépassé. On a bien raison de prétendre que la réalité l'emporte sur toute mythologie ! »

Marcia était étendue en peignoir dans la demi-obscurité de sa chambre...

« Qu'est-ce que cette histoire de croisière ?

— Eh bien, la litière m'a entraînée au pas de course vers un petit bâtiment ancré du côté des docks, on m'a fait asseoir sur le pont, et nous avons remonté le fleuve à force de rames. C'était Doryphore, l'un des affranchis les plus intimes de l'empereur, qui commandait la manœuvre, et il se montrait fort poli avec moi. Nous sommes ainsi passés sous le pont Sublicius, sous le pont Palatin, sous le pont Fabricius, sous le pont Janicule... Au pont Vatican, le jour s'était levé. Nous avons longé les arsenaux de la rive droite pour jeter bientôt l'ancre en face des jardins d'Agrippine. Là, on a hissé à bord avec beaucoup de précautions une grande caisse, qui a été descendue dans la cale. Quelques grondements sortaient de la caisse et Doryphore m'a dit qu'elle renfermait un lion de Maurétanie.

« L'affranchi m'a priée alors de descendre dans cette cale humide et obscure, qui n'était éclairée que par un lumignon. Il m'a déshabillée, et lié derrière le dos les poignets, qui ont été attachés à un anneau fixé dans la coque à hauteur des reins. Puis il s'est emparé d'un fouet, a ouvert la caisse, a excité de la langue l'animal à bondir, ce qu'il a fait sans se faire prier.

« C'était un beau lion à superbe crinière, mais au ventre mou et tout blanc, avec un petit sexe de rat. Quand Néron se déguise en lion, c'est à ce détail qu'on reconnaît la fraude.

« Toute rugissante, la bête m'a agressée [1], avec un curieux mélange de brutalité et de tendresse. Tantôt elle me léchait de son organe râpeux, s'interrompant pour crier d'une voix déchirante et pleurarde : " Maman, maman, pourquoi m'as-tu abandonné ? " Tantôt elle me mordillait de ses dents aiguës, m'acclablant d'injures obscènes et me reprochant la facilité de mes mœurs. J'avais ainsi toutes les indications pour bien tenir mon rôle et je gémissais de mon côté sur le thème : " Tu me désirais, gros voyou, et tu m'as assassinée ! "

« De temps en temps, Doryphore appliquait un bon coup de cravache sur le derrière de l'animal pour l'encourager au repentir. Finalement, le lion a tourné son arrière-train vers le dompteur, qui en a profité pour lui infliger les derniers outrages, malgré les réticences de la longue queue poilue, qui se mettait sans cesse en travers de l'assaut. Même un Grec exercé ne sodomise pas un lion sans difficulté.

« L'empereur s'étant retiré tête basse, Doryphore m'a avoué en me détachant : " Tu as été parfaite."

« C'est d'ailleurs l'avis de Silanus. Qu'aurais-je pu faire d'autre ? »

Le calme de Marcia donnait à penser.

« Tu as été souvent aux prises avec des cinglés de ce genre ?

— Mais tous les hommes sont cinglés, Kaeso ! La seule différence entre Néron et le reste, c'est que notre Prince a les moyens de réaliser ses fantasmes, et qu'il le fait avec un sens incontestable du théâtre. »

Marcia considérait un camée enrichi d'émeraudes, représentant Néron dans sa divine gloire, que Doryphore lui avait remis en remerciement de la part de son maître.

Kaeso avait d'autant moins de reproches à adresser à Marcia que ses imprudences de langage n'étaient nullement étrangères à l'accident. Néron avait saisi l'occasion de soulager sa tristesse orpheline, mais il était évident que le metteur en scène avait eu un clin d'œil sympathique pour son jeune ami.

C'était la dernière confidence à faire à Marcia.

Kaeso la félicita de sa bonne santé et l'informa qu'il rentrait à l'insula dans l'attente du jour de l'adoption. Rassurée quant à l'essentiel, Marcia ne voulut pas courir le risque d'indisposer Kaeso en insistant pour qu'il prolonge son séjour.

---

1. On sait que Suétone pousse au noir ces gamineries zoologiques. Tout un contexte m'en a dissuadé.

Avant de s'en aller, Kaeso remercia Silanus de son hospitalité et lui annonça le proche départ de Paul.

« Enfin une bonne nouvelle ! dit Decimus. Ce type a le mauvais œil. Il aurait jeté un sort à Marcia ou à Néron que cela ne me surprendrait pas... »

De toute manière, l'instant était mal choisi pour parler de conversion. Mais Kaeso n'en était pas à un jour près. Il y avait encore une dizaine de jours jusqu'aux Ides.

A l'insula, Marcus dormait pesamment et Séléné se baignait pour se laver des outrages de la nuit. Son maître était un bien pauvre lion à côté du roi de l'espèce.

Kaeso éprouvait le besoin de se changer les idées et de regarder quelque chose de beau. Il se déshabilla et commit l'indiscrétion de rejoindre Séléné, qu'il trouva en train de barboter dans la petite piscine tiède.

« Je suis chrétien, lui lança gaiement Kaeso. J'ai même une attestation de baptême !

— Alors, ne me regarde pas de trop près. Tu n'as plus droit au moindre péché, à présent ! »

Mais où commençait, où finissait le péché, qui était partout ou bien nulle part ?

QUATRIÈME PARTIE

I

Lorsque, après cette croisière nostalgique, l'empereur ouvrit l'œil aux environs de la cinquième heure, il songeait à l'Égypte et à la Grèce, à l'impatience qu'il avait de les connaître enfin et d'y faire résonner sa voix. Mais les récentes réserves de Pétrone, de Silanus, de Kaeso, qui rejoignaient d'ailleurs celles de Tigellin, assombrissaient le rêve. Réflexion faite, la situation ne semblait pas mûre pour un tel voyage. César aurait laissé trop d'ennemis derrière lui et déçu dangereusement une plèbe inquiète. La plèbe ne pouvait pas grand-chose pour soutenir le Prince, mais elle avait la force de collaborer à sa chute, ne fût-ce que par une passivité complice. Il fallait donc patienter, ruser une fois de plus, affermir d'abord l'autorité. Le moindre citoyen avait le droit de chanter où il voulait, mais non pas un Néron !

En proie à l'humiliation, à la rage, surtout à la peur, l'empereur se redressa sur sa couche, faisant sursauter Sporus, l'un de ses concubins favoris avec le prêtre de Cybèle Pythagoras. Le jeune Sporus, que Néron, contrairement à la rumeur, s'était procuré déjà castré, ressemblait étrangement à Poppée, et il était d'une fidélité de chien couchant.

« Qu'est-ce qui t'inquiète, ce matin ? demanda Sporus. Aurais-tu fait un mauvais rêve ? »

Le Prince répondit avec humeur : « La réalité suffit à m'inquiéter ! » Et il se leva brusquement pour aller se consoler avec son jeu de construction.

Dans une salle voisine de la chambre s'étendait l'étonnante et vaste maquette de la nouvelle Rome, telle que Néron l'eût souhaitée. Déjà ses premiers précepteurs, Anicetus et Beryllus, puis le docte stoïcien Chaerémon, lui avaient vanté le fascinant urbanisme des villes grecques d'Asie et d'Égypte, aux perspectives bien ordonnées et dégagées, réussites d'une colonisation modèle, qui tranchaient si heureusement avec les ruelles capricieuses de la vieille Athènes, où seul l'aménagement de l'Acropole et surtout de l'agora, entre la « stoa » d'Attale et l'Héphaistéion, était satisfaisant pour l'esprit. Mais à Pergame, à Milet, à Alexandrie, au Pirée même, ce n'était pas seulement le centre de la cité qui flattait l'œil, les quartiers populaires eux-mêmes avaient fait l'objet de plans géométriques : tout était tiré au cordeau, tout se croisait à angle droit. Le regard attentif de l'administrateur ou du policier traversait de pareilles cités de part en part. Elles n'avaient plus de mystères.

A Rome, les essais d'urbanisme de Néron s'étaient heurtés à des obstacles insurmontables, et la construction du nouveau Palais du Passage lui-même, entre Palatin et Esquilin, n'avançait guère, paralysée par d'agaçants problèmes d'espace et d'expropriations. La Rome du bas, la Rome sordide, que le Prince connaissait de l'intérieur pour s'y être nuitamment amusé dans son jeune temps, était de taille à résister aux assauts de l'art et de la raison. Maintes fois endommagée après maintes catastrophes, la Ville avait toujours été réédifiée au hasard. Seul intérêt de cette pagaille : la hauteur des « insulae » et l'étroitesse des rues assuraient de l'ombre en été.

Quelle différence entre la Rome du désordre et la Rome de la maquette ! La Maison du Passage, au cœur de la Ville, s'était répandue aux dimensions d'une véritable cité, vers laquelle tout rayonnait. Et le plus surprenant n'était pas le luxe fou des bâtiments, dominés par le colosse néronien de cent vingt pieds : à la place des jardins réguliers qui avaient conservé la faveur des paysagistes, s'étalaient des perspectives de forêts, de pâturages et de vignobles, autour d'une vaste pièce d'eau, où venaient boire des bêtes familières ou sauvages. Si la pierre avait été domestiquée, la libre nature avait repris ses droits. Les bas quartiers eux-mêmes présentaient de larges avenues et de vastes places, de multiples fontaines, cascades et plans d'eau alimentés par de nouveaux aqueducs. Mais cette orgie d'eaux courantes n'avait pas contenté l'imagination des architectes Sévère et Célère et de leurs ingénieurs : les bas quartiers étaient également traversés de canaux alimentés d'eau de mer à partir d'Ostie. Un tel quadrillage était une efficace sauvegarde contre les incendies. De nouvelles règles avaient d'autre part présidé à la disposition et à la construction des « insulae ». Chaque bâtiment, de hauteur réduite, était désormais isolé au cœur d'un espace vert et flanqué de portiques, précaution supplémentaire contre le feu.

Devant une maquette si engageante, on se prenait à souhaiter un cataclysme, qui aurait rasé la Rome ancienne. Mais les Gaulois incendiaires n'étaient plus de saison. Les feux les plus violents ne détruisaient que quelques quartiers, une région tout au plus. Et les tremblements de terre étaient bien timides pour de si belles espérances.

Néron soupira à fendre l'âme. Il se sentait à l'étroit sur son perchoir du Palatin, et la tentation le caressa encore de faire place nette, de foutre le feu à cette Ville infâme, de façon que le génie des modernes bâtisseurs immortalisât son nom. Que la tentation fût artistique ne se discutait pas. Mais était-elle politiquement opportune ?

Immense avantage : Rome détruite, le Prince apparaissait dans toute sa paternelle splendeur comme l'unique recours. La plèbe mendiante, qui ne possédait presque rien, perdait tout. Beaucoup de sénateurs et de riches, qui se moquaient du pouvoir derrière leurs murs, punis de leur fronde par le désastre, en étaient eux-mêmes réduits à tendre la main. Voir flamber nombre de ces insolentes villas, bourrées du butin de siècles de pillages et de prévarications, n'était pas seulement une satisfaction morale. Durant des années, tous les problèmes le cédaient à celui de la reconstruction. Et le Prince tutélaire, délaissant un moment une ville en chantier, pourrait sans trop de risques visiter l'Orient et y donner de la voix.

Hypothétique danger : si brûlaient dix ou douze régions sur quatorze, on se douterait vite que le désastre avait une origine humaine plutôt que divine. Fâcheuse coïncidence : ce grand incendie de Troie, dont les vers accusaient l'auteur. Mais la propagande impériale aurait à sa disposition un argument raisonnable : si Néron avait voulu incendier Rome impunément, il se fût borné à deux ou trois régions et n'aurait pas été assez bête pour travailler en même temps à une poésie brûlante ! L'ampleur même du désastre, cette *Troïca* malencontreuse plaideraient l'innocence de l'auguste architecte et poète.

L'empereur eut une pensée pour tous les chefs-d'œuvre entassés à Rome, dans les maisons particulières comme dans les bâtiments publics ou sur les places, et qui ne manqueraient pas de disparaître dans les flammes et le pillage qui s'ensuivrait fatalement. Mais il ne s'y attarda point. Kaeso venait de le confirmer dans son sentiment le plus instinctif et le plus profond : le beau et le laid étant affaire d'opinion, qu'elle soit populaire ou prétendument éclairée, la seule réalité artistique indiscutable était le plaisir que l'artiste ressentait à créer. Il pouvait se tromper sur les œuvres d'autrui, mais son unique plaisir témoignait pour les siennes. D'où il résultait que les œuvres des autres avaient au fond peu d'importance, et qu'un véritable artiste était même bien inspiré de se détacher de sa création après les jouissances qu'il avait éprouvées à la tirer du néant. Détachement sans doute difficile, mais qui devait être salutaire. A toutes les époques d'intense création artistique, n'avait-on pas méprisé, oublié, condamné, détruit sans scrupules les formes jugées imparfaites qui avaient précédé ? Et combien de peintres, de sculpteurs, de poètes, ne s'étaient-ils pas détournés de leur production habituelle pour se consacrer à de nouvelles recherches ? La mentalité d'antiquaire était le fait d'impuissants.

Dans une Rome balayée de ses chefs-d'œuvre comme d'une foule de copies, une sensibilité neuve saurait s'épanouir au-delà des sentiers battus. L'art officiel avait quelque chose de guindé et d'étouffant : un cataclysme, qui donnerait du travail et de l'inspiration à tant d'artistes, ne pourrait que le dépoussiérer.

Néron soupira de plus belle. Le coup était gros, mais le risque, à la hauteur des profits. Une crainte bien légitime retenait le Prince de franchir cet incendiaire Rubicon. Assurément, les générations futures devineraient et approuveraient le sacrifice, mais la génération présente n'avait aucun goût, aucun penchant pour les beautés d'un clair urbanisme à la grecque. Devait-on faire le bonheur de ces routiniers malgré eux ?

Tout songeur, Néron abandonna la maquette tentatrice, et sa promenade matinale le conduisit, avec une faible escorte germanique, jusqu'au proche pulvinar du Grand Cirque, que la course ascendante du soleil n'avait pas encore éclairé.

Les mendiants et sans-logis avaient évacué les gradins du monument avant le lever du jour. Dans l'après-midi, les lieux se transformeraient en promenade, ainsi que la Voie Appienne ou le Champ de Mars. Mais dans la matinée, la piste était le refuge de quelques oisifs qui fuyaient un instant la fébrile agitation des Forums, et la corporation des devins, qui avaient un succès particulier auprès des femmes, y tenait ses principales assises.

Les consultantes, en guise de lustration purificatrice, étaient d'abord tenues de faire un tour de piste au pas de gymnastique, et on les voyait ainsi s'essouffler, courant comme des canards, empêtrées dans leur robe. Le cœur battant et l'esprit affaibli, elles livraient enfin à l'examen des voyants les traits de leur visage, les lignes de leur main, et tiraient en tremblant d'une corbeille un petit cube de bois de peuplier ou de sapin, dont le signe mystérieux aidait à préciser leur avenir. La loi interdisait de faire des prédictions concernant la mort des personnes, mais le contrôle n'était pas aisé.

Dans l'ombre de son pulvinar, l'empereur se demandait, devant ce spectacle familier, sur quel cube le sort de Rome et le sien pouvaient bien être fixés.

A la même heure, le rebut de la corporation, des mages originaires d'Arménie ou de Commagène, officiaient plutôt dans la bousculade des Vélabres, parmi les petits poissonniers, les marchands d'huile au détail et autres trafiquants de bas étage. Là, ils lisaient l'avenir dans le poumon palpitant d'une colombe ou dans le comportement d'un œuf exposé à de la cendre chaude. Et la crédule expédiée, ils mangeaient discrètement l'œuf offert dont la blanche surface, sous la coquille, venait de brunir à la chaleur du petit brasero ambulant.

Comme la plupart des aristocrates, Néron accordait plus de confiance aux « conjectureurs », spécialisés dans la divination des songes, et surtout aux astrologues chaldéens, appelés encore « mathématiciens » ou « généthliaques ». Ces derniers, d'après la position des astres à l'instant de la naissance, déterminaient le « thème » ou « génésie » de leurs confiantes pratiques, attachant une éminente importance aux signes du zodiaque, qui étaient toujours en accord avec l'astronomie scientifique du temps d'Hipparque, deux siècles auparavant. Ils ignoraient que l'équinoxe rétrogradant d'une trentaine de degrés en 2 150 ans, vers le vingt-huitième siècle de la fondation de Rome, le Bélier correspondrait à la constellation des Poissons [1]. Mais à ce train-là, vers 26500 de Rome, après un tour complet, il y aurait de nouveau une merveilleuse coïncidence entre les signes et les constellations, et par conséquent, une précision de diagnostic toute néronienne.

Sorcières et sorciers, eux, préféraient travailler dans l'ombre et étaient parmi les plus tracassés.

En somme, augures et aruspices officiels portant à sourire, les Romains, paradoxalement, n'accordaient crédit qu'aux charlatans privés.

Le regard de l'empereur tomba par hasard sur la loge de Silanus, et le souvenir tout frais de Marcia et de Kaeso resurgit avec une aimable violence. Néron, d'ailleurs blasé, avait conservé assez de sagesse pour faire passer la politique, dont sa vie dépendait, avant les menus plaisirs de la fonction.

Il rentra dans ses appartements, appela un secrétaire et, oubliant totalement quel pouvait bien être l'état civil exact de Kaeso, dicta ce mot à l'intention de Silanus :

« Je te remercie de m'avoir confié Marcia quelques heures. Nous avons connu ensemble un grand moment. J'ai été initié en sa gracieuse compagnie à la dignité de " lion " dans la religion de Mithra. Mais ce sont là de terribles mystères et je n'ai pas le droit d'en dire davantage.

« Ton Kaeso est un charmant garçon, dont l'intelligence, la simplicité, la franchise me plaisent. Il est beau comme mon Apollon d'Antium, avec la parole en plus. Ainsi que Pétrone me l'a conseillé,

1. Nous y sommes ! Mais le fait que vous êtes en réalité Poisson alors que vous vous étiez longtemps cru Bélier ne doit pas vous dissuader d'acheter votre magazine habituel. En consultant de vieux numéros, vous pourrez même prendre une connaissance rétrospective de votre véritable destinée. Mieux vaut tard que jamais.

je pars bientôt pour Naples, soit le dix-septième jour des Kalendes de juin, lendemain des Ides de ce mois de mai, avec toute la cour et mes chers " augustiani ". Il y a une place d'avenir pour Kaeso dans ce corps d'élite et j'espère vivement qu'il sera du voyage. Je veillerai sur lui aussi jalousement que sur ta Marcia.

« Porte-toi bien. »

Néron ayant enjoint distraitement d'adresser ce courrier « au père de K. Aponius Saturninus », le secrétaire, après avoir pris ses renseignements, écrivit en apostrophe : « L. Domitius Nero imperator à M. Aponius Saturninus », et dirigea les tablettes en conséquence.

Le mot arriva à l'insula durant le déjeuner, où il fit l'effet d'un coup de tonnerre. Kaeso, qui était en train d'initier prudemment son père aux beautés du christianisme, avait tiré un voile sur la mésaventure de sa belle-mère. Marcus apprit donc du même coup que son ex-femme avait été enlevée et rendue, que le même honneur guettait Kaeso, et accessoirement, qu'il devait y avoir erreur quant à la personne du destinataire.

Kaeso était affreusement empoisonné. Après tous les efforts qu'il avait consentis pour échapper aux ambitions charnelles de Marcia, il risquait de tomber sous la coupe d'un Prince, dont les arrière-pensées érotiques étaient beaucoup plus déplaisantes. La plupart des jeunes Romains seraient montés au Palatin à genoux pour devenir l'un des favoris de l'empereur, dont la générosité était légendaire. Mais Kaeso était bâti autrement.

Marcus, en revanche, était enchanté de cette étonnante distinction, et il n'était pas loin de croire que Kaeso avait eu l'habileté de la mériter au cours de la nuit. Le rôle de père romain à l'ancienne mode incitait cependant à ne pas afficher une joie de mauvais goût. La lettre lue et relue à haute voix, glissant sur les insondables mystères de Mithra, l'un des dieux étrangers alors les moins connus, Marcus émit l'hypothèse que ces lignes étaient sans doute destinées à Silanus, et il ajouta, sur un ton assez neutre :

« L'empereur a parlé, il n'y a plus qu'à obéir. Tu dois te considérer, Kaeso, comme un soldat en service commandé. Si l'empereur avait affaire à un ingrat, le camouflet pourrait bien ébranler la position de Silanus, et par conséquent celle de Marcia, sans parler de la tienne.

— On ne demande que du sang à des soldats, dit Kaeso. Et j'ai l'impression que le Prince espère autre chose. »

Marcus laissa tomber négligemment : « Il a déjà Pythagoras, Doryphore et quelques autres à son service. Tu ne serais jamais qu'à l'arrière-garde de la troupe... »

L'allusion à Pythagoras et à Doryphore était en harmonie avec la morale sexuelle que Marcus avait dispensée naguère, car tout le monde se doutait bien qu'ils rendaient à Néron d'honorables services actifs. Mais il était également de notoriété publique que le Prince avait un penchant pour les gitons, comme en témoignait, entre autres, sa liaison avec l'infâme Sporus. Ce double appétit était même assez remarquable et ne cessait de défrayer la chronique.

Séléné était certes affligée pour Kaeso, mais elle ne pouvait s'interdire d'éprouver une secrète et délicieuse jouissance à l'idée que chez les hommes libres, aussi, la nécessité commandait parfois de coucher contre son inclination.

Au grand déplaisir de Marcus, elle fit observer : « Il me paraît difficile de dire d'avance à quelle sauce notre beau Kaeso sera mangé, de face, de dos ou de profil, mais ce sera à coup sûr à une sauce dorée ! »

Exaspéré, Kaeso s'écria : « Et s'il me plaît, à moi, de ne pas être mangé du tout ? Ai-je une tête à faire un esclave ? »

Et, s'emparant des tablettes, il se leva du triclinium et quitta la pièce.

Le cri était beau, mais n'apportait aucune solution à ce nouveau problème. Si la fantaisie lui en prenait, Néron pouvait faire sodomiser Kaeso par trente légions !

Le printemps était anormalement chaud. Kaeso ressentait le besoin de respirer à l'aise, et il se mit en devoir de monter l'un des escaliers communs qui conduisaient à la terrasse de l'insula. Au cinquième au-dessus de l'entresol, l'escalier poursuivait son ascension jusqu'à la terrasse, mais les réduits des locataires du sixième, les plus misérables, n'étaient plus accessibles que par des échelles, que le propriétaire faisait retirer, comme celles qui menaient à l'entresol des tavernes, quand les loyers se faisaient attendre.

Se frayant un passage à travers les arbustes, les poulaillers, les lessives qui séchaient, Kaeso parvint au parapet sud de l'immeuble. Il avait immédiatement sous les yeux, telles les vagues figées d'un océan de pierres et de briques, les toitures de tuiles rouges ou les terrasses verdoyantes des « insulae » de la majeure partie de Subure. Au-delà se distinguaient les multiples monuments des Forums romains, dominés à droite par la colline du Capitole, et au fond, à plus de 3 500 pieds [1], par la colline palatine. Là-haut, dans des palais vieux ou neufs, incendiés, rebâtis, modifiés, avaient vécu Auguste, Tibère, Caligula et Claude, tyrans hypocrites et feutrés, ou bien cyniques et brutaux, Claude ayant présenté un phénomène original de loufoquerie.

1. Un peu plus de 1 000 mètres.

Comme son père jadis après la dramatique vente aux enchères, Kaeso se sentait écrasé, scandalisé et dérouté, à cette différence près que ce n'était plus une affaire d'argent : à la suite de Marcia, Néron en voulait manifestement à sa peau, et, contre un Néron, les attestations de baptême étaient inefficaces. Pourquoi Paul, avec sa curiosité puérile, avait-il jeté Kaeso entre les pattes du Prince ?

La perspective d'être incorporé parmi les augustiani — « augusteioi », en grec — aurait déjà suffi à hérisser Kaeso. En cinq ans, le nombre de ces bons à rien avait décuplé et atteint le chiffre d'environ 5 000. Le dixième de ces jeunes gens était recruté parmi les fils de sénateurs ou de « chevaliers », les autres, dans la plèbe. Un membre du sénat commandait la bande, dont les chefs touchaient 400 000 sesterces par an. Les augustiani, que l'on reconnaissait à leurs habits luxueux et à leur longue chevelure bouclée, n'avaient d'autre raison d'être que d'accompagner l'empereur, de le soutenir par leurs flatteries, de l'acclamer lorsqu'il se produisait sur scène, et notamment lorsqu'il chantait. Cette gigantesque claque avait même été divisée en équipes, chacune entraînée à applaudir à une certaine cadence, et l'on comparait la diversité de ces cadences aux rythmes variés des rameurs de galères. Néron, toqué de grécité, avait puisé la riche idée de cette troupe adulatrice dans les compagnies d'« enfants royaux » — les « basilikoi paides » — dont s'étaient entourés les dynastes lagides ou séleucides, viviers de pages et de gitons. Une sorte d'éphébie, consacrée à un homme et non plus à l'État. Les augustiani étaient des inconditionnels du Prince et n'avaient d'autre ambition que de lui complaire. Pour Kaeso, c'était la domesticité dans toute son horreur.

En proie à une angoisse croissante, Kaeso fut entraîné comme malgré lui vers Marcia, unique refuge et unique conseil qu'il pouvait entrevoir dans une pareille situation. Son âme filiale d'autrefois, malgré les déceptions accumulées, lui revint d'un coup, il dégringola l'escalier, les tablettes fatidiques toujours en main, et il courut vers la maison de Cicéron.

Arrivé aux Carènes, entre le marché aux fruits et la maison de Pompée, Kaeso s'arrêta un instant pour souffler. Il venait de se rendre compte qu'il avait tout simplement oublié la petite Myra chez Silanus, et il était ennuyé de cette distraction, signe manifeste de trouble, aussi vexé que Marcia, l'après-midi où elle avait oublié son ombrelle de soie dans un fourré du Champ de Mars — et les ombrelles romaines étaient d'autant plus difficiles à perdre qu'aucun mécanisme n'était prévu pour leur permettre de se refermer ! Kaeso commençait à faire le dur apprentissage des maîtres d'esclaves, propriétaires d'objets qui persistaient à afficher une apparence humaine. Être entièrement responsable d'un animal trop intelligent et trop sensible n'est pas toujours une sinécure. Même du simple point de vue légal, le maître pouvait être cité en justice pour les dommages infligés par ses esclaves à des tiers. Aux thermes, Myra avait envoyé des baisers à Néron. Elle lui aurait expédié des pieds-de-nez que ç'eût été à Kaeso de fournir une explication.

On pria le visiteur de patienter un moment dans le péristyle. Il avait tiré Marcia de sa sieste, et elle devait avoir besoin de se refaire une beauté. Elle le reçut enfin, à demi étendue dans la pénombre de son boudoir, drapée dans un fin déshabillé, dont l'étoffe venait sans doute de l'Orient ou des Indes...

« Quel bon vent t'amène, si vite après ton retour à l'insula ? Mais quelle triste mine tu fais ! »

Avec un mot d'explication à propos de l'erreur de destinataire, Kaeso jeta les tablettes sur les genoux de sa belle-mère, qu'il considérait d'un air suppliant et éploré.

Marcia prit connaissance du texte et réfléchit. Connaissant bien les préjugés des hommes, elle lisait en son Kaeso comme à livre ouvert. Du haut de son encyclopédique expérience, elle aurait pu lui faire un cours sur le caractère fallacieux, conventionnel et artificiel des questions de dignité en amour, où toute l'activité gestuelle, éternellement recommencée et semblable à elle-même, n'avait au fond que la valeur qu'on voulait bien lui accorder. Mais elle se fût déconsidérée davantage sans le convaincre pour autant. Il lui fallait maintenant prendre Kaeso tel qu'elle avait contribué à le former par ses traditionnelles leçons. Et après l'avoir détourné des pédérastes d'Athènes, il était opportun de le convertir à moins d'intransigeance, puisque des affaires de la plus haute volée, la sûreté comme la fortune générales, se trouvaient tout à coup suspendues à une vulgaire histoire de derrière. C'était d'ailleurs à pleurer, car Marcia avait souhaité sans cesse que les ennuis qui avaient marqué sa vie seraient épargnés à son beau-fils. Mais il avait suffi d'un tour au Cirque et d'un dîner pour que l'empereur fît un caprice imprévu — mais non pas imprévisible ! Elle aurait dû se méfier et soustraire prudemment Kaeso à toute possibilité d'impériale concupiscence.

« Eh bien, mon petit ami, dit-elle sévèrement, si je croyais aux dieux, je dirais qu'ils n'ont pas tardé à te punir des mépris dont tu m'accables. Je te souhaite de sortir de ce mauvais pas aussi aisément que tu as pu fuir ma personne ! »

Kaeso baissait la tête si tristement que le cœur de Marcia s'émut.

« Allons, tout n'est pas perdu ! Tu dois en tout cas partir pour Naples. Néron ne pardonnerait pas une dérobade : il serait en droit de s'imaginer que Silanus et moi-même, froissés de cette extravagante croisière, t'avons prévenu contre lui. Là est le danger le plus certain, et pour tout le monde. Une fois parti, tu auras peut-être la chance de couper à la corvée qui s'annonce. Notre Prince est volage et les beaux garçons ne manquent point parmi les augustiani.

— Comment donc couper à cette corvée, si elle se précise ? Toi-même, que disais-tu aux hommes dont tu repoussais les avances, pour ne pas trop les vexer ? »

Marcia ne put s'empêcher de sourire...

« Je n'ai pas eu à repousser trop d'avances ! En ce qui te concerne, je ne vois guère de prétextes convenables. Il est cependant deux tactiques, la bonne et la mauvaise. Si tu te fais tout petit, si tu te caches au dernier rang, l'empereur t'oubliera d'autant moins que ta discrétion même te fera remarquer. Et s'il est blessé du procédé, tu n'échapperas pas à ton sort. Mets-toi plutôt en évidence à ton avantage, avec ce naturel intelligent qui t'a déjà fait distinguer. Noue avec le Prince des rapports d'amitié, d'estime et de confiance. Rends-toi utile, indispensable. Tu es plus fin, plus cultivé que la plupart de ces ânes bâtés d'augustiani. Néron recherche l'amitié des plus doués et il a parfois de surprenantes délicatesses pour ses amis. Si les agréments de ton esprit le séduisent, si ta compagnie lui est agréable, il se retiendra de brusquer les choses, crainte de la perdre. Dis-toi qu'il n'est heureusement à court ni d'amants ni de gitons. Ta meilleure sauvegarde serait en somme de pouvoir lui offrir d'autres satisfactions que celles qu'il rencontre chez n'importe qui. »

La sagesse du conseil était impressionnante, mais elle diminuait le risque sans l'écarter.

Avec effort, Kaeso s'informa :

« Si, malgré mes tentatives pour relever le débat, la passion du Prince pour ma personne en arrive à un point critique, quelles prestations crois-tu qu'il exigera de moi ?

— Je conçois que la chose te tracasse. Malheureusement, la réponse ne saute pas aux yeux. Tu serais bâti comme un grand Germain de la Garde, ou bien tu ne serais pas encore sorti de l'enfance, que nous aurions une indication. Mais tu es parfaitement beau, avec cette pointe de virilité qui fait fondre les dames, avec ce soupçon de grâce féminine qui attire les sodomites. Et il n'est même pas dit que Néron sache au juste ce qu'il souhaite. C'est un calculateur impulsif, capable de laisser mûrir un problème durant des années pour jeter enfin les dés sous l'inspiration du dernier instant. »

Marcia et Kaeso passèrent longuement en revue tous les favoris les plus connus du Prince, les actifs comme les passifs, cherchant des ressemblances avec Kaeso susceptibles de fonder des prévisions ou des probabilités. Kaeso paraissait plutôt taillé pour un service actif, le seul qui permît de conserver une bonne réputation.

Avec une maternelle et franche sollicitude, Marcia ne se retint pas d'ajouter : « La divine nature de notre Néron étant résolument amphibologique, il n'est pas exclu qu'on réclame un moment de toi des expériences contradictoires avant de se fixer une voie de préférence à une autre... »

Kaeso s'en assit du coup près de Marcia, qui lui prit tendrement la main.

« Tu ne dois pas, enfant, t'exagérer l'importance de ces éventuelles galipettes. La nécessité ne fait-elle pas loi ? Envisagerais-tu, par hasard, un suicide stoïcien pour te soustraire à quelques répugnances provisoires ? Pense aux Juifs, qui tiennent le suicide pour un crime — alors que je le tiendrais plutôt pour une bêtise la plupart du temps. A quoi bon cesser de vivre si l'on n'est plus là pour goûter le plaisir ou même l'ennui d'un nouvel état ? Pense à cet original que tu m'as présenté au Cirque il y a peu, à ce Paul, qui éclaire les aveugles et réveille les dormeurs. Si Néron avait fait enlever sa vieille carcasse pour en jouir, le patient aurait-il pour si peu attenté à ses jours ?

— Certes non. Paul recommande aux esclaves soumis à de telles assiduités de prendre leur mal en patience, de ne pas jouir trop fort et de prier avec ferveur.

— Voilà une sage religion ! On peut prier à quatre pattes aussi bien qu'à genoux.

— Selon Paul, " tout tourne en faveur du chrétien ".

— Je ne le lui fais pas dire ! »

Marcia attira contre son sein la tête bouclée de Kaeso et lui caressa les cheveux...

« Ne crains rien ! Tu seras toujours pour moi le même Kaeso. Les empereurs passent. Des sentiments comme les nôtres demeurent. »

Ébranlé par le parfum qui montait du corps de Marcia, Kaeso jugea plus prudent de relever la tête, et il demanda :

« Qu'est-ce qui vexe davantage ? Refuser à un homme des faveurs actives ou passives ?

— Si Néron se présente à toi comme une femme, il sera terriblement froissé que tu ne sautes pas sur l'occasion. Le giton, en revanche, peut user de quelques coquetteries et prolonger sa défense sans trop indisposer le prétendant. C'est affaire de doigté et de mesure.

— A se demander si je dois me déguiser en Germain ou en gamin !

— Quel conseil ton père t'a-t-il donné ?

— Il avait du mal à dissimuler sa satisfaction. N'est-il pas habitué depuis longtemps à vivre des charmes d'autrui ?

— Tu es injuste à son égard. Marcus n'a pas été ménagé par la vie et il t'aime profondément. Tu es son orgueil, sa joie, et il ne souhaite que ton bonheur. Jamais il ne te donnerait volontairement un mauvais conseil.

« Et à propos de conseil, le plus important sera de ne pas repousser ton adoption prévue pour les Ides prochaines, de sorte que tu puisses partir vers Naples avec cette garantie. Néron ne s'est pas gêné pour abuser du jeune Plautius, le prénommé Aulus, que sa relative obscurité laissait sans défense. Infliger les derniers outrages au fils d'un Silanus serait une autre histoire. Le geste aurait une allure politique, et le Prince ne s'y risquerait que s'il était bien décidé à exterminer ce qui reste de la famille des Torquatus, c'est-à-dire mon mari avec son neveu. Or, jusqu'à présent, rien ne nous dit qu'il ait cette intention. Au contraire, il te manifeste sa faveur avec les formes les plus aimables.

— Le fait d'être la femme de Silanus ne t'a pas préservée des premiers outrages !

— Ta position d'adopté serait sans comparaison avec la mienne. La police de Néron avait dû lui dire que je n'en étais plus à un cinglé près, alors que ta réputation est intacte. Et tu as la chance d'être un homme. La bonne société accorde beaucoup plus de valeur au derrière de l'homme qu'à celui de la femme, et Néron connaît son monde, en dépit de ses excentricités.

— Et si je déclinais l'honneur de l'adoption comme celui du voyage ?

— Ce serait la plus sûre façon de faire notre malheur à tous trois. Néron est méfiant, susceptible et rancunier dans bien des domaines. Cette invitation pour Naples est un ordre, Kaeso !

« Afin de mettre les meilleures chances de ton côté, tu dois te démarquer des autres " augusteioi ", qui adoptent volontiers des manières et des costumes grecs, par une mise sobre et digne à la romaine, qui soulignera tout ce que tu peux offrir de viril. Et pour ne laisser aucun doute sur tes tendances, il serait tout indiqué que tu prisses la petite Myra dans tes bagages. Telles sont les ultimes recommandations d'une tendre amie, et tu comprendras que la dernière me coûte. »

Kaeso embrassa Marcia sur le front et se retira pour porter les tablettes à Silanus.

Le garçon n'avait aucune envie de se noyer pour échapper à quelques impériales et hypothétiques assiduités. Il lui paraissait toutefois bien évident que le stoïcisme, pour sortir la tête haute des situations les plus honteuses, prêchait une morale supérieure à celle des Juifs ou des chrétiens. L'acceptation du suicide rendait l'homme souverainement libre, dégagé de toute conjoncture. On était loin de la soumission pleurarde recommandée par Paul et par ses disciples. Dans la vie de Jésus lui-même, qui se voulait exemplaire en toute chose, il y avait à ce sujet une lacune décevante, qui ne laissait pas d'embarrasser ses fidèles. L'Évangile de Marc aurait eu un aspect plus social et plus émouvant si le jeune Jésus avait dû figurer un moment, à son corps défendant, parmi les gitons serviles d'un procurateur romain, et sa mère eût tiré des larmes plus pures si elle avait été contrainte de débuter comme Myra. Paul aurait été alors moins embarrassé pour parler de vertu et de patience aux esclaves des deux sexes.

Après le départ de Kaeso, Silanus s'était retiré dans la « cellule du pauvre », qui avait été aménagée dans l'une des étroites et sombres prisons du quartier des esclaves. Là, non rasé, recouvert d'un manteau rapiécé, il était allongé sur un grabat, devant les restes d'une infecte pitance. La « cellule du pauvre » était une délicieuse coutume stoïcienne. De temps à autre, le stoïcien sybarite se retirait dans l'inconfort et le dénuement les plus ostensibles afin de méditer sur la vanité des choses humaines et sur la maîtrise de soi qui permettait de les dominer. Après une telle cure, on revenait au plaisir avec des bouchées doubles.

En entrant, Kaeso trébucha par mégarde contre la cruche d'eau tiède qui accompagnait la pitance, et il s'offrit à renouveler le liquide. Mais le pauvre d'occasion eut un geste las et indifférent de la main...

« A quoi bon ? Ne serai-je pas bientôt privé de la vie ? Si Néron a abusé de ma femme sous prétexte d'honorer Mithra, c'est qu'il s'est décidé à me sacrifier. Selon son habitude, il jouera quelque temps au chat et à la souris, mais mon compte est bon. Je le sens. »

Kaeso se récria. La tête sinistre de Silanus était pitoyable. Pour redonner de l'espoir au patricien, il n'y avait pas deux solutions. Kaeso se résigna à révéler à Decimus qu'il y avait sans doute un rapport de cause à effet entre ses propres imprudences de langage au cours de la soirée précédente et la croisière d'allure aberrante qui avait suivi soudain. Et il demanda instamment à l'infortuné mari de n'en souffler mot à Marcia.

Abasourdi, Decimus murmura :

« Tu veux dire que ce gros coquin se serait déguisé en lion de Maurétanie afin de grignoter le minet de notre Marcia, et ce parce qu'il venait de voir en elle, tes confidences aidant, une nouvelle et incestueuse Agrippine ?

— En résumé, je le pense. Et je suis confirmé dans mon soupçon par cette croisière elle-même. Tu sais comme tout le monde de quelle façon Agrippine a échappé provisoirement à la mort. Il apparaît ainsi que tu n'es pas concerné autant que tu le croyais. »

Le visage de Silanus s'éclaira.

Pour la forme, et bien que Silanus dût se douter des véritables sentiments de sa femme, Kaeso reprit plus clairement à son compte le mensonge de Marcia :

« Il a suffi que je fasse allusion aux amoureuses relations que Marcia et moi-même avions entretenues autrefois avant de te connaître. L'imagination maladive du Prince s'est enflammée. Comment aurais-je pu prévoir ?

— Je ne te reproche rien. »

Kaeso s'empressa de changer de propos :

« Voici des tablettes portant le sceau impérial. Ce mot te dira mieux que moi que, loin de chercher à te nuire, Néron voudrait plutôt du bien à ceux qui te sont chers. Il ne leur en veut même que trop ! »

Decimus jeta un coup d'œil sur cette prose, qui n'était en effet que trop claire, et ce fut pour lui une autre source de méditation.

« Une chose, dit-il enfin, doit être bien entendue entre nous deux : si tu te décides à répondre au pressant appel du Prince, que ce soit pour Marcia ou pour toi. Je regarderais comme honteux d'assurer ma tranquillité au prix d'un si déplaisant sacrifice. »

La déclaration avait toute la noblesse requise sans être imprudente. Silanus espérait bien que le souci de Marcia ou de sa propre personne suffirait à rendre Kaeso raisonnable.

Kaeso rapporta à Silanus quels conseils son père et Marcia lui avaient donnés, et il ajouta :

« Sénèque m'a vanté récemment les charmes d'un accommodant opportunisme, ce que les stoïciens appellent l'" eukairia " en grec. Mais il a bien insisté sur le fait qu'elle avait des limites. Vois-tu, dans l'invitation de Néron, un cas limite, et comment le traiterais-tu à ma place ?

— Puisque je suis malgré moi, par la force de l'événement, juge et partie dans cette pénible cause, il m'est difficile de joindre mes conseils à ceux de ton père et de ta belle-mère. Mais je ne voudrais pas non plus paraître me désintéresser de ton sort, et je te parlerai donc comme si je m'adressais à un ami étranger dans la peine.

« Les stoïciens les plus sages n'ont jamais recouru au suicide qu'en toute dernière analyse, lorsque la moindre espérance les avait fuis d'une vie conforme à leur dignité et à leur mérite. Un suicide sans motif suffisant est loin d'être exemplaire. Les caprices de Néron sont brefs et tu as devant toi de brillantes perspectives. Ces considérations me semblent suffisantes pour t'inviter à une " eukairia " qui préserverait l'avenir. Après tout, il n'est pas dit que le Prince exige de toi le plus pénible, et il peut même t'oublier aussi vite qu'il t'a remarqué.

« Si tu veux saisir ce prétexte pour te retirer d'une existence qui te déçoit et te pèse, mon chirurgien est à ton service. Mais Marcia ne te survivrait point et m'arracherait les yeux avant de disparaître.

« Agis de toute manière comme tu le crois bon, et mon estime te suivra mort ou vif. »

Ces observations de style paternel avaient le poids d'un rude bon sens. Kaeso remercia vivement Silanus et se retira sur des souhaits affectueux.

Les circonstances étaient rien moins que favorables pour décliner catégoriquement l'offre d'adoption, que la passion naissante du Prince reléguait d'ailleurs au second plan. Toutefois, si la passade de Néron avait des chances d'être brève, l'adoption aurait fait végéter Kaeso dans une atmosphère empoisonnée, et le danger valait qu'on ne le perdît pas de vue.

Dans l'atrium, Myra, méconnaissable, attendait son jeune maître. Pour cacher sa courte crinière de fille de maison, Marcia lui avait offert l'une de ses perruques blondes de Germanie. Le visage de la petite avait été fardé avec soin, de façon qu'elle parût quelques années de plus. Elle avait revêtu la longue tunique grecque de lin, le « khiton », serré à sa taille par une ceinture dorée. Par là-dessus avait été drapé un gracieux manteau ionien, le « pharos », et agrafé un châle. Sur la tête était une « tholia », ce chapeau pointu que l'on voyait souvent aux statuettes de Tanagra. Et les fines sandales avaient des talons assez épais pour grandir un peu le sujet.

Ravie, Myra dit à Kaeso : « Marcia m'a déclaré que j'avais l'air d'un petit garçon, et que je devais désormais ressembler à une femme. Qu'en dis-tu ? »

Kaeso complimenta Myra en souriant. Marcia ne négligeait vraiment aucun détail pour lui faciliter la tâche ! Une telle sollicitude était émouvante.

II

Marcia avait veillé à ce que Kaeso et Myra fussent raccompagnés en litière, laquelle était encore alourdie par la jolie garde-robe qui avait été offerte à la petite. Myra babillait, toute excitée à la perspective du départ pour Naples, dont Marcia lui avait touché un mot...

« Elle m'a dit que l'empereur avait une affectueuse amitié pour toi, que nous ferions partie de sa suite et que je devais te faire honneur. C'est la première fois qu'on me demande de faire honneur à quelqu'un et je n'ai aucune expérience de la chose. Ne manque pas, je t'en prie, de me fixer bien précisément la conduite que tu désires. »

Kaeso ne savait trop que répondre. Il était lui-même en proie à de pénibles réflexions qui touchaient à l'honneur élémentaire, à ce minimum de dignité que chacun ambitionne de conserver à travers les hasards et les tourmentes de la vie. Marcus, Marcia, Silanus semblaient s'être donné le mot, chacun avec son tempérament particulier, pour pousser Kaeso aux plus méprisables démissions. Et Séléné elle-même, de nature pourtant à donner des conseils avisés, traitait évidemment l'affaire par-dessous la jambe. Quel surcroît de solitude en quelques heures !

La litière était descendue jusqu'à la Voie Triomphale, entre Palatin et Caelius, qui reliait la « tête » du Grand Cirque à la Voie Sacrée conduisant au Capitole. Les cortèges triomphaux d'autrefois se formaient au Champ de Mars, parcouraient d'ouest en est le Cirque Flaminius, longeaient le Capitole et la roche Tarpéienne, entraient dans la Ville par la Porte Triomphale, traversaient le Vélabre inférieur par une première Voie Triomphale, puis le Grand Cirque, dont ils ressortaient par l'est pour prendre la deuxième Voie Triomphale sur laquelle trottaient pour l'heure les porteurs de Kaeso. Soit un parcours de plus de trois milles romains. César avait passé la nuit précédant son triomphe sur les Gaules dans le temple de Vénus du théâtre de Pompée.

La postérité n'avait pas reproché ses gitons à César, mais sa réputation avait souffert du rôle passif qu'il aurait joué auprès de Nicomède. Déjà, durant son triomphe gaulois, les légionnaires criaient en chœur : « César a soumis les Gaules, Nicomède a baisé César, mais ce fut là son seul triomphe ! », tandis que Vercingétorix, qui devait être étranglé peu après, se faisait traduire.

La litière arrivait à la hauteur de la Voie Sacrée, lorsque Kaeso, poursuivi par le souvenir de César, ordonna impulsivement de faire demi-tour et de marcher vers la Porte Capène. Sans doute Paul n'était-il pas encore parti, et Kaeso, en plein désarroi, se sentait porté à lui exposer ses ennuis et ses doutes. Ce personnage irritant inspirait contradictoirement méfiance et confiance par la qualité de l'étrange certitude qui l'animait, et les êtres en état de trouble recherchent volontiers des déclarations péremptoires. Une visite à Sénèque était inutile : n'aurait-il point partagé l'avis de Silanus ? Les stoïciens dans son genre ne se faisaient ouvrir les veines qu'après s'être fait sodomiser longtemps contre leur gré. Ils avaient un sens aigu des gradations et des nuances. Avantage accessoire d'une dernière consultation chez Paul : l'apôtre était voyant, et il saurait peut-être de quelle façon Néron entendait jouir de Kaeso.

Paul était sur le départ et faisait ses maigres bagages, avec d'autant plus de hâte que Kaeso l'avait retardé et que le passage de Pierre était annoncé comme imminent. Le bruit courait déjà que Pierre séjournait à Ostie, dans une insula proche du nouveau port aménagé par Claude. Paul et Pierre n'avaient plus grand-chose à se dire et ne se fréquentaient pas volontiers. Réunis dans le Christ, tout les séparait d'autre part.

Pierre était fruste, têtu, peu instruit, de culture juive populaire et traditionnelle, par conséquent très attaché aux vieilles coutumes judaïques, dont il aurait souhaité une meilleure conservation. Mais après d'irritants débats, les idées de Paul l'avaient emporté et la Loi avait été mutilée pour séduire plus aisément les Gentils. Option décisive, génératrice d'incertitudes et d'amertumes. Les Apôtres avaient pratiquement renoncé à persuader Israël et à s'en faire un levain pour la patiente conquête du monde. Les ponts avaient été bruyamment rompus avec tout un passé de littérale fidélité, dont les richesses étaient pourtant multiples et malaisément remplaçables. Le souci révolutionnaire de l'efficacité immédiate avait amené à répudier circoncision, sabbat, interdits alimentaires... Les chrétiens, par leurs innovations, n'avaient guère favorisé la conversion des Juifs et les reproches que les Pauliniens leur adressaient agressivement avaient quelque chose d'outré et de pénible. Pierre le sentait bien et en souffrait.

Il souffrait aussi de son infériorité intellectuelle par rapport à son brillant second de la petite bourgeoisie. Paul avait la parole et la plume faciles. Il dictait comme il discourait, tandis que Pierre, qui se manifestait peu et rarement, en était réduit à donner à des secrétaires, à Silvain, ancien compagnon de Paul, ou à un autre, quelques idées à développer.

Pierre avait cependant pour lui cette mystérieuse autorité que le Christ lui avait conférée, et il faisait partie de ceux qui avaient partagé la vie publique de Jésus et L'avaient vu sorti du tombeau. Alors que l'apparition dont Paul avait été gratifié n'avait concerné que lui-même.

Avec son robuste bon sens, Pierre se rendait compte que Paul, emporté par son éloquence, d'un tempérament à pousser à bout ses idées, risquait d'induire en erreur des auditeurs et des lecteurs peu compétents, en particulier sur les problèmes si délicats et si nuancés de la justification par la foi et de la prédestination, voire sur la question brûlante et choquante du retour du Maître dans l'embrasement général de tous les éléments. Et il se permettait de temps à autre une diplomatique mise en garde.

On fit patienter Kaeso dans le vestibule du judéo-chrétien, pendant que Myra patientait elle-même au-dehors dans la litière. Paul était désagréablement surpris par la visite de Kaeso, dont il se demandait ce qu'il pouvait bien lui vouloir encore, et la lecture d'une récente épître de Pierre venait de le mettre de fort mauvaise humeur. Le secrétaire de service s'y était en effet exprimé en ces termes délicatement choisis :

« Tenez la longanimité de notre Maître pour salutaire, comme notre cher frère Paul vous l'a aussi écrit, selon la sagesse qui lui a été donnée. Il le fait d'ailleurs dans toutes les lettres où il parle de ces questions. Il s'y rencontre des points obscurs, que les gens sans instruction ni fermeté détournent de leur sens — comme d'ailleurs les autres Écritures — pour leur propre perdition. »

Ulcéré, Paul murmura : « Ainsi, avec la faible sagesse qui m'a été donnée, je me répandrais en obscurités dangereuses. Pour ne pas risquer la perdition à me lire, il faut non seulement de l'instruction, mais de la fermeté. Autant dire que je suis un danger public. Comme tout cela est gentiment exprimé ! »

Paul boucla son sac et fit dire à Kaseo de monter. Après tout, le visiteur ne pourrait lui dire des choses plus désagréables.

La réception fut froide : « Je pars à pied tout à l'heure pour m'embarquer à Pouzzoles vers l'Orient. Je suis surpris de te revoir. Ne m'as-tu pas déjà souhaité bon voyage ? En tout cas, j'ai peu de temps à te consacrer. Fais vite. »

Kaeso fit donc un bel effort pour se résumer : « Tu voulais voir Néron et nous t'avons montré Néron. Mais à cette occasion, j'ai tapé dans l'œil du Prince, qui souhaite faire de moi l'un de ses épisodiques favoris. En somme, voulant échapper aux assiduités de ma belle-mère, je suis passé de Charybde en Scylla, et le second tourbillon a beaucoup plus de force que le premier. Tu es en partie responsable de cette situation, ne serait-ce que pour le bon motif que tu m'as rappelé à la vie alors que j'avais échappé pour toujours à des ennuis de ce genre. Et tu prétends être un homme de vérité, expert en morale théorique, ce qui est assez facile, mais expert aussi en morale pratique journalière, du seul fait de ton ascendance juive. Tu es donc bien placé pour me définir une conduite honorable. Si les libidineuses intentions de l'empereur à mon sujet se précisent, que dois-je faire ?

« Il y a beaucoup d'intérêts en cause. A me défiler, je ne risquerais personnellement que ma carrière, que j'avais déjà sacrifiée pour éviter des relations d'allure incestueuse, comme je te l'ai dit ce matin même. Cependant, ma belle-mère est l'épouse de Silanus, qui m'a présenté au Prince comme son futur fils. Silanus fait partie de ces derniers descendants d'Auguste dont la vie ne tient qu'à un fil. Si j'indispose gravement l'empereur — tu devines comme les homosexuels sont susceptibles —, Néron, qui n'aime déjà point Silanus, aurait là un bon prétexte pour le pousser au suicide par les hypocrites procédés que tu dois connaître par ouï-dire. Accessoirement, mon père ne ramasse quelques sesterces que dans le sillage de Silanus, dont la ruine risquerait d'entraîner la sienne, sans parler de celle de ma belle-mère, à qui je dois tant.

« Alors, naturellement, je m'interroge... En bonne morale, ne serais-je pas dans la position de l'esclave que la contrainte excuse, bien qu'une rébellion ne puisse nuire qu'à lui seul ? Quelle liberté, en effet, me reste-t-il, en dehors d'un suicide que tu réprouves ou d'une fuite désastreuse pour moi et plus encore pour mes proches ? Mais où pourrais-je seulement découvrir un asile inconnu de la police, et avec quelles ressources y vivrais-je ? D'ailleurs, puisque tu déconseilles la fuite aux esclaves maltraités, de quel droit me la conseillerais-tu ? Devrais-je enfin me refuser au caprice du Prince sous prétexte que je suis baptisé, ce qui risquerait d'attirer un jour ou l'autre sur les chrétiens des ennuis prématurés et superflus ?

« J'ai fait aussi vite que je pouvais. J'espère que tu seras aussi bref et aussi clair que moi. »

Paul médita un long moment, allant nerveusement de long en large dans la chambre, puis il répondit :

« La confiance que tu persistes à me faire, après m'avoir si joliment trompé, me touche. Tu as bien raison de dire que les homosexuels sont susceptibles et je reconnais que le péril n'est pas mince, ni pour toi ni surtout pour ceux qui te sont chers. Mais j'aimerais savoir si je dois accorder une consultation de morale à un jeune philosophe ou à un nouveau chrétien. A qui ma réponse est-elle censée s'adresser ?

— Si je viens te voir, n'est-ce point parce que la philosophie ne m'apporte aucune réponse décente ?

— Le chrétien parlera donc au chrétien.

« Il peut certes exister, au risque de commettre de lourdes erreurs, une morale du moindre mal dans le domaine politique, lorsque la malice des hommes nous oblige à choisir entre deux mauvaises solutions. Ce pourquoi le Christ prescrivait de rendre autant que possible à César ce qui est à César, et à Dieu ce qui est à Dieu.

« Mais dans le domaine de la morale privée, où la parole de notre Maître retentit sans concurrence et sans ambiguïté, notre devoir est toujours bien clair, et tu dois ainsi connaître le tien, en théorie comme en pratique : il ne faut user de ton corps que pour la gloire de Dieu.

« Ce qui te trouble aujourd'hui, c'est que, dans un État déréglé, la fantaisie du Prince est susceptible de peser sur un homme libre aussi fort que sur un esclave, d'exercer sur sa personne les mêmes contraintes, avec cette circonstance aggravante que l'homme libre a des parents, des proches, des amis, qui pourraient pâtir de son insoumission. Le mal nécessaire que constitue l'esclavage paraît se répandre comme une épidémie au détriment de quelques imprudents ou de quelques malchanceux.

« Il est cependant une grande différence entre la situation de l'esclave et la tienne, et les lois en sont elles-mêmes l'expression. En abusant d'un esclave, le maître, s'il pèche contre Dieu, est en règle avec une loi civile trop tolérante. Mais si Néron prétend abuser de toi, d'une façon ou d'une autre, il est en contradiction avec ses propres lois et commet un abus de pouvoir sur un terrain où, incontestablement, la loi divine et la loi impériale coïncident. Tu as par conséquent le droit, et même le devoir, de résister à l'attentat, puisque tu es en position de légitime défense. Et sur ce point, le choix raisonnable des moyens t'appartient. »

Kaeso réfléchit à cette belle déclaration et fit observer : « La loi romaine donnant le droit de résister à un tel attentat par la force, il me semble même que je sois moralement habilité à tuer l'agresseur en dernier recours. Devrais-je alors, pour te faire une pieuse propagande, agiter vertueusement ma sanglante attestation de baptême sous le nez des prétoriens ? »

Paul se rembrunit et ne put dissimuler une grimace. Il avait espéré trouver en Kaeso un sujet de choix pour faire pénétrer le christianisme dans la haute aristocratie, et le meurtre du Prince par un baptisé chatouilleux allait à l'encontre de toute pénétration souhaitable.

« En dernier recours, tu as assurément le droit de résister par la force. Mais il convient de songer aux conséquences. Un tel assassinat condamnerait une foule d'innocents.

— En somme, si je couchais avec Néron pour garantir ta sûreté et celle de tes frères, il n'y aurait pas péché ? »

La logique de Kaeso était exaspérante. Paul fut contraint de déclarer : « Il y aurait péché, oui ! Je voulais dire que pour t'épargner l'outrage que tu redoutes, il y a probablement d'autres solutions que la violence. »

Kaeso demanda : « L'empereur part bientôt pour Naples, afin d'y chanter pour la première fois devant le grand public, et il m'a prié de le suivre. Me conseilles-tu de lui obéir ?

— Tu peux l'accompagner sans crainte : tu reviendras de Naples sans qu'il t'ait touché.

— Encore une vision ?

— Très abstraite !

— Dans l'ennui où je suis, il n'y a pas à négliger une précaution. J'ai le sentiment que, si tu m'imposais l'Esprit Saint, j'y verrais plus clair pour découvrir un moyen de sauvegarde conforme à tes prudents désirs. N'es-tu pas de cet avis ? »

Paul se récria :

« L'Esprit Saint n'est pas un préservatif de ce genre, et de toute façon, ta foi, de ton propre aveu, est en grande partie simulée.

— En partie seulement. Tu m'as impressionné et je suis d'accord avec toi sur bien des points...

— Tant qu'il manque un petit point, il n'y a rien de fait ! »

Sur une table étaient les minces volumes que Paul avait prêtés à Kaeso et qu'il avait fait reprendre en fin de matinée. Il s'y ajoutait l'épître de Pierre qui avait mis Paul de si mauvaise humeur, et un maigre tome bon marché qui n'avait pas été communiqué à Kaeso. L'empressement de Paul à récupérer son bien, après la déception que Kaeso lui avait infligée, était remarquable : seuls de bons chrétiens étaient dignes de posséder de bons livres.

Le tome, et par sa nouveauté et par sa forme, avait attiré l'attention de Kaeso, qui y jeta un coup d'œil...

« Qui est ce Jude, et pourquoi ne me l'as-tu pas donné à lire ? »

Paul répondit avec mauvaise grâce :

« Il est frère du défunt Jacques, très " enjuivé ", si je puis dire. Il a fait siennes quelques superstitions sans fondement qui courent en marge des milieux juifs traditionnels, et j'ai voulu t'épargner ses allusions à des apocryphes douteux.

— C'est-à-dire ?

— La fable de l'assomption de Moïse, par exemple.

— Que signifie ce terme ?

— L'élévation au ciel du croyant mort en état de sainteté. Jusqu'à nouvel ordre, les chrétiens ne connaissent qu'une assomption, que nous avons appelée " ascension " parce que le sujet s'est élevé au ciel par ses propres forces : celle du Christ ressuscité.

— Ainsi, les plus anciens compagnons de Jésus ne seraient pas exempts d'erreurs doctrinales ?

— Nous sommes d'accord sur un fonds commun que notre " Credo " résume. Sur le reste, les discussions sont libres jusqu'à ce que l'Église ait pris position. »

Paul se rapprocha de Kaeso, lui mit les mains sur les épaules et lui dit :

« Il est un point sur lequel il n'y a entre nous tous aucun différend : la sodomie est un péché abominable. Et c'est un homme que tu as taxé de pédérastie honteuse et rentrée qui te l'affirme !

— Éclaire un peu ma lanterne... C'est à coup sûr un crime, contraire au droit des gens, que d'imposer à autrui des rapports sexuels qui lui déplaisent. Et un crime égal que de lui interdire des rapports légitimes. A mon avis, quand tu conseilles aux pères de garder leur fille vierge, tu te charges de la même faute que l'on pourrait aujourd'hui reprocher à Néron pour ce qui me regarde. Mais nous avons déjà parlé de cette affaire et tu n'as pas osé me donner tort. J'aimerais à présent savoir pourquoi de libres rapports homosexuels seraient plus condamnables que de libres rapports ordinaires. Tu connais l'opinion des Grecs là-dessus, que beaucoup de Romains en sont venus à partager... »

La petite Myra, qui s'impatientait dans sa litière, avait pénétré dans la maison, fureté ici et là parmi des gens qui faisaient leur bagage pour accompagner Paul le long de la Voie Appienne jusqu'à Pouzzoles — et même au-delà pour quelques-uns — sans qu'on lui prêtât une grande attention. Malgré les artifices accumulés, elle conservait un air enfantin et l'on avait pu constater qu'elle accompagnait le noble Kaeso. Après avoir grimpé un escalier, Myra, à la recherche de son maître, avait poussé la porte de la chambre de Paul, qu'un esclave lui avait indiquée.

A sa vue, Kaeso mit un doigt en travers de ses lèvres et fit signe à la petite d'aller s'accroupir dans un coin.

Distrait, Paul était en quête d'une réponse limpide et satisfaisante, et il finit par déclarer :

« La clef de notre doctrine sur cette question est que Dieu est un Père, qui souhaite naturellement connaître le plus d'enfants possible. Par conséquent, sont condamnables toutes les idées, toutes les pratiques, qui pourraient entraver la libre reproduction de l'espèce humaine.

« Tu sais que la Grèce et l'Italie, depuis des générations, la Grèce ayant amorcé le mouvement, se dépeuplent de façon dangereuse. La relève elle-même n'est plus assurée. En effet, les enfants donnant beaucoup plus de soucis que d'agréments, il n'existe que deux bons motifs pour se reproduire : le dévouement à l'État, qui a besoin de citoyens et de soldats, et la croyance religieuse. On ne fait raisonnablement des enfants que si l'on vise au-delà du plaisir pour défendre des causes qui dépassent l'individu. C'est à partir du moment où le patriotisme des cités, où les religions traditionnelles ont décliné, que le nombre des naissances a baissé d'une manière si alarmante que les gouvernements eux-mêmes ne cessent de s'en inquiéter et d'improviser des remèdes. Mais l'unique remède, c'est le vrai Dieu ! Les chrétiens seuls sont capables d'inverser la tendance.

« La sodomie est ainsi rejetée par l'Ancien Testament comme par l'Évangile parce qu'elle détourne l'homme du plan divin.

— Et s'il advenait un jour qu'une population devînt trop importante pour les ressources disponibles ?

— Cela ne saurait se faire sans qu'il y eût de la faute des hommes : paresse, imprévoyance, gaspillage, prévarications, violences et désordres. De toute manière, un accident ne remet pas une règle en question. Il incite au contraire à l'approfondir.

— Le Christ n'a pas eu d'enfants. Tu n'en as pas non plus. Et j'ai cru comprendre que la chasteté volontaire était, chez les chrétiens, et même chez certains Juifs en marge de l'orthodoxie, un état supérieur à celui du mariage. Comment te tires-tu de cette contradiction ?

— Je suis chaste pour mieux me consacrer à Dieu. Les sodomites renoncent à l'être pour se consacrer à l'homme et à ses plaisirs. Il convient de juger d'abord des choses par les fins. Les moyens sont secondaires. »

Dans son coin, Myra pouffa soudain. Les deux théologiens de rencontre se tournèrent vers sa personne, qui prit un air des plus confus.

Agacé, Kaeso lui lança :

« Qu'est-ce qui peut bien te faire rire ?

— O Maître, pardonne-moi ! Mais j'entends des choses si étranges ! Il est question d'un dieu Père qui voudrait beaucoup d'enfants. Or je suis encore une enfant. Et comme toutes les petites courtisanes, je vois venir avec crainte le moment où je serai réglée, car dans mon métier, avoir un enfant est une catastrophe : le leno vous punit de votre maladresse à coups de trique, il vous fait avorter ou expose le bébé à sa naissance. Ce dieu Père dont vous parlez si bien ne m'aurait-il pas un peu oubliée ? »

Après un silence pénible, Paul fondit en larmes brusquement, et d'un geste las, congédia ses visiteurs.

Dans l'escalier, Myra dit à Kaeso :

« Pourquoi ai-je fait pleurer ton ami ? Lui aurais-je enseigné une vérité qu'il ignorait ?

— Paul est un théoricien trop sensible. Il vit dans un rêve. Son grand projet est de repeupler un monde qui se dessèche, faute de sève et de générosité. Mais on dirait bien que l'histoire a des lois qui condamnent ses espérances. Plus la civilisation se raffine, moins on commet d'enfants. Les pays les plus prolifiques sont les plus barbares. Nous devons choisir entre les pédérastiques dialogues du divin Platon et les enfantins borborygmes des Germains.

— Je saisis mal.

— Parce que je viens de parler pour moi. Je voulais dire, ma pauvre petite, que les stériles lupanars sont une éminente marque de civilisation. Les frustes barbares des forêts ou des steppes n'ont pas besoin de lupanars. Mais si Rome, par impensable, supprimait les siens, le bordel achèverait de se foutre partout. Et si l'on voit un jour des villes chrétiennes, on y verra aussi des lupanars chrétiens, où les successeurs de Paul iront hypocritement pleurer le dimanche. Tu n'es pas sortie de l'auberge... »

L'heure s'avançait. Kaeso enjoignit aux porteurs de prendre le chemin des thermes neufs de Néron, où il se délassa longuement en compagnie de Myra. Les seins naissants de la jeune esclave, le fin duvet de son sexe de fillette qui avait déjà tant servi faisaient un contraste attendrissant avec l'immensité des salles sonores ornées de mosaïques voluptueuses. Kaeso en arrivait à s'inquiéter pour Myra, comme un homme à l'avenir incertain qui aurait eu la faiblesse de recueillir un chat perdu.

Dans la salle de repos, alors que Kaeso et Myra sommeillaient côte à côte, ensevelis sous une « gausape » poilue de location, Kaeso dit soudain à l'enfant :

« L'empereur me veut trop de bien pour que ma position soit assurée. Rien de plus traîtreux qu'un Palais. Beaucoup de favoris finissent mal et je me demande quoi faire de toi. Tu serais peinée, n'est-ce pas, que je te revende à un leno, même à un bon s'il s'en trouve ?

— Il n'y a point de bons " lenones ". J'aimerais travailler avec une vieille maquerelle spécialisée dans les courtisanes jeunes et expertes. Et si je me distingue, quand j'aurai pris de l'âge, je pourrai à mon tour faire travailler des filles. »

La sagesse de Myra était sans réplique.

Malgré les circonstances favorables, la petite, que Kaeso intimidait fort, n'osait hasarder la moindre caresse. Elle se résolut enfin à suggérer :

« Les femmes ne te seraient pas indifférentes, par hasard ?

— J'ai eu à Athènes des hétaïres bien plus chères que toi et je crois y avoir pris un plaisir convenable — quoique ce soit toujours la même chose.

— Pour les courtisanes, plus encore !

— Effectivement, toute cette agitation, tout ce va-et-vient stérile paraissent absurdes dès qu'on y réfléchit un instant.

— Tu n'as jamais eu d'ami ?

— Je n'en ai pas la moindre envie.

— De quoi as-tu envie, alors ?

— Qu'on me fiche la paix. Mais j'ai le malheur d'être beau. Les hommes et les femmes sont comme des mouches autour de moi. J'étais poursuivi à Athènes, et c'est pire à Rome !

— Ce qu'il te faudrait, c'est un grand amour.

— J'en ai déjà un sous la main, et je ne puis, hélas, en profiter.

— Si tu deviens le favori de l'empereur, tu ne vas pas t'amuser tous les jours.

— L'affaire n'est pas faite.

— Si Néron te prend comme giton, tu auras la chance que son membre n'est pas bien gros. »

Kaeso éclata de rire et leva le siège. Il valait mieux rire que pleurer.

Durant le dîner, Kaeso poursuivit la catéchèse de Marcus sans le brusquer, sur un ton d'abord philosophique et léger. Silanus n'ayant plus guère d'illusions sur la nature des sentiments de Marcia pour Kaeso, la présentation du certificat de baptême au patricien relevait plutôt désormais d'un formalisme de bonne compagnie. Et ce mensonge transparent aurait de quoi toucher, car Kaeso se serait donné beaucoup de mal pour être en mesure de le produire. Il en allait tout différemment de Marcus. C'est sous son toit que Kaeso aurait à vivre après l'échec du projet d'adoption. La nécessité s'imposait donc de présenter du christianisme à Marcus un tableau assez séduisant pour justifier une conversion sincère, qui amortirait le choc et le laisserait logiquement désarmé. Il ne pourrait que s'incliner devant une soudaine illumination religieuse : le phénomène était connu. Mais il eût été beaucoup plus difficile et beaucoup plus déplaisant de lui faire comprendre que Kaeso avait jeté à l'eau un milliard de sesterces par crainte de gémir sous l'amoureuse coupe de Marcia. Un homme qui expédiait militairement son fils dans le plumard de Néron aurait trouvé le prétexte assez mince. Jésus, c'était la solution la plus efficace et la plus élégante.

La proximité de l'adoption, la faveur du Prince avaient d'ailleurs endormi l'inquiétude et la méfiance chroniques de Marcus, qui écoutait Kaeso avec d'autant plus d'attention qu'il se piquait de philosophie et était heureux de voir le jeune homme lui prêter intérêt après des semaines d'indifférence ou de répulsion voilée. Marcus était loin de distinguer le gouffre qui s'ouvrait derrière ces propos, où il voyait un engouement, une toquade provisoires. Et — comme Kaeso naguère avec Paul — il jouait le jeu, posait des questions, imaginait des objections, le débat étant encore animé par Séléné, qui se faisait un malicieux plaisir, pour obliger Kaeso, d'afficher des opinions favorables à une religion qu'elle exécrait. En somme, deux faux chrétiens prêchaient la vraie doctrine à quelqu'un qui n'en avait cure. Lorsque Kaeso, après une approche philosophique du phénomène, prenait une mine troublée et rêveuse, il y avait de quoi courroucer le Ciel le plus clément, de quelque dieu qu'il fût peuplé.

Après dîner, Marcus, qui avait moins bu que d'habitude, se retira d'un air égrillard avec Séléné, laquelle reparut un long moment plus tard dans le faux atrium, où Kaeso songeait au clair de lune.

Elle s'assit près du garçon qui lui demanda :

« Tu as vécu à Alexandrie ou à Canope parmi des sculpteurs, des peintres, des poètes, des chanteurs, des acteurs, et la vivacité de ton esprit me donne à croire qu'ils n'ont pas seulement apprécié ton corps de statue. Pourrais-tu me donner quelques lumières sur la mentalité des artistes, puisque, après m'être sauvé de la petite main de Marcia, je risque de tomber sous le battoir de Néron ?

— Je voudrais te dire des choses rassurantes, mais la vérité te sera plus utile.

« Il existe, ainsi que tu le sais, nombre de morales, aux prétentions générales ou particulières. Les Juifs, les chrétiens ont la leur, comme ceux qui croient aux faux dieux, qu'il s'agisse des prétentieux stoïciens ou du vulgaire. Même les athées épicuriens ont leur morale. Et si l'on quitte les doctrines universelles ou nationales pour considérer les idées et la conduite de telle ou telle fraction de la société, on s'aperçoit que chacune a en tout cas une morale spéciale, que chacune obéit plus ou moins à des règles destinées à défendre ses intérêts. Les soldats, les gladiateurs, les lanistes, les " lenones ", les courtisanes, les commerçants, les voleurs ont leurs coutumes, leurs préjugés, une certaine notion d'un certain honneur.

« Seule exception, non seulement les artistes n'ont aucune morale, mais ils sont volontiers immoraux puisque leur pente naturelle les porte à se moquer de la morale des autres. Cette attitude n'a rien pour surprendre, puisque, du culte exclusif et maniaque des formes et des sons, ne saurait évidemment se tirer la moindre règle bien assurée de conduite.

« Et l'artiste sera d'autant plus excessif et imprévisible dans son comportement, qu'il souffre en permanence de doutes ravageurs sur la portée de ses réalisations. Cette incertitude le mine et le déséquilibre. Tantôt il bondira de joie devant le plus imbécile compliment. Tantôt il sombrera dans une affreuse morosité à la suite d'une critique incompétente. Navire sans cesse à la recherche d'une ancre, d'un port où souffler quelque temps, il ne restera jamais égal à lui-même, accumulant les expériences contradictoires dans une vertigineuse fuite en avant.

« Ainsi, on ne peut faire aucun fond sur l'artiste, qui flotte au gré des circonstances, aimable ou insolent, généreux ou cruel, sensible mais sans entrailles, désintéressé mais imprévoyant, gaspilleur, provocateur, vaniteux, enclin à la rapine et au mépris, jouisseur et fourbe, puisque sa parole enthousiaste n'a que le poids de l'instant qui l'inspire. L'artiste est par nature un être asocial, passionné, capable de tout et de n'importe quoi. Dans un État justement réglé, il convient de l'empêcher de naître et de se reproduire. Si ton père était artiste, il serait encore plus vicieux.

« Les Juifs pieux rougiraient de produire le moindre artiste, et de pénibles expériences m'ont amenée à partager leur religieuse conviction.

« Mais l'abomination de l'abomination, c'est bien sûr un empereur artiste, qui peut mettre une toute-puissance au service de ses plus dangereuses lubies. Méfie-toi donc en conséquence. Tu vas entrer dans l'antre d'un lion, d'autant plus inquiétant qu'il aurait le caprice de jouer les descentes de lit. Tôt ou tard, l'animal se relève pour mordre. »

Cette vision sinistre devait être en partie inspirée à Séléné par son éducation juive, mais elle rejoignait trop précisément le vieux préjugé romain traditionnel pour que Kaeso n'en fût pas troublé. Il confirma les craintes de Séléné en lui racontant la croisière impromptue de Marcia...

« Ce que tu me dis là ne me surprend qu'à moitié. Dans beaucoup d'improvisations du Prince, il est permis de voir, à mon avis, un effort désespéré pour réagir contre l'autorité d'Agrippine dont on dit qu'elle a été écrasante. Le véritable artiste, c'est encore l'un de ses traits fondamentaux et des plus sombres, ne peut se libérer qu'en foulant aux pieds ses parents. Je n'ai jamais entendu un artiste dire du bien de son père ou de sa mère, toujours suspects d'avoir entravé une merveilleuse vocation.

— Bref, quel serait, dans cette triste conjoncture, ton meilleur conseil ?

— Ce n'est pas à une esclave de prêcher la dignité à un homme libre. Et puisque tu es pour moi une protection, j'ai le plus évident intérêt à ce que tu ménages Marcia comme Néron, le second suffisant à défaut de la première. La seule chance de manœuvrer un artiste est de flatter ses talents. Mais il y a déjà une foule de flatteurs sur les rangs, et il te faudra du génie pour te distinguer.

— Parmi les artistes que tu as pu fréquenter, quels étaient les moins fréquentables ?

— Sculpteurs, peintres, chanteurs et acteurs n'ont aucune notion de morale. Il arrive toutefois aux poètes ou écrivains d'avoir une parole sûre et de se conduire à peu près honnêtement. Non point certes parce qu'ils sont écrivains ou poètes, mais peut-être parce que leur art relève en partie de jugements sans ambiguïtés. Une statue, un tableau ont le sens que le public leur accorde et leur qualité est sans cesse remise en question. Cependant, si un poète tourne en vers : " J'ai rencontré aux latrines un adolescent beau comme Cupidon ", on pourra discuter indéfiniment sur la facture du vers, mais sa signification sera saisie par tout le monde de la même manière. Les arts qui s'adressent à la vue ou à l'oreille signifient fort peu ou pas du tout. Ceux qui s'adressent à l'esprit autorisent une communication plus précise entre les hommes. Et cette particularité rapproche le poète de l'espèce humaine.

— Tu veux dire que le poète reste un être normal dans la mesure, justement, où il n'est pas poète, où il ne laisse aucune liberté à l'interprétation ?

— Exactement. Les poètes les plus médiocres sont aussi les plus normaux et en tout cas les mieux compris.

— Or, Néron est un vrai poète et d'un tempérament à vibrer à tous les arts possibles.

— Une folie sacrée l'habite, dont il est prudent de se garer.

« Dernière caractéristique de l'artiste digne de ce nom : du fait de son extrême sensibilité, jointe à une absence pathologique de certitude, il sera peureux et méfiant. »

Kaeso appuya sa tête sur les genoux de Séléné et gémit : « Que vais-je devenir ? » A l'heure où tout lui manquait, il était impressionné par la sagesse de l'esclave, fruit d'amères expériences...

« Tu deviendras ce que tu pourras, et peut-être ce que tu voudras... Chacun apprécie comme il l'entend le degré de liberté que les changeantes circonstances lui accordent.

« Ainsi, j'ai encore la liberté de te dire : ce n'est pas convenable que tu appuies ta tête sur mes genoux. Si le maître se doutait des sentiments que tu as pour moi, il se vengerait de ta sympathie sur ma personne. »

Kaeso releva précipitamment la tête.

Séléné poursuivit : « Il est bon que l'homme ait une morale quelconque, mais il convient de ne pas en abuser. Comme il y a une folie de l'artiste, aux antipodes de toute règle décente, il y a une folie de la morale, plus pénible à constater encore, car elle ravage des êtres de qualité, qui sont enclins à la faire partager.

« La nuit est douce et claire, les assassins et voleurs sont toujours en train de cuver leur vin de l'après-dîner, et le maître en fait autant. Si tu veux me suivre jusqu'à l'Aventin, je te montrerai un spectacle instructif que tu n'oublieras point : celui d'un modèle de vertu. »

La curiosité de Kaeso était piquée. Il emboîta donc le pas à Séléné, qui alla d'abord à la cuisine prendre une grosse « placenta » à base de farine, de semoule, de fromage sec en poudre et de miel. Elle dissimula le gâteau sous une cape, Kaeso, à tout hasard, cacha sous son manteau la courte épée qui lui avait déjà porté bonheur lors de sa rencontre avec les vespillons, et ils se mirent en route.

La clarté ambiante plaçait en évidence les inscriptions au charbon ou les écriteaux variés que les amants laissaient à la porte de leur belle. Les matous attirent l'attention des chattes en urinant de-ci de-là ; les amants romains encore soupirants, ceux qui n'étaient pas comblés à l'heure discrète de la sieste, avaient coutume de stationner nuitamment sur le seuil de l'élue, en l'absence du mari ou du protecteur, et d'y laisser des traces éclatantes de leurs sentiments, où la plus humble fidélité le disputait aux plus furieux dépits. Et de même que l'on se distrayait aux inscriptions des tombeaux, on s'amusait à celles des portes, dont certaines étaient toutes constellées de plaintes ou d'éloges, sans que la maîtresse ou le mari flattés se souciassent de les faire gratter. Et, naturellement, les voisins, les passants ne se gênaient pas pour inscrire leurs commentaires. Parfois, le huis était agrémenté d'une couronne de fleurs fanées ou d'une torche consumée, pour rappeler des heures de vaine attente. La plupart des inscriptions étaient en vers, qui retraçaient souvent un fragment de poésie que le passionné prétendant avait déclamé, un fragment de sérénade qu'il avait chanté.

A l'entrée des Forums, Kaeso s'arrêta un bref instant pour lire un quatrain neuf sur une porte dont les deux battants avaient des allures de « curriculum vitae » :

> *Confiez votre esquif aux caprices d'Éole,*
> *Mais craignez Valeria et ses serments trompeurs.*
> *Aquilon est plus sûr que sa douce parole*
> *Et moins douteux que ses ardeurs.*

Kaeso dit à Séléné :
« C'est la première fois que je te vois sortir. Apporterais-tu ce gâteau à un amant particulièrement vertueux ?

— J'apporte de temps à autre quelques douceurs à mon vieil oncle Moïse, qui n'a plus de dents. Il y a sept ans, à la suite d'une émeute à Jérusalem, les Romains l'ont ramassé et vendu comme esclave. De même que le rabbi Samuel, qui m'a procuré son adresse, c'est un Pharisien de la plus belle eau.

— Il a dû être heureux de te retrouver ?

— Plutôt surpris. Aux dernières nouvelles qu'il avait reçues de moi, j'étais encore prisonnière dans mon lupanar d'Alexandrie.

— Que sont devenus tes parents ?

— Quand j'ai été réduite moi-même en esclavage, ma mère était déjà morte. Mon père a péri de chagrin. Mes frères et sœurs ont été dispersés et je ne sais trop ce qui leur est arrivé... »

A la Porte Capène, Kaeso et Séléné eurent du mal à franchir l'obstacle des charrois pressés qui entraient dans Rome pour assurer son ravitaillement, et, contournant l'Aventin par l'est, ils gravirent enfin les pentes de la colline vers le Forum des Boulangers et le Portique de Minerve. A cette heure, dans ce quartier industrieux proche des docks et des greniers, l'activité se concentrait dans les meuneries et boulangeries, où le travail, équipe par équipe, ne chômait que dans l'après-midi. Depuis longtemps, on ne faisait plus son pain à la maison. Et retentissait le grincement sourd des meules, tandis que l'air était obscurci par la fumée des ateliers de torréfaction et des fours.

Près du Forum, l'entreprise de Pansa, à la fois meunerie et boulangerie en gros, était l'une des plus importantes. Ce personnage, qui était une puissance dans sa corporation, fabriquait de la fécule pour les pâtissiers, par macération des grains dans une eau fréquemment renouvelée. Par broyages précautionneux dans de grands mortiers de bois, il obtenait, selon la finesse des tamis, trois qualités de semoules. Et par broyage plus approfondi sous les lourdes meules de pierre, il obtenait encore, selon le tamis utilisé, trois qualités de farine, de la fleur de farine pour gâteaux à la farine grossière mélangée de son, en passant par la farine ordinaire. Pansa était également torréfacteur, car, malgré la concurrence triomphante des blés nus, durs ou tendres, se maintenait l'usage antique des épeautres à grains vêtus, qui, faute de pouvoir être battus, exigeaient d'être grillés avant mouture. L'épeautre, appelé « far » — d'où « farina » —, avait été le premier blé connu et passait encore pour le plus noble, à tel point qu'un Virgile n'avait pas voulu en connaître d'autres. Mais Pansa, à l'imitation des Grecs, torréfiait aussi de l'orge et des millets pour la préparation de la « polenta », et même des blés nus, pour faciliter leur conservation et donner à leur farine une saveur plus douce, fruit de la transformation d'une partie de l'amidon en dextrine.

Séléné invita Kaeso à la suivre et pénétra sous un vaste hangar où s'agitaient plus d'une centaine d'esclaves demi nus, dans la chaleur infernale des grils et des fours. Un surveillant fit au passage un signe de reconnaissance à Séléné, qui se dirigeait vers les meules de pierre, voisines des pétrins ; et elle s'arrêta devant l'une de ces meules, que faisaient tourner un groupe de misérables aveugles. Les esclaves sans protection, qui n'y voyaient plus ou plus guère, étaient fréquemment envoyés aux meules.

Ces engins avaient d'ailleurs été conçus avec une remarquable intelligence pratique : le grain était moulu entre un cône femelle supérieur giratoire et un cône mâle inférieur fixe, muni à son sommet d'un axe réglable qui autorisait des moutures de différentes finesses. Le cône femelle étant symétriquement surmonté d'une pièce identique et opposée faisant office d'entonnoir, il suffisait de retourner l'ensemble pour avoir un moulin neuf : l'ex-entonnoir jouait alors le rôle de meule, et l'ex-meule, celui d'entonnoir. Ce modèle était utilisé dans tout le monde romain, par manœuvre humaine ou animale, qui prenait appui sur des barres de bois disposées latéralement.

A voix basse, Séléné dit à Kaeso, qui fronçait les narines pour se défendre de l'aigre odeur de sueur émanant de ces corps ruisselants aux côtes saillantes :

« Le plus maigre, c'est mon oncle Moïse. On se demande quels traits il peut avoir à présent sous cette barbe folle qui lui mange le visage. Et la cervelle renferme d'autres mystères. Moïse, comme on dit, est une " forte tête ", pétrie d'intransigeance. Il n'a jamais connu que la Loi, toute la Loi et rien que la Loi, guidé par sa conscience comme un animal par son instinct. A Jérusalem, il s'était compromis avec une bande de " zélotes ", des excités qui rêvent de chasser les Romains par la violence. Ses malheurs ne l'ont pas changé. Ils auraient plutôt durci son caractère. Voilà des années qu'il tourne en rond, attaché à sa meule, nourri de vagues bouillies et de coups de bâton. Pour ce travail, il est préférable d'être aveugle, car des clairvoyants seraient vite pris de vertige. Les ânes qu'on y emploie ont les yeux bandés.

— Tout cela est bien triste, mais en quoi cet homme est-il un modèle de vertu ? Tu me permettras en tout cas de te dire que ta vertu me paraît inférieure à la sienne, car avec les 100 000 sesterces que je t'ai donnés, tu aurais pu racheter et libérer trois cents malheureux de cette espèce.

— Le racheter a été mon premier souci. Mais un soir que sa propre nièce qui te parle lui faisait part de ses intentions, avec friandises à l'appui, il lui a répondu : " Je me sentirais moins libre si je sortais de l'esclavage grâce à l'argent impur d'une prostituée. "

Kaeso frotta ses yeux que les fumées des grils, des lampes et des torches avaient irrités, s'assit sur une banquette de brique qui longeait le bas d'un mur et s'efforça de réfléchir à la leçon que Séléné prétendait lui infliger. Devant lui, enchaîné à l'un des deux bras de bois d'une meule, tournait, comme un écureuil dans une cage, un être en état de moralité aiguë, que sa religion avait dissuadé du suicide. Et le vieux avait une apparence d'autant plus ridicule qu'en tripatouillant à tâtons dans sa bouillie vespérale, il s'en était fourré jusqu'aux cheveux.

Kaeso demanda enfin à Séléné :

« Pourquoi le rabbi Samuel n'a-t-il pas racheté ce Moïse avec ton argent ?

— Parce que ç'eût été tromper mon oncle, qui, de toute manière, aurait eu des soupçons. Personne ne peut être assez fou pour racheter un vieil esclave aveugle, qui ne saurait fournir d'autre travail que celui de la meule. Moïse ne vaut pas 200 sesterces.

— Et toi-même, pourquoi n'as-tu pas prié mon père de consentir à ton affranchissement ? Cent mille sesterces sont une grosse somme pour lui.

— J'en vaux déjà 70 000 et Marcus m'est très attaché. Le plus avantageux pour moi est de le convaincre de m'affranchir par testament. Une jolie femme sans argent n'est jamais libre.

— Pour en revenir à ton oncle, se méfierait-il si je lui offrais de le racheter ?

— Sa vie touche à son terme et sa vertu n'en est que plus prudente. Les aveugles sont d'ailleurs payés pour se méfier. »

Une fournée s'achevait. Après ouverture des portes de fer, on retirait des fours, alignés sur tout un côté du hangar, les pains les plus variés, à l'aide des pelles de bois à long manche qui avaient déjà servi à enfourner, tandis que s'achevait le façonnage d'un nouveau chargement de pâtes.

Un four était consacré au pain blanc de fleur de farine, le « panis candidus », de beaucoup le plus cher. D'autres fours étaient réservés au pain blanc de deuxième qualité, celui qui avait flatté autrefois les goûts rustiques du vieil Auguste. Mais de la plupart des fours sortait du pain noir plébéien, en bonne partie fabriqué avec les grains distribués par les services de l'Annone aux ayants droit. On voyait aussi du pain complet, fait à partir de farines non tamisées, voire du vulgaire pain de son, pour la pâtée des chiens ou des esclaves les moins gâtés.

Le gros Pansa fit son apparition et vérifia, sourcils froncés, la qualité des cuissons et l'exact façonnage des formes, lesquelles étaient d'une grande diversité, avec une majorité de miches rondes fendues en quartiers. Il accorda une attention particulière au « panis ostrearius », qui accompagnait les huîtres, puis à des pains plébéiens aux prétentions érotiques, assortiment de phallus, de vulves, de fesses ou de nichons, vendus au prix fort à de riches coquins dégoûtés du pain « candide », qui appréciaient les vertus roboratives et laxatives de cette nourriture vulgaire.

Tout autour de Pansa, connu pour ses terribles colères, surveillants et esclaves concernés retenaient leur respiration. Un jour, excédé par les chapardages d'un mitron, Pansa, d'un geste irréfléchi, avait poussé le gamin par la gueule ouverte d'un four en cours de chargement. La fournée en avait été gâtée, le Préfet avait failli faire des ennuis au brutal, mais du moins la nécessaire discipline s'était-elle raffermie.

A la vue de Séléné, le visage de Pansa, qui était grand amateur de femmes, s'éclaira, et l'artisan vint à la jeune personne avec des paroles aimables. Pour coucher avec Séléné, qui faisait semblant de ne pas comprendre ses intentions, il aurait bien fait rôtir une douzaine de gâche-métier.

Séléné présenta Kaeso à Pansa, qui se fit plus aimable encore : l'intendant de Silanus était l'une de ses grosses pratiques. La conversation tomba naturellement sur le rachat de Moïse, question que Pansa connaissait d'autant mieux qu'il aurait refilé le vieux à n'importe qui contre quelques menues faveurs de Séléné. Les aveugles étaient d'ailleurs monnaie courante à Rome et certains propriétaires donnaient même leurs esclaves aveugles gratis à qui voulait les prendre. Mais tant que Moïse demeurerait soupçonneux et buté, l'affaire serait dans l'impasse. Chez Pansa, l'inflexible Pharisien mangeait au moins une bouillie honnête. Que serait-il devenu, brouillé avec Séléné, abandonné sans travail dans cette monstrueuse Babylone ? Aurait-il seulement trouvé un Juif pour s'occuper de lui ? Et la mendicité ne l'aurait pas engraissé, car la majorité des mendiants aveugles étant de faux aveugles, une générosité publique éclairée diminuait d'autant ses subsides.

Gracieusement, Pansa fit détacher et remplacer Moïse avant l'heure, et il guida lui-même d'une poigne énergique jusqu'à la banquette le forçat, qui, à force de tourner sur place, avait tendance à marcher en cercle. Les esclaves des meules en oubliaient de marcher droit et Moïse s'échinait ainsi dans le noir depuis trois ans. Enfin, après un dernier regard caressant à Séléné et d'ultimes politesses à Kaeso, Pansa poursuivit son inspection, entraînant dans son sillage le grand Noir athlétique de Nubie qui lui servait d'homme à tout faire et de garde du corps. Pansa était très fier de son Noir, qui était bien la seule trace de snobisme qu'on pût discerner chez lui. Les esclaves de cette couleur, vu leur rareté, atteignaient des prix très élevés et l'on n'en voyait guère que dans les grandes maisons ou sur l'arène des amphithéâtres, où c'était le « nec plus ultra » du luxe démagogique.

Séléné déposa le gâteau sur les genoux de son oncle, qui y mit la main avec une visible répugnance, comme si cette « placenta » eût eu un arrière-goût de stupre et d'infamie. De toute évidence, c'était la seule concession, au bénéfice du doute, qu'il ferait jamais à l'impureté ambiante.

Sans grand espoir de le convaincre, Kaeso dit à Moïse : « Je m'appelle Kaeso et suis le fils cadet du maître de Séléné. Désireux de me convertir au judaïsme, dont la beauté morale m'avait beaucoup frappé, j'ai eu récemment un long et sympathique entretien avec rabbi Samuel. Ma circoncision a été remise jusqu'à ce que mon instruction soit plus poussée, mais en attendant, j'éprouve pour les Juifs, et notamment pour les Pharisiens, la plus respectueuse estime. C'est te dire à quel point je comprends et j'admire ton refus de gagner ta liberté par l'entremise d'une nièce qui, sans qu'il y ait de sa faute, a été assurément contrainte à une vie indigne. En revanche, me feras-tu l'honneur de me croire si je t'affirme que je suis disposé à te racheter avec mon propre argent, en simple témoignage d'amitié ? »

Le vieux continuait de manger sa « placenta » sans réagir. Devant l'impatience de Séléné, il répondit cependant à Kaeso :

« Depuis trois ans que j'ai perdu la vue, mon oreille est devenue plus habile à discerner le mensonge, et ton grec sonne faux. Ma personne ne t'intéresse pas. Tu n'agis que par égard pour Séléné, dont tu dois espérer les faveurs si tu ne les as pas déjà obtenues. Tout le monde sait bien que, chez les Romains, les fils ne se gênent pas pour sauter à l'occasion sur les concubines des pères. Laisse-moi donc mourir tranquille ! Je n'espère de faveurs que du Tout-Puissant. »

Il n'y avait pas grand-chose à répliquer. Moïse avait résolu selon ses lumières le problème qui ne cessait de tourmenter Sénèque et bien d'autres stoïciens : à partir de quel moment était-il opportun d'opposer un refus catégorique à la compromission et à la pourriture du monde d'ici-bas pour se réfugier en esprit dans un univers plus accueillant ? Était-ce affaire de degré ou de nature ? Devait-on dire non tout de suite et dès la première fois dans un cas de peu d'importance, ou fallait-il patienter, tout étouffé de dégoût, jusqu'à un point de rupture dont un grand événement donnerait le signal ? On pouvait se demander si la décision de Moïse relevait de l'imbécillité sénile ou du sublime.

Kaeso se rappela tout à coup un passage de Marc assez bizarre : « Jean lui dit : " Maître, nous avons vu quelqu'un expulser les démons en Ton Nom, quelqu'un qui ne nous suit pas, et nous avons voulu l'en empêcher parce qu'il ne nous suivait pas. " Mais Jésus dit : " Ne l'en empêchez pas, car il n'est personne qui puisse faire un miracle en invoquant mon Nom et sitôt après parler mal de Moi. Qui n'est pas contre nous est pour nous. " » Ainsi, non seulement le Christ et les siens avaient la capacité de faire des miracles, comme les réussites thérapeutiques de Paul paraissaient bien le démontrer, mais Jésus lui-même considérait comme tout naturel que n'importe qui puisse faire un miracle en invoquant Son Nom.

Soudain, poussé par une force étrange, Kaeso dit encore à Moïse : « Tu es un homme de vérité et tu as droit à la vérité. Pour tout t'avouer, le rabbi Samuel m'a fait tant de difficultés que je suis entré en rapport avec des représentants de la secte chrétienne, qui ont assurément des dons hors du commun. Un certain Paul, par exemple, a guéri un aveugle en ma présence, sur le Forum Boarium, devant le temple de la Pudicité Patricienne, en lui frottant simplement les yeux avec le foulard que je porte ce soir. Il est écrit que pour guérir un malade, il suffit d'invoquer le nom de Jésus. Acceptes-tu que le Christ te rende la vue par mes soins ? »

A ce nom, le vieux releva la tête, fixant de son regard éteint la meule qui grinçait. Il semblait en proie à des émotions rétrospectives, et il finit par déclarer d'une voix lente :

« J'avais peut-être quatorze ou quinze ans — j'étais donc sous notre Loi depuis quelques années —, quand j'ai suivi ton Jésus un moment, dont beaucoup prétendaient qu'il était peut-être le Messie. C'était en tout cas un prestidigitateur très exercé : il avait un truc étonnant pour multiplier des poissons et des pains, mais il ne savait pas tirer une épaule de mouton d'un sac vide. Je l'ai vu aussi guérir de nombreux malades. Depuis que je tourne cette meule, mangeant d'infectes bouillies, il m'est arrivé de songer au talent de Jésus pour multiplier les pains. Il était si doué qu'il parvenait même à produire du pain chaud, comme s'il sortait du four. La troupe de femmes extasiées qui le serraient de près en étaient toutes retournées.

« J'ai pourtant renoncé à suivre Jésus quand il s'est mis à attaquer la Loi et à remettre des péchés, privilège du seul Yahvé. Que valent tous les miracles du monde devant un verset de la Loi ? Jésus avançait pour sa défense qu'un démoniaque ne peut chasser des démons, mais bien des docteurs soutiennent que la ruse de Satan va aisément jusque-là.

« Je ne veux rien avoir à faire avec ce Christ, que nous avons d'ailleurs justement condamné pour blasphème.

— On assure qu'il a ressuscité de son propre chef.

— Toute la question est là. J'étais dans la suite de Jésus lorsqu'il a ressuscité la fille du chef de synagogue Jaïre. Mais il n'y a qu'un Dieu pour ressusciter de son propre chef et Yahvé ne saurait revêtir une apparence humaine. Ne me parle plus de ton Christ : j'ai toutes les lumières qu'il me faut, celles qui éclairent Israël depuis Abraham. »

La déclaration du vieux était d'une imperturbable logique. A une époque toute parcourue de prodiges, où la distinction entre l'ordinaire et l'extraordinaire était imprécise, l'unique miracle vraiment convaincant était de ressusciter sans rien demander à personne. Tout le reste était de signification douteuse, à la portée de toutes les écoles avec un brin de savoir-faire. Les chrétiens avaient contre eux que le seul miracle démonstratif, la pierre angulaire de l'édifice, était carrément incroyable, et pour un motif plus métaphysique encore que physique : un dieu soucieux de sa réputation ne va pas aux latrines.

Kaeso se dit que si les sciences étaient plus avancées, si le départ était plus clair et mieux assuré entre le miracle et le normal, bien des miracles de Jésus prendraient peut-être une allure plus probatoire. Pour le moment, l'incompétence des hommes de science était un facteur d'incertitude.

Moïse reprit : « Je décline ton aimable proposition avec d'autant moins de scrupules que tu as fait allusion à Paul, qui est un mauvais bougre, plein de hargne contre les Juifs pieux qui condamnent ses fantaisies, et contre la Loi, dont chaque lettre, quoi qu'il fasse et quoi qu'il dise, demeure pour lui un reproche vivant. C'est un individu très dangereux, car, dans les quelques écrits que j'ai pu lire de lui à Jérusalem avant de me faire prendre par les Romains, il ne cesse d'accuser les Juifs d'avoir crucifié son Christ, ce qui est doublement faux. D'abord, Jésus s'est crucifié lui-même, puisqu'il savait fort bien que sa prétendue incarnation divine était passible de mort selon la Loi. Ensuite et surtout, si la Loi qui lui a été appliquée concerne bien assurément tous les Juifs, ceux qui l'ont condamné et livré aux Romains n'étaient qu'une infime minorité. Il a fallu une génération pour que la plupart des Juifs entendent parler des malheurs de Jésus, et la majorité — ce dont elle se flatte avec justice — n'est donc que complice après le fait. Mais comment le Gentil ignare pourrait-il saisir ces nuances ? On voit de la sorte se développer, chez les chrétiens issus de la gentilité, un sentiment de méfiance et d'hostilité envers les Juifs, qui ne devrait en tout cas s'adresser qu'à une poignée de Juifs instruits et responsables. La vérité, dont Paul se prétend l'apôtre, gagnerait à ce qu'il remplace dans ses épîtres le terme de " Juifs " par une plus précise expression : " Quelques Pharisiens et Sadducéens de Jérusalem. " J'en viens à me demander si, à force de se faire rosser par des Juifs exaspérés, Paul ne ferait pas exprès d'entretenir cette confusion... »

Ce point de vue n'intéressait guère Kaeso, qui souhaita bon courage au vieux et se retira avec Séléné.

Chemin faisant, elle lui demanda :

« As-tu bien saisi la leçon ?

— J'ai reçu malheureusement deux leçons contradictoires. Moïse est-il un émouvant modèle ou l'image absolue du fanatisme le plus sinistre et le plus bête ? Ce n'est pas toi qui me donneras la réponse. »

Au lieu de rentrer à l'insula par la Porte Capène, Kaeso et Séléné traversèrent l'Aventin pour contourner le Grand Cirque par l'ouest et descendre vers les Forums par le « Clivus Sublicius ». La nuit s'avançait, des nuages cachaient le dernier quartier de la lune : à cette heure, un tel itinéraire, où les espaces dégagés étaient nombreux, avait des chances d'être plus sûr. Ils passèrent entre le temple de la Bonne Déesse et l'autel de Jupiter Elicius, laissèrent à leur gauche la bibliothèque de Pollion, longèrent les façades du temple de la Lune et du temple de Junon Reine, dégringolèrent le « clivus », défilèrent entre le temple d'Hercule Pompéien et le temple de Flore, puis entre le temple plébéien de Cérès et l'entrée du Grand Cirque, et arrivèrent sur le Forum Boarium. Là, autrefois, un bœuf que l'on allait sacrifier avait échappé aux prêtres pour grimper l'escalier d'une insula modeste, et s'était jeté dans le vide du troisième étage, prodige qui avait annoncé le déclenchement des guerres puniques. Chaque pierre de Rome avait une histoire instructive à raconter. Partout, les dieux délivraient un message. Il n'y avait que le dieu judéo-chrétien pour se montrer discret. Sectateurs d'un seul dieu, les Juifs ne voulaient avoir qu'un seul Temple — leurs synagogues n'étaient que des lieux de prière et de réunion, exclusifs de tout sacrifice — et les chrétiens n'avaient pas encore prévu de mettre leur dieu incarné et panifié en miettes dans des monuments « ad hoc ».

Débarrassée de ses foules, animée seulement de temps à autre par les travailleurs de la nuit ou par les rondes des vigiles, Rome avait quelque chose de fantomatique. C'était le moment où les spectres revendicateurs sortaient des tombeaux afin de terroriser les négligents qui n'avaient pas fait le nécessaire pour tenir les morts à distance. Cicéron devait rôder dans les couloirs de Silanus, vexé de la tranquille philosophie du nouveau propriétaire et des outrageants dédains de Marcia.

Devant le temple de la Pudicité Patricienne, Kaeso fit remarquer à Séléné : « Ce qu'il y a de bien dans les religions juive ou chrétienne, c'est que les vivants ne sont plus ennuyés par des morts insatisfaits. Fini le vagabondage ! Les âmes sont retenues prisonnières en enfer ou au Paradis, et les héritiers peuvent dormir tranquilles. Je ne pense pas, dans de telles conditions, qu'on ait ouï parler d'un revenant juif ? »

Séléné admit volontiers que le revenant juif n'avait rien de traditionnel. Mais elle ajouta : « A ce qu'on dit, les chrétiens sont en train d'imaginer tout un commerce avec les morts. Leur dieu s'étant incarné, ils prient sans cesse Jésus d'intervenir dans leurs affaires, et ils croient que leurs quelques martyrs pourraient aussi avoir de l'influence. De telles idées n'ont rien de juif. »

De l'ombre d'un portique proche de la basilique Sempronia, une brochette d'aveugles crasseux venait de se détacher pour demander la charité avec insistance. Kaeso et Séléné pressèrent le pas, talonnés par les infirmes, qui semblaient y voir de plus en plus clair. Ces derniers se mirent bientôt à courir afin de faire un mauvais parti aux deux passants, qui détalèrent à travers les ruelles du Vélabre Supérieur, pour se réfugier enfin, passablement essoufflés, à l' « Aequimelium », que l'on était en train de ravitailler en pigeons, en poulets ou en lapins. Ce marché était spécialisé dans les petites victimes que les humbles offraient en sacrifice.

« Il serait plus utile, dit Séléné, d'aveugler les faux aveugles que de guérir les vrais. Les chrétiens devraient plutôt user de leurs talents pour rendre infirmes tous les voleurs et tous les assassins qui infestent la Ville ! »

Kaeso expliqua à Séléné que, d'après ce qu'il avait cru comprendre, le miracle chrétien n'était pas un geste social. Le Christ aurait pu multiplier les épaules de mouton — et même les gigots, que les Gentils mangeaient sans se soucier de l'impur nerf sciatique — de façon à ravitailler la terre entière, il aurait pu guérir toutes les maladies et faire perdre aux hommes la mauvaise habitude de mourir, mais il avait préféré ne donner que d'infimes échantillons de ses possibilités. Jamais prestidigitateur thaumaturge n'avait été si avare de ses dons. Et les apôtres eux-mêmes se montraient scandaleusement réservés en fait de miracles. Pour ce que Kaeso en savait, Paul, durant une dizaine de jours, s'était borné à une guérison et à une résurrection, qui n'avaient d'ailleurs point paru le fatiguer beaucoup, et Luc, qui était pourtant médecin, s'était croisé les bras. En matière d'amateurisme, Paul était bien le pur disciple de son Maître !

« Mais alors, dit Séléné, pourquoi donc les chrétiens s'autorisent-ils malgré tout quelques miracles ?

— Je présume qu'il doit s'agir de démonstrations. On fournit négligemment un aperçu de ce qu'on pourrait accomplir si l'on voulait. Mais on se retient, afin de faire saisir au patient que famines ou infirmités ne sont rien à côté de la seule maladie qui compte, c'est-à-dire le péché. Et il est certain que si tous les hommes devenaient du jour au lendemain parfaitement vertueux et charitables, les vivres seraient mieux distribués, et les digestions, plus tranquilles. De leur point de vue paradoxal, les chrétiens n'ont pas entièrement tort. Même les philosophes déclarent que c'est l'âme qu'il faut soigner en premier. »

Kaeso et Séléné avaient trouvé refuge dans un labyrinthe de cages de pigeons superposées, tandis qu'à quelque distance, le travail se poursuivait à la lueur des torches ou des lanternes, car si la nuit était assez claire, l'intérieur du marché était obscur. Parfois, une lumière vacillante éclairait le profil de Séléné, que la peur avait serrée contre le fils de son maître. Elle n'avait jamais été plus belle.

Les pigeons, réveillés par le charroi, se serraient aussi les uns contre les autres. Peut-être l'Esprit Saint, dont Paul faisait un si grand usage, s'était-il déguisé en pigeon pour manifester que la tendresse roucoulante, voire la tendreté, avait plus de valeur que l'intelligence discursive ? Les chrétiens étaient au fond des intuitifs qui ne raisonnaient qu'accessoirement.

Kaeso ressentit soudain une bouffée de désir et ses mains pressantes parlèrent pour lui. Au lieu de se débattre sottement, Séléné, immobile et jambes jointes, préféra faire appel à la raison : « Voudrais-tu, par hasard, justifier le préjugé de Moïse, qui imagine les familles romaines les plus distinguées comme autant de lupanars où pères et fils partagent les mêmes esclaves, mâles ou femelles, sous le regard indifférent de matrones perdues de mœurs ? »

Il y aurait eu de quoi se mettre en colère. Les éphèbes athéniens, Marcia ou Néron entre bien d'autres, avaient poursuivi Kaeso de leurs assiduités, certaines hétaïres attiques elles-mêmes avaient semblé prendre un franc plaisir en sa compagnie, et pour une fois qu'il avait envie d'une fille, et d'une fille qui couchait depuis des années avec n'importe qui, on lui faisait la morale ! Mais à l'instant qu'il allait succomber, la bassesse d'une telle impulsion lui apparut, et il dit plutôt : « Pardonne mon geste, s'il te plaît. Je me suis engagé à te protéger contre Marcia, et je te protégerai aussi contre moi-même. Jamais je ne profiterai de toi après tant d'autres et ne t'imposerai des rapports qui pourraient te déplaire. C'est d'abord ton amitié et ton estime qui me sont précieuses et je te dois déjà bien de la gratitude pour ton dévouement et tes conseils. »

Séléné embrassa la main de Kaeso et répondit aimablement :

« Si j'étais une jeune fille juive de quinze ans, si tu étais juif et que tes parents me demandent en mariage à mon père, j'en serais charmée. Tu as tout pour faire rêver une vierge. »

Ils se dégagèrent des pigeons, et, pour plus de sûreté, suivirent un moment une équipe de vidangeurs à travers le « vicus jugarius ». Les Forums étaient déserts, Subure paraissait sommeiller et ils atteignirent l'insula sans autre rencontre inquiétante.

Kaeso passa une mauvaise nuit, coupée d'insomnies ou de rêves pénibles. Il avait l'impression d'être à un tournant capital de son existence et toutes les voies à suivre étaient sombres. Aucune route intermédiaire ne se discernait entre les exigences catastrophiques de la dignité et les compromissions les plus excusables, dont il n'était cependant même pas certain qu'elles fussent sans danger. Les Moïse tournaient des meules, les Paul se faisaient lapider, les stoïciens les plus rigoureux trouvaient une issue dans un noble suicide, mais les caresses de Marcia ou du Prince étaient elles-mêmes pleines de pièges. Il fallait malgré tout prendre une décision, car l'adoption et le départ pour Naples étaient proches.

A l'aube, Kaeso éprouva le besoin de changer d'air, et il se retira pour quelque temps au ludus familial de la Voie Appienne, parmi des êtres sains et courageux, dont le bon sens pouvait être communicatif. Myra avait insisté pour suivre.

Après le chômage des mois d'hiver, l'activité gladiatorienne avait repris en théorie, mais la pratique se faisait attendre et les hommes d'Aponius, faute de « munera » romains, en étaient réduits à des spectacles italiens. Les ambitions génératrices de « munera » fréquents étaient mortes avec la République nobiliaire, et depuis, chaque « imperator » avait imposé à la gladiature son rythme et sa marque. César ne s'était pas montré chiche de « munera », mais, durant les plus belles passes, il faisait ostensiblement de la correspondance dans sa loge. Auguste avait éprouvé un honnête intérêt pour ce genre de représentations et il avait tiré orgueil de ses largesses. Tibère s'était retranché dans un aristocratique dédain, qui avait été à l'origine de son impopularité. Caligula avait mis, là comme ailleurs, son grain de folie. Claude s'était passionné, retenu de faire mieux encore par sa seule avarice. Et avec Néron, dont les répugnances esthétiques étaient connues, les « munera » s'étaient faits assez rares, mais d'autant plus luxueux et surprenants. Tout le monde espérait au ludus un grand spectacle printanier, et, comme dans maintes casernes de Rome et d'Occident, les velléités de Néron de partir pour la Grèce étaient péniblement ressenties. On se battait déjà peu sur les arènes de la Ville ; on ne s'y battait plus guère si le Prince s'absentait.

L'insupportable Amaranthe avait été tué raide dans une bagarre à Ravenne, et remplacé par un vieux mirmillon, à qui l'empereur Claude avait autrefois accordé sa « rudis » libératoire parce qu'il était père de famille nombreuse. Le fait, chez les gladiateurs, était plus rare encore que dans les autres catégories sociales, et le caractère exemplaire de la grâce avait donné à rire. Ne sachant que faire, l'homme avait rengagé, et il avait toujours trois marmots accrochés à sa tunique quand sa concubine efflanquée faisait la lessive. Le Grec Dardanus s'était finalement acoquiné avec un petit giton à la mine sournoise, qui ne cessait de lui réclamer de l'argent, et Capreolus venait de se faire blesser à la hanche par un Gaulois dans l'arène de Pompéi. Mais le laniste Eurypyle, l'essédaire Tyrannus et ses deux étalons demeureraient égaux à eux-mêmes.

De bon matin, Kaeso galopait sur la route, puis il faisait des armes avec acharnement. Après la sieste, il allait se baigner aux thermes les plus proches, qui se trouvaient près de la Voie Appienne, derrière les temples conjoints de l'Honneur et de la Vertu. Aux repas, qu'il agrémentait de suppléments de vins et de victuailles, il s'efforçait de prendre intérêt à la conversation d'Eurypyle et de ses élèves, qui ne sortait pas des affaires de métier. Et après dîner, il ne manquait point de rendre visite à Capreolus, qui se rétablissait lentement, alité dans sa cellule. Le Juif était troublé d'avoir été atteint à la hanche, comme Jacob en lutte contre le Très-Haut, et il n'était pas loin d'y voir une distinction. C'était en tout cas depuis cette rixe métaphysique que les israélites s'abstenaient de manger le nerf sciatique des animaux, et la bizarre coutume ne laissait pas de poser des problèmes pratiques désagréables. Si l'on n'avait pas de boucher expert sous la main pour dénerver le quartier de viande, il fallait s'abstenir du train arrière de la bête. Les plus pieux se refusaient même absolument à y toucher. Encore un règlement que Paul avait envoyé promener !

De jour, Kaeso parvenait à ne pas trop penser à ses ennuis, mais le soir, dans l'obscurité de sa chambrette, des angoisses venaient l'assaillir, et des cauchemars le faisaient hurler jusqu'à ce que Myra se lève de sa paillasse pour mettre une main fraîche sur son front. Elle ne pouvait hélas faire davantage pour le soulager.

Dans cette nouvelle ambiance, l'un des aspects les plus lancinants du désarroi de Kaeso était qu'il en arrivait à se demander si la gravité de son cas était bien réelle, si le plus aigu de sa souffrance n'était pas le fruit de son imagination, tel un malade incapable de déterminer s'il a un rhume ou la lèpre. L'immense majorité des jeunes Romains seraient passés joyeusement des bras de Marcia dans ceux du Prince. La paralysie qui pesait sur Kaeso était-elle de source divine ou humaine, une manifestation de sainte dignité ou de luxe moral ridicule ?

La fréquentation soutenue de ces gladiateurs aux appétits élémentaires révélait clairement à Kaeso à quel point les notions de bien et de mal dépendaient de l'opinion et de la sensibilité. Or l'opinion se fait et se défait au gré des vents et la sensibilité varie avec les individus. Le scepticisme était malheureusement la dernière des doctrines à pouvoir commander une décision dès qu'il fallait absolument en prendre une.

Après trois jours de tergiversations, Kaeso se résolut à rentrer chez lui, et, au matin des Lémuries, jour néfaste où l'on apaisait les âmes des morts, il reprit à pied la Voie Appienne, suivi de Myra, assez inquiète de l'état de son maître. Les Ides tombaient quatre jours plus tard et le départ de Néron pour Naples avait été officiellement annoncé.

Un peu avant d'arriver à la Porte Capène se trouvaient, à droite de la route, derrière le tombeau de la « gens » Marcella, les temples de l'Honneur et de la Vertu ; et le tombeau de Camille, sœur des trois Horaces, faisait suite à celui des Marcelli. En tuant sa sœur pour cause de patriotisme chatouilleux, Horace avait sans doute poussé l'honneur et la vertu trop loin. Mais d'un autre côté, n'était-ce point de l'excès de vertu que la vertu ordinaire s'inspirait ? Il était toutefois frappant de constater que les temples de l'Honneur et de la Vertu avaient été bâtis en dehors des murailles de la Ville, comme pour signifier aux observateurs perspicaces qu'honneur et vertu n'étaient pas des qualités politiques données une fois pour toutes, mais devaient faire l'objet, pour les meilleurs, d'une libre recherche...

Passé la Porte Capène, Kaeso obliqua vers le logis du judéo-chrétien fournisseur de tentes, qui était à faible distance de son trajet normal. Laissant Myra à la porte en lui recommandant d'être sage, il pénétra dans la maison, laquelle semblait déserte. Le portier lui-même n'était pas visible.

Toute l'assistance était en effet réunie pour prendre part à un repas sacré, et en tant que baptisé, Kaeso avait le droit d'y participer. Il se mêla donc aux fidèles.

Ce caractère de ségrégation, qui paraissait inséparable de la religion chrétienne, donnait à réfléchir. Les sacrifices des religions grecques ou romaines se déroulaient devant les temples, sur la place publique. Alors que les sectateurs de Jésus, suivant en cela des usages orientaux, interdisaient leurs cérémonies aux non-initiés.

Un prédicateur d'apparence ascétique, à la voix criarde, au regard illuminé, prononçait en grec un discours sur les thèmes eschatologiques et apocalyptiques qui étaient alors abordés si fréquemment chez les chrétiens. Jésus avait prédit de douloureuses persécutions contre ses disciples, mis en garde contre de faux Christ et de faux prophètes, d'une séduction et d'une ruse à abuser les élus eux-mêmes. Il avait annoncé en termes bouleversants la ruine de la Judée, l'occupation par les Romains de Jérusalem et du Temple, la dispersion des Juifs de Palestine jusqu'à ce que fût révolu le temps des Gentils. Et cette épouvantable catastrophe lui avait inspiré des allusions terribles à la fin du monde et au Jugement dernier, lorsqu'il reviendrait en gloire pour rassembler ses élus, dans une lumière qui n'emprunterait plus rien à celle des astres faiblissants. Jésus avait d'ailleurs prophétisé que sa génération ne passerait point avant que Jérusalem ne fût ruinée, et bien des auditeurs choqués s'étaient embrouillés entre ces histoires de fin du monde et ces histoires de Juifs, s'imaginant que le Jugement dernier avait été prévu pour bientôt. Il est vrai que les meilleurs prophètes mettent une étrange coquetterie à demeurer dans le flou et à fuir les précisions qui permettraient de les prendre au sérieux. Jésus avait prophétisé dans le style eschatologique et apocalyptique juif traditionnel, se refusant en tout cas à donner des dates. Pour l'heure, aucune des trois prédictions ne s'était réalisée, et il n'était pas dans les facultés humaines de prévoir que pour deux d'entre elles, la machine était en marche de façon que les paroles du Maître fussent promptement vérifiées.

L'écho de ces prophéties désastreuses avait été si profond que la première génération chrétienne avait du mal à se dégager d'une mentalité apocalyptique, et les persécutions ou la chute du Temple, pourtant imminentes, paraissaient peu de chose à côté d'un Jugement dernier dont le recul laissait encore en fait quelque loisir. Mais ces chrétiens tiraient bénéfice de leur erreur de perspective en ce sens que l'appréhension du Jugement général à grands coups de trompettes leur tirait des vertus que la crainte d'un fatal et proche Jugement particulier n'aurait pas suffi à produire. Dans leur innocence, ils ne savaient pas encore que la mort de chacun est pour lui la fin du monde, qui est ainsi la chose la plus discrète et la plus commune.

Kaeso était étonné de l'importance de cette dimension apocalyptique chez les chrétiens. Il découvrait soudain une religion de catastrophe que l'activité raisonneuse de Paul ne lui avait guère fait pressentir. Et pour un Romain cultivé frotté de grec, le phénomène était d'autant plus intéressant qu'il remettait en cause la notion de temps la plus fondamentale. Rome et la Grèce vivaient dans l'idée d'une évolution temporelle cyclique. On passait de l'âge d'or à l'âge du fer, et quand la roue avait fait un tour complet, tout recommençait.

L'humanité ne progressait point : elle tournait en rond. Mais puisque Jésus incarné se disait dieu, il avait fait voler en morceaux l'éternelle roue du temps pour lui substituer un mouvement linéaire : après l'âge d'or du Paradis terrestre et la chute, les hommes se hâtaient lentement vers le Christ, dont la mort et la Résurrection résumaient l'histoire entière. Après quoi, le jeu étant joué, le monde n'était plus qu'en sursis et les événements perdaient de leur intérêt. On pouvait mourir tranquille un peu plus tôt ou un peu plus tard, puisqu'on était sauvé. Le mouvement linéaire n'était pas progressif : la ligne était brisée en son parcours par l'empreinte du dieu.

Le prédicateur parlait beaucoup de feu : les flammes que Jésus avait promises aux pécheurs endurcis, les flammes qui guettaient les chrétiens, en voie de persécution s'il fallait en croire leur Maître, les flammes du Jugement dernier, dont la chaleur était déjà perceptible par ce printemps anormalement sec et chaud... Kaeso demanda à son voisin quel était le nom de l'orateur, et on lui répondit que c'était Eunomos, le riche esclave impérial affecté aux menus plaisirs du Prince. Il y avait de quoi être dans la dernière surprise. Mais la surprise elle-même suggérait une explication : peut-être les outrances apocalyptiques de cet Eunomos reflétaient-elles l'exaspération qu'il ressentait jour après jour d'être condamné aux filles et aux gitons comme d'autres l'eussent été aux mines. Et au lieu de se faire ouvrir les veines, il se réconfortait à la vision de planètes et d'étoiles en chute libre dans un concert d'anges vengeurs.

Au discours d'Eunomos, un barbu déjà vieux, dont on dit à Kaeso qu'il s'agissait de Pierre, le principal de la secte, ajouta quelques paroles : « La peur, mes enfants, mène le monde. Les enfants craignent leurs parents. Les femmes craignent leur mari. Les esclaves craignent leur maître. Les soldats craignent leur centurion, tout le monde craint l'empereur que Dieu nous a donné, et plus encore, la mort, qui est notre sort commun. Cette peur universelle, qui n'est pas toujours bonne conseillère, nous autres chrétiens ne devons pas y ajouter. Qu'avons-nous à redouter si nous accomplissons la volonté du Christ à chaque heure qui passe ? N'avons-nous pas la vie éternelle ? Moi qui ai partagé plusieurs années la vie de Jésus avant de Le trahir trois fois parce que j'avais peur, je puis vous dire que la peur du Maître ne m'a jamais habité. Bien au contraire, je n'étais en sûreté qu'auprès de Lui, et nous sommes en sûreté à présent quoi qu'il advienne parce qu'Il est près de nous avec l'Esprit Saint jusqu'à Son retour en gloire, qui ne pourra effrayer que les méchants. »

Après une orgie de flamme, ces simples réflexions étaient sympathiques et faisaient oublier l'incorrection du grec.

Pierre consacra et distribua le pain et le vin, dont Kaeso eut sa part.

Après le cantique final, d'une poésie moderne et populaire où, à défaut de métrique rigoureuse, les dernières syllabes des vers grecs étaient assonancées, on présenta Kaeso à Pierre, devant un Eunomos qui devait jouer dans la communauté un rôle à la hauteur de ses finances et de ses entrées auprès du Prince. Paul ne s'était pas vanté des amères désillusions qu'il avait connues avec un prosélyte difficile et la réputation de Kaeso était intacte.

Eunomos s'empressa d'expliquer à Pierre quelles grandeurs attendaient Kaeso auprès de Silanus, dont toute l'Église de Rome devait profiter.

Kaeso dit à Pierre, s'efforçant de parler le grec le plus simple et détachant bien les syllabes : « Baptisé tout récemment par Paul après une instruction rapide, je viens de participer pour la première fois à vos saintes agapes, et — tu connais la passion de bien des Romains pour la cuisine et les recettes originales — j'aimerais savoir exactement ce que j'ai mangé. Paul a été avec moi assez avare de détails sur l'affaire, qui me semble pourtant de première importance. »

Pierre fronça les sourcils, hésita un instant, et finit par répondre : « Tu te montres plus curieux avec moi que je ne l'ai été moi-même avec Jésus, et ce n'est pas un reproche. Je vais donc te révéler tout ce que je sais.

« La veille de la Pâque, le Maître bénit du pain, qu'Il nous distribua en disant : " Prenez et mangez, ceci est mon Corps. " Puis, soulevant une coupe de vin, Il rendit grâces et nous en fit boire avec ces paroles : " Buvez-en tous, ceci est mon Sang, le Sang de l'alliance, qui va être répandu pour une multitude en rémission des péchés. " Et Il nous invita à agir de même par la suite en mémoire de Lui. Voilà ce que j'ai vu et entendu à cette occasion.

— Le Maître parlait-il par images ?

— Nous l'espérions bien. Il était déjà malaisé de faire admettre aux Juifs un Dieu incarné. Manger réellement du Dieu, par-dessus le marché, c'était jouer la difficulté ! Et nous nous poussions du coude, nous encourageant mutuellement à interroger le Maître. Mais personne ne s'y est risqué, crainte d'une réponse trop forte. Jean lui-même, qui était dans l'intimité de Jésus, a gardé le silence. Après, tout a été affreusement vite et il n'était plus temps d'aborder la question. Comment aurions-nous pu nous douter que le Maître allait nous être arraché quelques heures plus tard ? Il y avait fait allusion, mais croit-on jamais à la mort de ceux qu'on aime ?

— Et vous n'avez pas interrogé non plus le Christ ressuscité ?

— J'aurais voulu t'y voir ! Avant la mort du Maître, nous n'osions guère, déjà, Le questionner. C'était à qui ferait semblant de comprendre. Et après la Résurrection, nous étions fascinés comme des oiseaux. Jésus laissait la trace de Ses pas sur la plage de la mer de Tibériade, Il mangeait du poisson grillé sous nos yeux, et Il venait de sortir du tombeau...

« Mais après la Pentecôte, l'Esprit aidant, nous avons confronté nos souvenirs, et il nous est revenu un long discours de Jésus à Capharnaüm, dont Jean se souvenait avec plus de précision que les autres. Et ce jour-là, Jésus avait notamment déclaré : " ... Ma chair est vraiment une nourriture et mon sang vraiment une boisson. Qui mange ma chair et boit mon sang demeure en moi et moi en lui. De même qu'envoyé par le Père, qui est vivant, moi, je vis par le Père, de même celui qui me mange vivra lui aussi par moi. "

— Encore des images, peut-être ?

— Nous avons la preuve du contraire. En effet, comme beaucoup de disciples avaient pris la déclaration au pied de la lettre et croyaient que Jésus était devenu fou, Celui-ci leur dit : " Mon langage vous scandalise ? Que direz-vous quand vous me verrez monter au Ciel d'où je viens ? "

« Là-dessus, nombre de disciples abandonnèrent le Maître, et Il les laissa s'en aller, alors qu'il Lui aurait suffi de déclarer pour les retenir : " J'ai parlé par images. "

« Pour Jésus Lui-Même, l'Eucharistie était aussi fantastique que l'Ascension.

« Comprends-tu pourquoi nous inclinons tous à croire que Jésus a bien dit ce qu'Il voulait dire ? »

Kaeso demeurait interdit par cette accumulation de mystères. Après un silence prudent, il fit observer : « Du vivant de Jésus, vous auriez pu être plus dégourdis. Il me semble que si j'avais eu un dieu sous la main, je n'aurais pas cessé de le harceler de questions intelligentes. »

Pierre répondit en souriant : « Nous étions pour la plupart humbles et timides. Si Jésus ne s'est pas entouré de lettrés comme toi, c'est peut-être justement pour éviter d'être harcelé. Son père légal était un notable de Nazareth et Il aurait pu, ayant étudié dans les synagogues, ne fréquenter que des docteurs. Il a préféré me faire confiance, à moi qui n'avais étudié que le poisson...

— Après tout, tu ne l'as trahi que trois fois !

— J'espère que mes successeurs plus instruits ne Le trahiront pas davantage !

« Que la paix soit avec toi si tu n'es curieux que de ce qui t'importe ! »

Eunomos raccompagna courtoisement Kaeso, qui en profita pour lui demander :

« Néron a hélas un faible pour moi, et il m'a invité à Naples, ce qui m'ennuie prodigieusement, comme tu peux bien le comprendre, toi qui n'as pas non plus la vie facile. Tel que tu connais le Prince, penses-tu qu'il m'en voudrait beaucoup si je déclinais ses avances ?

— Il ne t'en voudrait pas s'il était tout à fait persuadé que tu n'as pas de goût pour les hommes ou que tu agis par suite d'une impulsion morale. Malheureusement, notre Prince, qui a l'esprit plus grec que romain, s'imagine que les tendances homosexuelles sont naturelles et il est d'autre part profondément persuadé que la vertu ne commande la vie de personne. Si tu le déçois, il soupçonnera dans ton attitude une animosité de nature politique, et dès lors, tout est à craindre.

— Prions donc pour que l'Apocalypse survienne avant mon voyage de Naples !

— Tu es un homme libre.

— J'ai un père, un frère, une belle-mère chérie, et le noble Silanus m'a pris en affection.

— Alors, je ne puis que te plaindre. »

Sur le pas de la porte, désignant Myra qui jouait aux osselets près de la fontaine, Kaeso raconta à Eunomos à la suite de quelles circonstances il avait eu la faiblesse de s'encombrer de l'enfant, et il suggéra : « Je l'ai payée 7 000 sesterces, mais je t'en ferais cadeau volontiers si tu étais en mesure de lui trouver une position convenable au Palais. »

Eunomos considéra Myra d'un œil critique et dit : « Il n'y a au Palais de position convenable pour personne, et, de toute façon, elle est trop maigre à ce qu'il est permis d'en juger sans la faire déshabiller. Néron et ses amis les aiment plus potelées. »

Kaeso embrassa le spécialiste avec répugnance — puisque c'était la coutume chez les chrétiens — et il s'en fut en compagnie de Myra, qui n'était après tout que le moindre de ses problèmes.

IV

En longeant le marché aux primeurs et aux fruits, qui s'était installé près des « Bûchers Gaulois », au début de la Voie Sacrée, Kaeso tomba sur Niger, un esclave fort laid entre deux âges que son père avait acquis pour assister le cuisinier syrien. L'individu, qui prétendait s'appeler Yajniavalkya, avait été, pour simplifier, surnommé Niger, car sa peau était fort sombre, bien qu'il présentât des traits non négroïdes et que ses cheveux noirs ne fussent aucunement frisés. Ce Niger avait été raflé par les Parthes sur les confins de l'Indus, les Parthes s'en étaient débarrassés sur le marché arabe de Pétra, et de maître insatisfait en maître insatisfait, l'esclave avait fini par échouer à Rome chez Marcus, où il faisait le désespoir de tout le monde. Sans doute parce que sa marche vers l'Ouest s'était accélérée au rythme des déceptions croissantes qu'il infligeait, Niger, qui disait parler à ravir une langue maternelle que personne ne comprenait, s'exprimait passablement en iranien, mais son grec était hésitant, et son latin, informe. Surtout, à force de se sustenter de façon aberrante, il avait été réduit à l'état de squelette, qu'un souffle de vent risquait de balayer. En effet, Niger se refusait obstinément à manger de la viande, du poisson et même des œufs, et il trouvait sans cesse quelque chose de suspect dans le brouet qu'on lui offrait. C'était à le soupçonner de suicide, le comble de l'ingratitude pour un esclave. Il était pourtant pratiquement intouchable : lorsque, avec un air doux et absent, il effectuait de minimes travaux à une allure de limace, le moindre coup de bâton l'eût achevé — et lui aurait fait perdre par conséquent le peu de valeur qu'il avait encore.

Niger venait d'acheter un gros chou, qu'il semblait avoir du mal à porter. Kaeso le soulagea du légume, qu'il passa bientôt à Myra, et chercha un mot aimable, qui ne lui vint pas sur-le-champ. Il pressentait chez cet homme un mystère inédit.

En grec populaire, Kaeso dit à l'esclave :

« Quand donc te résoudras-tu à manger comme les autres ? On ne peut te faire une cuisine spéciale, et tu as le chic pour flairer des odeurs de viande partout. Tu vas finir par tomber malade et par mourir. Où as-tu la tête ?

— Ce n'est pas de mort que je me préoccupe, mais de naissance.

— Ta mort te regarde, mais tu n'es pas responsable de ta naissance.

— Tu exprimes là un préjugé barbare. Pardonne l'adjectif : le barbare n'est-il pas, pour chacun d'entre nous, celui qui ne parle pas notre langue ? »

Yajnialvalkya s'exprimait tout à coup dans un grec excellent.

« Pourquoi faisais-tu semblant de bredouiller le grec ?

— Il y a toujours intérêt à mal comprendre une langue dans laquelle on prétend vous donner des ordres. Je suis versé en sanscrit et je possède l'iranien et le grec. C'est en latin que mes connaissances sont réduites, mais ce n'est pas un malheur, car le vocabulaire y est trop concret pour un esprit délié.

— Tu m'accordes une belle confiance !

— Ne suffit-il pas de te voir pour comprendre que tu appartiens à la seule aristocratie qui compte, celle qui se soucie de vérité, qui la cherche constamment, et dont l'esprit ne se repose que lorsqu'elle l'a trouvée. Cette élite est bien restreinte dans chaque pays, où elle se reconnaît à un air étranger. La vérité est une patrie exigeante, qui nous rapproche de quelques-uns, mais nous retranche de la plupart. »

La curiosité de Kaeso était éveillée. Il ordonna à Myra de rentrer à l'insula avec le chou et s'assit en compagnie de Niger à la terrasse ombragée d'un débit de boissons qui donnait sur le carrefour conduisant au quartier des Carènes. De cette terrasse, on voyait à gauche l'arrière du grand temple de Tellus, où Antoine avait réuni plus de neuf cents sénateurs après le meurtre de César. A droite, se dressaient deux autels, jadis élevés en l'an 86 de Rome, pour servir à des sacrifices expiatoires du meurtre commis par Horace sur la personne de sa sœur. Et en travers de la rue qui se poursuivait en direction du Portique de Livie, avait été jeté un soliveau en forme de joug, sous lequel on avait fait passer Horace en guise de sanction : c'était le « soliveau de la sœur », et il était toujours là.

« Comment se fait-il, reprit Kaeso, que tu possèdes une culture dont tu tires si peu de profit ? N'y aurait-il pas matière à douter de ta sagesse ?

— Voilà vingt ans que les Parthes ont arraché ma dépouille à une maison de piété et j'ai pris l'habitude de dissimuler mon intelligence.

Les gens d'ici sont d'ailleurs bien mal préparés à admettre ce que je pourrais leur apporter de neuf et de vrai. Ils vivent, quant à l'essentiel, dans une obscurité totale.

— Et quel serait, selon toi, l'essentiel ? »

Niger, qui ne buvait pas de vin, trempa ses lèvres dans une fade tisane, et dit :

« On raconte qu'un voyageur en provenance des Indes ayant débarqué au Pirée, Socrate prit langue avec lui pour s'informer des philosophies de là-bas. Et comme il affirmait à l'Hindou : " Pour moi, je m'efforce de connaître l'homme ", ce dernier lui répondit : " Si tu veux connaître l'humanité, tu dois d'abord connaître le divin. " Ce voyageur a dû donner à Socrate quelques leçons, car la philosophie de Platon démarque sans vergogne celle des Indes. L'emprunt n'est pas avoué, mais il paraît évident à tous ceux qui savent lire.

« Puisque tu as étudié la philosophie à Athènes, tu as certainement pratiqué les dialogues de Platon, et notamment le *Phédon,* où il narre la mort exemplaire de Socrate, qui but la ciguë par déférence pour les lois de sa cité. Les propos que Platon prête à Socrate en cette occasion solennelle ont une valeur particulière et comme une allure de testament. Or le mourant déclare que notre âme éternelle et déchue préexiste à notre naissance, qui n'est, à tout prendre, qu'une réincarnation. Il suggère que les ivrognes renaîtront dans le corps d'un âne, les tyrans, dans le corps d'un loup. Il affirme que les seuls philosophes parviendront à se débarrasser de leur corps, à interrompre le cycle des renaissances pour connaître enfin une position stable et satisfaisante, une participation à l'essence du divin.

« Platon, comme la plupart des emprunteurs, est toutefois assez inconséquent. Il se rend compte de l'importance des réincarnations puisqu'il assure à cette théorie une place de choix dans ses dialogues, mais la place demeure malgré tout bien réduite pour une vérité aussi fondamentale. On a le sentiment qu'il a remué une idée étrangère sans l'assimiler entièrement, sans en voir, sans en tirer les fruits indispensables. Et les Pythagoriciens ne sont pas mieux éclairés.

« Aux Indes, nous avons depuis longtemps distingué l'essentiel de l'accessoire. Chez les partisans de la vieille religion brahmaniste, on compte des monistes, qui pensent que la réalité est une, des déistes, des panthéistes ou des athées. Chez les bouddhistes, qui se sont répandus aux Indes depuis un demi-millénaire et qui commencent de faire tache d'huile en Chine, il y a des agnostiques, des personnalistes, des sceptiques, des nihilistes... Mais ce sont là des différends d'école, qui ne sauraient passionner nos sages. Le vrai sage ne s'intéresse qu'à son salut, aux quatre nobles vérités rappelées par Bouddha, sur lesquelles brahmanistes et bouddhistes sont tous parfaitement d'accord :

l'existence est douloureuse, elle est produite et renouvelée de vie en vie par le désir, il est une délivrance de l'existence, obtenue elle-même par la délivrance du désir. Ainsi, nos philosophes, experts en méditations sans contenu, où les éléments de la conscience s'évanouissent, parviennent à un état d'illumination, qui les délivrera des fatales renaissances, des enfers ou des paradis provisoires, et même des réincarnations dans la peau de quelque dieu, car les dieux hindous également souffrent, se dégradent et meurent.

« Quant à savoir ce que devient l'âme soulagée après rupture de la chaîne des apparences pénibles et aveuglantes, les avis divergent. Beaucoup de brahmanistes soutiennent une certaine permanence du " moi " au sein de l'âme universelle. Les bouddhistes, puisque toute souffrance découle du " moi ", me paraissent plus raisonnables en imaginant un " nirvana " où la conscience individuelle serait plus ou moins dissoute. Bouddha a dit là-dessus : " Si quelqu'un croit à la survivance dans le ' nirvana ', si quelqu'un nie la survivance dans le ' nirvana ', je condamne l'un et l'autre. Ne vous inquiétez pas de cette sorte de problèmes... " L'essentiel n'est-il pas de casser l'aliénante chaîne des renaissances ? »

Les divagations de cet ascète souffreteux en voie d'illumination étaient surtout intéressantes par l'allusion au *Phédon*. Les philosophes grecs qui avaient affiché des opinions favorables à la métempsycose n'étaient pas rares, mais la célébrité de Platon avait donné un relief particulier aux prétendues ultimes déclarations de Socrate, rapportées à un Platon qui était justement absent ce jour-là pour cause de maladie. Cependant, l'étrange doctrine n'avait pas dépassé les cercles cultivés. Comme l'avait fait remarquer Yajniavalkya, les Grecs avaient traité ce produit d'importation avec inconséquence. Pour qu'une théorie aussi surprenante séduise la foule crédule, il aurait fallu lui ajouter un mode d'emploi, l'interdiction de manger de l'âne ou du loup, crainte de mettre une dent impie dans un ivrogne ou dans un tyran, et mieux encore, toute une technique d'extinction des moindres désirs, jusqu'à un total détachement qu'un observateur superficiel eût pu confondre avec un total abrutissement. Mais le peuple grec avait bon appétit, et aucune envie de refréner ses désirs. De la sorte, la métempsycose pythagoricienne ou platonicienne était demeurée au stade des idées pures un peu farfelues.

Paul, qui avait quelques lumières sur Platon, n'en avait pas moins tiqué, et le *Phédon* lui était resté en travers de la gorge. Effectivement, pour des judéo-chrétiens, un tel dialogue était malencontreux. Les autres écrits de Platon pouvaient se mettre aisément à la sauce judéochrétienne, mais la métempsycose était un os impossible à digérer. Paul avait un jour avoué à Kaeso : « Le *Phédon* est de trop. A ce que l'on m'en a dit dans les milieux juifs, il dépare une grande œuvre de façon ridicule. » Sans doute, si le christianisme avait quelque succès, se trouverait-il un jour des apologistes chrétiens pour s'annexer malhonnêtement Platon en y pratiquant une coupure opportune...

En attendant, il était tout de même curieux de constater que la transmigration des âmes était le fondement de la religiosité dans un pays aussi vaste et aussi peuplé que les Indes, avec lesquelles, depuis quelques générations, les contacts commerciaux étaient devenus plus suivis : l'or romain commençait même de s'entasser chez les Hindous, ce qui était là une transmigration bien assurée !

Kaeso dit à Niger :

« Tu ne peux présenter la moindre preuve pour appuyer ta théorie des renaissances perpétuelles. Et d'un autre côté, ton pessimisme est une vue de l'esprit. S'abstenir de désirer quoi que ce soit est assurément le meilleur moyen pour ne pas être déçu, et il est ingénieux de réduire la religion à des techniques indolores. Mais les Romains préfèrent assouvir tous leurs désirs, quitte à connaître quelques désillusions. Et s'ils revivent comme loups, il y a encore d'heureux moments pour les loups qui ont une bonne mâchoire et du courage.

« Les philosophes dans ton genre, qui pourraient avoir de la valeur s'ils étaient plus gros, sont à traiter comme les oies : on leur enfourne dans le gosier une délicieuse pâtée avec un entonnoir, et ils renaissent sous forme de foies gras. »

Un siècle auparavant, le consul Metellus Scipion et le « chevalier » M. Seius, qui possédaient d'immenses troupeaux d'oies, avaient emprunté aux Grecs la recette du foie gras. Et depuis, on obtenait des foies énormes et tendres en gavant les volatiles avec une pâte à base de figues. Les foies étaient finalement mis à mariner et à gonfler dans du lait additionné de miel. Le foie gras d'oie ainsi traité était vite devenu le symbole du luxe culinaire. Alors que foie se disait normalement « jecur » en latin, l'habitude se prenait déjà d'appeler « ficatum » le foie gras, en raison des figues utilisées pour le gavage. Et le jour viendrait où l'on donnerait le nom de « ficatum » à n'importe quel foie, comme si les citoyens les plus pauvres eux-mêmes avaient été engraissés pour la table des riches.

Fatigué par une marche trop rapide pour lui, Niger s'appuya au bras de Kaeso, qui lui demanda :

« Si j'ai bien saisi, tu t'abstiens de manger de la viande pour obtenir une renaissance supérieure, peut-être une libération définitive de ces désastreuses apparences corporelles, et ton apparence présente serait le fruit de tes actes dans des vies antérieures ?

— Exactement.

— De la sorte, les vertus conditionnent les qualités de la renaissance attendue, à défaut de " nirvana " ?

— Je te le répète. Tout le monde sait cela aux Indes.

— Que devient alors ta liberté ?

— Seules les qualités, les caractéristiques de la renaissance sont déterminées. Sous telle ou telle apparence, on demeure libre ensuite, dans le courant d'une nouvelle existence, de jouir bêtement ou de se détacher.

— Les riches Hindous peuvent donc à bon droit mépriser les pauvres, puisque ces derniers sont moralement responsables du malheur de leur condition. Et si les malheureux se montraient insolents, on aurait beau jeu de leur faire valoir qu'ils se préparent des renaissances plus cruelles encore.

— Aussi le pauvre Hindou, ignoble par sa faute, est-il un modèle de patience. Chez nous, le peuple ne se révolte jamais. Ces gens-là auraient bien trop peur de renaître sous la forme de bêtes immondes, salaires de leurs stupides et imprudents péchés.

— Vous avez inventé la paix sociale.

— Dis plutôt la paix des âmes. »

Niger s'arrêta pour souffler et ajouta :

« Aux Indes, non seulement le système général des croyances incite la foule à la vertu, mais aussi l'organisation de la société en quatre castes, les prêtres, les militaires, les commerçants et les paysans, chacune de ces castes menant une vie à part. (Il existe aussi des hors-caste, qui ne comptent pas et qu'on ne fréquente point.) La libération définitive des apparences étant œuvre de longue haleine pour la plupart, l'individu a tous les jours sous les yeux une caste supérieure, au sein de laquelle une certaine sagesse peut lui permettre de renaître. Les prêtres, qui sont au sommet en raison de leurs mérites passés, espèrent devenir dieux s'ils ratent leur libération.

— Admirable système !

— Encore une invitation à bien faire : le désir de renaître avec une peau très blanche si l'on a connu la disgrâce de naître avec une peau noire ou foncée. A Rome, la couleur de peau ne joue pas dans la considération que l'on porte à autrui. Vous vous bornez à mépriser l'inculture. Mais nos prêtres sont d'avis que la noirceur de la peau est en tout cas une sanction pour des actes antérieurs déplorables, et surtout pour des pensées, car nous croyons que les pensées sont plus importantes que les actes, du fait qu'elles les conditionnent. J'appartenais moi-même à la caste des marchands, et le noir de ma peau nuisait à mon commerce. Si j'ai adopté les idées bouddhistes, c'est en partie parce que Bouddha ne tient compte ni des castes ni de la couleur des individus.

— Si j'étais chez toi un hors-caste noir, je serais contraint à des prodiges de vertu !

— Pour beaucoup, en effet, le chemin de la libération est interminable. Durant des milliers d'années, on progresse ou l'on régresse à travers des apparences décevantes. Tu comprendras que l'espoir de toucher au but ne m'autorise plus à transiger.

— Il te reste encore ce désir ?

— C'est le seul qui nous soit toléré. Le suicide nous infligerait une renaissance désastreuse. »

Kaeso et Niger étaient arrivés au Marché des Friandises, devant des étalages de monstrueux foies gras, dont la présentation était alléchante. Les taverniers de luxe soignaient à ravir leur devanture, qui avait reçu le joli nom d' « oculiferium » ou « tape-à-l'œil ». L'étal d'un certain Héraclès était spécialement réussi : une pyramide de foies gras en terrines était dominée par une superbe oie empaillée, dont le gosier était orné d'un vaste entonnoir.

Kaeso dit à Niger, qui considérait ce spectacle avec un manifeste dégoût :

« Mon sentiment naturel de justice est froissé par le fait que les pauvres Hindous soient incités à se détacher du peu qu'ils ont par de prétendus illuminés qui ne manquent de rien et pour lesquels le détachement n'est qu'un luxueux exercice spirituel.

— Le détachement n'est-il pas dans l'intérêt de chacun ? Mais nos pauvres ont encore un autre rôle à jouer. Parmi tous les exercices destinés à déraciner l'égoïsme et à exterminer le désir, de façon à atteindre l'illumination, les pensées charitables, et même les actions, occupent une place de choix. Bouddha s'est offert en pâture à une tigresse famélique, qui s'apprêtait, poussée par le désespoir, à dévorer ses propres petits. Nos philosophes sont la charité même.

— Je parierais que la plus belle charité des futurs bouddhas est d'aller quêter leur nourriture chez les plus pauvres.

— C'est en effet un méritoire honneur pour eux que de nourrir un futur bouddha. »

Le sinistre humour de Kaeso avait visiblement échappé à Niger. Devant une pareille organisation, Kaeso succomba soudain à une colère toute romaine, et, s'approchant d'Héraclès, qui était fournisseur de Marcus depuis que les affaires allaient mieux, il lui dit à l'oreille : « Tu vois cet esclave qui nous vient des Indes ? C'est un philosophe contrariant, que mon père a payé 1 200 sesterces, et qui a pris le parti de se laisser mourir de faim par un raffinement de doctrine. Je distingue trois esclaves costauds, qui rangent des amphores dans ton arrière-boutique. Que l'on m'empoigne donc ce Niger, qu'on lui fourre ce bel entonnoir dans la gueule, et qu'on y fasse passer un gros foie gras ! Il y aura un bon pourboire pour tes hommes, bien que le squelette ne soit pas difficile à gaver. »

L'idée enthousiasma Héraclès et ses aides. Rien ne fait plus de plaisir à des rustres musclés que de malmener et de vexer un intellectuel malingre. Kaeso expédia Yajniavalkya sous un prétexte vers son destin, les trois brutes lui sautèrent dessus, le bâillonnèrent avec l'entonnoir et entreprirent de lui administrer le merveilleux produit, tandis que le jeune maître faisait les cent pas avec satisfaction devant l' « oculifère ».

Niger réapparut titubant, l'œil exorbité, la bouche dégoulinant de foie gras. Kaeso saisit l'esclave par le coude et le poussa vers l'insula.

« Tu peux me remercier, dit Kaeso, car j'ai trouvé le moyen de rétablir ta santé chancelante sans que ta responsabilité soit le moins du monde en cause : chaque fois que tu chipoteras sur ton ragoût, je t'expédierai te faire gaver chez Héraclès — mais tu n'auras pas du foie gras tous les jours ! Il me semble que, vu ta parfaite irresponsabilité, le procédé ne saurait retarder ton illumination. »

Niger éructa une giclée de foie gras et bafouilla :

— C'est ta propre libération que tu retardes, insensé !

— J'en prends gaillardement le risque. »

Sa colère tombée, Kaeso se sentit un peu honteux de son emportement et il demanda à la victime :

« Qu'aimerais-tu manger, au juste ?

— Du riz cuit à l'eau et bien épicé.

— Le riz est un plat ruineux à Rome. Il nous arrive par petites quantités des Indes, de Babylonie ou de quelques terroirs syriens. On ne l'utilise guère qu'en médecine ou en grande cuisine, pour épaissir et lier les sauces. Et les épices indiennes ne sont pas données non plus. Je prierai cependant Séléné de te préparer un riz de ce genre, mais un seul. Après quoi, tu devras te montrer plus accommodant. »

Lorsque Kaeso rentra à la maison, suivi de Niger, qui bavait du foie gras partout, Marcus leva les bras au ciel...

« Mais par les douze grands dieux, c'est du foie gras ! Mon esclave le plus inutile rote du foie gras à présent ! Es-tu devenu fou, Kaeso ? »

Kaeso saisit l'occasion de mettre ce traitement sur le compte des chrétiens, qui étaient censés choyer leurs esclaves avec un amour sans cesse en éveil, et, durant le déjeuner, il traita avec une émotion communicative du thème de l'amour chrétien. Il n'eut pas de peine à démontrer que si chacun « aimait son prochain comme lui-même », selon la belle expression du Lévitique que Jésus avait si heureusement emprunté à son Père, le monde deviendrait un séjour de rêve. Il ne serait plus besoin de se mettre en quatre pour fuir les apparences, tel un naïf Platon ou un froussard d'Hindou.

La soudaine passion de Kaeso pour les chrétiens commençait à inquiéter Marcus, qui avait du mal à suivre. Toutes les traditions romaines s'opposaient à ce que l'on poussât l'amour de la gent servile jusqu'au foie gras.

Kaeso était d'autant plus satisfait de l'incident qu'un grain de folie mystique ne serait pas de trop pour désarçonner Marcus à l'instant prochain de la terrible révélation.

Les Ides de mai, jour prévu pour l'adoption, approchaient à grands pas, et il eût été des plus choquants de se décommander trop tard. Silanus ne l'aurait point pardonné et le préteur urbain en aurait avalé ses faisceaux. Le lendemain, il y avait Jeux commémoratifs de la dédicace par Auguste du temple de Mars Vengeur. Le surlendemain devait voir une nouvelle tournée de Lémuries — mieux valait chasser les morts deux fois qu'une seule ! Et le jour suivant était déjà la veille des Ides. Il ne restait donc que trois jours. Pour écrire à Silanus — et dans une pareille histoire, l'écrit était plus tentant que la parole —, on arrivait à la dernière limite.

Au lieu de faire la sieste, Kaeso se retira dans la bibliothèque, s'empara du papyrus et de la plume qui convenaient à l'importance insigne de la communication, et il hésita une ultime fois devant le coup de barre qu'il devait donner à la galère de ses jours. Mais la liberté était à ce prix et Kaeso avait une envie désespérée de demeurer libre.

Il trempait sa plume dans l'encrier, quand il eut l'impression que la fureur de son père lui sautait au visage, un père qu'aucune conversion à quoi que ce fût ne pourrait calmer.

Marcus risquait en effet de perdre gros dans l'affaire en vertu des particularités de la loi romaine sur les adoptions, qui partait du principe qu'aucune loi civile ne pouvait prévaloir sur les droits du sang et de la religion. Par exemple, l'adopté devenait frère des éventuels enfants que son nouveau père était susceptible d'engendrer, contrairement aux prévisions, après la cérémonie, mais il ne contractait aucun lien de parenté avec l'épouse du père adoptif. De même, l'adopté avait le droit de faire casser l'adoption et de reprendre son culte familial d'origine si son père naturel venait à mourir sans enfants. Mais le fils adoptif — dans la plupart des cas — héritait du père naturel, et réciproquement. Si un Kaeso richissime mourait en l'absence de Paul (et au-delà de trois jours, les résurrections semblaient se faire hypothétiques), Marcus participait à l'héritage. Et si Kaeso connaissait par hasard ce point de droit, Marcus le connaissait mieux encore.

Le père infortuné devait se régaler par avance des formalités de l'adoption, qui avaient tout pour ravir une âme de juriste : le père naturel vendait d'abord fictivement comme esclave, pour le prix d'un as, son fils au père adoptif, de façon que la puissance paternelle fût dissoute ; puis le père adoptif revendait l'enfant à un tiers, ce qui le mettait en état d'être revendiqué ; enfin, le père adoptif revendiquait l'enfant, et l'adopté, en l'absence de toute protestation du nouveau propriétaire, était constitué fils légal, jouissant du droit d'agnation. Si les formalités d'adoption étaient d'une complication bizarre, celles de l'adrogation, qui concernait les orphelins de père, étaient plus simples : en l'absence de père, l'approbation d'une assemblée du peuple romain, réduite à quelques licteurs figurants, suffisait. En revanche, il n'était pas coutume d'adopter des filles, puisqu'elles étaient réputées incapables de perpétuer le culte domestique et d'offrir personnellement des sacrifices.

Dans cette bibliothèque, la présence de Marcus était trop pesante. Avec son nécessaire à écrire, Kaeso se retira dans sa chambre, où sa gêne augmenta. Les premiers souvenirs qu'il gardait de Marcia étaient en rapport avec la pièce, lorsqu'il la partageait encore avec son frère. Combien de fois n'était-elle pas venue l'y soigner ou calmer ses craintes nocturnes ? Et après que Marcus junior se fut installé dans une chambre personnelle, les relations entre Marcia et Kaeso s'étaient faites en ce cadre encore plus intimes et plus complices. L'enfant n'avait pas de souci qu'il ne confiât à sa mère, qui trouvait instinctivement le mot juste pour lui assurer un bon sommeil. Que tout cela était loin, et cependant toujours actuel !

Finalement, Kaeso s'isola dans la chambre de son frère, et il écrivit à Silanus ce qui suit :

« K. Aponius Saturninus à D. Junius Silanus Torquatus, salut !

« Cette lettre ne sera pas pour te surprendre. Ce qui te surprendra peut-être, c'est la décision que j'ai prise de te dire enfin toute la vérité, après avoir longtemps balancé à le faire. Mais les bontés que tu as eues pour moi, celles que tu voulais avoir, me font une obligation de m'expliquer avec clarté. En un mot, je crois préférable de décliner l'honneur de l'adoption que tu avais envisagée.

« De la sorte, je ne serai point prisonnier d'une situation ambiguë et dangereuse, où j'aurais été amené tôt ou tard à me conduire d'une manière indigne. Même si ton amitié l'avait toléré, j'aurais été moins tolérant à mon propre égard.

« Tu m'as écrit un jour fort justement qu'en fait de plaisir et d'amour, il ne fallait pas trop se soucier des modes ni des situations, mais suivre la pente la plus forte de sa nature, car " personne ne pouvait jouir à notre place ". En me refusant à cette adoption, j'ai le sentiment d'écouter tes conseils. Je persiste à penser que plaisir et amour sont des choses graves, et que nous ne devons nous y hasarder que si la perspective nous est offerte de demeurer nous-mêmes d'un bout à l'autre du débat. A mon âge, on n'est guère enclin à faire l'amour par intérêt, par reconnaissance, par sympathie ou par pitié, par crainte ou par habitude. La considération que tu me portes te fera saisir que j'aurais rougi d'en courir le risque sous ton toit.

« Marcia sera fort déçue d'apprendre que je ne suis pas en mesure, tout bien pesé, de mener en votre double et affectueuse compagnie la vie commune qu'elle espérait de ma jeunesse et de ton aimable philosophie. Je n'ai pas besoin de t'avertir que tu devras ces temps-ci veiller sur sa santé avec le plus grand soin, ne pas la laisser seule avec des esclaves trop complaisantes. Fais-lui valoir que l'amour filial que je lui voue est impérissable, et que, si tu le permets, je lui rendrai, dès mon retour de Naples, des visites respectueuses aussi fréquentes que possible. Elle me porterait un coup fatal en méprisant une existence qui m'est plus chère que la mienne. Je veux bien verser mon sang pour elle — mais pas plus.

« Puisque je me suis résolu à tout te dire, il me faut aussi te révéler que les contacts que j'ai pu prendre, dans les cruelles hésitations où j'étais, avec Sénèque, des Juifs ou des chrétiens, ont sans doute été pour quelque chose dans le ferme aboutissement de mes pensées. J'avais déjà remarqué à Athènes à quel point les philosophes étaient enclins à embrouiller les problèmes élémentaires par l'exercice d'un verbalisme échevelé. En fait, les solutions que nous proposent la raison comme l'expérience sont en nombre très restreint.

« Ou bien l'on admettra un matérialisme dont les éléments sont en proie au hasard. Hypothèse qui souffre de grandes faiblesses. On se demande en effet comment le hasard parvient à soutenir un ordre constant parmi les innombrables phénomènes qui relèvent de son aveugle gestion. On se demande surtout quelle morale claire et bien assurée l'on pourrait tirer du jeu hasardeux des atomes d'Épicure. La morale sociale se fait douteuse, et la morale individuelle elle-même devient tributaire du caprice des États ou de la fantaisie des particuliers. Question également insoluble : comment des atomes privés de tout esprit et de toute volonté propre auraient-ils pu sortir du néant, et quelle serait la force qui soutient leur vie errante et préside malgré tout à leur distribution ? Car le hasard, au fond, n'explique rien, du fait que son existence même soulève une interrogation fondamentale.

« Ou bien l'on admettra un panthéisme quelconque, où des divinités diffuses sont confondues avec la matière. Cette théorie rend mieux compte de l'ordre incontestable du monde que la précédente, mais elle a aussi ses faiblesses. Il est malaisé de tirer de l'organisation des éléments une morale précise, fût-elle présupposée d'inspiration divine, et l'on voit des stoïciens osciller entre des rigueurs outrancières et des compromissions déplorables. Sénèque aura passé toute sa vie à cheminer vers un incoercible dégoût, qu'on pourrait lui reprocher de ne pas avoir éprouvé plus tôt, et tu présentes toi-même l'image d'un homme plus déchiré, sans doute, qu'il n'y paraît. Si les dieux sont d'autre part en confusion avec le monde, le problème de leur existence, à demi matérielle et à demi spirituelle, demeure sans réponse. Prétendre, comme Platon ou certains peuples de l'Orient lointain, que les âmes déchues transmigrent selon leurs mérites au sein d'apparences diverses jusqu'à ce qu'un sursaut de vertu les tire du bourbier, c'est escamoter la question principale et non pas la résoudre. Pourquoi cette déchéance, et pourquoi les apparences matérielles seraient-elles jugées mauvaises " a priori " ? Ce pessimisme foncier introduit une insondable contradiction : car si les dieux sont dans le monde, pourquoi le monde serait-il à fuir et à mépriser ?

« Ou bien, pour expliquer rationnellement la présence du mal ici-bas, on imaginera, comme les Perses, une lutte constante et titanesque entre un dieu créateur des bonnes choses et un dieu responsable des mauvaises. Cet enfantillage reporte dans la transcendance la contradiction dont le panthéisme pâtit dans l'immanence. Le dualisme ne ralliera jamais les logiciens.

« Ou bien l'on devient le fidèle d'un dieu personnel et unique, extérieur à tout ce qui n'est pas lui et créateur de l'univers visible ou invisible. Dans le sublime de l'idée, résident à la fois l'inconvénient et l'avantage. L'existence du monde, de l'espace et du temps qui en conditionnent provisoirement la marche et les formes, reçoit enfin une explication satisfaisante pour l'esprit, qui ne saurait avoir contre elle que des arguments logiques discutables ; mais un tel dieu, par essence même, est parfaitement inconnaissable et il est à première vue impossible de savoir ce qu'il peut bien désirer. Dès que dieu est en dehors du monde, qu'aurait-il à faire avec lui ?

« Si l'on veut aboutir à une morale pratique, il y a un vide incommensurable à combler, un tonneau des Danaïdes pour la raison, où Juifs et chrétiens ont déversé des eaux différentes, mais de même nature. Pour les Juifs, dieu a dit ce qu'il voulait sur le Sinaï. Pour les chrétiens, Jésus, fils du même dieu, s'est incarné pour donner un supplément d'informations. Par deux fois, un pont aurait été établi entre dieu et ses créatures esseulées.

« De telles communications pourraient porter à sourire si, au-delà de la sécheresse des faits prétendus, une immense nouveauté n'avait été présentée à notre adhésion : c'est par un paternel amour qu'un dieu de bonté aurait créé les hommes, c'est par amour de toutes les créatures responsables que son fils se serait offert en sacrifice pour le rachat de péchés qui n'étaient dus qu'à la libre malice des impies.

L'amour est donc la clef de cette nouvelle religion, qui, par là, n'intéresse plus seulement les philosophes, mais concerne aussi les plus humbles et les moins intelligents d'entre nous. Toutes les arguties du raisonnement le cèdent au confiant sourire de l'enfant à son père. Un amour filial illumine soudain l'univers.

« Que Jésus et les chrétiens aient accompli des miracles ne doit pas nous impressionner. Le miracle, pour ce que nous pouvons en savoir, ne prouve rien en soi : c'est bien plutôt le miracle qui a besoin d'être prouvé par les motifs qui l'ont commandé et par la dignité de ses ministres. Les miracles ne sont que les accessoires d'une vérité, et l'amour du prochain pourrait bien être le plus grand miracle à exiger notre attention.

« S'il fallait des preuves pour aimer, je les verrais plutôt dans ce fait que l'unique dieu d'amour s'est révélé à Moïse il y a peut-être un millénaire, c'est-à-dire au représentant d'un peuple nomade et sauvage, qui n'aurait pu concevoir, par une évolution normale de ses croyances, la transcendante solitude comme l'amour minutieux d'un dieu sans égal. Et dans l'Exode, l'un des textes les plus anciens des Juifs, on peut lire cette chose prodigieuse, plus troublante que tous les miracles imaginables : Moïse demande à dieu de quel nom il convient de l'appeler, car pour un primitif, soucieux d'avoir prise sur une divinité protectrice, la connaissance du nom est indispensable à la réussite des incantations ; et dieu répond : " Je m'appelle : ' Je Suis ' ", voulant signifier par là qu'il est la seule existence constante et nécessaire. Si l'on te dit qu'un gardien de moutons a pu inventer cela, c'est que ta philosophie est bien courte. Et quant à ceux qui douteraient que Jésus se soit affirmé fils du Père et de même nature que lui, je produirai un témoignage de Luc, qui fait partie de la tradition orale chrétienne, et qui relève encore des choses qui ne s'inventent pas : Jésus a lancé aux Juifs, qui s'étonnaient qu'il eût fréquenté Abraham : " Avant qu'Abraham fût, ' Je Suis '. "

« Serais-je vraiment converti à la foi chrétienne ? J'en suis arrivé à penser que le judéo-christianisme est la doctrine la plus satisfaisante pour ceux qui aspirent à une vie morale bien réglée, pour ceux qui ont l'exigeante vertu ou l'estimable faiblesse de prétendre découvrir une réponse aux multiples questions qui les sollicitent quant à la nature de l'homme et à ses fins dernières. Et le christianisme me semble supérieur au judaïsme, qui s'est enfermé dans un peuple où il risque de demeurer éternellement prisonnier. Mais la vérité est-elle forcément en étroite coïncidence avec ce qui nous est apparu un beau jour comme le plus séduisant ?

« Je dois t'avouer que j'ai accepté le baptême chrétien des mains de Paul, dans l'arrière-pensée qu'il me rendrait incapable de reprendre ton culte familial. Cet artifice me remplit aujourd'hui de honte à ton égard et je te prie humblement de me le pardonner en considération des ennuis poignants où je me trouvais plongé et dont je ne savais comment sortir à mon honneur — et surtout à celui d'autrui. Toutes tes franches et instructives délicatesses auraient dû me dissuader d'un aussi bas calcul. Ne m'aurait-il pas suffi de te parler comme au père que tu désirais être pour moi ?

« Tu pourras constater qu'à présent j'ai bien des motifs, plus estimables et plus profonds que ce baptême de rencontre, de renoncer à une telle adoption. Les meilleurs des stoïciens, des Juifs et des chrétiens m'y poussent, et même cette vieille dignité romaine que mon père m'a inculquée pour si mal la mettre en pratique lui-même. Ajoute à cela une répugnance insurmontable pour une position fausse, et je compte jouir encore de ton estime à défaut de ton entière approbation. Cette estime me serait bien utile pour me consoler de la déception imméritée que je t'inflige à mon corps et à mon cœur défendant, et qui aurait des allures d'ingratitude si tu ne faisais de ton côté un cordial effort pour me comprendre. Ta naturelle noblesse d'âme t'y aidera, j'espère.

« Puisse Marcia se porter aussi bien que toi !

« P.-S. : Je manœuvre afin que mon père prenne mon baptême au sérieux. Que pourrais-je lui dire de plus habile pour jeter un léger baume sur la rage qui va bientôt le posséder ? Tu sais comme l'argent lui importe. »

Kaeso relut la lettre en soupirant. Elle était loin de le satisfaire et il avait l'impression de n'avoir pas exprimé de manière assez précise le message qu'il aurait voulu faire passer. Mais il avait dû remuer tant de sentiments et tant de pensées en si peu de temps, qu'il n'aurait guère pu mieux faire dans l'état où il était. Il franchit donc son Rubicon, roula le papyrus et apposa son cachet.

Un remords lui vint tardivement : il n'avait point parlé de Marcia avec l'abondance et avec les accents qu'il aurait fallu, bien qu'il eût songé sans cesse à elle au fil des lignes.

Il prit donc des tablettes et écrivit à sa mère :

« Kaeso à sa très chère Marcia, affectueux salut !

« La dernière fois que j'ai eu le bonheur de te voir, tu as très justement attiré mon attention sur ce fait que mon adoption par Silanus pourrait inciter le Prince, sinon à respecter ma personne, du moins à la traiter avec quelques honnêtes prévenances. Mais l'éducation sévère que j'ai reçue ne m'a nullement accoutumé aux prostitutions indispensables. Que ne t'es-tu montrée moins vertueuse à mes yeux !

Si donc notre Néron, en dépit de ma nouvelle et éminente position sociale, me pinçait par hasard les fesses dans un couloir et que, par un malencontreux mouvement réflexe, je lui foute ma main sur la figure, il serait à cet instant de beaucoup préférable que fût déjà annoncé " sine die " le report de mon adoption. Je veux affronter le Cyclope sans autres armes que celles de la ruse et de la vertu et ne pas faire courir le moindre risque compromettant à un homme que je respecte et à sa femme que j'adore. Nous reparlerons par conséquent d'adoption lorsque les circonstances seront plus favorables.

« Tu demeures en attendant la femme de ma vie, la première et la seule. Je t'aime pour tout ce que tu m'as appris, pour tout ce que tu m'as caché, pour tout ce que tu m'as donné, pour l'amour extraordinaire dont tu ne cesses de me gratifier, si beau, si fort et si total que tout homme en serait indigne et empêché d'y répondre comme il faut. Pardonne mes insuffisances : dis-toi pourtant qu'elles tiennent en partie à l'image que je me suis si longtemps faite de toi. C'est celle que je préfère, toute de calme et de confiance. La nouvelle Marcia me bouleverse trop pour que je puisse la regarder dans les yeux. C'est afin de te mieux rester fidèle que je me suis condamné à te décevoir, mais sur un point dont une riche expérience a dû t'apprendre la vanité. Ne sommes-nous pas tous deux au-delà de ces exercices, qui ne sont preuves d'amour que pour ceux qui n'en ont pas de meilleures à présenter ? Afin de te sauver la vie, je coucherais avec n'importe qui. Mais tu n'es pas n'importe qui : tu es l'unique Marcia, qui m'a élevé et formé, qui m'a déjà tout livré d'elle-même et qui ne saurait plus rien ajouter de décisif à ses dons. Ma passion pour toi a quelque chose de vertical. Je t'appartiens tout entier, mais debout. Aime-moi comme je t'aime !

« Veille sur ta santé comme auparavant. Ta présence est indispensable à mon bonheur. »

Touché par sa propre éloquence, c'est en pleurs que Kaeso acheva ce billet. Néron aussi, au dire de tous les observateurs, avait donné de grands signes d'émotion lors du repas qui avait précédé la croisière d'Agrippine. On ne condamne pas sa mère à la mort ou à la solitude sans s'apitoyer.

Pourtant, qu'aurait pu faire Kaeso qui fût digne de ses légitimes et innocentes ambitions ? Il avait partagé sans le savoir les petites « ânesses » avec son père, et en toute juvénile inconscience, avec son frère. Il avait souffert que Séléné lui accordât quelque menue faveur avant de regagner la couche exigeante du maître. Il avait failli partager Marcia avec Silanus. Et après avoir insulté à la pudeur de Marcia, le Prince était en passe d'insulter la sienne. N'y avait-il pas de quoi dégoûter un être sensible des promiscuités et des incestes ?

Avant d'aller aux thermes avec Myra, Kaeso fit porter les tablettes à Marcia. Et c'est seulement en rentrant des thermes qu'il expédia la lettre pour Silanus. De la sorte, averti par Marcia du nouveau report de l'adoption avant de recevoir lui-même des explications plus franches et plus définitives, Silanus aurait la liberté de préparer par degrés sa femme à l'inévitable.

V

Le lendemain matin de bonne heure, un messager de Silanus
apporta ce mot pour Kaeso :

« Decimus à Kaeso !

« Tes deux lettres sont arrivées alors que j'étais sorti. Marcia n'a
pu s'empêcher de rompre le sceau de la deuxième, indiscrétion qui l'a
conduite à des comparaisons amères. Elles me touchent moi-même
d'autant plus que Marcia m'a franchement donné à lire le billet
qu'elle avait reçu. Ainsi, la délicatesse qui avait commandé ces envois
successifs n'a pas eu le succès attendu, bien au contraire !

« Marcia, toute décomposée, a passé la nuit dans les larmes et les
gémissements. Je ne sais qu'inventer pour la consoler et je n'imagine
pas non plus quel argument je pourrais produire pour te faire changer d'avis puisque la cruauté désespérante de ton attitude semble
t'échapper. Est-ce qu'on discute avec un Horace ou avec un Brutus ?
Oh, certes, je t'estime, je ne t'estime même que trop ! Ta jeunesse
intransigeante et barbare ferait haïr la vertu s'il en restait quelque
trace en ce monde. Puissent les dieux indulgents aux faiblesses
humaines, ceux qui m'inspirent le plus de confiance, ne pas te faire
promptement regretter ton attitude !

« J'en étais venu à t'aimer moi aussi, j'étais disposé à tout pour
t'être agréable, et je ne te verrai plus guère. En renonçant à perpétuer
les sacrifices de ma maison, c'est Marcia et moi-même que tu sacri-
fies.

« Porte-toi mieux que nous deux. »

On ne pouvait sans malaise entendre résonner dans son cœur ces
accents déchirants. Kaeso courut après Séléné, qu'il trouva sortant du
bain, dans un premier rayon de soleil. Le lit du maître donnait à

Séléné de furieuses envies de se baigner, auxquelles elle succombait avant même que l'eau des thermes familiaux fût chaude. Kaeso mit l'esclave au courant et lui fit lire le mot de Decimus, qui avait été écrit en grec comme les deux lettres de Kaeso. Le grec était plus apte que le latin à exprimer les émotions ou les considérations philosophiques. César n'était-il pas mort de la main de son fils avec du grec à la bouche ? Silanus, lui aussi, gémissait instinctivement en grec, et avec d'autant plus de naturel que ses sentiments pour Kaeso étaient peut-être devenus un peu troubles.

« Eh bien, dit Séléné, je salue en ta personne un héros de la plus rare espèce ! Marcia et Silanus sont à tes pieds, l'empereur te caresse du regard en attendant mieux, et tu te cabres comme un mulet, parce que tu prétends demeurer le hautain propriétaire de ta peau. Mais je vois bien, au fond, que toutes les philosophies ne te sont que prétextes pour sauvegarder cette dignité, qui me semble à première vue bien précaire. Car si ton épiderme s'enflammait soudain, ainsi qu'en témoignent les privautés que tu m'as naguère nuitamment fait subir parmi des pigeons captifs, ce n'est pas une quelconque métaphysique qui te retiendrait longtemps d'abdiquer toute vertu. Tu es cependant un héros maladroit, qui connaît mal son époque. La mythologie des Grecs, copiée par les Romains, nous apprend que le seul héros concevable, pour les foules passionnées de jouissance, est celui qui s'engage tout entier, tel un instrument du destin, dans des conquêtes flatteuses. Or, tu agis comme un athlète qui refuserait de courir parce que les têtes de ses concurrents lui déplaisent. Il n'y a point de place aujourd'hui pour l'héroïsme de l'abstention. Les Juifs finissent par tourner des meules et les chrétiens sont mal partis.

— Il me suffit d'être un héros à mes propres yeux.

— C'est le privilège des hommes libres que de préférer la solitude parmi les ruines que leur vertu aura accumulées, aux cortèges triomphaux entre des temples suspects. J'aimerais être personnellement toujours en mesure de préférer. Je t'admire sans doute, mais mon amitié s'alarme pour toi. »

Il y avait en effet de quoi s'alarmer. Kaeso s'était institué le protecteur de Séléné, mais qui allait, du train qu'il avait pris, le protéger lui-même ?

A cet avertissement, Séléné ajouta une semonce :

« Niger, qui a vomi hier du foie gras toute la soirée, m'a raconté quel indigne traitement tu lui avais fait subir. Voilà une violence bien extravagante, et qui me fait douter de ton équilibre. N'as-tu pas lu dans notre Bible : " Œil pour œil, dent pour dent ! " ? Chaque violence en entraîne une autre, et le plus coupable est celui qui commet la première. Crois-tu qu'un plat de riz suffira à effacer l'affront ?

« — Nous avons eu un dissentiment d'ordre philosophique. Niger était d'avis que les naissances misérables seraient dues à des fautes commises durant des existences antérieures, et que les pauvres à peau noire sont encore plus abjects que les autres. Il ne mangeait pas de viande pour ne point risquer de mastiquer un nègre, qui se serait réincarné sous l'apparence d'un poulet. Il était bon de lui donner une leçon pour lui ouvrir à la fois l'esprit et l'estomac. Autrement, il aurait fini par crever d'inanition.

— D'où peut lui venir cet extraordinaire préjugé contre les Noirs, qui sont si cotés par ici ?

— Il paraît que c'est un préjugé courant aux Indes, et il est à souhaiter que cette sottise y reste renfermée. Autrement, le prix des esclaves noirs s'effondrerait et ils seraient moins bien traités.

— La folie de Niger n'excuse pas la tienne. Imagine que Néron, poussé par une justice immanente, te mette un impérial entonnoir quelque part ?

— Par Zeus, aucune justice ne pourrait le pousser ! »

Bien qu'une justice immanente semblât relever d'une facile superstition, la perspective ne laissait pas d'être inquiétante. Parmi les débris de la religion traditionnelle, une foule de superstitions avaient fleuri et tous les esprits romains en étaient impressionnés.

Depuis que Kaeso avait rompu de façon si pénible avec Marcia, un regain d'intérêt pour Séléné s'était en tapinois fait jour en lui. Il avait perdu une mère, une amie, une confidente, et qui n'était que trop désirable. Pour un garçon de son âge, un grand vide était à combler, et Séléné avait entre autres mérites celui d'être présente. A la réflexion, les incontestables droits paternels étaient ceux de la propriété plutôt que de l'amour, et l'un est plus respectable que l'autre pour les âmes nobles. D'ailleurs, il n'y a que le premier pas qui coûte, et Séléné elle-même l'avait franchi de bonne grâce.

« Oh, fit Séléné, cesse de me considérer ainsi ! On dirait Actéon regardant Diane sortir du bain. Attention, le gros chien n'est pas loin ! »

En effet, les pas pesants de Marcus étaient audibles. Kaeso rougit et se détourna de la tentation.

Il était scandaleux de constater que Séléné pût traiter le maître de « gros chien » sans qu'un auditeur averti osât s'en formaliser. Le terme était pourtant très fort. Les philosophes de l'École cynique tiraient peut-être leur nom du « Cynosarge », le gymnase où ils s'étaient primitivement réunis, mais plus sûrement encore de ces chiens impudiques, dont les conjonctions prolongées et haletantes apportaient aux bambins une première éducation sexuelle : à force de se frotter à des philosophes grecs soucieux de provocation et de scandale, les jeunes chiens eux-mêmes avaient contracté des tendances pédérastiques accusées. Tout ce qu'on pouvait dire à la décharge de Marcus, c'est que son cynisme s'adressait de préférence aux femmes, et de façon relativement discrète.

Sur ces entrefaites, un courrier impérial tout essoufflé fit irruption : Kaeso était convoqué sans retard au Palais. Les porteurs urbains de dépêches du Prince partaient à fond de train et arrivaient toujours hors d'haleine. C'est seulement en cours de route qu'on les voyait attablés devant une cruche de vin frais au fond de « popinae » complices.

Séléné aida Kaeso à draper sa plus belle toge, tandis que Marcus donnait des conseils superflus, dont l'honorable platitude voilait des pensées inavouables. Il embrassa enfin Kaeso en disant : « Il y a bien des années, moi aussi, je suis monté au Palatin, mais pour en redescendre dépouillé. La roue de la Fortune a tourné et tous les espoirs te sont permis aujourd'hui si ta sagesse et ta prudence sont à la hauteur de tes dons. Assure à l'occasion le Prince de mon indéfectible attachement. »

Une grande partie de la colline Palatine avait été colonisée par les demeures princières ou par leurs nombreuses dépendances, et les maisons particulières, comme celles de Silanus, de Clodius ou de Scaurus, s'y étaient raréfiées. Le quartier impérial avait fini par constituer une sorte de ville à part. Auguste, le premier, à proximité du pulvinar du Grand Cirque, avait fait construire une villa assez modeste, qui avait brûlé en l'an 756 de Rome, pour être reconstruite par souscription publique avec un peu plus de faste. Entre le sinueux « clivus » de la Victoire et la petite maison de Livie, Tibère avait fait aménager un vaste palais, que Caligula avait encore agrandi, en attendant que les Flaviens bâtissent à leur tour entre la villa d'Auguste et le palais de Tibère, qui était en principe la résidence habituelle de Néron. Mais, autant par goût que par mesure de sûreté, le Prince en était venu à séjourner la plupart du temps au sein de quelque jardin, qu'il fût propriété de l'Empire ou de l'un de ses affranchis. Il avait ainsi à sa disposition, sur la Colline des Jardins, ceux de Salluste, de Lucullus, ou de ses ancêtres « Domitii ». Mais il préférait le secteur de la Porte Esquiline, où les jardins de Mécène, de Pallas et de son affranchi Épaphrodite pouvaient lui offrir l'hospitalité, son séjour favori étant encore les jardins de Lamia et Maia, à deux pas de la caserne de cavalerie de la garde germanique.

On introduisit Kaeso dans le palais de Tibère, dont l'empereur était absent, et on le conduisit dans la salle où s'étalait la maquette de la nouvelle Rome. Là, l'eunuque Sporus attendait le visiteur. Sporus partageait la passion de son Maître pour ces rêveries architecturales, qui flattaient son caractère encore enfantin, et il ne manquait pas une occasion de flâner autour des merveilles en projet.

Kaeso vit, penchée sur la prodigieuse maquette, une brune à la chevelure bouclée, revêtue d'une longue tunique rose. On aurait dit Poppée avec quelques années en moins, et Kaeso se demanda un instant s'il n'avait pas affaire à l' « Augusta ». Mais la poitrine de la jeune personne était trop plate et le visiteur fut bientôt tiré de son doute...

« Je suis Sporus. Tu as peut-être entendu parler de moi ? »

La voix haut perchée était mélodieuse, et le regard, des plus caressants.

« Je te connais de réputation, répondit Kaeso, et je sais comme tout le monde l'estime et l'affection que le Prince te porte.

— J'ai en effet le bonheur de compter parmi ses plus intimes, et d'être peut-être le seul de ses affranchis qu'il honore d'une totale confiance. Il sait que je ne le trahirai jamais. J'aimerais pouvoir en dire autant de tous les autres. Helius et Polyclitus me semblent sûrs, ainsi que Petinus, Patrobius et Pythagoras. Mais je ne donnerais pas cher d'Épaphrodite ou de Phaon, ni même de ce brutal Doryphore, homonyme de l'ambitieux partisan d'Octavie que le Maître a fait exécuter il y a deux ans... »

C'était le cas de conserver un silence diplomatique. Il eût été de la dernière imprudence de s'immiscer dans les jalouses et tortueuses querelles des affranchis de Néron.

Tenant le silence de Kaeso pour une approbation, Sporus poursuivit : « C'est justement cette exemplaire intimité dont je jouis avec le Maître qui me vaut de t'accueillir ce matin. Néron m'a confié que tu devais faire partie de ses familiers durant le prochain voyage de Naples, et il désire que je te mette au courant... »

Sporus expliqua à Kaeso qu'il devait rendre pour la forme une visite de courtoisie à Mam. Corrélius Afer, personnage de rang prétorien qui était le chef de tous les augustiani. Ce Mamercus siégeait dans un bâtiment du Palais qui servait de quartier général aux augustiani de la noblesse, ceux de la plèbe fréquentant une dépendance du cercle des cochers du Champ de Mars. A la faveur de cette entrevue, Kaeso serait officiellement enrôlé et pourvu d'un grade flatteur. Mais c'était là peu de chose à côté de l'honneur insigne de figurer dans la suite restreinte du Prince.

Avec une gravité qui montrait bien qu'il en arrivait à l'essentiel, Sporus ajouta : « Néron m'a touché un mot de ta personne en des termes amicaux et flatteurs. Tu as su lui faire l'impression la plus favorable, et j'en suis très heureux. Nous sommes en bien petit nombre à aimer sincèrement notre Prince, sans aucune arrière-pensée de profit, et je prie les dieux que tu t'agrèges sans tarder à cette élite du cœur. Avec sa sensibilité toujours en éveil, Néron a un don certain pour juger de la qualité des hommes. Ce qu'il m'a dit de toi me fait espérer que tu ne décevras point. »

Kaeso protesta de ses bons sentiments tout en s'efforçant de réfléchir. La qualité surprenante des propos de ce Sporus invitait à une cordiale franchise, bien qu'une pareille attitude fût déconseillée à la cour. Malgré tout, il y avait peut-être à finasser plus à perdre qu'à gagner...

« L'évidente amitié du Prince, déclara Kaeso, m'a dissuadé de donner suite à l'offre d'adoption de Silanus — dont la fidélité est cependant sans reproche. Mais je ne veux plus d'autre père que l'empereur, et je te charge de lui communiquer la nouvelle.

— Néron sera content de cette belle décision. Il n'a certes aucun grief précis contre Silanus, qui ne lui est pas pour autant très sympathique. Comme aurait dit Épicure, leurs atomes s'accrochent malaisément. Voilà une ombre de dissipée. Fais confiance au Prince, et tu ne perdras pas au change. »

Kaeso se jeta à l'eau :

« Je ne te cacherai pas que j'éprouve pourtant un soupçon d'inquiétude...

— Et de quoi serais-tu donc inquiet ?

— Le point est assez délicat...

— Alors, laisse-moi deviner ! Peut-être n'as-tu pas encore l'expérience des garçons, appréhendes-tu la perspective d'entrer dans le lit de mon Maître, t'effarouches-tu à l'idée de ce qu'il pourrait exiger de toi ? »

L'embarras de Kaeso disait la justesse du diagnostic. Sporus sourit de façon charmante et le rassura : « Tu connais bien mal l'empereur, que tu dois juger sur des ragots. On t'aura parlé du viol du jeune Plautius, mais il avait tout fait pour se faire violer. Tu peux m'en croire si je t'affirme que Néron n'a jamais forcé le consentement d'un amant ou d'un giton. Pourquoi le ferait-il ? Ne sont-ils pas légion ceux qui se proposent pour le combler, et le souci de plaire n'est-il pas au premier rang chez l'artiste ? Néron ne prend de ses vrais amis que ce qu'ils veulent bien lui donner. Il me semble que tu as suffisamment de charme et d'esprit pour que ta seule compagnie soit déjà un bienfait mémorable. »

Comme Kaeso ne paraissait pas tout à fait convaincu, Sporus déclara : « Ce Prince, que j'ai pu apprécier mieux que personne, mérite que je le décrive tel qu'il est, et avec une tendresse qui mettra dans mon discours plus de vérité que l'indifférence.

« Néron est la générosité même. Il est arrivé à l'Empire à jamais dégoûté des crimes, des trahisons et des violences qui avaient servi d'affreux décor à ses jeunes années. Sa seule ambition était de faire des heureux. Le début du règne a rappelé l'âge d'or, et l'on parle toujours du fameux " quinquennium ", ces cinq ans d'une magistrale harmonie, qui font certes contraste avec la dégradation actuelle. Mais le Prince n'en est pas responsable. On a répliqué à ses bontés par des ingratitudes, à sa confiance par des calomnies et des complots. Pour ne pas se laisser égorger, il a dû parfois sévir, mais le sang persiste à lui répugner comme une tache sur un tableau.

« Néron n'a pas fait tuer Britannicus, qu'Agrippine menaçait pourtant de lui opposer. Comment aurait-il été assez stupide pour faire empoisonner cet enfant en public alors que tant d'autres procédés plus discrets s'offraient à lui ?

« S'il a dû se débarrasser d'Octavie, qu'il avait répudiée pour stérilité, c'est parce qu'une émeute en sa faveur, excitée en sous-main par ses pires ennemis, après avoir ravagé le Capitole et les Forums, montait à l'assaut du Palatin. Tu as dû en avoir un écho à Subure, il y a deux ans.

« Quant à la disparition d'Agrippine, il m'a dit lui-même t'en avoir touché un mot, et le remords le poursuivra jusqu'à la fin de ses jours.

« Voilà un tyran bien mesuré après Tibère et Caligula ! Comment un tel homme irait-il tyranniser ses amis ? Néron veut malgré tout croire à l'amitié. Il a besoin d'y croire pour supporter les fardeaux qui l'accablent. Et un véritable ami est une chose si rare et si précieuse, que notre Prince le placerait sur un piédestal plutôt que de le froisser.

« Crains au contraire de ne pas être digne de ses délicatesses ! »

Il devait y avoir du vrai dans ce que racontait Sporus. Entre les louanges des thuriféraires stipendiés du régime et les accusations de ses ennemis les plus enragés, il était d'ordinaire bien difficile de s'y retrouver, mais la déclaration du bel eunuque avait un accent de sincérité touchant. L'émeute en faveur d'Octavie avait été brève, mais violente. Les statues de Poppée, qui s'étaient répandues par la Ville afin d'illustrer aux yeux de tous les tendres sentiments du Prince pour la gracieuse Pompéienne, avaient été renversées et mutilées ; les images d'Octavie, rétablies sur les Forums et jusque dans les temples, comme si un peuple inconscient ou pervers avait voulu condamner à la stérilité un monarque qui avait déjà tant fait pour lui. Le triste martyre d'Octavie était certes en rapport avec un complot politique qui pouvait paraître inquiétant. La plèbe romaine était très attachée à Néron, et les séditieux avaient dû être achetés ou pris parmi les clientèles de sénateurs hostiles et d'affranchis impériaux ennemis de Poppée. Quant à Britannicus, le mystère de sa brusque disparition n'était pas près d'être éclairci.

« Je suis charmé, dit Kaeso, de ce que tu m'affirmes. Souffre que je te pose une autre question : le fait que l'empereur t'ait prié de me recevoir signifierait-il que j'aurai à jouer auprès de lui — si mon désir m'y entraîne — un rôle analogue au tien ? »

Sporus éclata d'un rire argentin et répondit : « Je devrais te le souhaiter, car notre Prince a plus d'affection pour ses gitons que pour ses amants, qui n'ont pas la partie facile. Comment triompher du Maître du monde avec une modestie convenable ? Le délicat problème de l'amant est de deviner sans faute à partir de quel instant l'humiliation de l'aimé commence à devenir pénible. Le Doryphore qui a perdu la vie il y a deux ans, outre ses imprudences politiques, avait peut-être dépensé auprès de Néron une activité maladroite. Quand on s'appelle en grec "porte-lance", il ne faut pas en abuser. Si on te fait l'immense faveur de te considérer comme un homme, ton inexpérience juvénile risque de te jouer de mauvais tours. C'est un ami qui te prévient. Alors que le giton a les coudées plus franches. »

Cette réflexion de spécialiste était bien désagréable.

Kaeso soupira et suggéra :

« Ces sautes d'humeur de Néron ne tiendraient-elles pas à son tempérament d'artiste ?

— Au contraire ! L'artiste est bienveillant par nature, puisque tout le porte à séduire et à tenir le plus grand compte de l'opinion d'autrui. Dès qu'on s'abstient de les vexer, les artistes sont les gens les plus faciles à vivre de la terre. Tu verras que, dans l'ensemble, Néron n'est pas aussi susceptible qu'on le prétend. Même en matière d'art, il supporte la critique lorsqu'il constate qu'elle est justifiée et qu'aucune envie ne l'inspire.

« Pour l'instant, la grosse affaire, pour l'empereur, est d'affronter le public de Naples, en attendant peut-être d'aller plus loin... Cette ville est grecque depuis sept siècles et demi et les connaisseurs y abondent. Au fur et à mesure que l'échéance se rapproche, Néron devient plus angoissé et plus nerveux, et tu ne seras pas de trop pour nous aider à le rassurer. La partie est capitale pour lui.

— Mais, de toute manière, le théâtre sera bourré de complaisants ?

— Justement ! Dilemme insoluble : Néron déteste les complaisants, et il ne peut s'en passer. Persuadé à bon droit d'être un artiste émérite, il n'est pourtant jamais sûr de lui, et des efforts prodigieux lui sont nécessaires pour ne pas trembler devant l'assistance la plus favorable. Beaucoup d'artistes sont dans ce cas, et ils sont bien à plaindre. »

Kaeso continua d'interroger Sporus sur le Maître, son indiscrétion trouvant excuse dans les amoureuses ouvertures du Prince à son égard. Il était naturel qu'un futur favori se renseignât auprès d'un expert pour être mieux à même de donner toute satisfaction.

Avec finesse, Sporus finit par demander : « Toutes ces questions ont-elles pour but de faire le bonheur du Maître ou de lui échapper ? »

Kaeso biaisa :

« J'aurais plutôt la crainte d'exciter chez toi une jalousie bien naturelle et de te faire de la peine, car ta beauté comme tes manières affables commandent une immédiate sympathie.

— J'ai renoncé depuis longtemps à être jaloux pour ne songer qu'au plaisir du Prince. J'ai dans son cœur une place de choix que personne ne peut m'enlever, et ton aimable réussite me porterait d'autant moins ombrage que l'argent ne m'intéresse pas. J'ai déjà beaucoup plus de bien qu'il ne m'en faut. »

Kaeso détourna la conversation vers la maquette, sur laquelle Sporus se répandit en commentaires enthousiastes. Le contraste entre le rêve et la réalité avait de quoi plonger dans l'ahurissement.

En proie à une vague inquiétude, Kaeso fit observer :

« Je vois que ma modeste insula de Subure a été remplacée par un petit lac, où se promènent des cygnes...

— L'empereur aura de quoi te reloger selon tes mérites !

— Jupiter devra foudroyer toute la vieille ville pour qu'un pareil projet devienne réalisable.

— Nous devrons donc prier Jupiter !

« Ne parle, je te prie, de cette maquette à personne : elle pourrait alarmer des béotiens encroûtés dans une misère sans espoir. Le radieux avenir de Rome est sur cette table. »

Il était temps d'aller se présenter à Correlius Afer, et Sporus confia Kaeso aux bons soins d'un huissier. Bien que la matinée s'avançât, le Palais semblait encore endormi et l'atmosphère y était pesante. Néron devait se prélasser en quelque jardin. Kaeso ne croyait guère aux princières délicatesses que Sporus lui avait fait miroiter, et les cyniques conseils de l'inverti, espèce toujours soucieuse de recruter, le hérissaient. Ces conseils rejoignaient pourtant les prévisions de Marcia, qui avait vu dans des coquetteries femelles un moyen de reculer l'échéance. Kaeso était bien malheureux.

Correlius, un intrigant à tout faire, venait de se réveiller après une nuit agitée, et il expédia Kaeso avec une politesse machinale et toute ensommeillée. Le prétendant n'était pour lui qu'un jeune ambitieux de plus, pressé de faire carrière ventre à terre, et il en avait vu bien d'autres. Il y avait même chez ce Correlius une touche discrète de mépris, analogue à celle que Marcus aurait pu constater autrefois dans les manières de Vitellius père, lorsqu'il était venu lui demander son appui pour un mariage courtisan et incestueux. Les arrivistes qui ont réussi se donnent volontiers le luxe de mépriser les débutants qui n'ont pas encore le choix des moyens. Kaeso en fut péniblement impressionné.

Jusqu'à la veille des Ides, Kaeso mit les bouchées doubles pour catéchiser chrétiennement son père, toujours poursuivi par l'idée que cette tactique était la meilleure pour amortir le choc fatal. Et le jeune homme, qui avait été à bonne école, n'avait pas trop de mal à composer le personnage crédible d'un naïf piégé par des charlatans orientaux d'une habileté supérieure à la moyenne. Les incontestables ambitions morales de Kaeso contribuaient à créer l'illusion. D'ailleurs, les engouements métaphysiques impétueux ne sont-ils pas le lot d'une certaine adolescence désarmée ?

Marcus savait bien qu'il ne fallait pas heurter de front les jeunes gens en proie à des crises de ce genre. Braquer le sujet l'eût porté à une contradiction éloquente, à des surenchères plus inquiétantes encore, où ses préjugés se fussent affermis de façon durable. Le mieux était de prendre patience, de faire le gros dos en attendant que passe cet orage imprévu de sottises. De temps en temps, Marcus laissait tomber une objection de bon sens, comparait doctement la résurrection de Kaeso à celles attribuées à Esculape ou Asclépiade, et ne manquait pas une occasion de distribuer des conseils judicieux quant à la conduite à suivre chez Silanus ou à la cour, ce qui était naturellement sa préoccupation essentielle.

La veille des Ides au soir, Marcus en était ainsi arrivé à une connaissance de la religion chrétienne qui n'avait pas d'équivalent dans la noblesse romaine de culture traditionnelle. Si la matière en avait valu la peine à ses yeux, il aurait pu rédiger un mémoire historique, explicatif et démonstratif, qui eût trouvé place parmi ces lectures publiques à la mode, où les auteurs faisaient en personne de la propagande pour leurs écrits. Mais la doctrine chrétienne, quoiqu'elle fût, sous un certain angle, une mine de plaisanteries spirituelles, restait au fond bien rébarbative pour le commun des gens cultivés.

Vers la fin du dîner, malgré la discrétion de Kaeso sur ce point, Marcus fut entraîné à une découverte, qui lui semblait de nature à faire enfin rentrer Kaeso dans les bornes de la sagesse...

« Si j'ai bien saisi tout le sel de cette nouvelle religion, tes chrétiens, pas plus que les Juifs, ne peuvent participer aux sacrifices offerts par l'État ou par les chefs de famille, à plus forte raison, sacrifier eux-mêmes ?

— En effet. Tu m'y fais penser... »

Avec un gros rire, Marcus conclut : « Je me ferai peut-être chrétien, n'ayant pas grand-chose à y perdre, mais comme Silanus compte sur toi pour perpétuer le culte de sa " gens ", il serait dommage de le décevoir pour si peu ! »

Séléné fit semblant d'approuver et Kaeso parut impressionné par la valeur de l'argument. A force de mépriser son père, dont la capacité de compromission et de bassesse avait l'air sans limites, Kaeso était à la veille de le haïr. Par souci de vraisemblance et de dignité, il avait présenté de la doctrine chrétienne le résumé le plus objectif possible pour ce qu'il en savait, se bornant à tromper son auditeur par les apparences d'une conviction qui était encore loin de sa pensée. Il y avait de quoi intéresser sincèrement un honnête homme. Mais Marcus, écrasé par le poids des traditions qu'il n'affichait que pour mieux les trahir, n'avait rien senti, rien compris, rien retenu de l'essentiel qui était manifestement en jeu. Son épaisseur, sa fermeture à toute idée forte ou sublime avait quelque chose de désespérant, à croire qu'il faisait partie de l'immense troupeau des damnés que le Dieu caricatural de Paul prenait plaisir à égarer dès leur naissance suspecte.

Marcus, qui avait un peu trop bu, descendit lourdement du triclinium, dit bonsoir à Kaeso, fit signe à Séléné de l'accompagner, et se retira, appuyé au bras de l'esclave. Sur le pas de la porte, Séléné détourna la tête pour jeter au faux chrétien un dernier regard empreint de tristesse et d'inquiétude. Il est un point critique au-delà duquel le nageur imprudent qui s'est éloigné vers la haute mer n'a plus la faculté de revenir au rivage ; Séléné avait l'impression que Kaeso allait franchir la mortelle limite, et qu'il entraînerait du monde avec lui.

A la nuit tombée, Kaeso écrivit ces lignes pour son père :

« Kaeso à son respectable père !

« Silanus est d'accord pour reporter l'adoption. Il redoute à bon droit, là où les dieux m'appellent, un manque de souplesse de ma part, qui pourrait lui nuire bien inutilement si j'étais lié à sa personne par toute la majesté des lois. Je suis d'autant plus enclin à me comporter en vrai Romain que toute ta magistrale éducation visait à ce magnifique résultat. Apprête-toi donc à être fier de moi une fois de plus et à partager ma disgrâce avec l'impavidité de Mucius Scaevola si les choses tournent aussi mal qu'on peut le craindre.

« T'en souvient-il ? J'avais peut-être dix ans... Avec Marcia et mon frère, nous étions demeurés sur les bancs de l'amphithéâtre durant la pause de midi, car tu tenais à montrer à tes fils l'intermède prévu pour les enfants des écoles et qui devait retracer les pages les plus exemplaires de notre histoire. Le brigand condamné qui illustrait le sacrifice de Scaevola n'avait rien de romain : on l'avait bâillonné pour l'empêcher de pousser des cris déplacés, et sa main avait été attachée au brasier de façon qu'il tienne son rôle ingrat en homme de cœur. Ce qui n'empêchait pas la brute de se contorsionner, acteur médiocre dépassé par les exigences de la mise en scène. Le spectacle conservait toutefois suffisamment d'instructive vérité pour que ton éloquence en fût touchante, et je n'ai pas oublié la leçon. Nous devons, comme Mucius, expier nos erreurs, et autant que possible, n'en point commettre. Mieux vaut fourrer son doigt au feu que dans un impérial trou du cul.

« Par une coïncidence extraordinaire et qui donne à réfléchir, la morale chrétienne dont je t'ai fait tant de compliments recoupe sur de nombreux points notre vieille morale romaine, comme si tous les dieux s'étaient entendus à l'origine des temps pour moudre un même grain dont les hommes auraient fait, ici et là, des pains quelque peu différents. Cette unanimité est troublante et incite à bien faire. Et les vertus de nos ancestrales coutumes ont encore ceci de commun avec les vertus chrétiennes que l'épopée et non pas le mythe les inspire. Les Grecs se nourrissent de mythes. Ils les ont inventés, sans cesse perfectionnés, et nous en avons fait provision chez ces poétiques rêveurs, après les avoir mis à genoux. Mais notre traditionnelle éducation, qui est d'abord celle de la volonté, répudiant toute mythologie fataliste et dissolvante, fait essentiellement appel au culte de héros bien réels, qui ont vécu en leur temps afin de nous instruire et de nous montrer le chemin. Pour les chrétiens également, le Christ n'est pas un mythe, mais un héros comme Horatius Coclès ou Mucius Scaevola, un être de chair et de sang, aux dimensions épiques et édifiantes. Toute religion forte et contraignante doit prendre appui sur de bons exemples à suivre et non pas sur des fumées à la grecque.

« Ainsi, tout ce que tu m'as enseigné, tout ce que les chrétiens me proposent, m'entraîne à te faire honneur comme tu n'aurais pas osé l'espérer.

« Porte-toi bien. Ton Kaeso reconnaissant.

« P.-S. : Je pars tout à l'heure avec Myra. Pourquoi parler quand on peut écrire ? »

Kaeso cacheta les tablettes en souriant. Marcus allait récolter avec désespoir et effroi ce qu'il avait semé avec tant de constance. Les moralistes sont toujours étonnés d'être pris au mot et il est parfois plaisant d'outrer le courage pour donner de la consistance et du mordant à leurs théories. En fait, ne faudrait-il pas attacher Kaeso au brasier pour en faire un Scaevola passable ?

Avec un bagage restreint, Kaeso et Myra allèrent coucher au ludus de la Voie Appienne, où ils trouvèrent les gladiateurs en train d'arroser copieusement une heureuse aubaine : après Naples, l'empereur poursuivait sur Bénévent, où l'affreux Vatinius offrait un magnifique « munus » en son honneur, et toute la troupe avait été engagée. Eurypyle, encore sous le coup de la nouvelle, était rayonnant et l'on espérait que Néron tiendrait pour un amical devoir d'assister à un spectacle qui lui était dédié. Le Prince, souffrant d'un préjugé esthétique contre les sanglantes brutalités, se faisait toujours tirer l'oreille pour paraître un moment dans un amphithéâtre.

Kaeso ayant annoncé qu'il serait de la suite de Néron, on lui demanda, sur un ton mi-plaisant, mi-sérieux, s'il ne profiterait pas de l'occasion pour descendre dans l'arène avec la « familia » gladiatorienne de son père.

Depuis plus d'un demi-siècle, les empereurs légiféraient de façon contradictoire sur la présence dans l'arène des sénateurs et « chevaliers », et il était arrivé qu'une tolérance de fait l'emportât sur un règlement restrictif. On voyait sans cesse des gens bien nés aller au-devant de la poussiéreuse « infamie » des « munera », soit par passion, soit par vénalité, soit encore pour complaire à un Prince qui regardait cette déchéance d'un œil plus ou moins favorable. En tout cas, la foule des spectateurs exerçait une pression constante sur le pouvoir, car l'origine aristocratique d'un gladiateur accroissait de touchante manière la valeur du sacrifice. La foule préférait un homme libre à un esclave, un « chevalier » à un homme libre et un sénateur à un « chevalier ». Les nobles désireux de combattre trouvaient donc un bon prix de leur personne en signant un contrat d' « auctoratio » avec un laniste ou en s'engageant à une seule rencontre par entente directe avec le « munéraire » offrant le spectacle. Et les interdictions impériales les plus formelles étaient aisément tournées, l'aristocrate normalement interdit de Jeu ayant toujours la ressource de se faire exclure de son ordre en allant au-devant d'une quelconque flétrissure judiciaire libératrice.

Avec Néron, la période des hésitations était close. Afin de plaire à la plèbe, mais aussi par anticonformisme et esprit de provocation, le Prince encourageait franchement les « chevaliers », les sénateurs et même leurs femmes à descendre dans l'arène ou à monter sur la scène des théâtres, au grand scandale du clan sénatorial le plus traditionaliste. L'apparition de nobles matrones gladiatrices paraissait même calculée pour jeter les vieux Romains du sénat et d'ailleurs dans un état de furieuse exaspération. Les hommes avaient déjà perdu toute autorité sur leur femme, et le spectacle de viragos sanguinaires s'étripant à demi nues ne pouvait que pousser les dernières épouses soumises à des réflexions insolentes.

La suggestion imprévue des gladiateurs fut pour Kaeso un fulgurant trait de lumière et une rassurante tentation. La passion des armes, l'appât du gain, le désir de se distinguer sous le regard d'un Prince bienveillant n'étaient pas les seuls motifs qui attiraient une certaine noblesse vers la gladiature. Il fallait encore que s'y ajoutât une maladie à la mode, le fameux « taedium vitae », ce dégoût de la vie qui s'emparait tout à coup d'un amoureux déçu, d'un viveur à la côte ou d'un misanthrope incurable. Et par un paradoxe qui était au spectacle un agrément de plus, l'intensité même de ces désespoirs faisait des combattants acharnés et particulièrement dangereux. Celui qui n'a plus rien à perdre ne ménage pas ses forces, ne calcule point ses risques, et il advient qu'il se sauve en voulant se condamner. On avait vu de vieux professionnels de l'arène soudain déroutés, dépassés par un jeune enragé capable de tout.

Pour la première fois depuis ce banquet de prise de toge virile où Kaeso s'était aperçu de la passion de Marcia, le sort offrait au prisonnier une issue en dehors du suicide stoïcien dont la passivité lui déplaisait instinctivement. L'arène était une sorte de suicide moral et social, mais qui laissait une porte ouverte sur des espérances élémentaires, dont la relative modestie mettait à l'abri des déceptions. On avait fait le sacrifice de sa personne au Prince et au public ; partant, le reste n'importait plus. C'était une libération par le dépouillement et le détachement, une ascèse hindouiste pour des hommes de courage qui savaient bien que personne ne renaît de ses cendres pour meugler ou pour bêler.

Oui, si les affaires tournaient mal, l'arène était là pour recueillir Kaeso !

Le lendemain, jour des Ides de mai qui aurait dû voir enfin la triomphale adoption, Marcus, qui avait en se réveillant trouvé les tablettes de son fils près de ses dieux Lares, fut victime tout d'un coup d'une crise cardiaque et demeura un moment sans connaissance sur le carrelage de l'exèdre. C'est ainsi que le découvrit Séléné, qui le crut mort, et remercia le Ciel avec élan de ce premier plaisir que lui faisait son maître. Mais Marcus revint à lui pour gémir et pour s'épancher dans le sein de l'esclave. La honte, qu'il refoulait en lui depuis si longtemps qu'il l'avait pu croire endormie et complaisante, venait de l'étouffer tout d'un coup. Mais on ne se refait pas en un instant, et ses doléances à Séléné n'étaient qu'une énième version d'un morceau de rhétorique bien connu : les plaintes de l'infortuné père modèle devant l'outrageante ingratitude d'un enfant indigne. Séléné s'efforçait de le consoler, lui faisant valoir que l'adoption n'était peut-être que partie remise, ainsi que Kaeso le prétendait lui-même. Elle ajoutait méchamment sur un ton patelin que Kaeso se montrerait sans doute à la cour plus raisonnable que sa lettre ne le laissait prévoir. Et avec une aimable et légère crudité, elle détaillait les plus intimes faveurs que Kaeso serait amené à souffrir du Prince ou à lui accorder, arguant que c'était en vérité peu de chose et qu'elle-même avait passé par là sans en perdre l'appétit. Quand Marcus se rendit compte qu'elle se moquait de lui de la manière la plus outrageante, il la gifla avec un hurlement de fureur et courut dans sa chambre pour cuver sa peine sans témoin.

De son côté, Marcia ne gémissait plus, ne pleurait plus guère : elle était devenue l'image muette du désespoir et toutes les attentions de Silanus ne semblaient éveiller en elle aucun écho. On eût dit la statue d'une Pudicité Patricienne à la nouvelle de la mort de son fils à Trasimène ou à Cannes.

Silanus aurait dû savoir que les grands désespoirs d'amour ne sauraient être atténués par des prévenances délicates. Il convient au contraire de sortir le sujet de lui-même, et par les méthodes les plus énergiques, car un tel désespoir est toujours un luxe qui exige du loisir, de la concentration, de la tranquillité. Le froid, la faim, la rage de dents, une fuite éperdue devant des loups incompréhensifs sont de bons antidotes du mal d'amour, fruit tout entier d'une imagination abandonnée à ses fantasmes. Et Marcia elle-même aurait pu se rappeler que ses esclaves femelles, sous les coups de poinçon ou de fouet, oubliaient leurs peines de cœur si elle n'en était pas la cause. Mais le premier et plus alarmant symptôme du mal d'amour est que le patient, l'œil fixé sur son nombril solitaire, se refuse absolument à guérir.

Kaeso passa cette journée fatidique avec le sentiment du devoir accompli, distrait par le spectacle des gladiateurs qui se préparaient pour la grande épreuve de Bénévent. Avec entrain, on aiguisait les pointes et les tranchants des lames, on fourbissait les cuirasses et les armes. Tyrannus et son cocher briquaient leur char, bichonnaient les deux étalons, examinaient minutieusement leurs pieds et faisaient un choix judicieux de fers amovibles pour la route.

Dans la nuit, Kaeso s'était réveillé avec une sensation de liberté qui lui avait donné envie de Myra et il avait invité la petite à le rejoindre. Mais l'impression d'abuser d'une enfant sans défense avait diminué sa vigueur. Impression pourtant bien fallacieuse, qui devait découler d'un monde idéal sans aucun rapport avec les faits, car Myra avait soutenu l'épreuve avec une joie sans arrière-pensées.

Comme Kaeso paraissait avoir du mal à se mettre en train, Myra avait posé sa main sur son front et lui avait dit : « Ne pense pas, ne pense à rien. Ce n'est pas là que ça se passe ! »

Toutes les prostituées qui voulaient faire carrière avaient leurs recettes pour dégeler leurs pratiques, et celle de Myra relevait d'une pénétrante psychologie. Quand une enfant donne des conseils aussi judicieux, on a tendance à oublier son âge.

VI

Dès l'aube du lendemain, XVII des Kalendes de juin, Kaeso et Myra furent pris dans le tourbillon de l'impérial départ. Pour un voyage de quelque importance — et celui-là avait à ses yeux une importance décisive —, Néron entraînait toute la cour derrière lui, et c'était une ville, une armée, qui se mettait en branle tout d'un coup, dans le luxe le plus débridé. De maintes directions, comme des affluents qui viendraient se jeter dans un fleuve, surgissaient des cortèges étincelants pour venir s'amalgamer au cortège principal, que vomissait des heures durant la porte choisie pour l'exode. Et défilaient ainsi, entre deux haies de légionnaires des cohortes urbaines, destinées à contenir la tourbe des curieux, des unités de cavalerie de la garde germanique, des détachements de prétoriens avec leur musique, un choix de gladiateurs gardes du corps, le Prince sur son char, l'épouse du Prince, les amants ou gitons du Prince, les favorites ou concubines du Prince, les amis du Prince, les sénateurs courtisans qui aspiraient à le devenir, les augustiani de la noblesse ou de la plèbe, des représentants des principaux ministères ou bureaux, pour ne pas perdre en route le contact avec les affaires sérieuses, une nuée d'affranchis ou d'esclaves impériaux de tous les métiers et de toutes les spécialités, un escadron de porteurs de dépêches sur leurs chevaux maurétaniens de grande race, et les amis, les amants, les gitons, les femmes ou maîtresses, les affranchis ou esclaves de tous ceux qui étaient en position de ne point partir trop seuls... En dehors des portes de la Ville, attendaient pour emboîter le pas des milliers de véhicules particuliers ou de camions chargés de bagages, et les ânesses ferrées d'argent massif pour les bains de lait de l'« Augusta ».

Myra avait été fourrée en queue, mais Kaeso avait été placé dans le groupe assez restreint des amis de Néron qui marchaient à peu de distance de la litière de Poppée. Il était fort satisfait de ne pas avoir été rejeté parmi les augustiani échevelés, qui paraissaient d'autant plus bêtes qu'ils étaient en troupe plus compacte.

En fin de matinée, le char impérial approchait de la Porte Capène. Néron conduisait lui-même avec une sage lenteur un quadrige de chevaux blancs, qui avaient été sélectionnés pour leur calme. En dépit de nombreux efforts à huis clos sur la piste du Cirque Vatican, le Prince ne s'était jamais montré capable de maîtriser des animaux difficiles, et il souffrait beaucoup de cette insuffisance.

Kaeso bavardait avec Pétrone, quand, à la hauteur du temple de Mercure qui se dressait à sa gauche, le cortège s'arrêta un bref instant, un embouteillage s'étant produit aux alentours immédiats de la Porte. Et soudain, Kaeso vit une femme à demi voilée, en robe sombre, qui le regardait fixement, juchée sur le rebord du bassin circulaire d'eau lustrale que l'on avait aménagé au centre de l' « area » de l'édifice. Il eut du mal à reconnaître ce visage tragique. C'était celui de Marcia. Déjà, le cortège se remettait en route. Saisi, Kaeso fit un signe amical de la main avant de se détourner pour suivre. Le pressentiment venait de le frapper qu'il ne reverrait plus Marcia vivante. Une impulsion le prit de se dégager de ce courant aveugle qui l'entraînait vers des contrées où il n'avait que faire, de courir vers Marcia, de lui demander pardon, de se soumettre à toutes ses volontés, de retrouver enfin la paix que les accommodements peuvent offrir. Mais il n'en continua pas moins de cheminer, les yeux brouillés de larmes.

Pétrone le prit par le bras et lui dit :

« Tu pleures de quitter Rome ?! »

— Je pleure de quitter ma mère, que je ne suis pas certain de retrouver.

— Marcia serait-elle tombée malade depuis que Jupiter, à ce qu'on raconte, l'a enlevée quelques heures ?

— Elle souffre de bien autre chose. »

Et il ajouta spontanément : « Elle m'aime d'un amour que je ne puis lui rendre. »

Après un silence, Pétrone reprit :

« Voilà une situation de théâtre, mais qui n'en est pas moins cruciale et lourde de dangers. Quand les belles-mères se mettent à poursuivre leur beau-fils, il y a toujours une hécatombe à la fin de la tragédie. La belle-mère est réputée pour prendre l'amour au sérieux.

— Je ne le sais que trop ! Aussi ai-je renoncé à devenir le fils adoptif de Silanus.

— Tu paies ta liberté très cher !

— D'autant plus cher que Silanus eût été plus complaisant. Et je ne suis même pas libre pour autant, car Néron me veut subitement trop de bien.

— Nous passons de la tragédie à la comédie !

— Le ton de la pièce dépendra de moi. »

Pétrone lâcha le bras de Kaeso pour lui indiquer l'imposant harem qui les précédait...

« Tu aurais bien tort d'élever le ton au sein d'un chœur aussi nombreux. Je connais bien mon Néron, qui est le plus charmant garçon du monde quand on sait le prendre. Il est surmené et ses capacités amoureuses sont assez réduites. Après quelques formalités sans conséquence, il te fichera la paix, et il dépendra de toi de goûter peut-être un honorariat fructueux. »

Pétrone avait le sens des formules élégantes et raisonnables.

Kaeso demanda :

« Puisque tu connais bien le Prince, de quel côté penses-tu que je puisse lui plaire ? »

Pétrone rit de bon cœur et répondit : « La réponse est malaisée, car Néron, comme tous les artistes, est pétri de fantaisies. Mais si tu crains le sort de Sporus, tu auras les meilleures chances pour toi en ne te risquant auprès du Maître que lorsqu'il sort des bras d'une femme ou d'un giton. L'arc d'Éros n'est pas toujours bandé. »

Dans sa simplicité, le conseil semblait excellent, mais sa mise en œuvre exigeait des informations précises et journalières, bien difficiles à se procurer sans faute. Kaeso se trouvait dans une situation dont le ridicule était de plus en plus pénible.

Avec une parfaite bonne grâce, Pétrone informa Kaeso de ce qu'il devait savoir de la psychologie particulière des sodomites ou des invertis, exposé ardu, car le lauréat de la contre-nature pouvait être les deux à la fois, en même temps ou successivement, et amateur de filles par-dessus le marché. Mais Pétrone était poète et romancier mondain, entraîné à bien parler de ce qu'il n'avait fait qu'effleurer, et il semblait d'autant plus compétent que, sans avoir lui-même une réputation homosexuelle bien nette, il avait campé les deux héros de son dernier roman voyou sur des positions qui ne laissaient aucun doute quant à leurs mœurs.

« En résumé, conclut-il, le sodomite confirmé présente souvent toutes les caractéristiques d'une exubérante virilité, au physique comme au mental, alors que l'inverti chronique aurait aisément des manières et des réactions de femme. Mais j'ai vu des ambivalents adopter curieusement un ton et des mines contradictoires selon que leur humeur du moment les portait à jouer des rôles actif ou passif. Il y aurait là comme une sorte de dédoublement de la personnalité, pour lequel les acteurs ont reçu des dons spéciaux, puisque leur tempérament les entraîne jour après jour à paraître sur la scène ce qu'ils ne sont pas ou ce qu'ils voudraient être. »

Pétrone avait discouru un peu fort et il y avait naturellement de nombreux homosexuels dans la suite restreinte du Prince. Une voix s'éleva par-derrière : « Oui, assurément, lorsque des pédérastes font une ronde au clair de lune, telle une couronne de lauriers au front impérial, le dédoublement de personnalité prend un relief incontestable ! » Il y eut une explosion de gros rires et l'étude tourna court.

Passé la Porte Capène, les personnes d'un rang convenable montaient en voiture ou en litière, et la procession s'allongeait d'autant tout au long de la Voie Appienne, vers la proche bifurcation où débutait la Voie Latine, qui gagnait la Campanie par un itinéraire plus septentrional. Pour faciliter la solution des problèmes d'intendance, il avait été prévu que Néron et sa troupe suivraient cette Voie Latine, et que le gros des autres voyageurs continuerait sur la Voie Appienne, qui touchait une première fois la mer à Terracine, après les marais Pontins. La Voie Latine traversait des régions de vallées plus riantes. Mais un troisième convoi était parallèlement sorti de Rome par la Porte Raudusculane, pour emprunter la Voie Ardéatine, qui atteignait la mer à Ardéa, au sud-est d'Ostie. Et le plus pondéreux des « impedimenta » était parti par bateaux dans les jours précédents. Les voyages impériaux n'étaient pas une petite affaire !

En marchant à une allure normale, trois jours auraient suffi pour gagner Naples. Mais rien n'était jamais normal avec un Néron. Le train de sénateur était déjà lent, le train d'« imperator » donnait aux populations tout le loisir d'admirer. La cour ambulante avait conservé l'habitude romaine de banqueter jusqu'à une heure avancée de la nuit, ce qui retardait d'autant les départs matinaux ; et les frugaux déjeuners sur l'herbe devenaient eux-mêmes des festins lassants. L'empereur devait aussi trouver le temps de mettre au dernier point son tour de chant, sous la haute direction de Terpnos, exercices minutieux qui occasionnaient des haltes supplémentaires.

Le premier jour, on ne dépassa point Tusculum. Le lendemain, on coucha à Anagni. Le surlendemain, dans la vieille capitale volsque de Frégelles. Le soir suivant, on se répartit entre les localités voisines de Casinum et d'Interamna du Latium (il était une autre Interamna en Ombrie). Enfin, on passa une nuit à Capoue, afin d'y régler l'entrée à Naples, qui devait se dérouler avec une pompe analogue à celle qui avait marqué le départ. La plantureuse Capoue était toute trépidante d'animation d'un bout à l'autre de l'année, mais les précédentes étapes avaient déroulé leurs fastes sur le territoire de petites cités latines endormies, depuis longtemps vidées de leur sang par le tentaculaire vampire campé sur les sept collines, et le bouleversement apporté par la cour avait été d'autant plus choquant que le Prince, dans sa bonté toujours en éveil, avait fait aménager à chaque halte des lupanars gratuits, et pour ceux qui l'accompagnaient, et pour ceux qui avaient l'honneur de le recevoir.

Kaeso soupait chaque soir en compagnie de Néron et de ses amis les plus intimes, où figuraient toujours Vitellius et Pétrone. Comme l'avait prédit Cn. Pompeius Paulus, l'empereur ne semblait guère s'intéresser à Kaeso. Il était visiblement obsédé par la hantise d'un échec désastreux sur la scène de Naples, à ce point qu'on n'osait plus aborder le sujet. Pour maintenir Néron en confiance, le mieux était de le supplier de chanter à l'intention de l'étroit cénacle de ses plus fidèles admirateurs. Mais il tenait à ménager sa voix pour le grand jour, où elle devrait dominer et séduire une mer de visages inconnus et il passait ses heures de sommeil avec des plaques de plomb sur la poitrine.

Le Prince avait un autre motif de crainte et de perplexité. Un triomphe à Naples serait un puissant encouragement à poursuivre le voyage jusqu'à Corinthe. Et l'on avait entassé des bagages en conséquence. Mais la perspective de laisser derrière soi une Ville peu sûre et inquiète avait de quoi faire hésiter. Néron en venait à haïr cette vieille Rome, attachée comme un boulet à son auguste cheville. Alors qu'il progressait majestueusement vers la Porte Capène, des plaintes pitoyables avaient émané de la basse plèbe : « Maître, ne nous abandonne pas ! Reviens-nous vite ! » L'avertissement valait qu'on y songeât.

Kaeso cultivait la compagnie de Pétrone avec un intérêt et un plaisir particuliers. On avait surnommé cet ami privilégié du Prince « l'arbitre des élégances » en raison de critères extérieurs, mais la première élégance de Pétrone était celle de l'esprit, avec tous les charmes, et aussi les quelques défauts, d'une telle qualité.

La perte de toute croyance entraîne aisément un vif intérêt pour les formes, où une sensibilité artistique — ou prétendue telle — peut se donner libre cours. Lorsque la métaphysique a fait faillite, il faut bien se rabattre sur les sens, qui peuvent paraître moins trompeurs au sceptique désabusé. Cependant, le sybarite, qui s'est attaché à faire de son existence un petit paradis de grâce et de beauté, est bien rarement un homme de caractère. Pétrone, lui, résolvait cette contradiction d'une manière nonchalante qui aurait trompé un observateur superficiel. Cet homme adonné à tous les plaisirs avec une aristocratique modération, cet homme qui vivait surtout de nuit, comme la chouette d'Athéna, était en fait étrangement insensible à la peur ou à la corruption, ne cédait ni à la méchanceté ni à l'envie, passait pour un ami sûr, bienveillant et discret. On eût dit que ce jouisseur consumait lentement sa vie faute de mieux, sans cesse supérieur à sa jouissance, prêt à quitter le spectacle avec le sourire dès que la comédie aurait cessé de le distraire. Un tel détachement n'empruntait rien à la philosophie. Il était en harmonie plutôt avec l'antique tradition romaine, qui faisait des arts et des lettres un distingué superflu, où un honnête homme eût rougi de s'engager à fond. Pétrone était artiste du bout des doigts et du bout des lèvres, et l'excellence de son jugement esthétique venait peut-être justement de cette distance qu'il avait su prendre avec l'objet favori de ses préoccupations. Il s'efforçait d'introduire un peu de bon goût dans les extravagances les plus baroques de Néron, n'insistait jamais et était d'autant mieux écouté. On se demandait ce qu'il eût réalisé s'il avait accordé ses soins à une œuvre digne de lui. Mais il s'était résigné à passer comme l'ombre de ce qu'il aurait pu être, sans laisser une empreinte conforme à la profondeur de ses dons.

Pétrone et Kaeso faisaient un beau soir une promenade de digestion dans la campagne latine aux environs immédiats de Tusculum. Derrière eux, au-delà de la villa de Cicéron, montaient dans la nuit claire les rumeurs du bordel que Néron fichait partout où il passait. Et des hauteurs où ils se trouvaient, sur lesquelles la petite cité avait été bâtie jadis, on distinguait vers le sud, au-delà de la Voie Latine qui serpentait dans un creux, la masse des monts Albains, lesquels évoquaient tant de souvenirs historiques. C'était là, au bord du lac Albain, que la première Rome, Albe la Longue, avait été édifiée. De jour, la vue aurait porté jusqu'à la mer.

Comme Kaeso s'inquiétait de la santé de Pétrone, dont la lassitude était visible, ce dernier lui répondit :

« Je vais ainsi que peut aller un condamné à mort, et puisque je n'en veux à personne, le fait que la plupart des autres amis du Prince soient dans le même cas que moi est impuissant à me consoler. »

Kaeso se récriant, Pétrone s'expliqua :

« C'est notre éducation qui nous condamne. Que peut-on faire contre l'éducation ?

— Tu es de plus en plus sibyllin !

— Je vais te raconter une anecdote pour t'éclairer. J'ai le malheur irréparable d'inspirer confiance, et l'un de mes amis a eu la mauvaise idée de me demander conseil récemment. En raison de son hostilité au régime, dont il ne faisait guère mystère, on l'avait invité dans une réunion choisie, où le maître de maison avait fini par le sonder quant à une éventuelle participation à un complot. Par prudence plutôt que par conviction, il avait remis son accord à plus tard, et la crainte le poursuivait depuis d'être un jour compromis dans cette affaire criminelle, où il s'était cependant abstenu de tremper autrement que par le silence. Cet ami se sentait pris au piège et ne savait trop quelle conduite adopter. Mais une horreur instinctive de la délation, qu'il avait sucée avec le lait de sa mère, le retenait jour après jour de se mettre à l'abri par une trahison que toute la haute société eût d'ailleurs tenue pour infâme.

« Comprends-tu le problème ? Néron a trois sortes d'amis. Ceux qui veulent l'assassiner. Ceux qui ne lui veulent pas de mal, mais ne commettraient point une délation pour lui sauver la vie. Ceux enfin qui vendraient père et mère pour une caresse du Prince. Telle est la solitude où il vit, telle est la confiance qu'il peut accorder à son entourage le plus proche.

« Un certain souci d'élégance me place parmi les faux amis de la deuxième catégorie. Je dénoncerais volontiers un esclave, ou à la rigueur un affranchi, mais livrer aux insultes d'un Tigellin des hommes de ma classe, qui me ressemblent par tant de côtés, c'est au-dessus de mes forces. Et je sens bien que tu n'es pas un délateur non plus.

« Tu vois sur quel massacre cette situation pourrie débouche. Chaque année augmente le nombre de ceux qui ont su, qui ont eu vent, qui se sont doutés, et qui n'ont rien dit. Un jour, l'orage éclatera, et de proche en proche, de torture en torture, une foule d'élégants, qui n'auront pas daigné parler à temps, seront entraînés vers la tombe. Ce sera sans doute le début de la fin du régime, mais il ne mourra pas seul. Un Sénèque, qui garde encore plus de secrets compromettants que moi, est marqué du même signe fatal que ma personne. La bonne société gémira sur la cruauté d'un Néron qui verse le sang d'un si honorable précepteur, et il y aura peu d'historiens pour signaler qu'il n'est pas dans la morale habituelle des précepteurs de laisser assassiner un élève qui les a comblés de toutes les faveurs. Ainsi va le monde, ce qui me donne peu de chances de mourir de ma belle mort. Mais en dépit des convictions stoïciennes ou platoniciennes, y a-t-il seulement une belle mort concevable ? »

S'il fallait en croire Pétrone, la cour paraissait encore plus dangereuse que l'arène.

« Pourquoi donc, demanda innocemment Kaeso, le nombre augmente-t-il chaque année des nobles et des sénateurs qui ont juré de se débarrasser de Néron ? Ce n'est pas un grand crime que de se moquer des vieilles mœurs romaines pour marcher sur les traces d'Alexandre ou d'Antoine. Le plus clair de notre civilisation nous vient de l'Orient et une idée orientale du pouvoir doit fatalement s'imposer tôt ou tard. Le Prince ne peut éternellement demeurer le " Premier " d'une bande de sénateurs qui ont perdu depuis longtemps toute efficacité politique. Cette fiction, qu'Auguste a consolidée tant bien que mal, était déjà branlante à l'époque du grand César. »

Pétrone faucha de sa badine une touffe d'herbe sèche et réfléchit un moment avant de livrer la clef du mystère...

« La majeure partie du sénat se moque bien des mœurs, et même de la politique, mais seulement dans la mesure où ses intérêts matériels ne sont pas en cause. Quand ces gens-là accusent Néron de " gréciser " et de jouer au despote oriental, il s'agit évidemment d'une hypocrite manœuvre pour se concilier une petite bourgeoisie et une plèbe superstitieuses, où le moindre savetier se prend pour Romulus. Le peuple est plus sincèrement attaché que l'aristocratie aux glorieux fantômes qui rôdent sur ces monts Albains.

« Il y a sept ans, Néron étant consul pour la troisième fois afin de bien marquer sa volonté d'influer sur la conjoncture, un grandiose projet de réforme fiscale a été soumis à l'approbation du sénat. On en avait débattu un an durant au Conseil du Prince, et j'en avais eu des échos précis et dignes de créance.

« Tu sais comme tout le monde quel est le système actuel, fruit de multiples conquêtes. Les cités incendiées ont été reconstruites, mais une fiscalité discriminatoire demeure. Les impôts indirects, qui, par définition, pèsent surtout sur les plus pauvres et qui constituent traditionnellement une ressource fondamentale du Trésor, sont levés par des compagnies de " publicains ", capables d'avancer l'argent à l'État, et rémunérées grassement sur le produit des impositions. Ces " fermiers " en prennent d'autant plus à leur aise et font des bénéfices d'autant plus scandaleux que les provinces sont plus lointaines et le contrôle, plus difficile. L'Italie est relativement épargnée par leurs exactions. Quant aux impôts directs, dont l'importance ne cesse de croître, les citoyens romains d'Italie en sont exempts.

« Le projet néronien, d'une audace sans précédent, consistait à réduire ou à abolir les impôts indirects pour les remplacer par un impôt direct général, payé par tous les sujets de l'Empire, et même par les citoyens.

« Tu juges de la fureur des sénateurs, que la loi oblige à détenir un capital foncier italien considérable. Il était question, pour la première fois, de leur faire payer des contributions en rapport avec leurs revenus, et ils auraient perdu plus encore, car l'abolition ou l'abaissement des taxes indirectes sur la circulation des produits provinciaux aurait abaissé le coût des importations et condamné de ce fait les propriétaires fonciers d'Italie à vendre moins cher les récoltes de leurs domaines.

« Les doléances du sénat, devant cette proposition naïve et idéaliste, ont été si vives que le jeune empereur a dû accepter un compromis dérisoire, qui respectait l'essentiel des intérêts en péril.

— Qui empêchait Néron de passer outre ?

— Faire égorger le sénat ? Mais il aurait bien fallu le remplacer par un autre qui eût défendu les mêmes privilèges. Néron peut faire tuer un sénateur et lui confisquer ses terres pour les joindre aux immenses propriétés impériales, il ne peut faire tuer tout le monde et tout confisquer, car les capacités administratives lui feraient défaut pour gérer une masse aussi énorme de terres. De plus, les sénateurs lésés avaient l'appui de tous les " chevaliers " de la " ferme ", et même de beaucoup de citoyens modestes de la Péninsule. Seule la plèbe romaine eût dans l'immédiat gagné dans l'affaire, car le prix des vivres aurait diminué.

« Le sénat n'a pas oublié cette horrible alerte, et Néron non plus. Son sincère désir du bien public s'était heurté au mur de l'argent, et l'argent, vu l'immensité de ses ambitions, il lui en faut plus qu'à un autre. L'empereur rêve d'une nouvelle Rome au plan géométrique, où les cavaliers germains et les prétoriens pourraient circuler à l'aise en cas d'émeute ; et coûtent également fort cher les compétitions artistiques et gymniques à la grecque qu'il s'est efforcé d'instaurer en sus des ruineux spectacles habituels, qui n'ont jamais été plus luxueux. D'où la grande brouille entre le Prince et son sénat. Néron veut mettre au pas ces égoïstes, les faire rentrer dans le rang, les réduire au droit commun, dans l'espoir de reprendre un jour son fameux projet fiscal ; et tous ceux qu'il prétend dépouiller pour assurer à l'État des finances plus équitables, plus régulières, plus abondantes et plus saines travaillent à le prendre de vitesse par le glaive ou par le poison. Je ne donne pas un as de sa peau, et c'est dommage, car cette nouvelle fiscalité est le seul remède pour conjurer le spectre d'une débâcle financière qui interdirait quelque jour de solder les armées indispensables à la survie de l'Empire et au maintien du bon ordre intérieur.

— Pour ne pas trahir un ami criminel, tu condamnerais l'Empire à mort ?

— Je le crains. Affaire d'éducation... »

Dans la pompe étourdissante de l'entrée à Naples, cette conversation semblait bien irréelle à Kaeso. De toutes les colonies, de tous les municipes voisins, des curieux étaient accourus se mêler à l'exubérante et adulatrice populace grecque pour voir de près un empereur qui s'apprêtait à monter publiquement sur la scène d'un théâtre. Même un Caligula n'avait osé aller aussi loin dans le dédain le plus provocant de toutes les meilleures traditions romaines. Et tandis que le char impérial progressait lentement vers l' « agora » de la cité hellénique, le Vésuve émettait une fumée noire, comme pour signifier que les dieux infernaux voyaient l'audace de Néron d'un mauvais œil.

L'empereur s'enferma deux jours avec Terpnos pour se concentrer avant la redoutable épreuve, qui était prévue pour le X des Kalendes de juin, fête du Tubilustre, ou purification des trompettes guerrières, sous le patronage de Vulcain. Kaeso et Myra passèrent ces deux jours dans la villa que Pétrone possédait près d'Herculanum, maison de dimensions assez modestes, mais d'un luxe raffiné, avec une vue superbe sur le golfe de Naples, de Capri à Ischia et à Procida.

Pétrone n'avait emmené qu'une maîtresse esthétiquement parfaite, une affranchie nommée Isis, et une douzaine d'esclaves, qui formaient une « familia » restreinte avec la vingtaine de préposés à la garde et à l'entretien de la villa. Kaeso, qui ne prenait pas plaisir à Myra au point de s'en embarrasser indéfiniment, l'offrit à Pétrone dès le début de son séjour pour le remercier de son hospitalité, mais l'hôte se fit un délicat scrupule d'accepter le cadeau. Petronius « Arbiter » n'avait pas trois cents esclaves, mais ils étaient tous de valeur, et il ne voyait aucun intérêt à s'encombrer de ce chat maigre, qui ne pouvait faire que des bonheurs plébéiens. Comme Pétrone craignait d'avoir blessé Kaeso par son refus poli, il lui proposa d'user d'Isis à sa fantaisie durant leur halte à Herculanum, mais Kaeso refusa l'offre à son tour. Pétrone avait déjà jeté une fille dans ses jambes à Baïes. Cette manie de refiler ses maîtresses à ses amis avait quelque chose d'un peu suspect.

Pétrone finit par s'en expliquer le second soir, alors qu'ils dînaient tous deux devant une mer d'huile, en l'absence de Myra et d'Isis, que toute conversation d'un certain niveau ennuyait.

« J'ai pour prudente doctrine, avoua Pétrone, d'exclure avec soin de mon existence tout risque de passion amoureuse. Quand on voit les dégâts occasionnés par cette redoutable maladie, on ne saurait prendre trop de précautions. La plus sûre est de choisir des maîtresses à la croupe bien pleine, mais à la cervelle bien vide, qualité d'ailleurs des plus courantes chez la femme. On goûte alors un repos, une satisfaction totale. Reste à lutter contre les fâcheux troubles de la jalousie. Rien de tel alors que de pratiquer libéralement cette ascèse qui consiste à donner plaisir à ses amis. La première fois que je t'ai vu chez Silanus, resplendissant de jeunesse et de candeur, tu m'as déjà paru digne d'une attention flatteuse, et la maîtresse que j'honorais alors était toute indiquée pour faire trois heureux. »

Les considérations de Pétrone sur le mariage étaient empreintes d'une égale sagesse : « Les fatals ennuis du mariage seraient peut-être supportables s'il ne s'y ajoutait un ennui possible, qui dissuade de tenter l'expérience : la mise au monde d'un enfant. Les enfants passent leur temps à saccager les espérances que l'on avait placées en eux. Selon la forte parole de mon père, qui m'a toujours tenu pour un bon à rien : "Avoir des enfants, c'est agrandir sa surface de malheur".

Il n'y a pas une réussite sur cent. Pour avoir un produit à son goût, il faudrait engrosser une masse prodigieuse de concubines, et le jeu n'en vaut pas la chandelle. Font des enfants sans frémir les rustres dominés par les forces obscures de l'instinct, ou les philosophes fanatiques à court d'auditoires, qui succombent à l'illusion d'élargir leur audience et de perpétuer leurs idées en augmentant leur famille. Et les femmes en désirent aussi parfois du fait de leur vue courte, car leurs fils ressembleront aux hommes qui les ont trompées et meurtries. Agrippine illustre bien les dangers de toute grossesse. »

Le pessimisme de Pétrone étant très répandu, il n'était pas surprenant que l'Empire se dépeuplât.

Pendant ces deux journées, tandis que Néron recevait les ultimes conseils du grand Terpnos et révisait accessoirement avec ses acteurs favoris une pièce d'Euripide qu'il avait décidé de présenter en hors-d'œuvre, on se prépara fébrilement à lui constituer une assistance sur mesure, car il s'agissait d'une affaire d'État. Tigellin, resté à Rome pour expédier les affaires courantes, avait mis au point le projet avec une équipe de spécialistes, et l'on s'évertuait sur place à éliminer le moindre risque d'accroc. Tout le monde tremblait à la perspective que l'empereur puisse connaître un échec humiliant et l'on ne savait qu'imaginer pour offrir au Prince les plus expresses garanties. Ainsi, alors que Néron vivait dans l'angoisse d'affronter une marée d'amateurs difficiles, jamais son public n'aurait été plus artificiel ni plus complaisant.

Le plus vaste des théâtres de Naples, obtenu, selon la paresseuse coutume grecque, par l'excavation d'une colline, face à la mer, avait été jugé trop petit, et un immense théâtre de bois avait été en un temps record édifié à la romaine, sur un terrain plat, dans la banlieue de la populeuse cité. Le gratin de la cour, les sénateurs, les augustiani devaient occuper les premiers rangs avec le conseil municipal de la ville. Devait être répartie plus haut toute une population à dominante grecque, filtrée avec suspicion, chacun ayant à présenter sa tessère d'entrée personnelle. Plus haut encore, un choix de femmes et d'enfants grecs pareillement sélectionnés, grossi par l'élite des prostituées qui avaient agrémenté le voyage. Les derniers gradins, à une distance de la scène où aucun visage n'était plus reconnaissable, seraient remplis par des prétoriens en civil ; et les géants blonds de la garde germanique couronneraient le bâtiment de façon à prévenir la plus faible apparence de désordre.

De plus, durant ces deux jours critiques, la majeure partie des futurs spectateurs ne cessa d'être convoquée pour participer à des répétitions, récompensée par des banquets et des distributions de menus cadeaux. Il convenait de régler les applaudissements et les enthousiasmes de telle sorte que le Prince eût une vive impression de spontanéité et de compétence. Une seconde troupe répétait donc la pièce d'Euripide avec cette claque démesurée, et un chanteur citharède présentait ensuite les morceaux dont Néron se flattait d'offrir la primeur. La foule des spectateurs avait été divisée en sections, chacune nantie d'un chef de claque chargé de commander et de contrôler au mieux la prestation de son groupe. On avait dérangé Kaeso pour l'inclure parmi des augustiani chargés des « applaudissements discrets », ceux qui réclamaient le plus d'opportunité, de finesse et de savoir-faire. Pétrone ne cessait de rire d'une pareille mascarade.

Dès l'aube du Tubilustre, le théâtre se remplit peu à peu et la représentation de l'*Hercule furieux* d'Euripide commença de bonne heure. Néron avait pensé que les Grecs de Naples étaient dignes de goûter son auteur favori, qu'il n'était plus question depuis longtemps de faire apprécier à la plèbe romaine. En tenant le rôle d'Hercule dans une pièce qu'il connaissait bien, qu'il avait souvent jouée en privé, il comptait se familiariser avec l'ambiance et les exigences d'une grande représentation publique pour être au meilleur de sa forme dans le tour de chant qui allait suivre et qui était pour lui l'essentiel. Avantage accessoire d'une tragédie de haut niveau : le port obligatoire du masque, la présence de l'abat-son donneraient plus de portée à sa voix un peu faible, qui serait rodée à point pour accompagner la cithare après l'entracte. Néron n'avait guère d'inquiétude quant à la composition de son Hercule. Il avait interprété bien d'autres personnages masculins ou féminins : Oreste, Créon, Nauplius, fils de Palamède, Thyestes et Alcméon, Attis et Capanée, Antigone, Niobé ou Mélanippe... L'accouchement même de Canacé ne lui avait pas fait difficulté.

Dominant son trac en cet instant capital, l'empereur parvint donc à faire bonne impression, porté, croyait-il, par une atmosphère chaleureuse de connaisseurs désintéressés, et encadré par de vieux routiers de la scène, qui ne manquaient pas une occasion de le mettre en valeur. Le masque tragique était d'ailleurs un excellent préservatif contre la paralysie menaçante, et les masques des autres leur permettaient de souffler discrètement au Maître les vers que son émoi lui aurait fait oublier. Progressivement, Néron se dégelait et donnait tout ce qu'il pouvait. On avait vu des acteurs beaucoup plus médiocres et l'assistance se serait attendue à pire. Un succès en bonne partie mérité s'annonçait.

Sur la fin de la pièce, Hercule arrive à Thèbes à l'instant où sa femme et ses trois fils, déjà parés pour le sacrifice, vont passer de vie à trépas. Son arrivée imprévue les sauve et on le charge de chaînes pour le sacrifier à son tour. C'était le moment le plus poignant de la tragédie et la claque observait un religieux silence, quand un jeune soldat surgit des coulisses pour se précipiter, glaive au clair, vers le Prince.

Le soldat Liber, d'une pauvre famille de Lucanie, avait quelque temps gardé des moutons aux environs de la Voie Popilia, qui reliait Capoue à Rhegium et à la Sicile. Dégoûté des ovins, et surtout des brebis, qui n'avaient pas les charmes des petites « ânesses » de Grumentum ou de Bruxentum, il avait préféré la carrière militaire, et avait été récemment affecté à la Campanie. Sa seule expérience artistique était celle des arènes et du théâtre pornographique des cités de cette région, où les richesses accumulées par l'agriculture et le commerce avaient permis aux mécènes municipaux de se distinguer. La violence, la crudité des spectacles de Pouzzoles ou de Pompéi étaient réputées.

Jusqu'au supplice d'Hercule, le soldat Liber avait gardé l'une des entrées de la salle des machines, qui s'étendait sous les planches, en avant du « mur de scène » en bois, et il s'était distrait aux manœuvres du décor, tandis que lui parvenait l'écho des applaudissements et des ovations qui ponctuaient le spectacle. Le grand silence qui s'était instauré lors de la scène du supplice d'Hercule avait piqué sa curiosité et il avait succombé à la tentation de monter quelques marches pour risquer un œil, dans la plus totale ignorance de ce que pouvait être une tragédie classique. Il savait seulement que Néron devait jouer un rôle éminent dans une pièce qu'il imaginait de son sous-sol comme une comédie sanglante et lubrique.

Voyant soudain son empereur chargé de chaînes et gémissant, il avait perdu tout sang-froid, toute faculté de réflexion et d'analyse. Un gardien de moutons n'assiste pas à des exécutions pittoresques et théâtrales de condamnés à mort sans que son peu d'esprit critique en soit émoussé. Et croyant ainsi à un odieux attentat, Liber avait dégainé pour venir prêter main-forte, n'écoutant que son devoir et espérant de l'avancement.

L'irruption de ce menaçant abruti plongea le plateau dans la confusion la plus horrible. L'intrus luttait comme un forcené pour libérer de ses chaînes un Néron qui croyait sa dernière heure venue ; des gardes accourus s'efforçaient de maîtriser l'assassin ; les acteurs poussaient des hurlements, dont le tragique sonnait enfin juste...

Après un bref instant qui sembla durer un siècle, le malentendu commença de s'éclaircir, et l'on songea enfin à lever le rideau.

On avait entraîné l'empereur défaillant dans la loge somptueuse qu'on lui avait aménagée à l'arrière du « mur de scène », où, masque et cothurnes retirés, le regard fou, il claquait des dents. Les artistes sont des êtres trop sensibles pour que le courage physique soit d'ordinaire leur point fort.

Sur les gradins, où l'attentat paraissait encore évident, les chefs de claque, dépassés, ne savaient plus quelles instructions donner et les bruits les plus contradictoires couraient sur le sort du Prince.

Les plus intimes de Néron, la première émotion passée, s'étaient précipités aux nouvelles pour se voir tenus à distance de la loge par un rideau serré de Germains, de prétoriens et de gladiateurs. Il y avait là Poppée, qui faisait alterner menaces et supplications pour forcer le barrage, un Sporus aux cent coups, qui en avait perdu une boucle d'oreille, l'affranchi Pythagoras, l'amant le plus apprécié du Prince, qui songeait à l'épouser pour faire enrager le sénat, et naturellement Vitellius, Nerva, Pétrone, Kaeso et bien d'autres...

Un centurion du Prétoire se détacha enfin des gardes pour déclarer que l'empereur désirait s'entretenir avec Pétrone, Nerva et Kaeso, sélection assez remarquable en la circonstance. En véritable artiste soucieux de ses responsabilités, Néron, négligeant femme, amant ou giton, faisait d'abord appel à des amis dont l'expérience artistique lui inspirait confiance. Pétrone et Nerva étaient de ses conseillers habituels, et il avait apprécié les remarques de Kaeso lors du festin chez Silanus.

Guidant les trois visiteurs jusqu'au Prince, le centurion Sulpicius Asper leur confia : « L'agresseur est un demeuré dont le seul dessein était de secourir l'empereur ! Quand les Tite-Live de l'avenir rapporteront le fait, personne n'y croira... » Asper négligea d'ajouter que l'assassinat de Néron eût comblé ses vœux. Pour beaucoup de tribuns et centurions du Prétoire, pour Faenius Rufus lui-même, qui partageait cette préfecture clef avec Tigellin, la montée d'un César sur les planches couvrait toute l'armée de honte. Les cadres du Prétoire se recrutaient surtout dans une bourgeoisie italienne que rien n'avait préparée à de tels scandales.

Néron dit aussitôt à ses trois amis : « Quel acteur sera jamais plus malheureux que moi ?! Des années de travail et d'espoir pour aboutir à cet insondable ridicule ! De quels supplices un pareil misérable n'est-il pas digne ? Comment remonter la pente à présent ? Mon esprit se perd... »

Nerva dut avouer que ce mélange prodigieux de tragédie et de comédie avait porté un coup fatal à la représentation, et qu'il lui semblait exclu de baisser de nouveau le rideau pour jouer la fin de la pièce.

Pétrone fit une suggestion pratique : « Asper nous a assuré que cette agression imbécile avait pour but de te soustraire aux outrages. Il y a là, chez un soldat, un bel exemple de courage et de fidélité, dont bien des prétoriens pourraient s'inspirer. Plus les légionnaires sont bêtes, plus ils sont sûrs, et il ne faut décourager personne. Je te conseille de mettre les rieurs de ton côté en récompensant ce brave garçon. Veux-tu que je me charge de l'annonce au public ? »

Kaeso trouvait le conseil astucieux, et Nerva, tout compte fait, y était plutôt favorable. Néron finit par s'y rallier et les congédia : « Que Pétrone aille donc tout de suite rétablir la situation de la sorte, et vous deux, laissez-moi seul. J'ai besoin de recueillement avant de chanter. Ah, quel métier que le nôtre ! »

Pétrone monta donc sur la scène et dit d'une voix forte, dans un grec parfait : « Soyez tous rassurés ! César me charge de vous dire qu'il se porte bien et qu'il chantera pour vous comme prévu dès qu'il aura pris un peu de repos. Quant à la pièce, elle vient de se terminer sur un coup de théâtre que le génie d'Euripide lui-même aurait eu du mal à imaginer. Un soldat qui avait plus de cœur que de lettres, voyant son empereur chargé de chaînes, a couru le délivrer. Que toutes les légions imitent un tel dévouement, et nous aurons des tragédies encore plus plaisantes ! Ce brave a bien mérité l'avancement que Néron lui accorde sur ma prière et sur celle de tous ses amis. Vous voyez qu'Hercule n'est pas toujours furieux : il a ses instants de clémence quand il est à Naples ! »

Les chefs de claque savaient désormais ce qu'ils avaient à faire et le ciel bleu se remplit de clameurs flatteuses et de rires, tandis qu'on se dépêchait de délier le soldat Liber, qui avait été ficelé comme un saucisson gaulois.

Une bonne heure s'écoula. Néron rappela Pétrone, qui revint dire à Kaeso : « L'affaire semble dans l'impasse. Néron s'est avancé jusqu'au pied de l'escalier qui conduit à la scène, et il reste là, cramponné à sa cithare, incapable de faire un pas de plus et de paraître à visage découvert. Je n'ai su que lui dire pour l'encourager. »

Kaeso se rendit à son tour auprès du Prince, qui fit signe de le laisser passer. Néron avait une allure pitoyable et roulait des yeux désespérés dans le clair-obscur du couloir, cloué sur place par le trac. La peur de la foule l'empêchait d'avancer. La honte l'empêchait de reculer. Kaeso demanda aux gardes de se retirer à quelque distance, et, se rapprochant du malheureux, il lui dit d'une voix confidentielle : « Tu es un grand chanteur. J'ai pu en juger quand je t'ai entendu chez Silanus. Plus un chanteur est grand, plus il est susceptible de défaillance, et aucun artiste ne pourrait chanter après une alerte aussi chaude. Mais tu n'es pas seulement un artiste hors ligne, tu es aussi le Maître du monde, et l'empereur doit prendre le chanteur par la main pour dominer la situation.

« Je vais te donner un vieux truc efficace pour te sortir de là. Cesse de songer à toute cette plèbe infecte qui sent l'ail et l'oignon. Chante ainsi que d'habitude. Ne chante que pour le petit nombre d'amis sincères qui savent ce que tu vaux et attendent constamment de toi que tu te surpasses. Si tu veux, ne chante que pour moi. Je vais me mettre au premier rang, parmi des sénateurs que ton échec comblerait d'aise, et nos regards demeureront attachés l'un à l'autre jusqu'au dernier accord de cithare. Chante de tout cœur, avec la volonté de me séduire. Mais en la circonstance, ne me considère point comme une femme. Un dieu grec ne peut donner pour une femme le meilleur de lui-même. Chante pour le jeune homme que je suis, te moquant de l'univers entier pour me plaire. Et Vénus t'accordera le succès. »

L'œil de Néron était déjà plus vif. Le Prince se redressa et murmura : « Par tous les dieux de l'Olympe, oui, c'est ce que je vais faire ! Je dois pour triompher m'isoler avec toi, et tu partageras mon triomphe ! »

Kaeso, qui n'en demandait pas tant, prit respectueusement l'empereur par le coude et le tira vers l'escalier...

Le regard amoureusement fixé sur Kaeso, Néron chanta jusqu'au milieu de l'après-midi tous les succès de son répertoire, pour terminer par des passages de sa *Troïca*, sous des applaudissements d'autant plus nourris que les spectateurs n'avaient pas oublié pour si peu l'heure du déjeuner. Le Prince transporté avait la sensation de n'avoir jamais été meilleur. De fait, sa voix n'était clairement perçue que par un quart des spectateurs, mais vu ce qui était en jeu, le détail était sans importance.

Enfin, Néron épuisé se tut, détacha ses yeux de Kaeso et alla dormir sur ses lauriers. Son soulagement n'avait d'égal que celui des organisateurs et du public.

Pétrone demanda à Kaeso :

« Qu'as-tu bien pu lui dire pour le décider ?

— Je lui ai recommandé de ne chanter que pour moi, avec des sentiments de fille énamourée. »

Pétrone sourit...

« La peur d'être pris pour un Sporus te donne de divines inspirations ! »

VII

Le théâtre était évacué depuis peu et une foule d'ouvriers allaient s'y introduire pour le démonter, lorsque la moitié la plus élevée de l'édifice s'effondra dans un fracas épouvantable, sans que la moindre personne fût blessée, événement où la main des dieux était évidente, car on ne distinguait aucune raison naturelle pour qu'un bâtiment de ce genre résistât au poids énorme des spectateurs pour ne plus même supporter son propre poids un instant après. Pétrone et Kaeso, qui étaient sortis de litière pour considérer le nuage de fumée flottant au-dessus des débris, étaient d'avis partagés. Pétrone voyait là un présage sinistre, Kaeso, la manifestation d'une providence attentive, qui ne voulait point la mort du pêcheur, fût-il artiste.

De tels accidents n'étaient que trop fréquents et concernaient surtout les amphithéâtres, si coûteux à construire en pierre du fait de leurs dimensions et de la nécessité de bâtir en terrain plat, sans pouvoir profiter des entrailles complaisantes d'une colline. Sous Tibère, les habitants de Rome ayant été longtemps privés de gladiature par un Prince cruel, des « munera » s'étaient organisés dans les petites cités des alentours, la passion du gain avait élevé des amphithéâtres branlants pour accueillir une masse de Romains sevrés, et la catastrophe la plus célèbre avait été celle de Fidènes, qui avait entraîné toute une législation préventive plus ou moins respectée. Le bois avait continué de s'imposer pour d'évidentes raisons pratiques, les éléments démontables pouvant servir de nombreuses fois. Tout le monde n'avait pas pour bâtir en pierre les finances des Pompéiens, et Néron lui-même avait adopté le bois pour son amphithéâtre du Champ de Mars, réservant ses prodigalités à une folle décoration. On avait vu aussi dans la Rome d'autrefois une solution des plus originales : un amphithéâtre circulaire de bois, qui s'ouvrait en son milieu de manière que les deux parties, pivotant dos à dos, puissent servir de théâtre. Mais un tel raffinement technique ne pouvait convenir qu'à des constructions de dimension médiocre. La machinerie et les rouleaux n'eussent pas admis une masse trop lourde.

En fin d'après-midi, des banquets s'ouvrirent sur les principales places de Naples, au bénéfice de la population hospitalière qui avait si bien apprécié la voix d'or du Prince, mais Néron dîna plus tard entre amis dans les jardins d'une riche villa de la riviera locale. Il avait renoncé à exposer sa personne dans les banquets publics qu'il affectionnait naguère et qui lui avaient donné de si nombreuses occasions de s'offrir en toute simplicité à la naturelle sympathie de la plèbe.

L'empereur rayonnait d'une joie intense de s'être si heureusement tiré de ses épreuves : il était en quelque sorte passé professionnel. Après des années de prometteur amateurisme, il voyait s'ouvrir devant lui les théâtres de la Grèce, de l'Asie Mineure, de l'Orient, de l'Égypte, et, pour fêter une pareille réussite, l'assistance habituelle avait été élargie. La plupart du temps, Néron préférait dîner à la grecque, entre hommes, pour jouir de conversations plus intéressantes, l'éventuelle présence d'hétaïres ou de gitons n'étant alors qu'un accessoire plutôt décoratif. Mais en ce mémorable Tubilustre, Poppée et quelques matrones dans le vent avaient été admises sur les coussins des « triclinia ».

A l'arrivée de Pétrone et de Kaeso, le Prince était en train de narrer pour la énième fois, enjolivant d'un détail le récit à chaque coup, ce que Kaeso avait imaginé pour lui permettre de retrouver tous ses moyens sur-le-champ — comme ces organisations d'artiste sont délicates ! —, et il se précipita sur le jeune homme, le couvrant de baisers, de caresses, de promesses et de compliments...

« Dans mes bras, divin et glorieux éphèbe, à qui je dois une réputation qui m'est plus chère que l'Empire, plus chère que la vie ! Viens que je te regarde de tout près, car tu sais que j'y vois un peu trouble à quelque distance : j'ai chanté pour un visage qui était dans les brumes de l'Olympe. Je me demande même si je n'ai pas chanté un instant pour Vatinius ! »

Poppée remercia Kaeso à son tour, avec toute la gracieuseté possible. D'une jalousie féroce, elle s'ingéniait à éliminer les concurrentes qui auraient pu lui porter ombrage, mais, avec beaucoup de bon sens, elle voyait d'un œil aimable le passage d'un nouveau favori, qui avait en tout cas pour vertu bien assurée de détourner le Prince des intrigantes. Et si elle avait un reste de prévention contre les gitons aux femelles attirances, les amants impériaux et impérieux étaient toujours les bienvenus, puisqu'ils faisaient épisodiquement vibrer chez l'empereur des cordes si profondes que les femmes étaient incapables de les émouvoir.

Kaeso, que tout le monde, en dehors de Pétrone, considérait comme un courtisan génial, n'avait pas de mal à jouer les modestes, vu qu'il n'avait songé, avec une morale toute relative, qu'à protéger ses arrières, et cette attitude lui était un charme de plus.

On plaça Kaeso « en dessous » de Poppée, qui était elle-même allongée « en dessous » du Prince, anxieux de connaître l'impression que son art avait produite. Nerva et Pétrone signalèrent quelques points où de minimes progrès étaient encore possibles. Vitellius déclara que la voix du Maître ayant déjà fait crouler un théâtre, il convenait de ménager les effets. Seule l'incompétence notoire de Vitellius lui permettait de hasarder impunément des plaisanteries aussi lourdes. Kaeso suggéra que le divin citharède aurait intérêt à chanter pour un éphèbe encore plus séduisant que lui, mais Néron se récria : « Le pli est pris et je chanterai pour toi à Corinthe, dans le grand théâtre de Pergame comme à l'ombre des Pyramides ! J'ai besoin d'être soutenu par ton regard confiant, qui résume pour moi les regards de tous ceux que j'aimerais captiver. »

Néron ajouta qu'il composait un chant pour remercier les dieux d'avoir épargné tant de vies précieuses en retardant l'écroulement du théâtre. Les gens de Fidènes n'avaient pas eu cette chance sous Tibère.

On avait aussitôt expédié un courrier à Rome pour annoncer le prodige, et Tigellin pourrait également remercier les dieux, car si les parties hautes du théâtre s'étaient effondrées sous des centaines de prétoriens en civil, il aurait eu de la difficulté à expliquer à l'empereur l'importance d'une telle désertion. Néron choyait les prétoriens qui l'avaient porté à l'Empire, mais les redoutait plus encore et contrôlait avec ses deux Préfets les effectifs de près, à la recherche de brebis galeuses, qui, malheureusement pour lui, se trouvaient plutôt parmi les bergers du troupeau. Ces abrutis de la garde germanique, par définition insensibles aux traditions de l'ancienne Rome, étaient plus rassurants.

Le festin se prolongea jusqu'au milieu de la nuit, exceptionnellement égayé — Néron n'avait que trop chanté pour la journée ! — par toutes sortes d'attractions, qui faisaient alterner, selon une progression étudiée, le sérieux, le plaisant, le lascif et l'obscène, le tout d'une haute qualité. Profitant d'une absence du Prince, qui était sorti se soulager — on n'apportait les urinaux à table que lors des repas entre hommes sans cérémonie —, Poppée fit des agaceries à Kaeso, ce qui le surprit fort. Le Prince n'était pas d'un tempérament jaloux et les débauches de groupe lui étaient familières, qu'il aimait à voir régler comme de gracieux ballets, mais la vertu de l'« Augusta » était préservée de toute atteinte, pour la bonne raison que l'empereur voulait absolument un successeur de son sang. Kaeso finit par saisir que Poppée n'usait de ses charmes que pour essayer de savoir ce que son mari avait bien pu fabriquer avec Marcia sur une galère tibérine par une nuit mystérieuse, comme le bruit en avait couru avec insistance.

Kaeso se fit tirer l'oreille et retarda sa réponse pour en faire profiter Néron : « J'étais présent au retour de ma belle-mère, une femme qui n'est plus de la première jeunesse et dont les mœurs sont devenues très austères depuis son mariage avec le vieux stoïcien Silanus. Marcia était encore toute tremblante, car César lui avait fait l'honneur de l'initier au culte d'un dieu étranger nommé Mithra, dont nos légionnaires ont ouï dire du côté de l'Arménie. Il paraît que le roi Tiridate est l'un des fervents de cette secte étrange. Selon Marcia, un gros lion joue un rôle dans l'affaire, pour éprouver le courage des néophytes qui se recrutent surtout parmi les militaires ou les amazones. Le postulant doit mettre sa tête dans la gueule de l'animal, lui flatter la croupe, lui soulever la queue afin d'empoigner impavidement ses testicules... Si le héros ne se fait pas dévorer, il est admis dans la confrérie. Au grand effroi de Silanus, Marcia a senti le fauve plusieurs jours durant et son émoi égalait sa fierté. »

Néron confirma : « C'est à peu près ce que j'avais dit à Poppée. On n'invente pas des choses pareilles. Un de ces jours, je descendrai dans l'arène costumé en Hercule pour assommer ou étouffer le lion. Cet exploit manque à ma gloire. »

A la fin de la soirée, l'empereur annonça qu'il s'était enfin résolu à pousser au moins jusqu'à Corinthe, et sur un ton qui décourageait toute critique. Corinthe attirait Néron par son mélange de romanité et de grécité nouvelle. Il n'avait que dédain pour la vieille Athènes épuisée par les démons de la démocratie, ou pour Sparte, qui sans doute était morte debout mais n'offrait plus qu'un but d'excursion touristique. Ce qui le séduisait, c'étaient les hauts faits d'un Alexandre et surtout les régimes que ses héritiers avaient su établir et faire fonctionner, où un roi-dieu imposait ses charismes à des populations diverses réunies en principe dans l'amour et le respect du Prince. Il attendait de l'Orient des applaudissements de qualité, mais aussi des leçons de politique, et le rêve, pour être prématuré, n'en était pas moins conforme à la nature profonde des choses.

Le gouvernement aristocratique des grandes cités grecques maritimes, après quelques intermèdes tyranniques, avait succombé devant les appétits égalitaires des bourgeoisies affairistes et commerçantes. Mais la démocratie avait également fait son temps. Pour des motifs de communication, on ne pouvait concevoir qu'une démocratie directe, gérée par ce qu'une place publique est susceptible de contenir de citoyens, solution inapplicable à l'échelle des royaumes et des empires. Et cette démocratie directe elle-même avait été facteur de ruine pour les cités où elle avait sévi, car des citoyens qui ont réellement la liberté de voter leurs propres impôts n'ont que deux solutions pour s'épargner cette injure : écraser les riches pour le plus grand détriment de l'économie, ou tirer de l'argent de guerres heureuses. On ne saurait toutefois faire payer des vaincus indéfiniment. L'avenir était à une tyrannie nouvelle à la grecque, une tyrannie éclairée, capable de recueillir l'assentiment du plus grand nombre, non plus à l'échelle de la cité, mais sur d'immenses territoires.

Pour dégoûter le jeune Néron de la tyrannie, Sénèque lui avait donné à lire le *Hiéron* de Xénophon, longue plainte de l'infortuné tyran de Syracuse contre tous les risques et ennuis du métier. Mais l'adolescent avait plutôt retenu les encouragements du contradicteur et poète Simonide, qui estimait qu'un tyran vertueux devait être en mesure d'entraîner l'adhésion, reflétant par là les idées de l'auteur, qui était un homme d'ordre choqué de la faillite des cités grecques.

Et l'innocent Néron s'était longtemps bercé de cette émouvante péroraison de Simonide, qu'il s'était évertué à faire passer dans les faits durant les cinq premières années de son règne :

« Je te le dis, Hiéron, c'est contre d'autres chefs d'État qu'il te faut concourir, et, si tu rends la ville que tu gouvernes la plus heureuse, tu peux être assuré que tu seras vainqueur dans le concours le plus beau et le plus magnifique qui soit au monde. Tout d'abord, tu obtiendras immédiatement l'affection de tes sujets, objet de tes désirs. Ensuite, ta victoire ne sera point proclamée par un seul héraut, mais tous les hommes célébreront ta vertu. Point de mire de tous les yeux, tu seras chéri non seulement par les particuliers, mais encore par beaucoup de puissances étrangères ; tu seras admiré non seulement dans ta maison, mais encore parmi la foule. Tu pourras en toute sûreté aller à ta guise pour satisfaire ta curiosité, tu pourras même la satisfaire sans sortir de chez toi. Car ce sera dans ta maison un défilé perpétuel de gens empressés à te montrer ce qu'ils auront trouvé d'ingénieux, de beau et de bon, et d'autres gens encore, désireux de te servir. Tout visiteur te sera dévoué, tout absent ambitionnera de te connaître, et tu seras non seulement chéri, mais aimé d'amour. Pour ce qui est des beaux jeunes gens, loin d'avoir à les solliciter, tu auras plutôt à souffrir leurs sollicitations. Tu n'auras plus à craindre, mais tout le monde craindra qu'il ne t'arrive quelque malheur. Tes sujets t'obéiront sans contrainte et tu les verras veiller spontanément sur tes jours. En cas de danger, ils ne seront pas seulement des alliés, mais tu les verras, pleins de zèle, te faire un rempart de leur corps. Comblé de présents, tu ne manqueras pas d'amis à qui en faire part. Tous se réjouiront de ta prospérité, tous combattront pour défendre tes intérêts comme s'il s'agissait des leurs. Pour trésors, tu auras tous les biens de tes amis.

« Courage donc, Hiéron ! Enrichis tes amis, tu t'enrichiras toi-même... Regarde ta patrie comme ta maison, tes concitoyens comme des camarades, tes amis comme tes enfants, tes enfants comme ta propre vie, et essaye de les vaincre à force de bienfaits. Car si tu l'emportes par tes bienfaits sur tes amis, tu n'as pas à craindre que tes ennemis puissent te tenir tête. Si tu fais tout ce que je viens de te dire, sache que tu auras acquis le bien le plus précieux et le plus beau de l'univers : tu seras heureux sans être envié. »

A la fin d'un banquet bien arrosé, il arrivait parfois à l'empereur d'entendre avec une douloureuse nostalgie l'écho de cet hymne sublime à un despotisme intelligent et généreux. Il y avait cru. Il n'y avait cru que trop ! Il avait gaspillé des trésors pour être aimé, et il en gaspillait encore pour désarmer la haine. D'affreuses expériences l'avaient rendu sceptique sur la reconnaissance qu'on pouvait attendre des hommes. Sénèque l'avait d'ailleurs averti : « L'argent est éphémère, et la gratitude plus éphémère encore. » Mais le système était lancé. Il fallait toujours plus d'argent pour monnayer des fidélités toujours plus suspectes. Le désenchantement de Hiéron était l'inévitable rançon du pouvoir.

Une phrase de Simonide avait cependant marqué Néron plus que toute autre : « Pour ce qui est des beaux jeunes gens, loin d'avoir à les solliciter, tu auras plutôt à souffrir leurs sollicitations. » Dans ce désert où le meilleur des empereurs était condamné à vivre, la tentation était forte de donner à la fidélité le renfort de l'amour, et, comme l'avait implicitement signalé Xénophon, ce n'était pas l'amour des femmes qui pouvait constituer autour d'un Prince un rempart de dévouements efficaces. Parmi toutes ses vertus, Néron, ne fût-ce que par politique, s'était vu contraint de libérer sans vergogne son homosexualité latente. Mais le « bataillon sacré » que peut réunir un homme solitaire en donnant constamment de sa personne demeure malgré tout trop restreint pour faire campagne.

Par-dessus la tête de Poppée, le Prince fit comprendre à Kaeso qu'il aimerait finir la nuit en sa compagnie, conclusion pour lui toute naturelle d'un chant aussi inspiré. Mais avec cette délicatesse excessive, qu'on ne trouve que chez de très jeunes gens, Kaeso protesta : « Fais d'abord ce soir un héritier à l'" Augusta ", qui n'a jamais été plus belle. »

Rappelé si élégamment à son premier devoir, Néron ne put que remercier.

L'empereur étant pressé de fouler le sol grec, la cour, dès le lendemain matin de bonne heure, s'élança dans un certain désordre sur la
route de Bénévent, qui fut atteint en fin d'après-midi. Le modeste
amphithéâtre local, fort vétuste, avait été négligé, et Vatinius avait fait
élever un amphithéâtre de bois convenable, dont les superstructures
dominaient la ville et les vertes campagnes du Samnium, ensanglan-
tées jadis par les féroces guerres « sociales » entre Rome et ses alliés.
On pouvait espérer que les bois issus des forêts apennines se montre-
raient de meilleure composition qu'à Naples. Il était question d'avancer au surlendemain la « chasse » et le « munus » prévus pour dans
trois jours, changement de programme qui ne faisait pas difficulté
dans une ville de médiocre importance.

Kaeso, après avoir posé bagage chez l'ami de Pétrone qui leur
offrait l'hospitalité dans sa maison de campagne, s'empressa de
reprendre contact avec les gladiateurs de son père, qui étaient arrivés
la veille. Ils avaient cheminé lentement, ayant été engagés en renfort
pour convoyer deux cents gladiateurs à partir des prisons de Préneste,
petite cité proche de Tusculum, qui servaient de vivier pour les Jeux
romains. Car les gladiateurs sous contrat, destinés à combattre par
paires, étaient minorité dans les arènes. En début d'après-midi, on
faisait combattre « gregatim », c'est-à-dire dans une mêlée confuse
qui rappelait mieux les conditions de la guerre, des prisonniers captu-
rés sur les champs de bataille ou des individus pour lesquels cette
extrémité redoutable découlait d'une condamnation judiciaire. Les
magistrats comme les légionnaires collaboraient pour remplir les
arènes de Rome, d'Italie ou de province. Ces prisonniers ou condamnés avaient un double intérêt à se montrer pugnaces. L'« éditeur »
responsable des Jeux arrêtait alors l'affrontement au bénéfice d'un
petit nombre de survivants, que l'on réservait pour un prochain spectacle, et il n'était pas rare que la foule réclamât la grâce de tel ou tel
qui s'était particulièrement distingué. Les prisonniers qui n'inspiraient pas confiance au point d'être réduits en esclavage, les brigands,
les déserteurs n'avaient d'autre choix, en dehors des combats de
l'arène, que le glaive du bourreau [1], les bêtes, la croix ou l'enfer épouvantable des mines. C'étaient toujours ces gladiateurs par nécessité
qui se révoltaient — tel autrefois le déserteur et brigand Spartacus —,
et les bourgeois des tranquilles cités d'Italie n'étaient pas rassurés de
voir concentrés chez eux des désespérés de ce tempérament.

1. L'exécution par le glaive n'était pas le privilège des citoyens.

Passé Interamna, sur les frontières de la Campanie, le bruit avait subitement couru parmi les deux cents misérables que la moitié d'entre eux devraient s'affronter à Préneste en aveugles, divertissement d'autant plus plaisant que les spectateurs taquins ne se faisaient pas faute d'égarer les « andabates » par des conseils fallacieux. Et cette bande de gladiateurs sans vocation, profitant de l'assoupissement d'une courte halte, durant laquelle ils n'avaient pas été entravés, s'étaient rués d'un seul mouvement sur la trop faible escorte, se servant des fers de leurs mains comme de cestes, des chaînes qui les reliaient comme d'autant de lacets d'étrangleurs. L'affaire aurait pu tourner mal si une partie des révoltés, mettant à profit l'agressivité des plus déterminés, ne s'était égaillée en direction des vignes du mont Massique. Quatre soldats avaient été gravement blessés, mais tous les gladiateurs étaient saufs. Une douzaine de mutins n'avaient pu être rattrapés et une trentaine avaient été massacrés sur place, dans la fureur engendrée par cette traîtrise. Le gladiateur sous contrat méprisait cordialement une engeance tout juste bonne à commencer un spectacle.

Tandis que Kaeso se faisait narrer les péripéties de cette expédition mouvementée, on remettait à Pétrone, qui sortait des thermes de son hôte, une lettre de Marcia pour Kaeso, qu'elle avait expédiée à l'adresse de Pétrone, dans l'idée que la poste aurait moins de mal, dans la masse des courtisans, à découvrir cet homme célèbre qu'un jeune homme à peu près inconnu. Marcia avait confié son envoi à l'une de ces entreprises postales privées, dont les acheminements étaient renommés pour leur lenteur, les messagers ayant tendance à faire des zigzags par rapport à leur itinéraire principal, de manière à desservir le plus de pratiques possible. Le temps aurait-il cessé de compter pour elle? Ladite lettre avait suivi Kaeso jusqu'à Naples, pour prendre enfin le chemin de Bénévent.

Au même instant, avec la plus vive contrariété, l'empereur prenait connaissance d'une dépêche de Tigellin, qui avait voyagé, entre autres, avec une lettre de Silanus pour Kaeso. Les « tabellaires » impériaux, qui filaient jour et nuit à fond de train par les voies les plus rapides, n'étaient pas, en principe, à la disposition du public. Mais il y avait une tolérance : le tabellaire qui n'était pas trop chargé acceptait, moyennant un bon pourboire, de prendre un peu de correspondance privée en supplément. Ces courriers étant irréguliers, on devait évidemment guetter l'occasion à la Poste Centrale du Champ de Mars ou à une étape quelconque du réseau. Des marins, des amis itinérants étaient également sollicités.

Tigellin, avec sa clarté habituelle, soulevait des problèmes ennuyeux...

« C. Ofonius Tigellinus à Nero Caesar Imperator, salut !

« Marcia, épouse de Silanus, est morte empoisonnée le lendemain de ton départ. Ses femmes prétendent qu'il s'agirait d'un suicide et il n'y a pas de raison de mettre leur témoignage en doute. La maîtresse semblait très déprimée depuis quelque temps. Toutefois, elle n'a laissé aucun écrit pour expliquer son geste, elle n'a fait de confidence à personne, et Silanus, avec sa hauteur habituelle, n'a pas daigné nous éclairer, si tant est qu'il en soit capable. Cette Marcia ne souffrait apparemment d'aucune maladie grave et on ne lui connaissait pas de liaison depuis son remariage. Voilà une disparition bien mystérieuse, qui avait tout pour exciter la curiosité et échauffer les esprits.

« La déclaration de décès n'était pas encore enregistrée au temple de Libitine, qu'une rumeur courait et s'amplifiait chez tous ceux qui ont juré de te nuire : Marcia, image de la Pudicité Patricienne, se serait donné la mort de honte et de désespoir parce que tu l'aurais enlevée une nuit pour lui faire subir des outrages et des sévices effroyables. Tu m'avais demandé des renseignements sur cette femme avant d'aller dîner chez Silanus et tu avoueras que la honte est en l'occurrence plus incroyable encore que tes lubriques cruautés ! Mais tu sais déjà depuis des années que tes ennemis ne reculent devant aucune calomnie, aucune invraisemblance lorsqu'il s'agit d'ébranler ton pouvoir.

« Mes espions m'ont rapporté que trois jours durant, avec des gémissements hypocrites, avaient défilé devant le corps embaumé et exposé dans l'atrium tout ce que le sénat compte de mécontents, tous les groupes de pression et d'intrigues, tous les cercles qui travaillent à saper les bases de l'État, Musonius, Thrasea, Cassius Longinus étant naturellement en bonne place. Quelle différence entre un mariage si discret et des condoléances si tumultueuses ! Et sur les lèvres glacées de tous ces stoïciens qui se retenaient de rire, le grand mot de " Lucrèce " voltigeait. Je ne suis qu'un " chevalier " sans grande instruction, mais je crois bien me rappeler que c'est à la suite du viol et du suicide de Lucrèce que la victorieuse révolte contre une tyrannique royauté a éclaté à Rome, pour livrer le pouvoir à ceux qui voudraient le reprendre aujourd'hui. Cette invocation à Lucrèce n'a pas fusé par hasard, elle exprime des espérances et un programme.

« Sénèque lui-même ayant fait une apparition doucereuse, j'ai jugé qu'il n'y avait pas lieu de te laisser bafouer et injurier davantage, alors que tu étais momentanément absent. J'ai invité Silanus à presser les obsèques et même à les expédier à la tombée de la nuit, afin que l'affluence fût réduite, ou en tout cas moins visible.

« Silanus se renfermant dans un silence énigmatique, il était difficile de savoir quel pouvait être son rôle dans cette abjecte comédie. Mais il était au moins complice, car personne ne l'avait vu protester contre les stupides calomnies que colportaient les visiteurs, ce qui lui eût été bien facile, et Lucrèce ne lui semblait pas de trop pour honorer une épouse aussi vertueuse, qui en était naguère descendue à l'occasion jusqu'à recruter le chaland aux thermes ou sous les portiques.

« Voulant en avoir le cœur net, je lui ai courtoisement rendu visite le lendemain matin des obsèques. L'air complètement éteint, il était accroupi dans cette " cellule du pauvre ", que les stoïciens se font aménager pour mettre un peu de piquant dans leurs délices, et, devant mes remontrances indignées, il n'a su que me dire rêveusement : " Oui, j'avais épousé une Lucrèce et je ne le savais point. Elle me montre la voie de la dignité. Assez de bassesses ! "

« On pouvait interpréter ces phrases étranges comme des demi-aveux. Et une explication possible du suicide de Marcia me vint alors à l'esprit : compromise, peut-être à son corps défendant, mais compromise quand même, dans une conspiration où son mari aurait joué le premier rôle, et désespérant de la voir aboutir, poursuivie par le remords ou l'angoisse, n'aurait-elle pas préféré cette issue à la perspective d'une condamnation infamante ? Comme je faisais part de cette suggestion à Silanus, il s'est borné à hausser les épaules.

« Il me semble que j'étais habilité à faire emprisonner ses affranchis pour les interroger à loisir. Un homme qui laisse insulter son Prince et son parent avec une odieuse indifférence peut être soupçonné de tout. S'il n'a pas comploté, il complotera demain. Il est une lèse-majesté vivante.

« Ces interrogatoires, vivement menés, à défaut de conspiration bien nette, ont apporté au dossier un certain nombre de charges supplémentaires...

« Silanus dépensait énormément, et de plus en plus. Peut-être désespérait-il de vivre longtemps ? Mais ces prodigalités avaient en tout cas pour effet d'élargir une clientèle déjà considérable et de rendre l'héritier d'Auguste populaire.

« Sous prétexte d'énormes richesses, Silanus avait organisé ses affranchis en véritable petit gouvernement, avec des titres analogues à ceux des ministères ou des bureaux.

« Informé par je ne sais quelle indiscrétion, il n'avait pas hésité à spéculer en grand sur la dévaluation dont l'annonce a été repoussée comme tu le sais.

« Tous les affranchis — témoignage corroboré par les esclaves — sont d'accord pour déclarer que le fantôme de Cicéron fait de fréquentes apparitions dans cette villa du Palatin qui a jadis appartenu à ce bavard. Marcia et Silanus auraient même parlé au fantôme. Il est permis de se demander s'ils ne l'auraient pas entretenu de ta santé. Cicéron était hostile à César et son fantôme ne saurait t'être favorable. Tu remarqueras avec quelle fréquence on découvre des pratiques de magie chez les opposants. Cette impiété fait partie de leur profil.

« Détail très accessoire : les maisons de Clodius et de Scaurus étant tombées dans le domaine impérial depuis longtemps, la villa de Silanus est l'une des dernières demeures privées du Palatin. Il serait intéressant de l'acquérir pour faciliter la réalisation de nos projets d'urbanisme dans cette région.

« Bref, Silanus étant allé comme à plaisir au-devant d'une condamnation, il y aurait là, à mon avis, une excellente occasion de se débarrasser d'un personnage dangereux, et par son nom, et par son immense fortune, et par les troubles espoirs que l'on peut placer en lui. Tôt ou tard, de pareilles organisations cèdent à l'attrait d'un ambitieux bouleversement. Mieux vaut prévenir que guérir.

« Cette alerte m'est un pressant motif de plus pour te déconseiller de passer en Grèce aujourd'hui. Quels que soient mon dévouement et mon inébranlable fidélité, je ne pourrais entièrement répondre de la situation. Tu dois régler le sort de Rome avant de songer à t'éloigner.

« La première fois que tu m'as entretenu de ton désir de bâtir une Ville nouvelle pour immortaliser ton règne et faire le bonheur de tes sujets, je ne te cacherai pas que ce rêve grandiose m'a choqué. Étais-tu de ceux que les dieux égarent afin de mieux les perdre ? Mais de longues méditations m'ont enfin convaincu de la supériorité de ton visionnaire génie. Et je suis en mesure de te déclarer : tout compte fait, la chose est possible, elle serait à présent exceptionnellement opportune, et j'en fais mon affaire.

« Les questions esthétiques ne sont pas mon fort, mais tu t'es toujours trouvé bien de mes conseils administratifs et politiques. Une Rome clairement rebâtie à la grecque serait beaucoup plus facile à administrer, à ce point qu'on pourrait la répartir sur une plus grande surface. L'entassement actuel multiplie les problèmes insolubles. Et, politiquement parlant, il devient de plus en plus urgent d'abattre le sénat, cette hydre dont les têtes empoisonnées perpétuellement renaissent ; il devient de plus en plus urgent d'établir sur la plèbe versatile un contrôle efficace. Les citoyens hostiles ou douteux ne peuvent mener à bien deux entreprises à la fois : conspirer et reconstruire. Une catastrophe bien étudiée te ferait l'arbitre de la situation.

« Il suffit, pour peu que le temps et le vent s'y prêtent, d'un petit nombre d'agents bien choisis pour faire beaucoup de travail, et ils se tairont, crainte de se faire écharper. La réussite étant d'autant plus totale que les vigiles auraient été mis en veilleuse par des instructions verbales. On ne saurait empêcher pourtant que tu ne sois l'objet, premier empereur dans ce cas, de quelques accusations malveillantes. Mais aux imbéciles de cet été comme aux imbéciles de l'avenir, nous opposerons victorieusement cet argument de bon sens : " Ce serait quand même un peu gros ! " Un Prince inspiré peut tout se permettre dès que ce tout dépasse les bornes du croyable. Car le commun ne verrait bien sûr dans l'accident que le jeu de forces destructrices. Les profondes et bienveillantes raisons sous-jacentes lui échapperaient. Comment exproprier sans argent pour faire du neuf ? Une élite, cependant, aujourd'hui et demain, devinera et approuvera le sacrifice.

« Viens, divin Maître, présider au douloureux accouchement d'une Rome sans racines où chaque pierre ne parlerait plus que de ta gloire ! Il serait bon, avant l'orage, d'offrir des Jeux comme on n'en a jamais vu, de sorte que disparaisse la vieille Ville au sortir d'une joyeuse et inoubliable apothéose, résumé des plaisirs passés et annonciation des plaisirs de demain. J'en fais aussi mon affaire. Et si pouvait te rassurer un jour l'offre de ma tête complice, je te la promets d'avance.

« Viens, viens, et porte-toi bien ! »

De retour chez son hôte pour prendre un bain et se mettre en tenue de soirée afin de souper avec le Prince, Kaeso bavarda un instant avec Pétrone, qui semblait distrait et finit par lui dire : « Une lettre de Marcia a été déposée pour toi, suivie d'une lettre de Silanus, qui doit être plus récente, car la poste impériale s'en est chargée. Il me semble que tu ne peux ces temps-ci recevoir de Rome que de mauvaises nouvelles. J'ai l'habitude, dans ce cas, de remettre la lecture à plus tard, et même de demander à un affranchi de m'en faire un résumé. Mais, peut-être, comme tant de jeunes gens, es-tu pressé de souffrir ? »

Kaeso était dans ce cas. Il s'était efforcé, durant tout ce voyage, de chasser Marcia et Silanus de son esprit, mais l'un et l'autre se rappelaient à lui avec d'autant plus de force. D'une main tremblante, il fit sauter le cachet de l'envoi de Marcia...

« Marcia à Kaeso !

« Je t'ai vu partir avec orgueil. Ce beau Kaeso qui marchait derrière son Prince vers un avenir brillant, c'était le petit garçon que j'avais trouvé tout fiévreux le soir de mon mariage " gris " et à qui j'avais aussitôt accordé une première nuit d'amour, sans qu'il eût même besoin de m'en prier, c'était l'enfant que j'avais fièrement promené aux thermes, que j'avais nourri de mes baisers, de mes confidences et de mes conseils, c'était le jeune homme pour lequel je m'étais si souvent alarmée. La réussite était éclatante, et je ne regrettais pas mes peines ostensibles ou secrètes.

« Je meurs cependant de chagrin, mais moi seule en suis la cause, sinon quelque dieu inconnu qui se joue du cœur des femmes et leur inspire des passions sans issue. Mon dernier vœu, mon vœu le plus ardent est que ma disparition te soit légère, comme une fatalité qu'il n'était pas en notre pouvoir commun de conjurer. Ce que j'ai admis et subi si discrètement à ton service ne me donnait bien sûr aucun autre droit que celui de consentir et de subir encore avec ta tendre et condescendante approbation. Comme tu l'écrivais si bien dans une lettre qui ne m'était pas destinée : " A mon âge, on n'est guère enclin à faire l'amour par intérêt, par reconnaissance, par sympathie ou par pitié, par crainte ou par habitude. " Un jeune homme distingué ne doit faire l'amour que par amour. C'est une chance dont je me flatte, puisque dès ton plus jeune âge, je n'aurai fait l'amour que pour l'amour de toi. Et je suis bien certaine qu'en cas de nécessité, tu l'aurais fait pour moi aussi... avec toute autre femme que moi-même. Je te remercie de ces généreuses dispositions, qui font que nous sommes quittes, en somme.

« Je ne sais trop si je t'ai bien élevé, c'est-à-dire d'une façon conforme à tes véritables intérêts. J'aurai fait ce que j'ai pu, me fiant à mes bonnes intentions et à mon cœur, ce qui peut tromper quelquefois, mais me paraît constituer à la longue un guide plutôt sûr. Une considération me réconforte toutefois à l'instant de te dire adieu : j'ai sans cesse observé que l'éducation avait d'autant moins d'emprise sur les hommes qu'ils étaient de plus haute qualité. Un noble génie est en toi, qui te place au-dessus des autres, et je ne pouvais rien lui souffler d'important qu'il ne sût déjà. Je ne méritais sans doute point de veiller sur tes naturels progrès, puisque je n'avais que de l'amour à t'apporter, que tu devais un jour juger excessif. Ce que tu as bien voulu en recevoir me reste pourtant à jamais et j'ai la faiblesse de croire que tu aurais préféré ne pas le souffrir de quelqu'un d'autre.

« En revenant par la Voie Appienne, fais-moi un petit signe de la main. Où que je sois, mon doux et unique chéri, je t'aime. »

Kaeso poussa un gémissement sourd et lamentable, laissa tomber le rouleau sur les genoux de Pétrone, et se mit à pleurer sans pouvoir proférer une syllabe. Pétrone parcourut le texte latin de la lettre et dit :

« Une femme vraiment exceptionnelle, dont le destin illustre bien, hélas, le danger des passions. C'est pour toi, n'est-ce pas, qu'elle a épousé ce vieux beau de Silanus ?

— Oui, avoua Kaeso dans un sanglot, pour moi seul mais pour mieux me posséder. Je l'ai compris trop tard.

— Ce n'était pas son premier dévouement ?

— Comment aurais-je pu m'en douter ?

— Ne te reproche rien. Marcia elle-même en serait attristée au pays des ombres. Il est dans la nature de la passion amoureuse de ne jamais rencontrer de passion égale ou conforme, et de ne trouver de repos que dans la mort. Ta Marcia a eu la vie qu'elle voulait. Le passionné consume ses jours en état de possession, sans doute, mais cette possession, il l'accueille et il la cultive, il en fait sa raison d'être. Sans doute, au fond, y a-t-il plus de volonté chez ces gens-là que chez les voluptueux... »

Kaeso n'avait pas le courage de lire la lettre de Silanus, et il pria Pétrone de lui en donner résumé dans l'attente qu'il fût en état d'en prendre connaissance. Pétrone lut et relut le texte grec, qui était de la main même du patricien et peu lisible, de manière à bien comprendre et séparer les phrases...

« Je vais te lire la chose en entier : elle le mérite. »

« D. Junius Silanus Torquatus à son cher Kaeso, salut !

« Malgré toutes mes précautions, Marcia s'est empoisonnée au matin qui a suivi ton départ, ne pouvant supporter un nouveau jour sans toi. Elle est morte en un instant, avec ton nom sur les lèvres. A quoi bon te faire des reproches qui seraient moins amers que ceux que tu te feras toi-même ? Et j'ai aussi des reproches à m'adresser pour ne pas avoir veillé sur Marcia comme j'aurais dû. Je n'ai pas même été capable de la rappeler à la vie. Paul étant absent, on m'a renvoyé à un certain Pierre, qui m'a fait répondre qu'il ne se préoccupait pas de ressusciter les suicidés. La bizarre étroitesse d'esprit de cette secte est atrocement décevante. Il est vrai que Marcia risquait de récidiver.

« J'ose à peine parler de mes malheurs après celui-là, qui les a pourtant commandés avec l'étonnante logique de l'absurde. Toute la noblesse romaine qui ne jure que par Caton d'Utique, ou à l'extrême rigueur par Auguste, a saisi l'occasion de faire de la mort de Marcia un sanglant reproche au Prince, sous prétexte qu'elle aurait mis fin à ses jours comme Lucrèce, à la suite d'outrages nocturnes que Néron lui aurait fait subir. Si je n'en avais pas été victime, j'eusse trouvé la plaisanterie excellente. Mais elle était en fait d'autant plus mauvaise qu'il devait y avoir, parmi les pleureurs les plus bruyants, quelques envieux qui en rajoutaient pour le plaisir d'avoir plus sûrement ma peau.

« Afin de satisfaire aux légitimes désirs de Tigellin, qui ne cessait de réclamer de moi des éclaircissements compatibles avec la réputation du Prince, j'aurais dû lui avouer qu'une matrone de la " gens " Junia aux antécédents encourageants avait été violée pour rire par un Néron amical et facétieux, et qu'elle ne s'était empoisonnée que par désespoir d'être dédaignée par son beau-fils, que j'avais été cependant tout disposé à adopter.

« Privé de Marcia et de toi, que j'aurais voulu réunir dans un même amour et dans une même bienveillance, j'ai senti le moment venu de laisser courir une fable aussi flatteuse pour mes ancêtres et de me retirer de la vie avec toute la dignité imméritée que les dieux m'accordaient pour mieux me rappeler à moi-même.

« A quoi bon laisser traîner les choses ? J'aurai eu tout de l'existence — sauf toi —, et j'ai une magnifique occasion, que je ne retrouverai peut-être plus, de partir la tête haute.

« J'ai institué mon neveu pour principal héritier. Je lègue au Prince quelques statues et tableaux, et la table de citre de Cicéron, qui était très énervé ces jours-ci. Je lègue un paquet de sesterces convenable à Tigellin et à quelques autres. Je te laisse le collier gaulois que Manlius Torquatus avait jadis gagné en combat singulier, que Caligula avait confisqué à ma famille et que Claude nous avait rendu. Puisque tu es un héros de vertu, il va de soi que tu en feras bon usage. Je t'aurais fait injure en te léguant autre chose qu'un souvenir : ton désintéressement serait un éternel exemple pour la jeunesse romaine si les circonstances permettaient qu'il fût mieux connu.

« J'attends le chirurgien, après avoir récompensé mes affranchis ou esclaves les plus méritants. Je me ferai saigner dans la solitude du sage, sans faire de cette extrémité une petite fête amicale, telle que ce poseur de Pétrone l'organisera sans doute quand il en sera réduit à ce point.

« Je n'ai plus qu'une chose à te dire : quand tu passeras sur la Voie Appienne, rappelle-toi comme je t'ai aimé. »

Cette lecture tira de Kaeso de nouveaux pleurs, Pétrone paraissant un peu moins ému que par la lettre précédente...

« Pardonne mon indiscrétion, mais que peut vouloir dire Silanus par cette étrange expression : " violée pour rire ? " »

Kaeso, en reniflant, éclaircit le point, où Pétrone trouva à méditer :

« Les hommes veulent bien qu'on viole leur femme, mais non pas qu'on s'en amuse. Silanus sera mort en partie pour ne pas devenir un cocu ridicule. La dignité l'aura étouffé. Mort admirable et bien romaine ! Nous autres, nous ne savons peut-être pas vivre, mais nous savons au moins mourir.

— Que ne suis-je mort moi-même ! J'ai fait périr ma mère de chagrin, et Silanus, qui me voulait tant de bien, serait encore de ce monde si je ne lui avais pas porté malheur !

— Il s'est porté malheur tout seul ! Tu n'es évidemment pour rien dans ce funeste malentendu. »

Pétrone s'efforça longuement de raisonner Kaeso, et avec quelque succès, car ce dernier était sensible à des arguments intelligents. La passion avait tué Marcia, la dignité avait tué Silanus, Kaeso n'avait été, en mettant les choses au pire, que le vertueux instrument du destin. Et l'on en arrivait à penser que, pour disposer d'instruments si vertueux, le destin ne devait pas être aussi aveugle qu'on le prétendait. Il était même susceptible de quelques sourires, car les obsèques de Silanus rappelaient Kaeso d'urgence à Rome sans que Néron pût s'en formaliser.

Il fallait cependant prendre congé dans les formes. Après un dîner où le Prince avait paru soucieux et distrait, Kaeso lui demanda un entretien particulier, lui annonça la mort de Marcia, qu'il savait de reste, celle plus que probable de Silanus, qu'il ignorait encore, mais qui ne le surprit guère, et il sollicita enfin l'autorisation de regagner Rome sur l'heure pour avoir une chance de rendre ses derniers devoirs au mari de sa belle-mère. Les cadavres aristocratiques demeuraient d'ordinaire exposés une semaine, délai qui ne donnait pas en été un mince travail aux embaumeurs.

Sans faire allusion à la lettre de Tigellin, Néron demanda à Kaeso si le courrier reçu lui avait apporté des éclaircissements sur les motifs exacts de cette double disparition. Kaeso se devait en la circonstance d'imiter la noble discrétion de Silanus et de ne pas en dire plus que le Prince pouvait déjà en savoir ou en deviner.

Il déclara donc : « D'après ce que j'ai cru comprendre, Marcia se serait donné la mort parce qu'elle souffrait de cet incurable ennui, qui est bien la pire des maladies à la mode, car les médecins n'ont d'habitude aucun talent pour distraire leurs malades. Decimus et moi-même étions impuissants devant la gravité de ces crises. Il paraît que ma belle-mère répétait, dans ses derniers moments : " Néron seul a su m'amuser ! " Quant à Silanus, déjà très affecté par la fin brutale de sa femme, il a été achevé par les calomnies stupides que des sénateurs irresponsables avaient répandues sur ton compte à cette occasion. Le bruit courait que Marcia aurait suivi l'exemple de Lucrèce parce que tu avais attenté à sa vertu. Je suis pourtant bien placé pour savoir que sa vertu égalait la tienne. »

Le Prince médita un instant là-dessus et finit par dire sur le ton le plus amical : « Je suis fâché du décès de Silanus, qui me donne un motif supplémentaire de me méfier du sénat. Et je suis plus peiné encore que Marcia nous ait quittés. Elle nourrissait pour toi, m'as-tu révélé un soir, une tendresse excessive, mais elle avait tout pour faire une mère admirable, et je suis heureux de lui avoir laissé un bon souvenir. »

La voix impériale se fit caressante :

« Ne peux-tu, malgré tout, retarder ton départ d'un moment ? J'aimerais te consoler de ces coups redoublés qui te frappent...

— Je te supplie de me pardonner et de me comprendre : je viens de perdre un ami cher et une seconde mère. Vénus elle-même ne saurait me consoler ce soir. Je n'ai plus de goût à rien et j'ai la migraine. »

Poppée aussi avait souvent la migraine.

« Eh bien, fit Néron, je n'aurai pas la cruauté de te retenir. J'avais espéré parcourir la Grèce et l'Égypte en ta délicieuse compagnie, mais je crois bien que je vais rentrer à Rome, moi aussi, après le " munus " de Vatinius. De graves affaires m'y rappellent.

— J'irai me jeter à tes pieds dès ton retour.

— Va donc ! Ma faveur t'accompagne. Je vais donner sur-le-champ des instructions pour que ton voyage se passe au mieux. La lune brille pour toi... »

Le Prince embrassa affectueusement Kaeso, qui ne s'attarda guère. Marcia, toujours attentive et jalouse, lui faisait un ultime cadeau.

VIII

Kaeso, bénéficiant des chevaux fougueux et toujours frais de la poste impériale, s'élança sur la route de Rome, après avoir confié Myra à Pétrone, qui devait la lui ramener à son retour. Cet abandon forcé de Myra lui était un soulagement. Malgré toute sa bonne volonté, la petite l'avait déçu, sans qu'il puisse clairement définir pourquoi. Peut-être les honteuses contraintes d'une éducation négative avaient-elles été trop fortes pour une enfant fragile ? Et Kaeso se reprochait de ne pas lui avoir consacré tous les soins qu'il aurait fallu. Ne l'avait-il pas traitée comme un chien, pour lui sauter enfin sur le poil en désespoir de cause ? Il aurait pourtant eu le loisir de lui accorder plus de considération, de s'inquiéter paternellement de ses désirs et de lui en suggérer de supérieurs à son état. Il s'était montré égoïste et négligent, et les soucis qui l'avaient accablé étaient une mauvaise excuse.

Au relais de Capoue, associé à une auberge bourrée de « petites ânesses », Kaeso se demanda soudain si la doctrine de Jésus, malgré les prudents accommodements de ses ministres les plus autorisés, n'était pas venue porter un coup fatal à l'esclavage, en ce sens que la distance était trop forte, et quasi insupportable, entre les droits de la propriété et les exigences d'une moralité responsable. Le parallèle était frappant aussi entre les affres du tyran, qui se serait voulu généreux, et les problèmes du propriétaire d'esclaves qui aurait souhaité modeler son cheptel à sa vertueuse image. Dans les deux cas, tout ce qu'on retirait de liberté à autrui retombait de façon écrasante sur les étroites épaules du maître bienveillant. Dans les deux cas, c'était la triste et décevante expérience d'une impossible paternité. Mais qu'auraient fait de leur liberté des esclaves ou des peuples incapables d'en jouir avec sagesse et élégance ?

Kaeso dormit quelques heures à Capoue, et reprit la Voie Appienne aux approches de l'aube.

Kaeso traversait sous un soleil éblouissant les vignes bien alignées et bien soignées du Falerne, quand une atroce migraine lui serra les tempes. Les dieux le punissaient-ils d'avoir menti à l'empereur comme une concubine frigide ? Et de nouveau, comme lors de ce premier accès qui l'avait laissé pour mort, une fièvre délirante le subjugua. Les rangs de vigne lui semblaient des armées à sa poursuite, les spectres vengeurs de Marcia et de Silanus lui barraient la route, les oreilles de son cheval étaient soudain celles de Néron, Paul marchait à son côté en ricanant, et, au zénith du ciel sans nuages, les trois dieux chrétiens, coiffés du heaume aveugle des « andabates », se chamaillaient de façon scandaleuse.

Le Fils gémissait : « Je suis venu trop tôt dans un monde sourd et aveugle. J'ai perdu mon temps et ma peine. Notre affaire est dans l'impasse. Mon Dieu, mon Dieu, pourquoi m'as-tu abandonné encore une fois [1] ? »   Le Père tournait en rond, ne sachant à quel saint se vouer, mais l'Esprit criait en affûtant son glaive : « C'est seulement dans le sang des martyrs que l'impossible foi sera fondée. Du sang, il nous faut du sang ! »

Et tout à coup, les trois tragédiens à la recherche d'un public désignèrent Kaeso de l'index et hurlèrent en chœur : « Tu es notre fils bien-aimé et tu n'as pas fini d'en baver ! »

Kaeso s'essuya machinalement la bouche et glissa évanoui aux pieds de sa monture.

Un paysan le trouva, au retour de sa vigne, le hissa en travers du cheval et ramena le tout chez lui.

Comme la première fois, le mal évolua par alternances de poussées de fièvre violentes et de profondes prostrations, bien qu'avec une gravité atténuée. Pendant sept jours, Kaeso fut soigné avec toutes les ressources de la pharmacopée rurale, herbes cueillies dans de scrupuleuses conditions et préparées en tisanes amères, massages à la graisse de loup, bouillies diverses, où la plus belle imagination se donnait libre cours. Au matin du huitième jour, celui des Kalendes de juin, le malade reprit tous ses esprits, après avoir absorbé un brouet reconstituant qui fleurait le boudin tiède, mélange d'intestins de crapaud et de virginales menstrues, les secondes ayant été plus difficiles à découvrir que les premiers dans une région de grands crus où les filles étaient peu farouches. Il avait fallu aller jusque chez une maquerelle de Calès, qui gardait toujours quelques pucelles sous la main pour honorer de riches amateurs. L'effet favorable de la

1. Kaeso, qui n'a pas pris une connaissance approfondie des psaumes, ignore que le « Mon Dieu, mon Dieu, pourquoi m'as-tu abandonné ? », prononcé en araméen — et non pas en hébreu — par Jésus en croix, est en fait le début d'un psaume triomphal, annonçant la royauté universelle de Yahvé.

mixture [1] était la meilleure preuve qu'en fait de passion comme de gastronomie, tout se passe dans la tête.

Les Kalendes de juin étaient la fête de Carna, déesse des viscères humains. M. Junius Brutus, un lointain ancêtre de Silanus, avait demandé à cette déesse la force de dissimuler dans les derniers replis de son cœur son projet de chasser le tyran Tarquin pour que le patriciat puisse fouler le peuple à son aise, et il avait été l'un des premiers consuls de Rome en date. Reconnaissant, ce premier Brutus connu avait élevé sur le Caelius un temple à Carna, qu'Auguste avait fait retaper avec tant d'autres. Aux prises avec l'indiscret Tigellin, Silanus avait-il invoqué Carna ? Par la suite, le culte de Carna, déesse du secret bénéfique, avait été associé à celui de Mars, dieu de l'efficacité violente et à celui de Junon Moneta, déesse des prémonitions fructueuses. De quoi être paré à tout.

Avec curiosité, Kaeso vit le père de famille rustique offrir à ce divin trio des haricots et du lard, qui passaient dans les campagnes pour de classiques restaurants.

Avant de reprendre sa route, Kaeso demeura trois jours de plus chez ces braves gens, dans une atmosphère bucolique et virgilienne, qui lui donna beaucoup à songer. Virgile avait dépeint de faux paysans, tels que les bourgeois des villes aiment à les imaginer, prenant toutes précautions pour ne pas courir le risque d'être déçus en les fréquentant de trop près. Mais Virgile, avec l'intuition du poète, avait pressenti une grande vérité, qui perçait çà et là derrière le décor factice : le dialogue de l'homme avec la terre est un constant facteur de sagesse, de pondération, de dignité et de vertu, à condition que le rural soit en mesure de cultiver lui-même, et de manière à tirer du sol une certaine aisance. Or, du temps de Virgile, déjà, la modeste propriété terrienne, qui avait fait la force des légions de soldats-citoyens, avait été en grande partie balayée par les progrès irrésistibles des vastes et nobles domaines, voués à l'élevage ou à des cultures spéculatives, et l'on avait pris l'habitude de demander à la Sicile, à l'Afrique ou à l'Égypte un blé que l'Italie se refusait à produire. Depuis, le mal n'avait fait que croître, les esclaves ruraux se transformaient en

1. On se bornait d'ordinaire à badigeonner de menstrues la plante des pieds des fiévreux. Les menstrues jouaient alors un grand rôle dans la pharmacopée et avaient d'extraordinaires vertus bénéfiques ou maléfiques. Le chien qui lapait des menstrues en devenait enragé, mais leur application guérissait l'homme mordu. Les menstrues servaient aussi d'insecticides dans les vignes, etc.

Si les menstrues virginales étaient de loin les plus efficaces, il était fort difficile de s'en procurer, car les filles étaient mariées dès l'âge légal de douze ans. La fiancée pouvait même être remise au futur mari quelques années plus tôt. Si, dans ce cas, l'enfant se montrait infidèle, elle était seulement passible des peines qui frappaient les fiancées dévergondées.

« colons » dans l'attente de passer « serfs », et Kaeso avait sous les yeux une rareté pour ainsi dire archéologique : des paysans plus virgiliens que nature, et qui n'étaient pas même pédérastes. Peut-être cette survie s'expliquait-elle par les exigences des crus de Falerne ? La vigne de luxe est un art minutieux qui ne souffre pas l'à-peu-près des procédés latifundiaires.

Le maître de maison avait cédé à Kaeso sa propre chambre, à l'arrière du classique atrium campanien. On l'avait accueilli et soigné sans rien lui demander. On avait aimablement répondu à toutes les questions qu'il avait pu poser sur les bœufs ou sur les volailles, sur les façons à appliquer à la vigne ou sur le régime de la dizaine d'esclaves qui s'entassaient dans une dépendance. Maître Tullius traitait ses esclaves avec autant de considération que ses bœufs ou ses poulets. Sa femme et ses cinq enfants déjà grands filaient doux sous sa gouverne et il offrait l'image d'un homme tranquille et équilibré, qui attend plus de lui-même que d'autrui.

A l'aube de la veille des Nones de juin, Kaeso prit congé de ses bienfaiteurs, qui repoussèrent toute idée de paiement avec indignation. Mais, charmante coutume tombée en désuétude, Tullius grava son nom sur une planchette de bois, le nom de Kaeso au-dessous, cassa la planchette en deux et en remit un morceau au voyageur. Les vieux Romains partageaient ainsi avec leur hôte la « tessère hospitalière », qui servait de signe de reconnaissance. Et alors que ces tessères avaient pratiquement disparu, l'expression subsistait : « Faire la tessère hospitalière avec quelqu'un », pour signifier la création de ce lien jadis très fort, et qui conservait encore quelque vertu. Sulla, faisant exécuter douze mille proscrits à Préneste, en avait excepté un seul parce qu'il était lié d'hospitalité avec lui. Et tout récemment, Pison avait repoussé avec horreur le projet de faire assassiner Néron sous son toit, malgré toutes les difficultés de le faire assassiner ailleurs. Ces liaisons hospitalières s'étaient même étendues jusqu'à des villes ou à des nations, clientes privilégiées de Rome ou de tel ou tel magistrat romain, et tel était en tout cas le statut des ambassadeurs, qui en faisait des personnages sacrés.

Kaeso rangea dans son sac le fragment de « tessère » avec émotion. Il avait le sentiment d'avoir en face de lui, dans la personne de Tullius, le père traditionnel et bien enraciné que Marcus aurait souhaité être pour lui, et dont il n'avait pu camper qu'une caricature. Tullius lui offrit une mule pour lui permettre de gagner sans fatigue le prochain relais où son cheval avait été aussitôt rendu, et il lui dit en guise d'adieu : « Puisque tu parles à Néron comme je te parle, prends bien garde à ne pas lui parler de moi ! Mon grand-père a donné autrefois au vieil Auguste, qui s'en revenait de Baïes, accompagné de bien peu de monde, un rien d'eau fraîche de notre puits, et l'empereur lui a dit en remerciement : " Sais-tu que je suis jaloux de ton bonheur ? " Un jaloux de cette taille suffit à ma gloire. »

Pour un homme taciturne, cet effort d'éloquence était remarquable. Quelle étonnante maison ! Kaeso, bien que l'absence de thermes décents commençât de lui peser, aurait bien pris pension dans les vignes de maître Tullius, afin d'y goûter un impérial bonheur.

Encore faible, Kaeso préféra louer un cabriolet avec capote pour le protéger du soleil, plutôt que de profiter jusqu'à Rome des chevaux de la poste impériale, qui réservait aux « tabellaires » ses véhicules ultra-légers, et il fit le trajet sans hâte, Silanus ayant dû rejoindre Marcia depuis plus d'une semaine. C'est seulement le VI des Ides de juin vers midi, que Kaeso parvint en vue de Rome. Si ses forces étaient à peu près revenues, sa santé ne laissait pas de l'inquiéter. La fièvre des marais ravageait la côte du Latium, mais Tullius lui avait affirmé que la sienne n'était pas de cette sorte, diagnostic négatif qui n'avançait à rien.

Un peu avant le mausolée des Silani, une inscription neuve attira l'attention de Kaeso :

« Vainqueur sur tous les champs de bataille, j'ai succombé sous le nombre des médecins. »

Un chirurgien aussi avait mis fin à la vie de Silanus, mais il était en service commandé.

Kaeso se fit ouvrir le mausolée, et le gardien lui désigna les deux plus récents sarcophages marmoréens. Celui de Silanus, exécuté depuis longtemps, se singularisait, entre autres, par des sculptures en haut-relief représentant des plantes aquatiques et des poissons. Celui de Marcia attendait encore les sculpteurs, mais, dans l'inscription funéraire déjà gravée, Silanus avait exprimé tout son mépris du régime où des dieux négligents l'avait appelé à vivre et à mourir, tout son dédain des convenances vulgaires :

CHASTE COMME LUCRÈCE, ELLE A FAIT LE BONHEUR DE CEUX QUI L'ONT CONNUE.

Bouleversé, Kaeso dut s'appuyer sur l'épaule du gardien pour redescendre au niveau commun.

L'insula de Subure, plongée dans le sommeil de la sieste, offrait un spectacle inquiétant et affligeant : on avait renoncé à y faire le ménage, et la plupart des meubles de valeur en avaient disparu.

Kaeso, entré comme dans un moulin, réveilla Séléné, qui dormait à demi allongée sur une banquette du faux atrium...

« Mais d'où sors-tu donc ? La cour est rentrée avec Myra mais sans toi, ta disparition a été pour ton père une angoisse de plus, et Néron lui-même t'a fait demander plusieurs fois. »

Kaeso résuma son voyage, expliqua son retard et s'enquit de ce qui se passait...

« Il se passe que tes vertus n'en finissent plus d'engendrer des catastrophes. Tu as débouché un vase de Pandore, et après dispersion de tous les maux, l'Espérance même n'est pas restée au fond !

— Qu'est-ce à dire ?

— Aux obsèques nocturnes de sa femme, Silanus a déclaré froidement à Marcus qu'il se passerait désormais de sa clientèle, Marcia ayant disparu et le projet d'adoption ayant échoué par ta faute. Marcus, qui voulait encore croire l'adoption possible, malgré tant de signes contraires, s'est effondré de douleur, et ses clients ont dû le porter jusque chez lui. Spéculant sur la protection de Silanus et sur l'amitié de Néron pour toi, il avait vécu au-dessus de ses moyens et engagé des dépenses inconsidérées. Le bruit du méprisant rejet de Silanus, qui avait pris une allure publique et particulièrement blessante, s'est répandu comme le vent chez tous les créanciers, chacun se précipitant pour ne pas être le dernier à cette médiocre curée. L'insula et ce qui reste de meubles seront bientôt vendus aux enchères le jour de la fête de Summanus. Marcus, qui ne cesse de boire pour adoucir ses tourments, est entré dans une étrange confusion d'esprit, et il ne cesse de répéter : " Encore des enchères ! Mais je sors d'en prendre ! " Il se raccroche à l'ultime espoir que le Prince charmé te comblera de ses dons, et tu juges par là combien ta mystérieuse absence lui a été douloureuse. Si la chose pouvait te toucher, j'ajouterai moi-même que je ne suis guère rassurée sur mon sort. Vendue une fois encore, en quelles mains vais-je tomber, peut-être pires que celles où je suis ? »

Les récents accès de fièvre de Kaeso lui avaient fait revoir la mort de près, expérience qui rattache les uns aux biens de ce monde, mais donne à ceux qui le méritent un surcroît de détachement.

Kaeso médita quelque temps devant le Priape du bassin, qui était invite ou dissuasion selon les penchants de l'observateur, et il dit à Séléné :

« Comme je te l'ai déjà promis, je veillerai sur toi — tel désormais un maître attentif ou un amant respectueux. Marcia ne peut plus te faire de mal, et je te protégerai du mal que d'autres te voudraient faire. Il est entre nous une troublante ressemblance : nous n'avons de valeur aux yeux du monde que par une rare beauté. Et je suis en position de demander à la mienne des prodiges s'il me plaît. Le jour où ta sûreté l'exigerait, je tiendrai à honneur de mettre toute ma séduction à ton service. Mais tu ne saurais exiger que je m'abaisse à ce degré pour un père ignoble ou pour moi-même, car je n'ai pas un amour suffisant de ma personne. »

Kaeso pria Séléné d'écrire en grec à Néron à sa place :

« Kaeso à Nero Caesar imperator, salut !

« Terrassé par une fièvre maligne, je suis tombé de cheval parmi les crus de Falerne, des paysans charitables m'ont recueilli inconscient, je viens tout juste de rentrer à Rome, et mon premier souci est de dicter ce mot pour te rassurer sur mon sort. Ma faiblesse est encore grande, mais ma convalescence suit heureusement son cours. Dès que je serai en mesure de paraître devant toi, je ne manquerai pas d'aller te redire ma fidélité et mon affection. Je suis fier d'avoir pu te rendre service, et de manière si simple, dans une circonstance capitale à tes yeux. Mais je n'ai fait que mon devoir. Tu ne me dois rien et ton amicale estime suffit à combler tous mes vœux. Des bienfaits matériels ne sauraient m'attacher davantage à ta personne. Peut-être ne te parle-t-on pas ainsi tous les jours. C'est sans doute que tu n'as pas avec la plupart ces relations privilégiées qui sont les nôtres, sans cesse resserrées par l'exercice de la plus confiante délicatesse.

« Tu partageras mon bonheur à l'idée que je suis tombé amoureux fou de la belle esclave qui trace ces lignes. Une autre fièvre me prend. Pardonne à cette faiblesse, qui me détourne un instant de ne penser qu'à ta bienveillante majesté.

« Porte-toi mieux que ton serviteur, toi dont les faiblesses mêmes sont encore au service de l'État ! Je ne vise pas si haut. »

Séléné soupira : « Je doute que Néron apprécie un tel désintéressement, et Marcus l'appréciera moins encore. Tu lui mets le pied sur la tête. Probablement estimes-tu que ce serait à lui de faire des chatouilles au Prince pour remonter ses finances ? »

Sans répondre, Kaeso se rendit chez son père, qui émergeait d'une somnolence brumeuse.

Malgré toutes les déceptions éprouvées, Marcus poussa un cri de joie à la vue de Kaeso, Mercure envoyé des dieux, qui tenait peut-être encore entre ses mains le sort de la maison.

« Tu ne t'es pas bêtement brouillé avec l'empereur, n'est-ce pas ? Dans cette lettre épouvantable que tu m'avais laissée avant de déguerpir, tu ne visais qu'à me faire peur, à me donner une leçon puérile ? Je te la pardonne !

— Néron et moi-même sommes en termes décents. Il m'est arrivé même de banqueter avec lui.

— Bien! Alors, rien n'est perdu. Séléné a dû te mettre au courant...

— A quel titre demanderais-je de l'argent au Prince? Comme " augustianus ", j'ai 120 000 sesterces par an, qui sont naturellement à ton service.

— Il s'agit bien de 120 000 sesterces! Les huissiers crient à la porte! Sollicite donc Néron à titre... d'ami? J'ai un trou de 900 000 sesterces. Qu'est-ce qu'une somme pareille pour l'empereur?

— Il est déjà sollicité de toutes parts.

— Mais il a pour toi, à ce qu'on m'a dit, une amitié particulièrement vive. En ton absence, il n'a cessé de s'inquiéter de ce que tu devenais. »

Marcus se rendit compte que ses premières paroles auraient dû être pour pleurer Marcia ou pour s'inquiéter lui-même de Kaeso, et il répara son oubli précipitamment. Puis l'infortuné sénateur revint à ses moutons, insistant avec des accents et des détails pitoyables sur la situation où une certaine légèreté, mais surtout une sinistre malchance, l'avaient réduit, parlant beaucoup moins des complaisances que son fils était exposé à consentir pour le tirer d'affaire.

Il était au-dessus des forces de Kaeso de supporter plus longtemps un déballage aussi déplaisant, et il se permit de suggérer : « Qui t'empêche d'aller demander au Prince cet argent toi-même? Néron te tient en grande faveur. »

Marcus se redressa et s'assit sur son lit :

« Qu'est-ce qui pourrait te le faire croire?

— Le Prince ne m'a-t-il pas dit un soir : " Marcus devrait venir plus souvent au Palais. Avec de petites ailes, il serait mignon comme un Amour. " »

Marcus rougit violemment et suffoqua, tel un poisson hors de l'eau.

Kaeso changea de ton : « Je te l'ai déjà écrit et je te le répète : la déception que je suis désolé de t'infliger aujourd'hui, tu te l'es honorablement préparée par cette vieille éducation romaine que tu m'as assurée jour après jour, et aux vertus de laquelle j'ai cru. Un Romain se débauche pour se distraire, non pas pour quelques sesterces de plus ou de moins. Ce qui me confirmerait dans cette attitude, s'il en était besoin, c'est que je partage depuis quelque temps les idées morales des chrétiens, qui m'ont enfin baptisé et admis dans leur communauté. Et le chrétien te rappelle : Nous sommes comptables devant le Dieu qui nous jugera du bon usage de notre corps, qu'Il a fait à Son image, spirituelle et même corporelle, puisque Jésus est descendu parmi les hommes pour y revêtir la chair la plus commune et la plus humble; un chrétien conserve jalousement sa virginité comme un bien précieux qui doit lui permettre de se montrer plus disponible et plus charitable que les fidèles empêtrés dans les liens du mariage ; et s'il succombe aux naturelles tentations de la chair, ce sera pour épouser vierge une fille vierge et lui demeurer chastement fidèle. Tout le reste vient de Satan et mène aux enfers. Alors, ne me parle plus de Néron et de ses pompes, qui passeront comme l'eau du Tibre sous les ponts de notre Ville souillée. Marche plutôt sur mes traces pour connaître une éternité bienheureuse auprès de ma mère Pomponia ! »

Ahuri, Marcus avait peine à réunir ses idées. Mais cependant un fait lui apparaissait dans toute son horreur : allant au-delà de ses pires craintes, les chrétiens avaient rendu son précieux Kaeso complètement fou ! Et que dire à un fou, qui pourrait l'influencer, le ramener à quelques considérations pratiques et raisonnables ? Accablé, il murmura :

« Serait-ce encore pour faire plaisir à ces chrétiens que tu as rompu avec Silanus, de façon à jeter Marcia dans le plus noir désespoir et à précipiter ma ruine ?

— Tu sais bien qu'un chrétien ne peut perpétuer le culte d'un idolâtre.

— Ah, c'était donc ça ! »

Mais il devait y avoir encore autre chose. Le suicide de Marcia, une femme si intelligente et si forte, avait beaucoup surpris Marcus. Une Marcia ne se serait pas donné la mort par suite du simple échec d'un projet d'adoption. S'efforçant de réfléchir, Marcus fit tout à coup une découverte, qui le pénétra comme un éblouissement...

« Menteur ! Tu n'aurais pas renoncé à des centaines de millions pour complaire à un dieu étranger. Marcia s'est tuée parce qu'elle t'aimait en vain ! Telle est au fond la clef de tout. Le nieras-tu ? »

Kaeso se sentait pris de rage contre cet homme qui salissait tout ce qu'il touchait et s'attaquait à un secret que Marcia, Silanus et lui-même avaient eu la pudeur de préserver.

« Tu voulais, dit Kaeso, me prostituer à Néron pour sauver cette maison branlante, épave de la fortune constituée par tes ascendants affranchis ou esclaves, gibiers de lupanar enrichis par les trafics. Tu as vécu et tu m'as fait vivre des années durant des prostitutions de ta nièce et épouse, faisant de la graisse à la sueur de ses charmes et noyant ta honte dans le vin. Aurais-tu voulu que je me prostitue avec Marcia sur les genoux de Silanus ? La dignité ineffaçable de Marcia était de coucher pour l'amour de moi. Où est la tienne, malheureux ? Quelles leçons ai-je encore à recevoir de ta sagesse ? »

De rouge, Marcus était devenu tout blême. Il répliqua enfin d'une voix sans timbre : « Ma dignité était celle même de Marcia. A chaque honte partagée, nous nous disions tous deux : Kaeso sera libre, riche et heureux. Que de hontes pour rien ! Mais ne me marchande pas ma honte si celle de Marcia t'a ému. Ma honte aussi était à ton service. Tu n'avais rien demandé, sans doute. Mais faut-il attendre que les enfants demandent pour leur donner ? »

Cette lamentable déclaration eût remué Kaeso s'il avait éprouvé plus d'affection pour son père. Au lieu de compatir, il eut une parole malheureuse : « La honte d'une mère s'accepte en silence. La honte du leno n'est pas de cette espèce. »

Touché soudain au fer rouge, Marcus se leva d'un bond, se rua sur son fils, qu'il frappa au visage en hurlant : « Dehors ! Dehors ! Je te chasse et te maudis ! Puissent toutes les furies te poursuivre ! Parricide ! Matricide ! Ta naissance avait déjà coûté la vie à Pomponia, mais cela ne te suffisait pas ! Que ces démons de chrétiens t'étouffent !... »

Kaeso battit en retraite jusqu'à la ruelle, poursuivi par un Marcus hors de lui, qui jeta bientôt dans la poussière toute la garde-robe de l'insolent. Le voisinage était accouru pour assister à cette scène classique : le père noble chassant son fils ingrat avec les injures appropriées du répertoire. Et tandis que Kaeso ramassait ses affaires, un cercle de vieux Romains indignés, dont les grands-pères avaient servi de mignons à des maîtres affectueux, joignaient leurs huées à celles de Marcus.

Le maître rentré, Séléné aida Kaeso à ramasser et à plier une toge, et elle lui dit tristement :

« Le dernier résultat de la vertu est de se faire écharper par la foule. Nos prophètes en ont su quelque chose ! Veux-tu toujours que j'apporte au Palais ton mot pour le Prince ? »

Kaeso fit signe que oui de la tête, se rappela soudain que Séléné avait vécu chez les Grecs, que les Grecs branlaient la tête et le reste à l'envers du sens commun ; il craignit d'avoir été mal compris et s'exprima plus clairement : « Oui, trois fois oui ! Que le monde m'écharpe, je coucherai avec qui me plaira ou je coucherai seul ! »

Séléné, comme Marcus, eut l'impression que Kaeso, sur une mauvaise pente, avait dépassé le stade où il pouvait être raisonné par des personnes d'expérience. Réveillée par le tumulte, Myra avait assisté tremblante à l'expulsion de Kaeso, qui semblait partir sans se soucier d'elle, se débattant de façon ridicule sous le poids des toges, des tuniques, des pagnes ou des chaussures, et ce spectacle l'avait profondément émue et choquée. Myra avait le plus grand respect pour les pères, car elle avait eu le meilleur de l'espèce, celui dont rêvent les enfants perspicaces et sensibles, le père inconnu, éternel et mythologique, auquel on peut prêter toutes les qualités au fur et à mesure que son absence est plus cruellement ressentie. Kaeso devait être bien coupable. Mais c'était son maître, qui avait été bon pour elle, et ce n'était pas sa faute s'il faisait l'amour en travaillant des méninges.

Myra courut après Kaeso, ramassant en chemin quelques babioles qu'il avait laissé tomber, son « pétase » d'éphèbe, gardé en souvenir, ou le collier de plomb des esclaves fugueurs, que le forgeron était venu scier sur le cou gracile de l'enfant...

« Tiens ! Ton chapeau et mon collier ! Mais par les Fils de Léda, qu'as-tu pu fabriquer pour que ton père te chasse ?

— Il paraît que j'aurais essayé d'être vertueux.

— Tu n'as sûrement pas essayé comme tout le monde ! »

Kaeso sourit malgré lui et chercha un portefaix pour l'accompagner jusqu'au ludus paternel, refuge d'autant plus indiqué qu'il n'allait pas tarder à changer de propriétaire.

Marcus s'était arrêté de boire pour mieux aviser à la situation, qui était, hélas, sans remède. Marcia, qui l'avait tant et si bien conseillé et soutenu, avait été blessée par les flèches d'Éros, dont la dernière l'avait tuée, et il n'avait jamais pu influer favorablement sur le cours de cette passion funeste, qu'il n'avait pu que deviner alors qu'il était déjà trop tard. Silanus avait suivi de peu Marcia dans la tombe, le privant dès son vivant de toute protection. Il était de nouveau un avocat sans cause, les créanciers s'impatientaient, la dispersion aux enchères de son reste de patrimoine était proche, et, privé du minimum de cens exigible, il serait exclu du sénat comme il l'aurait été de sa maison. Il ne savait rien faire, il se sentait vieux et fatigué, il n'y avait déjà que trop de mendiants à Rome, et ce n'étaient pas les vaniteux Frères Arvales qui lui tendraient la main dans son malheur.

Mais tout cela était peu de chose à côté des insultes atroces de Kaeso. Marcus s'était évertué près de vingt ans à établir ce fils chéri — sans oublier l'aîné —, et il avait couvé une vipère dans son sein, toute dressée et sifflante d'orgueil et de mépris. Kaeso ne l'avait jamais aimé. Autrement, il aurait eu pour son père autant de compréhension que pour Marcia. Qui peut se flatter de faire ce qu'il veut dans la vie ?

L'ingratitude de Kaeso, son manque de bon sens, de souplesse, avaient semé des ruines là où des palais auraient dû briller, et Marcus avait reçu par la faute de son fils le plus chéri, le plus désespérant des coups de poignard : des lustres de honteux sacrifices consentis en vain, sans autre récompense qu'un surcroît de honte. Deux ventes aux enchères étaient de trop dans une vie et il était temps de s'en aller.

Mais Kaeso n'avait pas agi seul. Des chrétiens fanatiques avaient contribué à le détourner de Marcia comme de Silanus ou de Néron. Un jeune Romain élevé à l'ancienne par des parents attentifs ne sombre pas dans la plus intransigeante folie sans que son esprit n'ait été vicié par des doctrines étrangères et perverses.

Tout l'après-midi, Marcus tourna comme un ours, tantôt dans une pièce vide, tantôt dans une autre, tenaillé de paternelle douleur, en proie au dégoût de lui-même, possédé cependant par une haine croissante du chrétien, sous les regards inquiets de Séléné et des esclaves.

Vers le soir, oubliant de dîner, il s'enferma dans son pensoir devant des rouleaux de papyrus, et, à la lueur des lampes, il écrivit longuement à Flavius Sabinus, frère de Vespasien, qui avait été nommé Préfet de la Ville en remplacement de Pedianus Secundus, l'ami de Sénèque, tombé victime d'une sombre affaire de mœurs. Sabinus, homme rassis et sérieux, inspirait plus de confiance à Marcus que Tigellin, et il saurait quoi faire...

« M. Aponius Saturninus à Flavius Sabinus, salut !

« Ami, je porte plainte et j'appelle au secours !

« J'avais un fils, Kaeso, parfaitement beau, intelligent et aimable, le réconfort et l'espoir de mes jours. Les patriciens les plus distingués se bousculaient pour l'adopter, l'empereur lui-même avait un tendre sentiment pour lui, et il revenait d'Athènes, où l'éphébie lui avait prodigué ses amitiés et ses lumières. Eh bien, la secte chrétienne me l'a pris, le détournant de tous ses devoirs, le réduisant à un état d'aveuglement et de délire qui inspirerait encore plus de pitié que d'horreur s'il n'avait enfin répondu à mes conseils de bon sens par les plus sanglantes injures. J'ai dû le chasser, et la vie pour moi ne vaut plus la peine d'être vécue. Tu jugeras du caractère infiniment pernicieux de cette secte nouvelle en considérant que ce n'est pas un enfant du peuple, inculte et crédule, que les chrétiens ont séduit et entraîné, mais un jeune homme gratifié de tous les dons du cœur et de l'esprit, élevé avec amour et clairvoyance dans un milieu sénatorial très strict, où les gloires de la vieille Rome avaient été sans cesse proposées à ses méditations. L'habileté de ces gens-là est incroyable, et si on les laisse faire, ils sont évidemment capables de troubler et de pervertir une masse sans cesse croissante de peuple.

« Ces chrétiens n'ont pas encore fait beaucoup parler d'eux, et je gagerais que tes idées à leur sujet sont demeurées assez vagues. Cependant, mon infortuné Kaeso, dans l'inepte espérance de me convertir à ses songes creux, m'a entretenu des journées entières des doctrines et des mœurs de ceux qui avaient abusé de sa bonne foi, de sa candeur, de son sincère et estimable désir de perfection morale. Et une esclave juive a complété mes informations. Je suis par conséquent mieux à même que quiconque de te parler des chrétiens, de te dire ce qu'ils sont et ce qu'ils veulent, par quels signes non équivoques on peut les reconnaître pour les mettre enfin hors d'état de nuire, le jour prochain où débordera la coupe de leur iniquité.

« A première vue, on pourrait faire confusion entre les chrétiens et les Juifs, car le fondateur de la secte, un certain Jésus, ouvrier charpentier, était d'origine juive. En réalité, ce sont les Juifs de Jérusalem eux-mêmes qui ont condamné cet aventurier pour blasphème, car il n'avait pas craint de se proclamer non seulement Messie, mais encore fils du Père éternel, égal à dieu en toute chose. Notre procurateur Pilate, sous Tibère, a approuvé la condamnation et fait exécuter la sentence. Depuis, les Juifs ne cessent de protester quand on les assimile un peu vite aux chrétiens, et on ne saurait leur donner tort. Les chrétiens ont d'ailleurs abandonné une grande partie des prescriptions de la Loi juive et introduit une nouveauté lourde de conséquences : ils prétendent que leur Jésus aurait ressuscité le troisième jour après sa mort, pour se promener une quarantaine de jours, en attendant de monter au Paradis d'un coup de talon bien appliqué.

« Tu te demandes assurément comment une pareille fable pourrait avoir de l'importance. Mais l'habitude des affaires publiques a dû te démontrer à maintes reprises que ce qui importe aux magistrats, ce n'est pas le caractère plus ou moins raisonnable des croyances, lequel n'est pas de leur ressort. Aberrante ou discutable, une croyance est ou non partagée, elle se répand ou elle régresse, et ses caractéristiques ont tel ou tel effet sur l'ordre public. Or je puis t'affirmer que les chrétiens sont parvenus à faire croire à cette résurrection, que beaucoup d'esclaves, d'individus modestes en ont été convaincus, et qu'elle est en passe d'imposer sa prétendue évidence à la meilleure noblesse, comme en témoigne assez éloquemment le malheur imprévu qui m'accable. La croyance à la résurrection de Jésus, autrement appelé Christ, est même le premier signe auquel on repère le chrétien — et il est assez extravagant pour que le repérage soit aisé.

« En outre, une pareille croyance a pour obligatoire résultat de rendre l'illuminé absolument intraitable, de lui inspirer le plus parfait mépris, la plus dangereuse hostilité à l'égard de toutes les idées, de toutes les convictions, de toutes les coutumes qui ne seraient point en exacte concordance avec la religion du réputé ressuscité. Et comment pourrait-il en aller différemment, puisqu'un homme qui ressuscite par sa propre vertu est d'essence divine et que sa parole l'emporte alors sur tout le reste ? L'intolérance la plus monstrueuse et la plus totale est le nerf qui tend et anime tous les chrétiens.

« Une enquête t'apporterait une éclatante confirmation de mon propos, et notamment sur les points qui suivent :

« Le chrétien estime que la virginité est supérieure au mariage, qu'un homme ne doit avoir qu'une seule femme et lui rester fidèle, qu'en cas de séparation, le remariage est immoral tant que l'un des conjoints divorcés est en vie ; et le remariage est en tout cas mal vu. Les prêtres chrétiens n'ont pas le droit de se remarier [1]. Vu la dépopulation qui menace l'Empire, le côté antisocial de cette inhumaine doctrine saute aux yeux des moins avertis. N'aurait-on plus licence de répudier une femme stérile ? Et la femme elle-même, déçue par un impuissant barbon, n'aurait-elle plus l'agrément de chercher une descendance dans les bras d'un Adonis ? Qu'on s'en félicite ou qu'on le déplore, Romains et Romaines ont conquis en fait de mariage une parfaite liberté, et même celle de ne se point marier pour demander au concubinage des joies plus aimables. Il n'est pas au pouvoir d'une religion de revenir sur une pareille évolution des mœurs. L'histoire nous apprend qu'en cette matière, ce qui est acquis l'est à titre définitif. Mais les rêveuses prétentions des chrétiens n'en sont pas moins bouleversantes et grosses de troubles superflus.

« Le chrétien estime que l'homosexualité est un crime qui devrait être sévèrement sanctionné. O Platon, il est temps de te travestir pour donner aux chrétiens une image plus flatteuse de tes talents ! O mon pauvre Sporus, il est temps de chercher un impuissant refuge contre ces barbares sur le sein flasque d'une hétaïre apitoyée ! Car les chrétiens, par une charitable condescendance pour les faiblesses les plus courantes, seraient plutôt portés à tolérer les lupanars féminins, mais à condition que les filles, tenues cachées dans la dernière abjection, fussent privées de toute liberté, de toute dignité, de toute fête honorable et distrayante. Divines putains, méfiez-vous du chrétien, qui ne songe qu'à copuler dans l'ombre !

« Le chrétien estime que tout avortement, même autorisé par le père, que toute exposition d'enfant sont également des crimes que de justes lois auraient à poursuivre et à punir. La loi romaine autorisant le père à punir son fils de mort est tombée en désuétude, mais le droit de limiter sa descendance à sa fantaisie n'est-il pas le premier et le plus imprescriptible droit de l'homme ?

« Le chrétien estime que serait péché toute manœuvre destinée à écarter une grossesse inopportune. Et si le chrétien se retient encore d'ériger cette faute en crime, c'est qu'il doute qu'une police efficace puisse jamais connaître à fond de ce genre d'affaires. Nos chrétiens ont parfois du bon sens, mais pour mieux donner le change.

« Le chrétien voit d'un mauvais œil les courses de chevaux, en rai-

---

1. Telle est encore de nos jours la situation des curés des paroisses d'orthodoxie grecque, entre autres.

son des paris dont elles sont l'objet. Il abomine les combats de gladiateurs, car il pense qu'on ne doit point verser le sang humain par distraction. Belle impiété si l'on se rappelle que l'antique origine de ces affrontements était d'offrir un sacrifice agréable aux mânes d'un cher disparu ! Mais il abomine par-dessus tout le théâtre, qui exciterait des passions malsaines. La plus noble tragédie dégoûte le chrétien. Le moindre divertissement pornographique le met en transe. O plèbe, dont c'est le pain quotidien, méfie-toi du chrétien, qui ne souffre le porno qu'à huis clos !

« Le fondateur de la secte, fils bâtard, à ce que racontent beaucoup de Juifs, d'un soldat romain auxiliaire, ayant expié ses folles imprudences sur le gibet, c'est sans doute à cet accident qu'il faut attribuer la lâche répulsion des chrétiens pour le sang et la violence, presque aussi forte que leur étrange hystérie contre la pornographie. Certains vont jusqu'à prétendre, au mépris de tout bon sens et de tout ordre public, que se servir d'une arme, même pour se défendre, serait péché, et le sang des bêtes répandu dans nos " venationes " les fait tourner de l'œil. Si on les écoutait, nos légionnaires jetteraient leurs armes dans le Rhin, on ne condamnerait plus à mort que des poulets, et les progrès de la chirurgie seraient arrêtés, faute de vivisection humaine. Car tout le monde sait que les observations sur l'animal ne sont pas toujours transposables. De la croix de Jésus, découle encore, chez le chrétien, un penchant naturel pour tout ce qui est humble, pauvre, vulgaire et crasseux. Ne pouvant souffrir la nudité des thermes, ces doctrinaires ont cessé de se laver, et ils répugnent même aux esclaves auxquels ils prêchent sans se lasser des libertés incompatibles avec leur état. Et à cette croix infamante, on peut enfin rattacher à bon droit le goût absurde et suicidaire des chrétiens pour la souffrance, à laquelle ils attribuent une éminente valeur. Les gens raisonnables fuient la souffrance. Le chrétien la recherche. Il ne faut donc pas hésiter à lui en donner : on lui fait plaisir.

« Les chrétiens, qui se sont d'abord recrutés parmi les Juifs, leur ont emprunté la plus forte répulsion pour tous les arts plastiques, qu'ils osent qualifier d' " idolâtrie ". Si on les laissait faire, une orgie d'aveugles destructions renverrait au néant les chefs-d'œuvre de la Grèce et de Rome. En effet, on sait depuis longtemps qu'aucun rapport précis ne peut être établi entre l'art et une quelconque morale. Pour le chrétien, l'art le plus pur est superflu ou néfaste, chatouillant les sens de manière à détourner l'homme de l'essentiel, qui serait invisible. O Phidias, que le visible ne rebutait point, méfie-toi du chrétien, qui, en matière de statues, ne veut connaître que le marteau !

« Mais l'holocauste ne se bornerait pas aux arts plastiques. Les chrétiens jetteraient au feu tous les livres où la moindre phrase, le moindre mot, la moindre allusion seraient en contradiction avec leurs manies, c'est-à-dire la quasi-totalité de la littérature jusqu'à présent. Seuls les livres de la secte seraient épargnés, et encore, pas pour longtemps, car les chrétiens se disputent sans cesse à propos de divagations gratuites, et dès qu'on creuse un peu, il est difficile d'en trouver deux du même avis.

« Comme tu le vois par cette esquisse, jamais, de mémoire d'homme, une religion n'a surgi, aussi dédaigneuse de la société où elle prétend s'implanter. Les chrétiens exècrent nos lois civiles et militaires les plus fondamentales, nos coutumes les plus plaisantes et les plus politiquement nécessaires, et jusqu'à l'apparence de nos dieux sous le ciseau ou pinceau des artistes les plus inspirés. A ce point — la chose est à peine crédible et l'avocat qui est en moi en est atrocement choqué ! — qu'ils ont osé constituer des tribunaux sectaires particuliers, afin de remédier à la carence de nos tribunaux universels, qui ne pouvaient modifier les lois pour tenir compte de leur folle fantaisie. Et dans cette contradiction totale entre ses lois et celles de l'Empire, le chrétien puise même un argument subtil, qui a pu impressionner quelques naïfs. Car il va de soi, bien sûr, que des hommes soucieux de convaincre n'auraient pu inventer des doctrines aussi impopulaires et aussi choquantes : il faut évidemment que ce soit un dieu qui les leur ait soufflées !

« En attendant que ce nouveau dieu impose sa domination persécutrice, le chrétien adopte volontiers deux attitudes très différentes. Tantôt, il parlera d'amour, de pardon, de douceur, tantôt il accablera de mépris et d'injures épouvantables les divorcés, les homosexuels, les avorteurs, les partisans de relations conjugales prudentes, voire tous les malheureux qui cherchent dans les Jeux libéralement assurés un dérivatif à leurs ennuis. Le chrétien n'aime son prochain que lorsqu'il lui ressemble comme un frère. O frères non ressemblants, méfiez-vous du chrétien !

« Mais revenons aux Lois, puisque Rome ne vit que dans le culte des Lois. Il serait difficile de reprocher aux chrétiens leurs étranges tribunaux d'exception, qu'ils auraient beau jeu de déguiser en anodines instances conciliatrices, instituées pour soulager les tribunaux ordinaires. En revanche, le chrétien tombe assurément sous le coup de notre code criminel quand il prétend bénéficier de la dispense sacrificielle qui a été uniquement accordée aux Juifs. Le Juif est citoyen d'une nation bien précise. Alors que le christianisme s'adresse ostensiblement à n'importe qui pour le détourner du culte national et impérial. Les chrétiens font éclater le ghetto d'Israël pour constituer de tout l'Empire un immense ghetto, où le Juif lui-même n'aurait plus sa place. Les chrétiens haïssent les Juifs, pour le motif futile que les résurrections divines n'ont pas droit de cité chez ces derniers. Et les Juifs le leur rendent bien. Si tu dois procéder un beau jour à une grande rafle de chrétiens, fais-toi aider par les Juifs, qui n'attendent que ça ! Notre police a encore du mal à distinguer le Juif du chrétien, mais le Juif est payé pour ne faire aucune erreur.

« Tu trouveras aussi une aide dans le plus bas peuple, pour lequel le chrétien, avec son affectation de bizarre et insolente vertu, est un reproche vivant. Les chrétiens ont d'ailleurs adopté certaines apparences de société secrète, qui achèvent de les faire mal voir. Leurs prêtres n'ont aucun costume distinctif, comme s'ils avaient honte de leur état, et toute cette engeance se cache pour participer à des cérémonies qui auraient, dit-on, un violent parfum anthropophagique. L'initiation comporte un " baptême ", par immersion dans une piscine glacée, ce pourquoi beaucoup de chrétiens ont la goutte au nez en hiver. Il y a là-dedans, en creusant un peu, tous les symptômes d'une " superstition illicite ".

« Dernier fait, et des plus inquiétants, beaucoup de chrétiens sont persuadés que leur Christ va bientôt revenir pour récompenser les bons et punir les méchants, dans une incendiaire et apocalyptique conflagration qui ne laisserait de Rome que des braises au clair de lune — en admettant que la lune n'ait pas disparu du coup. Le charitable chrétien a du feu plein la bouche. Il respire la haine de Rome et de tout ce qu'elle représente. C'est un danger public.

« Je te supplie de prendre mes avertissements au sérieux, que j'ai, trois fois hélas, puisés à la meilleure source. Tu objecteras peut-être qu'une religion si contraire à l'humaine nature ne saurait connaître un succès étendu ni durable. Méfions-nous du bon sens avec les fous ! Tôt ou tard, sans doute, la nature humaine rejettera Jésus et ses exigences insupportables. Mais l'hypocrisie bien connue des prêtres, leur étonnante faculté d'adapter l'impossible au quotidien pourraient faire durer le provisoire plus que prévu.

« O ami, je porte plainte pour un fils détourné, amaigri, " baptisé ", qui va l'œil fixe ou rêveur vers des martyres absurdes. Je porte plainte pour tant de légitimes espoirs si amèrement déçus. Je porte plainte en mon nom, au nom du sénat, j'ose dire au nom du Prince, que les chrétiens traînent journellement dans la boue parce que quelques-uns de ses amis n'ont pas la chance de leur plaire. Je porte plainte au nom de Rome, triomphante de toutes les nations et qui n'a plus à redouter qu'elle-même.

« Porte-toi bien. La plume vengeresse me tombe des mains. »

IX

Marcus relut avec soin cette communication à Flavius Sabinus, dont il avait eu le plus grand mal à venir à bout, bien qu'il fût à peu près à jeun et possédé par une inspiration furieuse. Ses idées s'étaient brouillées maintes fois, maintes fois l'avaient paralysé des trous de mémoire ; et des phénomènes anormaux, exaspérants, étaient venus le distraire : l'encrier se déplaçait sournoisement, l'encre se faisait trop fluide ou trop épaisse, le papyrus se froissait entre ses mains fébriles et se repliait soudain comme un serpent, une agrafe ayant lâché ; la chaise elle-même craquait, les lampes clignotaient et s'éteignaient, quoiqu'il n'y eût aucun souffle d'air dans le petit bureau...

Des légions compactes de bons et de mauvais anges se livraient en effet autour de Marcus un combat épique au sein de cette pièce exiguë, où leurs ailes avaient peine à se déployer. Combat d'autant plus douteux et confus, qu'il n'y avait pas seulement là de bons et de mauvais anges. Il y avait aussi les anges au courant, et ceux qui l'étaient moins, tardivement accourus en raison de l'importance de l'enjeu, et dont les improvisations mettaient le désordre en chaque camp. Les divins anges dans le secret de l'affaire ne cessaient d'encourager et de réconforter Marcus, de souffler à son esprit affaibli par les coups redoublés du destin les expressions les plus heureuses et les plus frappantes. Les mauvais anges intelligents, de leur côté, faisaient l'impossible pour abrutir l'écrivain et le détourner de son projet. Car ils savaient bien que l'Église de Pierre avait absolument besoin d'une longue série de persécutions intermittentes, localisées et maladroites pour s'établir et pour survivre, qu'elle n'allait cesser de s'étendre et de prospérer en jetant ses martyrs à la face du monde, comme autant de témoins irréfutables de la décisive Résurrection. Mais les tendres et naïfs angelots des chœurs subalternes, à la perspective d'un tel carnage de pauvres martyrs, s'efforçaient de retenir la main rageuse de

Marcus, tandis que les jeunes démons incompétents, excités par l'odeur de tout ce sang répandu, frétillaient de façon communicative. Une bataille aussi acharnée et aussi contradictoire ne s'était pas déroulée depuis l'affaire de Judas, et les sublimes archanges de Yahvé se rappelaient encore l'émotion que ce traître intégral leur avait infligée lorsque ses scrupules avaient un instant failli changer le cours des événements et mettre la Rédemption en panne.

Marcus avait eu par chance moins de scrupules, et le rouleau était enfin bien rempli, prêt à faire son œuvre.

Tout le monde dormait dans la maison. Marcus se rendit aux cuisines boire une longue rasade de vin pur, et revint dans son pensoir pour dire adieu à son fils aîné...

« M. Aponius Saturninus à son très cher fils Marcus, salut !

« Kaeso s'est fait chrétien, il a refusé d'entrer chez Silanus, Marcia s'est empoisonnée, Silanus s'est ouvert les veines, j'ai chassé et maudit Kaeso, je suis ruiné et il ne me reste plus qu'à mourir ainsi que Caton d'Utique.

« Comme j'aurais dû te préférer à Kaeso, toi qui ne m'as donné que des satisfactions ! J'aurais souhaité laisser meilleur héritage, mais je fais confiance à ta valeur pour te pousser comme tu le mérites. En me jetant sur mon épée, ma dernière pensée ira vers toi, car il est d'un grand intérêt pour ta carrière que je meure avant que ma déconfiture ne me chasse du sénat. Si tu imagines un jour que j'aurais pu te porter un amour plus attentif, mon sang te sera une compensation.

« Pense à moi comme à un homme très malheureux, dont tous les nobles désirs ont sans cesse été contrariés. J'ai dû naître sous une mauvaise étoile. On ne peut rien faire contre une malchance aussi opiniâtre, sinon se dévouer en Romain une dernière fois. Je t'aurai bien aimé, tu sais !

« Porte-toi le mieux possible et méfie-toi de Kaeso ! »

Marcus s'endormit lourdement sur son écritoire, où l'aube le réveilla. Il acheva de mettre ses affaires en ordre en rajoutant à son testament, bien théorique par la force des choses, un codicille prescrivant d'affranchir Séléné, dans l'espoir assez vain que le poids des créances autoriserait cette courante largesse posthume. Mais l'idée lui était insupportable d'affranchir Séléné tant qu'il avait un souffle de vie.

Il réveilla un bon à rien d'esclave, lui ordonna d'aller remettre à la Poste Centrale le mot pour le tribun Marcus ; et le factum pour Flavius Sabinus, à la Préfecture urbaine, sise sur les premières pentes de l'Esquilin, face au Palatin sur la gauche et au Capitole sur la droite. Puis il rentra dans sa chambre où dormait profondément Séléné, décrocha son épée qui ne lui avait jamais servi à rien, et se sentit un peu désarmé devant ce suicide de genre stoïcien, qui devenait d'autant plus indispensable que Marcus junior en avait été averti.

Au fond, Marcus n'avait pas envie de se tuer du tout et il était dommage qu'un bon chirurgien fût si cher. Avec cette épée, il risquait de se rater lamentablement, mais tel ou tel de ses esclaves eût été encore plus maladroit que lui. Peut-être même l'eût-il raté exprès, poussé par un vicieux plaisir ! Marcus songea un moment à faire appeler l'un des gladiateurs de son ludus, mais le courage lui manqua d'imaginer le bourreau se rapprochant pas à pas le long d'un itinéraire qu'il connaissait si bien.

Le temps passait. Marcus se demanda bêtement si le jour était favorable, comme s'il pouvait y avoir pour un suicide des jours fastes ou néfastes ! La veille, c'était la fête de Mens, déesse de l'intelligence courageuse, à laquelle le sénat avait voué un temple dans l'Intermont du Capitole après le désastre de Trasimène, afin de remonter le moral des citoyens affolés. Mens avait dû aider Marcus dans ses dernières correspondances. Une fête de Vesta tombait ce jour, qui était aussi celle des boulangers. Le surlendemain, c'était la fête de la nourrice de Bacchus. Et deux jours après les Ides, c'était la Fête des Cendres, parce qu'on jetait dans le Tibre les cendres annuelles du foyer de Vesta. Rien de tout cela n'était bien engageant.

Marcus eut soudain peur que Séléné ne se réveillât et ne le surprît dans la ridicule posture du suicidé hésitant. Cette crainte puérile précipita son action : il appuya la poignée du glaive contre le mur et s'enferra bientôt un peu au hasard.

La chute gémissante de Marcus fit sursauter Séléné, qui ouvrit un œil pour voir son maître couché sur le dos au pied du lit, une épée fichée quelque part dans son informe estomac, perdant son sang en abondance et appelant à l'aide d'une voix faible...

« Que veux-tu donc ?

— Je crois que je me suis raté. Fais venir un médecin. »

Séléné prit son temps pour s'allonger à demi sur la couche et fit remarquer au patient :

« On dirait, au contraire, que tu t'es tué très proprement. Aie donc un peu de patience ! Rome ne s'est pas faite en un jour.

— Un médecin, te dis-je ! Tu vois bien que je meurs !

— Tu ne sais décidément pas ce que tu veux ! »

Séléné, par prudence, allait enfin se déranger, quand Marcus, qui s'était efforcé de ramper vers la porte, perdit connaissance, et Séléné en profita pour se rallonger. Un lac de sang inondait peu à peu la chambre.

Au bout d'un moment, Marcus rouvrit des yeux déjà voilés par la mort, poussa un cri étranglé, vomit un sang noirâtre et fixa Séléné avec horreur, prêt à emporter dans la tombe l'image de cette haine inextinguible subitement révélée.

La bouche pleine de sang, il gargouilla :

« Que t'ai-je fait ?

— Tu as osé me toucher, gros porc incirconcis ! Bouc impur ! Chien malade ! Serpent visqueux ! Outre pleine de vents ! Ivrogne immonde ! Tu as osé toucher à une Juive ! Que les enfers t'engloutissent, et que chaque nuit tes hurlements me bercent... »

Tandis que Séléné exprimait à loisir toute sa pensée, Marcus n'en finissait pas de mourir et cela devenait inquiétant. La matinée s'avançait, un esclave pouvait venir prendre des ordres et recueillir un dernier souffle vengeur.

Séléné se leva, fit le tour de la flaque de sang, posa doucement son pied nu sur la gorge du moribond, et, avec une sinistre douceur, appuya jusqu'à réduire à presque rien le filet d'air que le maître s'acharnait à aspirer. Mais la face, sous peine d'inspirer des soupçons, ne devait point bleuir. Séléné relâchait donc la pression, puis recommençait son manège, égrenant à voix basse de nouvelles injures. A la quatrième pression, Marcus eut une petite ruade et cessa de respirer. Malchanceux de bout en bout, il s'était braqué contre les chrétiens, mais avait négligé les Juives, encore moins douées pour le pardon.

Séléné ouvrit alors la porte de la chambre et cria : « Au secours ! Le maître se meurt ! Le maître est mort ! Il s'est tué pendant mon sommeil... »

Dès son retour, l'empereur avait publié un édit fixant une bonne fois pour toutes son départ pour l'Orient au matin des Féeries de Vesta, le V des Ides de juin. Le Prince assurait que son absence ne serait pas longue, que le repos et la prospérité de l'État n'en seraient pas altérés, que toutes précautions avaient été prises pour que le ravitaillement de la Ville fût régulièrement garanti. Une telle déclaration avait étonné. On se demandait pourquoi Néron, parvenu à Bénévent sur le chemin de la Grèce, était rentré à Rome pour annoncer officiellement qu'il en repartait.

Le matin des « Vestalies », alors que Marcus mettait fin à ses jours, Néron montait au Capitole pour adorer les dieux à l'occasion de son départ, suivi par les principaux personnages de l'État, par tout ce que la Ville comptait d'illustre, et par une grande affluence de prêtres...

On voyait là, en bonnet conique à pompon, les pontifes majeurs patriciens et les pontifes mineurs plébéiens, éminents gardiens des rites, sous l'autorité d'un perpétuel Souverain Pontife, qui n'était autre que l'empereur ; on voyait là les ministres des autels, chargés d'offrir les sacrifices, et que l'on avait appelés « flamines » parce qu'ils remplaçaient leur lourd casque à pointe par un voile, lorsqu'ils se mettaient en petite tenue d'été, flamines patriciens ou plébéiens, assistés d'un « Roi des sacrifices », qui s'occupait aussi du calendrier ; on voyait là les flamines d'Hercule, attachés à l'autel Maxime dressé en face des « carceres » du Grand Cirque, et qui, par une étonnante dérogation d'origine légendaire, se recrutaient parmi les esclaves publics ; on voyait là les Quindécemvirs, qui avaient en garde et en consultation les livres Sibyllins enfermés dans deux coffres d'or sous la statue d'Apollon Palatin, et aussi les « épulons », qui organisaient les banquets sacrés dans le temple de Jupiter ou ailleurs ; on voyait là les augures et les aruspices, qui avaient la capitale mission de scruter la volonté des dieux. Ornithologues distingués, les augures prenaient les auspices en observant le vol des orfraies, des buses, des aigles et des vautours, le vol et le cri des corbeaux, corneilles, piverts, chouettes et hiboux. Ce pourquoi les militaires en campagne utilisaient de vulgaires poulets, dans le doute d'avoir toujours un oiseau idoine et complaisant dans leur ciel en temps utile. Les aruspices, qui examinaient les entrailles des victimes sacrifiées, étaient beaucoup moins cotés que les augures. Et l'on voyait encore les membres de divers collèges spécialisés, prêtres d'Auguste, Luperques, Saliens, Arvales ou Féciaux... Tout un monde qui veillait depuis des siècles à ce que Rome vécût en harmonie avec ses dieux, et que les chrétiens avaient juré d'expédier aux oubliettes. Mais la cérémonie avait aussi attiré des représentants des nombreux cultes non officiels, égyptiens ou syriens, qui n'étaient admis qu'à condition de faire acte d'allégeance aux dieux traditionnels de la cité romaine. La tolérance des Romains n'était qu'à ce prix, car, après tout, ils étaient chez eux.

Le temple corinthien de Jupiter Capitolin comportait trois nefs. Celle du milieu, la plus vaste, était en majeure partie à ciel ouvert, artifice qui s'accordait à merveille à la majesté du roi des dieux, dont la statue, au fond de ladite nef, semblait siéger entre ciel et terre. Les deux autres nefs étaient consacrées à Minerve et à Junon, Jupiter étant assis de la sorte entre sa femme et sa fille, image tutélaire de la famille romaine.

L'empereur alla se recueillir un instant devant le Père de tous les dieux. Le colosse d'ivoire, drapé d'une toge pourpre, tenait lance et foudre d'or et, sous sa couronne radiée, sa figure était peinte en vermillon. Scipion l'Africain, lui aussi, était venu s'entretenir avec Jupiter avant de prendre une grave décision.

Le dieu ayant accordé conseil à l'implorant, Néron se promena quelque temps à travers le fouillis de merveilles que les siècles avaient entassées dans cette enceinte. Trophées militaires émouvants, qui racontaient la conquête du monde, butins précieux, offrandes des souverains étrangers, des consuls ou des empereurs, voire de simples particuliers. Ouvrages d'orfèvrerie, cristaux, bijoux, objets d'art se bousculaient, le plus rare étant concentré derrière les grilles qui isolaient les trois divines statues des atteintes du vulgaire. Devant la grille de Minerve, était une statue de cette déesse offerte par Cicéron lorsqu'il était parti pour l'exil, et derrière la grille, on pouvait notamment admirer les joyaux de Cléopâtre.

De l'esplanade qui entourait le temple, et qui était également encombrée de trophées et de statues, on découvrait la majeure partie de Rome. Néron s'attarda du côté ouest, qui dominait immédiatement le temple de Bellone et le Cirque Flaminius. Dans le lointain, sous le soleil, les eaux argentées du Tibre, au-delà de l'île Tibérine, semblaient anormalement basses. Il faisait de plus en plus chaud et le déficit accusé des pluies de printemps mettait en péril bien des récoltes. Néron regarda ensuite du côté méridional.

Le Prince avait l'air de dire au revoir à la Ville, mais c'était plutôt d'un adieu qu'il s'agissait, car son tempérament de poète et de joueur lui faisait admirer, à la place des pâtés d' « insulae » crasseuses qui déshonoraient les Vélabres, les alentours des Forums et les Carènes, de plaisants immeubles de hauteur raisonnable, flanqués de gracieux portiques, isolés au milieu de verdoyants jardins. Et ces îlots de tranquille bonheur étaient desservis par de majestueuses avenues ou de riants canaux. Entre Palatin et Esquilin, récompense de l'impérial architecte, un immense palais sortait de terre, parmi les bois, les cascades et les prairies. C'était l'affaire de vingt ans...

Et dans cette Ville nouvelle, une race nouvelle était née pour acclamer son Prince. Par toutes les artères de Rome, agrémentées de monuments somptueux aux marbres polis et aux tuiles de bronze doré, des parents reconnaissants poussaient vers le Palais de joyeuses processions d'hermaphrodites impubères, dont les roses derrières clignaient de l'œil à César.

Une telle vision aurait emporté les dernières hésitations d'un Prince moins aventureux et moins bienveillant. L'empereur, tout pénétré de vastes projets, redescendit lentement les degrés du Capitole, accompagné des Vestales qu'il désirait reconduire à leur proche demeure. Il était officiellement indiqué de saluer le feu de Vesta, foyer permanent du peuple romain, avant de partir pour un long voyage.

L' « atrium » des Vestales, édifice de dimensions assez modestes, mais recouvert d'un airain provenant du sac de Syracuse, avait été bâti au cœur des Forums, près de la maison de Numa, qui avait long-temps servi de résidence au Pontife Suprême. Sous une coupole ajou-rée pour faciliter l'émission des fumées, le feu sacré brûlait sur l'autel de la déesse. C'étaient aussi les Vestales qui avaient la responsabilité du mystérieux Palladium, dont la conservation intéressait le salut de l'Empire à l'égal de la permanence du brasier.

L'empereur demeura un bon moment à considérer le foyer, son-geant qu'une Rome digne de lui allait sortir du feu destiné à assurer sa sauvegarde, paradoxe qui avait de quoi plaire à un esprit dégagé des superstitions courantes.

L'œil de Néron tomba sur la Vestale Rubria, qui lui souriait comme pour lui souhaiter bon voyage. Il y avait chez cette fraîche vieille fille un détail qui ne laissait pas d'exciter l'imagination dépra-vée du Prince. On chuchotait que la continence des Vestales n'était pas si absolue qu'elle aurait dû être, que la pratique assidue de vices solitaires leur avait fait pousser des clitoris affolants. La curiosité de vérifier chatouillait Néron, que le fantasme visitait parfois de se faire sodomiser par une bande de Vestales en rut, où la chaste Rubria eût joué un rôle particulièrement débridé. La calomnie, toujours si pers-picace, n'avait pas tout à fait tort de prêter à César des pratiques impies. Mais il en allait des Vestales comme de bien d'autres choses : le Prince, ne fût-ce que par prudence politique, ne réalisait qu'une dérisoire fraction de ses fantasmes. Si la vertu peut se définir tel un rapport favorable entre les désirs vicieux et les réalisations possibles, la vertu de Néron était exceptionnelle, et, vertu plus rare encore, il avait la modestie de ne pas bien s'en rendre compte. Il souffrait cependant confusément de ce déficit de jouissances, et la création d'une Ville nouvelle serait une heureuse compensation à tant de rete-nue.

L'empereur sourit en retour à Rubria, et, subitement, se mit à trembler de tous ses membres, faisant appel à ses meilleurs dons de comédien pour donner l'impression d'un héros visité par une transe divine et prémonitoire. Les naïves Vestales retenaient leur souffle. Néron épuisé et défaillant finit par s'appuyer sur l'épaule de Rubria, et dit, en regardant les volutes de fumée qui s'échappaient vers le ciel : « Non, décidément, je ne partirai point ! J'ai vu les visages abat-tus des citoyens, j'ai entendu leurs plaintes secrètes sur le périple que j'allais entreprendre, alors qu'ils supportent déjà de mauvaise grâce mes absences de courte durée, accoutumés qu'ils sont à ce que la proximité du Prince les rassure contre les coups de la fortune ! Le peuple romain a des droits sur Néron, et puisqu'il me retient, il me faut obéir !... »

On rapporta aussitôt ces émouvantes paroles à la plèbe inquiète et boudeuse qui s'était massée sur l'impérial parcours, et ce fut une explosion de joie et de gratitude. La plèbe aimait Néron, en dépit de son maladroit dédain des traditions ancestrales, dont le culte était pour beaucoup de pauvres la seule chance pratique de respectabilité. Elle se reconnaissait en lui, elle partageait, avec une intensité exacerbée par les relatives privations, ses penchants un peu vulgaires pour tous les plaisirs, pour le luxe et le gaspillage, pour un art qui eût d'abord concerné la foule si méprisée par les esthètes. Les provinces, d'ailleurs, n'avaient jamais été mieux gouvernées, les sénateurs et « chevaliers » abusifs, mieux surveillés. Mais la plus forte communion entre le Prince et le gros de son peuple résidait encore dans une haine et défiance communes de la noblesse orgueilleuse et prévaricatrice.

De bouleversantes acclamations suivirent jusqu'au Palatin un Néron qui pleurait de joie d'être si bien compris, tandis que les cortèges réunis sans conviction pour le grand voyage se dissociaient sans murmure.

Kaeso n'avait même pas été convoqué.

L'affaire de l'assassinat de Marcus fut rondement menée.

Un vif attachement pour la propriété — et notamment pour celle des autres — avait développé chez les Romains un monumental droit civil, domaine des préteurs, où abondaient les juridictions spécialisées et les possibilités d'appel. Les affaires criminelles, du ressort de tribunaux divers, ne passionnaient guère en dehors des causes politiques, et leur simplicité contrastait avec les interminables chicanes des civilistes. Simplicité d'autant plus belle qu'un peuple que le bon sens a marqué de son coin n'a pas de prisons pour infliger aux malfaiteurs des peines toujours inefficaces. Dans les cachots romains, on se bornait à attendre une exécution quelconque.

Les citoyens condamnés à mort étaient toujours dépêchés en dehors du sol sacré de la Ville. On les noyait en aval du pont Sublicius (ou Aemilius), au-delà de la Porte Trigemina. On les précipitait de la roche Tarpéienne, de façon qu'ils meurent en dehors des murs. On leur coupait la tête à la hache ou au glaive dans une proche banlieue. On les étranglait dans le trou obscur de la prison du Tullianum, que sa profondeur assimilait à un territoire étranger. Pour des citoyens, les seules autres peines criminelles prévues étaient la déportation, l'exil ou la relégation, qui ne coûtaient pas cher à l'État, la victime en faisant les frais.

Quant aux esclaves, les maîtres se chargeaient eux-mêmes de les rappeler à l'ordre en les accablant de chaînes, en les faisant fouetter ou mettre en fourche, en passant des colliers de métal au cou des fugueurs ou en les marquant au front avec un fer rouge du F infamant des fugitifs, en les piquant à coups d'aiguillon comme ils eussent fait à des bœufs, procédé où perçait une virgilienne nostalgie rurale. Quand une enquête l'exigeait, le maître remettait de mauvaise grâce ses esclaves à la police, de crainte qu'on ne les lui abîme, car les dépositions serviles n'étaient légalement valables que si la torture par les verges, le fer ardent ou les brodequins leur avait donné une apparence de vérité. Sauf en matière de conjuration ou de sacrilège, la loi interdisait de faire témoigner des esclaves contre leur maître, mais l'État avait alors la ressource d'acheter les suspects pour les interroger sans retenue. L'esclave condamné à mort était normalement crucifié, supplice considéré comme le plus pénible, jeté aux bêtes, décapité durant l'entracte d'un « munus », voire exécuté sur un théâtre.

Le mépris où était tenue la police criminelle en avait fait confier la responsabilité aux Triumvirs capitaux, jeunes gens qui faisaient leurs premières armes parmi les Vigintivirs, c'est-à-dire au plus bas degré de la magistrature. Heureusement, lorsque la raison d'État était en jeu, le Préfet du Prétoire intervenait avec ses spécialistes. Heureusement encore, l'inexpérience des Triumvirs capitaux était compensée par la routine de leurs enquêteurs, qui, à défaut d'idées abstraites, avaient aiguisé leur sens de l'observation.

Le décès de Marcus fut ainsi expliqué sur-le-champ, car un policier dit à Séléné de lui présenter la plante de ses pieds nus, et lui demanda en conséquence : « Comment se fait-il que la poussière de cette chambre, qui n'a pas été balayée depuis quelque temps, se retrouve sous tes pieds aussi bien que sur la gorge du défunt, dont les mains crispées sont d'ailleurs nettes ? Le sénateur se serait-il frotté la gorge par terre ? »

Même pour une Juive intelligente, il n'y avait pas de réponse. Sans doute était-il courant qu'un maître se fît assister par des serviteurs dans son suicide, mais il s'agissait normalement d'affranchis ou d'esclaves mâles, et, bien sûr, aucun Romain percé d'un glaive suicidaire n'eût demandé qu'on l'achevât en lui mettant le pied sur la gorge.

Ce crime poussiéreux étant plus que suffisant pour entraîner condamnation, Séléné s'empressa d'avouer aussi le crime de sang, afin de n'être torturée que par acquit de conscience, et elle s'en tira avec une bonne volée de coups de verge, qui permit aux exécutants d'admirer ses formes à loisir et gratis.

Kaeso, en se réfugiant au ludus avec Myra, avait eu la douleur d'apprendre la mort de Capreolus, tué raide à Bénévent par un vieux « secutor » de Gaule cisalpine. Dardanus, épuisé par son giton, avait attrapé un coup de sabre en travers de la figure. Le père de famille nombreuse était revenu sur un brancard. Et Tyrannus avait perdu Bucéphale, victime d'une probable erreur de tir, car il n'était pas d'usage de s'en prendre aux chevaux, qui étaient là pour faire durer l'épreuve à la satisfaction générale. Par pudeur, on ne parlait plus de Capreolus autour de la soupe, et les plaintes contre le mauvais sort tournaient autour de l'illustre Bucéphale, auquel on attribuait de mythologiques qualités. Mais de toute évidence, s'agissant de Bucéphale, on pensait à Capreolus, qui avait laissé un bon souvenir à chacun. Vatinius n'avait pas lésiné pour engager le meilleur, et Néron n'avait pourtant présidé qu'un temps fort bref, ne se dérangeant même pas pour la « chasse » matinale.

L'envie prit à Kaeso d'échapper à cette atmosphère funèbre. Il se sentait à la fois soulagé et accablé d'avoir dû fuir la maison familiale dans de pareilles conditions, et ce ludus à la dérive n'était pas fait pour lui remonter le moral. Autre motif de bouger, et plus pressant encore : le Prince, mal satisfait de sa lettre, pouvait persister à le faire quérir, et ses émissaires auraient vite fait de le découvrir parmi les gladiateurs de son père — ou ce qui en restait. La tentation était grande de se donner l'excuse d'une convalescence dans un lieu ignoré de tous.

Tandis que Marcus rendait le dernier soupir, tandis que Néron faisait son numéro chez les Vestales, Kaeso et sa petite esclave quittaient donc le ludus. Ils trouvèrent dans l'après-midi une chambre modeste dans une auberge assez bien tenue à l'entrée d'Aricie, charmante bourgade située à peu de distance de la Voie Appienne, au bord du lac Albain et au pied des monts du même nom.

S'étant présenté sous un nom d'emprunt, Kaeso n'eut dès lors rien d'autre à faire que de méditer sur son passé et de songer à son avenir, qui était incertain et sombre. Il était bien déroutant et bien douloureux de causer le malheur d'êtres chers ou estimables parce qu'on s'était efforcé d'écouter tant bien que mal la voix de sa conscience, d'autant plus faible et douteuse que la plupart des gens paraissaient écouter avec satisfaction des voix différentes. Myra faisait ce qu'elle pouvait pour distraire Kaeso, mais elle pouvait peu.

L'aubergiste ayant perdu une « petite ânesse », morte des fièvres, il demanda à Kaeso de lui vendre Myra, solution tentante dans l'impasse où il se voyait. Mais Kaeso eut beau vanter l'auberge à la petite, il ne put tirer d'elle que des larmes et des supplications, et il ne se sentit pas le cœur de la contraindre. Peut-être le baptême agissait-il en lui ? Il se dit avec amertume que le jour où tous les esclaves en viendraient à aimer leur maître, le fardeau de ce dernier se ferait intolérable.

Kaeso broyait du noir à Aricie depuis une semaine, sans autre distraction que de se promener au bord du lac, quand la nouvelle y parvint que Néron avait décidé d'offrir au peuple cette année-là des Jeux Apollinaires d'une prodigieuse splendeur. Dédiés à Apollon, pour lequel le Prince avait une dévotion particulière, ces Jeux avaient été institués durant la deuxième guerre punique, afin d'obtenir la victoire contre un Hannibal menaçant. Ils duraient une huitaine, de la veille des Nones de juillet à l'avant-veille des Ides, et l'on fêtait en outre, au septième jour, l'anniversaire de la naissance de Jules César, qui avait donné son nom au mois. De telles fêtes mettaient à contribution, sous la présidence du préteur urbain, le théâtre, l'amphithéâtre et le Cirque.

Rome se rappelait à l'attention de Kaeso, qui était tenté de faire un saut au ludus pour savoir si l'empereur s'intéressait toujours à lui et pour prendre des nouvelles de l'insula. Le sort de Séléné l'inquiétait. La fête de Summanus, dieu des foudres nocturnes, date fixée pour les enchères, suivait de peu les Petites Quinquatries consacrées à la Minerve Aventine, fête des histrions, qui battait son plein. Cinq jours seulement séparaient Kaeso du désastreux événement, qui verrait sans doute la vente de Séléné à un riche amateur sans qu'il puisse s'y opposer faute d'argent. Celui de Silanus était presque épuisé et le Palais ne lui avait consenti qu'une légère avance. Quant aux 100 000 sesterces que Séléné avait confiés à rabbi Samuel, ils n'entraient pas en ligne de compte puisqu'ils étaient en principe propriété légale des créanciers qui les auraient confisqués s'ils en avaient appris l'existence. Mais en présentant cet argent comme sien, Kaeso aurait peut-être une possibilité d'intervenir...

Il n'y avait pas deux heures de marche d'Aricie au ludus, sur une route bien fréquentée durant le jour, et Kaeso, peu soucieux de se heurter à un envoyé du Prince, demanda à Myra après déjeuner d'aller s'enquérir de ce qu'il y avait de neuf, et surtout, d'être rentrée avant la nuit.

Dans l'après-midi, Kaeso, qui n'avait même plus le babillage de Myra pour se changer les idées, poussa jusqu'au lac Némi, par de jolis paysages, ponctués de superbes villas. Les deux célèbres galères de plaisance de l'empereur Caius étaient toujours là, sommet insurpassable de la technique, et les gardiens les faisaient visiter contre pourboire, avec d'intéressants commentaires : étraves de fer fondu en U ; carènes artistement calfatées, passées au minium de fer, tapissées de laine imperméabilisée, doublées enfin de feuilles de plomb cloutées de cuivre ; bois précieux assemblés avec des méthodes d'ébéniste ; métaux soudés selon des usinages parfaits ; ancres à jas mobile ; gouvernail unique d'étambot ; apparaux de touage, manches à air, noria ; pompe d'épuisement à piston à double effet ; alliage de bronze et de nickel, métal alors des moins connus ; thermes et salons d'une volupté délirante et toiture de bronze doré... Deux galères de fou [1] !

La nuit était proche quand Kaeso rentra à l'auberge pour y retrouver Myra, qui l'attendait dans la chambre. Il comprit tout de suite à son air que les nouvelles n'étaient pas fameuses...

« Alors ?

— Alors Eurypyle a craint que je ne t'explique de travers, et il m'a donné ces tablettes pour toi. Comme il écrit lentement, cela m'a retardée. Tu ferais mieux de t'asseoir avant de lire... Tout va mal à un point ! »

Kaeso s'assit docilement et dit en rompant le cachet : « Je ne peux rien apprendre de pire que la mort de ma mère. »

Dans un grec à l'orthographe hésitante, mais à la syntaxe passable, le gérant du ludus s'exprimait en ces termes :

« Eurypyle à Kaeso, salut !

« Au matin du V des Ides de ce mois, ton père Marcus a été trouvé mort dans sa chambre en présence de l'esclave Séléné, qui a avoué sous la torture l'avoir frappé d'une épée, puis étouffé en lui mettant le pied sur la gorge, vu qu'il tardait à succomber. Il n'y a certes pas de fumée sans feu, mais je ne saurais préciser ce qu'il y a de vrai dans ces accusations. On dit que cette Séléné souffrait ton père avec patience — je suis bien placé pour dire qu'il était de caractère morose et assez difficile —, et qu'il l'avait affranchie par testament. Marcus, que la faillite menaçait, avait d'autre part quelque motif de mettre fin à ses jours. Un geste malheureux à l'occasion d'une dispute au saut du lit est cependant toujours possible. Tu devineras sans doute mieux que moi ce qui a pu se passer.

« Par suite de la chaleur régnante, Marcus n'a été exposé que cinq jours, et les obsèques ont eu lieu hier, avec un luxe surprenant. Les Frères Arvales, par esprit de corps, se seraient chargés des frais. Les cendres ont été remisées dans le tombeau de M. Aponius Rufus, en attendant que le beau mausolée du disparu soit achevé. Mais le sera-t-il jamais ? Bientôt, le ludus lui-même sera mis aux enchères, pour

_____
1. Détruites en 1944.

un prix sans doute assez faible. Le ludus privé connaît aujourd'hui des jours bien difficiles. L'héritage sera d'autant plus réduit que tous les esclaves du maître, conformément à la loi, sont en passe d'être crucifiés.

« Porte-toi bien malgré tout. Je reste, comme d'habitude, à ton service, et tu peux compter sur moi ou sur mes relations pour ce qui pourrait dépendre de nous. Depuis la mort tragique de ton père, tout le monde te cherche, et d'abord Séléné, qui a réussi à me faire passer à partir du Tullianum un billet désespéré. Mais le Prince, dont Myra prétend que tu te soucies, semble t'avoir oublié. »

Kaeso poussa un cri de douleur. Il voulait se rendre à Rome sur-le-champ, mais Myra le retint par des considérations de bon sens : « Qu'y ferais-tu à cette heure-ci ? Ton insula de Subure est déserte. Si Séléné n'est pas déjà crucifiée, elle ne le sera pas cette nuit. Et si elle est encore à la prison publique, ce n'est pas cette nuit qu'on te permettra de la voir. Du crépuscule à l'aube, magistrats et bourreaux vaquent à leurs plaisirs et n'y sont pour personne. Sois plutôt en ville demain matin à la première heure, et tu pourras peut-être faire quelque chose... »

Kaeso passa une nuit épouvantable. Par un enchaînement dramatique, auquel il n'était pas étranger, la mort de son père suivait celle de Silanus et de Marcia, alors que Séléné et les esclaves eux-mêmes avaient été suppliciés ou allaient l'être d'un jour à l'autre. Mais en admettant qu'il ne soit pas trop tard, comment y remédier ?

La loi qui prescrivait la crucifixion de tous les esclaves présents sous le toit du maître à l'instant de son assassinat par l'un d'entre eux était plus que jamais appliquée, comme en avait témoigné l'extermination des quatre cents malheureux de la « familia » de Pedanius Secundus. Au début du règne de Néron, alors que le Prince caressait l'espoir de gouverner en harmonie avec le sénat, les Pères conscrits les plus implacables avaient même poussé le raffinement jusqu'à publier un sénatus-consulte qui vouait aussi à la mort les esclaves affranchis par testament, épargnés auparavant par la justice ! Étrange contradiction, alors que la rigueur de la plupart des maîtres se relâchait par suite de l'influence d'idées nouvelles, les traditionalistes du sénat, bien que l'époque des révoltes serviles fût close depuis longtemps, vivaient dans la peur et dans la suspicion, estimant qu'un exemple mémorable devait être produit de loin en loin pour maintenir dans la crainte une masse d'esclaves pourtant bien tranquilles dans leur immense majorité. Le fait que Néron passât pour favorable aux plus humbles était peut-être pour quelque chose dans cette hargne anachronique. Mais l'exemple venait de haut. Auguste n'avait-il pas fait crucifier un esclave qui avait rôti une caille de combat à laquelle il s'était attaché ? Le meurtre d'un sénateur et Frère Arvale, même des plus décriés, avait de quoi bouleverser tous les stoïciens du sénat, et il n'y avait aucune pitié à en attendre. Les artifices de la corruption, bien aléatoires de toute manière, étaient refusés à Kaeso faute d'argent, et l'ultime ressource était un appel au Prince, qu'une lettre désobligeante avait rendu boudeur.

Aponius avait bien de la chance d'avoir rejoint son frère, sous une inscription choquante en hommage à l'imprévoyance ! Où menait donc la prévoyance ?

Dans son insomnie, le péril encouru par l'aimable Juive surexcitant ses sentiments, Kaeso se rendit enfin compte qu'il aimait Séléné beaucoup plus fort qu'il ne l'aurait cru — ou du moins se l'imaginait-il, ce qui, en fait d'amour, revient exactement au même. Au milieu de l'hécatombe que ses vertus avaient entraînée, Séléné était seule demeurée debout, avec sa beauté sereine, son intelligence toujours en éveil, sa sympathie attentive, ses conseils avisés, son humour caustique et sa moralité originale. C'était une autre Marcia, qu'il était enfin permis d'aimer, rendue plus touchante encore par le malheur. Kaeso n'avait-il pas juré, d'ailleurs, de la protéger ? Et elle lui avait fait confiance. Les accusations qui pesaient sur elle semblaient à Kaeso absurdes, et il se raccrochait à l'espoir d'une erreur judiciaire, qui pourrait être démontrée en temps utile.

Avant l'aube, confiant Myra à l'aubergiste, qui promit de s'occuper d'elle comme de sa propre fille, Kaeso loua un cheval et galopa vers Rome, dont revenaient à cette heure toutes sortes de charrois vides. A la Porte Capène, alors que le jour se levait, il remit l'animal en nage à un correspondant du loueur, et il courut vers le " Tullianum ", étroite prison bâtie jadis au pied oriental du Capitole. Il approchait de la sombre façade en bossage de pierre d'Albe, quand il reçut un coup au cœur : des gamins, arrivés trop tard pour suivre dès l'origine la procession des condamnés à mort, faisaient demi-tour et se dépêchaient d'aller rattraper le convoi, dont l'itinéraire était bien connu. Kaeso, lui aussi, avait autrefois fait l'école buissonnière avec son frère lorsqu'une exécution d'esclaves ou d'étrangers était en cours, et c'étaient même les seules entorses à la discipline que Marcus tolérait, car, dans son âme de vieux Romain exemplaire, il les considérait comme aussi formatrices pour la jeunesse que les tueries de l'amphi-théâtre. N'est-ce pas en voyant souffrir que l'on s'endurcit soi-même au point de ne rater son suicide qu'à moitié ?

Un enfant confirma à Kaeso qu'il s'agissait bien des esclaves d'Aponius, qui devaient traverser Subure et monter jusqu'à la Porte Esquiline, près de laquelle s'étendait le champ du supplice dit

« Sestertium ». Kaeso se demanda comment il avait pu dans son âge tendre éprouver de l'intérêt pour un pareil spectacle, et même parier des noix sur la durée de résistance de tel ou tel crucifié. Bourreaux et soldats paraissaient alors moins cruels que les gamins et donnaient même volontiers à boire de leur piquette à ceux qu'un devoir ingrat les obligeait d'expédier.

D'un pas incertain, Kaeso se dirigea vers la Porte Esquiline. Rien n'aurait pu le retenir d'assister à l'exécution, mais il savait trop bien ce qu'il allait voir pour presser sa marche.

Affaiblie par la torture, Séléné parcourait Rome pour la dernière fois, le bois horizontal de sa croix en travers des épaules, les avant-bras attachés par-devant. Au champ « Sestertium », une forêt de poteaux attendaient, que l'on changeait quand ils commençaient à pourrir. On y déshabillerait Séléné, on l'étendrait sur le sol, et le bourreau la clouerait à la traverse. Il y avait deux méthodes. Les bourreaux de profession, qui avaient de l'expérience et du doigté, enfonçaient le clou dans le poignet, à travers un étroit espace [1] entouré d'os, que la pointe élargissait sans rien briser, mais en lésant ou sectionnant le nerf médian, ce qui rabattait le pouce dans le creux de la main. Les bourreaux amateurs, incapables d'une telle précision, préféraient clouer juste au-dessus du poignet, entre le radius et l'ulna. Dans un cas comme dans l'autre, l'attache était assez solide pour que tout autre lien fût désormais plus nuisible qu'utile : les bras devaient en effet demeurer libres autour de leur clou pour que le condamné puisse se livrer à une gymnastique qui prolongerait, sinon ses jours, du moins ses heures. Puis on fixerait le bois horizontal à la potence d'un poteau, et l'on clouerait les pieds cambrés et délicats, qui passaient pour avoir étouffé le sénateur Aponius. Là encore, il y avait deux méthodes. Ou bien le clou transperçait les deux cous-de-pied superposés, le pied inférieur prenant appui sur une cale. Ou bien les pieds, toujours en appui sur une cale, étaient rangés côte à côte pour être cloués de profil par les talons joints, le supplicié offrant de ce fait un aspect tordu.

Une longue attente commencerait alors, la mort sur la croix étant une mort par asphyxie. En position basse, les muscles pectoraux et intercostaux étant paralysés par le poids du corps suspendu aux deux clous des poignets, aucune respiration n'était possible. Séléné pousserait donc sur ses pieds cloués pour aspirer quelques bouffées d'air en position haute, jusqu'à ce que l'affaisse de nouveau une douleur intolérable, et ainsi de suite. C'était seulement en position haute que les crucifiés pouvaient prononcer quelques paroles. Lorsqu'ils n'avaient

1. Appelé par les anatomistes modernes « l'espace de Destot ».

plus la force de se soulever, ils perdaient connaissance et l'asphyxie faisait son œuvre. Pour en finir avec les condamnés qui s'acharnaient à respirer au-delà des limites prévues, il suffisait de leur briser les os des jambes à coups de masse. Les patients en état de mort apparente étaient achevés par la lance ou par le glaive, ce qui était moins fatigant.

Dans son désespoir, Kaeso eut envie de prier. Mais prier qui ? Assez sceptiques sur l'efficacité des prières, les Romains étaient surtout religieusement préoccupés de savoir si tel ou tel moment était ou non favorable pour telle ou telle action, ce qui témoignait d'un esprit pratique développé. La vogue des religions orientales avait certes familiarisé les esprits avec l'idée rassurante qu'un dieu était là aux aguets pour exaucer des prières précises, et les chrétiens étaient le plus bel exemple de cette mentalité : ils n'arrêtaient pas de prier, que ce fût pour louer Dieu ou pour s'attirer des grâces quelconques. Mais la philosophie de Kaeso protestait contre de telles illusions. Il était tout disposé à encenser un éventuel Créateur si ça pouvait lui faire plaisir, mais comment Dieu aurait-il pu intervenir dans le cours des choses sans se mettre en contradiction avec lui-même ? Car enfin, si l'homme était libre, une intervention divine, en admettant qu'elle fût possible, était négatrice de cette humaine liberté, qui était absolument indispensable pour que Dieu fût réputé innocent de tout le mal de ce monde. Un Dieu qui trichait avec la liberté qu'il avait accordée mettait la main dans un piège dont il ne pouvait sortir à son honneur, et l'on avait beau jeu de lui reprocher de ne pas tricher davantage, afin de ne faire que des heureux. Cette simple considération avait sans cesse détourné Kaeso d'attacher aux miracles des chrétiens une valeur convaincante. Qu'importaient les miracles si Dieu ne faisait qu'illustrer de la sorte la scandaleuse parcimonie de ses dons eu égard à ses extraordinaires capacités ?

Et pourtant, malgré toute sa philosophie, en gravissant l'Esquilin à la poursuite de l'atroce convoi, Kaeso se laissa aller à prier. « O Christ, murmura-t-il, puisqu'il paraît que Tu es capable de tout, et même de jeter de divins grains de sable dans les rouages aveugles de notre liberté, sauve donc ma Séléné, et je croirai que Ta raison est supérieure à la mienne ! »

La procession était en vue. Kaeso se précipita, joua des coudes à travers la foule aux sentiments divers et passa en revue le troupeau. La « familia » lamentable d'Aponius était bien là, avec un petit supplément d'esclaves inconnus. Un soldat portait même sur l'épaule le bout de bois de Niger, qui avait déjà du mal à se porter tout seul. Mais Séléné n'était pas visible. Le cœur battant, Kaeso se présenta au sous-officier subalterne qui commandait le service d'ordre, et lui demanda ce que l'esclave était devenue. L'homme répondit que les Triumvirs capitaux avaient reçu instruction du Prétoire de mettre de côté les plus jolies filles pour les Jeux Apollinaires. Il n'en savait pas davantage.

X

Séléné était donc sauve pour une vingtaine de jours au moins. La nouvelle inonda Kaeso de joie et d'espoir. Il avait enfin du temps devant lui pour se retourner. Mieux encore, il avait, semblait-il, découvert par la force des circonstances la formule magique qui permettait d'établir un contact personnel avec Jésus et d'avoir de l'action sur lui. Jésus serait bien méchant de ne sauver Séléné que pour quelques jours. D'ailleurs, Jésus n'était-il pas juif, et porté de ce fait à assurer une protection particulière aux gens de sa nation ? Les chrétiens en voulaient instinctivement aux Juifs, mais par un mouvement sentimental qui était une trahison des paroles de leur Maître. Car Jésus n'avait jamais accablé que quelques Pharisiens aux outrances suspectes. Son attachement à Israël éclatait dans nombre de ses discours. Il avait pleuré sur la ruine de Jérusalem, que les chrétiens étaient tout disposés à enregistrer d'un cœur sec comme la punition d'un attachement à la Loi. Cette Loi dont le Christ avait cependant accepté le joug une trentaine d'années avant d'en répudier quelques détails. Un Jésus juif ne pouvait laisser crucifier une Juive.

L'idée vint à Kaeso, qu'il avait jusqu'alors perdue de vue, que Jésus avait tenu à connaître les souffrances de la crucifixion. Mais justement, c'était son affaire, et Séléné n'y tenait pas du tout. Le rapport de cause à effet entre une croix et une autre paraissait d'autant moins évident que Séléné n'était pas chrétienne. Abraham, Jacob ou David n'avaient pas été chrétiens non plus, et on ne les avait pas crucifiés pour si peu. A première vue, être juif donnait plutôt une garantie.

La crucifixion était alors d'un usage si courant que les souffrances bien ordinaires d'un Jésus en croix n'avaient rien pour émouvoir un Romain, plutôt sensible au fait particulièrement choquant qu'un dieu aurait choisi le supplice des esclaves et des malfaiteurs sans droit de cité. C'était l'aspect métaphysique et social des souffrances du Christ qui impressionnait d'abord et faisait scandale.

Par bienveillante politesse, Kaeso accompagna le cortège jusqu'au champ « Sestertium ». Après tout, ces esclaves avaient été ceux de son père, et il avait eu des relations avec quelques-uns. Ce n'était pas leur faute si une loi sénatoriale dépassée les avait tenus pour complices d'un crime hypothétique où ils n'étaient pour rien. Chemin faisant, Kaeso bavarda aimablement avec le sous-officier — flatté de l'attention qu'un fils de sénateur et « augustianus » lui portait — dans l'arrière-pensée charitable d'obtenir de ce soldat, qui n'avait pas l'air méchant, quelques adoucissements au supplice, dans la faible mesure du possible. Il avait observé, gamin, que la lésion du nerf médian apportait un grand surcroît de douleur. Peut-être le bourreau accepterait-il d'enfoncer le clou un peu plus haut ? Et un coup de masse dans les jambes en avance sur l'horaire n'était pas exclu.

La sauvegarde provisoire de Séléné inspirait à Kaeso une telle satisfaction qu'elle se lisait aisément sur son visage, et le sous-officier s'imagina, jusqu'à ce que son interlocuteur le détrompe, que le plaisir de la vengeance en était cause.

Moyennant un bon pourboire, et avec l'approbation tacite du chef de corps, le bourreau se laissa convaincre de crucifier entre radius et ulna, mais son honneur de spécialiste était froissé du procédé. Il ne voyait en revanche aucun inconvénient à ne pas clouer les condamnés par les talons, ce qui eût été le mode le plus pénible.

Kaeso se promena un instant parmi les croix de faible hauteur, avec un mot d'encouragement à tel ou tel, dont les circonstances illustraient malheureusement la vanité. Il eût été difficile de dire si les femmes souffraient plus que les hommes de ce traitement qui avait de quoi affliger jusqu'à leur pudeur. C'était en tout cas le cuisinier syrien, un gros gourmand, qui gémissait le plus fort. Les pieds étant à peu de distance du sol, on pouvait aisément abreuver de piquette les bouches entrouvertes, et Kaeso insistait auprès des soldats pour que fût accordé plus souvent ce soulagement dérisoire.

Ayant enfin obtenu que les suppliciés seraient achevés dès que cela se pourrait faire décemment, Kaeso ne vit plus motif à prolonger sa présence. S'occuper de Séléné était le plus urgent. Les badauds, mélange d'amis pleurards et de voyeurs malsains, lui portaient d'ailleurs sur les nerfs.

Avant de se retirer, il crut bon toutefois de dispenser une chrétienne exhortation à Niger, et il dit à l'Hindou : « Tu dois bien sentir enfin comme ta doctrine est fausse. Si des vertus passées t'ont fait renaître sous l'apparence d'un homme de bien, quels péchés de cette vie présente te valent donc ce que tu endures ? Tu ne songeais qu'à fuir la souffrance en pourchassant le désir, et la pire souffrance, qui se moque bien des systèmes anesthésiants, est venue à toi tout d'un coup. Ne comprends-tu point que le grand problème qui se pose à l'homme n'est pas d'éviter la souffrance, mais de lui trouver un sens et un but ? Ni Platon ni les Indes n'y parviennent. Mais le Dieu des chrétiens apporte à ce sujet des révélations intéressantes. Fais-Lui confiance, et tu ne le regretteras pas ! »

Déjà épuisé, Niger se soulevait et s'affaissait à un rythme rapide, qui laissait présager qu'il ne tiendrait pas longtemps. Profitant de ses positions hautes, il donna une réponse saccadée : « La leçon est excellente... mais inopportune... si je renais chrétien... je te l'enverrai dire ! »

La conversion est un art difficile, où Kaeso n'était pas encore expert. C'était pourtant dimanche.

La première chose à faire était de prendre contact avec Séléné, pour connaître les exactes circonstances du décès paternel. Nanti de ces précisions, Kaeso pourrait peut-être faire éclater l'innocence de la condamnée, bien que la justice ne se souciât guère du sort d'une esclave. Et elle montrerait sans doute d'autant plus de mauvaise volonté à se déjuger que le gros de la « familia » du sénateur défunt avait expiré.

Au siège du Triumvirat capital, qui avait installé ses pénates dans une dépendance de la Préfecture Urbaine, on ne fit aucune difficulté pour signaler à Kaeso que la jeune personne qui l'intéressait avait été internée au grand vivarium d'Ostie, sous la responsabilité d'un célèbre dresseur nommé Cethegus. Kaeso n'osa en demander plus long et prit donc la route d'Ostie. Si le monde de la gladiature lui était assez familier, celui des chasses matinales de l'amphithéâtre, les fameuses « venationes », lui était à peu près inconnu, et celui du dressage, tout à fait. Des provinces les plus reculées de l'Empire arrivaient sans cesse à Rome des masses d'animaux destinés aux Jeux, et les « vivaria » où on les entreposait dans cette attente étaient un spectacle familier dans les banlieues. Mais le plus vaste était à Ostie, car beaucoup de bêtes, et notamment les plus lourdes, voyageaient naturellement par mer, solution inévitable quand il s'agissait du réservoir africain ou des lointaines régions d'Orient.

Claude avait fait aménager au nord de la ville un nouveau port, que Trajan devait agrandir, et c'était à proximité des quais de ce port neuf, au milieu de montagnes d'amphores brisées, que s'étendait le grand vivarium. Le risque que des fauves ne s'échappent l'avait relégué dans cette zone de dépotoirs, à l'écart des « insulae », qui, si elles épargnaient la plupart des villes de l'intérieur, avaient poussé à Ostie comme dans quelques autres grandes cités commerçantes du bord de mer.

Vers le milieu de la matinée, Kaeso fut admis dans cet endroit étrange, sur sa bonne mine et sur ses qualités peut-être, et moyennant pourboire, mais surtout parce qu'il avait affirmé avoir une communication importante à faire à maître Cethegus. Le pourboire était devenu un trait caractéristique de la civilisation.

On guida Kaeso à travers des parcs où séjournaient des lions, des ours, des panthères, des éléphants, des cervidés, des autruches, des onagres, tout le gibier imaginable, du plus commun au plus rare. Il y avait même des bassins où s'ébattaient des phoques, des hippopotames ou des crocodiles. Les chasses de l'amphithéâtre jouaient un rôle capital pour débarrasser l'Empire des animaux dangereux ou pléthoriques. Mais on voyait aussi des bêtes familières comme des chevaux ou des ânes, car c'était dans les « vivaria » que les directeurs des théâtres puisaient pour leurs somptueuses mises en scène. Ne fallait-il pas six cents mulets chargés de présents pour illustrer telle tragédie ? Et le dressage d'animaux sauvages ou domestiques avait sa place au théâtre comme dans les intermèdes des amphithéâtres ou des Cirques.

Enfin, on introduisit Kaeso dans un vaste hangar carré. Au centre était une énorme cage, qui avait dû être prévue pour la mise en condition de sujets dangereux. Sur le pourtour s'alignaient des stalles, où l'on distinguait des bêtes variées.

Cethegus, accompagné de sous-ordres, était en train d'inspecter ses pensionnaires. C'était un individu poilu comme un sanglier, dont les petits yeux enfoncés luisaient fixement d'un éclat magnétique. On se sentait tout de suite mal à son aise en sa compagnie. Kaeso, désireux de sonder le personnage pour le mieux manœuvrer, se présenta tel un noble « augustianus » ami personnel du Prince, curieux de réalités animalières et désireux d'offrir un spectacle original à des amis. Le ludus ou le vivarium impérial ne dédaignaient pas quelques affaires particulières, qui permettaient de réduire les frais. Il y avait des « munéraires » capables, comme Vatinius, d'offrir une journée de spectacle à Bénévent, et il y en avait de plus modestes.

Le charme de Kaeso aidant, Cethegus ne se fit pas prier pour parler d'un art qui le passionnait. Et il était heureux qu'un noble jeune homme s'y intéressât, car, la plupart du temps, les enfants de la classe sénatoriale avaient plutôt un penchant pour la « venatio », qui leur permettait de descendre dans l'arène sans « infamie », à condition de ne s'y risquer qu'en amateur. La chasse n'était-elle pas un divertissement distingué ? Mais les secrets du dressage n'excitaient pas grand monde.

Le triomphe de Cethegus, c'étaient les éléphants danseurs de corde, qu'il était parvenu à faire avancer le long de deux câbles parallèles, et il s'étendit longuement sur d'autres réussites avec des fauves ou des équidés. Guidé par Kaeso, qui cheminait patiemment vers ce qui lui importait, il finit par déclarer :

« Mais tout cela n'est rien à côté des difficultés que soulève le dressage conjoint d'une bête et d'un condamné à mort pour les nécessités du théâtre, tel que la plèbe le conçoit aujourd'hui. Le public exige toujours du nouveau, réclame sans cesse des tranches de vie plus saignantes et plus lubriques, et ce n'est pas une petite affaire pour moi que de régler au mieux, sans risque d'échec ridicule, ces instants palpitants pour lesquels les pièces nouvelles sont construites par des auteurs à succès. La veille de certaines représentations où mon honneur est engagé, je n'ai plus d'appétit et je ne dors plus !

— Et... où réside exactement la difficulté ?

— Elle est double. L'une tient à la bête, et l'autre, à l'homme. Pour respecter la mythologie, qui impose au genre sa loi d'airain, ou bien pour déférer au désir de l'auteur et du public, je dois habituer une bête à un régime alimentaire ou sexuel qui n'est pas forcément le sien. L'ours de Calédonie, par exemple, préfère le miel à la chair humaine, et c'est un grand timide, que la marée des spectateurs distrait et paralyse. De même, un bouc ou un âne n'ont aucun penchant naturel pour la femme, et maintes précautions et ruses sont indispensables pour les faire fonctionner. La bête doit se familiariser avec la fille, cohabiter avec elle quelque temps, et la femelle originale ainsi offerte ne sera désirable que si on frotte journellement son entrejambe avec des sécrétions de chèvre ou d'ânesse en chaleur. Tu vois d'ici le travail ! Il faut vraiment être du métier et avoir été formé par un père attentif. Quant à l'être humain, il n'y a certes pas de problème quand on ne lui demande que de se laisser dévorer. La collaboration des filles, qui doivent y mettre un peu du leur, est plus difficile à obtenir. Dès qu'elles ont été substituées à l'actrice pour l'assaut final de la bête, elles ont tendance à paniquer. Afin de les encourager, on leur promet de les étrangler sur scène ou après la levée du rideau, et non pas de les crucifier, comme il leur serait arrivé si elles n'avaient pas eu la chance de monter sur les planches. Mais cela ne suffit pas toujours pour en tirer le meilleur. Je dois faire alterner, comme avec les animaux, l'autorité et la patience. »

Cethegus posa la main sur l'épaule de Kaeso et fit cette réflexion d'apparence banale, à laquelle son expérience professionnelle donnait une certaine profondeur : « Quand quelqu'un te dira que les hommes et les animaux sont de la même espèce, ne le crois pas ! Si les méthodes de dressage coïncident sur bien des points, elles diffèrent plus encore, car l'homme sait qu'il doit mourir, et l'animal l'ignore. Malgré mon savoir et ma bonne volonté, j'ai dû renvoyer des filles inaptes au champ " Sestertium ". Quelque chose, dans les bêtes à deux pattes, échappe à toute prévision. »

Justement, Cethegus avait en main une belle esclave, qui allait figurer dans le *Laureolus*, le III des Ides de juillet, dernier jour des Jeux Apollinaires, au grand théâtre de Pompée. Cette pièce, dont le succès ne se démentait point, devait tenir l'affiche près de deux cents ans ! Elle avait en effet tout pour plaire, car elle illustrait la vie d'un terrible brigand, incendiaire et obsédé sexuel, qui trouvait enfin sur la croix le châtiment moral de ses excès. Un tel schéma était d'une belle souplesse, et on renouvelait à plaisir les scènes qui commençaient à lasser le public, la crucifixion finale étant en somme le seul morceau de bravoure obligatoire. Avant d'élever ses esprits au contact de la philosophie grecque, Kaeso avait apprécié, en compagnie de son frère, le réalisme coloré et croustillant de cette réalisation. Comme cet heureux temps était loin !

Kaeso et Cethegus étaient parvenus devant le box critique. Dans un coin, Séléné, tête basse, était enchaînée par une cheville, la chaîne étant trop courte pour qu'elle puisse s'en étrangler. Cethegus devait aussi se soucier de la propension au suicide des bêtes à deux pattes qui savaient qu'elles allaient mourir. Dans le coin opposé, un grand âne de Calabre aux yeux doux tirait machinalement sur son licol pour rejoindre sa compagne d'où émanait une délicieuse odeur d'ânesse complaisante. Et comme beaucoup de maris s'efforçant d'imaginer qu'ils sont avec une autre (et réciproquement), l'âne, qui vivait en état de semi-érection, caressait du regard une Séléné, dont les oreilles s'allongeaient peu à peu. Mais elle n'avait pas encore sur le dos la croix miraculeuse qui avait marqué l'espèce depuis la fuite en Égypte de la Sainte Famille.

A ce spectacle incongru, Kaeso rit bruyamment, afin de faire saisir aussitôt à Séléné qu'il n'était là que pour jouer une comédie qui pourrait lui être favorable.

Il demanda à Cethegus :

« L'âne est-il autorisé à des répétitions avant le grand jour ?

— La précaution serait utile, et j'y avais recours avec de petits ânes adolescents. Mais le public exige à présent de grosses bêtes bien membrées, que la condamnée ne peut guère subir qu'une fois. »

Le malheur inspirait peu à peu à Kaeso une tournure d'esprit chrétienne, et il remercia Jésus " in petto " d'avoir prévu des ânes si gros.

Il poursuivit : « Quelle fille ravissante ! Quelles formes parfaites !

Mais nous avons là une esclave de grand prix ! C'est un gâchis que de la donner en pâture à un âne pour la joie de spectateurs incompétents, qui se contenteraient d'une fille quelconque. »

Cethegus expliqua que l'esclave passait pour avoir assassiné son maître et que la loi ne pouvait entrer dans ce genre de considérations. Séléné devait déjà à sa beauté de ne pas avoir été crucifiée sur-le-champ. Elle jouissait de ses restes.

Anxieux d'apporter à Séléné, en tout état de cause, quelque soulagement, Kaeso suggéra :

« La plupart des scènes du *Laureolus* étant interchangeables — je n'ai jamais vu deux fois la même pièce ! — et les chiens, qui ont si longtemps vécu dans l'intimité de l'homme, ne faisant guère difficulté pour honorer la femme, ne serait-il pas plus simple, et aussi pittoresque, de faire appel à un prestigieux mâtin, dont l'approche serait moins déchirante, et qui n'aurait même pas besoin de répétitions ?

— On voit bien que tu n'es pas spécialiste ! Après le coït, il se produit chez le chien une étonnante turgescence, qui interdit une séparation immédiate. Et tu sais bien qu'au théâtre, il ne saurait y avoir de temps morts. L'action doit marcher, doit courir, et le chien satisfait y introduirait une pause, qui ne pourrait être comblée que par un dialogue lassant. Le chien en arrive même à être dangereux. J'avais un cacochyme garçon de piste de Béotie, qui avait de honteuses faiblesses pour son chien à la forte carrure. Un soir que l'animal exténué se reposait sur son maître, un chat est passé la queue en l'air, et l'amant impétueux s'est élancé d'un bond à la poursuite du félin, entraînant tel un trophée les entrailles du patient mortellement blessé. Quelle fin pour un Grec, et quelle leçon de vertu pour nous autres Romains ! »

L'œil égrillard et cruel de Cethegus n'avait pourtant rien de vertueux. Encore un vieux Romain dans le genre de Marcus !

Les sous-ordres de Cethegus, voyant que la conversation se prolongeait, avaient évacué le hangar aux pénétrantes odeurs, qui résonnait par instants de cris d'animaux inquiets ou exaspérés.

« L'état de cet âne m'inspire, dit soudain Kaeso. Il s'apprête à connaître un bref bonheur qu'ambitionneraient bien des mortels. Si l'âne n'y voit pas d'inconvénient, pourrais-tu me laisser seul avec cette beauté, le temps que je lui fasse un brin de cour ? »

Et ce disant, Kaeso faisait miroiter quelques « aurei » dans le creux de sa main.

La demande était très irrégulière, mais Cethegus se laissa convaincre et quitta le hangar à son tour.

Kaeso enjamba aussitôt la barrière et se jeta aux pieds de sa Séléné...

« Je t'aime ! Je t'aime plus que jamais ! Je t'aime pour toujours !... Je m'en suis aperçu lorsque je t'ai imaginée marchant vers le " Sestertium ", ta croix sur le dos... Quelle épreuve pour nous deux !... »

Séléné était sortie de sa léthargie pour considérer Kaeso avec l'œil de Niger aux prises avec des ennuis respiratoires aigus. Il y a des situations où le plus émouvant orateur perd ses droits. Kaeso eut le bon sens tardif de s'en rendre compte :

« Mais qu'as-tu à faire d'amour à présent ?

— En effet ! Cethegus ne m'en promet que trop !

— Dis-moi plutôt d'où provient cette erreur judiciaire, que je puisse remuer ciel et terre pour te faire rendre justice.

— Ce sera très malaisé. Après s'être percé de son épée, Marcus, qui m'avait affranchie, m'ayant supplié de l'achever, j'ai appuyé mon pied sur sa gorge, où l'on a retrouvé la poussière de la plante. Et afin d'éviter des tortures inutiles, j'ai avoué aussi lui avoir donné le coup d'épée — sur sa demande, sans doute, mais les preuves en ma faveur font défaut. Marcus n'a laissé aucun écrit annonçant ou laissant prévoir ses funestes intentions. Un esclave m'a dit qu'il avait posté des lettres pour Marcus junior et pour le Préfet de la Ville. Les enquêteurs ont eu l'honnêteté de vérifier que la lettre au Préfet ne m'innocentait guère. Et Marcus junior m'innocentera peut-être, mais il sera trop tard. Même la poste impériale aurait du mal à faire l'aller-retour Rome-Xanten en si peu de temps. C'est sur place que je dois être sauvée, et toi seul en es capable. C'est la grâce de l'empereur qu'il me faut. »

L'âne jaloux s'impatientait, et Séléné ajouta crûment : « A chacun sa bête ! »

Kaeso promit de faire l'impossible et la conversation prit enfin le tour le plus tendre, Séléné n'étant pas en position de rebuter Kaeso. Le prétendant lui demandait sans cesse : « M'aimes-tu ? », et elle répondait : « Bien sûr ! Comment ne pas aimer un garçon si dévoué ! », mais elle lui rappelait avec douceur que c'était d'abord à Néron qu'il convenait de poser la question. Elle lui rappela aussi qu'elle avait chez rabbi Samuel 100 000 sesterces qui pouvaient être utiles.

S'arrachant à sa bien-aimée, Kaeso parvint à l'embrasser sur la joue, dans le voisinage des lèvres ; et au passage, l'âne furieux lui arracha un bout de tunique. C'était délirant !

Kaeso passa remercier Cethegus, qu'il trouva en train de soigner avec ses aides le pied d'un éléphant d'Afrique, espèce dont la docilité laissait à désirer. Des rhinocéros de Numidie et des tigres d'Hircanie attendaient également ses soins.

Kaeso dut patienter, alors qu'au loin, entre les montagnes de débris d'amphores, passaient sous le soleil les voiles des navires de charge qui quittaient Ostie ou s'apprêtaient à entrer au port, dans les eaux calmes duquel ils manœuvreraient avec précision grâce à leurs souples gouvernails latéraux faisant alors office de godille.

Cethegus disponible, Kaeso l'entraîna à part, et lui dit sans ambages : « Cette fille est vraiment d'une beauté extraordinaire, et il me la faut ! Qui t'empêche d'en produire une autre pour agrémenter le *Laureolus*? De tels cadavres se valent. Si tu veux bien m'obliger, il y aura 100 000 sesterces pour toi. »

Cethegus pesa le pour et contre, visiblement partagé entre la prudence et la cupidité. Mais il sortit de ses hésitations pour déclarer : « Voilà un emballement bien coûteux pour une esclave que tu n'as fait qu'entrevoir. Sans doute la connaissais-tu depuis longtemps. J'en suis fâché pour toi, car je ne puis te rendre ce service. Dans ma position, je me fais pas mal d'argent, et je ne voudrais pas risquer de la perdre, même pour une somme de cette importance. Je perdrais d'ailleurs bien davantage, étant esclave de la Maison du Prince. Ce que tu sollicites est un crime passible d'une mort infâme. Et si je me laissais malgré tout fléchir, les moyens feraient défaut de réaliser le projet. Avec tous ces animaux, la surveillance est ici extrême. Crois-tu d'ailleurs qu'on trouve de jolies condamnées à mort dans le pas d'un âne ? Tu perds ton temps avec moi. Mais j'aime les amoureux et les " aurei ". Je fermerai les yeux sur quelques nouvelles visites. »

Raccompagnant Kaeso, Cethegus ajouta : « Tu m'es sympathique et je te donnerai un bon conseil. C'est au théâtre qu'il y aurait peut-être de la ressource. Les auteurs et metteurs en scène sont libres de truquer la pièce comme ils l'entendent. Va donc voir Turpilius de ma part, qui a une maisonnette en contrebas du Janicule. C'est lui qui règle la mise en scène du *Laureolus*. Il est citoyen romain et fort mal payé, comme tous ceux qui travaillent dans le porno, où l'on se bouscule. S'il se fait prendre pour 100 000 sesterces, il ne sera toujours pas crucifié ! »

Kaeso remercia Cethegus comme il convenait et il consuma son après-midi à la recherche de ce Turpilius. On l'avait vu sans cesse là où il n'était plus, passant de thermes mal famés de l'Aventin à toute une série de tavernes douteuses des bords du Tibre, pour rentrer tout simplement chez lui en solitaire par nuit noire, d'un pas un peu hésitant. Kaeso l'attendait sur le seuil de la porte d'où il avait suivi la tombée des ténèbres sur la Ville étalée à contre-jour.

Une fois tout à fait certain que le noble Kaeso n'était pas un huissier, Turpilius lui ouvrit libéralement sa porte, pour l'introduire dans un modeste intérieur où régnait le plus artiste désordre. A la lueur de sa lampe, l'hôte rangea sans conviction, se dégoûta vite de cette tâche impossible, tira plutôt une cruche de vin tiède d'une armoire et invita cordialement Kaeso à lui expliquer ce qui l'amenait. Turpilius était un aimable garçon au visage déjà fané, qui semblait prendre la vie avec une belle insouciance.

« C'est Cethegus, le fameux dresseur du vivarium d'Ostie, qui me recommande à toi, en vue d'une affaire qui pourrait te rapporter gros. Mais je vois bien que tu es un artiste. L'argent t'indiffère peut-être...

— Par Minerve, voilà une abominable calomnie ! Les artistes méprisent l'argent tant qu'ils sont incapables d'en gagner. Quel crime inexpiable dois-je commettre pour te faire plaisir ? Les affaires honnêtes, comme le théâtre porno en témoigne, ne rapportent jamais rien. Parle sans hésiter. Pour 20 sesterces, mon amitié t'est acquise jusqu'à l'aube !

— Il s'agit au contraire d'une bonne action... »

Kaeso, qui n'avait rien à perdre, exposa son problème en détail, soulevant un intérêt passionné. Turpilius en oubliait de boire. L'orateur dit enfin : « Pour déterminer quel artifice pourrait nous être favorable, nous devons d'abord, je crois, étudier de près la scène où ma Séléné intervient. Il serait peut-être plus facile de la modifier que de la changer. »

C'était tout à fait l'avis de Turpilius :

« Il serait d'autant plus désagréable de la changer qu'une nuée de scribes travaillent déjà sur les programmes où elle figure en termes alléchants ! Et je te ferai remarquer en outre que j'ai mon amour-propre d'auteur. Cette scène, où aucun dialoguiste n'intervient, est entièrement de moi. C'est un petit bijou de théâtre pur, qui allie la bestialité, l'horreur et la franche rigolade. Mais il faut songer aussi aux spectateurs distingués, et la surprise que je ménage leur donnera un motif supplémentaire de mépriser le peuple grossier.

— Que veux-tu dire par là ?

— Imagine cette situation poignante... La femme de Laureolus apporte une brassée de foin à l'âne, qui, avec une ignoble ingratitude, se jette sur elle pour la violer sur le foin. C'est derrière un pilier de l'écurie que la condamnée est substituée à l'artiste, qui vient de faire l'amour avec le brigand dans la chambre d'à côté, l'âne, détail piquant, faisant alors le voyeur. La femme violée hurle et appelle à l'aide. Laureolus se précipite, mais trop tard pour empêcher l'irréparable : son honneur est perdu. Alors, en bon Méditerranéen, en homme de nos terroirs méridionaux, ne faisant ni une ni deux, au lieu de battre l'âne, il étrangle sa femme. La trouvaille n'est-elle pas amusante ? De quoi distraire la plèbe sans oublier un Pétrone. »

Kaeso eût été peut-être amusé jadis, mais le temps avait marché.

« Je vois mal, dit-il, ce qu'on peut modifier là-dedans pour sauver ma Séléné...

— Laisse-moi réfléchir.... Mais oui, bien sûr, c'est l'enfance de l'art ! Suis-moi bien... L'artiste qui doit jouer le rôle de la femme de Laureolus, une esclave nommée Cypris, qui a tapiné dix ans du côté de Subure, est de nature crédule. Si nous y mettons le prix, elle fera le nécessaire pour que tout ennui soit épargné à ta Séléné : il n'y aura pas substitution de la condamnée à l'artiste.

— Mais l'étranglement ?

— Cypris croira à un simulacre. Et elle croira aussi qu'une police corrompue ou distraite se contentera d'un cercueil chargé de cailloux. Mais tu comprends bien que Cypris doit être étranglée pour de bon, car à la porte des théâtres, les autorités attendent absolument des cadavres conformes et celui de Cypris est tout trouvé. Il est en outre meilleur marché de ne rien verser en fin de compte à cette fille que d'acheter une police hors de prix dès qu'il s'agit d'une affaire exigeant de nombreuses complicités. Ma solution est la plus simple et la plus économique. D'ailleurs, telles que je connais les femmes, ce n'est pas l'étranglement qui fera peur à Cypris, c'est l'âne. Mais on peut donner un coup de pouce au scénario sur ce point, choisir une bête de format plus rassurant, ou un autre animal qui plairait davantage à la patiente. »

Horrifié et écœuré, Kaeso murmura : « Tu me proposes un assassinat ! »

Turpilius se récria : « Le crime est de faire évader une condamnée à mort. Quand on tue un esclave, on le rembourse, et tout est dit. Cypris appartient à l'État, qui aura bien d'autre chose à faire que de la rechercher. De toute façon, si la morale t'étouffe, je te prie de considérer que le dilemme est le suivant : ou bien nous sacrifions une esclave sans la moindre valeur, ou bien nous sacrifions la femme que tu adores, l'une et l'autre parfaitement innocentes. Te sens-tu le courage de laisser tuer ta Séléné pour épargner une inconnue ? Toute mon expérience te crie qu'il n'y a pas de solution de rechange, et tu peux t'en convaincre toi-même. Je pense que notre Laureolus étranglera pour pas cher. A force de jouer les brigands, on le devient. »

Depuis son retour de Grèce, Kaeso pataugeait dans les cas de conscience les plus épineux. Il y était comme abonné. Ou bien il était brouillé avec les dieux, ou bien il ne sacrifiait pas à une morale suffisamment précise. Les judéo-chrétiens avaient le chic pour s'épargner les cas de conscience. Ils savaient toujours tout de suite ce qu'ils devaient faire.

Turpilius fit habilement valoir à Kaeso que Cypris était une pauvre fille malchanceuse et sans aucun talent, dont l'avenir ne serait qu'une longue suite de déchéances abjectes. Elle avait espéré s'élever socialement en passant du tapin au porno, mais on voyait bien qu'elle n'avait pas la vocation. De toute évidence, ses copulations publiques avaient quelque chose de triste et de contraint, et le Laureolus, malgré sa bonne volonté, ne pouvait avoir du cœur à l'ouvrage pour deux. Cypris quitterait la vie pour un monde meilleur, sans même s'en rendre compte ; et, après une dernière scène d'amour, qui lui aurait donné une dernière illusion sur ses capacités professionnelles, elle mourrait sur les planches, fin émouvante et admirable que souhaitaient tous les pantomimes cousus d'or.

L'argument avait de quoi troubler. Les mères qui jetaient leurs enfants au rebut se consolaient aussi à la perspective de la vie hasardeuse et décevante qu'elles leur épargnaient sans doute. Quand l'assassinat devient hypocrite, c'est le signe qu'un être moral est en marche, susceptible de faire croire à sa vertu.

Pour ce geste de charitable euthanasie, Turpilius n'exigeait que 50 000 sesterces. Il pensait avoir le Laureolus pour dix ou douze mille, et dépenser une somme équivalente afin de s'assurer quelques complicités subalternes indispensables à l'instant critique.

En dépit de la force toute neuve de ses sentiments pour Séléné, livrée au tête-à-tête le plus déprimant avec un âne lubrique qui ne devait pas en être à son coup d'essai, Kaeso hésitait. Lorsqu'un garçon désireux de bien faire, mais démuni de doctrine pratique, a mis le doigt dans l'engrenage des cas de conscience, il risque d'y passer tout entier, et un autre cas de conscience se dessinait déjà : le sacrifice de la pauvre Cypris n'était nécessaire que si le Prince refusait la grâce de Séléné à Kaeso, un mince détail pour lui s'il était d'amoureuse humeur. Pour épargner Cypris, Kaeso devait-il s'exposer aux caprices du despote ? Son éducation romaine l'entraînait à considérer cette abnégation comme excessive. Pour Séléné, bien sûr ! Mais pour une Cypris, épave sans ressources et sans but ?

Kaeso demanda à réfléchir quelques jours. Turpilius, dont le caractère efféminé était perceptible, lui fit alors de déshonnêtes propositions, qu'il déclina avec toutes les ressources d'une exquise politesse, arguant que Séléné l'avait envoûté. Quand on a failli triompher d'un Néron, on ne se tape pas quelque Turpilius à l'heure des vidangeurs.

Kaeso connut chez un Turpilius sans rancune un long moment de chaste sommeil, et il se rendit de bonne heure chez le rabbi Samuel, dont la maison était proche, le Janicule jouxtant le Trastévère. Rabbi Samuel était au courant du malheur de Séléné, mais la reddition des 100 000 sesterces, pour un Pharisien scrupuleux, n'allait pas de soi.

« Tu avances, dit le rabbi, que Séléné, dans la plus extrême détresse, voudrait revoir cet argent dans l'intérêt d'une éventuelle défense. Je n'aurai pas le front de prétendre que tu n'es pas mandaté par ma coreligionnaire. Mais je distingue mal ce qu'une condamnée à mort en instance d'exécution pourrait faire de 100 000 sesterces, et il m'est permis d'envisager une utilisation illégale.

— Séléné est innocente, et que t'importe la loi romaine ?

— Elle m'importe beaucoup. Il est écrit dans l'Exode : " Tu n'opprimeras pas l'étranger. Vous avez appris ce qu'éprouve l'étranger, puisque vous avez vous-mêmes résidé comme tels dans le pays d'Égypte. " Sur la terre que la Providence leur a donnée à jamais et que personne ne leur arrachera, les Juifs sont tenus de traiter leurs hôtes conformément au droit des gens. Les lois, les coutumes de l'étranger seront tolérées, et même respectées tant qu'elles ne seront pas en grave contradiction avec la Loi juive, supérieure à toute autre, parce que dictée par le Très-Haut. Les Juifs de Palestine sont aujourd'hui moralement habilités — les questions d'opportunité étant à débattre — à résister par la violence aux Romains, puisque les Romains séjournent sur leur territoire contre leur gré. Mais il s'agit là d'un cas d'exception, qui ne porte aucunement atteinte à la bonne règle de l'hospitalité. Inversement, j'y insiste, les Juifs accueillis dans un pays étranger ont la religieuse obligation de se plier aux lois locales chaque fois qu'elles ne posent point pour eux un problème de conscience insurmontable. Le droit criminel romain, excellent, bon ou douteux, est ce qu'il est, et il n'appartient pas aux Juifs de le remettre en cause à Rome. Je suis comptable de Séléné comme de tous les Juifs de la Ville. Imagine que tu uses illégalement de ces 100 000 sesterces et que tu te fasses prendre. C'est la communauté juive de Rome qui subirait les conséquences de mon imprudente pitié. Il n'est même pas certain, d'ailleurs, que Séléné soit innocente. »

Kaeso s'écria : « Elle l'est, et elle l'est de toute façon ! C'est le fils du défunt qui te l'affirme ! L'assassinat n'est nullement prouvé, et le serait-il, qu'il aurait encore de légitimes motifs...

— Un amour jaloux ne t'aveuglerait-il point ?

— L'amour de tous les hommes, des Juifs comme des autres, me contraint de dire que la victime d'un viol a le droit de se défendre par la force. Mon père a suffisamment violé cette esclave pour que des centaines d'assassinats soient justifiés ! »

Le rabbi regarda Kaeso avec une sympathique curiosité...

« Tu t'exprimes selon le droit du Ciel, que les Romains ignorent, et que la plupart des Juifs eux-mêmes ont du mal à admettre. Mais je dois ici tenir compte d'un droit moins ambitieux.

« Veux-tu franchement me dire ce que tu espérais faire de cet argent ? »

Après hésitation, Kaeso passa aux aveux, et rabbi Samuel lui dit : « La gêne où je te vois plaide ma cause. Même pour sauver une

Juive, on n'assassine point une créature de Yahvé, quelque déchue soit-elle. Que sais-tu du plan divin concernant cette Cypris ? Elle n'a pas à payer comme un bouc émissaire pour une personne légalement condamnée, qu'il y ait erreur judiciaire ou non, du point de vue moral ou formel. La loi est la loi. C'est ce que Platon nous a rappelé, lorsqu'il a mis en scène un Socrate acceptant une injuste condamnation, parce que la loi de la Cité est le fondement de tout ordre concevable. »

Tous les arguments de Kaeso, toutes ses supplications se heurtèrent à un mur. Yahvé et Platon étaient contre lui.

Rabbi Samuel précisa enfin : « Même si je le voulais, je ne pourrais te rendre à temps cette somme, placée sur la demande de Séléné à gros intérêt dans des affaires de commerce naval. Je ne te l'ai pas dit plus tôt pour avoir une meilleure chance de t'éclairer sur ton devoir. »

Anéanti, Kaeso erra par les ruelles houleuses du Trastévère. Ses pas le conduisaient malgré lui vers le Palais. Le soleil était déjà haut lorsqu'il fit demander audience à Sporus, qu'il espérait sonder, et peut-être mettre dans son jeu, avant de viser à une entrevue plus auguste.

Sporus consentit à le recevoir. Il était à sa toilette, aux mains de ses « femmes », qui avaient des voix bizarres de travestis, et un grand miroir bien poli lui renvoyait sa gracieuse image.

« Que les dieux soient avec toi, Kaeso ! Tu te fais rare... Néron s'est retranché dans les jardins d'Épaphrodite, et il s'acharne comme jamais sur son incendie de Troie. Ce sera un morceau étonnant ! »

Kaeso, après les politesses d'usage, dit à Sporus : « Je viens d'être très souffrant, terrassé par la fièvre, et je suis à peine en état de reparaître à la cour. Il est bien dommage pour moi que le Prince se soit ainsi isolé, en proie aux affres d'une géniale création, car j'aurais une faveur à solliciter, et de nature à toucher sa sensibilité d'esthète. A la suite du décès de mon père, une esclave, soupçonnée à tort d'y avoir été pour quelque chose, a été condamnée à finir ses jours dans le *Laureolus* des Jeux Apollinaires. Mais il s'agit d'une esclave renommée pour sa beauté, que Silanus avait autrefois acquise pour une somme énorme, et ce serait un dommage irréparable que de la sacrifier de façon aussi vulgaire, et même de la sacrifier tout court. J'avoue que cette petite affaire me tracasse. Pourrais-tu demander à Néron, qui n'a rien à te refuser, la grâce de cette Séléné, au cas où je n'aurais pas le bonheur de le revoir ces jours-ci ? »

Un mignon drapé d'étoffes diaphanes épilait les sourcils du maître, qui poussait de petits cris douillets.

Sporus dit enfin : « Le Prince te conserve toute son estime. Il m'a néanmoins confié avoir reçu de toi un mot qui lui avait fait de la peine. »

Impatienté, Sporus congédia ses garçons, se tourna vers Kaeso et ajouta : « Néron ne condamne personne à l'aimer. La couche impériale n'est pas une galère où l'on devrait ramer à contrecœur et à contre-courant. Ce qui a chez toi froissé le Maître, c'est une alternance de recherche et de dédain. Mais oui ! Ne proteste pas ! Tu t'es conduit comme une coquette irresponsable, qui allume les sens de sa victime au nom de la plus sympathique amitié, pour se refuser enfin à sauter le pas. Tu dois saisir que de telles manœuvres ne sont point de mise avec un Néron, qui n'a pas de temps à perdre. Et il a été d'autant plus vexé qu'il éprouvait pour ta personne — et comme je le comprends ! — des sentiments plus tendres et plus sincères. Que ne lui as-tu pas dit aussitôt : " Je n'aime pas les hommes ! " Vous seriez restés dans les meilleurs termes.

« En pareilles circonstances, la dernière faveur que t'accorderait Néron serait la grâce d'une jolie femme. Il ne faut pas exiger l'impossible de la nature humaine. »

Le quémandeur eut beau plaider le malentendu et faire toutes les offres de service possibles, Sporus restait de marbre. Kaeso se trouvait dans la situation pénible du jeune homme qui voudrait bien se prostituer pour une bonne cause, et qui est à court d'occasions. Marcia avait eu plus de chance que lui !

Sporus finit par se lever de son siège de toilette, pria Kaeso de s'asseoir à son côté sur un canapé, et lui avoua en battant des cils : « Si je joins mes supplications aux tiennes, je pourrai peut-être, malgré tout, obtenir d'un Prince compatissant la grâce que tu ambitionnes, je présume, plus que tu ne veux bien le dire. Mais serais-je en droit de compter sur ta reconnaissance ? Sais-tu que tu es divinement beau ? »

Encore un cas de conscience, et d'un agaçant scabreux !

« Mon inébranlable fidélité au Prince, argua Kaeso, me retiendrait de lui faire cet affront, quelque envie que j'en eusse ! Car ta beauté dépasse encore la mienne. »

Sporus fit en souriant litière de l'objection : « Néron sait bien qu'il ne peut s'occuper de moi tout le temps, et il a la bonté de me permettre quelques distractions qui ne tirent pas à conséquence. Nous sommes amis depuis tant d'années ! Il sait que ma passion pour lui est d'un ordre supérieur, mais qu'il n'est pas précisément mon type. Ainsi, nous ressemblons un peu à ces vieux ménages, où une bagatelle épisodique se colore de plus de tendresse que d'ardeur...

« Fais-moi plaisir, et tu ne le regretteras point ! »

La main de Sporus s'égarait. Kaeso se leva brusquement...

« Je n'aime pas les hommes ! Je ferais une exception pour le Prince... guidé comme toi par une passion d'ordre supérieur ! Ne m'en demande pas plus.

— Alors, je ne te retiens pas... »

Après avoir vexé Néron, Kaeso avait vexé Sporus, et ses finances étaient au plus bas. Avant de quitter le Palatin, il passa au siège des « augustiani » pour obtenir le maximum d'avance sur sa solde, mais il se heurta à une mauvaise volonté à peine polie. Les augustiani faisaient la queue à propos d'avances comme les poètes chez les libraires, et il fallait, pour être écouté, une protection spéciale qui était désormais en défaut. D'un mot, le Prince avait rejeté Kaeso en dehors de son soleil.

Kaeso se promena par les Forums jusqu'à midi, réfléchissant avec amertume et angoisse à toutes ses déconvenues et s'efforçant de déterminer ce qui était encore en son pouvoir pour tirer Séléné d'affaire.

Plus il marchait dans la foule bigarrée et criarde, sourd à tout ce qui n'était pas ses pensées, plus cette étonnante vérité lui apparaissait dans toute sa crudité scandaleuse : la cascade de malheurs, qui l'avaient entraîné depuis qu'il avait quitté les robes de sa mère pour entreprendre une carrière digne de lui, trouvaient leur unique source dans la permanente concupiscence dont il était l'objet. Marcia à l'œil brillant, Silanus à l'œil trouble, les éphèbes d'Athènes comme le Néron de Rome, et Turpilius, et Sporus, et bien d'autres, tout le monde semblait s'être donné le mot afin de le pourchasser. Et le seul amour qu'il avait rencontré jusqu'alors, pourchassé lui aussi jusqu'à finir entre les sabots d'un âne, Séléné, pour l'appeler par son nom, était dégoûtée de l'amour au point de demeurer à peu près insensible à ses déclarations. Paul de Tarse avait-il raison de tenir toutes les amours profanes, les pires comme les meilleures, pour une perte de temps, une dépense d'énergie plus ou moins futile ? Il avait en tout cas la chance de ne pas être beau, de ne pas avoir grand effort à faire pour défendre son extraordinaire vertu.

Ce que Kaeso ne pouvait gagner par ses charmes, il devait le conquérir par les armes. Ainsi qu'à tous ceux qui touchaient le fond, la gladiature offrait ses mortels baisers, l'attrait du gain rapide et la gloire qui renversait les filles. Même une Séléné verrait Kaeso d'un œil plus doux si elle devait la vie à son courage.

Kaeso retourna au petit ludus de la Voie Appienne, et Eurypyle lui remit après déjeuner une recommandation pour un des lanistes les plus réputés du Prince, au grand ludus du Caelius.

CINQUIÈME PARTIE

I

Le grand ludus était un monde où régnait une constante animation. Là résidaient Atimetus, l'affranchi impérial qui en avait la gestion, les lanistes sous sa gouverne, qui s'occupaient des engagements ou rengagements de gladiateurs et supervisaient leur entraînement, les maîtres d'armes, les arbitres, les médecins, les armuriers et toutes les utilités de l'arène, sans parler des gladiateurs eux-mêmes, esclaves ou sous contrat, qui allaient du héros coqueluche des filles au « tunicatus » efféminé, cantonné le plus souvent dans des rôles de rétiaire, le plus humble degré de la gladiature. De jour, un entraînement intensif se poursuivait et, de nuit, c'était un va-et-vient de filles gloussantes, de matrones discrètement voilées ou de gitons aux yeux peints.

Dans l'après-midi du même jour, au sortir de la sieste, le laniste Liber — encore un affranchi du Prince — accueillit Kaeso avec un vif intérêt. En prévision des Jeux Apollinaires sans précédent qui avaient été annoncés pour fêter l'attachement de Néron à Rome et le sacrifice qu'il venait de consentir à la plèbe de sa vocation de chanteur exotique, Tigellin avait fait ouvrir de somptueux crédits. Rien ne devait être négligé pour accroître et asseoir la popularité impériale, et le prodigieux souvenir de ces Jeux devait planer longtemps sur la Ville en ruine, comme une garantie et une promesse de libéralités nouvelles. La gladiature, un peu négligée par un Prince trop raffiné, avait ainsi reçu des faveurs tangibles, et bien des gladiateurs trouveraient enfin à Rome le plein emploi de leurs talents, sans avoir à courir le cachet en Italie ou en province. Néron avait même promis de présider les « munera » lui-même. Et, naturellement, l'argent ne manquait pas pour attirer sur l'arène cette noblesse chérie du peuple dès qu'elle se dévouait pour lui, ces aristocrates impudents que le Prince avait sans cesse poussés à la déchéance. Kaeso, fils de sénateur

Frère Arvale, était donc un élément de choix, digne d'attirer le public et de flatter l'impériale manie.

Le postulant aurait pu directement négocier son affaire avec un représentant du préteur urbain, « éditeur » théorique jusqu'à nouvel ordre de ces Jeux hautement traditionnels. Le recours à un tel « munéraire » l'eût laissé libre de ses actes jusqu'à l'exécution de ce contrat occasionnel. Mais Eurypyle lui avait recommandé de traiter avec un laniste du Prince, qui pourrait le faire bénéficier de ses conseils et de la discipline formatrice du ludus, d'autant plus indispensable que l'aspirant gladiateur n'était plus guère en forme.

Kaeso exigeait de ne livrer qu'un seul combat, et réclamait bien sûr une prime d'engagement que Liber, malgré la prospérité de ses finances, jugeait extravagante.

« Tu as l'air d'ignorer, dit-il à Kaeso, que la prime du " tiro ", gladiateur novice, n'excède pas d'habitude 2 000 sesterces, et que, pour le rengagement d'un " rudiarius ", vétéran expérimenté, le plafond est normalement de 12 000. Sans doute es-tu un noble jeune homme de belle apparence, et je ne demande qu'à prendre ces qualités en compte, mais il ne faut pas exagérer. Le contrat dont tu rêves ne serait pas même accordé à un noble connu, poussé à l'arène par l'une de ces histoires scandaleuses dont raffole la plèbe sentimentale. Et je vois mal, dans tes antécédents, sur quoi je pourrais baser une publicité excitante... »

Kaeso eut une soudaine inspiration :

« Je m'engage par désespoir d'amour.

— Sans vouloir te froisser, la chose est du dernier banal. »

Il y avait sur le bureau des tablettes vierges. Kaeso prit un style et écrivit lentement sous les yeux étonnés de Liber :

« K. Aponius Saturninus à Nero Caesar imperator, salut !

« O bien-aimé, comme tu me traites ! Des nuits entières, j'ai eu le bonheur de banqueter sur ton sein, de respirer ton enivrant parfum, de boire tes paroles, de vibrer à ton chant. Et à Naples, qu'il t'en souvienne, ingrat, c'est en fixant mon regard que tu as maîtrisé ta voix et ta lyre mieux que tu ne domines déjà l'univers. Hélas, une fièvre maligne m'a terrassé, et quand je suis accouru vers toi d'un pas chancelant, tu m'avais déjà oublié. Je ne vivais que pour te plaire, je ne suis plus rien dès que tu passes distraitement, sans même que je puisse frôler l'ourlet de ta robe. Je me dévoue donc à ta personne, comme jadis nos généraux, désespérant du sort d'une bataille, se jetaient sur les piques ennemies pour obtenir des dieux la victoire qui fuyait leurs armes. C'est dans l'arène que je mourrai bientôt sous tes yeux, tué par tes dédains, mais mon ombre suivra encore ta glorieuse et funèbre apothéose, quêtant sur les traces apolliniennes de ton char les baisers que tu me refuses. Et en attendant, devant mon cadavre sanglant traîné au spoliaire [1], tu pourras dire sur un ton rêveur : « Celui-là, peut-être, m'avait aimé vraiment ! »

« Porte-toi, bien. Mon dernier souffle montera vers ta loge comme un ultime et amoureux reproche. »

Liber, très dubitatif, se grattait la tête. Il dit enfin :

« Voilà certes qui sort du commun et qui aurait tout pour émouvoir le peuple. Mais es-tu bien sûr de ton affaire ? Néron peut s'amuser de ta lettre. Il peut aussi te faire mourir pour insolence avant même que tu n'aies atteint l'arène.

— Il ne le fera point. Il m'a aimé et ne me boude que pour ce motif.

— Je comprends mal.

— C'est moi qui ai refusé ses avances, et c'est uniquement pour de l'argent que je désire combattre. »

Liber fit remarquer en riant à Kaeso :

« Tu es un habile garçon ! Si tu as fait cet affront à l'empereur, une telle amende honorable aurait en effet de quoi le toucher. Mais si tu sors vivant de l'arène, le Prince risque de te prendre au mot.

— Qu'importe, dès l'instant que j'ai l'argent !

— Je vais donc donner à suivre cette lettre. Si l'empereur l'encaisse du bon côté, je pourrai faire courir des bruits alléchants sur ton compte et augmenter ton contrat. Il est même possible que Néron y ajoute quelque chose... Sur les fonds qui me sont propres, j'irai, en mettant les choses au mieux, jusqu'à 20 000 sesterces.

— Ce n'est pas assez.

— Allons, 25 000 sera mon maximum. Et si tu reviens vainqueur, le président te versera aussi un prix en espèces.

— Très négligeable.

— C'est à prendre ou à laisser. »

Kaeso se retira à Aricie pour attendre que sa nouvelle lettre à Néron ait produit son effet, songeant à Séléné jour et nuit, et plus encore lorsque les ânes de la région se mettaient à braire. L'âne humble et doux, dont l'image avait bercé l'enfance protégée de Kaeso, prenait dans son imagination douloureuse l'allure d'un monstre altéré de stupre. Et quand il voyait, en se promenant avec Myra, un paysan battre son âne, il l'encourageait sans vergogne. Les relations de l'homme avec l'animal sont anthropocentriques ou mythologiques.

A force d'interroger Kaeso, Myra avait obtenu des lumières sur la

---

1. Morgue des gladiateurs.

situation, et elle compatissait de tout cœur à une histoire d'amour qui la faisait rêver. Elle offrit même à Kaeso de faire des passes parmi les « petites ânesses » de l'auberge pour améliorer ses finances, mais le maître se boucha les oreilles en criant : « Merci bien ! Ne me parle plus d'ânes ni d'ânesses ! »

Quelques jours passèrent, et au matin de la fête de Summanus, tandis qu'on liquidait les derniers biens de Marcus, un mot de Liber arriva :

« Liber à Kaeso, salut !

« Le Prince a eu la bonté de rajouter 50 000 sesterces à ta prime. Je pousserai moi-même jusqu'à 30 000, la voie étant libre pour une propagande excitante, dont le bruit court que Néron serait flatté. Les dieux sont visiblement avec toi, et cela m'encourage à te proposer le plus beau contrat possible. Porte-toi bien. Je t'attends. »

Kaeso se précipita. Néron lui avait sans doute pardonné, mais à condition qu'il risque sa peau en punition de sa désinvolture. Pour suivre Jésus-Christ, c'était la croix. Pour suivre Néron, c'était le casse-gueule. L'amour était partout pavé d'atrocités.

Liber accepta que Kaeso ne descendît qu'une fois dans l'arène, mais en revanche, il aurait souhaité, pour corser la représentation, une rencontre avec « suppositicius » ; c'est-à-dire que Kaeso aurait combattu successivement un adversaire et son remplaçant...

« Cela se fait rarement, mais c'est l'occasion ou jamais. De toute manière, que risques-tu ? Si j'en crois Eurypyle, tu es trop adroit pour te faire tuer raide, et si tu dois abandonner la lutte, Néron n'est-il pas là pour te gracier ? Le peuple n'admettrait pas qu'une aussi jolie histoire de cœur se termine par un égorgement. »

Kaeso n'avait aucune confiance dans le peuple, et moins encore en Néron, qui attendait peut-être avec gourmandise le moment de baisser le pouce. Eurypyle se résigna à un combat courant, mais il avertit honnêtement Kaeso :

« Puisque j'engage de la publicité et ma réputation dans cette histoire, si tu ne te mesures qu'à un seul adversaire, tu comprendras que je ne puisse t'opposer à un " tiro " obscur ou à un vétéran de troisième ordre. Et il n'est pas question non plus de te faire combattre contre un jeune noble novice dont la situation serait analogue à la tienne, car vos deux romans se contrarieraient de façon fâcheuse. Je suis obligé de t'apparier à un gladiateur, sinon célèbre, du moins assez connu. Mais devant un homme de métier, je crains que tu ne fasses pas le poids.

— Qu'importe si j'ai déjà l'argent ! »

Les quatre premières journées de Jeux devaient voir une alternance de courses et de représentations théâtrales. Et l'intérêt des quatre dernières devait se concentrer sur l'étang d'Agrippa du Champ de Mars, que l'empereur avait trouvé conforme à ses extraordinaires projets. Le premier jour, au fond du bassin déjà vidé, que l'on travaillait à curer jusqu'au dallage, aurait lieu du matin au soir une « venatio » géante, dont les flots de sang animaux ou humains imbiberaient le sable répandu. Le lendemain, sur l'étang de nouveau rempli, se déroulerait une naumachie illustrant la bataille de Salamine. Le troisième jour, sur l'arène de nouveau asséchée et sablée, les gladiateurs se déchaîneraient de l'aube à la tombée de la nuit, avec d'autant plus d'ardeur que c'était l'anniversaire de la naissance du grand César. Le quatrième et dernier jour, en fin d'après-midi et en nocturne, serait servi un immense banquet. Les spectateurs invités mangeraient sur les rives de l'étang ; le Prince et ses hôtes de marque festoieraient sur des installations flottantes, le bassin ayant définitivement été remis en eau. Dans le même temps, d'autres festins réjouiraient l'élite de la plèbe fidèle sur nombre de places publiques de la Ville. Et, pour mettre en appétit, pour rappeler peut-être que chasses, naumachies et gladiateurs n'étaient pas l'idéal d'un empereur artiste que le sang n'excitait point, on aurait joué le matin, au théâtre de Marcellus, devant des gradins à demi déserts, une ennuyeuse tragédie d'Euripide, et, après l'heure du casse-croûte, devant l'hémicycle surpeuplé du théâtre de Pompée, le vulgaire *Laureolus*, deux pièces dont le contraste criant résumait la complexité d'un Néron. La débauche de moyens nécessaires à une utilisation aussi bizarre de l'étang d'Agrippa portait bien, d'ailleurs, la marque de l'esprit tourmenté du Prince.

Kaeso devait donc paraître le jour anniversaire de César, et en fin de spectacle, car la règle voulait que l'on gardât le plus passionnant pour conclure. Après les prestations des meilleurs gladiateurs, il n'y avait plus que les éléphants furieux aux prises avec une élite de chasseurs intrépides. Mais le problème se posait du choix de la panoplie, de l'« armatura », comme on disait en latin.

Beaucoup de ces « armaturae » relevaient de spécialités qui dépassaient le cadre de l'escrime proprement dite et nécessitaient des dispositions particulières et un long entraînement : combattants en char ou à cheval, rétiaires et leurs poursuivants, vélites, etc. Mais les grands de la gladiature avaient surtout fait carrière sous les deux « armaturae » qui avaient la constante faveur du public et des Princes : celle de « mirmillon » et celle de « thrace ». Le mirmillon avait un équipement lourd : casque, bouclier rectangulaire — le « scutum » —, jambière gauche, brassard droit et épée. Le thrace, également casqué, avait un bouclier rond — la « parma » —, deux jambières pour compenser la réduction du bouclier, brassard droit et sabre court. Les hommes les plus robustes préféraient l'armatura du mirmillon. Les plus agiles et les plus nerveux avaient tendance à s'équiper en thrace. Et depuis des générations, de même qu'au cirque les « Bleus » s'opposaient aux « Verts », la querelle des boucliers longs et des boucliers ronds, des « scutarii » et des « parmularii » n'en finissait pas, chaque empereur intéressé par la gladiature en tenant pour l'une ou l'autre de ces « armaturae ». Caligula n'avait juré que par les boucliers ronds. Néron était plutôt partisan des boucliers longs, mais apparemment sans fanatisme. Tout bien pesé, Kaeso choisit le bouclier rond, qui convenait mieux à sa morphologie et à son tempérament.

On n'appariait jamais deux « armaturae » semblables, et l'appariement du « thrace » et du mirmillon était classique. Liber proposa à Kaeso un certain Pugnax, homme libre d'une quarantaine d'années, originaire d'Helvétie. A trente-deux victoires, ce « scutarius » avait été libéré de ses obligations, mais il avait bientôt rengagé pour être crédité de sept victoires supplémentaires. Kaeso n'avait pas de raison de le refuser.

Tout paraissant en ordre, Liber fit procéder à la rédaction du contrat d'« auctoratio », que Kaeso alla faire viser chez le tribun de la plèbe idoine, lequel siégeait entre le Cirque Maxime et le Tibre, dans une dépendance du temple de Cérès. Un tel contrat donnant à un « munéraire » ou à un laniste un droit de propriété temporaire, mais pouvant aller jusqu'à la mort, sur la personne d'un homme libre, il était normal que l'autorité vérifiât si l'homme concerné était en position légale, en âge ou en état mental d'abdiquer son autonomie de façon aussi grave.

Kaeso quitta avec soulagement cet endroit sinistre, où toutes sortes d'indigents venaient réclamer du pain aux édiles, pour se diriger vers le ludus familial. Il désirait prendre l'avis d'Eurypyle sur les termes de son contrat.

Ce dernier félicita Kaeso de l'importance très exceptionnelle de la prime, mais le nom de Pugnax le fit tiquer...

« Tu aurais pu trouver plus dangereux, mais non pas plus difficile à vaincre. Ce montagnard est un rocher. Il reste prudemment tapi derrière son grand bouclier et il attend la faute, homme de sang-froid, qui a autant d'expérience que de souffle, et qui essaie de gagner à l'usure. Dans ce genre de rencontre, les spectateurs houspillent le « thrace », qui ne serait pas assez agressif à leur gré, jusqu'à ce que l'énervement le pousse à se découvrir, et Pugnax en profite. Son coup de pointe n'est pas vif, mais précis.

— Que puis-je donc faire contre ce roc d'Helvétie ?

« — Être plus patient que lui, ce qui n'est pas la première qualité de la jeunesse.

— Penses-tu qu'il cherche à me tuer ?

— A moins d'animosité particulière, tu sais bien que les gladiateurs, par un accord tacite, s'efforcent de ne pas s'infliger de blessures mortelles. Un accident, certes, est vite arrivé. Garde pourtant tout ton calme. Les risques de blessures graves sont faibles, et, en cas de défaite, les spectateurs inclinent à gracier celui qui s'est bien comporté. Sur dix combats entre gladiateurs d'égale force, on ne compte qu'un mort ou deux.

— C'est que, justement, je ne suis pas d'égale force !

— Évite en tout cas d'injurier Pugnax pour lui faire perdre son sang-froid. Tu ne réussirais qu'à le rendre méchant. A Bénévent, Atticus, un Grec de Corinthe, exaspéré, l'a traité de cocu. Pugnax est toujours cocu, Atticus n'est plus là pour le dire. »

Si le risque de mort était de un sur dix à chaque rencontre, Pugnax était d'une force quadruple de la moyenne puisqu'il en arrivait à son quarantième affrontement. Mais Eurypyle, pour ne pas apeurer Kaeso, était demeuré très au-dessous de la vérité. Une évolution se dessinait déjà, qui devait triompher aux deux siècles suivants : déçus par les ménagements que les gladiateurs cultivaient par intérêt bien compris, les spectateurs étaient de plus en plus enclins à se montrer difficiles en fait de grâce. L'égorgement du vaincu, longtemps punition d'une évidente lâcheté, avait tendance à devenir une conclusion normale, et la grâce devait se mériter par une valeur exceptionnelle. Et il n'y avait pas à s'étonner d'un tel glissement. Car la foule, au fond, ne venait pas tant aux arènes pour la beauté du spectacle ou de l'escrime. Elle voulait connaître la jouissance de tenir entre ses mains la vie d'un homme brisé, pénétré de muettes supplications. C'était l'instant que tout le monde attendait et l'on se dérangeait d'abord pour cela.

Avant d'apposer son sceau sur le contrat, Kaeso se mit en quête de Turpilius, afin de vérifier s'il était toujours dans de favorables dispositions. Les artistes sont gens légers, qui s'enflamment et se dégoûtent facilement.

Turpilius était au théâtre de Pompée, travaillant à sa mise en scène, entouré d'acteurs et de machinistes. Il prit Kaeso à part entre deux décors et lui répéta à mi-voix, avec une fièvre cupide, qu'il n'attendait qu'une bonne avance pour mettre le projet en train. Et il indiqua de la tête, à quelque distance, une grande fille aux yeux bêtes, qui était Cypris...

« C'est une Grecque de Canope, du côté d'Alexandrie. Tu vois qu'elle n'a pas inventé le fil à couper le fromage. »

Kaeso se serait bien passé de cette confrontation !

Il s'inquiéta d'un détail :

« A Athènes, sur le théâtre de Dionysos, j'ai vu, en début de représentation, une condamnée violée par un âne, mais les soldats qui l'avaient en garde l'ont traînée jusqu'à l'animal...

— Oui, cela se fait. Mais une pareille licence détruit toute poésie. A Rome, autant que possible, on ne permet pas aux soldats d'escorte de monter sur la scène, à moins que leur présence ne soit justifiée par le scénario. La police fait toute confiance aux acteurs pour s'occuper de la condamnée ainsi qu'il convient. Comment pourrait-elle s'échapper ? Nous traitons d'ailleurs ces malheureuses avec plus d'humanité que leurs geôliers habituels. On les abrutit avec du vin, on leur fait des promesses puériles, on leur raconte des histoires... Ici, nous savons y faire ! Et de même, la police n'a jamais à se plaindre de la surveillance jalouse d'un Cethegus.

— Les soldats ne risquent-ils pas de s'apercevoir que notre cadavre n'est pas le bon ?

— J'aurai le vérificateur pour cinq ou six mille sesterces. Et encore, par prudence, car, ne se méfiant pas, il n'a point coutume d'y regarder de si près.

— Ma Séléné a les cheveux un peu plus clairs que Cypris.

— L'angoisse les mouille et les fait foncer. »

Turpilius avait réponse à tout.

Dernier scrupule, Kaeso se dépêcha de gagner Ostie, où il fut avant midi, pour informer Séléné de ce qui se préparait et obtenir son assentiment. Chez une Juive, une réaction morale, du genre de celle de Samuel, était peut-être à craindre.

Séléné, qui menaçait de se laisser mourir de faim, avait été isolée dans une cellule, où on lui avait retiré ses fers.

Mise au courant, elle fut tout d'un coup ranimée par l'espoir :

« Voilà un plan merveilleux ! Mais fais bien attention de ne pas te laisser rouler dans la farine par ce gredin de Turpilius ! Il peut te prendre de l'argent, et juger plus prudent de ne rien te donner en échange.

— J'y ai déjà songé. Turpilius aura sans doute peur d'agir. Mais il aura plus peur encore qu'un gladiateur désespéré ne lui passe son épée au travers du corps.

— A condition que tu survives au " munus ", qui se donne la veille du *Laureolus.*

— Je survivrai puisque je t'aime ! »

Pour achever de rassurer Séléné, Kaeso lui révéla que ses relations avec le Prince semblaient avoir pris un tour nouveau, et l'esclave aux abois en fut heureusement impressionnée.

« Que tu es bon pour moi ! Tu mets à ma disposition ton intelligence, ton argent, ton courage et tes charmes !

« — Et je trempe même dans un honteux assassinat !

— Que veux-tu dire ?

— Cette pauvre Cypris, bestialisée, étranglée... »

Séléné se mit à rire :

« Les Grecs ont pillé l'épicerie de ma famille et c'est par leur faute que je suis ici. Que m'importe une Grecque de plus ou de moins !...

— Rabbi Samuel a sur ce point de délicats scrupules.

— Ce saint homme, à ce que tu m'as dit, a eu scrupule à me rendre mon argent. Il aurait pu avoir la pudeur de ne pas nourrir des scrupules supplémentaires ! »

Les Juifs haïssaient les Grecs aussi fort qu'ils haïssaient les Romains. Ils n'avaient de préjugé amical qu'envers les peuples qu'ils n'avaient jamais rencontrés. Ou bien ils avaient mauvais caractère, ou bien leur Yahvé les brouillait avec tout le monde.

Séléné s'attendait à ce que Kaeso, marchant sur les traces de son père, lui fît des avances impérieuses, et elle cherchait déjà d'aimables prétextes pour repousser la corvée. Mais Kaeso n'y songeait point, retenu par une naturelle élégance. Plus on donne de soi-même, moins on est porté à exiger, et l'on ne saute pas à l'improviste sur une condamnée à mort qui n'a pas fait sa toilette. Kaeso reportait à plus tard les délices partagées qu'il se promettait.

Il jura de revenir le plus souvent possible, s'attarda à Ostie pour se baigner, car les effluves du vivier collaient à la peau, et rentra directement passer la nuit à Aricie. Depuis qu'il était amoureux, il ne touchait plus à Myra, qui avait la naïveté sentimentale de ne pas s'étonner de la réaction. Elle était même plutôt fière de partager la vie d'un héros de roman.

Le lendemain matin, avec Myra et bagages, Kaeso alla s'installer au grand ludus, où il mit son contrat en règle. Après quoi, en compagnie de quelques nouveaux, il prêta le terrible serment des gladiateurs, par lequel on acceptait d'avance « les chaînes, le fouet, le fer rouge et la mort ». Sénèque avait comparé le serment des gladiateurs au serment du sage aux prises avec une adversité sans remède. En fait, on n'enchaînait que les gladiateurs insupportables, et le fouet ou le fer rouge n'étaient là que pour rappeler au devoir les éléments les plus craintifs, affolés par la tuerie. Ils ne figuraient que pour la forme dans le décor des combats d'une haute tenue.

Et enfin, Kaeso toucha son « pretium ». A la nuit, il alla porter 25 000 sesterces à Turpilius, qu'il trouva au gîte, en compagnie d'une énième cruche de vin.

Comme Turpilius comptait les « aurei », qui luisaient de façon fascinante, Kaeso ne manqua pas de dire : « Cet argent provient d'un contrat d'" auctoratio ". La veille du *Laureolus,* je rencontre au bassin d'Agrippa le célèbre gladiateur Pugnax, aux trente-neuf victoires, dont je ne ferai qu'une bouchée. Si tu me trahis, je t'ouvrirai le ventre, et, au cas où il m'arriverait malheur au " munus ", ce sont mes amis gladiateurs qui viendraient te charcuter comme chair à pâté. Ta vie dépend de celle de ma Séléné ! Sommes-nous bien d'accord ? »

Tout pâle, Turpilius avait lâché les « aurei » brûlants.

Kaeso ajouta : « Tu m'as donné ta parole, et je n'accepterai pas ton parjure. Si tu tiens à ta peau et aux 25 000 sesterces supplémentaires, tu n'as pas autre chose à faire qu'à marcher droit. Me dénoncer à la police ne t'avancerait à rien, car tu n'aurais aucune preuve contre moi à faire valoir. Je suis d'ailleurs, comme quelques autres gladiateurs, un ami fort apprécié de Néron, que je chatouille où il me plaît. »

Les gladiateurs du Prince faisaient terriblement peur. Turpilius se répandit en protestations de bonne foi et déclara qu'il allait s'occuper toutes affaires cessantes de remanier la scène critique, de façon à y introduire un animal compatible avec une Grecque de Canope sans préjugé.

Kaeso rentra au ludus à peu près rassuré, et il fut astreint désormais à une vie des plus régulières. On se levait à l'aube, et, après un petit déjeuner substantiel, on consacrait la matinée à faire de l'exercice physique ou des armes, en salle couverte ou sur la grande arène d'entraînement entourée de portiques, sous la direction de maîtres de gymnastique ou de maîtres d'armes, qui assuraient encore une instruction verbale pendant les pauses. A midi, on mangeait assis à des tables communes une nourriture qui ne visait qu'à couper la faim dans l'attente du dîner. L'après-midi, on avait quartier libre. Après la sieste, on pouvait se baigner sans sortir du ludus, qui disposait de thermes bien aménagés, et même d'une petite bibliothèque, où figuraient surtout des ouvrages de médecine ou d'athlétisme, car beaucoup de gladiateurs, qui avaient connu des jours meilleurs, étaient plus ou moins instruits. Le dîner, qui se terminait avant la nuit, offrait un régime abondant et sain, qui avait fait l'objet de recherches diététiques. On s'était efforcé de l'adapter à des hommes qui devaient fournir de grosses dépenses musculaires. Les salles à manger étaient multiples et satisfaisaient le goût romain de la hiérarchie. L'élite des gladiateurs aux plantureux contrats avait une salle à part, mais leur ration de vin était aussi réduite que celle du commun. Une autre salle était réservée aux concubines et aux enfants des combattants, qui payaient la pension de leurs deniers. La liberté dont les gladiateurs jouissaient avait pour limite la nécessité de se maintenir dans une forme parfaite, ce qui était de leur intérêt comme de celui du ludus. L'homme qui se négligeait était vite rappelé à l'ordre, et les sanctions allaient de la privation de sortie à l'ergastule.

Il régnait dans cet endroit très spécial un esprit de corps, une camaraderie sans défaillances graves, indispensables au maintien d'un bon moral. Après quelques journées de ludus, on comprenait mieux le rengagement de « rudiarii » désorientés, que le retour à la vie civile avait déçus. La caserne gladiatorienne dispensait une sorte de discipline familiale, où s'effaçaient tous les soucis devant celui de survivre, le moins contraignant pour des individus incapables de régler d'eux-mêmes leur existence.

A la suite de la vente aux enchères des biens de Marcus, son modeste ludus de la Voie Appienne avait été liquidé, et la plupart des gladiateurs restants avaient fait reprendre leur contrat par les lanistes de la caserne du Caelius. L'arrivée de ce petit groupe ne consolait pas Kaeso de la perte de Capreolus, mais ces figures connues étaient un premier adoucissement à sa solitude. Tyrannus était cependant parti pour Vérone, et Eurypyle, pour Pergame, dont le ludus était célèbre.

Les gladiateurs qui vivaient avec une concubine attitrée avaient une chambrette particulière. C'était là un cadeau imprévu de Myra à Kaeso. La petite, que l'atmosphère du ludus impressionnait, était naturellement fort inquiète des dangers courus par son maître. Mais elle ne voulait pas entendre parler d'affranchissement, sentant bien que sa liberté aurait été le début de nouveaux malheurs. L'idée lumineuse vint à Kaeso de léguer Myra au judéo-chrétien de la Porte Capène, avec prière de l'affranchir lorsqu'elle aurait vingt ans, et de lui remettre alors les 5 000 sesterces qui accompagnaient le legs, dont le maître toucherait le revenu dans l'intervalle.

Kaeso écrivit à ce sujet dans son testament :

« La jeune Myra a connu de longs jours d'infamie par la faute de pécheurs endurcis, qui avaient abusé de son innocence et de son âge tendre. C'est pourtant une fillette aimable et sensible, reconnaissante de tout ce qu'on fait pour elle. Je te prie de l'accueillir en souvenir de moi et de la traiter comme une sœur dans le Christ, ainsi que je l'ai toujours fidèlement pratiqué moi-même. Myra a besoin d'une direction pieuse et ferme, que je suis certain qu'elle trouvera sous ton toit. Dieu te rendra le bien que tu lui auras dispensé et elle sera pour toi une affranchie respectueuse et dévouée. »

La vertu des chrétiens ne cessait d'encourager au mensonge. Avec détails et exemples à l'appui, Kaeso expliqua à Myra comment il faudrait se conduire chez les chrétiens, ce qu'elle devrait faire et ne pas faire, dire et ne pas dire...

« Je ne devrai plus coucher avec personne ?

— Seulement avec un mari vierge si on t'en trouve un bon, et ils se font rares.

— Mais ils sont fous, ces chrétiens !

— Avec ta cervelle d'oiseau, réfléchis bien à ceci : les chrétiens sont peut-être dingues, mais je ne puis te confier qu'à eux pour t'épargner le leno. Tu t'es sauvée du lupanar, je t'engage à ne pas te sauver de chez les chrétiens, même s'ils te paraissent un peu bizarres. Car s'il n'y avait que de vrais chrétiens en circulation, il n'y aurait plus de lupanars. Comprends-tu ?

— Mais il y aura toujours assez de faux chrétiens pour que les bordels marchent du tonnerre ?

— Ne discute pas, et fais ce que je te dis ! »

Myra pleurnicha longtemps, voyant déjà Kaeso mort. Ces chrétiens excentriques ne lui disaient rien qui vaille.

Lorsque Kaeso n'était pas trop fatigué, il courait en fin d'après-midi à Ostie, où, à force d'argent, il obtenait de faire un petit moment sa cour à Séléné, tenant la conversation pour deux avec une passion profonde, qui eût été communicative en d'autres circonstances et avec une autre personne pour objet. La peur qui tenaillait Turpilius avait amené Cethegus, habitué aux caprices des auteurs ou metteurs en scène, à remplacer le grand âne de Calabre par un ânon attendrissant, dont on pouvait se demander s'il n'avait pas conservé son pucelage pour un mariage chrétien, et le nouveau tête-à-tête laissait présager un rapport moins rude pour la sacrifiée. L'amour de Kaeso ennuyait d'autant plus Séléné qu'elle avait pour lui plus d'amitié et de reconnaissance, et que sa situation critique la contraignait de le souffrir sans protester.

De crainte que le sort de Cypris n'excitât chez Kaeso une pitié superflue, Séléné ne manquait pas une occasion de médire des Grecs, et avec des arguments convaincants : « Les Grecs, race impie de pédérastes, de plats esclaves et de lesbiennes, qui ne se reproduit que par accident, sont d'un orgueil insensé. Les Romains ouvrent leur Cité aux vaincus, qu'ils s'efforcent de digérer et d'assimiler peu à peu. Mais dans tous les États qui sont nés sur les traces d'Alexandre, les Grecs campent encore ainsi qu'en pays conquis. Partout, sans se soucier des indigènes, ils ont fondé des villes purement grecques, autonomes et isolées, comme des fétus de paille sur une mer inconnue. Le jour où ferait défaut la force romaine, ces cités méprisantes et parasites seraient promptement balayées, les idées, les coutumes des Grecs disparaîtraient de tout l'Orient et les peuples opprimés recommenceraient de respirer. Car là-bas, les Romains et les Grecs se partagent la tâche : le Romain administre, le Grec occupe. Et cet occupant, sans autre patrie que ses colonies provisoires dépeuplées par la débauche, ne peut endurer la moindre concurrence. A Alexandrie, une populace grecque agressive ne cesse d'ennuyer et de molester les Juifs, et naturellement, à l'issue de chaque émeute, le Préfet gronde les Grecs et envoie les Juifs à la mort. Quand j'étais encore enfant, on a exécuté des milliers de Juifs, avec des raffinements de cruauté inimaginables, sur le grand théâtre de la ville, et Cypris a dû y applaudir. »

Kaeso fit remarquer à Séléné que les Juifs aussi vivaient dans l'isolement et étaient plutôt mauvais coucheurs, mais Séléné lui répondit : « Les Juifs s'isolent par vertu, et les Grecs, pour forniquer. »

La vertu, toujours aisément victorieuse en paroles, ne connaît de difficultés que dans la pratique. Et c'était bien ce que l'âne avait l'air de dire, qui semblait quand même, image inverse de l'empereur batifolant aux thermes, membré très fortement pour un petit âne.

Dans la soirée de la veille des Kalendes de juillet, par une chaleur infernale, Turpilius rendit visite à Kaeso, qui le reçut dans la piscine froide de l'établissement. L'individu avait l'air très déprimé, et il chuchota en tremblant :

« Pardonne-moi de te déranger dans ton bain, ô Achille, mais je crois que j'ai présumé de mes forces. Le fantôme de cette grande andouille de Cypris — j'en suis le premier surpris ! — hante à présent mes nuits et mes jours...

— Tu te moques de moi ?

— Comment oserais-je ? Il se trouve tout simplement que je me connaissais mal. Nous autres artistes vivons par l'imagination. Quand une loi draconienne nous invite à caresser en rêve des supplices esthétiques pour de quelconques condamnés à mort, nous avons le sentiment que ces supplices, que ces condamnés ne sont pas vrais, qu'ils font partie de la légende et du décor. Et grâce à toi, je me suis aperçu soudain que l'âne, que Cypris, que Laureolus étaient bien réels. J'en suis malade et je te supplie de reprendre ton argent.

— Tu as peur que l'affaire ne tourne au pire, et tu me joues la comédie.

— C'est de toi d'abord que j'ai peur, qui t'agites au milieu d'une bande de tigres ! »

Kaeso sortit du bain, conduisit Turpilius jusqu'à l'armurerie, qu'il se fit ouvrir, et il lui montra longuement l'étincelante floraison de casques et boucliers orfévrés, de brassards, de jambières, de javelots, de tridents, de glaives et de sabres. « Voici de quoi tu dois rêver, dit-il à Turpilius, et il y a matière à te faire réfléchir. » Il prit un sabre droit, en vérifia le tranchant de l'index, et ajouta : « Aussi vrai que je suis amoureux comme Achille l'était de Patrocle, c'est-à-dire sans la moindre pitié et porté à de féroces colères, tu éprouveras le fer de ce sabre, de ma main ou de celle d'un camarade, si on ne revoit pas ma Séléné bien vivante. »

Turpilius ruisselait de chaleur et de sueur confondues.

En l'escortant jusqu'à la porte du ludus, Kaeso lui dit encore : « Tu m'as fait très justement valoir l'autre jour qu'il fallait bien sacrifier Séléné ou Cypris. Je reprends ton argument. Comment oses-tu préférer cette prostituée à la noble jeune fille innocente qui est mon bien le plus précieux ? »

Turpilius gémit : « Cypris, je la vois tout le temps ! J'ai même couché avec elle, après que mon giton m'a abandonné... pour un gladiateur, justement ! »

Kaeso empoigna l'épaule de Turpilius :

« Si tu veux voir ma Séléné de près, va donc à Ostie de ma part !

— Non, ce n'est pas la peine. Je ferai ce que tu voudras et ce que je pourrai...

— Tout ce que tu pourras !

— Oui, tout ! Épargne-moi... »

Dans les jours qui suivirent, Turpilius écrivit à Kaeso plusieurs fois, dans une cire ramollie par la chaleur et par les larmes, pour le prévenir en termes voilés des progrès de l'opération. L'actrice pressentie avait « accepté courageusement la proposition », moyennant 7 500 sesterces payables d'avance et autant après la réussite de l'affaire. Laureolus avait exigé un modeste supplément, mais l'humble vérificateur s'était montré raisonnable. L'important pour lui était d'avoir vu passer un cadavre qui aurait pu lui faire illusion. De toute évidence, une absence de cadavre eût obligé à corrompre tous les soldats de l'escorte, et ils eussent demandé gros, en admettant qu'ils se fussent laissés convaincre.

Kaeso respira. Une gêne persistait cependant à le tourmenter, car il savait bien que Paul eût partagé les préventions du rabbi Samuel. Mais une telle morale n'était-elle pas excessive ?

Durant les jours qui précédèrent la veille des Nones, début des huit jours de Jeux Apollinaires, Kaeso s'intéressa de plus près à Pugnax, homme tranquille et peu bavard, qui faisait tout avec calme — motif pour lequel, peut-être, sa concubine belge lui plantait prestement des cornes. Il était toujours en train de la chercher dans tous les coins d'un air triste et sans illusion.

On s'accordait à reconnaître qu'il n'était pas bon que de futurs adversaires entrent en relations. De pareils contacts, s'ils n'avaient pas pour effet de retenir les coups, risquaient d'encourager des ententes illicites, des fraudes, des tromperies... Il était tentant, pour un gladiateur novice, d'acheter la mansuétude d'un plus fort, ou pour deux

gladiateurs éprouvés, de s'entendre afin de mener un assaut spectaculaire sans se faire grand mal. Mais rien ne pouvait garantir que la
parole donnée serait respectée et une légitime méfiance recommandait de s'abstenir.

Kaeso avait longtemps regardé l'entraînement de Pugnax, qui
menait une escrime très prudente et très fermée, se fendant parfois
avec le profond soupir du bûcheron qui abat un arbre. Mais Pugnax
n'avait suivi les efforts de Kaeso qu'un bref instant, comme pour se
confirmer dans la médiocre impression qu'il aurait déjà nourrie. Il
avait rencontré à plusieurs reprises des jeunes gens ardents et vifs,
capables d'une escrime correcte, et il était toujours là, lourd et massif,
confiant dans sa solidité.

Le regain d'intérêt bien naturel de Kaeso pour l'Helvète l'entraîna
à prendre langue avec lui alors que le mirmillon sortait des thermes,
et il lui dit aimablement : « Permets-moi de te déclarer que ma fierté
est grande de devoir bientôt combattre contre un homme de ta
valeur. Et je suis bien conscient que ce n'est pas mon expérience qui
me vaut cet honneur, mais le rang qu'avait occupé mon père, et cet
impérial roman d'amour, qui n'est que trop connu. » En effet, la propagande de Liber, supervisée par le directeur Atimetus, avait porté
ses fruits, et Kaeso était vite devenu l'objet d'une curiosité d'un goût
douteux.

Pugnax considéra Kaeso en silence et finit par lui répondre :
« C'est un honneur pour moi que de rencontrer un noble amoureux.
Moi aussi, j'ai été amoureux autrefois, et je n'en suis pas mort. »

Et sur cet encouragement mitigé, Pugnax passa.

Quand Kaeso allait se promener en ville, son attention était attirée
par les multiples annonces des prochains spectacles peintes sur les
murs ou à la devanture des tavernes, et qui avaient succédé à
l'annonce officielle et générale. Le théâtre et le Cirque faisaient l'objet
d'affiches particulières ; le « munus » complexe de l'étang d'Agrippa
avait à plus forte raison ses propres affiches.

Vu l'importance qu'il attachait à ces Jeux, l'empereur s'était enfin
résolu à les « éditer » personnellement, coiffant à titre de somptueux
« munéraire » le préteur et son collège, normalement désignés. (Les
autres Jeux religieux classiques relevaient des édiles curules ou plébéiens.)

L'annonce du munus lacustre, après de ronflantes considérations impériales, fixait le lieu et les jours. Mention était d'abord faite
du spectacle gladiatorien, et du nombre de paires offertes. Si la générosité des préteurs ou édiles avait été prudemment limitée, le Prince
pouvait produire le nombre de combattants et de paires qu'il voulait,
qui était en l'occurrence d'une quarantaine, ce qui était beaucoup,

même pour une journée entière, car il s'y ajoutait le hors-d'œuvre des combats grégaires. On évitait de disperser l'attention en ne présentant qu'un petit nombre de paires valeureuses à la fois, et il était courant que la paire en piste fût unique. Puis l'affiche traitait de la naumachie, où devaient s'entre-tuer, sur cet espace assez restreint, plus de 1 500 condamnés. Venaient enfin les appendices du munus : la « venatio », qui, conformément au désir populaire, regorgeait de lions, d'ours et de panthères ; le vélum, d'autant plus nécessaire que le soleil était de plomb ; les aspersions d'eau safranée, les distributions de cadeaux et le festin final. Il y avait toujours du monde devant de telles inscriptions, que l'on évitait de recouvrir le plus longtemps possible en hommage aux généreux « éditeurs ». On voyait encore, ici et là, des affiches pieusement conservées, qui dataient de plusieurs générations, et, quand la mémoire d'un mauvais empereur — au dire du sénat, du moins — avait été condamnée, on s'était borné à effacer son nom.

Mais les passions s'excitaient surtout à propos d'un autre genre d'annonces : les feuillets de papyrus abondamment distribués, et qui fixaient la composition des paires, renseignements indispensables à la prise des paris. Dans de nombreuses tavernes, cette composition avait été reportée sur une paroi, où le cabaretier signalerait le résultat des rencontres en fin de munus. On pouvait ainsi parier et suivre la représentation sans sortir de sa popina favorite. De tels programmes comportaient, bien sûr, à propos des gladiateurs appariés, toutes les informations susceptibles d'intéresser le public.

En descendant du Caelius vers les Forums, Kaeso évitait désormais la maison familiale où ses parents avaient vécu autrefois, mais il lui arrivait de s'arrêter à la popina où il avait déjeuné avec Paul et Luc et où son père pris de boisson s'était fait voler sa toge en des temps ignorés. Un après-midi, Kaeso parcourut, à droite de la porte, la composition des paires, inscrite depuis peu, et qui faisait le fond de toutes les conversations, au-dehors comme au-dedans d'une taverne proche du grand ludus. Toutes les victoires de Pugnax y étaient rappelées, à la suite desquelles on pouvait lire :

« K. Aponius Saturninus, " tiro ", mignon désespéré du Prince. » Et Kaeso était donné à un contre sept. De quoi le dégoûter de parier sur lui-même !

La malédiction du sexe le poursuivait. Même quand il prenait l'épée, c'était encore son derrière qui faisait l'affiche. Dans sa déclaration d'amour à Néron, il avait employé des termes assez neutres pour semer le doute et ne décourager personne, mais la plèbe inculte préférait un empereur mâle à un empereur femelle et la réputation de Kaeso était faite. Faite d'autant plus précisément que les organisateurs avaient bien pris soin de ne pas l'affubler d'un nom de guerre, pour mieux mettre en évidence la noblesse de son origine et le côté poignant de ses désillusions amoureuses.

L'avant-veille de l'ouverture du munus, gladiatorien et cynégétique, troisième jour des Jeux Apollinaires, la parade habituelle se déroula, que les Grecs atticisants appelaient « propompè » — « exoplasiai » en grec vulgaire — pour la distinguer de la pompe proprement dite qui ouvrait le munus. Après l'heure des thermes, défilèrent les quarante paires prévues, par les rues les plus fréquentées, de la caserne du Caelius au théâtre de Balbus, qui tournait le dos au Tibre, et dont le mur de scène jouxtait le grand portique corinthien de Cn. Octavius, jadis vainqueur de Persée. Et là, les hommes appariés côte à côte, la poitrine à demi nue, de prendre des poses et de faire jouer leurs muscles pour la plus grande satisfaction des amateurs et des parieurs. Devant les cordes de départ, les chevaux des biges ou quadriges stationnaient également avant l'épreuve.

Malgré la présence d'un bon nombre de gladiateurs d'élite, car on avait écrémé le ludus pour l'occasion, la beauté et les malheurs de Kaeso concentraient l'intérêt le plus vif. La plèbe frumentaire ou tout à fait pouilleuse le couvrait d'apostrophes plaisantes ou obscènes, et la compacte tribu des homosexuels de la Ville vibrait pour lui d'une sympathie particulière, allant même, dans son émoi, jusqu'à injurier Pugnax : « Mangeur d'enfant ! Chrétien ! » C'était le premier signe qui pouvait faire penser à Kaeso que la réputation des chrétiens était vraiment mauvaise dans le peuple. Pugnax, qui en avait entendu d'autres, restait impassible comme un chêne d'Helvétie.

Le soir, Myra, qui avait suivi la « propompè » avec passion, put dire naïvement à Kaeso : « Maintenant, tu es célèbre ! »

Mais ce n'était pas la célébrité dont avait rêvé Marcia, ni même Marcus.

II

La veille au soir de l'ouverture du munus sanglant, fut servie aux gladiateurs et aux diverses catégories de condamnés qui devaient y paraître la traditionnelle « cena libera », dîner soigné dit « libre » parce que les parents, les amis, le grand public même étaient admis à en suivre le déroulement. C'était là une faveur uniquement accordée à ceux ou à celles qui étaient appelés à risquer ou à perdre leur vie dans les Jeux de l'amphithéâtre. Les condamnés ordinaires ou les victimes du théâtre porno n'y avaient pas droit. Il va de soi que la « cena » des gladiateurs les plus en vue attirait le maximum de monde, et que les amateurs de pathétique y trouvaient leur compte. Certains gladiateurs avaient l'imprudence d'oublier leur angoisse dans la boisson. D'autres avaient l'appétit coupé. D'autres encore faisaient leur testament, recommandaient leur concubine ou leurs enfants à des amis. Parfois, un vieux père ou une maman tremblante, déshonorés pourtant par l'« infamie » de leur fils, avaient la faiblesse de venir l'embrasser peut-être pour la dernière fois. Le régal des gladiateurs était d'abord un régal pour tous les curieux, qui avaient ainsi une occasion supplémentaire de venir contrôler à loisir le moral de leur champion.

On se pressait autour des quatre-vingts gladiateurs dont Kaeso faisait partie, dans une salle du ludus décorée de verdure et de fleurs, ouvrant sur une cour plantée d'arbres, alors que la nuit tombait et que s'allumaient lampes et torches.

Kaeso mangeait et buvait modérément, en face de Pugnax, qui fonctionnait comme à l'accoutumée, à cette différence près que sa concubine belge était debout derrière lui, en train de regarder Kaeso avec inquiétude. Les femmes qui dépendent d'un homme ont tendance à s'alarmer d'un rien. Il est vrai que le probable n'est pas toujours sûr.

Tout à coup, Kaeso vit à peu de distance un certain C. Furius Mancinus, fils de « chevalier » assez distingué, pour lequel il avait eu de l'estime et de la sympathie pendant ses années de « grammaire ». Furius semblait gêné, mais il était quand même venu voir. Kaeso en profita pour quitter la table, où la chère ne valait pas celle de Silanus, et pour aller à son ami...

« C'est aimable à toi d'être ici.

— Nous nous étions perdus de vue, le malheur rapproche. J'ai entendu parler, comme tout le monde, de la mort tragique de ton père et de sa ruine. Mais j'avoue que je ne m'attendais guère à te retrouver dans un ludus.

— Mon contrat ne comporte qu'une seule rencontre, et j'ai été impérialement payé.

— Je devine...

— Tout ce que tu devinerais serait différent de la réalité. Le jour peut venir, pour toi aussi, où tu devras donner ta peau contre de l'or. J'ai le grand honneur et le grand bonheur que cet argent ne soit pas pour moi.

— Je parie que tu en as besoin pour racheter une chaste fiancée enlevée par des pirates ?

— J'ai même plusieurs fiancées dans ce cas ! »

Ils plaisantèrent un instant et se séparèrent avec un brin d'émotion.

Des indiscrets pressaient Kaeso de questions vulgaires ou stupides. On s'étonnait de la présence de Myra sur ses talons, et certains suggéraient que c'était un petit garçon.

Kaeso se retira dans sa chambrette avec l'enfant, et eut du mal à trouver le sommeil. L'apparition de Furius lui avait remémoré brutalement tout un passé d'illusions et de légitimes espoirs. La mère aimante, le père respecté s'étaient évanouis. Il avait dû se ruiner de réputation pour une cause incertaine, sa vie elle-même était menacée, et il n'avait pas encore en lui les certitudes ou les lumières d'une foi ou d'une philosophie pour le soutenir et dissiper son malaise. Les événements, soudain, avaient marché plus vite que ses sentiments ou ses idées. Le temps lui avait manqué pour s'analyser et se reprendre. Il s'apprêtait à mourir dans le brouillard, sans autres assurances que celles dispensées par un instinct confus.

Les courses et les représentations théâtrales des quatre premiers jours de Jeux avaient déjà soulevé l'enthousiasme et l'empereur avait eu la satisfaction d'être acclamé au Cirque avec plus d'unanimité qu'à l'ordinaire. On applaudissait d'avance aux quatre jours de fêtes qui allaient suivre dans les jardins d'Agrippa.

Kaeso eut les échos les plus favorables de la « venatio », où des centaines de fauves avaient été combattus et mis à mort, après avoir déchiré une ration exceptionnellement copieuse de condamnés, poussés par les fouets des bestiaires vers les griffes et les crocs de leurs prédateurs affamés. Si les gladiateurs, les bestiaires et les condamnés banquetaient avant un munus, les bêtes jeûnaient. C'était d'ailleurs un spectacle toujours apprécié que de regarder, se dirigeant vers l'amphithéâtre, les condamnés d'un côté, et les fauves de l'autre, qui dans leur cage, qui dans les fers.

Il fut également rapporté à Kaeso que la naumachie, où les Grecs avaient étripé et noyé les Perses une fois de plus, avait donné de même toute satisfaction — bien qu'elle eût été endeuillée par le suicide scandaleux de quelques mauvais joueurs : des Germains, bien sûr. On ne pouvait décidément faire de ces gens-là que des gardes du corps ou des mercenaires modèles.

Et durant ces deux journées mémorables, Néron s'était pris par la main pour présider la plupart du temps, et s'était même appliqué à montrer les apparences du plaisir. Un tel souci de satisfaire le peuple était touchant.

Il était de règle que les gladiateurs goûtassent un repos complet dans les jours qui précédaient immédiatement l'action. Kaeso eut tout le temps d'écrire à son frère pour lui dire adieu, lui fournir les dernières nouvelles, et lui demander si la lettre de leur père à Xanten n'apportait pas d'éclaircissements sur les circonstances du décès. Sa propre lettre, malgré ses efforts, était restée un peu froide. Kaeso en voulait à Marcus junior de l'avoir déçu, bien qu'il comprît fort bien que son frère n'avait pu faire autrement, ayant agi selon la pente de sa nature. Pourquoi des frères élevés de la même manière étaient-ils si différents ? Pomponia aurait-elle été infidèle ? Pour comble de disgrâce, Kaeso eût-il mérité le titre de « fils de Spurius » ? Dans son amertume, aucune méchanceté supplémentaire du destin n'aurait pu l'étonner.

L'après-midi du jour qui précédait l'anniversaire de César et le munus gladiatorien proprement dit au bassin d'Agrippa, Kaeso poursuivit Turpilius de menaces d'autant plus terribles que, s'il trouvait la mort le lendemain, il n'aurait personne pour lui succéder. A qui faire confiance ? Puis il rendit une ultime visite à Séléné. Kaeso avait fait le projet de s'enfuir avec elle — et les 100 000 sesterces en garde chez rabbi Samuel — dans un pays lointain où ils pourraient tous deux se faire une vie nouvelle. Peut-être Carthage, où l'existence passait pour être douce aux amoureux ? Séléné approuvait en silence. Elle entendait résonner déjà les pas des soldats qui devaient bientôt passer la prendre et les histoires d'amour lui semblaient plus que jamais superflues. Elle permit cependant à Kaeso de l'embrasser sur les lèvres, non sans mérite. Par un paradoxe délicat, les prostituées s'efforçaient de réserver cette faveur à leur maquereau choisi, et tous les dévouements de Kaeso ne lui donnaient pas droit à ce titre. Il est vrai que Séléné se conduisait par ouï-dire : elle n'avait jamais eu d'amant de cœur.

La proximité imminente de l'épreuve poussait Kaeso à s'assurer une assistance métaphysique et il avait du mal à se défendre contre un état d'esprit superstitieux. Les dieux protecteurs attitrés de la gladiature ne l'inspiraient guère. Les recours de la philosophie paraissaient bien vagues en une occurrence si cruciale. Depuis qu'il avait déposé sa bulle enfantine, au matin de sa prise de toge virile, Kaeso était à court de grigri. Paul lui avait refusé l'Esprit Saint, mais il n'était pas exclu que cette Personne mystérieuse puisse porter chance. Paul lui-même avait du mal à savoir ce que l'Esprit voulait et il ne le faisait pas parler sans hésitation ni scrupule. On avait le sentiment que sa particularité la plus remarquable était de fonctionner au rebours du sens commun, de poursuivre d'insondables desseins par les voies les plus simples, mais aussi les plus détournées. Puisque l'Esprit avait tendance à faire le contraire de ce qu'on aurait attendu, il était bien capable de maîtriser Pugnax.

De retour d'Ostie, Kaeso se fraya un passage à travers le pont Sublicius, encombré de mendiants et de prostituées misérables, pour gagner le Trastévère, ou Pierre, au dire des chrétiens de la Porte Capène, avait élu domicile. L'apôtre était en train de dîner avec des amis au troisième étage d'une médiocre insula du quartier juif. Sans doute affectionnait-il l'atmosphère de ce ghetto, qui lui rappelait les traditions négligées de sa jeunesse.

On avança un coussin pour Kaeso devant le plat commun. Le relatif isolement des chrétiens avait ceci de bon que personne, dans l'assemblée, n'avait encore entendu parler des récents exploits du fils de Marcus. Kaeso jouissait toujours d'un préjugé favorable. Pierre ne voyait pas d'objection de principe à imposer l'Esprit à Kaeso, et, tout en mangeant, il vérifia sa connaissance du Symbole, qui était brillante. Pierre offrit en exemple à l'assistance admirative ce jeune noble romain, qui parlait déjà du Ciel avec plus d'élégance que lui-même. Mais l'affaire se gâta un peu quand il demanda à Kaeso de réciter le « Pater [1]... »

« Paul ne t'a pas appris le " Pater "» ?!

— Je crains que non... La chose m'aurait frappé.

— En effet ! C'est Jésus en personne qui nous a enseigné à prier de la sorte.

« Répète après moi : " Notre Père, qui es aux Cieux... que Ton

1. Il s'agit naturellement du mot grec Πατερ.

— 645 —

nom soit sanctifié, que Ton règne arrive, que Ta volonté soit faite sur la terre comme au Ciel... donne-nous aujourd'hui notre 'arton epiousion '... " »

Kaeso fronça les sourcils et fit observer : « Que les pauvres demandent à Dieu de l'" arton ", du pain blanc de froment, est une bonne idée, mais comment faut-il entendre "epiousion"? Les Grecs emploient ce terme pour faire allusion à un avenir vague, au lendemain ou encore au soir même. »

Pierre, qui n'était pas fort en grec, hésitait.

Kaeso reprit : « Après tout, Jésus s'est exprimé en araméen. Ne te rappelles-tu pas les mots exacts ? »

Ennuyé, Pierre se grattait la tête. Aux convives qui buvaient ses paroles, il finit par avouer que sa mémoire était en défaut...

« Il faudrait vérifier, dit-il, sur l'Évangile araméen de Matthieu. Le principal est que l'essentiel soit clair. »

Il poursuivit : « Et pardonne-nous nos offenses comme nous pardonnons à ceux qui nous ont offensés... préserve-nous des tentations, et délivre-nous du mal. »

Pierre commenta : « Tu vois que le début de la prière regarde Dieu, premier servi. C'est ensuite qu'il nous est permis de penser à nous. Et Dieu ne nous entendra que si nous avons écouté les autres. »

Kaeso jugea bon d'excuser son ignorance : « Je n'ai pas fréquenté Paul aussi longtemps que j'aurais voulu. Ce docteur est d'ailleurs porté vers une théologie d'assez haut niveau. On a du mal à le retenir sur terre. Il plane. Je dois dire aussi qu'ayant lu l'Évangile de Marc au bord de l'étang d'Agrippa, je n'y ai pas trouvé ce " Pater ". Marc l'aurait-il ignoré ? »

Tout le monde se récria, mais il fallait bien admettre que les justifications de Kaeso n'étaient pas mauvaises.

A la fin du repas, Pierre fit mettre le nouveau chrétien à genoux, et il lui imposa l'Esprit.

Kaeso se releva et demanda : « Je suppose que, désormais, je saurai de source sûre où est le bien et où est le mal ? »

La réponse n'était pas facile. Pierre se borna à déclarer : « Si tu observes tous les commandements de Jésus et si tu pries avec ardeur, alors l'Esprit t'indiquera le droit chemin. Il n'éclaire que ceux qui méritent de l'être. »

Comblé de bénédictions, Kaeso rentra dormir au ludus. L'absence de Marcia ne lui avait jamais été plus cruelle.

De bon matin, Kaeso embrassa Myra en pleurs, qui avait énergiquement refusé d'assister au spectacle, et il se joignit en courant à ses camarades en marche vers l'amphithéâtre, au milieu d'une foule déjà dense.

Les jardins d'Agrippa étaient méconnaissables, envahis et piétinés depuis des jours par des nuées d'ouvriers ou de spectateurs. Les bosquets eux-mêmes avaient servi de dortoirs improvisés ou d'aires de pique-nique. Au nord et au sud du bassin sablé, on avait élevé en bois deux vastes étendues de gradins, sans doute pour que l'assistance n'ait à aucun moment le soleil de face ; dans l'intervalle ouest, avaient été construites des maisons champêtres et, dans l'intervalle est, des maisons plus petites, à proximité du Portique et du temple du Bon Événement, qui faisaient suite aux thermes d'Agrippa. Les marins de la flotte de Misène avaient tendu au-dessus de cet étrange amphithéâtre un immense vélum bleu ciel parsemé d'étoiles dorées, au centre duquel figurait un gigantesque et brillant Néron, représenté en gloire sur le char d'Apollon. L'empereur et les principales personnalités siégeaient au sud, s'il fallait en juger par un pulvinar encore désert. Mais les gradins, et même les pelouses entre maisons ou maisonnettes, se remplissaient à vue d'œil.

C'est dans les soubassements des gradins sud qu'avaient été aménagés pour les gladiateurs de talent les vestiaires, l'infirmerie, les salles d'armes, de repos ou de massage, et c'est de ce côté que s'ouvrait la Porte des Vivants, alors que la Porte des Morts et le spoliaire étaient au nord.

En début de matinée, sous la présidence du préteur, délégué à cet office en l'absence du Prince, on fit patienter les spectateurs avec des mêlées confuses de condamnés de bonne volonté, qui n'avaient pas été retenus pour la naumachie.

Néron et sa suite arrivèrent au milieu de la matinée, alors que s'achevait, devant une foule considérable, une présentation distrayante d' « andabates ». Les choses vraiment intéressantes pouvaient commencer.

Bientôt pénétra dans l'arène, sous des ovations unanimes, la superbe pompe traditionnelle. En tête, des licteurs ; puis l'orchestre, qui jouait de tous ses cuivres une marche entraînante, tandis que résonnait un grand orgue hydraulique ; puis des chars publicitaires et des porteurs de pancartes, qui rappelaient la composition des paires et précisaient leur succession ; puis les porteurs des palmes destinées aux vainqueurs ; puis le représentant du magistrat curule « éditeur » — en l'occurrence, le Prince. Néron avait honoré son ami Vitellius en lui confiant ce rôle, d'autant mieux tenu que ce personnage pittoresque adorait la gladiature. Venaient ensuite les préposés qui promenaient glorieusement les casques ouvragés des gladiateurs. L'amphithéâtre étant un divertissement de belle saison, les combattants ne mettaient qu'au dernier instant un casque que le soleil ou la chaleur auraient transformé en bouilloire. Il faisait d'ailleurs ce jour-là une température accablante. Puis des écuyers tenaient par la bride les chevaux des cavaliers qui ouvriraient le spectacle par des duels pleins de grâce, lesdits cavaliers défilant derrière leur monture. Puis enfin fermaient la marche les quarante paires de gladiateurs à pied, avec armes et boucliers.

Kaeso, qui était au milieu de la troupe à côté de Pugnax, était impressionné par la douce lumière d'aquarium qui régnait en ces lieux de carnage, et les deux envolées de gradins luxueusement décorés et noirs de monde lui semblaient comme les mâchoires d'un monstre prêt à le dévorer. Pugnax lui dit : « Ces gens-là ne comptent pas. Dans un moment, tu seras tout seul, ne pouvant faire fond que sur toi-même. Alors, tu oublieras qu'on te regarde. »

La pompe faisait le tour de l'arène. En passant sous le pulvinar, où Néron siégeait en triomphateur, flanqué de Poppée, Kaeso reconnut entre autres, dans l'entourage immédiat du Prince, les figures de Sporus et de Pétrone, qui leva brièvement et discrètement le pouce à son passage, avec l'air de dire que, si ça ne tenait qu'à lui, il le tirerait de ce guêpier. Cette marque de sympathie était réconfortante.

Après le retour dans les soubassements de l'aile sud, une longue et éprouvante attente commença pour Kaeso, puisqu'il devait seulement passer en fin d'après-midi. Sous ce monument de bois, la chaleur emmagasinée était encore plus pénible que dehors. Kaeso monta jeter un coup d'œil du haut d'un escalier. Il n'était d'ailleurs pas indifférent pour lui de connaître l'humeur du public.

Les duels de cavaliers étaient terminés, et quatre paires entraient en lice, dont un rétiaire et son « secutor ». Selon une procédure que Kaeso connaissait bien pour avoir suivi des dizaines de « munera », les hommes allèrent d'abord saluer l'empereur-président de leurs armes. Depuis le mauvais succès du « morituri te salutant » de la naumachie claudienne sur le Fucin, on s'abstenait soigneusement d'une formule qui passait pour porter malheur. Les équipements et les armes furent ensuite examinés, mission de confiance honorifique, par des amis représentant le « munéraire » impérial. L'arbitre en chef, muni de sa longue baguette, rappela alors aux gladiateurs les bonnes règles du combat, tandis que l'on préparait les verges, les fouets et les fers rouges, qui ne serviraient probablement à rien. Ces formalités accomplies, les paires se séparèrent, sous la conduite de leur arbitre particulier. Les gladiateurs, tête nue, se livrèrent quelques assauts courtois pour échauffer leurs muscles et donner une idée de leur style : c'était la « prolusio », à laquelle Ovide avait justement comparé ses premiers traits polémiques. Mais ces élégantes démonstrations ne pouvaient durer, sous peine de lasser les spectateurs. Au premier signe d'impatience des invités, le président Néron, qui prenait sa tâche au sérieux, fit signe à un messager déguisé en Mercure, qui transmit aux intéressés le signal du combat. Des enfants apportèrent leur casque aux gladiateurs ; chacun des quatre arbitres leva sa baguette, qui venait de séparer les poitrines adverses ; le rythme de l'orchestre devint plus lancinant ; et le fer fit pour de bon tinter l'airain.

Les paires se succédèrent ainsi jusqu'à la pause de midi, où leur nombre était passé de quatre à trois. Lors de la suspension, quarante-deux gladiateurs avaient été présentés. Deux avaient été tués sur le coup, dont l'un, qui s'était enferré par excès d'impétuosité, de façon accidentelle. Et cinq avaient été égorgés par leur adversaire après que la grâce eut été refusée. Pourtant, trois d'entre eux avaient combattu avec une ardeur assez honorable. Ils n'avaient abandonné la lutte, en levant le doigt, en mettant un genou en terre ou en jetant le bouclier, qu'à la suite de blessures sérieuses. Mais aucune de ces cinq victimes ne faisait partie des favoris du public, comme Petraites, Prudes, Herméros ou Calamus, qui assuraient toujours la fin du spectacle. En somme, il semblait bien que les exigences d'une plèbe trop gâtée allaient croissant, que les médiocres avaient de moins en moins de chances de susciter la sympathie, que le seuil au-dessus duquel une bonne réputation pouvait faire pardonner une défaillance était de plus en plus élevé. Une telle évolution, qui augmentait l'acharnement des combats, renforçait assurément la beauté du spectacle, mais l'espérance de survie du gladiateur novice ou moyen en était réduite. A Bénévent, où la « familia » gladiatorienne de Marcus avait été étrillée, sur douze « tirones » engagés par Vatinius, deux avaient été tués, un gravement blessé, et trois achevés pour insuffisance.

En cas de défaite, l'existence de Kaeso serait suspendue aux douteux résultats de la propagande qu'il avait lui-même suscitée pour grossir sa prime, car l'empereur, du fait justement qu'il n'était point passionné de gladiature, venait de suivre toute la matinée les décisions de la majorité. Le désir de sauver Kaeso, en admettant qu'il fût chez lui bien vif, ne pèserait sans doute pas lourd en face de l'ennuyeuse perspective de mécontenter le peuple. Néron pourrait même jouer les Brutus, sacrifiant avec des larmes de crocodile un prétendu favori à la loi du nombre. Le terrain était glissant.

Assez déprimé, Kaeso redescendit manger quelques olives et boire un gobelet d'eau rougie. Il remonta bientôt respirer. On profitait de la pause pour caser la cérémonie de la « vapulatio » : un groupe de « tirones » récemment engagés étaient symboliquement frappés de verges, afin de signifier leur entrée dans le métier. Ils feraient partie d'un prochain « munus ». Kaeso avait été naturellement exempté en raison de sa participation immédiate.

Un peu plus loin, des « pegniaires », gladiateurs aux armes mouchetées, s'escrimaient pour distraire les spectateurs qui étaient demeurés en place.

Un courant d'air surprenant parvint jusqu'à Kaeso, qui tendit le cou en dehors de la bouche d'escalier. Il se trouvait par hasard dans le secteur des Vestales, dont la plupart s'étaient retirées. Mais à peu de distance sur sa gauche, Rubria, qui semblait lasse, était assise, et un petit esclave l'éventait avec application. En fait de grâce de gladiateurs, l'opinion des Vestales avait une particulière importance. Kaeso toussota, et, avec un sourire charmeur, proposa à la dame quelques olives restées dans le creux de sa main. Rubria regarda d'abord l'intrus de très haut, mais Kaeso étant irrésistible, elle finit par prendre une olive de l'extrême bout des doigts...

« Qui es-tu donc ?

— Tu me reconnaîtrais si j'avais gardé ma cuirasse après la pompe. »

Rubria sursauta et toisa Kaeso avec un mélange de curiosité et de réprobation.

« Pourquoi me regardes-tu ainsi ? On prétend que je suis amoureux de Néron. Mais tu sais ce qu'il en est de la calomnie. Je ne suis pas plus à Néron que tu n'es à lui, en dépit de tout ton charme. Et si tu me fais grise mine parce que je suis gladiateur, je te répondrai que je ne l'ai pas fait exprès, pas plus que toi d'être Vestale. Je ne sais quel empereur t'a choisie dans ton âge tendre, et un destin farouche m'a également marqué. »

Rubria se radoucit et demanda :

« Que me veux-tu ?

— Que tu lèves bien haut le pouce si j'étais par hasard en danger.

— Qu'y gagnerai-je ?

— A la nuit, je t'enlèverai et nous irons cacher notre bonheur dans une île déserte. Là, tu broderas mes pantoufles, tu feras mon ménage, ma cuisine, tu me chercheras des coquillages, tu m'attraperas des lapins ou des hérissons, que tu feras cuire au-dessus d'un feu de braise, tandis que je me prélasserai avec mon singe favori sur une jonchée de feuillages odorants... Et si tu penses à un autre que moi, ou si tu laisses éteindre le feu, tu iras me couper des verges pour que je te fouette jusqu'au sang.

— J'ai bien fait de ne pas me marier !

— Puisque j'ai su t'en convaincre à si peu de frais, lève donc ton pouce ! Et fais-le lever à tes aimables sœurs ! »

Rubria regardait vers la porte funèbre, près de laquelle des soldats coupaient tranquillement la tête de condamnés qui avaient eu l'immonde lâcheté de se refuser à combattre.

« Je te gracierai, dit-elle, si je suis satisfaite de ton courage.

— Je ferai l'impossible pour te plaire !

— Ne me plais pas trop fort : j'ai parié 300 sesterces sur Pugnax ! »

C'était là un élément favorable. Les spectateurs avaient tendance à sacrifier les vaincus qui leur avaient fait perdre de l'argent.

Des hérauts annonçaient les supplices, d'allure mythologique ou légendaire, de quelques redoutables brigands, alors que les « pegniaires » évacuaient l'arène. Le plus connu de ces condamnés, Galerius, avait volé, incendié, torturé, dans la région si difficile à contrôler des marais Pontins. Un char fit irruption, conduit par Achille, et traînant derrière lui le féroce Galerius dans le rôle du cadavre d'Hector. La remorque traversait les talons du supplicié, qui poussait des cris épouvantables, n'ayant pas répété suffisamment son rôle de cadavre. On s'apprêtait d'autre part à écraser un Sisyphe sous un rocher.

Kaeso, qui n'avait d'yeux que pour sa Vestale, suggéra :

« Si l'enlèvement te fait peur, j'attendrai vingt ans que tu sois sortie de charge, et un tendre hymen nous unira. Je te ferai l'amour dans toutes les positions du catalogue, et tu me donneras des noix ou des friandises...

— Je sortirai de charge, s'il me plaît, dans sept ans !

— Par Vénus et toutes celles qui lui font cortège, je t'aurais donné vingt-deux ans, peut-être vingt-cinq...

— Tais-toi, vilain flatteur ! »

Mais Galerius ne voulait pas se taire. Il venait de passer au galop de son quadrige, devant le pulvinar déserté, avec des hurlements sauvages et des insultes, qui montraient bien sa totale impénitence.

Profitant de l'éloignement momentané de ce furieux, Kaeso fixa Rubria d'un air pénétré, et chanta à mi-voix sur un air à la mode :

> *Garde pour ta déesse aux sourcils ombrageux,*
> *Le plus beau de tes dons, qui attire et repousse,*
> *Et ces lèvres de fruit, et l'altier sein neigeux,*
> *Et ta fente scellée à la toison si douce.*
> *De tous ces charmes fous qui dominent les Jeux,*
> *Je n'aspire en dévot qu'à bien sucer le pouce !*

« Viendrais-tu d'improviser cela ?

— Comment serait-ce possible ? Ainsi que tous les jeunes Romains, depuis des années, je pense à toi, qui es le plus bel ornement de ton collège. »

Un nouveau passage de l'insupportable Galerius, les cris de joie de la foule résiduelle avaient à moitié couvert les dernières phrases de Kaeso. Le rocher avait enfin écrasé Sisyphe, dont les jambes, qui émergeaient de la masse, s'agitaient dans les soubresauts de l'agonie. Il fallait avoir l'instinct de sauvegarde chevillé au corps pour conter fleurette à une Vestale sur le retour dans des conditions aussi aberrantes !

Rubria se fâcha enfin : « Cesse de tenir des propos sacrilèges, et retourne dans ton trou ! Tu n'es pas le premier à avoir tenté de spéculer sur ma bonté. »

Avant d'obéir, Kaeso dit à Rubria : « Songe que tu es peut-être la dernière jolie femme à qui j'aurai adressé la parole, et tu pardonneras mon audace. Conserve ces olives en souvenir. Si je meurs par ta faute, les noyaux te rappelleront la dureté de ton cœur. »

Le spectacle recommença, sans que Kaeso eût désormais le courage de le suivre des yeux. De trois paires en représentation, on passa bientôt à deux, puis à une seule, sous le contrôle de l'arbitre en chef. On en arrivait aux gladiateurs dont le palmarès avoisinait une quarantaine de victoires. Au fur et à mesure que l'après-midi s'avançait, la proportion se faisait plus faible de ceux que les civières fleuries, guidées par un Charon, entraînaient vers la sinistre Porte Libitine. Personne n'avait intérêt à sacrifier à la légère des gladiateurs de prix. Mais Kaeso ne s'était glissé parmi eux que par accident. Et plus le temps passait, plus haut montait la houle des clameurs passionnées, plus l'orchestre se faisait vibrant.

Vers la fin de la dixième heure, Kaeso et Pugnax s'armèrent en silence, assistés par les valets, tandis que s'escrimait la paire précédente. Kaeso eut une pensée pour Séléné. Tout semblait en ordre autant que possible : son testament, dont le codicille prévoyait le règlement final de Turpilius et de ses complices, avait été déposé chez les Vestales, et l'argent qui lui restait dormait dans les coffres du grand ludus, sous la garde d'Atimetus. Enfin, résonnèrent les trompettes qui annonçaient un nouveau triomphe, et Kaeso eut la sagesse de ne plus penser qu'à lui.

Il devait garder un souvenir confus des préliminaires de son combat et de la banale « prolusio », durant laquelle il s'efforça de ne pas dévoiler sa tactique. Le vacarme ambiant, les cris, la musique lui parvenaient comme dans un rêve.

Et il se vit soudain casque en tête, devant un autre casque menaçant.

On s'attendait à ce que Kaeso, aux prises avec un adversaire dont le jeu prudent et peu agressif était connu, adoptât une attitude offensive, en rapport avec son « armatura », et plus encore avec sa jeunesse. Quitte à décevoir provisoirement le public, Kaeso avait décidé de pratiquer une tactique inverse, de façon à contraindre Pugnax à une escrime qui n'était ni dans ses habitudes ni dans son tempérament.

Kaeso patienta donc sous les sifflets et les huées jusqu'à ce que l'Helvète, ne fût-ce que pour soutenir sa réputation, se vît contraint de mener l'assaut à contrecœur et de se fatiguer prématurément plus que prévu. Comme Kaeso était doué pour l'esquive, et capable de contre-attaques dangereuses, les passes d'armes, sous le grand pulvinar du Prince, s'éternisèrent. Kaeso avait retrouvé tout son sang-froid, et Pugnax, qui subissait les atteintes de l'âge, soufflait avec hargne dans son casque.

A la suite d'une attaque particulièrement brutale, le sabre de Kaeso se brisa. L'arbitre s'interposa aussitôt, on apporta vite une arme jumelle, et l'affrontement reprit, sous les encouragements assez impartiaux de la foule. La petite mignonne que Kaeso avait déjà appréciée chez Silanus s'escrimait de son côté sur son orgue, dont elle tirait les plus beaux effets.

Pugnax, guetté par l'épuisement, voulait en finir et commençait à commettre des imprudences. Il s'en rendit compte, et se réfugia un instant dans une reposante passivité, jusqu'à ce que l'en fassent sortir les hurlements indignés du public.

Jouant le tout pour le tout, Pugnax s'élança sur Kaeso, qu'il blessa à la jambe droite, au-dessus de la jambière, alors qu'il était blessé lui-même à l'épaule gauche. Il avait désormais du mal à soutenir son lourd bouclier, mais Kaeso, qui souffrait beaucoup, ne se déplaçait plus qu'avec peine.

Le casque de Pugnax se mit à parler, et Kaeso entendit soudain : « On lève le doigt ensemble ? »

Il arrivait parfois que les spectateurs demandassent le renvoi, sans vainqueur ni vaincu, de deux gladiateurs qui étaient allés au bout de leurs forces sans pouvoir se vaincre. Il arrivait aussi que deux gladiateurs épuisés sollicitassent leur « missio » par une démonstration synchrone. Le public, selon son humeur, se décidait alors à les renvoyer ou à les faire égorger. Pugnax, toujours circonspect, comptait sur sa réputation et sur sa blessure pour jouir d'un renvoi honorable, qui eût du même coup accessoirement bénéficié à Kaeso, blessé comme lui de manière invalidante.

L'ennui résidait dans les difficultés d'une parfaite synchronisation. L'artifice proposé était de nature à dissimuler un piège, le naïf levant la main, alors que le tentateur ne bougeait point.

Kaeso répondit à Pugnax : « Reculons-nous plutôt de quelques pas, et nous déposerons ensemble, toi ton " scutum " et moi ma " parma ". »

Pugnax fit un pas en arrière, Kaeso en fit deux, et ils laissèrent choir lentement leur bouclier.

Le geste souleva une tempête contradictoire. Quelques acharnés voulaient la mort des deux blessés. D'autres auraient préféré la « missio ». Mais peu à peu, une majorité se dégagea pour la poursuite du combat, décision que le Prince fit enfin transmettre à l'arbitre.

Les soigneurs pansèrent sommairement les blessures, et la lutte se poursuivit. Le coup reçu par Pugnax paraissait assez superficiel ; Kaeso, la jambe de plus en plus raide, perdait beaucoup de sang, tandis qu'à l'intérieur de son casque surchauffé, la sueur ruisselait sur ses yeux. Pugnax, qui traînait son bouclier comme un poids mort, sentait que le temps travaillait cependant pour lui, et il ne prenait plus aucun risque.

Le temps qui s'écoulait semblait une éternité à Kaeso, et l'idée l'effleura bizarrement que le temps de l'éternité, au lieu d'être plus long que le nôtre, était peut-être au contraire beaucoup plus dense. Mais il ne voulait pas céder.

Quand Pugnax eut l'impression que Kaeso, qui tournait autour de sa jambe blessée, était à bout, il l'agressa de manière décisive, mais, par une élégance inattendue, au lieu de frapper du tranchant du glaive, c'est avec le plat de la lame qu'il assena un coup violent sur l'avant-bras qui tenait le sabre. Le membre paralysé, Kaeso laissa tomber son arme, jeta sur-le-champ son bouclier, et s'empressa de lever le bras gauche vers le pulvinar, sous la protection de l'arbitre qui s'était précipité.

La passion qui montait depuis le matin était à son comble. Au sud comme au nord, à l'est comme à l'ouest, les spectateurs s'étaient levés et manifestaient leur préférence de la voix et du geste. Des pouces se levaient, des pouces s'abaissaient, des pans de toge s'agitaient sur les blancs gradins inférieurs des citoyens nantis. Le bruit immense qui retentissait sous le vélum pénétra de plein fouet Kaeso, jusqu'alors absorbé par son combat. Néron, énigmatique, patientait, en attendant qu'un courant se dessine, ce qui était plutôt mauvais signe, car le président avait le droit — dont il usait il est vrai rarement — d'imposer son avis, à plus forte raison quand il s'appelait César. Mais peut-être le Prince espérait-il une majorité favorable, qu'il n'aurait plus eu qu'à suivre. Pétrone et Poppée levaient le pouce, et Sporus aussi, qui était sans rancune. Rubria l'avait levé tout de suite, entraînant quelques autres Vestales.

La foule, toutefois, à la surprise de Kaeso, évoluait peu à peu de la façon la plus fâcheuse. Et bien des clameurs révélatrices en donnaient l'explication. Malgré tous les efforts de Néron, une homosexualité sans pudeur, affichée insolemment comme une gloire, n'avait pas conquis le cœur des Romains. Beaucoup de sénateurs, qui préféraient se débaucher en secret, y étaient hostiles, et plus encore les citoyens de la plèbe, dont les mœurs grecques vexaient le patriotisme encore chatouilleux. Et s'ajoutait à ces considérations, chez la plupart, une sorte de désir sportif, souvent constaté, de prendre le contre-pied des sentiments supposés du Prince. Il ne s'agissait plus de savoir si Kaeso avait bien combattu ou non. En cette fête commémorative des guerres puniques, la foule, en écrasant un impudent mignon, avait la prétention de donner à son Maître un avertissement et une leçon à bon marché.

Une vague de désespoir submergea Kaeso, qui invoqua, à tout hasard, le secours de l'Esprit Saint.

De proche en proche, malgré tout, le parti homosexuel se renforçait. Les ambivalents, les spécialisés, tous ceux qui en étaient franchement, se démenaient de manière frénétique en faveur de Kaeso, entraînant par paliers tous les autres qui avaient essayé, qui avaient fait semblant, qui avaient joué à touche-pipi dans leur plus jeune âge avec leurs petits camarades, et l'on s'apercevait avec étonnement que cela faisait une masse imprévue. Kaeso eut la bonne idée de se dévêtir presque entièrement, mettant ainsi en valeur son corps magnifique, et il tendit les bras vers tous les hommes de bonne volonté, qui jugeaient d'abord autrui sur son courage. Un délire pédérastique enflamma des gradins entiers, auquel un Prince grécisant ne pouvait demeurer longtemps insensible. L'avenir d'une Rome sans préjugés se dessinait, se dressait, tel un lumineux phallus devant ses yeux éblouis.

Pétrone lui souffla : « On ne tue pas un Apollon pendant les fêtes d'Apollon ! » Rubria trépignait d'excitation généreuse, et toutes ses sœurs suivaient à présent le mouvement. Et l'Esprit Saint, qui avait absolument besoin de Kaeso pour la réussite de ses mystérieux plans de longue haleine, pressait partout les bons anges de faire une retape persuasive avec des mots insinuants.

Néron soupira et céda. Son auguste pouce se leva, au milieu d'imprécations et d'acclamations confondues.

Sauvé par les homosexuels et les Vestales, Kaeso se dirigea lentement vers la « Sanavivaria », la Porte des Vivants, tandis que Pugnax, un peu oublié dans tout ce tumulte, montait vers le pulvinar aux senteurs de safran pour recevoir une fois de plus palme, couronne et « aurei ».

Dans les entrailles de l'édifice, on pansa Kaeso avec plus d'attention ; et Liber, malgré la fin de son contrat, lui offrit l'hospitalité pour quelques jours. Kaeso rentra au ludus en litière, pour retrouver Myra devant la grande porte, où elle se rongeait les sangs. La vue de son maître à peu près indemne la jeta dans des transports de joie.

Kaeso fit immédiatement porter un mot à Séléné, sous couvert de Cethegus, pour la rassurer sur leur sort commun, puis il sombra dans une profonde songerie. Les scrupules de rabbi Samuel à propos de cette gourde de Cypris le poursuivaient soudain avec d'autant plus d'acuité qu'il se rendait bien compte qu'une providence complice l'avait épargné par miracle, et sans considération de ses mérites. Il venait de recevoir la vie pour la seconde fois, et il s'apprêtait à en détruire une autre de façon plus inexcusable encore qu'auparavant, puisque la grâce du Prince à son égard pouvait désormais faire espérer de sa personne celle de Séléné. Sans doute, Séléné graciée serait-elle remplacée au pied levé par une autre condamnée, mais alors, par voie de justice, et sans que Kaeso en fût responsable. En somme, cas de conscience nouveau après tant d'autres, il s'agissait à présent de souffrir la probable faveur de Néron, non plus afin de sauver Séléné, mais afin de tirer d'affaire une inconnue méprisable et imbécile. Pour un esprit grossier, l'hésitation n'eût pas été possible. Mais Kaeso avait l'élégance naturelle, et la tentation d'agir humainement était forte.

Pendant l'heure du dîner, Kaeso, réfugié en solitaire dans sa chambre, médita sur ce problème urgent de toutes les capacités qui lui restaient après les émotions affreuses qu'il venait de subir.

Toute son éducation l'avait porté à tenir les esclaves et même la plèbe pour quantité négligeable, essentiellement au nom d'un préjugé de culture. Aucun mépris ne peut égaler celui des gens instruits pour ceux qui ne le sont point, aucun n'est plus indéracinable ni plus hypocrite quand il prétend s'effacer, car la culture sécrète elle-même ses propres poisons, qui colorent l'orgueil de l'intoxiqué des apparences les plus raisonnables. Les Romains avaient jadis dominé par le glaive, et la culture était enfin accourue au secours du glaive émoussé pour mieux asseoir, à l'intérieur de l'Empire, la domination des lettrés. Symbole étonnant : le style à écrire sur la cire malléable était aussi un poignard à l'occasion.

Mais le hasard avait fait rencontrer à Kaeso cette secte chrétienne, dont la théologie originale, dans sa foudroyante simplicité, paraissait indépendante de toute culture — en attendant, peut-être, que des pontifes experts en grec en fassent le reflet complexe de la civilisation qui avait leur préférence. Un Paul y avait déjà travaillé. C'était à Pierre, pourtant, et à des hommes qui lui ressemblaient, que Jésus avait confié son Église. Un Jésus qui avait choisi de s'adresser à l'univers dans un dialecte régional inconnu de la plupart des habitants du monde romain, méprisant divinement grec et latin, mais assez sûr de Lui pour espérer ou pour prévoir qu'aucune traduction dans la langue des savants ou des vainqueurs ne parviendrait jamais à effacer l'essentiel de son empreinte. Et cette religion des pauvres en esprit bouleversait tranquillement, par quelques traits élémentaires, les dominations présentes et futures de la plume ou de l'épée. Le rugueux Marc grec disait à Kaeso qu'un Dieu Père ne faisait pas de différence entre Ses enfants dès qu'ils acceptaient de ne pas en faire entre eux. L'Égalité descendait sur terre.

Kaeso savait bien que les pauvres n'étaient pas sympathiques, perpétuellement enclins à apitoyer autrui pour le mieux tromper, et plus égoïstes encore que les riches de vieille roche dès qu'une modeste réussite les avait tirés de la boue. Mais la question n'était pas de faire la charité à Cypris. Elle était seulement de lui rendre justice, parce que Dieu, qui n'avait de comptes à rendre à personne, avait pris la peine de la créer et de la faire croître.

Plus Kaeso réfléchissait, plus il devait s'avouer avec ennui que cette Cypris avait le droit de survivre, quitte à gâcher son existence elle-même.

Selon le « Pater » de Pierre, d'ailleurs, Dieu ne pardonnait qu'à ceux qui pardonnaient. Mais pour pardonner, il fallait être en vie. Si Kaeso faisait disparaître Cypris, comment pourrait-elle jamais lui pardonner ? Le caractère irréparable de l'événement faisait peur, car il n'était pas exclu qu'un Dieu vengeur demandât l'avis des victimes avant de pardonner à leurs bourreaux.

Alors que tombait le jour d'été, Kaeso prit son style en soupirant...

« Kaeso à Caesar,
« Puis-je te voir dès cette nuit ? Je dois encore mettre ta générosité à l'épreuve. Pardonne-moi de n'avoir pas suffisamment exigé autrefois de tes bontés. Je ne recommencerai plus. Ma jambe me fait mal, mais j'irai te voir à genoux s'il le faut. Porte-toi au mieux. »

Kaeso chargea Myra du billet, avec toutes les recommandations possibles pour qu'il parvienne le soir même, et une somme d'argent assez importante pour forcer des barrages subalternes. La notoriété de Kaeso était hélas devenue suffisante pour que la remise en main propre fût facilitée.

Ce qui consolait Kaeso de cette extrémité, c'est qu'il était plus que probable que le Prince le ferait convoquer tôt ou tard pour prendre acte de son spectaculaire dévouement. Il eût été dommage de sacrifier Cypris pour retarder de peu un inéluctable ennui.

Myra revint bientôt du proche Palatin, où l'un des affranchis subalternes de l'immense « familia » impériale lui avait promis de faire suivre aussitôt la correspondance. Néron dînait ce soir-là dans la superbe villa que Pison possédait sur la Colline des Jardins. Le Prince tenait ce patricien pour un ami et il était un habitué de sa villa de Baïes, où il aimait à se reposer en toute simplicité. Si l'empereur était encore en vie, c'est que Pison, héros de l'antique hospitalité, s'était mis en tête de ne le faire assassiner qu'en dehors de chez lui. Il advient que des événements de la plus prodigieuse importance soient décommandés par le destin pour des motifs d'une futilité déconcertante. Pison eût été moins hospitalier, que Pierre et Paul mouraient dans leur lit en se demandant pourquoi le martyre les avait oubliés.

Vers minuit, Kaeso reçut quelques lignes charmantes de Pison...

« C. Calpurnius Piso à K. Aponius Saturninus, cordial salut !

« Tu es l'homme du jour, tout le monde veut te voir, et je ne suis pas le dernier après le Prince, encore ému de ta valeur. Pour te connaître plus vite, je t'envoie une litière, une escorte triomphale, et fais mettre de côté pour toi quelques douceurs qui te changeront de la ratatouille du ludus, ô bouleversant garçon, qui fais battre le cœur des Romains plus fort encore que celui de nos Vestales ! A bientôt ! »

Un post-scriptum ajoutait : « J'ai beaucoup apprécié ta belle-mère, une femme exquise, qui me parlait de toi avec une tendresse avertie. Magie de l'amour, tu as hérité sa beauté. J'ai levé tantôt mon pouce en souvenir. »

On se sentait vraiment en famille !
Kaeso se fit beau et descendit en boitant.

III

Néron, accompagné du seul Vitellius, soupait en toute innocence au milieu d'une troupe serrée d'assassins. Il y avait là, étendus la bouche en cœur et le verbe fleuri, une notable fraction de ceux qui, l'année suivante, se feraient prendre au dernier instant la main dans le sac.

Pison d'abord, bel homme fastueux et sceptique, féru de théâtre tragique, susceptible d'apporter à un complot la caution d'un grand nom et une réputation d'indolence encourageante pour les prévaricateurs.

Et Faenius Rufus. Le Prince s'était cru habile en divisant la Préfecture du Prétoire entre Tigellin et Rufus, mais l'une des deux pommes était pourrie, et non des moindres !

Et Lucain. Ulcéré de ne pouvoir déclamer publiquement les derniers chants d'une *Pharsale*, qui portait pourtant condamnation du régime, il accusait Néron de jalousie d'auteur, oubliant que le Prince avait louangé ses vers aussi longtemps qu'il en avait été flatté. En état d'arrestation, le stoïcien Lucain offrirait le pitoyable spectacle d'un homme prêt à dénoncer sa propre mère et tous ses amis pour s'épargner le désagrément des tortures.

Et Sénèque, meurtrier par discrétion.

Et des sénateurs comme le débauché Scaevinus ou le bambocheur Quintianus, furieux de quelques vers satiriques du Prince. Et des « chevaliers » ambitieux, comme Sénécion, Proculus ou Natalis. Et même l'une des affranchies de confiance de Pison, l'intrigante Épicharis, qui s'étranglerait dans une litière couverte, entre deux séances de question, au moyen de la bande de son soutien-gorge...

Avec bien d'autres, ils étaient ou seraient tous du complot.

Kaeso fut accueilli avec la plus grande amitié, et Satria Galla, la femme dépravée et bien-aimée de Pison, qu'il avait enlevée à l'un de ses amis complaisants, céda même sa place à côté du Prince au séduisant invité. Le banquet en était au dernier service.

Néron, qui avait bu plus que de coutume — peut-être parce qu'il n'était pas d'humeur à chanter ce soir-là —, apostropha Kaeso avec une feinte rudesse : « Alors, méchant garçon, pour me fléchir, on ne recule devant rien ? Un amphithéâtre te suffit à peine pour clamer ton désespoir ! Mais si tous mes amis avaient ton tempérament, nous passerions notre temps en " munera " ! »

Kaeso, contrit, jouait le jeu.

Vitellius déclara : « Tu as été trop bon avec ce vaurien. Il faut débarrasser les arènes de pareils prétendants. Moi, j'ai baissé le pouce, par pure cruauté, sans doute, mais aussi pour empêcher que l'exemple de cet insolent ne soit suivi par tous les augustiani qui espèrent ta faveur. »

Néron était ravi et il dut reconnaître : « Oui, j'ai été trop bon. Un peuple vertueux exigeait que l'impudence fût punie, mais j'ai préféré écouter mon cœur. Sénèque ne m'a-t-il pas prêché longtemps la clémence ? »

Sénèque, qui grignotait mélancoliquement une carotte, en profita pour ne pas répondre. Les affaires publiques prenaient une allure démentielle, qui décourageait le commentaire. Plus le philosophe vieillissait, plus la nature humaine lui semblait d'ailleurs mystérieuse. Que faisait là ce Kaeso, qui était venu le consulter naguère sur un point de morale délicat ?

La conversation devint générale. Elle concernait surtout la gigantesque fête de clôture prévue pour le lendemain soir sur l'étang d'Agrippa. Tigellin avait promis à Néron de lui organiser la plus énorme partouze de l'histoire, et l'événement faisait rêver. Depuis des jours et des jours, les émissaires du talentueux et dévoué Préfet s'efforçaient de persuader, de circonvenir, par des alternances de promesses, de cadeaux, de confuses menaces même, bon nombre de dames encore fraîches de l'aristocratie romaine afin qu'elles acceptent de se dévouer au Prince en remplissant les lupanars prévus à leur intention sur l'une des rives de l'étang. Caligula, déjà, avait éprouvé un vicieux plaisir à déshonorer les matrones les plus vertueuses de la « nobilitas », et il n'avait pas reculé devant les plus cyniques et les plus scandaleuses violences. Le plaisir de Néron était plutôt d'obtenir un résultat de grande envergure en s'attaquant de préférence, par tous les artifices de la suggestion et de la douceur, à celles qui n'avaient plus guère de réputation à perdre. Caligula avait eu l'esprit dérangé. Néron était un moraliste soucieux d'efficacité et de rendement. Ennemi de la moindre hypocrisie, il souhaitait que des centaines de femmes se livrent enfin ouvertement aux débauches qu'elles avaient jusqu'alors connues toutes portes closes. Il voulait, en quelque sorte, élargir les maisons closes aux dimensions de l'État. Et, heureusement pour un souverain pénétré de vues aussi vastes et aussi profondes, beaucoup de maris, de pères, de frères courtisans poussaient à la roue pour que le remplissage des bordels fût convenable et ne fît pas honte à l'auguste organisateur. Bien entendu, les prostituées de profession ne seraient pas oubliées dans la fête, et même, largesse sans précédent, l'empereur avait décrété le lupanar gratuit toute la soirée du lendemain dans les limites de la Ville. Agrippa, en son temps dépassé, avait offert les bains et le barbier, Néron faisait mieux encore.

Sénèque songeait qu'il y avait, dans cet embrigadement des matrones au sein d'une débauche de groupe délirante, un fait nouveau et assez inquiétant, car l'hellénisme dont se piquait le Prince ne suggérait rien de semblable. En fait d'infamie, Néron commençait à voler de ses propres ailes, sans plus de référence à un quelconque passé, qu'il fût national ou étranger. La Grèce ne serait présente autour de l'étang d'Agrippa et sur ses calmes ondes que par un troupeau d'invertis sélectionnés.

Les convives, qui avaient bu autant que le Prince, pressaient plaisamment Sénèque d'expédier pour une fois sa femme Pauline au bordel, et le philosophe protestait doucement : « Elle est trop âgée, elle ne saurait plus, sa sciatique la taquine... »

Kaeso avait le sentiment d'une discussion irréelle, et seuls les élancements de sa jambe le ramenaient sur terre.

Dans le jardin où les « triclinia » avaient été dressés, une ravissante Léda parut avec son cygne jupitérien, qui avait peut-être bénéficié des patientes leçons de Cethegus. Après une voluptueuse parade admirablement réglée, l'union sacrée eut lieu... (Mais le cygne ne jouait-il pas la comédie ?) Et tandis que l'animal — comblé ou leurré ? — regagnait l'Olympe, Léda, bandant à ravir tous les muscles prolifiques de sa plus intime anatomie, accoucha de deux œufs énormes, dont elle brisa bientôt les coquilles pour en tirer avec une pieuse stupéfaction les statuettes dorées des deux couples de jumeaux sacrés : Castor et Pollux, Hélène et Clytemnestre.

Kaeso, à l'oreille de Néron, essayait d'expliquer, de manière assez embrouillée, que sa Séléné avait des problèmes avec un âne... de plus en plus petit, mais tenace...

Le Prince le coupa : « Je n'ai rien à te refuser. Tu as versé ton sang pour moi. Le sang est le seul don qui ne soit pas trompeur. Demande des tablettes, écris ce que tu veux, et tu auras la caution de mon sceau. »

Kaeso donna donc l'ordre d'élargir Séléné sur l'heure. Il dut effacer des mots à plusieurs reprises, tellement sa main tremblait de joie.

Néron ajouta : « Notre Séléné a besoin de se refaire. Précise qu'elle doit être conduite à la petite maison d'Albinus Macedo, sur les premières pentes du Caelius. Elle fait partie d'un héritage qui m'a été légué récemment. Je te l'offre de grand cœur pour abriter cette amour modeste...

« De quoi l'esclave était-elle accusée, déjà ? »

Après un silence, Kaeso répondit :

« D'avoir tué mon père. Mais elle est innocente !

— Ceux que nous aimons sont toujours innocents. D'ailleurs, si tous les meurtriers étaient condamnés, où serais-je, moi qui ai dû faire exécuter, hélas, ma femme et ma mère ? »

A cette douloureuse et habituelle évocation, des larmes mouillèrent les yeux du Prince, qui se reprit bientôt avec courage, scella les tablettes, et commanda de les porter sur-le-champ à Tigellin, dût-on le réveiller. Quand l'empereur voulait être obéi à brefs délais, il n'y avait guère que Tigellin pour le satisfaire.

Kaeso embrassa avec transport la main baguée du sceau libérateur, alors que le Maître lui caressait les cheveux, comme Marcia autrefois.

Néron se leva lourdement, dit quelques amabilités à Pison et à sa femme, et même à Sénèque et à Lucain, puis, après une dernière coupe de vin rafraîchissant, il demanda sa litière et fit signe à Kaeso de l'accompagner. Sa démarche était un peu chancelante, et sa voix, déjà pâteuse.

La grande litière-salon, dont les moelleux coussins étaient faiblement éclairés par une veilleuse, prit le chemin des jardins d'Épaphrodite, escortée de gladiateurs et de prétoriens, au pas cadencé de ses douze porteurs athlétiques. Un mince rayon de lune filtrait entre deux rideaux disjoints.

Tout à coup, l'empereur souffla la veilleuse et se rua sur Kaeso, avec des maladresses de grand timide pris de boisson. Alors, se déroula sur les coussins de l'engageante litière une lutte des plus confuses et des plus étranges. Gâté par les dieux, Néron aimait les femmes, les amants et les gitons, avec tous les moyens de satisfaire en permanence son penchant de l'instant. De jour, il ne savait déjà plus très bien où donner de la tête et de la queue. De nuit, avec un coup dans le nez, en proie au balancement d'une litière baladeuse et aux prises avec un adversaire qui avait plus de politesse que de compétence, l'amphibologie fondamentale de sa luxueuse et luxurieuse nature était portée à son comble, ses idées en fuite et ses gestes incertains se contredisaient. Tantôt, le Prince suppliait d'une voix de fausset : « Prends-moi, gloire insigne de l'arène ! », tantôt il menaçait d'une voix mâle : « Attends un peu que je te rive ton clou, impudique gamin ! »... Étouffé, malaxé par ce gros garçon affectueux qui rêvait d'être aimé pour lui-même, Kaeso ne savait plus de quel côté se tourner. Et quand l'affaire semblait enfin engagée d'une façon ou d'une autre, les soubresauts de la litière, que les porteurs avaient du mal à contrôler, remettaient tout en question.

Au carrefour de la Voie Salaria et de la Voie Nomentane, un coussin surmené creva, et un nuage de plumes se répandit sur le théâtre de l'action, décourageant toute manœuvre précise. Essoufflé, emplumé, vaseux, l'empereur s'effondra en nage sur le sein de Kaeso, murmurant des mots sans suite.

A la Porte Viminale, des chansons d'ivrogne firent sursauter Néron, qui toussa bruyamment, ordonna de faire halte, et sortit de la litière, soutenu par Kaeso. A la lueur des torches, ils ressemblaient à deux gros cygnes blancs désorientés.

On les dépluma en s'efforçant de ne pas rire, et on nettoya sommairement la litière, où le Prince se réinstalla pour sommeiller après avoir vomi contre un mur. Malgré l'état de sa jambe, Kaeso préféra continuer à pied, priant l'escorte de ralentir le pas. Sa jambe avait peut-être contribué à sauver sa vertu, car, à plusieurs reprises, Néron avait eu scrupule à pousser plus avant, prenant pour des plaintes de vierge endolori les gémissements du héros blessé.

Kaeso cheminait à côté de Spiculus, qui était passé de l'arène au commandement des gladiateurs gardes du corps, en attendant d'être massacré sous Galba pour sa fidélité au dernier des Julio-Claudiens. Avec tact, Spiculus orienta la conversation sur le combat de Kaeso, qu'il avait suivi du pulvinar, et lui fit compliment en connaisseur de son intelligente tactique, qui aurait mérité meilleur succès. Kaeso avait l'impression que quelques prétoriens l'avaient regardé de travers, et il s'ouvrit du fait à Spiculus, qui répondit avec mépris : « Ils viennent de la campagne et se scandalisent d'un rien. Il n'y a que les Germains et les gladiateurs pour veiller sur la vie du Prince sans se poser de questions superflues. »

On entra dans les jardins d'Épaphrodite. A la porte de la villa, Néron apparut un peu ragaillardi, et avant de monter dormir, il dit à Kaeso en l'embrassant : « Merci pour tout ce que tu viens de me donner. Je ne l'oublierai jamais. » C'était à se demander à quoi il faisait allusion. Le vin avait dû embrumer sa mémoire.

Épuisé, Kaeso passa la nuit dans une chambre confortable, où il goûta un sommeil sans rêves. Des chants d'oiseaux le réveillèrent. Il pensa qu'au même instant Séléné se réveillait peut-être de son côté, dans la petite maison du Caelius, pénétrée de reconnaissance et prédisposée à l'amour. La soirée de la veille lui revint à l'esprit, et les dernières paroles du Prince lui suggérèrent une ruse qui aurait fait l'admiration d'Ulysse.

Après un brin de toilette, il demanda à être admis auprès de Néron, qui était encore couché, mais dictait déjà de la correspondance. Le Prince fit signe aux secrétaires de se retirer, et Kaeso se jeta alors au pied du lit.

« Divin Maître, depuis notre retour, la honte me poursuit et m'a privé de sommeil. Me pardonneras-tu jamais de t'avoir fait violence avec un empressement aussi discourtois ? Était-ce une suffisante excuse que d'avoir tant attendu cet instant ? Dis-moi que je ne t'ai pas trop froissé, que tu restes mon ami en dépit de ces manières de gladiateur ! »

Une ombre de perplexité passa sur l'auguste visage. Mais le Prince n'avait aucun motif de ne pas faire confiance à Kaeso, et au fond, il n'était pas fâché d'être si aisément tiré d'un doute désagréable. Donnant sa main à baiser au repentant, il dit avec une sévérité que démentait son regard bleu rêveur :

« Tu mériterais que je te chasse ! Et c'est bien ce que je vais faire... jusqu'à ce soir, où je te donne rendez-vous sur l'étang d'Agrippa. »

Kaeso ne se le fit pas dire deux fois, et il s'empressa de gagner le Caelius, fort soulagé de la réussite de la manœuvre. Dans ce genre d'affaires, il importait de partir du pied droit. L'honneur très particulier de Néron satisfait à si peu de frais, Kaeso passerait peut-être au rang d'amant honoraire plus vite que prévu. Le Prince était si bousculé...

La petite maison du bas Caelius était charmante, tapie au creux de son jardinet. Tigellin, qui faisait toujours du zèle, avait mis sept esclaves de la « familia » impériale au service de Séléné, qui se délassait déjà dans les thermes modestes, mais bien aménagés, attenants à la cuisine. Dans l'attente que Séléné en sorte, Kaeso jeta un coup d'œil sur le rez-de-chaussée et sur l'unique étage, qui étaient fort bien meublés, et demanda les noms des domestiques des deux sexes, qui paraissaient de bonne qualité.

Séléné rejoignit bientôt Kaeso dans une chambre sous les toits, et se laissa tomber à ses genoux avec les plus vives protestations de reconnaissance. Kaeso s'empressa de la relever : amaigrie, les yeux cernés, elle n'avait jamais été plus émouvante. Assis sur le lit, la main dans la main, ils se racontèrent longuement tout ce qu'ils avaient pu souffrir ou espérer au cours de ces journées terribles. Le tour joué par Kaeso à Néron amusa beaucoup Séléné. Enfin, Kaeso souleva une question qui lui tenait à cœur :

« Mon père t'ayant affranchie par testament, c'est la moindre des choses que j'accomplisse sa dernière volonté, mais encore faudrait-il que tu fusses d'abord en ma possession. Or, le passif de l'héritage l'emportant de beaucoup sur l'actif, tu tombes jusqu'à nouvel ordre au pouvoir des créanciers, que je dois désintéresser si je veux avoir sur toi une autorité légale.

— Mon argent est à ta disposition.

— Rabbi Samuel ne le lâchera pas avant quelque temps. Il doit me rester suffisamment pour arranger cette affaire.

— Jusqu'où iront décidément tes bontés ? »

Tout compte fait, Kaeso estimait plus courtois de coucher avec Séléné après son affranchissement. Il courut toute la matinée pour régler la chose, réussissant d'abord à faire rendre gorge au tremblant Turpilius, dédommageant ensuite le syndic des créanciers, heureux de retrouver comptant 6 000 sesterces pour une esclave peut-être admirablement faite, mais qui avait été convaincue du meurtre de son maître, et qui était donc devenue à peu près invendable. Enfin, il alla faire inscrire Séléné parmi les affranchis sur les registres du Cens, à l'Atrium de la Liberté, près de la Porte Sanqualis. C'était la façon la plus simple de procéder pour donner à un esclave la « grande liberté » irrévocable, que l'on pouvait également accorder par comparution du sujet devant un consul ou un préteur, ou encore par testament. Testament qui servait en outre à se venger des mauvais sujets, que le défunt interdisait de libérer avant quinze ou vingt ans. Les autres modes d'affranchissement, par le témoignage écrit ou oral d'un certain nombre d'amis, ou par la vieille cérémonie de l'admission officielle de l'esclave à la table du maître, ne prêtaient qu'une liberté révocable, bien des maîtres mangeant d'ailleurs familièrement avec des esclaves sans qu'ils fussent affranchis pour autant.

La nouvelle de son affranchissement définitif jeta Séléné dans une joie extraordinaire, qui avait de quoi toucher Kaeso. Et l'idée la ravissait que sa valeur servile s'était effondrée à la suite de la condamnation qui avait pesé sur elle. Au fur et à mesure qu'elle avait étouffé Marcus d'un pied précautionneux, une vengeresse Providence avait fait baisser le prix de ses charmes. Comme Yahvé était bon d'improviser comme en se jouant de si beaux symboles !

Après déjeuner, Kaeso et Séléné montèrent s'allonger côte à côte. C'était le moment de la sieste, favorable pour qu'un amant si dévoué jouisse enfin des droits du propriétaire, qu'il ne s'était arrogés trois quarts d'heure que pour les abandonner avec l'élégance du cœur. Séléné souffrait les approches de Kaeso avec une aimable patience, mais, jambes jointes, comme si elle eût été en croix, elle ne lui rendait point ses baisers, et une peine immense, des plus surprenantes, noya bientôt ses magnifiques yeux gris de larmes amères...

« Que se passe-t-il donc ? Je vois bien que ce n'est pas le bonheur qui te fait pleurer... »

Et Séléné répondit dans un souffle : « Ne me touche pas ! Je suis chrétienne. J'ai reçu le baptême. »

Séléné expliqua à Kaeso abasourdi :

« Tes propres efforts pour te familiariser avec une doctrine que tu voulais faire semblant d'adopter afin d'égarer ton père sur tes vrais motifs de le décevoir m'avaient mieux instruite moi-même d'une religion dont la plupart des Juifs se font encore une idée partiale, sinon caricaturale. Et je m'étais rendu compte que tout ce qu'on m'avait raconté des chrétiens n'était pas vrai.

« Au vivier d'Ostie, un beau vieillard à barbe blanche, esclave depuis le berceau, venait m'apporter ma soupe et vider mon seau. C'était lui qui était également chargé, pour maintenir en appétit le grand âne de Calabre, de m'enduire l'entrejambe avec des sécrétions d'ânesse en chaleur, ce qu'il faisait en détournant les yeux, tout pétri de fraternelles délicatesses, et toujours soucieux de m'adresser en se retirant avec son attirail une parole d'encouragement et de réconfort. Quel contraste avec les brutalités de Cethegus, qui, je puis te l'avouer à présent, voyait dans tes chastes et trop brefs séjours une perverse excitation à abuser de mes charmes ou de ce qui en restait !

« Les manières exquises de cet aimable vieillard m'auraient fait deviner qu'il pouvait être chrétien, s'il ne me l'avait avoué lui-même, dans l'espérance de mieux sécher mes pleurs. La charité des Juifs a quelque chose de plus roide et de plus sec. L'appréhension de commettre des impuretés paralyse parfois leurs plus généreux élans. Ces humbles visites ne laissaient pas de me troubler. J'en redoutais l'émotion, que j'appelais cependant de mes vœux. La grâce, peut-être, m'avait déjà touchée par ce canal ambigu, dont la bouche attirante, V de victoire ou tête de vipère, reçoit du monde ou lui apporte ce que la femme a de meilleur ou de pire.

« Mon âne ayant rétréci grâce à tes prévenances, il m'arriva une nuit cette chose incroyable : alors que je suppliais le Ciel de me venir en aide, je vis soudain une croix lumineuse sur le dos de l'ânon puceau, qui éclaira d'abord toute la stalle, pour s'atténuer peu à peu jusqu'à la faible intensité du ver luisant, et enfin disparaître. Ce fut comme si j'avais rêvé, mais le rêve était ineffaçable.

« Le fait qu'un Dieu avait pu mourir pour moi, qui m'avait paru jusqu'alors tout à fait absurde, venait de me frapper de son inexprimable évidence. La lumière de la Résurrection parvenait jusqu'au sein des geôles les plus infâmes pour rappeler aux pécheresses les plus désespérées que toute chair purifiée par la foi est promise à une gloire éternelle.

« La menace qui me tenaillait d'une mort ignoble, malgré tous tes efforts, qui pouvaient être vains, devait sans doute favoriser une conversion, dont je demeure malgré tout encore surprise. Un peu avant que les soldats ne passent me prendre pour m'enfermer dans une dépendance du théâtre, à l'heure même où tu combattais pour moi devant Néron, j'ai demandé le baptême à l'obligeant vieillard, certaine de nous porter chance à tous deux sur cette terre endolorie ou dans des Cieux nouveaux.

« Affranchie du péché par le Christ, affranchie de l'infamie involontaire par tes soins éclairés, je n'hésite plus à te dire : tiens-moi désormais pour une sœur aimante, qui serait charmée que tu partages sa foi. Mais les comédies elles-mêmes que tu as dû jouer n'auraient-elles pas laissé en toi quelque semence de vérité ? S'il était dit que ton aveuglement se poursuive, et si de vulgaires tentations t'agacent, fais venir Myra au plus tôt. Je ne suis pas jalouse, car mon amour le plus fidèle n'est plus de ce monde. »

Kaeso en avait l'esprit tout chaviré. Il n'était certes pas exclu que Séléné, instruite par son exemple, ait trouvé dans l'austérité chrétienne un argument de choix pour conserver avec politesse une liberté qui lui était chère. Mais l'affranchie, comme tous les plus fieffés menteurs, avait découvert un émouvant accent de sincérité, et elle avait su émailler son récit de ces détails qui ne font pas vrai, et qui, partant, donnent la trompeuse impression qu'on n'aurait pas pu les inventer. La perspective d'aller parcourir le vivier d'Ostie pour vérifier l'existence d'un beau vieillard chrétien à barbe blanche, badigeonneur d'entrecuisses, avait quelque chose d'odieusement décourageant. Étant amoureux, Kaeso opta pour la confiance, et il parla bientôt de mariage.

Séléné accueillit d'abord la proposition avec attendrissement, et ses réserves n'en furent que plus impressionnantes...

« Si tu as de l'amitié pour moi, ne me tente plus ainsi ! Tu es beau, tu es jeune, tu es noble, la faveur du Prince te sourit, et un mariage avantageux avec une toute jeune fille t'attend pour porter au comble ton bonheur. Les gens distingués se mettent à la rigueur en discret ménage avec une affranchie de fraîche date. Ils ne l'épousent jamais. Songe d'ailleurs à la vie que j'ai menée, à tous ces hommes que j'ai dû connaître, dont le dernier n'était autre que ton père. L'inceste te sourirait-il donc, d'autant plus grave qu'il prendrait un tour quasi officiel ? A qui oserais-tu montrer cette femme déjà plus âgée que toi, souillée par le lupanar, puis par une liaison inavouable ? Mais si j'avais la faiblesse de consentir à ce mariage, tu me le reprocherais bientôt et tu n'aurais pas tort ! Je dois être sage pour nous deux. »

Loin d'être convaincu, mais troublé cependant, Kaeso, après d'amoureuses et vaines protestations, se résigna à aller chercher Myra, qu'il ne pouvait de toute manière abandonner au ludus tout proche.

Avant de quitter la caserne, Kaeso tint à remercier Pugnax de lui avoir conservé son avant-bras, et l'Helvète eut cette réflexion frappante : « Ceux qui font profession de la violence répugnent aux violences inutiles. Ce sont les amateurs qui sont cruels. » Une aussi belle pensée ne devait pas rester sans récompense. Kaeso remit 10 000 sesterces à Pugnax, qu'il accepta avec simplicité, faisant remarquer encore : « Un geste désintéressé n'a pas de prix, et une main d'homme libre non plus. Je prends cet argent comme avance sur un travail. » Malheureusement, Kaeso n'avait plus personne à faire assassiner.

En son absence, une foule de vêtements et de cadeaux divers avaient été livrés du Palais, que Myra passa en revue avec orgueil, tandis que Séléné considérait ce salaire du péché avec la moue supérieure d'une vierge chrétienne, à qui suffit le voile providentiel de ses cheveux pour cacher ses appas. Néron n'utilisait jamais deux fois le même costume, et il aimait à encourager le gaspillage autour de lui, disant que cela faisait marcher le commerce, alors que la vertu d'épargne et de mesure avait été prônée par tous les antiques moralistes romains, à qui la terre avait appris que les mauvaises récoltes suivent les bonnes.

Une litière avait été annoncée pour la onzième heure, et Kaeso, habillé à la grecque, s'y installa ponctuellement pour gagner le lieu du festin, après qu'un chirurgien juif eut renouvelé son pansement. Séléné, bien qu'elle vît pousser des croix lumineuses sur les ânons de théâtre, ne faisait encore aucune confiance aux chirurgiens chrétiens. Il est vrai que les chrétiens se concentraient plutôt sur les derniers moments ou sur les résurrections, désireux d'avoir le mot de la fin.

Chemin faisant, Kaeso put constater que Rome tout entière s'apprêtait à festoyer sur nombre de places publiques, banquet monstre comme César lui-même n'en avait pas offert.

Ce climat de liesse sous un éclatant ciel bleu était à peine assombri par une raréfaction assez inquiétante de l'eau. Chaleur et sécheresse avaient réduit le Tibre à un infect filet coulant à regret entre deux rangées d'immondices, découverts par la baisse des eaux, et l'autre fleuve était en baisse alarmante, qu'apportaient les aqueducs, renforcés et multipliés de siècle en siècle. La « Marcia », l' « Anio », la « Tepula », la « Julia », qui venaient des montagnes du Latium ou de la Sabine, n'avaient plus qu'un débit très insuffisant ; la « Virgo » et l' « Appia », tirés de la proche campagne romaine, étaient presque à sec ; l' « Alsietina », qui alimentait le quartier du Janicule à partir de l'Étrurie, avait conservé quelque vigueur, mais les trois sources claudiennes, naguère si pures, l'aqueduc de Néron, qui était venu compléter l'alimentation du Caelius, ne donnaient plus qu'une eau rare et trouble. Depuis six ou sept ans, on n'avait pas vu un tel déficit, et les vieillards comptaient sur leurs doigts et comparaient toutes les années sèches qu'ils avaient connues.

Mais il était aussi une pénurie artificielle, car Tigellin avait fait justement valoir au Conseil du Prince qu'il convenait de profiter de la baisse exceptionnelle des débits pour effectuer aux moindres frais toutes sortes de réfections, et un Néron prévoyant avait appuyé cet avis.

Tigellin vivait de grandes journées. On aurait même pu dire qu'il ne vivait plus. Il avait dû à la fois préparer des fêtes inoubliables, préparer l'incendie de la Ville, et préparer toutes les mesures d'urgence qui devaient permettre au Prince d'apparaître comme un diligent sauveur après la catastrophe, le feu n'étant plus qu'un intermède un peu désagréable entre les bienfaits d'hier et ceux de demain, entre les plaisirs du passé, encore étriqués, et ceux de l'avenir, qui rempliraient ou débrideraient tous les organes susceptibles de l'être. Jamais aucun ministre n'avait été chargé d'une telle responsabilité. Tigellin le savait, et il en était fier.

Cette fierté trouvait sa source au plus profond de lui-même. Tigellin était « chevalier » d'origine. Mais deux sortes de « chevaliers » très différents s'étaient dégagés du peuple industrieux : les hommes d'affaires qui affermaient les impôts indirects, et ne voyaient pas plus loin que leurs bénéfices immédiats ; et les « chevaliers » fonctionnaires, qui avaient investi peu à peu toutes sortes d'administrations, avec d'autant plus de succès qu'ils étaient seuls compétents entre une classe sénatoriale qui ne voulait strictement rien faire, et une plèbe inculte qui ne savait rien faire de propre. Les « chevaliers » fonctionnaires entretenaient toutefois des accointances avec cette plèbe dont ils étaient issus et où ils avaient conservé nombre d'amis et de relations. Et l'habitude des affaires publiques, d'une administration attentive à des degrés supérieurs ou moyens leur avait donné le sens de l'État et le goût des projets d'avenir. La haute noblesse s'était paresseusement confondue avec Rome pour la mieux piller, les Tigellins travaillaient beaucoup et pillaient relativement peu. Toutes les conditions avaient donc été réunies pour que les « chevaliers » fonctionnaires, au premier degré d'une noblesse où la plupart étaient destinés à demeurer longtemps, nourrissent contre la noblesse de race un violent préjugé, que des sentiments désintéressés ou envieux étaient susceptibles de pousser jusqu'à la haine. Tigellin haïssait le sénat aussi fort que Néron s'en méfiait, et cette communauté de vue et de sensibilité était entre eux un lien puissant. Mettre un patricien à la torture était pour le fidèle Préfet du Prétoire une gourmandise, et il ne cessait de se désoler des suicides prévoyants qui condamnaient ses bourreaux à une certaine inaction.

Faire brûler maints palais de la « nobilitas » entre des fêtes provocatrices et une longue reconstruction où l'État aurait le dernier mot partout était donc pour un Tigellin une œuvre pie, qui flattait ses instincts les plus bas comme les meilleurs. Et il s'était efforcé de tout prévoir, accordant à l'incendie une place privilégiée dans ses calculs, car le sort du Prince et le sien étaient liés à l'événement. Jour après jour, il s'était ingénié à raréfier les eaux, à insinuer le désordre parmi les vigiles contre les incendies, à recruter un petit nombre d'hommes sûrs que l'ampleur, imprévue pour eux, du sinistre rendrait à jamais muets, à choisir les points les plus favorables à l'action, à sauvegarder même autant que possible un petit nombre de monuments, et en particulier le temple de Jupiter Capitolin, car on ne pouvait se permettre sans faire jaser de déménager avant l'heure critique les richesses considérables qu'il renfermait.

Tigellin sentait bien qu'après un coup pareil, son sort serait indéfectiblement lié à celui du Prince, mais il avait confiance dans la capacité du régime de brider le sénat, et le grand incendie ne pourrait qu'y aider. L'hypothèse lui semblait improbable que Néron se débarrasse de lui. César ne tuait que par peur et n'était pas ingrat pour ceux qui le servaient avec intelligence et efficacité. Sur ce dernier point, l'avenir devait lui donner raison.

Une fois encore, Kaeso ne reconnut plus l'étang d'Agrippa. Avec une promptitude qui tenait de la magie, jardins et bosquets avaient été nettoyés, les gradins de bois nord et sud, remplacés par une armée de tables et de lits, qui se peuplaient du gros des invités, et, au bord de l'étang, un vaste radeau, enrichi d'or et d'ivoire, réservé au Prince et à ses amis, attendait de prendre le large, tiré par de gracieuses galères, dont les rameurs avaient de quoi surprendre : pour faire un pied de nez aux traditionalistes du sénat, Tigellin avait recruté des équipages d'invertis. La sodomie était sans doute une spécialité marine depuis que les femmes restaient au port, mais on n'avait jamais dévoilé le secret de l'école avec un cynisme aussi éclatant. Et tous ces gitons couronnés de fleurs caquetaient dans l'attente du Maître.

Des invités de marque faisaient déjà la queue devant le radeau, dont un groupe de Vestales, où Kaeso remarqua la présence de Rubria. Encore une chose assez surprenante ! Les femmes supportant beaucoup mieux la cruauté que l'indécence, les Vestales fréquentaient normalement les amphithéâtres, les Cirques, ou même les théâtres quand la violence y était exempte de lubricité, mais le respect qui leur était dû interdisait de les attirer à des spectacles qui auraient pu les faire rougir.

Kaeso salua Rubria, la remercia d'avoir levé en sa faveur son pouce rose, et ils bavardèrent un moment à bâtons rompus, tandis que des invités de tous rangs se pressaient sur les rives ou aux approches du radeau. Rubria paraissait gênée, soit parce que le charme ou la réputation de Kaeso l'impressionnaient, soit parce que les préparatifs de la fête lui semblaient de nature à alarmer une pudeur — peut-être trop avertie. Depuis bien longtemps, le bruit courait périodiquement par la Ville que telle ou telle Vestale avait un amant, mais on avait cessé de faire des enquêtes sérieuses et tout le monde était satisfait lorsqu'une discrétion convenable des suspectes permettait de les acquitter au bénéfice du doute.

Rubria louchant avec inquiétude vers les équipages efféminés, dont la nature aurait plutôt dû logiquement l'apaiser, Kaeso lui chuchota : « Le bruit court que cette réception va se terminer dans une débauche sans frein. Et Néron m'a dit pas plus tard qu'hier soir : " J'en ai assez de l'hypocrisie de ces Vestales ! Tigellin m'a convaincu de les faire examiner régulièrement par des sages-femmes, seule solution pratique pour être fixé sur leur vertu. " Ainsi, le premier examen aura lieu ce soir après les fruits. Les Vestales dignes de ce nom seront raccompagnées avec les honneurs avant que la fête ne tourne à l'orgie. Les autres — mais y en a-t-il vraiment ? — seront retenues pour être enterrées vives sous le poids de beaux garçons frétillants. »

Rubria sursauta. Avec un Néron conseillé par un Tigellin, on pouvait s'attendre à n'importe quoi. Kaeso souriant alors d'un air moqueur, elle rougit d'avoir si naïvement sursauté, et lui dit, furieuse : « C'est toi qui mériterais d'être enterré de la sorte ! » Et elle lui tourna le dos.

Néron arrivait avec une garde restreinte de Germains, suscitant une acclamation générale. La grande litière découverte s'arrêta devant la passerelle du radeau, le Prince en descendit et donna le signal de l'embarquement pour Cythère au son d'une musique apéritive. Les passagers une fois placés sous le vélum de soie azur, les jeunes rameurs d'occasion bandèrent leurs faibles muscles, et le radeau quitta lentement le rivage, soulevant dans sa vogue majestueuse de froufroutantes vaguelettes et un léger zéphyr, doux comme une caresse de galérien amateur.

Par une scandaleuse bizarrerie qui avait fait la plus grande sensation, le beau brun Pythagoras, prêtre de Cybèle et amant en titre de l'empereur, avait pris la meilleure place du triclinium où Néron, revêtu d'étoffes impalpables, s'était étendu « au-dessous » de sa personne. Aux yeux de Kaeso, cet étrange spectacle était plutôt rassurant.

Le repas ne fut pas autrement mémorable. Le plaisir grec d'une conversation relevée, qui avait fait pour Kaeso tout l'intérêt des banquets d'Athènes, était banni d'une affluence aussi bruyante, venue pour manger en attendant mieux. A un autre triclinium que celui du Prince, Kaeso avait été placé entre Vespasien, dont le discours était assez terne, et un tout jeune homme de la classe sénatoriale, P. Cornelius Tacitus. Ce Tacite avait l'air de faire ses premières armes dans le monde, et il semblait aussi inquiet qu'excité à la perspective des désordres qui devaient suivre. Il aurait préféré faire une visite aux lupanars aristocratiques de la rive ouest, mais il craignait d'y rencontrer l'une de ses tantes maternelles. Les vulgaires prostituées, réparties dans les maisonnettes d'en face, répugnaient à son tempérament délicat. Kaeso lui fit valoir avec une certaine logique que, dans une profusion de femmes nues, les distinctions sociales n'avaient plus guère d'importance. De fait, l'égalité prêchée par les chrétiens pouvait être également obtenue par l'exercice global de la plus parfaite impudeur.

Tandis que les ténèbres recouvraient les jardins d'Agrippa, le festin nautique s'achevait, parmi les chants et les rires, sur le radeau illuminé ; et les deux villages de débauche avaient aussi allumé leurs lanternes, alors que les animaux décoratifs à poil ou à plume dont Tigellin avait peuplé l'étang et les jardins étaient en quête d'un espace pour dormir, ayant eu l'innocence de copuler sous le soleil. Au fur et à mesure que le radeau se rapprochait du lupanar sénatorial, les prostituées du bordel plébéien étaient plus nombreuses à se masser sur l'autre rive dans le plus simple appareil, et leurs plaintes engageantes traversaient les eaux, attirant les invités qui avaient festoyé autour de l'étang et qui attendaient avec impatience que l'accostage du radeau impérial leur donnât le signal de la curée. Enfin, la prestigieuse embarcation fut amarrée devant les chalets où les femmes de la bonne société se tenaient recluses par un reste de décence, et Néron mit pied à terre, précédé par les invertis des navires de remorque et suivi de ses hôtes préférés. Un grand cri monta alors de la foule en rut, et la plus lubrique confusion se fourra partout.

Comme un troupeau apeuré, Rubria en tête, les Vestales s'étaient précipitées vers Kaeso pour lui demander de les soustraire à cette folie collective, et Rubria s'accrochait à son bras avec une insistance suppliante. Kaeso s'empara de la torche d'un domestique et s'efforça, marchant à contre-courant de tout le monde, de guider ces dames vers la sortie. Tentative bien difficile au milieu d'un pareil désordre. Malgré tous ses efforts, Kaeso paumait Vestale sur Vestale, et bientôt, il ne lui resta plus que Rubria, privée de sa mitre distinctive, dont les cheveux roux flamboyaient à la lueur tremblotante de la torche. Pour se soustraire à la cohue, il jugea préférable de couper à travers bois, où la torche, à bout de combustible, s'éteignit. Rubria, sous un pâle clair de lune, se serrait désespérément contre lui. Il l'embrassa pour la rassurer, et ils tombèrent sur l'épais tapis odorant d'aiguilles de pin.

Rubria n'était plus vierge, et Kaeso la gronda.

« C'est Caligula, avoua-t-elle en larmes, qui m'a violée comme un sauvage, le jour même où il m'a choisie ! J'avais dix ans. »

Sacré Caius ! Que n'aurait-il pas fait !

A la porte des Jardins, Rubria retrouva sa litière et remercia Kaeso d'avoir si bien protégé une vertu que personne ne devait mettre en doute. Kaeso allait rentrer chez lui, quand survint Tigellin, qui venait jeter un coup d'œil critique sur le résultat de ses travaux, et peut-être se distraire un peu, car c'était un grand amateur de filles et de gitons. Un jour qu'il faisait torturer une servante d'Octavie pour la contraindre d'avouer les turpitudes supposées de sa maîtresse, l'esclave fidèle lui avait craché au visage : « Le sexe d'Octavie est plus pur que ta bouche ! », et la croustillante anecdote avait couru la Ville. Même les bourreaux étaient parfois indiscrets.

Kaeso ne pouvait se retirer si tôt de la fête sous l'œil du Préfet, et il était même convenable qu'il s'approchât de la litière pour le saluer et le remercier de tout ce qu'il venait de faire en sa faveur. Tigellin lui offrit aimablement une place à son côté, et le véhicule se dirigea vers le cœur de la mêlée.

Après avoir félicité Kaeso de son combat exemplaire, Tigellin lui demanda ce qu'il pensait de la soirée, et Kaeso lui répondit : « Puisque tu partages mon dévouement aux vrais intérêts de Néron, je te dois la vérité, telle qu'elle m'apparaît à tort ou à raison. Quoi que tu fasses, tu ne convaincras jamais la majorité des sénateurs de collaborer au régime. Mais pourquoi donner un aliment à l'hypocrisie de ces irréductibles et décourager d'éventuelles adhésions ou neutralités par des excès gratuits, que certains moralistes pourraient qualifier de crimes, mais où un politique prudent serait en droit de distinguer une erreur ? Ne sais-tu pas que les mœurs n'évoluent point par décret ? Qu'il est aussi vain de prétendre, comme jadis le vieil Auguste assagi, refréner la licence que de la précipiter ? Chacun ne vit-il pas à son rythme, prisonnier d'une éducation qui lui pèse, mais qui demeure cependant sa plus efficace référence en cas de crise ? Comme tu viens de le voir, j'ai dû raccompagner une Vestale affolée. Combien de temps Rome souffrira-t-elle d'aussi graves atteintes à ses traditions ? Ton audace me fait peur, pour le Prince comme pour toi-même. »

Tigellin garda le silence un long moment, et Kaeso crut qu'il l'avait blessé. Il sortit pourtant de son mutisme pour dire : « Je suis entièrement de ton avis. Rome ne peut supporter plus de quelques jours ce qui se passe ce soir. Elle disparaîtrait plutôt ! Mais jusque-là, je dois agir en chrétien. »

Après la prodigieuse révélation de Séléné, celle de Tigellin portait le prodige au sommet. L'ahurissement de Kaeso fit croire au Préfet que le garçon n'avait jamais entendu parler des chrétiens, et Tigellin lui confia : « Il s'agit d'une secte plus ou moins juive sans grande importance, mais on m'a donné à lire les prétendues paroles de son fondateur, un quelconque Jésus que Pilate, avant qu'on lui fasse un mauvais parti, avait expédié au gibet sous Tibère. C'est fou tout ce qu'il me faut parcourir pour maintenir l'ordre ! Eh bien, je dois reconnaître que les propos de ce Jésus m'ont vivement frappé. Les philosophes ont pour habitude, entre deux maisons de passes, de foudroyer le vice et d'encenser la vertu. Jésus se distingue du lot, et d'une façon unique. Au lieu de perdre son temps à fustiger le péché, ce qui n'a jamais donné aucun résultat, il pardonne aux pécheurs, excepté à un seul : à l'hypocrite. La fête de cette nuit doit lui plaire, et je la lui rappellerai si j'ai l'honneur de le rencontrer. »

Kaeso argua qu'à sa connaissance, Jésus avait également condamné le scandale, mais Tigellin lui dit en riant : « Pour la forme ! Seulement pour la forme ! Car, l'hypocrisie étant péché irrémissible, il est difficile d'être vertueux sans hypocrisie, alors que les péchés les plus éclatants — toujours pardonnables — mettent à coup sûr à l'abri de ce vice dangereux. »

La litière, qui se rapprochait de l'étang, avait du mal à se frayer un passage parmi des excités qui ne seraient jamais condamnés pour hypocrisie. Des matrones les seins ballants, les cheveux au vent, la face barbouillée du trop-plein de leur stupre, s'enfuyaient des maisons, coursées par des meutes insatiables, et les touffes de fourrure sombre qui se détachaient sur leurs corps nus semblaient autant de lapins de garenne détalant par les jardins. De jeunes galériens en goguette assaillaient d'obscènes papouilles les grands porteurs nubiens du Préfet, qui en faisaient tanguer leur litière comme un bateau ivre de jouissance...

Il fallut mettre pied à terre. Tigellin guida Kaeso jusqu'au seuil d'une maison et l'invita à entrer : « Viens, nous allons à nous deux encercler et baiser le frigide sénat ! »

Kaeso s'excusant sous des prétextes, Tigellin le saisit par l'oreille...

« Bougre d'hypocrite ! Tu es fatigué parce que tu viens de te taper Rubria dans un buisson. Gare au bon Jésus ! »

Surpris de l'attaque, Kaeso se défendit mollement. Le flair policier de Tigellin était étonnant et l'empereur lui devait d'être encore en vie.

Le Préfet haussa les épaules, et entra seul.

Kaeso, vidé, était libre d'aller dormir.

y aura-t-il que des prières et des ripostes en le genre. Rappelle-toi
son de Sodome.

IV

Kaeso s'attarda un moment, un peu comme ces voyageurs qui ont du mal à détacher leur regard d'un panorama, parce qu'ils doutent d'avoir jamais l'occasion de le voir deux fois. Après les premiers élans, la fête avait pris sa vitesse de croisière. On ne hurlait plus, on haletait.

Sur le bord de l'étang, Kaeso se heurta à Eunomos, à qui Tigellin avait confié la responsabilité des invertis des galères. Le prédicateur apocalyptique avait dû les choisir, les ranger sur les bancs de nage selon les tailles, les pigmentations, et même les spécialités, pour prévenir autant que possible des disputes oiseuses, et offrir ainsi le spectacle le plus serein et le plus décoratif. Malgré son habitude des fantaisies néroniennes, son écœurement et son exaspération étaient extrêmes, et d'autant plus désespérés que tous ses efforts pour changer de travail avaient été vains. Avant sa conversion brutale, il avait accoutumé le Prince et Tigellin à d'excellents services et il ne pouvait maintenant négliger sa tâche sous prétexte qu'un dieu nouveau lui avait fait signe.

A la vue de Kaeso, le visage d'Eunomos se ferma. Si Pierre et son entourage immédiat n'étaient pas encore au courant des turpitudes de ce chrétien plus que suspect, un Eunomos n'avait pas pu ne pas en être averti. Mais la première qualité d'un esclave, même riche, étant d'être poli, ce fut Kaeso qui s'efforça de se justifier en quelques phrases, avant même d'avoir reçu le moindre reproche...

« Comme toi, mon pauvre Eunomos, j'ai dû prostituer mes talents, et jusqu'à ma personne. Non point, il est vrai, pour sauver ma vie ou mes biens, mais pour garantir la sûreté d'un être qui m'était cher... et même d'un autre qui me l'était moins. Nous avons goûté au même calice d'amertume...

— Il suffit ! Ce n'est pas à moi de te juger. Profite plutôt de la soirée. Le feu du Ciel est proche, qui va balayer toutes ces infamies, et il y aura bientôt des pleurs et des grincements de dents. Rappelle-toi le sort de Sodome.

— J'étais trop jeune en ce temps-là pour me rappeler à présent quoi que ce fût de ce genre. Mais permets-moi de te donner un amical conseil. Puisque tu veux bien laisser à Dieu le soin de me juger, laisse-Lui également le souci de juger le monde, et de fixer la date. Tu sais que les incendies sont constants à Rome. A force d'attirer le feu par leurs prières et de jubiler à chaque catastrophe punitive d'un Dieu vengeur, les chrétiens finiront par se faire accuser d'y avoir été pour quelque chose. On dira que s'il n'y a pas de fumée sans feu, il n'y a pas de feu sans chrétien.

— Jésus a annoncé de grandes persécutions contre nous. J'y suis prêt.

— Jésus n'a pas dit de les précipiter à tout prix.

« Je gage que, pour te tirer de l'innommable situation qui est faite à ta vertu brûlante, sans rechercher pour autant le martyre, tu l'accueillerais avec soulagement et reconnaissance ?

— Comment pourrais-tu en douter ?!

— Tes paroles te condamnent, et malheureusement, elles risquent d'en condamner bien d'autres, moins innocents que toi, peut-être, mais qui ont la faiblesse de tenir à l'existence.

— Avec tout le respect que je dois à un gladiateur ami intime de Néron, souffre, noble jeune homme, que je sois surpris de ton propos !

— Au lieu d'être surpris par le bon sens, prends donc exemple sur Jésus, qui s'est maintes fois sauvé des mains de ceux qui Lui voulaient du mal, pour ne se laisser capturer qu'à l'heure fixée par son Père. Prends encore exemple sur Paul, qui a toujours défendu sa peau avec un bel acharnement procédurier. Car même une vie scandaleusement illustrée par un impérial artiste en quelque jardin de rencontre est encore bonne à prendre partout pour la plupart. Ta mentalité suicidaire n'est pas conforme à l'Évangile. Et elle m'inquiète d'autant plus que, moi-même, qui n'ai nullement la vocation du suicide, je risque un jour ou l'autre d'être compromis par tes incendiaires intempérances de langage. Suicide-toi si tu veux, mais ne suicide pas les autres !

— Comme tu es attaché à ce monde !

— Si c'est Dieu qui a pris la peine de le faire, il ne peut être si mauvais. Tu parles avec le pessimisme d'un Hindou que j'ai connu. Et lui avait de meilleures raisons que toi d'être chagrin, car il a trouvé moyen de mourir sur la croix, martyr d'un mauvais hasard, où il n'était pour rien.

— Mais enfin, regarde un peu autour de toi... »

Une dame approchait à petits pas, encadrée par quatre énormes Germains, qui lui faisaient un rempart de leurs corps, la main sur la poignée du glaive. On se demandait quelle vertu pouvait avoir besoin d'être ainsi garantie par une nuit pareille. C'était celle de Sporus. L'eunuque semblait accablé, et il s'essuyait fréquemment les yeux avec un mouchoir qu'il tirait de la large manche de sa robe. A la vue de Kaeso, Sporus arrêta sa promenade, et Eunomos, après un profond salut, se retira par discrétion.

« Tu es terriblement gardé, ce soir !

— Il le faut bien. Aujourd'hui, les personnes attirantes ne peuvent plus sortir sans se faire importuner. »

L'aveu, tout à fait dénué d'humour, dénotait en ce cadre une inconscience assez remarquable.

« D'où te vient donc cette tristesse touchante ?

— Comment peux-tu me poser cette question ? Ne sais-tu pas que mon Prince se marie ?

— Mais Poppée... ?

— Elle ne sera que témoin, mais à un vrai mariage, un mariage entre hommes. Pythagoras épouse Néron après-demain à Antium. Rien ne manquera à la cérémonie. On consultera les auspices, le voile flamboyant des jeunes mariées sera mis sur la tête de l'empereur, escorté avec les flambeaux jusqu'au lit nuptial, où il poussera des gémissements de vraie jeune fille d'autrefois. Néron a tenu à se marier dans la ville où il était né. »

Pour extravagante qu'elle fût, une telle nouvelle ne laissait pas d'être dans une certaine harmonie avec la fête.

Kaeso essaya de consoler Sporus :

« Pythagoras étant l'un des amants favoris de l'empereur, une pareille union ne lui ajoute pas grand-chose et ne te retire rien. Je t'aurais cru mieux débarrassé des jalousies subalternes.

— Il s'agit bien de jalousie ! Non, c'est affaire de dignité. »

Sporus avait un grand souci de dignité. Après la mort tragique de son Maître, plutôt que de s'exposer sur les planches des théâtres à une curiosité malsaine, il mettra discrètement fin à ses jours.

« En quoi ta précieuse dignité serait-elle en cause ?

— Néron m'avait donné à croire que je serais le premier à être épousé. Il m'a promis que j'aurai droit au voile des mariées lors du voyage de Grèce, mais cet honneur n'empêchera point que je passerai en second. »

A l'extrême pointe du progrès, inventeur du mariage homosexuel, et désireux, par souci très grec d'équilibre, de sacrifier aux joies actives et passives de l'hymen, Néron avait eu à résoudre le problème de savoir quel mariage devait précéder l'autre. Problème d'autant plus délicat qu'aucun précédent, aucun manuel de savoir-vivre ne pouvait suggérer de réponse. Les novateurs inspirés sont fréquemment aux prises avec des embarras de ce calibre.

« Il fallait bien, fit observer Kaeso, que l'un passe avant l'autre. Si Néron vous avait épousés tous les deux en même temps, quelle tenue décente aurait-il pu revêtir ? Comment concevoir un habit de mariage qui serait masculin par-devant, et féminin par-derrière ? Sois donc un peu raisonnable !

— Une élémentaire galanterie aurait dû m'assurer la préférence. Quand les gens vont dîner chez un ménage homosexuel, c'est au giton qu'ils offrent les fleurs !

— Quels arguments le Prince a-t-il fait valoir pour t'infliger cette cruelle déception ?

— Il m'a dit : " J'ai de bons motifs de consommer à présent celle des deux unions qui marque le plus beau dédain de toutes les stupides traditions romaines. Encore un peu de temps, et les gens penseront forcément à autre chose. "

— Le choix avait donc pour lui un aspect politique. Cela devrait te réconforter. »

Sporus se tamponna encore les yeux. Son fard avait coulé sur ses joues. Kaeso l'en avertit et l'aida à faire un raccord.

« Comme tu es gentil de t'occuper de moi ! Je me sens si seul ! »

Veillé par quatre gardes du corps au sein d'une foule en proie aux délires élémentaires, le pauvre Sporus se sentait seul. Le cœur avait ses raisons que la chair ignorait.

Un peu rasséréné, Sporus dit à Kaeso : « Je suis fâché pour toi d'une nouvelle décevante. Comme je reprochais amèrement tout à l'heure à Néron de s'être ainsi exhibé avec Pythagoras durant le festin, il m'a répondu : " Il y en a d'autres que toi à être dans la peine. Kaeso m'a intimement déçu. Puisque je ne parviens pas à me rappeler ce qu'il a bien pu me faire au milieu d'une obscure bataille de polochons, je suis excusable d'en conclure qu'il n'est pas très doué. Mon amitié lui demeure acquise et ma porte lui reste ouverte, mais il n'ira pas à Antium. " »

Kaeso eut le plus grand mal à afficher une poignante tristesse. Sporus le prit amicalement par le bras et lui confia : « Tu as malgré tout 500 000 sesterces à percevoir chez le " dispensateur " impérial. Même quand on le rate, mon Prince charmant est encore généreux. Mais ce n'est pas l'argent qui devrait mener le monde. Les plus fidèles à Néron sont souvent ceux qui en ont le moins obtenu, et j'espère que tu seras de ceux-là. Que cet échec te serve en tout cas de leçon ! Les gestes les plus banals de l'amour ne s'improvisent pas dans un nuage de plumes, et moins encore les finesses entre les amants et leurs aimés, puisque l'on sort ici des rapports vulgaires où l'instinct animal sert de guide. Tu aurais passé par mes bras que tu eusses été plus brillant. »

Kaeso gémit :

« C'est trop tard ! Je sens bien que ma plus distinguée vocation est à l'eau.

— Il n'est jamais trop tard pour apprendre et se perfectionner.

— Ces quatre magnifiques gaillards te donneront plus de satisfaction qu'un apprenti.

— Mais c'est qu'ils me font peur... »

Débarrassé à grand-peine de Sporus, Kaeso s'éloigna de l'étang pour gagner la sortie, d'un pas de plus en plus léger au fur et à mesure qu'il appréciait mieux sa joie d'être désormais soustrait aux assiduités du Prince, sans que la moindre brouille en eût pourtant résulté. Les extravagances du régime risquant tôt ou tard de le mener à sa perte, il était d'ailleurs préférable de ne pas se compter parmi les familiers les plus constants de l'empereur.

Kaeso se reposa un instant sous une tonnelle, où sommeillaient un sénateur et son giton, confondus dans les replis de la même toge prétexte, et une étrange réflexion le frappa, où se mélangeaient Néron et Jésus.

La passion créatrice conduit fatalement l'artiste au mépris de toute tradition, puisque l'artiste qui croit en lui est condamné à sortir des sentiers battus pour imaginer sans cesse des formes nouvelles. En matière d'art, une fois négligés tous les critères discutables, un seul type de jugement s'impose seulement à l'évidence : cela est une copie, ceci est nouveau. Le véritable artiste, qu'il le veuille ou non, est révolutionnaire dans l'âme. Et l'on avait en Néron un improvisateur qui vivait en état de révolution permanente, cherchant toujours au-delà de ce qui avait satisfait les paresseux partisans de la routine et de la répétition.

Jésus aussi prétendait avoir apporté du nouveau, mais une fois pour toutes, puisqu'il était Dieu, et dédaignant de ce fait les recherches et les retouches. En quelques phrases, il avait brisé les traditions du peuple juif, le plus traditionnel de la terre, et proposé à tous les hommes une vérité révolutionnaire, dont aucune tradition ne pouvait se réclamer.

Néron au nom des formes et du sensible, Jésus au nom de ce qui ne se voyait point, s'étaient donné la main pour faire litière du passé, et chacun avait poussé à bout son système. Entre les exigences bouleversantes de ces deux ennemis irréductibles, existait-il un moyen terme, une zone de calme et de raison pour les hommes de bonne volonté ? Ou bien Jésus et Néron étaient-ils appelés à se battre jusqu'au triomphe définitif du vice ou de la vertu, engageant, de génération en génération, dans leur idéale querelle, des troupes plus nombreuses et moins ménagées ?

Il y avait en tout cas, entre Néron et Jésus, une ressemblance qui menaçait d'éterniser le conflit : le beau et le laid n'étaient pas du domaine des preuves ; la Résurrection non plus. Les hommes ne se battent jamais si bien que pour des causes qui dépassent toute expérience.

Kaeso songea longtemps. Néron le dégoûtait et Jésus le dérangeait. Il était d'ailleurs possible, et même probable, en raison du caractère excessif des deux prétendants, que leur guerre avorte ou ne soit qu'un feu de paille. L'important était de rester prudemment sur les gradins de l'arène.

Une certaine fraîcheur tombait, qui annonçait l'aube, et le sénateur se réveilla un bref instant pour recouvrir d'un pan de toge les épaules de son garçon, qui frissonnait.

Le long d'une allée adjacente, Cethegus et un aide, qui remorquait un bouc, marchaient vers la Ville endormie après une nuit de plaisir. L'animal semblait fatigué et tirait sur sa laisse. Plus humains que les béliers, les boucs, comme les chiens, pouvaient se laisser abuser par des femmes expertes, et Tigellin, dans son ardeur de perfection, avait dû veiller à ce que ne manquent de rien les matrones dégradées à l'affût de sensations inédites. Séléné avait un jour raconté à Kaeso que, chez les nomades d'Orient ou d'Égypte, les femmes s'accouplaient avec des boucs lorsque les hommes étaient aux pâturages, où ils se soulageaient eux-mêmes, à l'occasion, dans le vertigineux vagin des juments en chaleur. Et elle avait prétendu que la coutume juive de chasser vers le désert un bouc chargé des péchés d'Israël trouverait sa lointaine origine dans cette bestiale licence des Juives trop souvent négligées. Bien sûr, les femmes avaient toujours tort, et il était moins cher de sacrifier un bouc qu'une jument !

Kaeso faillit courir vers Cethegus pour l'interroger sur le beau vieillard à barbe blanche, mais sa méfiante curiosité lui fit honte, et il ne bougea point. Au fond, il craignait d'apprendre ce qu'il ne savait déjà que trop : Séléné ne l'aimait pas et ne l'aimerait sans doute jamais. Une malédiction était sur lui. Ardemment désiré par la Grèce et par Rome, il avait dû refuser le grand amour de Marcia, et sa propre passion pour Séléné semblait sans issue. Le Ciel le punissait-il ainsi d'avoir repoussé Marcia et de n'avoir pas consenti en faveur de son père le sacrifice dérisoire qui avait finalement prolongé l'existence inutile d'une Cypris ?

Rentrant vers le Caelius, Kaeso fit sur l'amour des réflexions nouvelles. Assurément, l'amour le plus clair et le meilleur était celui où le sexe n'avait point de part. Jésus l'avait affirmé, et Platon l'avait pressenti. Il était dès lors tentant de réduire l'amour physique à ses plus humbles et plus banales satisfactions. Tout le malheur des amoureux ne venait-il pas de ce qu'ils s'efforçaient de sublimer ce qui aurait pu demeurer terre à terre, comme des gastronomes fétichistes, qui, au lieu de manger sans façon, fussent tombés à genoux devant un quartier de viande analogue à tant d'autres? Les vieilles traditions romaines donnaient en la matière une leçon de simplicité et de bon sens à qui était encore susceptible de la suivre. Il était quand même impensable qu'une Séléné osât se refuser indéfiniment à un Kaeso!

Le malheur était que le jeune maître imprévoyant n'avait plus aucun droit de contraindre la rétive. Les affranchies étaient légalement moins gâtées encore que leurs homologues mâles. Astreintes comme ces derniers au respect du patron et à toute espèce de service, elles trouvaient en outre dans leur ancien maître un tuteur juridiquement capable de contrôler leur mariage et leur testament. Le droit de tester à peu près librement n'avait été accordé, pour encourager la natalité, qu'aux mères de quatre enfants. Mais les affranchies couchaient en principe avec qui elles voulaient! « Dura lex, sed lex. » Le temps était bien passé où les patrons avaient pouvoir de vie et de mort sur leurs affranchis.

De retour à l'aube, Kaeso se trompa de chambre, pour constater que Séléné et Myra dormaient dans les bras l'une de l'autre, spectacle qui pouvait certes être innocent, mais qui acheva de le mettre de mauvaise humeur. Si Kaeso négligeait Myra et si Séléné le négligeait, ce n'était pas un motif pour qu'elles se rapprochent à ce point!

Cinq jours s'écoulèrent, durant lesquels l'atmosphère de la maison fut lourde. Kaeso n'osait brusquer Séléné, à qui il lançait, selon les heures, des regards de bouc ou de chien couchant, tandis que Myra se faisait plus petite encore que de coutume.

Séléné, avec un calme impressionnant, jouait à l'affranchie modèle. Elle avait pris la maison en main, où tout était dans un ordre parfait, où la table elle-même était excellente. Elle avait sur les esclaves non seulement une naturelle autorité, mais aussi celle qui découlait d'une longue expérience de toutes les ruses de la gent servile. Elle était partout et avait l'œil à tout. Ayant un soir surpris un valet, une main fureteuse au derrière complaisant d'une fille de cuisine, elle fustigea en personne main et derrière coupables, pour bien faire comprendre à tous que les heures de travail étaient sacrées. Kaeso n'avait plus qu'à se laisser vivre, tandis que Néron, en robe diaphane, inaugurait à Antium l'ère nouvelle d'une homosexualité conjugale qui aurait dû déboucher sur une ordinaire trigamie. Car le Prince n'était pas moins porté sur les épouses. Après la mort de Poppée enceinte, dans le courant de l'année suivante, il épouserait Statilia Messalina, qui servirait en Grèce de témoin, avec une douce philosophie, au mariage de Néron et de l'aimable Sporus. Si la mode s'était lancée, les juristes auraient eu du travail ! En attendant, Kaeso n'avait ni femme, ni amant, ni giton, et il se desséchait d'amour frustré.

Dans la matinée du XV des Kalendes d'août, anniversaire du désastre de l'Allia, qui avait jadis conduit Brennus jusqu'aux murs du Capitole, Kaeso pensa à se faire remettre la fameuse torque que Silanus lui avait léguée, et qui se révéla être un collier en or tressé d'une barbare beauté. L'objet lui inspira des méditations amères. Qu'aurait fait Manlius Torquatus si une esclave qu'il venait d'affranchir lui avait insolemment refusé la moindre complaisance ? Kaeso était-il un amoureux ou un imbécile ? Il demandait bien peu de chose, en somme, à une fille, qui, à défaut des sentiments qu'elle aurait dû ou pu nourrir, ne devait plus en être à un homme près.

Marcia aussi avait sollicité ce bien peu de chose de Kaeso, et elle ne l'avait pas obtenu. Mais Kaeso ne faisait pas le rapprochement. Pour la première fois, il marchait, et en aveugle, sur les traces libidineuses de son malheureux père.

Sous prétexte de respect, Séléné avait obstinément refusé de s'allonger sur le triclinium du jardin au côté de Kaeso. Elle mangeait assise sur une chaise, ce qui lui offrait plus de liberté pour veiller au service, mais n'était pas fait pour mettre Kaeso de bonne humeur, un tel refus en laissant présager bien d'autres.

Le dîner du XV fut particulièrement maussade. Depuis midi, soufflait un vent du sud torride et énervant, qui avait fait hésiter à manger au jardin, et l'on avait dû accumuler des provisions d'eau, car les centaines de châteaux régulateurs de la Ville étaient devenus aussi insuffisants que capricieux. Myra, encouragée en sous-main par Séléné, avait soigné sa mise et s'efforçait d'attirer l'attention du maître par des coquetteries maladroites. Elle savait bien que le mal d'amour ne passe qu'avec le temps, mais elle s'obstinait par humble sympathie.

A la fin du repas, elle chantonna pour Kaeso un refrain grec de Canope, que Séléné lui avait appris sur l'oreiller, et dont la mélancolique obscénité réduisait la crise amoureuse à ses proportions les plus modestes :

Apprenez, ô amants moroses,
Qui cherchez un vain Paradis,
Que la nuit tous les chats sont gris,
Et le jour toutes chattes roses.

Le crépuscule tombait. On était entre chats et chattes. Pour s'encourager à l'attentat qu'il préméditait, Kaeso avait bu, en dépit de sa conscience, qui lui chuchotait sourdement : « Attention ! Jusqu'à présent, tu as pu commettre des fautes, mais qui n'avaient point de bas motifs. Tu t'apprêtes à perpétrer tout à l'heure le péché le plus abominable, celui dont rougirait un Néron : blesser une Liberté que tu viens de sculpter de tes propres mains. Le Ciel ne le souffrira pas. »

Le refrain tapa sur les nerfs tendus de Kaeso, qui renvoya Myra d'un geste, et dit à Séléné, plaidant le faux pour mieux s'assurer du vrai :

« J'ai rencontré naguère Cethegus aux jardins en folie d'Agrippa. Tu n'es ni chrétienne ni baptisée.

— Cela vaut mieux que d'être baptisé sans être chrétien !

— Tu avoues donc ton mensonge ?

— Je n'ai point menti, et pour deux bonnes raisons : d'abord, j'ai menti par politesse ; et ensuite, tu n'as pas été assez borné pour me croire, puisque t'est venue — à ce que tu racontes du moins — l'idée superflue de vérifier.

— En un mot, tu voulais me ménager amicalement ?

— Amicalement, en effet. Quel rapport entre la reconnaissance et l'amour ?

— La liaison peut se faire chez certaines femmes — surtout lorsque le prétendant a quelques qualités.

— Tu les as toutes, mais avec le défaut d'être un homme, dont je me plais à reconnaître que tu n'es pas responsable.

— Quelle largeur d'esprit ! »

Séléné se leva de sa chaise, vint s'asseoir au bord du lit de Kaeso, et lui dit :

« Si ta vue n'était pas troublée par ce qu'on appelle l'amour, tu aurais plus d'intelligence qu'il n'en faut pour me bien comprendre. J'ai été jetée en pâture aux hommes alors que j'étais encore toute jeune, et ce que tant d'hommes ont détruit en moi, il n'est pas au pouvoir d'un homme, fût-il Kaeso, de le rétablir. La liberté, à mes yeux, c'est d'abord l'espérance qu'aucun homme ne me touchera plus contre ma volonté. Et ma volonté est que plus aucun homme ne me touche.

— Ce que tu me dis là ne me surprend guère, mais...

— Quel " mais " pourrait-il y avoir après cela ?

— Je ne te demande point de jouir entre mes bras comme une bacchante échevelée ! Je ne suis pas moi-même obsédé par les manifestations physiques de l'amour. Parce que je penserais trop, s'il faut en croire Myra ! C'est un fait que je suis sans cesse déçu. Ce que je ressens n'est jamais à la hauteur de ce que j'avais espéré. Tu vois que je ne serais pas pour toi un amant ou un mari bien exigeant. Je te demande seulement de me permettre de t'aimer en ami tendre et respectueux. Et je me disais, puisque tu prétends de ton côté avoir quelque amitié à mon égard, que tu pourrais peut-être te forcer un rien pour accueillir mes approches aimantes, après t'être forcée beaucoup pour souffrir des agressions brutales. »

Séléné ébouriffa gentiment d'un revers de main les cheveux de Kaeso...

« Sais-tu que tu plaides comme un rhéteur d'Athènes ? Mais un rhéteur novice, car tes arguments se retournent contre ta propre cause. Pourquoi me forcerais-je un rien, si c'est pour toujours te décevoir ? Et en effet, il ne saurait en être autrement. Ce n'est pas ta Séléné que tu désires : tu recherches en ma personne, comme Narcisse au fond de l'eau, le reflet de ta troublante image, et tu t'y noierais avant de la saisir. Je ne peux rien pour toi. En vérité, malgré de flatteuses apparences, nous ne sommes faits pour l'amour ni l'un ni l'autre.

« Mais tout ce qu'une femme peut offrir en dehors d'elle-même, je serais heureuse de te le donner. Aie donc la sagesse de te satisfaire du possible, et cesse de poursuivre un mythe ! »

Séléné se leva et Kaeso lui lança :

« S'il y a du vrai dans ce que tu dis, et ta connaissance des hommes me le donne à croire, j'ai intérêt à détruire le mythe, à être déçu le plus tôt possible. Considère-moi donc, je te prie, comme un malade qu'il faut guérir. Tu m'as déjà administré avec art un plaisant remède, qui a dû mettre la cure en bonne voie. Couchons encore deux ou trois fois, je me porterai de mieux en mieux, et nous n'en parlerons plus. C'est là pour un patron une exigence bien modeste.

— Un patron n'a rien à exiger de ce genre.

— La plupart des patrons ne se gênent pas pour coucher avec les affranchies qui leur plaisent.

— Parce qu'ils les persécutent jusqu'à ce qu'elles cèdent. Après tant de protestations, tant de preuves d'amour, serais-tu d'humeur à me persécuter, par hasard ?

— Ces protestations, tu les as écoutées, ces preuves, tu les as reçues ! Et bien contente, encore !

— J'étais esclave et j'avais ma vie à sauver. A présent, je suis libre et je me porte bien. »

Là-dessus, Séléné monta se coucher sans Kaeso, dont l'exaspération croissait.

Myra reparut en rasant les murs, et suggéra timidement :

« Séléné est de mauvais poil, ce soir. Puis-je dormir avec toi ?

— Ne sois pas hypocrite ! Tu ne crains point de déranger Séléné, et dormir en ma compagnie ne t'importe guère. Si tu me fais les yeux doux, c'est seulement pour me dissuader d'ennuyer Séléné, qui se moque de moi.

— Séléné est de taille à se défendre toute seule ! »

Il suffit de cette remarque anodine pour précipiter Kaeso dans l'escalier. Il ouvrit en coup de vent la porte de la chambre de Séléné, qui se brossait les cheveux à sa toilette, et sur le ton d'un Manlius Torquatus au débotté : « Cessons cette comédie ! Je t'aime et je te veux ! Déshabille-toi ! »

Séléné s'était retournée et elle rétorqua froidement :

« Il faut encore que je me déshabille moi-même ? Comme ton père m'en a aussitôt donné l'ordre la première fois qu'il m'a vue ? Et si je m'y refusais ?

— Tu sais bien que je te posséderai tôt ou tard. Pourquoi pas tout de suite ? Les mânes de mon père s'en accommoderont. »

Séléné pesa le pour et le contre. Elle sentait une grande lassitude l'envahir, et elle craignait pour les 100 000 sesterces en souffrance chez rabbi Samuel, qu'elle avait déposés alors qu'elle était esclave et que Kaeso aurait pu lui disputer.

Elle se résigna enfin et dit : « Tu m'as parlé de deux ou trois fois, le temps de te décevoir. Ne serait-il pas dès lors tout indiqué que tu me donnes une somme convenable pour ces thérapeutiques faveurs ?

— Je n'accepte pas d'être déçu à ce point !

— Alors, tu en auras pour ton argent. »

Séléné commença de se déshabiller avec lenteur, rangeant au fur et à mesure ses affaires avec soin. Kaeso avait envie de pleurer, et il détourna son visage.

Soudain, par la fenêtre grande ouverte, Kaeso aperçut des flammes immenses à la « tête » semi-circulaire du Grand Cirque, là où l'on avait entreposé récemment un surcroît de madriers de chêne ou de résineux pour réparer l'immense édifice en prévision des Jeux Apollinaires. Par-derrière le Palatin, dans la dépression de la Murcia, les superstructures du Cirque devaient déjà être en feu, car d'épais nuages de fumée noire étaient apparus au-dessus de la colline pour filer vers les Vélabres, effilochés par le vent. Et de la « tête » du Grand Cirque, un mur de feu avançait à vue d'œil vers le Caelius, prenant à revers le Palatin par l'est. L'envergure du sinistre était stupéfiante, et il avait fallu toute la fascination exercée par Séléné pour que Kaeso se rendît compte si tard de la catastrophe, d'autant plus qu'une vaste rumeur allait s'amplifiant.

Séléné s'approcha nue de la fenêtre. La lune avait été pleine la nuit précédente, et il faisait plus clair sur la Ville que dans la pièce, où ne brûlait qu'une faible lampe. Mais bientôt, du train où allaient les flammes, Rome n'aurait plus besoin de lune pour être illuminée.

Un moment, Séléné contempla le spectacle avec une joie sauvage, qu'elle ne parvenait pas à dissimuler. Et elle finit par déclarer, en se flattant négligemment le sexe : « Eh bien, je crois que tu me posséderas un autre jour. Les chrétiens ont dû foutre le feu à Rome pour t'empêcher de fauter. Il est temps que je me rhabille... » L'accusation de Séléné n'avait que les apparences de la boutade. La Providence remuait des montagnes durant des siècles pour accoucher d'une souris, dont le cri interrompait une prise d'auspices et mettait ainsi en panne la politique d'un grand État.

La jubilation de Séléné étonnait Kaeso...

« Tu jouis de m'échapper ou de voir brûler Rome ?

— Les deux sont bons à prendre.

— Si je t'ai blessée par mes ardeurs, que t'a fait Rome ? Si Rome n'était pas là, le sort des Juifs, exposés à tant de haines, ne serait-il pas encore pire ? Les Romains brident peut-être l'espèce, mais ils la conservent.

— Qui a jamais remercié d'une bride ?

— L'animal intelligent, qui se ferait dévorer en liberté. »

Derrière la porte, les esclaves affolés gémissaient. L'incendie, poussé par un vent du sud qui ne voulait pas faiblir, risquait d'atteindre en quelques heures le Caelius, où la densité des maisons était moins grande qu'en contrebas, mais où de nombreux pins maritimes lui donneraient un aliment supplémentaire. Kaeso entrouvrit la porte de la chambre pour ordonner aux esclaves de réunir tous les objets précieux.

Myra, qui avait profité de l'occasion pour forcer le passage, attendait un réconfort de Kaeso, comme si la situation était à l'échelle humaine. Kaeso ne pouvant que soupirer, elle aida Séléné à se rhabiller, glissant parfois un regard de reproche vers son maître abusif.

« Je n'ai pas touché à Séléné, lui dit Kaeso. Elle ne s'était mise toute nue que pour mieux jouir de la pénétrante tiédeur de l'incendie. »

Séléné ricana : « Les Romains ont construit partout des villes, qui ne profitent qu'aux riches et aux mendiants. Qu'ont-ils donc apporté aux autres ? Qu'est-ce que la majorité de la population aurait à perdre à voir brûler toutes ces cités qui ne servent qu'à gaspiller ce que les campagnes produisent ? »

Kaeso répliqua : « A ce compte-là, à quoi sert donc Jérusalem ? »

La maison de Cicéron avait déjà sombré dans les flammes, et le feu, qui avait débordé par l'ouest le Grand Cirque, progressait vers le Tibre. L'avance semblait irrésistible.

Au milieu de la nuit, le Vélabre inférieur était attaqué, une notable partie du Palatin flambait, et l'incendie ravageait, au pied du Caelius, les « Vieilles et Nouvelles Curies ». Kaeso jugea prudent d'abandonner la maison avant qu'un afflux de réfugiés ne vînt gêner le départ, et il monta avec sa « familia » jusqu'au grand ludus pour y demander un asile provisoire. C'était d'ailleurs là que se trouvait encore la majeure partie de son argent immédiatement disponible. Ce n'était pas le moment d'aller chercher 500 000 sesterces au Palatin !

Laissés sans ordres, les gladiateurs s'étaient résolus, malgré les furieuses protestations des habitants, à abattre les maisons qui jouxtaient la caserne pour faire barrière au feu, qui ne cessait de gagner vers le nord, quoiqu'un vent d'est un peu moins violent eût succédé au vent du sud. Kaeso, en remerciement de l'hospitalité accordée, participa au travail de destruction avant de prendre quelques heures de sommeil. Sa jambe le faisait encore souffrir.

Dans une atmosphère de four, obscurcie par les fumées sans cesse renouvelées, on eut du mal à distinguer l'aube.

Rome brûla sans interruption durant près de sept jours, le temps qu'avait patienté Yahvé pour créer le monde à partir d'une énergique lumière. Une fois un bon départ assuré par les soins de Tigellin et de ses hommes de confiance, il avait suffi de laisser courir le monstre, attisé par des vents dominants du sud ou de l'est.

Le feu s'était rué d'abord sur les quartiers bas de la Ville, où l'entassement des « insulae » de part et d'autre de voies étroites et tortueuses avait excité ses constants progrès. Prenant son temps pour venir à bout des palais et des « villae » du Palatin, il avait foudroyé les Carènes, embrasé les Forums, atteint le fleuve pour s'en donner à cœur joie dans les régions des Vélabres et de Subure, tandis que des retours de flammes, lorsque le vent soufflait de l'est, faisaient brûler par à-coups l'Aventin et les docks, régions industrieuses où de nombreux dépôts offraient une mine inépuisable de combustibles.

Puis l'incendie s'était attaqué en force à toutes les hauteurs environnant les cuvettes infernales, à commencer par le Caelius, qui était le plus proche du foyer et avait de ce fait terriblement souffert, poussant plus tard des pointes agressives à l'assaut de l'Esquilin, du Viminal, et du Quirinal, mais avec des succès limités. La population riche ou aisée de ces hauteurs était répartie selon un habitat plus dispersé et ne manquait pas d'une main-d'œuvre qui avait eu le temps de s'organiser. Les dégâts avaient cependant été immenses chez quelques-uns. Quant au Capitole, où Tigellin avait prudemment concentré l'élite des Vigiles, il avait été à peu près épargné.

Dans les deux derniers jours, les flammes avaient achevé leur œuvre à travers les énormes charpentes des temples et monuments publics et les « emporia » bondés de la zone sud.

Au matin du VIII des Kalendes d'août, vingt-cinquième jour de juillet, le vent tomba, le feu parut maîtrisé, et l'on n'imaginait pas que le désastre pût être pire. Mais en fin d'après-midi, la splendide villa que Tigellin s'était adjugée hors les murs, dans le quartier Aemilien, entre le pied du Quirinal et les « Septa Julia », s'enflamma comme une torche, le feu se propagea à toute la région, et l'on n'en vint à bout que dans la matinée du VI. Le gracieux Portique de Pola, l'immense « Diribitorium », bâti pour distribuer la paye des soldats, avaient été incendiés, et le sinistre s'était étendu, au nord du Palatin, jusqu'au Cirque Flaminius, réduit à ses fondements. En somme, huit journées et une dizaine de nuits d'épouvante. Sur les quatorze régions administratives que comptait Rome, dans les murs, hors les murs ou à cheval sur les vieux murs de Servius, trois avaient été complètement anéanties, et sept, en grande partie détruites. Deux, « Esquilin » et « Quirinal », n'avaient été atteintes que marginalement, et deux seulement étaient indemnes : « Trastévère », sur la rive droite défendue par le Tibre, et « Porte Capène », située à l'extérieur des murs et en amont du Grand Cirque par rapport à la direction des vents qui avaient la plupart du temps favorisé la propagation du feu. Une bonne moitié des 4 000 jugères [1] plus ou moins construites avait été la proie du gigantesque brasier, mais les deux tiers au moins des habitants étaient touchés, car c'étaient les zones basses les plus peuplées où les ravages avaient été les plus complets. Le nombre incroyable des sans-abri semblait avoisiner le million.

Aux yeux d'un empereur — anormalement prévoyant pour un artiste — désireux d'exproprier sans frais afin de faire le bonheur des architectes et de créer une Ville de rêve, c'était là un remarquable résultat, et qui dépassait même toutes les espérances. Tigellin, pourtant aussi pessimiste que les chrétiens sur la nature humaine, avait bien prévu qu'un grand nombre de Romains collaboreraient de tout cœur à son œuvre, mais il n'aurait jamais pensé qu'ils fussent si nombreux. Quel policier pouvait se flatter de connaître vraiment les bas-fonds d'une grande cité ?

Lors de chaque incendie ordinaire, un peuple ignoble surgissait de l'ombre, à l'affût d'une bonne occasion de vol et de pillage. Mettant à profit le désordre, on offrait, on imposait son aide, pour mieux chaparder et rafler tout ce qui se présentait. Et les plus courageux des sauveteurs s'efforçaient sournoisement de donner un coup de pouce afin que les flammes étendissent leur action de manière plus fructueuse. Les Vigiles étaient sans cesse débordés par le nombre et l'insolence de ces abominables gredins. Et quand il ne restait plus que

1. Un millier d'hectares.

quelques pans de murs, un gredin d'une autre espèce envoyait aux sinistrés dans la peine un homme d'affaires aimable, qui achetait comptant à vil prix l'emplacement convoité pour une construction spéculative. Un Crassus, le glorieux vainqueur de Spartacus, avait autrefois fait fortune avec les incendies chroniques — à se demander s'il n'en avait pas allumé quelques-uns !

Pour la tourbe la plus basse et la plus misérable de ces parasites incendiaires, le grand œuvre de Néron avait été le signal d'une mobilisation générale et enthousiaste. De tous les trous de la Ville, des processions de rats étaient sorties pour mettre la dent au fromage avant qu'il ne soit fondu. Ces bons à rien prêts à tout guettaient, à la sortie de sa maison ardente, le bourgeois chargé d'or et abandonné par ses esclaves, qui se cramponnait désespérément à son sac tandis que l'on violait à la va-vite sa femme ou sa fille ; ils jetaient des torches par les fenêtres ou dans les cages d'escalier pour débusquer le gibier plus vite ; ils pillaient ce qui brûlait encore ou ce qui venait d'être abandonné ; ils s'introduisaient en force dans les demeures les plus modestes et les plus accessibles pour en presser l'évacuation à coups de pied au derrière, criant que le Prétoire ou le Préfet des Vigiles leur en avait donné mandat.

Et à tous ces habitués des flammes, à tous ces spécialistes du malheur public, étaient bientôt venus se joindre une nuée d'amateurs occasionnels : des boxeurs ou gladiateurs de rebut, des déserteurs, des esclaves fugitifs, des mendiants, toutes les catégories d'assassins ou de voleurs que Rome pouvait receler dans ses flancs, et il en était arrivé chaque jour en renfort des environs. Après la fête du sexe des jardins d'Agrippa, c'était la fête du feu pour tous ceux qui n'avaient à perdre ni logis ni famille.

Afin de poursuivre et d'achever le travail de Tigellin, la Rome de l'ombre, avec un sentiment de haine et de vengeance longtemps contenu, s'était spontanément précipitée dans la lumière et les fumées de ce prodigieux sacrifice.

Au sein de sa villa d'Antium, merveille des merveilles, où s'étalaient avec une extraordinaire profusion les plus célèbres chefs-d'œuvre de l'art grec, la jeune mariée Néron avait remis la main à sa *Troïca* avec tant d'ardeur qu'elle en oubliait ses pédérastiques devoirs conjugaux. Une question de première importance tracassait le Prince, laquelle tenait à la création littéraire, et plus particulièrement poétique. Dans quelle mesure le génie était-il tributaire d'expériences, de passions originales ? L'imagination trouvait-elle sa source dans un contexte quelconque, ou bien dans les replis les plus mystérieux de l'être ? Néron était frappé de constater qu'un Virgile avait mené une vie tout à fait plate, sans parler d'un Horace, fils d'un affranchi qui s'occupait de ventes aux enchères ! Si le génie et l'imagination dépendaient de facteurs extérieurs favorables, un Néron n'aurait-il pas dû l'emporter de très loin sur tous ses rivaux ? Quelle vie plus riche et plus excitante que la sienne ? Et c'était là que le grand incendie de Rome prenait une place des plus intéressantes dans les impériales préoccupations. Il aurait valeur de test incomparable. Une foule de poètes petits et grands avaient déjà décrit de vastes cités en flammes sans jamais en avoir vu dans cet état privilégié. Néron, lui, verrait bien si, après avoir contemplé Rome au moment le meilleur, dans un océan de feu, ce spectacle unique et à jamais mémorable aurait ou non une influence décisive sur la qualité de ses vers. Et après tout, même si l'épreuve laissait à désirer, Rome n'aurait pas brûlé pour rien...

Ces considérations découragèrent le Prince de polir son ouvrage plus avant, et il quitta l'épopée pour des odes de circonstance. Lorsqu'on le prévint que l'incendie s'était déclaré, il était en train de travailler, devant une mer étale, à une petite ode en archiloquiens majeurs et sénaires ïambiques catalectiques alternés [1] où il reprochait au dieu Tibre d'avoir laissé Rome périr faute d'eau. A cette nouvelle capitale, le Prince pâlit, gémit et porta la main à son cœur. Tigellin et lui étaient naturellement les seules personnes dans le secret — en dehors des exécutants subalternes.

Plusieurs jours durant, l'empereur trompa dans la poésie sa fébrile impatience de monter vers Rome pour jouir de la tragédie nouvelle avec un regard neuf. Embusqué dans son camp prétorien sous un ciel lourd de fumées, Tigellin le tenait d'heure en heure au courant des progrès de la mise en scène, de façon que son Maître, sublime acteur sur le plus immense des théâtres, fît son apparition à l'instant où le décor serait poussé au plus beau ; mais Néron ne pouvait arriver trop tôt, du seul fait qu'il devait se présenter en sauveur et qu'on lui aurait alors reproché son inaction.

C'est seulement le cinquième jour, peu avant midi, que le Prince, qui avait contourné la Ville par l'est, car il n'était plus question d'y accéder par le sud, arriva aux jardins de Mécène, passé la Porte

---

1. Rien que pour la confection de l'ode, le poète latin classique avait le choix entre neuf principaux vers différents : l'adonique, le glyconique, le phérécratien, le saphique, l'alcaïque, l'asclépiade majeur ou mineur, l'archiloquien et le sénaire ïambique catalectique... Les strophes les plus usitées étaient au nombre de trois (la saphique, l'alcaïque et l'asclépiade B), et, à l'intérieur de chacune, le type et la disposition des vers constitutifs étaient obligatoires. On se trouvait là aux antipodes de la négligence romantique ou de l'écriture automatique surréaliste.

Le triomphe du barbare accent tonique sur le délicat mécanisme des longues et des brèves portera un coup fatal à la poésie européenne, condamnée dès lors à une certaine monotonie, malgré l'invention palliative de la rime.

Esquiline, au sommet de la colline du même nom. L'ami d'Auguste et de Virgile y avait autrefois fait édifier une tour belvédère, d'où l'on découvrait alors toute une Rome paisible.

L'empereur, sa cithare en main, gravit rêveusement les marches de l'observatoire et demeura longtemps muet devant la fantastique vision. La Rome populaire des anciens marécages n'était plus guère que braises rougeoyant au vent. Aventin et Caelius étaient couronnés de flammes, qui commençaient de lécher les autres collines. Tout un peuple de locataires besogneux, poursuivi par le feu et par les pillards, avait reflué vers le Champ de Mars dans un insondable désordre. Et au pied de la tour, les Germains, qui tenaient à distance jusqu'aux amis les plus intimes du Maître, étaient en passe de deviner que les civilisations sont peut-être mortelles.

Sur les ruines accumulées de sa patrie, Néron pleura avec une émotion qui n'était pas entièrement feinte, et il plaqua quelques accords. Mais l'inspiration le fuyait. De toute évidence, la singularité du poète était d'ajouter aux apparences un essentiel qu'il ne pouvait puiser qu'en lui-même, et la tâche était d'autant plus indicible que les apparences étaient plus extraordinaires. Quel génie aurait pu dominer et traduire une telle situation ? Impuissant devant son chef-d'œuvre, au comble d'une décevante solitude, Néron pleura pour de bon.

V

Dès que Néron fut descendu de son observatoire, il dépensa durant des journées entières la plus superbe activité pour remédier généreusement à ce qui pouvait paraître sans remède. Au risque que les sauveteurs fussent confondus avec des incendiaires, il ordonna d'allumer des coupe-feu dans le bas Esquilin. Il fit ouvrir à la multitude hébétée tous les jardins disponibles, tous les monuments encore debout, et jusqu'au Panthéon d'Agrippa ! Pour loger les errants, il veilla de près à la construction de baraquements sur les espaces libres du Champ de Mars. Des meubles furent apportés d'Ostie et des municipes voisins. L'approvisionnement de la Ville en denrées de première nécessité fut assuré, le prix du blé, abaissé à trois sesterces. Et toutes les forces disponibles fondirent sur la racaille pillarde pour alimenter les Jeux futurs.

Non sans peine, Tigellin avait obtenu de brûler en supplément le quartier émilien où il logeait, mais son argument avait porté : « Pour te faire un bon alibi, divin démiurge, nous avons sacrifié tes palais de la colline palatine. N'aurais-je pas le droit d'être respectueusement ton frère d'infortune ? » Et avait donc flambé, de proche en proche, au pied des murailles de Servius, sous une brise encore favorable, la partie la plus urbanisée du Champ de Mars.

La popularité du Prince, plus attentif que ses prédécesseurs aux intérêts matériels de la plèbe, était heureusement au plus haut. Néron, luttant en personne contre les flammes dévorantes sur le front nouveau du Cirque Flaminius, avait été acclamé comme jamais, et de partout, des mains suppliantes et confiantes s'étaient tendues vers lui. Le plus beau titre de gloire des gouvernements qui ont déchaîné des catastrophes est de les pallier avec cœur et panache.

Le grand ludus, tel un navire de pierre ancré dans une tempête de feu, avait subi sans dommage ces journées critiques. Avec une prévoyance toute militaire, après avoir brutalement abattu les maisons des alentours, des gladiateurs étaient allés faire main basse sur quantité de victuailles au grand marché que Néron avait fait aménager sur le Caelius, près des jardins et de la villa des Annii, où devait naître un jour Marc Aurèle, tandis que d'autres complétaient les provisions d'eau. Dans une atmosphère de fin du monde, on avait passé son temps à festoyer, à paillarder et à dormir, ne se mettant debout que pour veiller au feu ou massacrer tout ce qui prétendait entrer de force pour camper sur l'arène d'entraînement, car les sinistrés étaient difficiles à distinguer des bandits.

Au bout de cinq jours de ce régime, le bruit s'étant répandu que Rome avait été anéantie et le feu cernant le ludus de tous côtés, on avait oublié qu'il pût y avoir des lois, et les appétits primitifs s'étaient déchaînés. La beauté de Séléné avait frappé tout le monde. Le soir des fêtes de Neptune — mais qui songeait encore au calendrier ? — quatre gladiateurs parmi les plus célèbres, contrairement à toutes les traditions, enlevèrent Séléné sous les yeux de Kaeso, pour se la disputer avec d'autant plus d'ardeur que, par la force des choses, l'un des quatre était sans cesse inoccupé. L'autorité d'Atimetus ou des lanistes n'était plus qu'un souvenir, et personne ne se souciait de rendre justice à Kaeso, qui ne pouvait que ronger son frein. Mais à sa légitime fureur, se mélangeait une sombre satisfaction, car il était enclin à voir dans l'accident une providentielle punition pour l'ingratitude dont Séléné l'avait accablé. Myra, qui n'avait pas les mêmes raisons de se faire intimement complice du forfait, pleurait et s'offrait à remplacer Séléné, mais on lui riait au nez.

Le matin où le sinistre parut enfin apaisé et circonscrit, le vent de folie tomba d'un coup, l'ordre fut rétabli, et Atimetus se borna à faire passer par les verges des coupables dont la mort eût été trop dispendieuse et regrettée du peuple. Séléné, au sortir de la multiple épreuve, semblait inaltérable. Elle dit à Kaeso : « Tu peux constater quels sont les surprenants progrès de ma dignité. Si j'avais encore été esclave, tu aurais touché un dédommagement en argent. Mais à présent, puisque tu m'as affranchie, tu n'as plus à espérer que ces mêmes verges qui te menacent si tu oses me toucher. » Les mauvais sentiments de Kaeso étaient sanctionnés par l'une de ces phrases percutantes dont Séléné avait le secret. Contrairement à toute masculine logique, plus on abusait d'elle, moins Kaeso y avait droit. C'était à devenir enragé !

Avec d'autres gladiateurs, Kaeso fut réquisitionné le jour même pour rétablir l'ordre, et bientôt, pour régler l'évacuation des victimes du dernier exploit de Tigellin.

Pour tous ceux qui y avaient vécu, qui y avaient des souvenirs, qui s'étaient attachés à ses traditions, Rome présentait un spectacle poignant, qui faisait irrésistiblement songer à l'Apocalypse prédite sans relâche par les chrétiens. Les régions basses les plus éprouvées étaient aussi celles qui avaient compté le plus grand nombre de monuments vénérables. La plupart des temples et des basiliques n'étaient plus que ruines calcinées, le sanctuaire de Vesta et le testament de Kaeso étaient partis en fumée, et, au Champ de Mars, l'incendie du Cirque Flaminius s'était communiqué au temple de Jupiter Stator, qui dressait un reste de mur noirci près des thermes d'Agrippa à peu près intacts. Subure était tombé en cendres tièdes, et l'on aurait eu du mal à retrouver l'emplacement de l'insula de Marcus, où Marcia avait tant d'années veillé sur Kaeso. La plupart des Romains qui avaient échappé à une crémation prématurée ou à un assassinat crapuleux semblaient déambuler au hasard comme des spectres sortis des tombeaux, ou bien fouillaient les décombres avec une mine hagarde, à la recherche d'un passé enfoui et disparu.

Dans les jours qui suivirent le cataclysme, on vit une foule de manœuvres tracer déjà au travers des ruines un nouveau réseau de communications, dont la largeur avait de quoi étonner, et l'on s'occupait en même temps de déblayer les places anciennes, de les augmenter et même d'en créer d'autres, plus ambitieuses encore. Le plan mûrement médité se réalisait enfin avec l'empressement et l'ardeur de la foi, sous l'œil passionné d'un Néron visionnaire.

Libéré de ses obligations accidentelles, Kaeso utilisait ses loisirs à faire à Séléné une cour désormais plus suppliante que menaçante, ayant recours pour la fléchir à toutes les ressources de son esprit et de son cœur, mais on le traitait comme un enfant gâté et capricieux.

En compensation de l'injure subie, Kaeso avait été autorisé à demeurer au ludus avec sa « familia » jusqu'à la fin du mois, car, naturellement, sa maison des premières pentes du Caelius avait brûlé de fond en comble.

Dans la matinée du III des Kalendes d'août, on offrit le sacrifice traditionnel à la « Fortune de ce Jour » sur son autel du Champ de Mars, première manifestation d'une vie religieuse qui demandait à reprendre avec d'autant plus de ferveur que le malheur avait été plus grand. Le jour où il détruisit les Cimbres, Marius avait voué à cette Fortune un temple, qui venait de flamber entre la maison de Cicéron et la Palestre Palatine. Pour se porter chance, les Romains avaient multiplié les temples à la Fortune : Fortune de Hasard, Fortune de Lucullus [1], Fortune Équestre, Gluante, « Obsequens », Publique, Privée, Vierge, Virile... Il y avait même une Fortune tout court, et la Fortune Primigénie avait deux temples pour elle seule. Une solen-

1. Converti plus tard en l'église de Sainte-Marie-l'Égyptienne.

nelle invocation à cette « Fortune de ce Jour », dont on avait tant à se plaindre, parut de bon augure.

Ce fut le début d'une rage de sacrifices, où les Arvales mangèrent chacun comme quatre, car Rome n'avait pu brûler que par suite d'une impiété quelconque. Il était nécessaire de fléchir les dieux en fureur, de découvrir les coupables et d'en purifier la Ville. Les Livres Sibyllins, qui avaient aisément réponse à tout, conseillèrent de supplier Vulcain, Cérès et Proserpine. Les matrones offrirent à Junon des sellisternes, banquets propres aux déesses, qui dégustaient assises, alors que dans les lectisternes, les dieux avaient l'honneur d'être couchés. Une discrimination aussi anachronique avait déjà de quoi mettre Junon de mauvaise humeur, et plus on la gavait, plus son mystérieux courroux était manifeste. On ne savait plus quoi faire... Où pouvait-il donc y avoir, sous un Néron, de l'impiété à Rome ?

Rentré après le sacrifice à la « Fortune de ce Jour » chez Épaphrodite, le Prince se fit faire la lecture par le jeune Épictète, que Silanus avait vendu à regret à l'affranchi, pour faire plaisir à Marcia. L'esclave, doué d'une vive intelligence, déclamait à ravir les strophes pédérastiques de Pindare, mais il affichait déjà ces opinions stoïciennes qui devaient asseoir sa réputation dans son âge mûr. Néron, qui n'avait jamais aimé les stoïciens, en était venu à les détester, car il apparaissait chaque jour plus clairement qu'ils avaient découvert une forme d'opposition particulièrement odieuse, difficile à définir légalement et à sanctionner : la résistance passive. Les uns résistaient en faisant semblant d'approuver ce qu'ils désapprouvaient en secret. D'autres se réfugiaient avec mépris dans leur cénacle, menaçant de s'ouvrir les veines pour se faire plaindre dès qu'il était question de les bousculer un peu. Mais tous étaient adeptes d'une non-violence maussade, et, comme tous les non-violents, ils étaient hypocritement complices des excès que leur passivité avait encouragés en attendant de couvrir d'un lâche silence les assassins qui prétendraient y mettre un terme. Un Sénèque, tantôt flattant le Prince pour mieux le retenir et le contrôler, tantôt le boudant de ses lèvres pincées, avait successivement résumé les deux tendances du stoïcisme en sa végétarienne personne, dont la secrète énergie paraissait venir d'un autre monde.

Comme le jeune garçon avait en bouche, avec la fierté naïve de ceux qui découvrent la philosophie, le fameux « supporte et abstiens-toi » de l'École, Néron perdit patience et lui dit : « Je te mets en garde, petit Épictète, contre cette insinuante doctrine, déplacée chez un homme libre, et plus encore chez un esclave. N'es-tu pas contraint de supporter de toute manière ce que tu ne peux empêcher et pourrais-tu t'abstenir de ce qu'on t'impose ? Le défunt Silanus, ton avant-dernier maître, avait beau jeu d'être stoïcien, car il n'avait à supporter que des plaisirs et il ne se trouvait personne pour lui imposer quoi que ce fût. Mais je doute que ce soit ton cas avec Épaphrodite. Le stoïcisme n'est bon que pour les riches qui sont fatigués d'avoir abusé de tout. »

L'enfant rétorqua : « Il faut croire, divin Maître, que je m'entraîne de bonne heure à être riche et désabusé. »

L'empereur éclata de rire, donna un « aureus » à Épictète, et dit :

« Il vient d'être dévalué, mais c'est encore trop pour une fausse philosophie.

« En tout cas, ne m'appelle pas " divin Maître ". Les Romains préfèrent attendre ma mort pour me déifier, et je ne suis dieu de mon vivant qu'en Égypte et en Orient.

— Quelle promotion quand tu iras chanter là-bas, mais quelle tristesse quand tu en reviendras ! Je préfère, quant à moi, voyager sans changer de nature. »

Néron rit encore, bien que l'esclave remuât le fer dans la plaie. Heureusement, le voyage déifiant était désormais possible.

La veille des Kalendes du mois d'août, Séléné et Myra, qui étaient sorties, peu avant midi, pour aller choisir quelques fruits au marché de Néron, ne rentrèrent point déjeuner et demeurèrent introuvables. Comme elles avaient laissé toutes leurs affaires dans la petite chambre qu'elles partageaient par suite du surpeuplement du ludus, bagage bien léger pour Myra, mais plus important pour Séléné, une fugue semblait exclue et Kaeso, affreusement choqué et inquiet, ne savait que penser. Séléné tenait beaucoup aux vêtements et aux quelques bijoux assez modestes qu'Aponius lui avait offerts, aux quelques milliers de sesterces qu'elle avait économisés, et l'on voyait mal pourquoi elle s'en serait séparée volontairement. Comme l'ordre public était loin d'être tout à fait rétabli après une telle conflagration, Kaeso tint pour probable qu'elles avaient été victimes de rôdeurs. En l'absence de cadavres, l'assassinat crapuleux semblait exclu, et d'ailleurs, elles n'avaient que de la menue monnaie sur elles. Si on les avait agressées pour les violer, elles se seraient laissé faire avec philosophie, et on les aurait vues rentrer avec un léger retard. Elles avaient sans doute été enlevées pour être livrées à la prostitution, bien qu'un pareil risque fût plutôt de nature nocturne.

Après les plus frappants désastres, les gens, tout étonnés d'être encore en vie, sont pris d'une fièvre de plaisir et se précipitent sur les filles et sur la mangeaille, les riches se distinguant et les pauvres faisant l'impossible pour suivre. Il restait encore quelques lupanars debout dans la zone de l'Aventin, maisons de catégories diverses. Celles du Caelius avaient été détruites, mais celles de l'Esquilin, du Viminal, du Quirinal, qui d'ailleurs n'avaient jamais été bien nombreuses, étaient pour la plupart intactes. Sur ces trois éminences, le lupanar d'un certain chic se faisait plus populaire aux alentours des portes de la Ville. Les légions de prostituées de Subure et des Vélabres avaient été campées à travers le Champ de Mars pour distraire la masse des réfugiés, auxquels Néron avait fait distribuer des jetons gratuits en abondance. Les impuissants, les fatigués les revendaient aux obsédés pour une bouchée de pain et les filles étaient sur les dents. Quant aux ambulantes, excitées par cette concurrence déloyale, elles n'avaient jamais déambulé avec plus de cœur au ventre.

Si Séléné avait été victime de proxénètes sans scrupules, sa beauté avait dû la confiner dans un établissement discret du plus haut niveau, Myra ayant sans doute été versée dans une maison d'abattage quelconque. Il était en tout cas certain qu'on ne les faisait pas travailler à l'air libre.

Kaeso retourna à Tigellin avec un mot gracieux la domesticité dont il n'avait plus que faire, et entreprit la mort dans l'âme de passer en revue tous les lupanars de la Ville, qui, malgré l'ampleur du sinistre, se comptaient encore par centaines. Les bureaux de l'édile chargé du contrôle des courtisanes n'étaient plus qu'un souvenir sur le plan du Vélabre, et, momentanément, on ne pouvait rien pour lui de ce côté.

Chaque après-midi, dès l'heure d'ouverture des maisons, Kaeso se précipitait vers celles qui lui semblaient offrir le plus de chances, se préoccupant de Myra comme de Séléné, par un souci d'équité louable. Et sa quête se poursuivait tard dans la nuit, le lupanar de luxe ne se faisant pas faute de fonctionner jusqu'à des heures indues.

Visites terriblement ingrates, où il usa ses forces et ses espoirs durant toute la première moitié du mois d'août, dormant le plus souvent sur place, assommé de fatigue, mais tenaillé d'inquiétudes, pour le prix d'une nuitée d'amour vénal, admettant auprès de lui la fille théoriquement retenue afin qu'elle puisse se reposer quelque temps.

Les lupanars romains s'embrouillaient dans sa tête, avec leurs charmes divers : beautés exotiques aux spécialités étranges et pittoresques, de la pâle Bretonne à la négresse de Nubie ; petites filles à peine nubiles soumises aux assauts les plus éprouvants ; dames expertes en conjonctions animales ; dames fouetteuses, dames fouettées, dames pour dames... Le bordel d'abattage, dans sa biblique simplicité, paraissait plus sain que ces maisons secrètes, cachées derrière de beaux arbres.

Une nuit de la mi-août, Kaeso sommeilla un moment dans un

luxueux établissement de l'Aventin, près d'une esclave condamnée pour fugue par un maître impitoyable à des épreuves originales. Certains riches amateurs éprouvaient un vicieux plaisir à sodomiser des femmes infibulées. L'infortunée était justement chrétienne, et parlait de Jésus comme d'un Maître aimant et secourable, qui veillait sur elle de près et l'assistait dans ses ennuis. La capacité de Jésus à s'introduire partout faisait rêver. Kaeso demanda à la fille : « Crois-tu vraiment que ce Jésus soit ressuscité ? » Et elle répondit : « Je ne le crois pas : j'en suis sûre. » Elle avait plus de chance que Kaeso.

Au matin, Kaeso longea par hasard la boulangerie de Pansa en ruine, que l'on s'affairait à reconstruire, et l'idée lui vint que l'oncle Moïse pourrait peut-être lui donner des nouvelles de Séléné. Mais Pansa lui dit : « Le feu a ravagé si soudainement le hangar que nous n'avons pas eu le temps de déchaîner les esclaves des meules. J'ai perdu aussi trois ânes. »

Moïse avait refusé l'argent de Séléné, et il était mort brûlé vif. Mais quelle importance s'il avait gagné son pari et se trouvait à présent dans l'étroit Paradis des Juifs ?

Kaeso se rendit compte que sa réflexion était absurde. Moïse n'avait rien parié. Il avait estimé jouer à coup sûr, comme l'infibulée du lupanar. Car un pari implique que l'on ne croie qu'à moitié. Les parieurs sur l'au-delà n'ont par conséquent jamais la force de le conquérir et ils restent à parier devant la porte du Ciel, qu'ils s'étaient imaginé franchir à bon marché. Kaeso n'en était qu'au stade du pari, et son vague pari « pour » le condamnait aussi sûrement que s'il avait parié « contre ». Il devait y avoir, à l'entrée du paradis des Juifs ou des chrétiens, un grand écriteau avec : « PARIEURS S'ABSTENIR. »

Désespérant de Rome et de ses sentines plébéiennes ou nobiliaires, Kaeso poussa jusqu'à Ostie, se reprochant même de ne pas y être allé plus tôt. Il était possible que Séléné et Myra y eussent été internées quelque temps avant d'être expédiées vers une terre lointaine. Là encore, l'enquête fut négative.

Revenant d'Ostie, Kaeso passa un matin le pont Sublicius pour s'informer chez rabbi Samuel, dernier coup de dés dans cette partie de hasard. On était le XIV des Kalendes de septembre, dix-neuvième jour du mois d'août, joyeuse fête de l'ouverture des vendanges et triste anniversaire de la mort d'Auguste.

Rabbi Samuel ne savait rien. Mais, dans son attitude, il y avait un soupçon de gêne. Samuel connaissait sur le bout du doigt la liste de tous les mensonges possibles, les mensonges sacrilèges, les mensonges odieux, les mensonges par intérêt, par pudeur, par respect humain, les mensonges tolérables ou excusables, les mensonges facultatifs, les mensonges recommandables ou indispensables, les pieux mensonges... Et il avait une idée précise de toutes les circonstances où une morale casuistique pouvait s'exercer. On ne le prenait guère au dépourvu. Mais quel esprit soucieux de se mettre et de se maintenir en règle est susceptible de tout embrasser ? Rabbi Samuel mentait, et il mentait maladroitement parce qu'il n'était pas sûr du bienfondé de son mensonge.

Cette gêne fut pour Kaeso un cruel trait de lumière, et, comme au festin de sa prise de toge virile chez Silanus, il eut la foudroyante impression de la vérité, à cette différence près que Séléné ne serait plus jamais là pour le conseiller : elle était passée chez le rabbi pour rentrer dans ses fonds, et elle s'éloignait à présent de Rome avec Myra vers un avenir dont Kaeso était exclu. Elle n'avait abandonné ses affaires que pour faire croire à un enlèvement et égarer les recherches. C'était bien dans la manière de cette fille intelligente et calculatrice.

Mais il fallait en avoir le cœur net. Kaeso fit part de ses soupçons à Samuel, et il ajouta : « Si par malheur tu as prêté la main à cette fuite, tu t'es mis dans une bien mauvaise situation. Tu m'as affirmé toi-même avoir le plus grand respect des lois romaines dès que ta foi n'était pas en cause. Ne sais-tu pas que les affranchis doivent assistance et fidélité à leur patron ? Ce dernier, pour les punir, peut les faire exiler à vingt milles de Rome, mais en aucun cas l'affranchi ne saurait échapper à ses obligations. Et plus encore lorsqu'il s'agit d'une femme, dont l'héritage doit normalement revenir à un ancien maître, qui a sur elle droit de tutelle irrévocable.

« Cette fuite honteuse est déjà un délit grave. Mais il y a pis, car j'avais l'intention de monter un commerce fructueux avec les 100 000 sesterces que j'avais remis à Séléné lorsqu'elle était encore esclave. Il avait été entendu entre nous qu'une fois affranchie, elle s'occuperait de cette affaire, dont les bénéfices seraient partagés. Et bien pis encore, Séléné a entraîné dans son évasion une toute jeune esclave qui m'appartenait, après l'avoir séduite et dévoyée par les plus infâmes et dérisoires caresses.

« Tu t'es sans doute fait complice — je l'espère pour toi très involontairement ! — de crimes passibles des tribunaux romains. Je ne t'épargnerai que si tu m'avoues toute la vérité, de façon à accroître mes chances de retrouver les fugitives. Où découvrir de la bonne foi et de l'honnêteté aujourd'hui si les rabbis eux-mêmes, lumière du monde, se livrent à de pareilles manœuvres !

« Parle donc, car j'ai mes entrées chez l'empereur et je suis plus qu'un autre en mesure d'obtenir mon droit ! »

Samuel n'avait plus un poil de sec.

« Je prends le Très-Haut à témoin, gémit-il, que j'ai été trompé comme toi ! J'ai vu Séléné une première fois dans l'après-midi de la veille des Kalendes d'août. Elle réclamait effectivement son argent, avec les intérêts qui auraient pu courir, et elle semblait très pressée de le revoir. Pourquoi n'aurais-je pas fait d'honnêtes efforts pour le lui rendre le plus tôt possible ? Cette fille avait été lavée de sa condamnation par une grâce impériale, et elle venait d'être affranchie. Il était possible, et même probable, qu'elle agissait en accord avec toi. Quant à l'esclave fugitive, tu penses bien qu'elle ne m'en a pas soufflé mot !

— Par prudence, tu aurais dû me mettre aussitôt au courant.

— Oui, certes, j'aurais dû ! J'ai gravement péché par manque de prudence.

— Pourquoi m'as-tu menti tout à l'heure ?

— J'attendais, pour accabler une fille de ma religion, d'être mieux éclairé. Je le suis enfin, et je te donne légalement raison.

« Par chance, le mal est réparable. J'ai revu hier Séléné, qui s'impatientait. Je ne sais où elle a élu domicile avec sa jeune amie, mais elle doit repasser dès après-demain soir, car j'attends les fonds incessamment. La dévaluation a rendu les " chevaliers " de bonne humeur, et ils m'ont fait moins de difficultés que prévu. Je te prie cependant d'attendre que Séléné soit sortie de chez moi pour la faire appréhender. C'est ici une maison de prières et toute violence inutile y serait déplacée. »

Dans l'attente du grand moment, Kaeso alla s'installer chez Turpilius, qui n'osa lui condamner sa porte. Les idées, les sentiments de Kaeso se bousculaient dans un tragique désordre. La femme de sa vie, après les héroïques ou honteux sacrifices consentis pour elle, avait préféré une fuite pleine de dangers à une liaison tranquille et avantageuse, et même à un mariage des plus honorables. Et elle lui avait arraché de surcroît une enfant pour laquelle il n'avait eu que des bontés. Tantôt un appétit de vengeance le possédait, tantôt il se serait jeté dans le Tibre — si le fleuve n'avait pas été à peu près à sec. N'avait-il dépensé son temps, ses efforts, son argent, son honneur, son sang et son cœur que pour permettre à deux lesbiennes ingrates de prendre le large en se moquant de lui ? Maintes fois, Kaeso faillit courir à la police du Trastévère, lui aussi encombré de réfugiés, afin que le piège se referme. Mais au dernier instant, une force obscure le retenait.

A l'aube de la journée décisive, fête du dieu Consus, qui présidait à la rentrée des moissons et des récoltes, Kaeso, épuisé, privé de tout ressort, ne savait à quoi se résoudre. Il eut enfin l'impression que son cœur craquait, que son âme se détachait et rompait ses amarres, que son esprit prenait des hauteurs imprévues. Avec calme et sans arrière-pensées, comme s'il ne pouvait faire autrement, il se rendit au Palatin, où la Trésorerie impériale avait déjà rouvert ses portes, et il se fit compter ses 500 000 sesterces. Puis, dans un bâtiment provisoire, qui avait été monté entre la Porte Sanqualis et la Via Flaminia, il porta Myra sur la liste des affranchies. Et enfin, de retour chez Turpilius, il écrivit à Séléné :

« Kaeso à sa très chère Séléné, salut !

« Je n'ai pas le courage de te revoir. Rabbi Samuel, en plus des 100 000 que je t'abandonne, te remettra les 500 000 sesterces que j'avais gagnés en volant dans les plumes d'un Néron ivre. Je viens d'affranchir irrévocablement Myra, car tu seras désormais en mesure de veiller sur elle aussi bien que moi — ce qui ne te sera pas difficile —, et peut-être mieux. Je t'ai cherchée dans tous les lupanars de Rome avec une angoisse croissante, pour n'en tirer qu'une leçon : tel un dieu, dont j'ai déjà la beauté, je me plais à donner ce que j'ai de meilleur, une liberté sur laquelle je ne reviendrai pas. Je t'affranchis de tout, sauf de toi-même, de tes droits et de tes devoirs. Prends conseil de tes lumières avec plus de perspicacité encore que tu ne m'as conseillé, et traite autrui comme je te traite. Ne garde pas rancune à rabbi Samuel de t'avoir livrée à mes bontés. Tu sais que les Juifs résidents ne sauraient mépriser les lois sans jeter toute leur communauté dans les périls.

« Sans toi, je suis affligé d'un grand dégoût de la vie. J'ai dispensé tant de liberté qu'il ne m'en reste plus pour moi. Je vais rengager au grand ludus, où je respirerai encore ton parfum. Mais quatre gladiateurs te suffisent, et tu n'as pas à craindre que je fasse jamais le cinquième. J'attendrai que tu descendes dans l'arène pour me prendre par la main, et la mort m'empêchera sans doute d'attendre trop longtemps.

« Je vais me faire élever un modeste tombeau sur la Voie Appienne. Quand tu passeras par là, songe que je t'aurai aimée mieux que personne. Cela suffit à mon malheur comme à mon bonheur.

« Porte-toi bien avec Myra. Mais lors des grands Jeux annoncés, ne pariez pas sur moi : vous risqueriez de perdre votre argent. »

Kaeso passa remettre les 500 000 sesterces à rabbi Samuel, infiniment soulagé de cette conclusion inattendue, et il alla renouveler son contrat au ludus pour trois combats et 18 000 sesterces. Ses démêlés amoureux avec le Prince ne pouvaient indéfiniment soutenir sa cote.

A la nuit, on lui rapporta les tablettes avec un mot de Séléné :

« Séléné à Kaeso ! Tu es meilleur qu'un rabbi, ce qui n'est pas peu dire ! Il serait presque à croire que le baptême de Paul a une bonne influence. Un jour que tu prendras Néron par-derrière, profite donc de ce qu'il a le dos tourné pour le baptiser : cette double aspersion en fera peut-être un empereur modèle. Myra te baise les mains en regrettant que tu ne l'aies pas baisée davantage. Ta décision de rengager me navre. Je crois pourtant que je n'ai été que le prétexte de ce coup de tête. Tu es construit de manière à te désespérer tout seul, car tu demandes l'impossible à l'existence. J'espère que tu vivras assez longtemps pour t'en rendre compte et devenir raisonnable. Porte-toi bien. Je t'aime enfin comme tu mérites de l'être. »

Les larmes de Kaeso coulèrent dans les sillons grecs de la cire, alors que les cieux, provisoirement satisfaits, déversaient sur la contrée desséchée des trombes d'eau orageuses et que le dieu Tibre faisait le gros dos dans son lit.

Tandis que Kaeso atteignait si prématurément à un « taedium vitae » digne d'un Sénèque — mais avec la circonstance atténuante qu'il s'agissait plutôt d'ouvrir les veines des autres que les siennes —, rabbi Samuel, avec l'application scrupuleuse qui le caractérisait, mettait la dernière main au pensum que lui avait demandé le Grand rabbin.

Le mémoire plaintif d'Aponius contre les chrétiens avait fini par atteindre le Préfet de la Ville, qui l'avait parcouru sans aucun enthousiasme, comme le fruit douloureux d'une imagination déréglée. Flavius Sabinus, homme pondéré, bon administrateur et ennemi des problèmes superflus, ne voyait rien, dans les élucubrations du sénateur Aponius, qui pût mettre la loi en branle, le délit de mauvaise intention étant inconnu à Rome.

Sans doute les chrétiens, au dire de l'accusateur, refusaient-ils de sacrifier aux dieux de l'État, et surtout à la déesse Rome et à Auguste, divinisé par son apothéose. Tous les Princes attachaient une grande importance à ce culte impérial et patriotique, qui demeurait le lien le plus puissant entre le César régnant et tous les sujets de l'Empire, une panacée contre les inquiétants particularismes locaux. Chaque chef-lieu de province, chaque municipe avait son autel de Rome et d'Auguste, et les plus dévots des adorateurs se recrutaient parmi les petites gens et même les affranchis, qui avaient libéralement reçu le droit de participer au culte. Cette religion impériale, pure formalité dénuée de toute exigence pénible, occasion d'agréables banquets, était facteur de romanisation, de paix et de progrès social.

Mais, enfin, les adeptes de ce culte étaient par définition des volontaires, exception faite de toutes les personnes qui devaient impérativement y figurer par suite de leur fonction. De même, seuls les représentants officiels des Juifs étaient appelés à faire acte d'adhésion et de respect selon une procédure « sui generis », dont toute apparence d'idolâtrie était exclue. Il eût été ridicule de perdre son temps à courir après de vulgaires particuliers pour leur demander s'ils voulaient sacrifier ou non d'une manière ou d'une autre.

Il ne manquait d'ailleurs pas à Rome de sectes complètement farfelues. Pour intervenir, les autorités avaient toujours attendu de nettes contraventions aux lois ou des troubles graves.

Dernière incitation à mettre sans phrase le mémoire en archives : l'infortuné plaignant venait de se faire assassiner, et les chrétiens n'y étaient évidemment pour rien, puisque c'était une Juive qui avait avoué le crime. Dans le cadre de l'enquête sur la mort violente du sénateur, la police était venue consulter le mémoire, où Aponius avait écrit que sa vie ne valait plus la peine d'être vécue, mais si tous les gens qui avaient commis cette phrase s'étaient donné la mort, les vespillons eux-mêmes auraient fait défaut aux obsèques. L'affaire paraissait donc close.

Sabinus s'était battu comme un lion pour sauver du feu les bâtiments de sa Préfecture du bas Esquilin, et il était fier d'y avoir à peu près réussi, n'ayant jamais vu, sur la grande maquette du Palais, les locaux tout neufs que Néron lui avait préparés avec art en remplacement de constructions vétustes. Le mémoire d'Aponius avait été à peine roussi.

Il aurait été oublié sur son rayon jusqu'à ce que les rats en viennent à bout, si, à partir du début du mois d'août, des rumeurs de plus en plus insistantes ne s'étaient propagées, accusant Néron d'avoir bouté le feu à Rome par pure méchanceté ou pour donner un aliment de choix à son inspiration poétique, car tout le monde savait qu'une *Troïca* était en train, qui devait faire glorieux pendant à *l'Énéide*.

L'énormité futile et totalement invraisemblable d'une telle accusation, sortie d'on ne sait où, aurait dû la condamner à un prompt ridicule, mais l'opposition sénatoriale s'était jetée sur cet os avec empressement, avait favorisé la médisance par le jeu de toutes ses clientèles, et la rumeur n'avait fait que croître et embellir, chaque jour lui apportant un motif nouveau de soupçon et d'animosité. Certains témoins dignes de foi avaient même vu le fantôme de Cicéron s'échappant de la maison du regretté Silanus, car il était bien connu que les fantômes ne peuvent supporter les incendies. Et Cicéron, poussant sa tête à coups de pied, puisqu'on lui avait aussi coupé les mains, avait proféré les accusations les plus nettes, ponctuées de « O tempora, o mores ! » retentissants. Un régime est en mauvaise posture quand il doit apporter la preuve indubitable que de pareils témoignages sont suspects.

Néron et Tigellin, qui s'étaient certes attendus à quelques rumeurs de ce genre, avaient d'abord pris leur mal en patience, persuadés que de telles sottises seraient sans lendemain. Mais à la mi-août, les rumeurs étaient devenues clameurs et le Prince commençait à regarder son Préfet de travers, comme s'il le soupçonnait d'avoir commis quelque grossière maladresse inavouable. De plus en plus nerveux, Tigellin sentait bien l'urgente nécessité d'improviser une parade, une diversion quelconque, mais, malgré son sens aigu des affaires, il ne distinguait rien d'efficace.

C'est alors que l'un des policiers qui étaient allés consulter le mémoire d'Aponius avait signalé aux agents du Prétoire qu'un sénateur assassiné avait désigné les chrétiens comme susceptibles de méditer l'incendie de la Ville pour satisfaire à leurs apocalyptiques penchants.

A tout hasard, Tigellin avait pris connaissance du texte, et il avait été littéralement ébloui.

Les gouvernements doués de prévoyance conservent toujours sous la main quelques bandes de marginaux pour servir de boucs émissaires en cas d'ennui. Le bouc idéal, naturellement suspect de tous les crimes, doit surtout présenter la caractéristique essentielle de paraître mettre en péril les bases de la société qui a l'imprudence de lui donner asile, afin que le sentiment de l'intérêt public étouffe la moindre pitié au cours de la répression. Mais il est bien difficile de disposer de boucs émissaires tout à fait crédibles en nombre suffisant, et à l'instant crucial où l'on en a besoin. Les cuisiniers les plus habiles échouent parfois à faire monter la sauce.

Le chrétien, lui, avait été fait sur mesure pour jeter Tigellin et son Prince dans la joie. C'était l'antisocial intolérant typique, en contradiction sur tous les points avec la Rome traditionnelle comme avec la Rome de Néron. Et il ajoutait à ces profondes qualités celle d'être encore mal connu du gros de la population et même de la plupart des gens cultivés, celle de s'agiter en nombre avec des allures de société secrète parmi les misérables et les esclaves, celle même — et c'était le plus beau, le plus inespéré ! — de se répandre en bavardages incendiaires sous prétexte de théologie apocalyptique ! Le chrétien s'étant évertué à choquer tout le monde, à commettre toutes les imprudences possibles, il n'y aurait pas à le calomnier beaucoup pour en faire un épouvantail digne d'effrayer le sénat aussi fort que la plèbe. Et il n'était pas même exclu qu'il fût vraiment dangereux pour la cité romaine ! S'il n'avait pas brûlé Rome, il la brûlerait un jour, et il s'agirait de la nouvelle Rome, de la Neropolis resplendissante de luxe et de volupté à laquelle le Prince voulait éternellement attacher son nom.

Transporté, Tigellin avait fait aussitôt copier et recopier le précieux mémoire pour le communiquer à l'empereur et à tous les membres permanents ou occasionnels de son Conseil ; et, parallèlement, toutes affaires cessantes, il avait ordonné une enquête approfondie, mais rapide, sur ces terribles chrétiens, qui n'avaient jusqu'alors jamais concentré son attention. Des rapports de police cafouilleux persistaient paresseusement à les confondre plus ou moins avec les Juifs, dont Aponius disait pourtant des choses si prometteuses.

Il était indiqué de prendre contact avec la communauté juive de Rome à toutes fins utiles. C'est ainsi que le Grand rabbin avait été sollicité de donner son avis sur la plainte en forme du sénateur disparu, et qu'il avait confié la rédaction de la réponse à rabbi Samuel, après en avoir arrêté les grandes lignes avec lui et quelques autres notables. Samuel avait une grande réputation d'équité.

Le lendemain soir de la seconde et dernière visite de Kaeso, Samuel porta son travail chez le Grand rabbin, qui siégeait dans le quartier de la Porte Capène : le texte fut épluché et corrigé de concert, cacheté du sceau du Grand rabbinat et transmis.

Tigellin en eut communication le matin suivant, X des Kalendes de septembre. C'était la fête de Vulcain, le dieu du feu, et pendant qu'on lui immolait un veau roux et un verrat, le Préfet totalement incroyant lut ces lignes pieuses avec un vif plaisir...

« Le Grand rabbin de Rome à C. Ofonius Tigellinus, Préfet du Prétoire impérial, salut !

« Depuis une génération, les Juifs, par la voix de leurs docteurs et avec une inquiétude croissante, attirent l'attention des autorités romaines sur le caractère dangereux du phénomène chrétien, dangereux pour Rome, dangereux pour les Juifs et dangereux pour les chrétiens eux-mêmes. A tous ces avertissements autorisés s'ajoute aujourd'hui celui du sénateur Aponius, qui n'aurait pas eu de raison d'être si l'on nous avait entendus plus tôt.

« Une plainte émanant enfin d'un membre du sénat te rend naturellement curieux de ces chrétiens, et, dans le cadre de ton enquête, tu m'encourages à te faire sur le mémoire d'Aponius tous commentaires utiles. Souffrant depuis longtemps des blasphèmes, des insultes, des provocations de la secte, nous sommes en effet bien placés pour la connaître, d'autant plus qu'elle est hélas sortie de notre sein par un déplorable hasard et qu'elle a osé détourner nos Livres les plus sacrés pour les mettre au service d'une propagande impie.

« Je puis donc te confirmer que les assertions d'Aponius sont tout à fait exactes dans l'ensemble, ce qui n'a rien d'étonnant, puisqu'il avait été abondamment renseigné par un fils " baptisé " et par une esclave juive de bonne volonté.

« Les ressemblances et dissemblances entre Juifs et chrétiens ressortent clairement de cette communication honnête. Comme les chrétiens, les Juifs tiennent pour péchés la sodomie, l'avortement, l'onanisme, les Jeux salaces ou sanglants, les thermes mixtes et le culte des idoles, mais sans prétendre le moins du monde en priver les Romains ou les Grecs. En revanche, l'indissolubilité du mariage prêchée par Jésus est en parfaite contradiction avec les lois mosaïques, comme d'ailleurs avec le bon sens et l'humaine nature. Je n'insiste pas sur l'invention par les chrétiens de deux personnes supplémentaires, pour former avec Yahvé une trinité inattendue, qui rappelle la triade capitoline et quelques autres, ni sur une prétendue résurrection de Jésus, qui est impossible, puisque notre Yahvé, par définition même, ne peut revêtir chair humaine. Je préfère plutôt bien te convaincre d'une alarmante vérité : cette grossière caricature de judaïsme que colportent les incultes chrétiens s'adresse effectivement à n'importe qui, ainsi que l'a fort bien vu Aponius, pour détourner du culte impérial les sujets de l'Empire. Comment notre dispense de sacrifice idolâtre, dont nous remercions Rome chaque jour, pourrait-elle être étendue sans dommage irréparable à la foule des citoyens romains, des provinciaux ou des affranchis ? Oui, Aponius a raison d'écrire que le chrétien "fait éclater notre ghetto" ! Et cet éclatement aurait de quoi faire trembler Rome sur ses bases si on le laissait se poursuivre. Je n'hésite pas à le souligner, sûr d'être compris par un Prince éclairé : la religion d'Israël est dans une telle opposition avec toutes les autres religions connues qu'elle oblige les Juifs respectueux de la Loi à vivre dans un pieux isolement. Ce qui n'a aucune importance fâcheuse pour Rome, puisque nous formons un peuple déterminé. Tu sais combien peu de Romains se font circoncire. Mais l'opposition entre la religion chrétienne et celle de Rome n'a pas seulement un caractère absolu : les chrétiens ne rêvent que de persuader le plus de monde possible, et ils ne sont aucunement d'humeur à se retirer dans un ghetto. En théorie — pardonne cette outrance ridicule si l'on songe à la pérennité de l'Empire ! — il faut que Rome ou les chrétiens périssent, car si le Juif se reproduit par mariage, le chrétien se répand par le verbe.

« Un souci de justice me contraint de préciser que les accusations d'anthropophagie portées contre les chrétiens ne sont pas exactes, bien qu'ils les aient encouragées par des déclarations insanes, car ils s'en vont racontant qu'ils mangent la chair et boivent le sang de leur Jésus, lors de cérémonies sacrificielles où les non-initiés, d'ailleurs, ne sont pas admis. Comme on sait que Jésus est mort depuis longtemps — et probablement enterré ! — le populaire incompétent avait des excuses d'imaginer que de jeunes enfants étaient immolés à sa place.

Les Juifs eux-mêmes ont mis quelque temps à tirer l'affaire au clair. En réalité, le chrétien mange du pain et boit du vin dont il s'imagine qu'il s'agit vraiment de la chair et du sang de Jésus mort sur la croix. D'où il résulte pour nous autres Juifs que le chrétien est encore beaucoup plus répugnant qu'un anthropophage, vu que, de son propre aveu, il ne mange pas de l'homme, mais ose porter la dent au prétendu corps de son Créateur. Pour toi, Romain, une telle illusion te donnera une bonne idée de la folie communicative des chrétiens.

« Quant à savoir si cette engeance serait ou non de nature incendiaire, la crainte de porter faux témoignage me dissuade d'une affirmation sans nuances.

« Ce qui est certain, c'est que les chrétiens, qui nous avaient déjà tant emprunté pour le travestir, se sont lancés, eux aussi, dans le genre apocalyptique. Comme ce nom grec l'indique, il s'agit de révélations divines sous forme de visions lourdes de symboles. Depuis plus de deux siècles, ce dérivé du classique prophétisme est à la mode dans les milieux juifs, où il énerve les talents d'amateurs à l'imagination bouillonnante et confuse. Nos docteurs n'encouragent point de tels essais, car il n'est pas aisé de distinguer une vraie vision d'une fausse, et l'interprétation des symboles déchaîne des discussions stériles. Il n'y a pas d'apocalypses dans nos écrits canoniques, et j'espère qu'il n'y en aura pas de sitôt.

« Autre motif de réserve, les apocalypses traitant des destinées de l'humanité et des fins dernières, elles regorgent de catastrophes effrayantes, susceptibles d'émouvoir inutilement le peuple.

« Livrés au hasard de directions incompétentes, nos chrétiens n'ont pas imité la prudence des rabbis. Ils se sont lancés dans les apocalypses avec ardeur, et l'on prête à Jésus lui-même d'effrayantes visions où se mélangent la ruine de Jérusalem et la consommation des temps, tenue pour prochaine par beaucoup.

« Si l'on parcourt les écrits chrétiens, on est d'ailleurs frappé de la fascinante importance du feu. Les chrétiens expédient d'avance au feu de la Géhenne, qui ne s'éteint pas, tous ceux qui ont le malheur de leur déplaire.

« Il règne donc incontestablement chez les chrétiens un climat d'excitation eschatologique des plus malsains, qui pourrait porter certains d'entre eux à hâter par des crimes inouïs la conflagration finale qu'ils redoutent et espèrent à la fois. Risque d'autant plus sérieux que les multiples petites Églises chrétiennes déjà constituées en Orient et en Italie vivent dans le désordre de l'improvisation et ont recruté la plupart de leurs adeptes parmi des gens de rien, déjà portés par leur seule condition à mépriser et à haïr l'ordre établi. Le chrétien répugne naturellement à toute autre autorité que celle de sa conscience, qu'il informe avec une délirante fantaisie.

« Nous n'avons pas encore entendu dire que les chrétiens eussent mis le feu à la Ville, mais il apparaît bien que les pires éléments de la bande auraient pu avoir la tentation de le faire, tout particulièrement choqués, dans leur intolérance indiscrète, par le splendide festin que tu offris naguère à César sur l'étang d'Agrippa. Une enquête sur ce point ne serait certes pas de trop.

« Toutefois, si même quelques chrétiens s'étaient chargés de cet odieux attentat, la majorité en demeurerait innocente de fait. Je te conseille vivement de profiter de l'occasion pour inaugurer contre l'ensemble des chrétiens une politique efficace et clairvoyante, visant à la totale disparition de cette secte superflue.

« Dis-toi bien que le chrétien partage avec le Juif, dont il est cousin dévoyé, cette qualité et ce défaut que la violence et l'adversité renforcent sa foi, qu'une douce tranquillité l'affaiblit. Vu la façon dont les chrétiens se sont sournoisement disséminés dans l'Empire, je ne pense pas que des poursuites criminelles puissent jamais en venir à bout. Elles seraient trop localisées, trop épisodiques, et ne feraient que rendre l'espèce plus vivace. C'est la majesté de la loi civile, constante et universelle, qui doit peu à peu anéantir le chrétien, soumis à une législation discriminatoire et décourageante.

« Fais donc recenser les chrétiens. Accable-les d'impôts spéciaux. Chasse-les des écoles, de l'armée, des tribunaux, de toute fonction publique. Interdis-leur ce qu'ils prétendent exécrer, les lupanars, les Jeux et les thermes, et ils auront plus que jamais envie de les fréquenter. Que leurs cadavres soient relégués, sous prétexte d'hygiène, dans des nécropoles lointaines ! Et surtout, interdis d'affranchir les esclaves chrétiens, car c'est par des murmures d'esclaves que Jésus tourne la tête des riches et des puissants. Patience ! Il ne faudra pas deux générations pour que le christianisme ait rendu l'âme. Aucune religion ne résiste au sentiment d'être devenue une honte sociale. Aucune, sauf la mienne !

« En somme, puisque les chrétiens détestent les institutions et les mœurs de l'Empire, et aspirent cependant à y vivre dispersés, il est d'une urgente justice de les faire végéter à l'écart jusqu'à ce qu'ils s'éteignent dans l'oubli. Au ghetto juif, monument impérissable de piété et de fidélité, un ghetto chrétien doit provisoirement s'ajouter, sur les sables mouvants de l'histoire.

« Respectueusement soumis aux lois de l'Empire, nous te fournirons, si tu l'exiges, des renseignements plus précis pour éclairer ta justice, de façon à éviter toute fâcheuse méprise. Vu les progrès de la secte, ce ne sont plus seulement de malheureux Juifs qui risqueraient d'être confondus par la police avec des chrétiens ou avec des individus suspects de l'être.

« J'ai un douloureux aveu à te faire : c'est parce qu'une adhésion au judaïsme exigeait de lui des études trop longues et trop sérieuses que le jeune Kaeso est allé s'égarer chez les chrétiens. Il nous est revenu que Paul de Tarse, qui se présente comme citoyen romain, aurait été l'artisan de cette conversion aberrante. Pierre, chef nominal de la secte, ne sait ni A ni B, mais ce Paul, exceptionnellement instruit pour un chrétien, est d'une activité confondante, à laquelle il serait bon de mettre un terme.

« Nous supplions le Très-Haut de te combler de toutes les bénédictions que tes rares vertus méritent. »

Le VI des Kalendes de septembre, fête du dieu Tibre, Tigellin disposait d'un dossier persuasif et écrasant. La consultation mesurée du Grand rabbinat — et d'autant plus impressionnante — avait à son tour été communiquée à Néron et à tous les membres possibles du Conseil, et l'enquête chez les chrétiens avait donné des résultats surprenants. Jusqu'alors, la police ne les avait connus qu'à travers les Juifs, qui faisaient à Rome comme partout, et même à Rome plus qu'ailleurs, l'objet d'une surveillance attentive. Les agents provocateurs de Tigellin avaient enfin débusqué le véritable chrétien dans ses repaires les plus inattendus, et avec une certaine facilité, car l'animal, habitué à vivre dans une paix relative, ne se cachait guère. On avait constaté d'inquiétantes infiltrations dans la « nobilitas », mais un fait, surtout, avait frappé : la perverse jubilation des chrétiens devant le désastre sans aucun précédent qui venait de frapper Rome. Alors que les Juifs se réjouissaient dans le secret de leur cœur, le chrétien, dès qu'on l'avait mis en confiance, bénissait le Ciel d'avoir brûlé Sodome, d'avoir anéanti Babylone, et son bonheur était d'autant plus expansif qu'un Dieu, qui ne voulait pas la mort de tous les pécheurs, avait soigneusement préservé les régions du Trastévère et de la Porte Capène, où s'était concentrée la majeure partie des Juifs et des chrétiens. Dans le vent de folie qui avait soufflé sur Rome, on aurait même aperçu des chrétiens en train d'incendier quelques médiocres maisons de débauche ou quelques thermes douteux, et on pouvait les soupçonner à bon droit d'avoir bouté le feu à un petit temple oriental, qui avait fait de la prostitution sacrée une œuvre pie rémunératrice. Au premier signal du Prétoire, la police se flattait de faire avouer rapidement les suspects et d'en grossir le nombre de manière convenable.

Comme Tigellin l'avait espéré, le Prince avait non seulement goûté l'espoir d'une diversion aussi providentielle, mais il s'était ajouté à cette considération toute politique un motif personnel de se montrer impitoyable : le chrétien avait porté son audace sacrilège jusqu'à pousser une pointe parmi les favoris les plus amoureusement traités. Qu'un Kaeso pût être chrétien était pour Néron un constant sujet de bouleversement. Comment arrêter les progrès d'une secte criminelle, qui pouvait se dissimuler sous les apparences les plus aimables et les plus engageantes ? Si Kaeso était chrétien, pourquoi Tigellin, pourquoi Vitellius ne le seraient-ils pas ? L'astuce trompeuse du chrétien semblait sans limites. Convaincu de l'ahurissante nouvelle, César, hors de lui, avait couru se faire administrer à tout hasard des clystères purificateurs et émollients. Et depuis, il répétait à ses intimes, presque aussi choqués : « J'ai tué ma mère, un chrétien m'a roulé dans les plumes pour abuser de ma confiance et de ma tendresse. Où s'arrêteront donc mes malheurs ? »

En fin de matinée, un Conseil décisif se tint au « Tabularium » de l'Intermont du Capitole, les palais du Palatin étant en ruine. Ce grand édifice du « Tabularium » était d'autant mieux choisi qu'il renfermait les Tables de la Loi romaine, que les chrétiens avaient bafouée, et que, de la salle du Conseil, on découvrait le lamentable spectacle des Forums que la secte avait incendiés, du « Forum aux bœufs » sur la droite, aux Forums de César et d'Auguste sur la gauche, en passant par les vieux Forums romains, séparés par les restes de la grande basilique Julia toute noircie, dont la toiture s'était effondrée.

L'empereur, soucieux de recueillir les meilleurs conseils, préoccupé aussi de se disculper et d'accuser avec une éclatante publicité, ne s'était pas contenté de réunir les membres habituels du Conseil : les Préfets du Prétoire, de l'Annone et des Vigiles, de classe « équestre », le Préfet de la Ville, de classe sénatoriale, les affranchis chefs des bureaux financiers ou judiciaires, maîtres de requêtes ou chargés de la correspondance avec les provinces... Les deux consuls suffects, qui avaient succédé aux consuls ordinaires, étaient là aussi, qui témoigneraient devant le sénat de la justice des décisions prises. Sénèque en personne avait été à grand-peine tiré de chez lui, car il se méfiait et n'avait pas été invité depuis longtemps. Mais Néron comptait sur ses bons soins pour éclairer les sénateurs soupçonnés de faire courir des bruits calomnieux. De même, il avait fait venir Paetus Thrasea, le chef de l'un des plus importants cercles stoïciens. Après une coopération limitée, Thrasea s'était réfugié dans une opposition morale dédaigneuse, entraînant maints sénateurs mécontents sur ses traces. Mais il passait pour honnête homme, ennemi du mensonge. Enfin, le Prince avait fait appel à Vitellius, qui informerait les sénateurs favorables au régime, les Frères Arvales ou les membres de quelques autres collèges influents.

Néron ayant donné la parole à Tigellin, le Préfet fit un long exposé, mais clair et précis, sur la question. Il était évident que le coup sinistre dont Rome venait de souffrir avait eu les chrétiens pour origine et que toutes les caractéristiques de la secte la rendaient extrêmement inquiétante. On devait donc se défendre et agir. Mais c'était la première fois que Rome se trouvait aux prises avec de tels forcenés. Quels moyens, légaux et matériels, convenait-il de prendre pour conjurer le fléau ?

Avec bon sens, Tigellin faisait une distinction entre les incendiaires proprement dits, dont il tenait déjà à disposition une liste bien garnie, et la masse, qui était innocente du crime, car on ne ferait jamais croire à personne que tous les chrétiens avaient brûlé Rome. Mais des mesures contre la masse s'imposaient également, car si ces gens-là n'avaient pas mis le feu, ils avaient pour le moins souhaité la catastrophe, l'avaient attendue avec impatience, et s'en étaient réjouis sans mesure. Si l'on ne châtiait que les criminels de fait, un milieu aussi dangereux en sécréterait d'autres tôt ou tard, et des sanctions conservatoires semblaient donc légitimes contre les complices d'intention. Sur ce dernier point, il fallait débattre du plus efficace, qui n'était pas évident à première vue.

Avec une déférence ostensible, Néron donna ensuite la parole à son vieux maître Sénèque, curieux de voir comment il se tirerait d'affaire.

Sans soupçonner le Prince pour autant, Sénèque était rien moins que persuadé de la culpabilité des chrétiens. La seule chose bien claire à ses yeux était que Tigellin, qu'il méprisait et détestait cordialement, dégageait une épaisse fumée pour que s'y perdent les rumeurs qui accusaient son Maître. Il biaisa donc pour embarrasser le Préfet, et dit d'une voix douce :

« C'est un fait noté par tout le monde que l'extension du gigantesque incendie a été favorisée par les criminelles initiatives d'individus avides de pillage, et il se peut qu'il y ait eu quelques chrétiens dans le lot. Je serais personnellement plus sensible aux stupides rumeurs répandues contre César. Que les chrétiens soient plus ou moins coupables est une chose. La réputation du Prince que j'ai élevé et instruit en est une autre, et qui me tient à cœur. Je m'étonne qu'avec tous les moyens dont tu disposes, Tigellin, tu n'aies pas encore été capable de cerner l'origine de ces bruits, et d'en démontrer l'inanité par la punition même des calomniateurs. N'est-ce pas le premier exemple d'un soupçon de ce genre porté contre un empereur régnant ?

— Tu t'exagères hélas mes moyens ! Il est très difficile de faire taire des rumeurs qui semblent être parties d'endroits très différents, comme si elles avaient eu un caractère spontané.

— Et à quoi pourrait tenir, selon toi, une spontanéité aussi surprenante ?

— A toute une série de coïncidences malheureuses. Que faire contre des coïncidences dont les dieux sont seuls responsables ?

— Quelles coïncidences vois-tu ?

— Il y avait eu bien d'autres étés secs, mais pour la première fois, la moitié de la Ville, et la plus peuplée, a brûlé, tandis qu'un empereur, passionné d'urbanisme révolutionnaire, travaillait sur sa *Troïca*. Et j'ai eu moi-même ma part de coïncidences : on a osé m'accuser d'avoir mis le feu à ma propre villa du quartier émilien pour relancer l'incendie, et d'avoir désorganisé le service des eaux par des travaux intempestifs !

— Voilà pour le coup deux coïncidences stupéfiantes ! N'aurais-tu pas vraiment brûlé Rome, par hasard ?

— La plaisanterie n'est pas drôle ! Quand les gens commencent à chercher des coïncidences, ils en font lever comme des lapins. Mais il y a aussi des coïncidences inverses : les chrétiens du Trastévère et de la Porte Capène se sont bien gardés de brûler, eux !

— Le Tibre protégeait le Trastévère, et le vent soufflait du sud ou de l'est. Il eût soufflé du nord-ouest une demi-journée que toute la banlieue sud y passait.

— C'est bien possible... En tout cas, pour faire cesser les rumeurs qui insultent l'empereur, le plus sûr est évidemment de découvrir les vrais coupables, ce que je me flatte d'avoir justement accompli. »

Néron intervint : « Dis-nous donc, Sénèque, ce qu'il convient, à ton avis, de faire de la majorité de ces chrétiens ? »

Après un instant de réflexion, Sénèque répondit :

« Il n'est pas dans les traditions du droit romain d'édicter des lois contre des opinions religieuses ou philosophiques. Et cette abstention relève, il me semble, d'une grande sagesse, car, malgré nos efforts et notre curiosité, nous sommes bien mal renseignés sur les dieux et sur l'ordre du monde. Chacun a donc le droit, chez nous, de penser, d'écrire et de dire ce qu'il veut tant qu'il n'a pas l'impolitesse grossière de s'attaquer formellement, par des outrances tombant sous le coup des lois, aux dieux de la patrie romaine (qui, entre nous, ne sont pas de nature à déranger qui que ce soit !).

« Lorsque des trublions se présentent, la saine coutume est par conséquent de ne s'en prendre qu'aux personnes, et pour des délits précis touchant à l'ordre public, nos lois ne pouvant s'abaisser à prendre position sur des doctrines éphémères, dont les plus séduisantes ne sont jamais que probables, et dont les pires n'ont rien de certain.

« Aussi longtemps que Rome sera Rome, qu'il subsistera chez nous la moindre notion de droit, la religion chrétienne ne saurait être déclarée hors-la-loi. Mais les chrétiens seront légitimement poursuivis s'ils se mettent en contravention de façon claire et explicite avec notre droit criminel ou civil.

« Que les incendiaires chrétiens, s'il s'en trouve, soient châtiés ! Pour ce qui est des complices, le degré de culpabilité restant à définir, qu'on les punisse également selon les lois existantes ! Il serait cependant contraire à l'équité que des gens soient poursuivis sur le simple nom de chrétien, car cela reviendrait à condamner la religion plutôt que l'individu responsable.

« Je suis cependant inquiet comme vous tous du caractère décidément insociable des chrétiens, et il me paraît enfin opportun de les contraindre à reconnaître le droit commun de l'Empire, car ils ne peuvent arguer, comme les Juifs, d'une nation extraordinairement particulière pour obtenir un droit particulier.

Nous avons autrefois expulsé de Rome des philosophes ou des sectaires estimés subversifs, mais c'étaient des étrangers. Les chrétiens, malgré leur éloignement religieux et moral, font partie de nous-mêmes. S'ils sont vraiment dangereux et que nous les chassions, ils iront porter le mal plus loin, puisque nous avons conquis à présent la terre entière. La seule solution est d'assimiler ce corps devenu étranger. Et nous avons pour ce faire à notre disposition une élégante formule légale. Que chaque personne convaincue ou suspecte de christianisme soit donc requise de sacrifier à Rome et à Auguste. Celles qui accepteront ne seront plus chrétiennes, et celles qui refuseront seront mises à mort pour trahison et lèse-majesté. Quoi de plus raisonnable et de plus légitimement romain ? Ce n'est plus le chrétien que l'on poursuit, on se borne à sanctionner l'habitant de l'Empire qui s'abstient — pour quelque motif que ce soit ! — de rendre au Prince l'hommage de fidélité que la loi impose théoriquement à tous. »

Ce rappel du droit romain fondamental, conclu par une proposition pratique et juridiquement ingénieuse, eut un vif succès. Flavius Sabinus, les deux consuls, les Préfets de l'Annone et des Vigiles, quelques affranchis des bureaux, Thrasea, et même Faenius Rufus, le collègue de Tigellin au Prétoire, en étaient plus ou moins partisans.

Assombri, le Prince poussa Tigellin à réagir, et ce dernier reprit avec vivacité :

« Voilà bien une invention de juriste, qui fait bon marché de toute efficacité en vertu de considérations fumeuses. Quel est le problème ? Nous avons sur les bras une population incendiaire, réellement ou potentiellement. Et qu'est-ce que Sénèque suggère ? De faire passer aux chrétiens un aimable examen !

« Dis-moi donc, Sénèque, sur cent chrétiens sommés de choisir entre l'abjuration et la mort, combien de victimes m'accordes-tu ?

— Une douzaine, peut-être... Mais avec des Juifs, tels que je les connais, tu ferais ton plein de cadavres. Si c'est du sang que tu cherches pour faire plaisir à la plèbe, persécute plutôt les Juifs ! Tu gagneras à tous les coups. »

Tigellin prit son monde à témoin de l'inconscience de Sénèque :

« Nous avons ici un philosophe qui est d'avis de permettre aux chrétiens de se punir eux-mêmes ! Avec Sénèque, les chrétiens auront le choix !

« J'attire votre attention sur le fait que la communauté chrétienne de Rome est encore bien réduite. Si nous appliquons la méthode de Sénèque, il ne nous restera plus entre les mains qu'une poignée de chrétiens qui auront choisi une sorte de suicide stoïcien après mûres réflexions, et le danger constitué par la secte n'en sera guère diminué, car la plupart de ceux qui auront abjuré par lâcheté resteront chrétiens de cœur, et avec une haine accrue de Rome et de notre Prince. Mieux encore, ils redeviendront de bons chrétiens sans tarder ! On m'a rapporté, en effet, que les chrétiens passent leur temps à pécher, à se pardonner, à s'absoudre, à recommencer... C'est le mouvement perpétuel des mathématiciens rêveurs ! Sénèque prétend dénouer une situation humaine par un artifice juridique hypocrite. Mais au fond, il ne connaît pas l'homme aussi bien qu'il s'en flatte dans ses œuvres. Autrement, il saurait qu'on ne fait pas changer les gens d'avis en les affligeant un instant d'une peur humiliante.

« Sénèque, à mon sens, a pourtant raison sur trois points. Premièrement, nous n'avons pas à condamner la religion chrétienne. D'ailleurs, les religions évoluent constamment. Si les chrétiens s'accrochent, combien y aura-t-il de religions chrétiennes dans quatre ou cinq cents ans ? Le Prince devrait-il se faire théologien oriental pour s'y reconnaître ? Deuxièmement, chasser les chrétiens de Rome reviendrait en effet à communiquer l'infection à nos provinces, qui sont déjà suffisamment malades. Troisièmement, c'est bien l'incendiaire, et non pas le doctrinaire, qui doit tomber sous le coup des lois. Nous travaillons pour le peuple, et le peuple se moque bien de doctrine. On ne met pas en croix des doctrines, mais des hommes, et ce sont ces hommes-là que le peuple veut voir.

« Il me paraît donc expédient, tout compte fait, de condamner pour incendie ou complicité tous les chrétiens de Rome qu'on pourra attraper. Si nous nous perdons, pour complaire à Sénèque, en distinctions subtiles sur les divers degrés de complicité, nous n'en sortirons plus, des quantités de coupables échapperont au châtiment, et les chrétiens feront brûler Rome chaque été, pour le vicieux plaisir d'engraisser des avocats. »

Sénèque, qui avait été avocat, et s'y était enrichi, fit observer :

« Où as-tu vu dans nos lois une responsabilité collective criminelle punissable de mort ?

— Lorsque ton ami Pedanius Secundus a été assassiné, les quatre cents esclaves de sa " familia " ont été crucifiés. Rome ne vaut-elle pas mieux que cette vieille peau de Pedanius ?

— Il ne s'agissait que d'esclaves.

— Nos chrétiens sont en majeure partie des esclaves, des affranchis ou des étrangers. Très peu de citoyens romains se sont fait " baptiser ".

— Il me paraît juridiquement très grave de s'en prendre à des citoyens dans une pareille affaire. A qui d'ailleurs feras-tu avaler que des citoyens ont pu mettre le feu à leur propre cité ?

— Et en vertu de quelle justice des citoyens chrétiens pourraient-ils être épargnés ? De toute façon, ne vaut-il pas mieux les éliminer alors qu'ils sont encore en nombre restreint ?

— Du train où tu vas, applique aussi ta nouvelle loi aux chrétiens d'Égypte, de Grèce et d'Orient !

— Le fait que je poursuis seulement les incendiaires de Rome me permet justement de les laisser tranquilles. Et par là, je suis plus modéré que toi, qui étais disposé à tracasser tous les chrétiens de l'Empire avec ton système bizarre et plein de trous. Oui, je suis plus modéré, et même, juriste plus respectueux des traditions, car je ne pense pas qu'il appartienne jamais à l'État de déraciner une religion quelconque. Si d'ailleurs j'avais la prétention d'y parvenir en ce qui concerne les chrétiens, j'appliquerais de préférence les excellents conseils — si peu romains pourtant ! — de notre Grand rabbin, qui s'y connaît par définition en fanatiques.

— Avoue plutôt que tu cherches des masses de condamnés pour les Jeux ! »

Vitellius intervint : « Et quand cela serait ? Après de telles épreuves, le peuple n'a-t-il pas le droit de se distraire avec de l'inédit ? Moi qui ai l'âme populaire, je ne rougis pas de dire : " Les chrétiens feront un beau spectacle ! " Ce n'est pas tous les jours qu'une population de boute-feu passe sur le gril. Celui qui devrait rougir, c'est Sénèque. D'une plume dégoûtée, il égratigne les tueries de l'amphithéâtre, et il se dissimule sous un capuchon des Gaules pour aller les déguster en cachette parmi les putains et les marmitons. Il pleurera sur les chrétiens, car il est philosophe, mais soyez tranquilles, il ira les voir cramer, car c'est un sournois ! »

Sénèque, outré, bredouillait d'indignation, et le Prince, se retenant de sourire, rappela Vitellius à l'ordre.

Depuis le début du conseil, Sénèque s'en rendait bien compte, Tigellin avait manœuvré pour obtenir cette répugnante hécatombe, avec l'approbation tacite du Prince. Sénèque s'expliquait mal cette cruauté subite chez un homme qui, jusque-là, s'était abstenu de verser le sang gratuitement, et il fit une tentative pour raisonner Néron :

« Ne crains-tu pas, César, que ton règne, si brillant jusqu'ici, ne soit terni par un massacre dont l'utilité pourrait paraître contestable ?

— Tu ignores jusqu'où va le vice du chrétien ! L'hypocrite chrétien excelle à se déguiser pour surprendre la bonne foi et la candeur, et il se cache jusque sous la toge ! Il se répandra en manifestations d'amitié et d'amour, il versera son sang, s'il le faut, mais pour mieux s'insinuer dans vos bonnes grâces, et vous mordre finalement au talon. Le chrétien est un monstre de fourberie et de faux-semblants. Il faut le démasquer et l'écraser avant qu'il ne soit parti en campagne. L'incendie n'est que le moindre de ses talents... »

Sénèque, qui se rappelait avoir vu récemment Kaeso chez Pison, et qui avait reçu copie du mémoire d'Aponius et de la consultation du Grand rabbinat, se douta que l'idylle entre le jeune homme et Néron avait dû tourner au vinaigre, et que le « baptême » du favori devait y être pour quelque chose. Le Prince avait naturellement dû recevoir une sévère commotion à l'idée qu'il avait accordé ses faveurs à' un ambitieux, pour qui l'incendie des entrailles n'était qu'un entraînement de routine à des projets plus larges. Fouillant sa mémoire, Sénèque se rappela encore que Kaeso était venu le consulter dans les cendres futures de la Bibliothèque palatine, et qu'il n'envisageait alors la fréquentation des chrétiens que comme un ingénieux expédient pour décliner l'offre d'adoption de Silanus. Sénèque eut l'impulsion de dire à son impérial et mauvais élève, après le Conseil : « Ne te frappe pas pour si peu, petit Lucius ! Le baptême de Kaeso, c'est de la frime ! » Mais était-il bien en mesure de le garantir ? Un homme comme Paul de Tarse était tout à fait capable d'avoir pris Kaeso à son propre piège. D'ailleurs, Sénèque avait pour prudent principe de ne jamais se mettre en tiers dans des démêlés amoureux, à plus forte raison quand ils étaient de nature pédérastique. Les homosexuels avaient une sensibilité d'écorchés, qui décourageait les plus raisonnables interventions. Sénèque préféra donc laisser Kaeso se justifier lui-même, le cas échéant.

Sa pensée revint au bain de sang prévu, qui choquait son sens de la mesure et sa sensibilité de juriste. Ce règne était vraiment celui des pires nouveautés. Au sortir de la plus monstrueuse partouze de mémoire d'homme, on allait aussi, pour la première fois, exterminer froidement une foule d'individus, tenus pour criminels inassimilables en vertu de critères douteux. Il ne s'agissait plus de passer au fil de l'épée, dans la chaleur de l'action, les habitants d'une ville prise d'assaut, ni d'égorger des proscrits dans la haineuse excitation d'une guerre civile. Néron et Tigellin venaient d'inventer le génocide pour raison d'État, et après y avoir mûrement réfléchi.

Sénèque se demanda si, à ces deux innovations, ne s'en serait pas ajoutée une troisième : l'expropriation par le feu en vue d'un urbanisme radieux à l'échelle d'une immense métropole. Les règlements qui devaient présider à la construction de la Rome nouvelle étaient déjà parus, et l'on était frappé de leur ampleur, de leur précision, de leur sagesse. Les maisons devaient être alignées et isolées, réduites à une prudente hauteur, entourées de portiques pare-feu, dont le Prince prenait les frais à sa charge, après avoir fait déblayer le terrain sur le budget de l'État. Des primes étaient accordées pour hâter les travaux. L'utilisation du bois était réglementée, celle des pierres de Gabies ou d'Albe, à l'épreuve du feu, rendue obligatoire pour les parties les plus exposées des édifices. Chacun était obligé de tenir prêt en permanence tout un matériel contre l'incendie. Le service des eaux était réorganisé et soumis à un contrôle plus strict, en attendant que des fleuves, que la mer elle-même pénètrent dans la Ville pour compléter le quadrillage déjà demandé à de larges avenues qui devaient rayonner à partir de l'impériale « Maison Dorée », en train de sortir hâtivement de terre entre Palatin, Esquilin et Caelius. Et les navires qui avaient remonté le Tibre avec du blé remportaient les décombres appelés à remblayer les marais d'Ostie. De pareilles mesures n'avaient pu être improvisées en quelques semaines.

Mais Sénèque repoussa le soupçon qui n'avait fait que l'effleurer. Comment un sage, malgré les plus aveuglantes présomptions, pourrait-il comprendre une géniale folie ? Sénèque n'était artiste qu'en chambre, sur la cire ou le papier.

Son impuissance le peinait. Il s'était efforcé de donner un os à ronger au pouvoir en offrant à sa colère feinte ou réelle la perspective d'une épreuve sacrificielle d'efficacité plus que douteuse, dont il eût été bien surpris d'apprendre que les empereurs des deux siècles suivants en feraient leur moyen de répression constant et privilégié. Mais un Tigellin superficiel se moquait bien de l'éradication du christianisme, qu'il devait sans doute tenir pour un phénomène provisoire. Sourd aux prévoyants conseils des Juifs, il ne voulait que des fêtes brillantes pour rétablir la popularité du Prince. Seule considération réconfortante : le génocide étant opportuniste, il serait probablement sans lendemain.

Comme on discutait du programme précis des fêtes exterminatrices, Sénèque, très las, demanda la permission de se retirer. Au passage, son regard croisa celui de son ami Thrasea, et cette brève confrontation acheva d'attrister le philosophe. Visiblement, Thrasea prenait sans inquiétude son parti de la disparition des chrétiens de la Ville, car ce n'était pas seulement la Rome de Néron que les chrétiens vomissaient, mais celle même d'Auguste, dont son stoïcisme paternaliste se serait à la rigueur accommodé. Pourquoi les chrétiens avaient-ils poussé la négation si loin ?

Alors que la litière de Sénèque traversait le Forum aux Bœufs en chantier, Kaeso était justement occupé, dans les ruines du temple de la Pudicité Patricienne, à dégager des gravats la statue de Marcia, avec l'aide de quelques manœuvres. Par chance, le marbre n'avait pas souffert. Kaeso était allé demander à L. Silanus, héritier de Decimus pour le principal, de lui en faire cadeau, ce que le jeune patricien stoïcien avait accordé avec une bonne grâce un peu dédaigneuse. Lucius ne pratiquait la vieille religion romaine que pour la forme, et il considérait Marcia comme une dévergondée qui avait abusé de la faiblesse de son oncle.

Sénèque, apercevant Kaeso, fit arrêter sa litière à peu de distance de la statue, que l'on avait déjà dressée et dépoussiérée dans l'intention de la charger sur une charrette. Kaeso souhaitait la déposer sous un portique de son ludus. Il n'avait plus d'autre image de sa Marcia.

Ayant éloigné les porteurs pour se garantir de toute indiscrétion, Sénèque dit à Kaeso : « Il est revenu aux oreilles de Néron que tu t'étais fait " baptiser ", et il a d'autant plus mal pris la chose que les chrétiens sont soupçonnés d'avoir mis le feu à Rome. Le plus grand péril les menace d'une heure à l'autre. Je n'ai pas le droit de t'en dire davantage, sortant du Conseil impérial, où je n'ai pu faire écouter la voix de la raison, et je ne t'en ai déjà que trop dit. Je veux te faire confiance pour garder le secret sur cet avertissement. Mais si tu me trahis, tu m'auras rendu service : je n'ai que trop vécu ! »

Kaeso rassura Sénèque et précisa :

« Comme je te l'ai déjà laissé entendre, je n'ai fréquenté les chrétiens que pour me dégager de Silanus. Je n'attache pas grande importance à ce baptême.

— Alors, c'est ce qu'il faut expliquer de toute urgence au Prince, en suppliant les dieux qu'il te croie ! Autrement, tu subiras le sort tragique de tous les autres. »

Kaeso réfléchit un moment, caressa la joue lisse de la statue, et se décida enfin à répondre :

« Je crois bien qu'il sera au-dessus de mes forces de fournir une telle explication.

— Mais c'est affaire de vie ou de mort !

— Quand Silanus a été prié par Tigellin de démentir les bruits selon lesquels Marcia, que voici dans toute sa pudicité, se serait donné la mort comme Lucrèce à la suite du déshonneur que le Prince lui aurait infligé, il lui était bien facile d'avouer au Préfet que sa femme avait en fait renoncé à la vie parce que j'avais renoncé moi-même à en faire ma maîtresse sous le toit d'un père adoptif complaisant. Il a préféré se taire par dignité.

« Cette dignité est de nature à commander la mienne, car je ne puis donner à Néron une raison convaincante de mon baptême incongru qu'en révélant le secret en vertu duquel Silanus est mort. Je dois bien d'ailleurs l'hommage de ce silence à Marcia et à Silanus, puisqu'ils ont disparu pour m'avoir aimé.

« Une dernière considération achèverait de me persuader s'il en était besoin : sans être chrétien, je n'ai pas à me disculper de l'être. Tu sais comme moi quels peuvent être les énervants défauts des chrétiens et leurs naïves imprudences, mais je les ai assez fréquentés pour savoir qu'ils n'ont pas incendié la Ville. Ou bien le désastre est accidentel, ou bien, comme j'aurais tendance à le croire, le coupable est le mégalomaniaque Néron. J'ai vu au Palatin une immense maquette, où la Rome de demain figurait dans ses moindres détails. La préméditation s'y étalait déjà. Si je meurs en compagnie de chrétiens, je mourrai en compagnie d'innocents, et c'est de nos jours un rare privilège.

— Voilà une noble attitude, digne d'un vrai stoïcien !

— J'ai causé assez de suicides pour ne pas ajouter le mien à la liste ! Je n'ambitionne pas plus que de périr assassiné par des gredins.

— J'admirerais plus encore ta vertu si je n'avais le sentiment que l'exercice de cette chatouilleuse dignité est favorisé par d'intimes déceptions, qui te détournent avant l'âge d'apprécier la vie.

— Je n'en disconviens pas. J'ai échappé à Marcia. J'ai échappé à Néron. La femme que j'aimais m'a échappé. Il est temps que j'échappe à moi-même. En moins de vingt ans, j'aurai découvert ce que tu as mis soixante ans à apprendre : la vie est un mauvais rêve, dont il ne faut pas craindre le réveil.

— Je n'ai pas ta rapidité de réflexion, et j'ai encore la faiblesse de rêver un petit peu. Mais moi aussi, je l'avoue, malgré mes fautes passées, j'aspire à un réveil qui me permettra, je l'espère, de te rejoindre pour continuer cette exemplaire conversation, en compagnie de Zénon, de Socrate et de quelques autres.

« Que tous les dieux te gardent, et s'il n'y en a qu'un, qu'il t'accueille avec d'autant plus de faveur ! J'aurais aimé avoir beaucoup d'élèves comme toi, à la place de ce Néron.

— Ils ne t'auraient pas rapporté grand-chose !

— Seulement de mourir de ma belle mort, éventualité de moins en moins probable... »

Tandis que la charrette prenait le chemin du ludus, Kaeso courut vers la Porte Capène à travers le Grand Cirque dévasté, informa le fabricant de tentes de ce qui menaçait les chrétiens à brève échéance, et l'invita à faire prévenir le plus possible de ses frères sur-le-champ. Mais l'homme se méfiait. Des bruits fâcheux avaient fini par lui parvenir au sujet de Kaeso, qui ne pouvait préciser sa source sans trahir Sénèque, et les craintes de l'alarmiste lui semblaient absurdes. Ses objections à semer la panique sur un on-dit étaient d'ailleurs assez pertinentes : « A supposer que ton avertissement méritât créance, où les chrétiens, connus de tout le monde, pourraient-ils se cacher ? Tu oublies aussi que beaucoup de chrétiens sont esclaves ou affranchis, qu'ils n'ont pas le droit de disparaître à volonté, que les étrangers ou les citoyens eux-mêmes se désigneraient comme coupables en prenant peur avant toute menace officielle. » Pierre devait rentrer de Pouzzoles dans la soirée, et on lui ferait part de la visite de Kaeso.

Sur le seuil, le judéo-chrétien eut cette remarque, très caractéristique de ceux qui sont menacés d'extermination en vertu d'une étiquette quelconque : « Tous mes voisins m'aiment et m'estiment. Je m'efforce de leur donner le bon exemple. » Et Kaeso lui rétorqua tristement : « Tous tes voisins te haïssent, justement parce que tu leur donnes le bon exemple. Crois-tu que les gens aiment recevoir des leçons ? » Quand un garçon a atteint ce degré de sagesse, il est compréhensible que la terre lui pèse.

La nuit fut calme, arrosée de pluies qui annonçaient déjà l'automne. Dès l'aube du V des Kalendes de septembre, les prétoriens et les cohortes urbaines bouclèrent les régions du Trastévère et de la Porte Capène et les rafles commencèrent méthodiquement. Dans ce qui restait de la Ville, dans les campements du Champ de Mars, la police s'affairait d'autre part. C'était un jour « néfaste gai », anniversaire de la dédicace par Auguste de l'Autel de la Victoire dans la Curie, et Néron, qui avait de la religion à ses heures, avait pensé que les dieux seraient favorables. Effectivement, tout se déroula le mieux du monde, avec la collaboration enthousiaste des Juifs et de la population, qui savait enfin à qui s'en prendre de ses malheurs, tandis que le gros des chrétiens, ahuris, croyant à un malentendu, se laissaient entraîner comme des moutons.

Au fur et à mesure des rentrées, Tigellin comptait son troupeau avec inquiétude. D'après tous les renseignements qu'il avait pu recueillir, la communauté chrétienne de Rome, qui ne s'était pas développée avant le règne de Claude, comptait encore trop peu de baptisés pour alimenter les spectacles qu'il ambitionnait d'offrir. Ayant reçu carte blanche du Prince, il avait donc donné ordre de ratisser largement, sans trop s'embarrasser de considérations théologiques, d'ailleurs incompréhensibles aux policiers et aux soldats chargés des arrestations. Furent donc appréhendés pêle-mêle des « prêtres », des « évêques » avec leurs ouailles incontestables, mais aussi des conjoints de religion différente, des sympathisants brûlants ou tièdes, des adolescents en cours d'instruction, des amis de la famille qui se trouvaient là par hasard... L'important était de faire nombre. Tigellin se disait fort justement que les erreurs les plus criantes seraient faciles à corriger par la suite, les intéressés ne devant pas manquer de protester avec preuves à l'appui. La rumeur publique se trompe d'ailleurs rarement.

Par une prétendue mesure d'humanité, Tigellin avait prescrit de ne pas séparer les mères des jeunes enfants, dans l'arrière-pensée que le supplice de ces bambins frapperait le peuple, en lui montrant à l'évidence à quel point le chrétien était répugnant et dangereux. Au cours d'un règne qui en était déjà si fertile, c'était là encore une nouveauté. Mais elle était dans la logique du concept de criminalité collective. On ne pouvait laisser prospérer une graine d'incendiaires. L'habitude d'exposer des enfants à la naissance était également encourageante : un incendiaire de dix-huit mois était-il vraiment moins coupable qu'une bouche inutile d'un jour ?

Vers le soir, Tigellin était assez satisfait. Ceux qui niaient énergiquement — à tort ou à raison — être chrétiens étaient en nombre réduit, et l'on pourrait faire la fête sans trop compter. D'autant plus que des rafles complémentaires étaient prévues jusqu'à la fin du mois.

Pour ne pas désobliger le sénat, dont l'adhésion au génocide était souhaitée, mais surtout parce qu'il eût été particulièrement malaisé de faire admettre que des nobles ou des « chevaliers » avaient mis le feu à Rome, Néron s'était résigné à laisser tranquilles les rares individus des deux ordres, sénatorial ou « équestre », qu'on aurait pu convaincre ou soupçonner de christianisme. Les « chevaliers », hommes d'affaires ou fonctionnaires, s'étaient révélés d'ailleurs fort imperméables à la prédication chrétienne. On n'avait trouvé qu'un seul chevalier « baptisé », en poste dans les services de l'Annone. Cette belle résistance de la fonction publique au poison était un autre sujet de satisfaction pour Tigellin.

Néron avait cependant ordonné de faire une exception en ce qui concernait Kaeso, dont la condamnation ne pouvait désobliger en principe aucun sénateur. La réputation d'Aponius père avait été plus que douteuse, et l'« infamie » gladiatorienne du fils se mariait à ravir avec ses accointances chrétiennes.

Ce V des Kalendes de septembre, on vint prendre Kaeso au ludus vers la fin de la première heure, alors que le jour pointait à peine. On avait dérangé pour lui un tribun du Prétoire avec un détachement assez important, de crainte que, par esprit de corps, des gladiateurs ne fissent quelque difficulté. Ce tribun, Subrius Flavus, compromis dans la conspiration de Pison, devait lui-même être exécuté l'année suivante, après avoir eu l'insolence de traiter le Prince d'histrion et d'incendiaire, preuve que certaines diffamations pouvaient avoir la vie dure. Type du vieux soldat de tradition, il passerait ses derniers instants à ronchonner parce qu'on ne lui creusait pas une fosse tout à fait réglementaire.

Avant de se remettre à ses soins, Kaeso embrassa pieusement la statue de Marcia, dont on eut du mal à l'arracher.

Étonné, Subrius lui dit :

« On m'avait dit que les chrétiens rêvaient de briser nos idoles.

— Ne crois pas tout ce qu'on raconte sur les chrétiens. Je ne viens d'ailleurs pas d'embrasser une idole. »

Poussé par un humour noir, Kaeso ajouta : « C'est la statue de Marie, mère toujours vierge de Jésus-Christ. Quand on l'embrasse, elle vous donne ce qu'on veut. Je viens de la prier de t'accorder de l'avancement. »

Subrius se gratta la tête sous son casque et demanda :

« Quelle différence entre cette statue et les nôtres ?

— Les statues romaines représentent des dieux qui sont en train de mourir ; les statues chrétiennes, des personnes bien vivantes, qui sont au ciel pour faire notre bonheur. Tu viens de voir la première !

— Te moquerais-tu de moi, par hasard ?

— Mais non, mais non... »

Après un instant d'émotion, Kaeso s'était rasséréné, et il bavarda aimablement avec Subrius durant le trajet. On le conduisait au Tullianum. Subrius lui expliqua que l'on se proposait d'entasser le gros des chrétiens ici ou là comme on pourrait, mais que les citoyens romains et les plus notables de la secte avaient droit aux honneurs de la prison publique. Comme la peine de prison n'existait point pour les citoyens, on n'enfermait au Tullianum que des condamnés à mort : étranglés dans le cachot souterrain, ils en sortaient les pieds devant pour être exposés sur le proche escalier des Gémonies, ou bien ils en sortaient sur deux pieds pour aller se faire exécuter ailleurs.

Du Caelius au Capitole, le chemin était court. Bientôt apparut, accroupie au pied de la colline, entre le « Clivus de l'Asyle » et la Voie du Forum de Mars, la façade sinistre et massive du Tullianum, dont la porte se dressait entre deux grands escaliers latéraux, qui montaient jusqu'aux deux tiers de la hauteur du bâtiment.

En remettant Kaeso aux geôliers, Subrius lui dit en guise de consolation : « On n'y reste d'ordinaire pas bien longtemps ! »

Kaeso jeta un dernier coup d'œil sur les Forums, qu'il ne reverrait peut-être point. Mais ce n'étaient plus les Forums qui avaient décoré et agrémenté son enfance. L'artiste Néron avait fait table rase, privant les Romains de leurs souvenirs pour leur en fabriquer de nouveaux selon ses vues.

Le Tullianum était la prison la plus simple qui fût : les hôtes n'avaient à leur disposition qu'une seule pièce éclairée par un jour de souffrance. De forme quadrangulaire, plus large d'un bout que de l'autre, entièrement construite en pierre de taille, cette chambre voûtée était de dimensions assez médiocres. La hauteur était de quatorze pieds environ, la longueur de vingt-cinq, et la largeur, de dix-huit en moyenne [1]. Ancus Marcius, quatrième roi de Rome, avait construit ce chef-d'œuvre de solidité, dont il n'était pas question de s'enfuir. Et Servius Tullius avait creusé sous cette pièce de séjour une geôle à peu près circulaire d'environ vingt-deux pieds [2] de diamètre, mais dont la hauteur dépassait de peu celle d'un homme, de sorte que, par le trou étroit de communication, on ne fût pas tenté de se jeter dans le vide pour se tuer. Ce cachot souterrain totalement obscur ne servait qu'aux exécutions. C'était là, après bien d'autres, que Vercingétorix avait été étranglé au sortir du triomphe de César, qui ne lui pardonnait pas de lui avoir fait perdre avec ses barbares un temps précieux dans sa carrière.

La salle du rez-de-chaussée fut vite à peu près remplie de citoyens romains, qui furent d'abord pour Kaeso d'une compagnie lassante dans leur majorité. Ils ne cessaient de se plaindre, de protester, de réclamer leur avocat. Dans leur âme de juriste chicaneur, ils étaient scandalisés qu'une loi de responsabilité collective, tout juste bonne pour des esclaves, puisse leur être appliquée. C'était, il est vrai, le premier exemple d'un abus de droit aussi criant. Et les termes de l'accusation leur étaient un autre motif de scandale : on n'avait jamais encore persécuté un citoyen pour sa croyance, et l'idée qu'un citoyen pouvait avoir incendié Rome était d'une invraisemblance criante. Citoyens chrétiens, ils s'étaient crus plus citoyens que chrétiens, et Néron les rappelait brutalement à l'Évangile.

Quelques-uns, cependant, d'origine juive ou grecque, semblaient moins surpris. Ils avaient souvenir des disputes sanglantes entre Juifs et chrétiens, qui avaient de temps à autre ému l'Orient, sous l'arbitrage incompréhensif et négligent des Romains. Et à Rome même, de brèves émeutes avaient parfois opposé judéo-chrétiens et Juifs du Trastévère. (Le quartier de la Porte Capène, plus bourgeois, était toujours demeuré calme.) Ces chrétiens juifs ou grecs, mieux que les Romains de souche, savaient que le christianisme avait tout ce qu'il fallait pour soulever tôt ou tard une haine générale, et qu'il arriverait un jour où César devrait prendre parti.

1. Hauteur : 4,30 mètres. Longueur : 7,40 mètres. Largeur : 5,50 mètres.
2. 6,70 mètres.

Kaeso était peiné de voir les vrais Romains victimes de si graves illusions : ils se raccrochaient à l'idée d'une erreur judiciaire, alors qu'ils n'avaient rien d'autre à faire qu'à se préparer à mourir. Kaeso s'efforça de leur expliquer qu'il n'y avait pas d'erreur du tout, que Néron, qu'il avait eu l'honneur de fréquenter de trop près, savait fort bien ce qu'il faisait, mais il eut du mal à se faire entendre.

Au cours des derniers jours du mois, on acheva de remplir la prison avec des notables non citoyens de la secte, pour la plupart « prêtres » ou « épiscopes », judéo-chrétiens, syriens ou grecs. Plus habitués à se méfier que les citoyens, ils avaient flairé le vent et essayé de se cacher. Enfin, début septembre, le IV des Nones, anniversaire d'Actium, on trouva encore une place pour Pierre, qui s'était fait prendre sur la rive droite du Tibre, dans les jardins de César, où il était allé camper discrètement parmi des réfugiés que Néron y avait accueillis. Mais un agent juif de Tigellin l'avait repéré. Pierre avait en effet une tête caractéristique de Juif pieux, et Jésus lui avait fait perdre l'habitude de se laver les bras jusqu'au coude avant de manger, comme il était de stricte tradition chez les Pharisiens et même chez le commun des Juifs craignant Dieu.

VII

Pierre était effondré. Il se serait attendu à une catastrophe du côté de Jérusalem, dont Jésus avait annoncé la ruine prochaine. Mais c'était Rome qui avait brûlé, et les chrétiens étaient accusés de l'incendie. Après tout, si Jésus n'avait soufflé mot de l'accident, c'était peut-être parce que le sort de Rome lui importait peu à côté de celui de Jérusalem ? Jésus n'était pas juif pour rien. Autre sujet de surprise et de douleur : l'ampleur infamante et cruelle d'une persécution, qui n'avait plus rien à voir avec les ennuis rencontrés jusqu'alors, et d'une persécution commandée par César en personne dans la capitale du monde. Le Mauvais avait eu la main lourde, et la permission du Ciel n'en était que plus éclatante. La fin des temps était-elle proche ?

L'apôtre essayait de réconforter ses fidèles, mais il avait du mal à se réconforter lui-même. Seule le remontait un peu la conversation de Kaeso, ce qui n'avait rien d'étonnant : quelle consolation un chrétien dans la peine pourrait-il attendre d'un autre bon chrétien, dont il ne connût d'avance tous les termes ? Kaeso demeurait au fond insensible à la dimension métaphysique des événements. L'injuste extermination des chrétiens le touchait certes, mais comme telle ou telle atroce péripétie de l'histoire, dont il avait déjà pu entendre parler. Son malheur étant de nature personnelle, il n'avait pas grand mérite à élever son esprit, à prendre ses distances, et cette calme attitude avait quelque chose de tonifiant dans cette ambiance de religieuse désolation.

Les geôliers faisant leur travail habituel sans animosité particulière, et avec la considération due à des citoyens romains, les condamnés gardaient quelques contacts avec le dehors. Kaeso et les plus aisés faisaient rentrer des douceurs, dont tout le monde profitait. Mais des nouvelles épouvantables filtraient peu à peu à travers les épaisses portes closes.

Depuis Tibère, les empereurs avaient aménagé des jardins dans la région de la Colline Vaticane, qui s'élevait au nord-ouest de Rome, au-delà du Champ de Mars et du Tibre. Néron y avait mis une dernière main grandiose, et il avait fait également achever le Cirque que Caligula avait mis en chantier en excavant une partie de la colline. On goûtait fort la beauté et le calme de ces jardins, isolés de l'agitation de la Ville. De riches tombeaux, de belles « villas » avaient fait leur apparition aux alentours. Mais le Cirque, par suite de son éloignement et de la concurrence des deux autres, avait attiré peu de monde. Néron, qui y avait fait discrètement ses premières armes de cocher maladroit, aimait ce cadre.

L'incendie avait détruit le Cirque Maxime et le Cirque Flaminius, le grand amphithéâtre de bois de Néron, et même le vétuste amphithéâtre de Taurus, au sud du Champ de Mars. Il était donc tout indiqué d'adopter pour les Jeux, en attendant mieux, le Cirque de Néron, dans les jardins du même nom, et d'y présenter, à titre exceptionnel, tous les types de divertissement, à l'exception du théâtre, les trois théâtres de Rome n'ayant pas été touchés par le fléau. D'ailleurs, beaucoup de réfugiés campaient encore dans les terrains vagues du Champ de Mars, et, pour eux, le Cirque était tout proche.

A partir des Ides de septembre, ce fut une succession de courses, de « venationes », de combats de gladiateurs de tous niveaux, de compétitions athlétiques diverses, sans oublier, naturellement, les exécutions tant attendues de condamnés, où les chrétiens s'adjugeaient la part du lion.

On les faisait déchirer par des bêtes sauvages, écraser par des éléphants, figurer dans toutes sortes de supplices légendaires et poétiques... Des petits enfants, cousus dans des peaux de bêtes, étaient poursuivis par des chiens féroces, devant les mamans éventrées par des panthères. Mais les soucis édilitaires et artistes du Prince trouvèrent leur expression la plus mémorable dans la première tentative d'éclairage urbain nocturne. De Rome aux jardins vaticans, la Voie Triomphale et le pont étaient illuminés par des rangées de chrétiens enduits de poix, que l'on avait empalés ou exposés en croix sur la fin de l'après-midi, pour y mettre le feu à la tombée de la nuit ; les jardins étaient éclairés de même ; et au Cirque, les spectacles se poursuivaient en nocturne à la lumière des incendiaires qui brûlaient sur l' « arête » du vaste édifice. Bien que l'odeur de grillé ne fût pas des plus plaisantes, c'était d'une folle originalité, que le bon peuple ne pouvait manquer d'apprécier.

Dans le même temps, les trois théâtres hors les murs donnaient sans discontinuer, par suite de l'abondance des condamnés, des représentations porno, qui poussaient à des cimes insurpassables cet art exigeant. Néron avait bien saisi qu'Euripide n'était plus de saison.

Pour reconquérir et asseoir une popularité que le sinistre avait remis en question, il devait faire généreusement abstraction, et plus que jamais, de ses goûts personnels délicats. Et sur les scènes trépidantes, on pouvait enfin voir accomplir en grand cette exigence de la meilleure tradition romaine qui voulait qu'on ne dût point mettre à mort de filles vierges. Ainsi, les ânes, les boucs, les chiens, toute une ménagerie imprévue, les comédiens les plus insensibles au trac et les plus sûrs de leurs moyens s'en donnaient à gueule-que-veux-tu en attendant qu'une mort pittoresque fît son œuvre. Le public en délire acclamait son Prince, et les vieux habitués des gradins se demandaient avec une reconnaissante tristesse : « Après cela, que pourra-t-on voir de vraiment piquant ? »

Il arrivait à Néron, par ces douces nuits de septembre, de conduire son char en reniflant de dégoût par ses jardins illuminés, et devant les cris de joie d'une plèbe heureuse, il se demandait de son côté : « Qu'eût-ce été, si je m'étais montré cruel ? »

Au Tullianum, les citoyens romains les plus indignés avaient fini par se taire, ne fût-ce que par pudeur, car ils ne risquaient que de se faire étrangler ou couper la tête, désagrément mineur à côté de ce qui attendait les autres. Ils avaient d'ailleurs perdu tout espoir de survie et commençaient de saisir, dans une atmosphère de claustration et de promiscuité de plus en plus accablante, qu'ils vivaient des heures sans exemple dans l'histoire de la Ville et qu'il leur fallait pourtant mourir en Romains.

A part un « épiscope » apocalyptique qui s'était mis à « parler en langues » de façon à exaspérer tout le monde, les notables non citoyens de la secte s'apprêtaient au martyre avec sérénité, mais sans grand enthousiasme, et la peur physique de l'épreuve les poursuivait jour et nuit. Comme c'était la première persécution digne de ce nom, il n'y avait aucun précédent dont on pût s'inspirer pour régler ses pensées ou se composer une attitude. En fait de martyre, ces malheureux essuyaient les plâtres.

Pour s'encourager, on chantait, on priait. Quand il y en avait à disposition, Pierre bénissait et distribuait le Pain et le Vin, dont Kaeso s'abstenait, sa première communion ne lui ayant pas laissé un souvenir impérissable — par sa faute, il lui fallait bien le reconnaître, car Dieu ne nous donne jamais que ce qu'on Lui apporte.

Aux approches de l'aube, Pierre se réveillait en sursaut, poussant de lamentables gémissements, car si beaucoup de coqs avaient été rôtis dans l'exploit de Néron, ceux des gardiens du Capitole avaient gardé toute leur voix, et les geôliers eux-mêmes avaient une petite basse-cour, dont ils vendaient à prix d'or les œufs aux captifs.

Un matin, Pierre confia à Kaeso, qui dormait dans son manteau à côté de lui :

« Il y a des coqs partout, en ville comme à la campagne. Nulle part, je ne puis m'endormir sans appréhender ce cruel réveil. Je sais à quelle heure chantent les coqs de tous les endroits où je suis passé. Ceux de Jérusalem chantent beaucoup plus tôt que ceux de Rome, alors qu'il fait encore nuit noire. Mais, de toute façon, après que le premier coq a donné le signal, les autres embouchent leur trompette, et la musique se prolonge, pour mieux me faire honte de mon reniement... Et chaque fois que je me réveillais en hurlant et en pleurant, ma défunte femme, devenue indissoluble, me refilait des coups de pied !

— Jésus eût été plus charitable de mobiliser un rossignol !

— Le coq est encore trop doux pour ma faute.

— J'ai lu chez ton secrétaire Marc que Jésus t'aurait dit : " En vérité, je te le dis... avant que le coq chante deux fois, tu m'auras renié trois fois. " Mais Luc m'a raconté que Jésus t'aurait dit : " Je te le dis... le coq ne chantera pas aujourd'hui que par trois fois tu n'aies nié Me connaître. " Tu t'es aperçu de ta faute après le premier ou le deuxième chant de cet horrible coq ?

— Après le deuxième, comme je l'ai moi-même rapporté à Marc. Mais aujourd'hui, je m'en aperçois au premier !

— Pourquoi laisses-tu Luc transmettre une version fausse ?

— Quelle importance ? Se trouvera-t-il un jour un chrétien assez stupide pour se formaliser de tels détails ?

— Oui, je comprends ton point de vue. Mais si, malgré Néron, ta religion fait la conquête du monde, les chrétiens stupides deviendront légions. »

Bien sûr, Pierre invoqua la protection de l'Esprit Saint étendant ses ailes sur l'Église. Il avait l'espoir chevillé au corps.

Mais le corps était le point faible.

Kaeso avait longuement parlé avec Pierre, à qui il avait narré sa vie trop courte mais trop riche, et Pierre, de son côté, lui avait fait des confidences intéressantes. Devant un chrétien, le chrétien scrupuleux est condamné à jouer un rôle de chrétien. Devant un inconnu aimable et sans parti pris, le tragédien dépose son masque conventionnel, et l'homme apparaît dans une relative nudité. Avec Kaeso, Pierre se soulageait de longues contraintes, d'autant plus sévères qu'il n'avait pas été préparé du tout à jouer le rôle écrasant que le Metteur en Cène lui avait dévolu sans le consulter. Kaeso commençait donc à bien connaître cet homme simple, qu'il trouvait plus sympathique que Paul, toujours complexe et tourmenté.

A la lumière de cette sympathie, l'affaire du reniement prenait dans l'esprit de Kaeso ses justes proportions. Pierre avait longtemps vécu avec Jésus, qu'il avait aimé dès le départ, profondément et sans réserve. Et il avait trouvé moyen de le renier dans des circonstances dont la gratuité pouvait sembler confondante. On lui avait demandé dans une cour s'il n'était point, par hasard, parmi les relations de l'accusé, dont rien ne permettait de dire qu'elles seraient inquiétées, et qui, en effet, ne l'avaient pas été tant qu'elles s'étaient tenues tranquilles. Pierre ne s'était pas écrasé par ruse, bernant l'ennemi pour mieux servir. Pour trois fois rien, une peur insensée l'avait pris aux tripes, et il avait renié trois fois, mais en dépit de tout lui-même, parce qu'il n'avait aucun courage physique. C'était seulement le corps qui avait parlé.

Kaeso dit à Pierre :

« Tu as affreusement peur, n'est-ce pas ?

— Qui n'aurait pas peur à ma place ?

— Je crois que tu as plus peur qu'un autre. Mais tu as de bonnes excuses. On t'a annoncé depuis longtemps que tu partagerais le sort de Jésus, dont le coq te fait sursauter chaque matin. Il y a de quoi vous miner le tempérament. Et de plus, hélas, tu es douillet. Plus précisément, tu supportes plus mal l'appréhension de la souffrance que la souffrance elle-même.

— Oui, oui, c'est tout à fait cela ! J'envie ton sang-froid de gladiateur.

— Il faut réagir !

— Mais comment ?

— Tu dois justement préparer ta crucifixion comme les gladiateurs préparent leur combat. J'ai été, comme tu le sais, gladiateur un moment, et, quand j'étais gamin, j'ai observé pas mal de crucifiés en train de se tortiller. Je puis donc te conseiller au mieux.

— Je t'écoute.

— Tu dois te dire d'abord : " J'ai signé un contrat. Je n'échapperai pas à la rencontre avec la mort. "

— Oui.

— Tu dois te dire ensuite : " Quelle que soit l'épreuve, elle me paraîtra plus ou moins longue, mais elle sera en fait très limitée dans le temps. "

— Oui.

— Tu auras encore pour toi que, dans les grandes émotions de l'amour ou de la mort, le temps s'arrête. Les instants cessent de se succéder. Insensible à ce qui précède ou à ce qui suit, tu ne souffriras qu'un instant.

— Le grec que tu emploies ne m'est pas familier, mais je saisis ton idée. Quand Jésus s'est transfiguré, le temps s'est arrêté aussi, et je ne saurais dire quelle fut la durée de l'apparition.

— Excellente analogie ! Tu seras transfiguré par ta souffrance et le sable cessera de couler dans le sablier. Un siècle te sera comme un clin d'œil.

— Je préfère quand même le clin d'œil. »

Kaeso rit de bon cœur et poursuivit :

« Pour plus de sûreté, tu dois enfin connaître la bonne technique.

— N'est-ce point l'affaire du bourreau ?

— C'est aussi l'affaire du crucifié. »

Kaeso expliqua en détail à Pierre quel était le mécanisme de la mort par crucifixion, avec ses alternances de positions hautes, où le crucifié aspirait, et de positions basses, où il s'asphyxiait...

« Je savais déjà cela. Comme tout le monde, je pense. Et alors ?

— Au champ « Sestertium », reprit Kaeso, j'ai constaté autrefois une différence de comportement entre les esclaves de la Ville, qui ne s'étaient jamais préparés à mourir de cette façon, et les bandits de grand chemin, qui avaient prévu comme toi, longtemps à l'avance, qu'ils finiraient sur la croix. L'esclave se dressait sur ses pieds cloués pour trouver un peu d'air, par ce mouvement instinctif qui rattache à la vie les plus infortunés des hommes, et, s'il était aussi vigoureux que toi, son agonie se prolongeait en conséquence. Alors que le brigand, avec un regard de haine pour les soldats, pour les badauds, pour les enfants curieux, qu'il n'hésitait pas à priver de leur dû, se contractait et luttait de toutes ses forces contre le mouvement ascendant commandé par la nature. A tel point que certains bourreaux consciencieux, vexés de cette triche insolente, piquaient de la pointe de la lance ces individus crispés en position basse pour les exciter à respirer un bon coup. Le crucifié qui parvient à maîtriser ses élans — mais il y faut beaucoup de volonté — meurt très vite.

— Ce n'est pas ce qu'a fait Jésus, qui était pourtant grand et vigoureux.

— Jésus en croix avait encore des choses à dire, et il ne pouvait les dire qu'en se redressant.

— Si le bon larron avait appliqué cette technique de brigand endurci, il serait peut-être mort avant d'avoir fait pénitence.

— Tu as fait pénitence depuis assez longtemps !

— Pour des fautes comme les miennes...

— Alors, je vais te donner un autre truc, qui ne saurait être assimilé à un suicide, et qui est également efficace. A moins que tu ne veuilles souffrir à tout prix le plus possible ?

— Je suis trop humble pour une telle outrecuidance.

— C'est là une humilité qui fait honneur à ton bon sens !

« Quand le condamné est amené, sa traverse sur le dos, au champ de supplice où les poteaux l'attendent, le truc ne marche pas. Mais il nous est revenu que l'on crucifiait en guise d'éclairage public à travers le Champ de Mars et les jardins de Néron, et jusque sur la « spina » du Cirque Vatican, qui, de chaque côté de l'obélisque, est un endroit sablé. De plus, il y a chaque soir beaucoup de monde à crucifier, et les soldats pressés n'ont pas le choix de l'emplacement, puisque Néron, qui est artiste, recherche un effet lumineux, ordonné et décoratif...

— Où veux-tu en venir ?

— Quand les soldats ont affaire à un sol meuble, où il faudrait enfoncer très profondément les poteaux pour qu'ils ne risquent pas de s'effondrer, il est d'usage de placer la traverse à une assez faible hauteur au-dessus du sol, et orientée de telle manière que l'une des branches pointe du côté où la croix paraît avoir tendance à verser. La stabilité est alors maximale et le patient est crucifié la tête en bas. L'asphyxie est de la sorte très rapide. Dans toute la mesure du possible, essaie donc de manœuvrer pour être crucifié ainsi. Il y aura peut-être quelques vertueux chrétiens parmi les bourreaux. Au besoin, essaie de changer de place avec un naïf... »

Pierre rit à son tour...

« Ce serait un mauvais service à lui rendre ! Mais il y a déjà en effet des chrétiens parmi les soldats, qui n'ont peut-être pas encore été dénoncés.

— Je te le souhaite. Mieux vaut brûler mort que vif. Et les chrétiens pourront toujours raconter que tu t'es fait crucifier la tête en bas par humilité...

« Je vois à ton sourire que l'hypothèse te plaît. Tu devais déjà avoir ce sourire-là, quand — avant de rencontrer Jésus, bien sûr ! — tu vendais aux orgueilleux Pharisiens du poisson pas frais. »

Ils rirent cette fois de concert. Un coq retardataire poussa un cri strident et Pierre changea de visage.

Kaeso fit un nouvel effort pour lui remonter le moral :

« Si tu veux marcher d'un pas ferme vers l'épreuve, comme il convient à un chef, tu dois absolument cesser de pleurer parce que tu as renié ton Maître. Dis-toi bien que Jésus connaissait les hommes à merveille et qu'il a su s'entourer en conséquence. Pourquoi a-t-il choisi ce félon Judas, si ce n'était pour qu'il le trahisse ? Et pourquoi t'aurait-il choisi toi-même, et placé à la tête de son Église, sinon pour que tu le renies lâchement, de la façon la plus inexcusable ?

« Songe bien à ceci : tes successeurs seront nommés par les hommes ; mais toi, tu as été désigné par le Christ en personne, alors que tu n'avais encore qu'une trentaine d'années. On peut donc en conclure que tu représentes son idéal pour ce poste. Tu es de très humble origine. Tu n'as qu'une instruction assez élémentaire. Tu ne brilles ni par la parole ni par la plume. Tes œuvres, malgré le talent de quelques secrétaires, ne pèseront pas lourd. Tu es un peu frous-sard. Et ta plus grande notoriété est d'avoir trahi Jésus comme Judas — à cette différence près que toi, tu es resté en vie par amour.

« Eh bien, moi, je te le déclare : " Élu entre mille par le Christ après mûre préméditation, exemple incomparable pour tous les chré-tiens de l'avenir, et surtout pour tes successeurs, relève enfin la tête avant de lever les pieds vers le Ciel ! Jésus nous souffle par ta voix timide que la culture et l'argent fouettent l'orgueil, que moins un chef en dit, moins il risque de dire de bêtises, qu'il a intérêt à rester discret, que le premier courage qui compte est celui de publier fran-chement ses fautes et ses erreurs, pour les regretter et pour les corri-ger, et que la première vertu est de ne pas désespérer après les avoir commises. Pierre, tu iras loin... dès que tu seras mort ! " »

Pierre se sentait un peu mieux. L'idée que Jésus avait pu le distin-guer en raison même de sa modestie et de sa faillibilité diminuait le poids de ses insuffisances et de ses trahisons.

Kaeso poursuivit :

« Luc m'a raconté qu'un ange t'avait un jour tiré de la prison d'Hérode, que tu avais marché sur les eaux et ressuscité un mort. C'était la belle époque...

— Dieu fait des miracles pour nous ou par nous tant qu'Il a besoin de nous pour Son service. Ces grâces-là ne fonctionnent plus quand on n'en a besoin que pour soi-même. Je sais que mon heure est venue aujourd'hui.

« Mais tu m'as bien réconforté et j'aimerais faire quelque chose pour toi...

— S'il s'agit du service de Dieu, un miracle doit être possible ?

— Assurément. Et j'aimerais te donner la foi, miracle par excel-lence. Quel est l'obstacle ? »

C'était là une question à la fois très simple et très compliquée.

Kaeso essaya cependant de répondre :

« J'ai failli coucher avec ma belle-mère qui m'avait élevé et que j'adorais. Je l'ai poussée au suicide. J'y ai poussé aussi un homme qui m'aimait et qui avait eu pour moi les plus grandes bontés. J'ai abusé en passant d'une fillette. J'ai condamné mon père à mort par mon indifférence. J'aurais violé sa concubine, que je venais d'affranchir, si Néron n'avait pas mis le feu à Rome. J'ai été un instant le favori de ce Prince au sortir de l'arène. J'ai prémédité l'assassinat d'une actrice. Je me suis fait baptiser par comédie et imposer l'Esprit Saint comme porte-bonheur. Je n'ai cessé de tromper et de désespérer tout le monde. Et cependant, je suis intelligent et mes intentions ont tou-jours été excellentes. Alors, naturellement, je me demande ce que font les imbéciles qui ont de mauvaises intentions... Peut-être du bien ?

— Je vois ce qui te trouble. Tu as l'impression que l'homme est le jouet de la méprise et du hasard, que le rapport est incertain et décevant entre les intentions, les actes et les résultats...

— J'ai même le sentiment que plus les intentions sont bonnes, plus les conséquences sont déplorables !

— Je te comprends d'autant mieux que je suis exactement dans ton cas. Depuis de longues années, nous prêchons l'amour sans désemparer pour ne recueillir que la haine, et les jours que nous vivons sont le couronnement de notre action.

— Tes intentions, en effet, ont dû être encore meilleures que les miennes si l'on en juge par ce massacre. Je t'en prie, modère-toi un peu !

— S'il en est ainsi, c'est que l'Évangile de Jésus-Christ a mis le Mauvais dans un état de rage effroyable et que rien ne l'exaspère plus qu'une bonne intention. Dès qu'une bonne intention se discerne quelque part, le Mauvais accourt pour la dénaturer, la vicier, la faire tourner au ridicule et au désastre. Il espère que les Justes se lasseront. Mais les Justes sont inlassables. Toi-même, dans cet horrible Tullianum, après toutes tes désillusions, tu as encore consacré ton temps à me rendre courage avec beaucoup de bonté et d'ingéniosité.

« Cette scandaleuse distance, entre ce que nous avons souhaité de bon et ce qui est survenu, doit d'autant moins nous troubler qu'elle est justement le signe que Dieu a fait appel à nous pour déranger le Mauvais dans ses plans. L'idée est bien abstraite, mais elle se vérifie chaque jour...

— Ce n'est pas dans le lac de Tibériade que tu as pêché cet adjectif grec " abstrait " ?

— Je crois que c'est Paul qui me l'a appris...

— Oh, oh ! Tu es sur une mauvaise pente. Il est temps que tu te retires avant de gâcher ta belle réputation de simplicité. Jésus ne parlait pas comme cela.

— Il parlait mieux que personne ! Et tu peux faire confiance à Sa parole, parce que j'ai vu le Christ ressuscité comme je te vois, et un soir, alors que nous mangions côte à côte, j'ai même touché Son bras comme je touche le tien. »

Dans la demi-obscurité, la main de Pierre s'était posée sur la cuisse de Kaeso, et non pas sur son bras. Le Démon est coutumier de sinistres plaisanteries de ce genre, qui sont au croyant une raison de plus de croire [1].

---

1. Cette méprise, où se reconnaît en effet le rire grinçant de Satan, ne me trouble pas le moins du monde. Je suis absolument certain de la Résurrection de Jésus. O Christ, quelle est Votre puissance d'imposer l'évidence de Votre glorieuse Résurrection à ceux qui connaissent l'histoire de Votre Église et qui ont fréquenté des chrétiens !

Il en aurait fallu davantage à Kaeso pour être convaincu.

Pierre lui dit soudain : « Tu ne sortiras pas d'ici que la foi ne t'ait touché. C'est un grand pécheur de petit pêcheur qui te le dit ! Tel est le cadeau que Dieu te fait parce qu'Il veut te voir de plus près. Mais Jésus est mort aussi pour ceux qui aimeraient à croire, car c'est la première façon de L'aimer. »

On communiqua bientôt à Kaeso une courte lettre de Marcus junior.

« M. Aponius Saturninus à son frère Kaeso, salut !

« J'ai effectivement reçu un mot d'adieu de notre père, où il manifestait l'intention de se donner la mort comme Caton d'Utique, et la nouvelle de sa disparition m'est parvenue ainsi que celle de ton combat contre Pugnax. Des amis m'ont également informé de la survie de Séléné, et je n'en suis pas fâché. Je n'approuve certes pas ta conduite, mais à quoi bon te faire des reproches ? Tu t'en feras toi-même plus et mieux que je ne pourrais. Je préfère te dire une vérité qui semble t'avoir échappé. Notre père n'était pas un mauvais homme et il nous aimait tous deux tendrement. Je l'ai entendu souvent parler de toi avec des larmes de joie et d'orgueil et il t'a élevé avec un soin jaloux. Tu étais toute sa vie, et il est mort le jour où il a compris avec horreur que tu ne l'aimais point, malgré tout ce qu'il avait consenti pour toi. Tu avais le droit de faire des réserves sur les compromissions qu'il n'avait souffertes que dans ton intérêt. Tu n'avais pas le droit de refuser son amour avec mépris, car l'amour d'un père est toujours bon à prendre. Ses intentions avaient toujours été excellentes. On ne doit pas exiger davantage des hommes. Je te plains, mais je ne te retire pas mon affection. Merci de ta lettre d'adieu. Porte-toi bien. »

Kaeso en pleura comme s'il avait entendu le coq. Sur la demande de Pierre, il traduisit le texte du latin en grec courant, ce qui lui tira de nouvelles larmes.

Pierre lui dit alors : « Jupiter était le père des dieux. Jésus nous a révélé que son Père est aussi le Père des hommes. Et chez ce Père-là, les intentions concordent avec les actes. Tu as perdu ton père, après avoir gémi de ses défaillances. Je t'en donne un autre, qui ne te décevra pas. »

Kaeso médita beaucoup là-dessus. Contrairement à toute attente raisonnable, c'est son frère aîné impie qui était en passe de le convertir.

Chaque jour, désormais, quelques victimes étaient tirées du cachot, d'où elles sortaient en faisant bonne figure. L'attente est la pire épreuve. On avait renoncé à utiliser le souterrain du Tullianum, car le Prince avait souhaité que toute mise à mort fût publique.

Pierre devait être exécuté le III des Ides d'octobre, fête des « Divines Fontaines », et dixième anniversaire de l'accession au trône de Néron.

Kaeso fut expédié dès l'aube de la veille des Kalendes d'octobre. Il avait demandé à bénéficier des services de Subrius, et la faveur lui avait été négligemment accordée. Le tribun passait pour avoir un bon coup d'épée.

La petite procession prit le chemin des « Aquae Salviae », champ de supplice situé un peu en retrait de la route d'Ostie. Kaeso était accompagné d'un certain Savinien, « épiscope » syrien que Pierre avait envoyé fonder l'Église gauloise d'Agendicum — qui devait bien plus tard s'appeler Sens — et l'homme avait eu la chance de se faire naturaliser six mois auparavant. Il ne cessait de répéter : « Que vont devenir mes fidèles d'Agendicum ? » Kaeso lui dit que seul Jésus était irremplaçable, et il se calma.

Comme on prenait la « Via Ostiensis », Subrius fit remarquer à Kaeso :

« Tu parais bien joyeux, ce matin ?

— C'est que je vais retrouver mon Père ! »

Vu la réputation du défunt Aponius, Subrius fut fort étonné de la déclaration.

Le tribun fit creuser deux fosses réglementaires impeccables, dont Kaeso le complimenta. La tête de Savinien tomba, tranchée d'un coup net et franc. Kaeso eut presque honte en songeant à tous les crucifiés. On le gâtait au-delà de ses mérites.

Et bientôt, le temps des épreuves cessa de s'écouler pour lui.

Trois ans plus tard, par un matin d'été, Cn. Pompeius Paulus suivait la même « Via » que Kaeso.

Rentré imprudemment à Rome après la tourmente, confiant en sa qualité de citoyen comme en la permanence du droit romain, il avait posé à Tigellin un problème juridique désagréable. Le Préfet, reflétant en cela l'opinion générale des gens prétendus bien informés, ne croyait nullement que les chrétiens pussent jamais constituer un danger sérieux pour l'Empire, mais Paul lui avait été spécialement signalé, et son dossier n'était déjà que trop chargé. Il n'existait cependant aucune loi criminelle particulière contre les chrétiens, et Paul avait été absent de la Ville au moment de l'incendie. Tigellin s'était résigné à intenter à Paul un procès régulier pour crime de lèse-majesté, à l'aide de faux témoins, qui en avaient malheureusement la tête. Paul ayant eu recours à toutes les ressources de la procédure, et le procès menaçant de s'éterniser, Tigellin s'était rappelé la suggestion de Sénèque au Conseil, et il avait fini par avoir recours à l'expédient. Paul, en tant que citoyen de naissance juive avait demandé à bénéficier de la dispense sacrificielle des Juifs, mais comme il ne pouvait nier être chrétien, le jugement avait été vite rendu. Le précédent, recensé par les juristes, devait donner des idées par la suite.

Tandis que Néron, possédé d'une ivresse croissante, chantait en Grèce, Paul allait donc se faire couper la tête aux « Aquae Salviae ». Il avait plutôt défendu sa dernière cause pour le principe, fatigué de tant de combats où s'étaient usées ses faibles forces, et il n'était pas fâché d'en finir.

Au cours des années écoulées, l'impression s'était sans cesse renforcée chez lui que la lutte était inégale entre Jésus et le monde, car le Maître en demandait vraiment trop à la nature humaine déchue. Le christianisme ne pouvait pas durer. A contresens d'une histoire trop humaine, il ne serait jamais qu'une parenthèse. Lorsque l'Évangile aurait été annoncé à la terre entière, lorsque chacun aurait été mis en mesure de faire son choix, alors la fin des temps surviendrait, Dieu condamnant un monde qui n'avait pas voulu reconnaître sa paternité. Mais l'univers où la foi devait être offerte se confondait-il avec l'Empire romain et les quelques nations adjacentes ?

Marchant le long du Tibre sur la route d'Ostie, Paul remuait ces choses dans sa tête. L'idée que, pendant mille neuf cents ans, les conceptions chrétiennes allaient dominer et se répandre lui aurait paru totalement invraisemblable. De toute évidence, le peuple ne renoncerait que contraint et forcé à l'exposition des enfants, à la liberté de divorce et de sodomie, aux jeux pornographiques ou violents, au culte de guides divinisés, au plaisir d'exterminer des minorités que le monstre froid de la raison d'État aurait désignées à sa vindicte. Si l'on avait dit à Paul que, mille neuf cents ans plus tard, Néron reviendrait avec des moyens, une détermination accrus, et à l'échelle de la planète, où Jésus aurait été annoncé partout, il aurait répondu que cette apostasie générale présageait probablement la fin du monde. Si on lui avait dit encore que de nouveaux Nérons incendiaires joueraient avec les atomes d'Épicure, il eût considéré l'Apocalypse comme imminente. Mais si l'on avait ajouté qu'après plus de deux millénaires de sujétion et de dispersion, les Juifs rentreraient chez eux pour constituer les armes à la main un État indépendant, il eût tenu pour quasi certain que la consommation des temps était là. Quand l'histoire marche à reculons à ce degré, c'est généralement vers la porte de sortie. Malgré tout, il se serait peut-être trompé...

Paul foula distraitement la tombe de Kaeso, que des herbes avaient recouverte...

Il déclara aux amis qui l'avaient accompagné — car Tigellin, qui avait quelque motif de croire à l'innocence des chrétiens, avait négligé de leur interdire le séjour de Rome —, et qui faisaient cercle en pleurant : « Au lieu de pleurer, que l'on s'occupe plutôt de choisir un successeur à Pierre ! Je renonce officiellement à toute candidature. » Cet humour suscita quelques sourires à travers les larmes.

Comme Paul s'impatientait de la lenteur avec laquelle on approfondissait le parfait rectangle de sa tombe, le centurion lui dit :

« Tu es bien pressé ! Aurais-tu rendez-vous ?

— Tu ne crois pas si bien dire : et même un premier rendez-vous !

— Et avec qui ?

— Avec un Homme ! »

Et Paul, un peu honteux de cet esprit déplacé en pareille circonstance, ajouta à voix très basse : « Depuis le temps que je m'en prive, ce n'est pas trop tôt ! »

Kaeso avait marché vers son Père. Le Paradis est fait pour combler toutes les espérances.

A cette date, la conspiration avortée de Pison avait déjà entraîné dans la mort, de proche en proche, une foule d'ambitieux et d'imprudents, la méfiance craintive de Néron s'était exaspérée, et les disgrâces avaient tourné à l'épidémie. Sénèque s'était ouvert les veines avec sa femme, que Néron avait ordonné de sauver *in extremis*, et qui n'avait pas eu l'insolence de récidiver. Pétrone s'était également ouvert les veines, mais dans sa villa campanienne de Cumes, après avoir écrit au Prince, ne laissant point d'héritier intéressant, des méchancetés bien tournées sur ses débauches originales, auxquelles il n'avait participé que rarement et du bout des lèvres. Mais il s'était tu sur les talents artistiques de Néron, et parce qu'ils étaient réels, et parce qu'il en avait dit trop de bien dans le passé. Gallion aussi, frère de Sénèque, avait été sacrifié, et son autre frère Méla, père de Lucain, et Lucain lui-même, et Thrasea, et Lucius, le dernier des Silanus...

En juin de l'année suivante, le jour anniversaire de la mort de sa femme Octavie, Néron succomba à son tour, victime d'un dernier complot aristocratique, que la complicité des militaires « provinciaux » et des prétoriens avait rendu imparable. Au cours de ses derniers instants, abandonné de tous, sauf de Sporus, il n'avait cessé de répéter : « Quel artiste va mourir avec moi ! », meilleure preuve que toute son existence avait été inspirée et conduite par l'amour de l'art. Il laissait un souvenir sympathique et inoubliable à la plèbe romaine qu'il avait tant gâtée, et, durant de longues années, des nostalgiques vinrent orner son tombeau de fleurs à la belle saison, tandis que de faux Nérons bouleversants apparaissaient... Mais la plèbe n'écrivait pas l'histoire. Elle se bornait à la vivre.

La même discrétion qui avait commandé la vie de Pierre, son séjour à Rome et son martyre, devait accompagner la destinée de ses restes, comme si l'Apôtre enfin couronné de gloire s'était malicieusement acharné à les soustraire à toute recherche.

Il est de tradition que Pierre aurait été martyrisé au Cirque Vatican. Il est évident qu'il n'a pas été enterré sur-le-champ à un jet de pierre du mur nord-ouest d'un Cirque en pleine activité, dans des jardins de plaisance qui n'avaient pas encore reçu de destination funéraire. Il est en revanche certain qu'un monument commémoratif a été construit à cet endroit entre 146 et 161, car les Romains avaient la bonne habitude de dater les briques à leur manière, ce qui laisse supposer que la dépouille de Pierre a dû être rapprochée du Cirque à cette occasion. Le bâtiment était alors désaffecté, et les environs s'étaient peu à peu transformés en nécropole. Il est possible que ladite dépouille ait été dissimulée en 258 dans les catacombes de Saint-Sébastien, près de la Voie Appienne, l'empereur Valérien ayant confisqué les cimetières chrétiens — mesure rapportée à la mort de Valérien deux ans plus tard. L'empereur Constantin fera bâtir sur le monument commémoratif abritant sans doute la tombe de Pierre la première basilique du Vatican, d'une richesse mémorable. Aux Ve et VIe siècles, Rome sera pillée cinq fois par des barbares hérétiques « ariens », qui ont probablement respecté le tombeau proprement dit. Il n'est hélas que trop certain qu'en 846, une flottille de musulmans a remonté le Tibre, pillé et profané la basilique de Saint-Pierre, qui n'était pas alors fortifiée. C'est seulement en 1939 que la papauté autorisera une vérification, à laquelle on s'était constamment refusé avant même 846. Les fouilles permettent enfin de retrouver le monument commémoratif des années 146-161, mais le tombeau est vide, ce qu'il était aisé de prévoir. Maigre consolation, on découvre à proximité des reliques qui pourraient appartenir à un pape du IIe siècle, en compagnie d'un squelette de souris.

Heureusement, le Pierre qui nous intéresse est celui qui est bien vivant, en train d'apprendre là-haut le latin !

L'Esprit souffle où Il veut.

CARTES :

Rome sous Néron
L'Italie sous Néron
Le monde romain sous Néron
Généalogie simplifiée des Julio-Claudiens

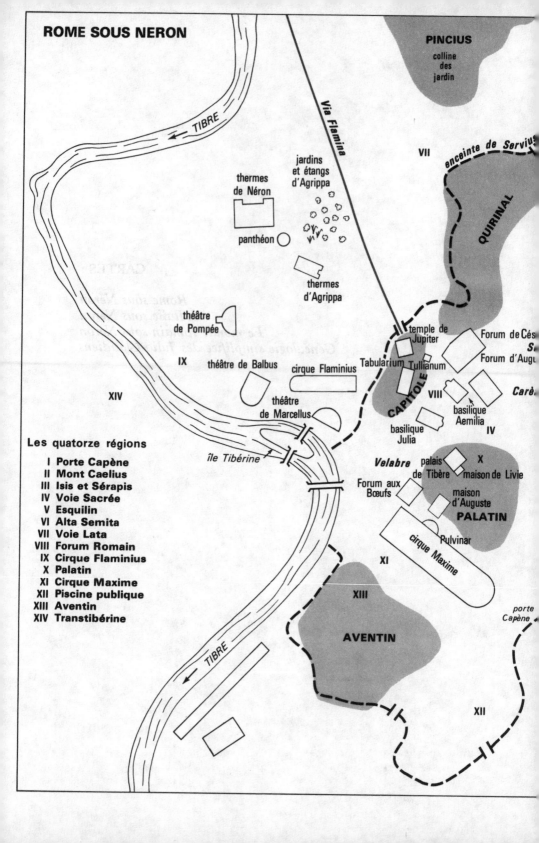

ROME SOUS NÉRON

PINCIUS
colline
des
jardin

TIBRE

Via Flaminia

VII

enceinte de Servius

QUIRINAL

thermes
de Néron

jardins
et étangs
d'Agrippa

panthéon

thermes
d'Agrippa

théâtre
de Pompée

temple de
Jupiter

Forum de Césa

S

Forum d'Augu

IX

théâtre de Balbus

cirque Flaminius

Tabularium

Tullianum

Carè

XIV

théâtre
de Marcellus

CAPITOLE

VIII

basilique
Aemilia

basilique
Julia

IV

île Tibérine

Les quatorze régions

I Porte Capène
II Mont Caelius
III Isis et Sérapis
IV Voie Sacrée
V Esquilin
VI Alta Semita
VII Voie Lata
VIII Forum Romain
IX Cirque Flaminius
X Palatin
XI Cirque Maxime
XII Piscine publique
XIII Aventin
XIV Transtibérine

Velabre

palais
de Tibère

X

maison de Livie

Forum aux
Bœufs

maison
d'Auguste

PALATIN

Pulvinar

cirque Maxime

XI

porte
Capène

XIII

AVENTIN

TIBRE

XII

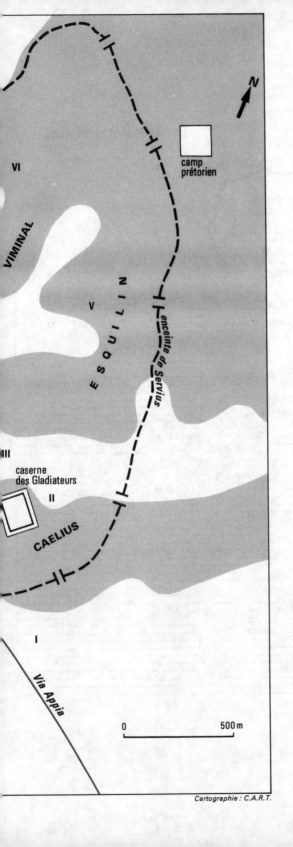

VI

VIMINAL

V

ESQUILIN

enceinte de Servius

camp prétorien

N

III

caserne
des Gladiateurs

II

CAELIUS

I

Via Appia

0   500 m

Cartographie : C.A.R.T.

L'ITALIE SOUS NÉRON

RHÉTIE

NORIQUE

TRANSPADANE

Milan

VENETIE-ISTRIE

Aquilée

LIGURIE

Gênes

EMILIE

Bologne

Ravenne

Mer

ILLYRIE

OMBRIE

ETRURIE

PICENUM

CORSE

Adriatique

SAMNIUM

ROME   via latine

LATIUM

Ostie

CAMPANIE

APULIE

Baies

via

Bénévent

appienne

Tarente

Naples

SARDAIGNE

Mer

Pompéi

LUCANIE

Brindes

Tyrrhénienne

BRUTIUM

SICILE

Catana

0   300 km

cartographie : C.A.R.T.

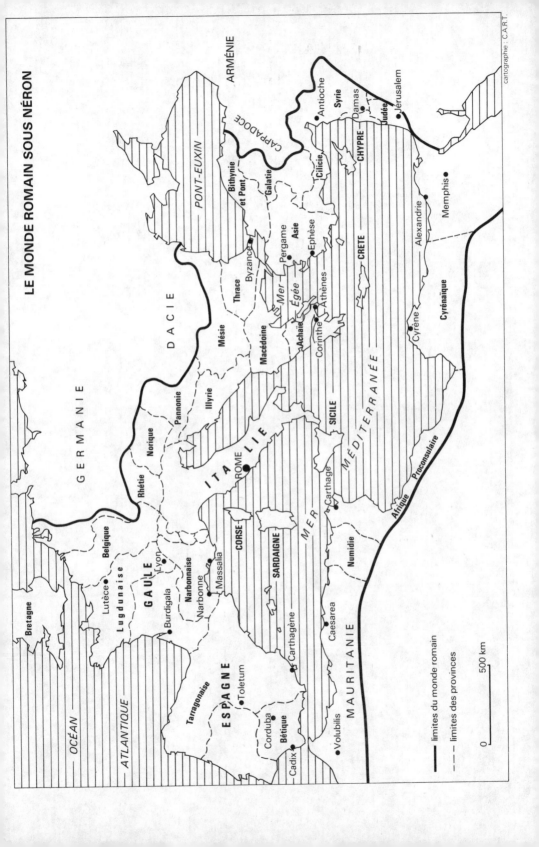

LE MONDE ROMAIN SOUS NÉRON

cartographie : C.A.R.T.

OCÉAN ATLANTIQUE

Bretagne

GERMANIE

GAULE
Lutèce
Lugdunaise
Belgique
Lyon
Burdigala
Narbonnaise
Narbonne
Massalia

ESPAGNE
Tarragonaise
Toletum
Corduba
Bétique
Cadix
Carthagène
Volubilis
Caesarea

MAURITANIE

Numidie
Carthage
Afrique Proconsulaire

CORSE
SARDAIGNE
MER

Rhétie
Norique
Pannonie
Illyrie

DACIE

ITALIE
ROME

SICILE

MÉDITERRANÉE

Mésie
Thrace
Macédoine

PONT-EUXIN

Byzance
Pergame
Asie
Éphèse
Mer Égée
Achaïe
Corinthe
Athènes

Bithynie et Pont
Galatie
CAPPADOCE

ARMÉNIE

Cilicie
Antioche
Syrie
Damas
CHYPRE
Judée
Jérusalem

CRÈTE

Cyrène
Cyrénaïque

Alexandrie
Memphis

limites du monde romain
limites des provinces

0   500 km

GENEALOGIE SIMPLIFIEE DES JULIO-CLAUDIENS

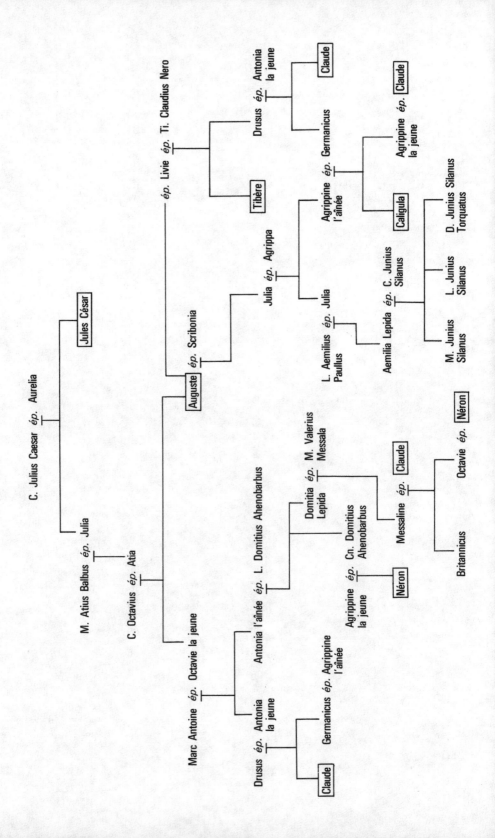

L'impression de ce livre
a été réalisée sur les presses
des Imprimeries Aubin
à Poitiers/Ligugé

pour les Éditions Julliard

Achevé d'imprimer en décembre 1984
No d'édition, 4731 — No d'impression, L 17478
Dépôt légal, octobre 1984

Imprimé en France